国 家 出 版 基 金 资 助 项 目

4

秦岭昆虫志

蛄目　缨翅目　广翅目
蛇蛉目　脉翅目　长翅目　毛翅目

总 主 编　杨星科
本卷主编　花保祯
副 主 编　刘星月　冯纪年　孙长海

世界图书出版公司
西安 北京 上海 广州

图书在版编目(CIP)数据

秦岭昆虫志. 4，蛄目　缨翅目　广翅目　蛇蛉目　脉翅目　长翅目　毛翅目／杨星科，花保祯主编. —西安：世界图书出版西安有限公司，2018. 1

ISBN 978 - 7 - 5192 - 4032 - 5

Ⅰ. ①秦…　Ⅱ. ①杨…　②花…　Ⅲ. ①秦岭—昆虫志　Ⅳ. ①Q968. 224. 1

中国版本图书馆 CIP 数据核字(2018)第 054777 号

书　　名　秦岭昆虫志　蛄目　缨翅目　广翅目　蛇蛉目　脉翅目　长翅目　毛翅目
总 主 编　杨星科
本卷主编　花保祯
责任编辑　冀彩霞　赵亚强　王　骞
装帧设计　诗风文化
出版发行　世界图书出版西安有限公司
地　　址　西安市北大街 85 号
邮　　编　710003
电　　话　029 - 87214941　87233647(市场营销部)
　　　　　029 - 87234767(总编室)
网　　址　http://www. wpcxa. com
邮　　箱　xast@ wpcxa. com
经　　销　新华书店
印　　刷　陕西博文印务有限责任公司
开　　本　787mm × 1092mm　1/16
印　　张　28. 5
插　　页　24
字　　数　600 千字
版　　次　2018 年 1 月第 1 版　2018 年 1 月第 1 次印刷
国际书号　ISBN 978 - 7 - 5192 - 4032 - 5
定　　价　360. 00 元

内容简介

本志为《秦岭昆虫志》第四卷，包括了蛄目、缨翅目、广翅目、蛇蛉目、脉翅目、长翅目和毛翅目，是国内相关同行专家对该地区各目昆虫进行系统研究的最新成果，共记述蛄目9科21属48种、缨翅目3科27属58种、广翅目2科6属11种、蛇蛉目1科1属1种、脉翅目9科31属60种、长翅目2科8属33种、毛翅目18科34属85种。给出了分科、亚科、属、种的检索表。各属种均有文献出处、模式种、属征、分布和重要属种的生态习性等；各种均有鉴别特征、国内外（省内外）的分布及重要种类的生态、寄主、经济意义等。各目之后附有参考文献。

本志可为从事昆虫学、生物多样性研究及植物保护、森林保护等工作的人员提供参考。

《秦岭昆虫志》编委会

序

秦岭是我国最古老的山脉之一，在我国生物地理上占据着重要地位。它是我国南北气候的分水岭，环境的复杂性成就了生物的多样性，因此受到了世界的高度关注。关于秦岭的生物资源、区系组成、分布格局等，植物和大型动物都有较为系统的研究和显著的成果，《秦岭植物志》《秦岭动物志》陆续问世，而无脊椎动物研究却一直属于空白。

杨星科研究员长期从事昆虫区系的研究，先后组织开展过多次大型科学考察，并且都有很好的成果以专著、考察报告等形式展现给大家，为我国的昆虫多样性研究做出了实质性的贡献。2013 年，他利用在中国科学院西安分院、陕西省科学院工作的机会，积极争取项目支持，团结全国同行，全面开展秦岭地区昆虫资源的考察。通过 3 年的野外工作，在大家的共同努力下，完成了《秦岭昆虫志》这部 12 卷册的巨著。《秦岭昆虫志》所包括的种类是原已知种类的 2 倍，编写完全按照志书的规则，不同阶元都有鉴别特征及检索表，属、种都有科学引证，在保证种类准确性的同时，为大家提供了更为广泛的信息，文后附有详细的参考文献，有力地保证了《秦岭昆虫志》的质量和水平，使这套志书具有很高的科学价值和应用价值，我相信这套志书的出版必定会对我国乃至世界昆虫多样性研究产生深远的影响。

生物多样性研究，直接关系到生物资源的合理开发与科学利用，关系到生态系统的平衡与可持续发展，关系到友好型生态环境的建设。我国地域广阔，地形复杂多样，生物多样性极为丰富。但是，我国昆虫资源家底远不清楚，昆虫多样性研究与国际相比相差甚远。如何改变这种现状，在需要国家政策支持的同时，更需要我们同行的共同努力。《秦岭昆虫志》的完成与问世，为我们大家起到了很好的示范与引领作用。

随着全球化的发展态势，世界各国、不同地域之间的各种交流、来往、贸易、物流等出现新的模式和高频次现象，这也给我们带来巨大的挑战。首先是生物安全问题，随着贸易往来、物流循环、人员交流的不断增长，外来入侵生物的入侵形势严峻，农林生产及生态环境的安全威胁加大；其次是生物产业作为未来战略新兴产业，对生物资源的挖掘与开发日趋强化，生物资源的研究与保护已不仅仅是一个科学问题。这些都关系到我们国家的经济与社会发展战略。昆虫是生物界最大的家族，蕴藏着巨大的资源，摸清昆虫资源家底，不但可以有效应对外来生物入侵，破解生物安全的威胁，同时也可以对我国生物资源的保护和利用做出实质性的贡献，这是我们科技工作者义不容辞的责任和义务。我衷心希望我国昆虫界的同仁们，在国家建设科技强国战略的指引下，大家齐心协力，共同努力，把我国昆虫多样性研究推向一个新的水平，真正服务于国家战略需求！

这或许是《秦岭昆虫志》带给我们的启迪吧！

是为序！

中国科学院院士

中国科学院上海植物生理生态研究所研究员　尹文英

2016 年 11 月于上海

出版前言

秦岭自西向东横贯我国中部，是长江、黄河两大水系的分水岭，西起甘肃临洮，东抵河南鲁山，东西长达500km，南北宽140～200km，地处北纬32°5′～34°45′，东经104°30′～115°52′。秦岭西部比较陡峭，海拔较高，一般在2000～3000m；东部比较舒缓，海拔较低，一般在2000m以下。它是古北区和东洋区的分界线，同时为亚热带、暖温带的分界线，亚热带常绿阔叶林的分布北线。该地区具有从一种自然地理条件向另一种自然过渡、从一种地质构造单元向另一种构造单元过渡的特性。同时，秦岭作为我国大陆青藏高原以东的最高山地，具有自己独特的垂直景观带谱。正因为秦岭山地地理位置的特殊性，使得其物种多样性非常丰富且具较强的区域特异性，一直是生物分类学和生物地理学研究的热点区域。然而，之前对该地区昆虫区系研究多较为零散，缺乏系统的专著。

1997年，中国科学院生命科学院生物技术局设立“关键地区生物资源综合考察及其评价”重大项目，并于1998～1999年由项目主持单位组织考察秦岭西段和甘肃南部地区。在此研究基础上，形成了2005年出版的《秦岭西段及甘南地区昆虫》这一专著。该书对于秦岭西部地区的昆虫类群的系统研究有着重要意义，推动了对该区生物多样性的研究，也让更多的人认识到了秦岭地区的重要性。然而，由于其工作多集中在秦岭西部地区，对秦岭中、东部地区的调查较少，未能反映整个秦岭地区昆虫的全貌。为了全面系统地评价和利用秦岭昆虫资源，我们在陕西省财政厅科技专项经费的支持下，在陕西省科学院的大力帮助下，从2012年开始，再次进行了为期3年的野外调查工作，在借鉴秦岭西段研究结果的基础上，重点加强了秦岭中、东部地区的调查工作。参加野外工作的包括陕西省动物研究所、西北农林科技大学、陕西师范大学、中国科学院动物研究所、南开大学、浙江大学、河北大学、中国农业大学、中南科技大学等十多家单位，计120多人次，共获得昆虫标本50余万号，进一步完善了秦岭地区昆虫多样性资料，为编写《秦岭昆虫志》奠定了良好基础。

《秦岭昆虫志》按照《中国动物志》的编写体例进行编写，顺序上参照六足动物的系统关系；各目按照系统发育关系，以科为单元进行编写，科下各属按照系统关系排序，属内各种以种名的首字母顺序编排，各阶元都有鉴别特征和检索表，属、种都有科学引证，文后附参考文献。为了准确体现各位专家的劳动，除了《秦岭昆虫志》编委会外，各卷都有本卷的编委会，各科作者署名紧跟其后。

《秦岭昆虫志》共分为十二卷：第一卷由廉振民教授主编，包括无翅昆虫、蜉蝣目、蜻蜓目、襀翅目、蜚蠊目、等翅目、螳螂目、革翅目、直翅目、竹节虫目；第二卷由卜文俊教授主编，包括半翅目异翅亚目；第三卷由张雅林教授主编，包括半翅目同翅亚目；第四卷由花保祯教授主编，包括蛄目、缨翅目、广翅目、蛇蛉目、脉翅目、毛翅目、长翅目；第五卷鞘翅目（一）由杨星科、葛斯琴研究员主编，包括步甲科、龙虱科、牙甲总科、隐翅虫总科、金龟总科、花甲总科、丸甲总科、长蠹总科、吉丁甲总科、叩甲总科、郭公甲总科、扁甲总科、拟步甲总科等；第六卷鞘翅目（二）由林美英博士主编，包括暗天牛科、瘦天牛科和天牛科；第七卷鞘翅目（三）由杨星科、张润志研究员主编，主要包括叶甲总科（除去天牛类）、象甲总科；第八卷鳞翅目由薛大勇研究员、韩红香和姜楠博士主编，包括大蛾类；第九卷鳞翅目（二）由房丽君研究员主编，包括蝶类；第十卷由杨定教授、王孟卿副研究员和董慧博士主编，包括双翅目；第十一卷由陈学新教授主编，包括膜翅目。十一卷共记述了秦岭地区六足类4纲27目334科3325属7496种，其中包括1个新属、27个新种、12个中国新纪录属、34个新纪录种、42个陕西新纪录属、260个陕西新纪录种。需要说明的是：鳞翅目小蛾类已由南开大学李后魂教授主编先期出版，我们这次没有组织重新编写；另有部分目、科因为国内没有专家研究，因此没有办法编写。为了弥补缺憾，系统总结陕西秦岭地区已知昆虫种类，同时也便于读者使用，由唐周怀研究员、杨美霞博士主编，完成了《陕西昆虫名录》，作为本志的第十二卷。

目前，《秦岭昆虫志》即将付梓。该项目成果的获得，是全国广大同行通力合作、共同努力的结果，凝聚了昆虫分类学者忠诚于神圣事业的集体智慧。项目主持单位、《秦岭昆虫志》编委会对各卷主编的辛勤劳动和各位专家的全力支持、无私奉献表示衷心的感谢！对大家的科学精神表示敬佩！

在项目立项初期，白明博士在项目建议书的起草、成稿等方面做了大量工作；张雅林、廉振民等多位教授提出了许多宝贵意见；陕西省财政厅教科文处在项目申请和审批方面给予了诸多指导和帮助。在项目执行过程中，陕西省动物研究所领导给予了全力的支持，唐周怀研究员对野外工作给予了多方面的协调和帮助。

在本志编写过程中，尹文英院士、印象初院士、康乐院士分别给予了不同程度的鼓励、支持、指导和帮助，特别是尹文英院士在大病初愈的情况下欣然为本志写序，让我们深受鼓舞和激励！

在本志的统稿过程中，杨美霞博士付出了巨大的劳动，崔俊芝女士和郭明霞同学在文字整理、格式修改、学名审核等方面做了大量的工作。本书的出版，得到了世界图书出版有限公司的鼎力支持，特别是薛春民先生的全力支持与帮助，责任编辑同志亦付出了的艰辛的努力和辛勤的劳动，终使本志得以顺利出版。

我们谨借此对以上相关单位和个人，以及在项目执行和出版过程中提供帮助和做出贡献的同志表示衷心的感谢！

由于我们的水平所限，本志的错误和缺憾在所难免，诚望大家不吝赐教！

《秦岭昆虫志》编委会

2017 年 10 月于古城西安

Preface

Through the middle China from the West to the East, the Qinling Mountains provide a natural boundary between the Yangtze River and the Yellow River, the two major river systems in China. Located around the latitude 32°5′ – 34°45′N and the longitude 104°30′ – 115°52′E, they stretch from Lintao, Gansu Province in the west to Lushan, Henan Province in the east, with the length of 500km from west to east and the breadth of 140 – 200km from north to south. The west part of the Qinling Mountains is considerably steep, with higher elevations of 2000 – 3000m, while the east part is comparatively gentle, with lower elevation generally below 2000m. The Qinling Mountains are generally accepted as the boundary between Palaearctic and Oriental Regions, subtropical and warm temperate zones, as well as the north line of distribution of subtropical evergreen broad-leaved forests. This region is characterized by transition from one natural geographical condition to another and one geological structure unit to another. Furthermore, the Qinling Mountains, as the highest mountain in the east of the Qinghai-Tibet Plateau, have their own unique vertical landscape spectrum. Because of the special geographical location of the Qinling Mountains Range, it is rich in species diversity and has strong regional endemism, which constantly makes it research hotspot both for taxonomy and biogeography. However, the study of insect fauna in this area is fragmented and still lacks systematic monographs.

In 1997, the Biotechnology Bureau of the Chinese Academy of Sciences established a major Project of "Comprehensive Survey and Evaluation of Biological Resources in Key Regions". In 1998 – 1999, the presider of this project investigated the western part of Qinling range and southern Gansu. On the basis of these expeditions, a monograph entitled *Insect Fauna of Mid-West Qinling Range and Southern Gansu* was published in 2005. This book is of great significance for the systematic study of insects in the western Qinling region. It has promoted the study of biodiversity in this region and made more people realize the importance of Qinling region. However, since its work is mainly concentrated on the west part of Qinling, there are little surveys in the mid-east part, which hardly reflects the true state of the insect fauna of the entire Qinling Mountains. In order to comprehensively and systematically evaluate and utilize the insect resources of the Qinling Mountains, funded by special expenses of Science and Technology Project from the Financial Department of Shaanxi Province, as well as the help from Shaanxi Academy of Sciences, we have carried out a three-year field survey since 2012. Based on the expedition results of the western region, we have paid more attention to the eastern part of the Qinling Mountains during the investigations. More than 120 researchers from over 10 institutions participated in the field work, including Shaanxi Institute of Zoology, Northwest A & F University, Shaanxi Normal University, Institute of Zoology, Chinese Academy of Sciences, Nankai University, Zhejiang University, Hebei University, China Agricultural University, Central South University of Forestry and Technology etc. Over half million insect specimens were collected, which would greatly improve the biodiversity data of insect fauna in the Qinling region and lay a good foundation for the compiling of the monograph *Insect Fauna of the Qinling Mountains*.

The compiling style of *Insect Fauna of the Qinling Mountains* is mainly in accordance with *Fauna Sinica*, and the sequence is based on the systematic relationship of the hexapod system. The compiling of each order is according to the phylogenetic relationship and one family is taken as a unit. Below the family, the sequence of each genus is also according to the phylogenetic relationship, while below the genus, the arrangement of species is in alphabetical order. Each species is sorted according to the first letter. Each category is accompanied by identification feature and identification key, and each genus, as well as each species has scientific citation. At the end, references are attached. In order to accurately reflect the work of every specialist, apart from the Editorial Board of *Insect Fauna of the Qinling Mountains*, the Editorial Board for each volume is also provided, and the authors for each family immediately follow the family name.

There are totally 12 volumes for *Insect Fauna of the Qinling Mountains*. Volume Ⅰ is edited by Professor Lian Zhenmin, and includes apterygot insects, Ephemeroptera, Odonata, Plecoptera, Blattodea, Isoptera, Mantodea, Dermaptera, Orthoptera and Phasmatodea. Volume Ⅱ is edited by Professor Bu Wenjun, and includes Hemiptera-Heteroptera. Volume Ⅲ is edited by Professor Zhang Yalin, and includes Hemiptera-Homoptera. Volume Ⅳ is edited by Professor Hua Baozhen, and includes Psocoptera, Thysanoptera, Megaloptera, Raphidioptera, Neuroptera, Trichoptera and Mecoptera. Volume Ⅴ (Coleoptera Ⅰ) is jointly edited by Professor Yang Xingke and Ge Siqin, and includes Carabidae, Dytiscidae, Hydrophiloidea, Staphylinoidea, Scarabaeoidea, Dascilloidea, Byrrhoidea, Dryopoidea, Buprestoidea, Elateroidea, Cleroidea, Cujoidea and Tenebrionoidea. Volume Ⅵ (ColeopteraⅡ) is edited by Dr. Lin Meiying, and includes

Vesperidae, Disteniidae and Cerambycidae. Volume Ⅶ (Coleoptera Ⅲ) is jointly edited by Professor Yang Xingke and Zhang Runzhi, and includes Chrysomeloidea (except Cerambycid-beetles) and Curculionoidea. Volume Ⅷ (Lepidoptera Ⅰ) is jointly edited by Professor Xue Dayong, Dr. Han Hongxiang and Jiang Nan, and includes large moths. Volume Ⅸ (Lepidoptera Ⅱ) is edited by Professor Fang Lijun, and includes exclusively butterflies. Volume Ⅹ is edited by Professor Yang Ding, Associate Prof. Wang Mengqing and Dr. Dong Hui, and includes Diptera. Volume Ⅺ is edited by Professor Chen Xuexin, and includes Hymenoptera. There are totally 4 classes, 27 orders, 334 families, 3325 genera and 7496 species of Hexapoda recorded in the 11 volumes of this series, including one new genus and 27 new species. For the new record, there are 12 genera and 34 species from China, as well as 42 genera and 260 species from Shaanxi Province. It should be noted that the contents of Microlepidoptera have been published previously by Professor Li Houhun, Nankai University, therefore, we haven't rewritten the same context. Besides, due to the unavailability of suitable specialists, some insect groups unavoidably are not covered in this series. In order to make up for this defect and systematically summarize the known species of insects, as well as make convenience for the readers, the book *Insect Fauna of Shaanxi Province*, was jointly compiled by Prof. Tang Zhouhuai and Dr. Yang Meixia, which will be the twelfth volume of this series.

Currently, 12 volumes have been completed and are ready for publication. The achievements should be addressed to the cooperation and collective intelligence of numerous entomologists throughout China. The project presiding institution and the editorial board are highly appreciated with all specialists' hard work, full support and unselfish dedication!

During the initial stage of the program, Dr. Bai Ming had contributed a lot to the drafting of the research proposal. Prof. Zhang Yalin and Prof. Lian Zhenmin had proposed many valuable comments. The Financial Department of Shaanxi Province had given a lot of guidance and helps during the application process and final approval of the program. During the conduction of the program, the authority of Shaanxi Institute of Zoology had given a full support to the research. Prof. Tang Zhouhuai had made a lot of coordination and assistances in the fieldwork.

In the preparation of this series of books, Academicians Yin Wenying, Yin Xiangchu and Kang Le had provided various degrees of encouragement, supports, guidance and help! In particular, Prof. Yin Wenying readily consented to write the preface even though she had just recovered from a severe illness, which really made us encouraged and inspired!

In the process of drafting preparation, Dr. Yang Meixia had paid a great labor. Mrs. Cui Junzhi and Miss Guo Mingxia had done a lot of work in word polishing, format adjustment, and terms checking. While, the publication of this series have obtained great support from World Publishing Corporation, especially Mr. Xue Chunmin. The executive editors have also made a lot of hard work.

We would like to express our heartfelt gratitude to the above-mentioned institutes and individuals, as well as those not mentioned above but provided various assistances in the implementation period of the program, drafting preparation and publication.

Due to the limitations of our expertise, there are inevitable mistakes and shortcomings in this series. We sincerely expect you to enlighten us with your instruction!

Editorial Board of *Insect Fauna of the Qinling Mountains*

前　言

秦岭是横贯中国中部的东西走向的山脉，西起甘肃省临潭县北部的白石山，向东经天水麦积山进入陕西，东部止于河南伏牛山，是中国地理上亚热带与暖温带的重要分界线，也是世界生物地理区划中古北区与东洋区在我国的重要分界线，蕴含着丰富的动植物资源，尤其是昆虫资源。数十年来，虽然国内众多昆虫学者都曾经在秦岭采集或调查昆虫标本，也陆续记载和发表了许多秦岭昆虫种类，但迄今为止，一直未见有一本关于秦岭昆虫志之类的权威专著问世。谈论及此，每每令吾等以昆虫分类为业者颇感汗颜。幸喜杨星科先生2011年底来陕西省科学院任职，他积极倡议并组织国内昆虫分类学同仁共同编写《秦岭昆虫志》，同时不辞辛苦，自任总编，张雅林、廉振民、唐周怀先生等任副总编，促成了《秦岭昆虫志》的编写。《秦岭昆虫志》系列专著的编写与出版，实为我国昆虫学界一大幸事，必将推动秦岭昆虫多样性研究和秦岭地区昆虫分类学的进一步发展，尤其是对东洋区和古北区在秦岭地区的分界线的具体划界提供重要的基础资料。

本志内容包括蛄目、缨翅目、脉翅目、广翅目、蛇蛉目、长翅目及毛翅目。本志的编写幸得刘星月（承担蛄目、脉翅目、广翅目、蛇蛉目）、孙长海（承担毛翅目）和冯纪年（承担缨翅目）等学者的鼎力相助，本卷才得以完成初步编写任务。初稿完成后，又经杨星科先生详细审阅，并提出专业的修改意见，才形成了第四卷的最终版本。

在本志的编写过程中，梁飞扬、程子昕、李法圣、杨帆、刘志琦、赵旸、严冰珍、田燕、林黄正中、聂瑞娥、王永杰、徐晗、张韦、杨秀帅、王珊、贾春枫、郭付振、张诗萌、黄蓬英、谭江丽、陈静、蔡立君、钟问、姜禄、张俊霞、高超、马娜、王吉申、杜薇、王萌等参与了编写工作，为本卷的编写与出版做出了重要贡献。

在本志的编写过程中，我们深感秦岭山脉体量巨大，东西长1600多千米，横跨甘、陕、豫三省，山中尚有不少地区未能得到全面考察和采集。因此，要想把居住和栖息在秦岭山中的全部昆虫种类都弄清楚，恐非一朝一夕之功所能完成，更不可能毕其功于一役。《秦岭昆虫志》第四卷的出版，只是探究秦岭昆虫区系和昆虫多样性的一个起点，更多、更详尽的工作尚有待于今后来完成。

花保祯

2017年9月27日

目　录

蛄目 Psocoptera

缨翅目 Thysanoptera

广翅目 Megaloptera

蛇蛉目 Raphidioptera

脉翅目 Neuroptera

长翅目 Mecoptera

毛翅目 Trichoptera

蝎目 Psocoptera

梁飞扬　程子昕　李法圣　刘星月
（中国农业大学昆虫学系 北京 100193）

鉴别特征：蝎目昆虫为一类小型昆虫，最长不超过 12.0mm。头部大，复眼向两侧突出；后唇基特别发达，下颚须 4 节。前胸缩小，中胸发达。长翅、短翅和无翅种类均存在。大部分种类前翅 AP 室存在。足跗节 2 节或 3 节。腹部分 10 节，听器位于第 1 腹节背板的两侧；气门通常 8 对。有些科的种类腹部有 2 ~ 3 个囊泡（abdomial vesicles），是节间膜上的一种构造（Turner，1974），可能是帮助蝎虫在光滑表面爬行（New，1977）；腹部囊泡也可作为分属的鉴别特征。末端具肛上板（epiproct）和 1 对肛侧板（paraproct）；通常肛侧板上具毛点区（trichobothrial field），毛点区分布有数量不等的毛点（trichobothrium）。雄虫第 9 腹板为下生殖板，对称或不对称；阳茎通常成环状，为阳茎环。雌虫生殖突分为外瓣、背瓣和腹瓣，外瓣发达或退化；亚生殖板常具各种骨化区；受精囊球形。

分类：全世界已知超过 5000 种，中国记录 1505 种，陕西秦岭地区分布 9 科 21 属 48 种，其中 1 个陕西新纪录属，3 个陕西新纪录种。

分科检索表

1. 前翅表面具鳞片 …………………………………………………… **重蝎科 Amphientomidae**
   前翅表面无鳞片 …………………………………………………………………… 2
2. 腹部具 2 ~ 3 个囊泡 ………………………………………………………………… 3
   腹部无囊泡 …………………………………………………………………………… 6
3. 前翅翅脉上仅具 1 列毛 ……………………………………………………………… 4
   前翅至少基部脉具 2 列毛 …………………………………………………………… 5
4. 前翅翅痣后无横脉 ………………………………………………… **单蝎科 Caeciliusidae**
   前翅翅痣后具横脉 r-rs …………………………………………… **狭蝎科 Stenopsocidae**
5. 后翅外缘无交叉毛，雌虫生殖突结构简单，外瓣退化 ………… **双蝎科 Amphipsocidae**
   后翅外缘具交叉毛，雌虫生殖突完全，外瓣宽阔 …………… **叉蝎科 Pseudocaeciliidae**
6. 前翅具 AP 室 ………………………………………………………………………… 7
   前翅无 AP 室 ………………………………………………………………………… 8
7. 前翅 M 分 2 支 …………………………………………………… **半蝎科 Hemipsocidae**
   前翅 M 分 3 支 ……………………………………………………………… **蝎科 Psocidae**

8.　前翅无毛，后唇基紧贴头盖缝臂……………………………………………… 围蛄科 **Peripsocidae**
　　前翅具毛，后唇基不贴近头盖缝臂 …………………………………………… 外蛄科 **Ectopsocidae**

(一) 重蛄科 Amphientomidae

鉴别特征： 长翅、短翅或无翅，体翅通常被鳞片。触角通常 14～17 节，第 4～5 节后具次生的环；少数 13 节。单眼 3 个或 2 个，有些无翅者无单眼；下颚须第 2 节上具感觉器；内颚叶端分岔，下唇须 1 节或 2 节。足附节 3 节，爪具 1 个或 2 个亚端齿；前足腿节、胫节内侧具梳状齿。前翅 Sc_a 和翅痣有或无；Rs 与 M 以横脉相连；Cu_{1a}通常长；A 脉 2 条。后翅 Rs_b 常缺，无封闭的翅室；M 单一不分岔。亚生殖板宽圆。通常近端具骨化的"T"形骨片；生殖突完全、发达，背、腹瓣具尖，外瓣宽大，无刚毛，常分成 2 叶或更多的叶；有些无翅成虫生殖突退化，仅存外瓣。下生殖板简单，阳茎环呈叉状，端部开放；阳茎球膜质，少数具骨化的构造。

分类： 主要分布于非洲，亚洲的东洋区。全世界已知 28 属 137 种。中国已知 14 属 67 种，陕西秦岭地区分布 2 属 4 种。

分属检索表

前翅 Sc_a存在 ……………………………………………………………………… 色重蛄属 ***Seopsis***
前翅 Sc_a 无 …………………………………………………………………… 刺重蛄属 ***Stimulopalpus***

1. 色重蛄属 *Seopsis* Enderlein, 1906

Seopsis Enderlein, 1906: 67. **Type species**: *Seopsis vasantasena* Enderlein, 1906.

属征： 小型到中型，体长(达翅端)3.0～5.0mm。触角 14 节；内颚叶端部分叉。足跗节 3 节，爪具 1 个亚端齿；后足基跗节具毛栉。前翅端圆 Sc_a存在；Rs 分 2 支，M 分 3 支，2A 存在。后翅 R_1 终止于膜质部。阳茎环开放，基部具柄，阳茎球膜质；生殖突发达，完全，外瓣发达，与背瓣合并；亚生殖板简单。

分布： 东洋区，新热带区，非洲区。全世界已知 20 种，中国记录 13 种，秦岭地区发现 3 种。

分种检索表

1.　前胸背板两侧具褐色纵带 ………………………………… 长鳞色重蛄 ***Seopsis longisquama***
　　前胸背板两侧无褐色纵带 ……………………………………………………………… 2

2. 胸部深褐色，中胸侧面具褐色横带……………………………… **秦岭色重啮 *S. qinlingensis***
胸部黄色，中胸侧面无褐色横带 ……………………………… **大色重啮 *S. magna***

(1) 长鳞色重啮 *Seopsis longisquama* Li, 2002(图1)

Seopsis longisquama Li, 2002: 133.

鉴别特征： 雄虫和雌虫(酒精浸存)头黄色，头顶具有小褐斑组成的带，单眼周褐色，复眼黑色，额区及单眼两侧具褐斑；后唇基及上唇黄色；下颚须、触角黄褐色。胸部黄褐色，前胸两侧具褐色纵带；足黄褐色；翅污褐色，具污白色斑，脉全为褐色。腹部黄褐色，腹面具碎褐色斑。雄虫前后翅面鳞片细长而弯曲，翅缘有粗短和细长两种鳞片。足跗节3节，爪具1个亚端齿及1列小齿。肛上板短舌状，具褐色斑，肛侧板毛点区不清晰，毛点小刚毛状，约9根。阳茎环基端锥状，阳茎球1对，骨弱化；下生殖板简单。雌虫肛侧板毛点约11个，刚毛状。生殖突腹瓣狭长；背外瓣合并，宽长，端尖；亚生殖板端锥状，骨化黄褐色，各具1个凹缺；受精囊囊状，受精囊孔板钥匙状。

采集记录： 10♂5♀，宁陕火地塘，1985.Ⅵ.18，杨集昆采。

分布： 陕西(宁陕)。

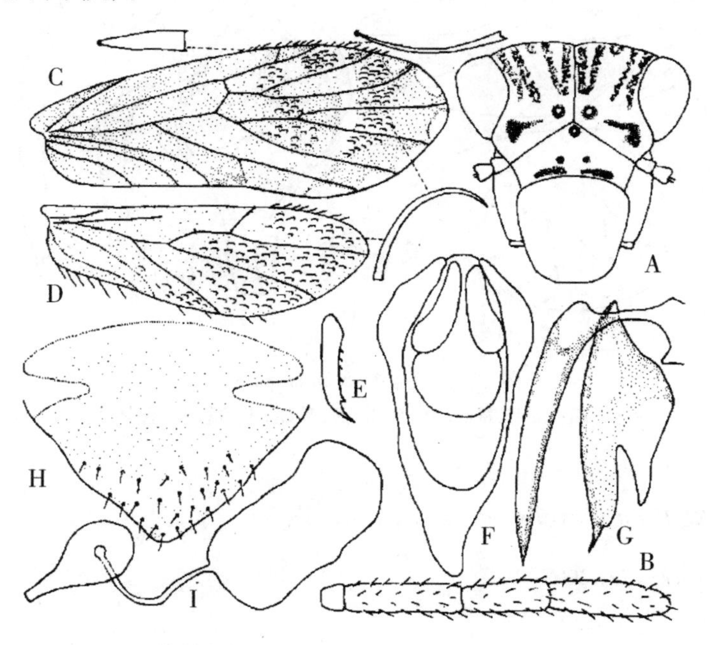

图1　长鳞色重啮 *Seopsis longisquama* Li(A-E♂，G-I♀)
A. 头；B. 下颚须；C. 前翅；D. 后翅；E. 爪；F. 阳茎环；G. 生殖突；H. 亚生殖板；I. 受精囊

(2)大色重蛄 *Seopsis magna* Li, 2002(图2)

Seopsis magna Li, 2002: 138.

鉴别特征: 雄虫(酒精浸存)头黄色,具淡褐色条斑;单眼内侧褐色,复眼棕褐色;后唇基与前唇基黄色,上唇褐色;下额须与触角淡黄色。胸部黄色;足淡黄色;翅污黄色,无鳞斑。腹部黄色,腹面褐色。足跗节3节,爪具1个亚端齿及1列小齿。第9腹节背板后缘具2块褐斑;肛上板半圆形,肛侧板毛点区不明显,毛点刚毛状。阳茎环基端柄状,两侧端略膨大,端开放,阳茎球1对膜质;下生殖板简单,骨化很浅。

采集记录: 1♂,勉县武侯墓,1985. Ⅶ. 26,李法圣采。

分布: 陕西(勉县)。

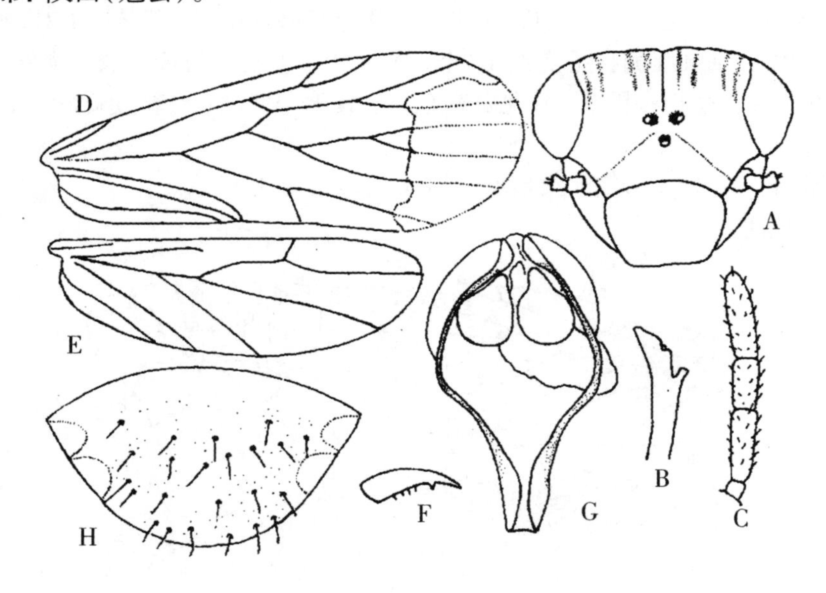

图2 大色重蛄 *Seopsis magna* Li

A. 头; B. 内颚叶端; C. 下颚须; D. 前翅; E. 后翅; F. 爪; G. 阳茎环; H. 下生殖板

(3)秦岭色重蛄 *Seopsis qinlingensis* Li, 2002(图3)

Seopsis qinlingensis Li, 2002: 107.

鉴别特征: 雌虫(酒精浸存)头黄褐色,头盖缝干、复眼黑色,后唇基黄褐色,上唇深褐色;下颚须黄色,末节褐色;触角黄色至黄褐色。胸部深褐色,中胸背面黄色,两侧具1条向后弯的褐色横带;足黄褐色;翅深褐色,脉黑褐色,前翅基半部脉淡。腹部黄色至黄褐色,生殖节骨化为褐色。足跗节3节,爪具1个亚端齿和1列小齿。肛侧板毛点区毛点 8 个，刚毛状。生殖突腹瓣宽长，端细尖；背瓣与外瓣合并，端尖；亚生殖板简单，受精囊孔板盾形，末端尖，基端及两侧骨化褐色。

采集记录：1♀，秦岭，1500m，1962. Ⅶ. 06，杨集昆采。

分布：陕西（秦岭）。

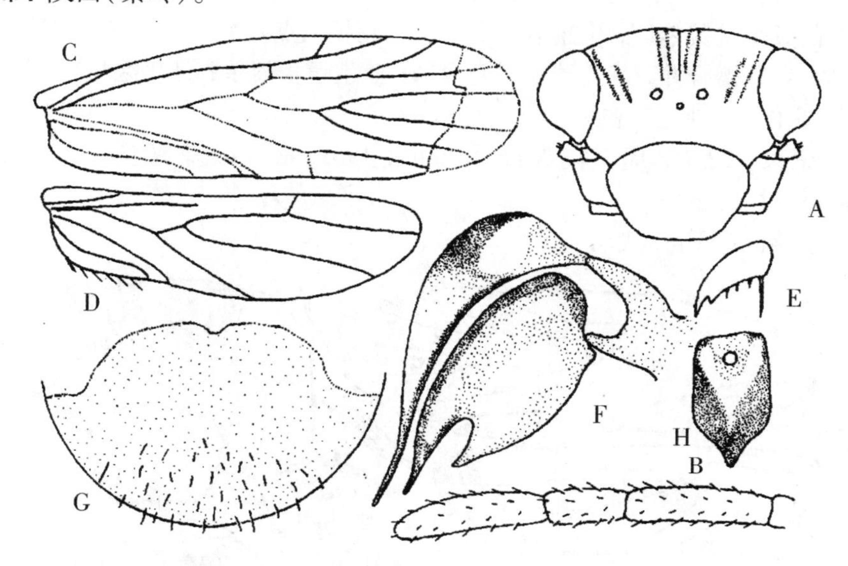

图 3　秦岭色重蛄 *Seopsis qinlingensis* Li

A. 头；B. 下颚须；C. 前翅；D. 后翅；E. 爪；F. 生殖突；G. 亚生殖板；H. 受精囊孔板

2. 刺重蛄属 *Stimulopalpus* Enderlein, 1906

Stimulopalpus Enderlein, 1906. Spolia Zeylanica 4: 65. **Type species**: *Seopsis japopnicus* Enderlein, 1906.

属征：中等大小，通常 3.0 ~ 4.0mm。触角通常 14 节，少数 13 节；内颚叶端部分叉不明显；下颚须第 2 ~ 4 节具粗的感觉刺或感觉锥；单眼 3 个，中单眼小；头盖缝臂不明显或无。足跗节 3 节，爪具 1 个亚端齿，后足基跗节具毛栉。肛侧板毛点刚毛状。雄虫阳茎环端部开放，略膨大，有些具骨化的角突。雌虫生殖突腹瓣狭长，端尖；背瓣和外瓣合并，外瓣无刚毛，少数具微毛。

分布：东洋区，新北区，新热带区，澳洲区。全世界已知 27 种，中国记录 24 种，秦岭地区发现 1 种。

（4）盾形刺重蛄 *Stimulopalpus peltatus* Li, 2002（图 4）

Stimulopalpus peltatus Li, 2002: 167.

鉴别特征：雌虫（酒精浸存）头黄色，具棕褐色斑；单眼周及复眼黑色；后唇基及上唇深褐色；下额须黄色，第3节黄褐色，第4节褐色；触角褐色。前胸黄色具褐斑，中后胸深褐色；足黄色，腿节端、基跗节基半及端2跗节黑褐色；胫节中部具2段褐斑；前翅污褐色，端污白色，脉深褐色，基部脉淡色；后翅污褐色，脉深褐色。腹部黄色，背面具少量黄色斑，生殖节深褐色。肛侧板毛点8个。生殖突腹瓣狭长，端细尖而弯钩；背外瓣合并，背瓣端细尖而弯钩；亚生殖板简单，骨化区呈“工”字形；受精囊孔板盾形，具骨化环和纹。

采集记录：22♀，周至楼观台，1200m，1962. Ⅷ. 17，李法圣采；1♀，武功，1962. Ⅷ. 09，杨集昆采。

分布：陕西（周至、武功）。

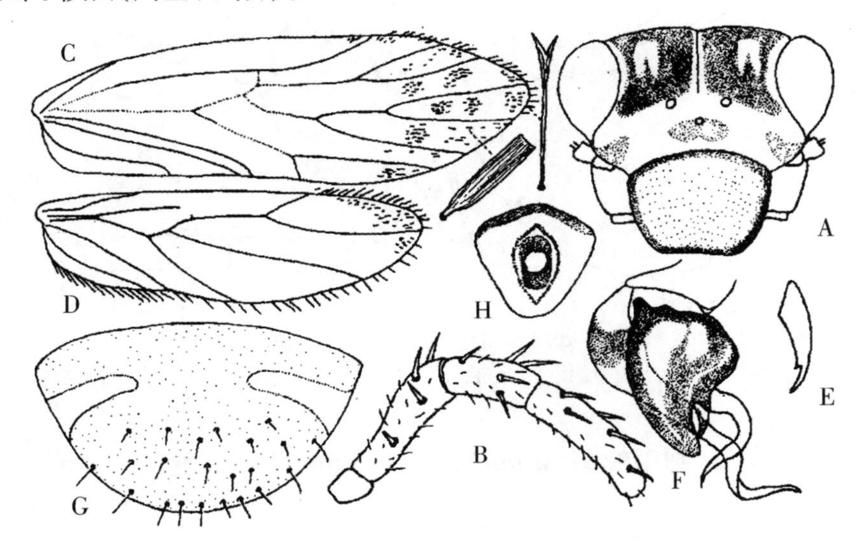

图4 盾形刺重蝎 *Stimulopalpus peltatus* Li

A. 头；B. 下颚须；C. 前翅；D. 后翅；E. 爪；F. 生殖突；G. 亚生殖板；H. 受精囊孔板

（二）单蝎科 Caeciliusidae

鉴别特征：长翅、短翅或无翅。体中等大小。触角13节，线状或鞭节第1～2节膨大；单眼3个或无。足跗节2节，爪无亚端齿，爪垫宽。翅痣发达；前翅Rs与M合并一段或以横脉相连或以一点相接；Rs分2支，M分3支或2支，Cu_{1a}自由或与M合并一段或以横脉相连；后翅基脉长，Rs和M合并一段。前翅缘及脉具毛，脉单列毛或基半部脉（R、M + Cu_1 和 A）双列毛，Cu_2无毛或具单列毛；通常膜质部无毛，少数基半部具毛；后翅缘除前缘基2/3无毛外，其余具毛；脉无毛，少数R_1端具毛。

肛上板和肛侧板雄虫有些属具瘤突或齿突(粗糙区)。雄虫阳茎环封闭或基部开放,下生殖板简单。雌虫生殖突腹瓣细长,背瓣与外瓣合并或外瓣退化,通常具单根刚毛;亚生殖板简单,有些后缘中央具凹缺。

分类:全世界已知32属676种,中国记录11属337种,陕西秦岭地区分布2属9种。

3. 无眼单蛄属 *Anoculaticaecilius* Li, 1997

Anoculaticaecilius Li, 1997: 398. **Type species**: *Anoculaticaecilius chuanshaanicus* Li, 1977.

属征:长翅。头盖缝完全,无单眼;内颚叶近端部缢缩,端部宽阔,不分叉;上唇感器5个。前翅M分3支,Cu_1自由,Cu_2无毛;后翅仅翅缘具毛。雌虫生殖突完全,外瓣无刚毛;亚生殖板简单;受精囊柄细长。雄虫阳茎环封闭,阳茎球分为多瓣,下生殖板骨化区呈"品"字形。

分布:中国。中国特有属,仅知1种,秦岭地区有分布。

(5)川陕无眼单蛄 *Anoculaticaecilius chuanshaanicus* Li, 1977(图5)

Anoculaticaecilius chuanshaanicus Li, 1977: 399.

鉴别特征:雄虫和雌虫(酒精浸存)头褐色,头盖缝干、复眼黑色,头盖缝臂不明显;后唇基褐色,前唇基、上唇黄褐色;下额须褐色至深褐色;触角黄色。胸部褐色,背部深褐色;足黄色,跗节、前中足茎节深褐色;翅深污黄色至污黄褐色,翅痣稍深,脉褐色。腹部黄色。雄虫前翅痣宽阔,后角明显,圆尖;后翅Rs分叉长,R_{2+3}垂直伸向翅缘。肛上板半圆形,肛侧板毛点21个。阳茎环封闭,外阳茎端多孔;下生殖板后缘圆弧形弯曲,骨化呈倒"品"字形,每块各呈三角形。雌虫前翅翅痣后角尖;后翅Rs分叉宽阔,略长于Rs_a。肛侧板毛点12个。生殖突腹瓣细长,背瓣与外瓣合并,呈"T"形,外瓣退化,无刚毛;亚生殖板后缘中央凹缺,骨化区呈"V"形伸向两侧;受精囊球形,淡色,横径长0.08mm。

采集记录:1♀,南郑,1650m,1985.Ⅶ.23,李法圣采。

分布:陕西(南郑)、四川。

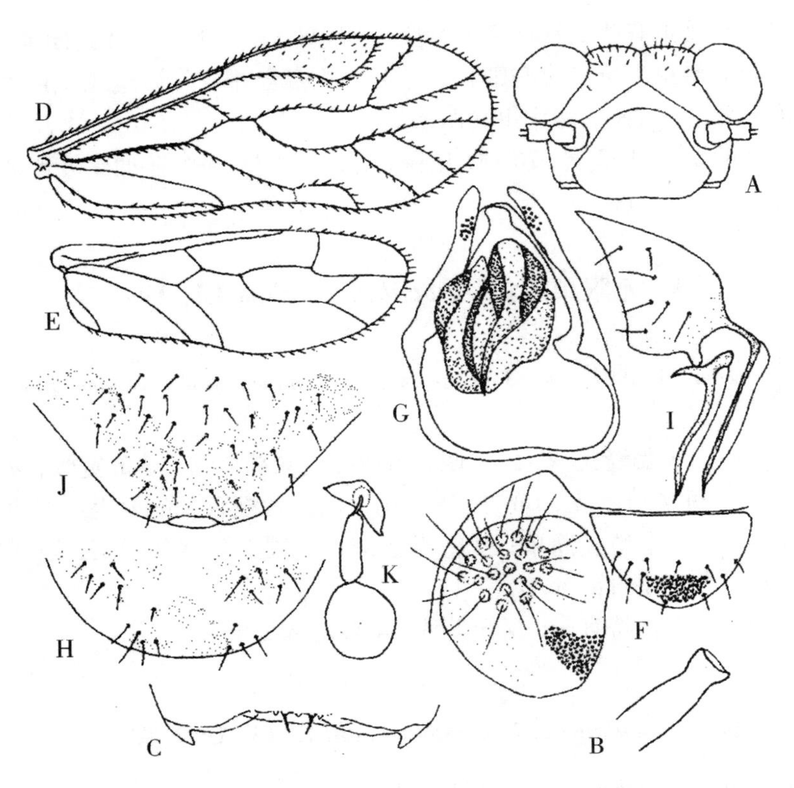

图 5 川陕无眼单蛄 *Anoculaticaecilius chuanshaanicus* Li（A-H♂，I-K♀）

A. 头；B. 内颚叶；C. 上唇感器；D. 前翅；E. 后翅；F. 肛上板和肛侧板；G. 阳茎球；H. 下生殖板；I. 生殖突；J. 亚生殖板；K. 受精囊

4. 单蛄属 *Caecilius* Curtis, 1837

Caecilius Curtis, 1837: 648. **Type species**: *Psocus fuscopterus* Latreille, 1799.

属征：中等大小。内颚叶分叉不明显；上唇感器不定；无上唇刺，头盖缝发达。前翅翅痣后角圆；Rs 与 M 合并一段，少数以一点相接。翅缘具毛，前翅翅脉具单列毛，Cu_2 无毛。雄虫肛上板与肛侧板具瘤突或齿突；阳茎环封闭。雌虫生殖突腹瓣细长，外瓣与背瓣合并，呈“T”形，外瓣退化，仅存 1~2 根刚毛；亚生殖板后缘弧圆或略凹，基部骨化区常呈“V”形。

分布：世界性分布。全世界已知 419 种，中国记录 214 种，秦岭地区分布 8 种。

分种检索表

1. 头部褐色 ………………………………………………………………………… 2
   头部黄色 ………………………………………………………………………… 4

2. 额区及触角深褐色 ………………………………………… 褐痣单蛄 ***Caecilius brunneistigmus***
   额区黄色 ……………………………………………………………………………… 3
3. 触角褐色，第3～4节黄色 ……………………………………… 张良氏单蛄 ***C. zhangliangi***
   触角黄色，第3～5节深褐色 …………………………………… 窄纵带单蛄 ***C. persimilaris***
4. 头顶具2条黑带，额区不具褐色斑…………………………… 斜红斑单蛄 ***C. plagioerythrinus***
   头顶无黑带，额区具褐色斑………………………………………………………… 5
5. 触角黄色 ………………………………………………………… 秦岭单蛄 ***C. qinlingensis***
   触角黄褐色或褐色 ……………………………………………………………………… 6
6. 触角褐色，第3～6节深褐色 ……………………………………… 箭形单蛄 ***C. sagittalis***
   触角全部黑褐色 ………………………………………………………………………… 7
7. 胸部全部黄色……………………………………………………… 长球单蛄 ***C. longiglobis***
   前胸黄褐色，中后胸深褐色 ……………………………………… 广布单蛄 ***C. divulgatus***

(6)广布单蛄 *Caecilius divulgatus* Li, 2002(图6)

Caecilius divulgatus Li, 2002. Psocoptera of China: 325. **Type locality**: China (Shaanxi: Gansu).

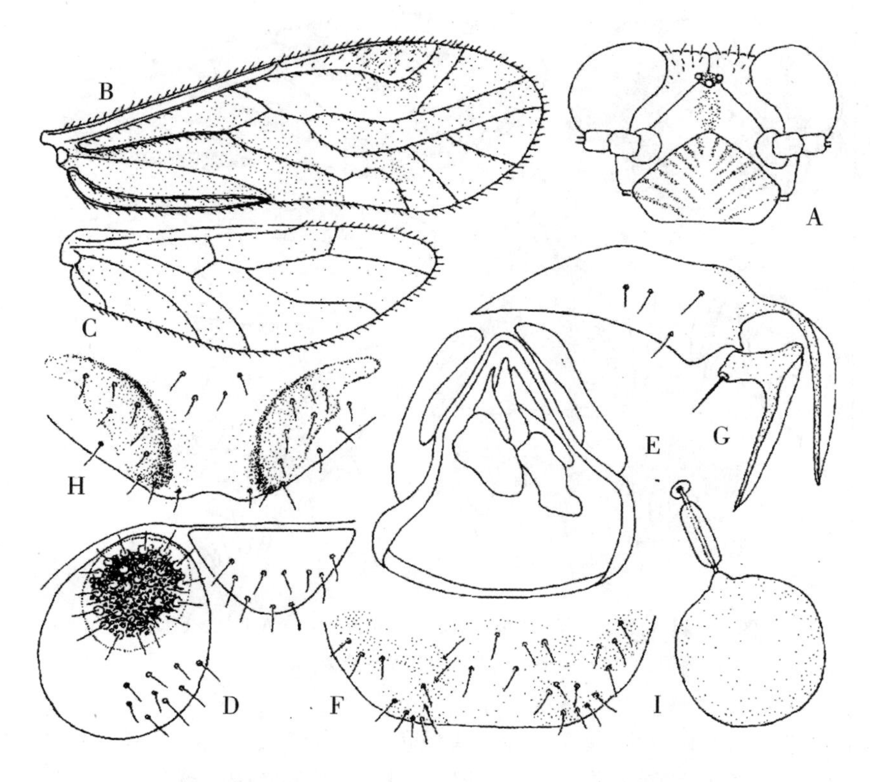

图6　广布单蛄 *Caecilius divulgatus* Li A-H♂，G-I♀)

A. 头；B. 前翅；C. 后翅；D. 肛上板和肛侧板；E. 阳茎环；F. 下生殖板；G. 生殖突；H. 亚生殖板；I. 受精囊

鉴别特征： 雄虫和雌虫(酒精浸存)头黄色，额区具褐斑，单眼区黑色；后唇基淡褐色，具褐色条纹，前唇基及上唇黄色；下颚须黄色，端节褐色；触角褐色。胸部黄褐色，前胸黄色，中后胸背面深褐色；足黄色，基节、胫节及跗节黄褐色；翅污褐色，前翅基半部及痣斑深色，前缘及中央具污黄色斑。腹部黄色。雄虫前翅翅痣宽阔，后角圆钝。肛上板和肛侧板无粗糙区，毛点28个，点之间具很多小孔。阳茎环外阳基侧突粗壮，内阳基侧突封闭；下生殖板简单，骨化多弯曲。雌虫肛侧板毛点28个。生殖突腹瓣细长；背瓣与外瓣合并，基部扩大，近矩形，外瓣存1根长刚毛；亚生殖板简单，骨化呈"V"形分开，粗壮，叶状；受精囊大，褐色，横茎长0.17mm。

采集记录： 1♂，镇巴，1200m，1985. Ⅶ.20，李法圣采。

分布： 陕西(镇巴)、甘肃、广西。

(7)斜红斑单蛄 *Caecilius plagioerythrinus* Li, 1993(图7)

Caecilius plagioerythrinus Li, 1993: 320.

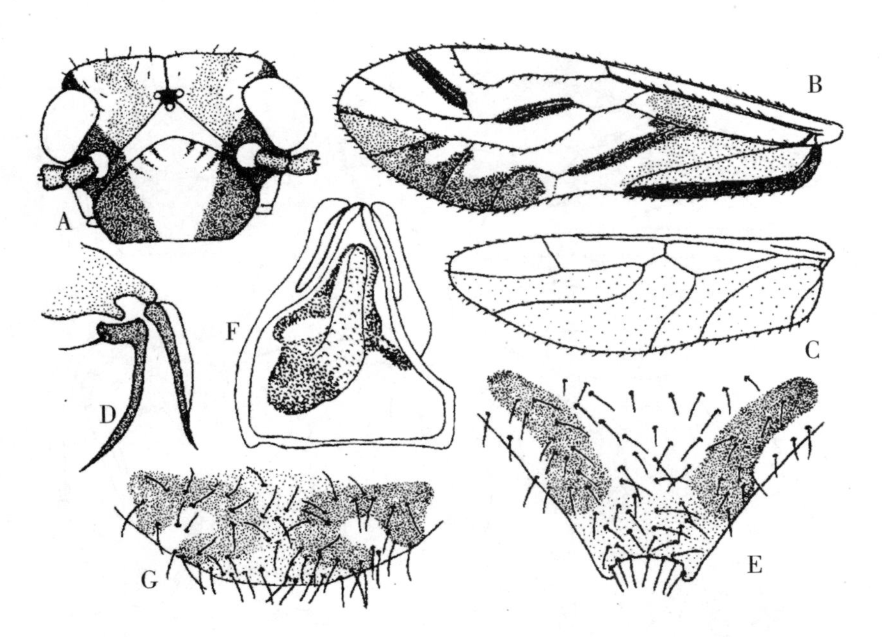

图7　斜红斑单蛄 *Caecilius plagioerythrinus* Li (A-E♀, F-G♂)

A. 头；B. 前翅；C. 后翅；D. 生殖突；E. 亚生殖板；F. 阳茎环；G. 下生殖板

鉴别特征： 雄虫和雌虫(酒精浸存)头黄色，头顶中央两侧具2条红色带，由头顶向后唇基斜伸具2条黑色宽带，单眼区黑色，后唇基、前唇基黄色；上唇黄色，中央具淡褐色斑块；下颚须黄色，端节端部褐色；触角褐色，第1节深褐色，前胸黄色，背面褐色；中后胸褐色，背面黑褐色；足黄色，中后足基节、端跗节褐色；前翅污白色，基半及外缘淡污褐色，沿有些脉具黑褐色斑；后翅均为污褐色。腹部黄色，背板基部具红色斑。雌虫前翅翅痣后角圆。后翅 R_{4+5} 长于 Rs_a。肛侧板毛点 20 个。生殖突腹瓣细长；背瓣与外瓣合并，端细长，基扩大，呈“T”形弯钩，具 1 根粗长刚毛；亚生殖板后缘中央平凹，两侧突出，骨化区指状，端圆钝。雄虫肛侧板具粗糙区，毛点 31 个。阳茎环环状；下生殖板骨化深，向外呈“U”形弯曲，端膨大。

采集记录：1♀，秦岭，1500m，1962. Ⅷ. 09，李法圣采。

分布：陕西（秦岭）、浙江、广东、广西、贵州。

（8）窄纵带单啮 *Caecilius persimilaris* (**Thornton** *et* **Wong, 1996**)（图 8）

Fuelleborniella persimilaris Thornton *et* Wong, 1996: 4.

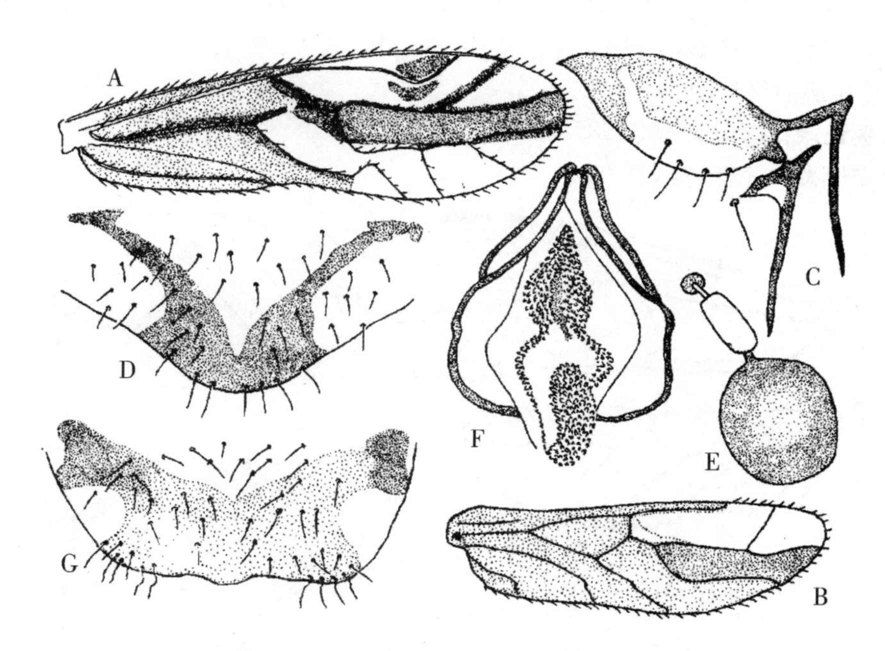

图 8　窄纵带单啮 *Caecilius persimilaris* (Thornton *et* Wong)（A-E♀，F-G♂）

A. 头；B. 前翅；C. 后翅；D. 生殖突；E. 亚生殖板；F. 阳茎环；G. 下生殖板

鉴别特征：雄虫和雌虫（酒精浸存）头深棕褐色，额区淡或黄色；后唇基深褐色，前唇基、上唇黄褐色；下颚须黄色，端节端部深褐色；触角黄色，第 3～5 节深褐色，第 6 节以后渐淡为黄褐色。胸部褐色，前盾片、盾片两侧黑色；足黄色，端跗节褐色；前翅透明，深污黄色，翅端半，具黄褐色纵带，不超过 Rs 室基缘痣端及沿后缘具斑；后翅黄褐色，顶角污黄色。腹部淡黄色至黄色，生殖节骨化为褐色。雄虫前翅翅痣后角明显，圆角状突出。肛上板和肛侧板具粗糙区，肛侧板毛点区有毛点 24 个；阳茎环封闭，阳茎具粗齿；下生殖板骨化连在一起，两侧端骨化深褐色。雌虫肛侧板毛点区有毛点 27 个。生殖突腹瓣细长；背瓣基部扩大，呈“T”形；外瓣退化，仅剩 1 根刚毛；亚生殖板后缘圆，骨化向端变细，端向两侧扩大；受精囊球形，褐色，横径长 0.13mm。

采集记录： 2♀，佛坪，1200m，1985. Ⅶ.16，李法圣采。

分布： 陕西(佛坪)、浙江、湖北、湖南、福建、广东、海南、香港、广西、云南；印度。

(9)褐痣单蛄 *Caecilius brunneistigmus* Li，2002(图 9)

Caecilius brunneistigmus Li, 2002：434.

鉴别特征： 雌虫(酒精浸存)头部褐色，头顶、额区深褐色，单眼黑色；后唇基深褐色，前唇基及上唇褐色；下颚须淡黄色，端部 2 节深褐色；触角深褐色。胸部褐色，背板及中后胸腹板深褐色；足褐色，前中足胫节和跗节深褐色；前翅污褐色，后翅浅污褐色。腹部黄色，腹面淡黄色。前翅翅痣宽大，后角钝圆。肛侧板毛点 19 个。生殖突腹瓣细长；背瓣和外瓣合并，端部细长，基部扩大为三角形，外瓣仅存 1 根刚毛；亚生殖板后缘略凹。

采集记录： 2♀，南郑，1985. Ⅶ.23，李法圣采。

分布： 陕西(南郑)。

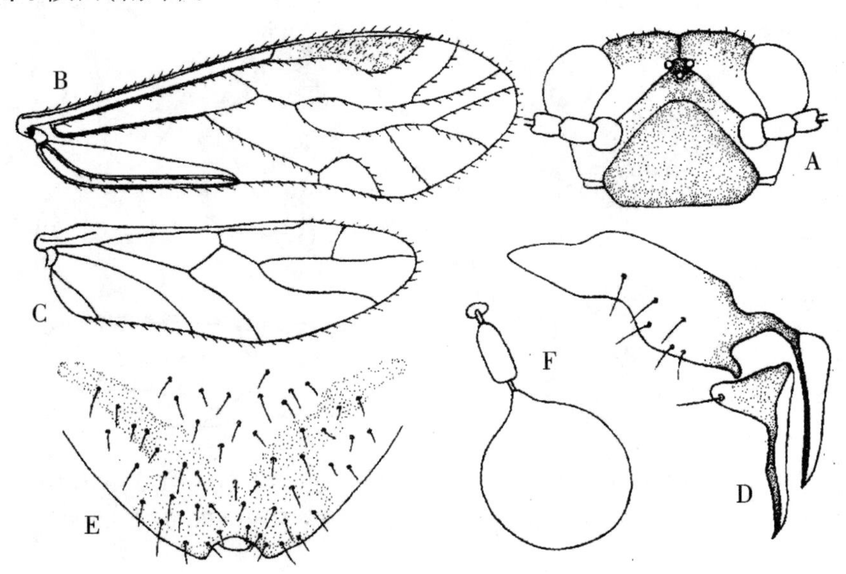

图 9 褐痣单蛄 *Caecilius brunneistigmus* Li

A. 头；B. 前翅；C. 后翅；D. 生殖突；E. 亚生殖板；F. 受精囊

(10)长球单蛄 *Caecilius longiglobis* Li，2002(图 10)

Caecilius longiglobis Li, 2002：438.

鉴别特征： 雄虫(酒精浸存)头部黄色，仅额区具褐色斑，单眼区黑色；后唇基黄色，具淡褐色条纹，前唇基及上唇淡黄色；下颚须淡黄色，触角深褐色，第1～2节黄褐色。胸部、足黄色；翅浅污黄色，翅脉黄褐色。腹部黄色。前翅翅痣后角弧圆。肛上板和肛侧板具粗糙区，肛侧板毛点23～24个。阳茎环环状，阳茎球双球状；下生殖板骨化呈盘形，基部平伸。

采集记录： 1♂，秦岭，1962. Ⅷ. 09，杨集昆采。

分布： 陕西(秦岭)。

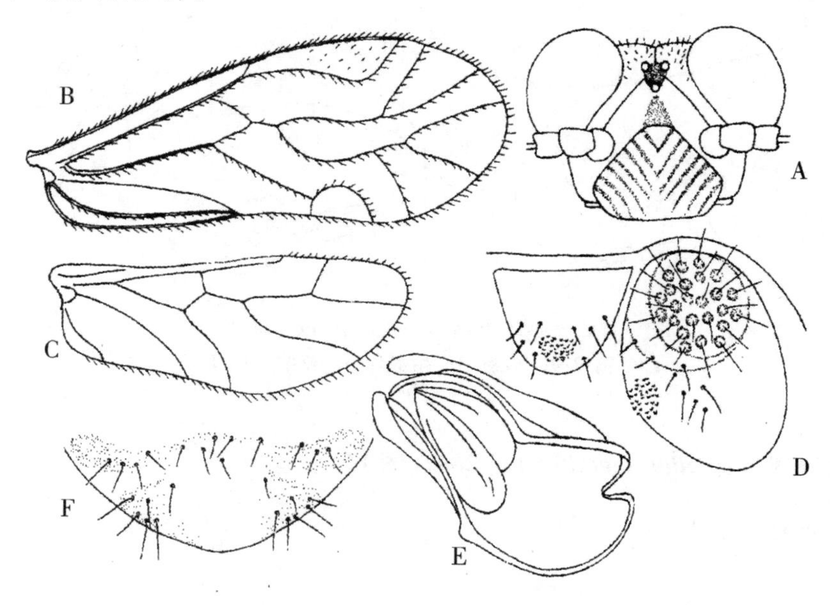

图10　长球单蛄 *Caecilius longiglobis* Li

A. 头；B. 前翅；C. 后翅；D. 肛上板和肛侧板；E. 阳茎环；F. 下生殖板

(11)秦岭单蛄 *Caecilius qinlingensis* Li, 2002(图11)

Caecilius qinlingensis Li, 2002: 451.

鉴别特征： 雌虫(酒精浸存)头鲜黄色，头顶沿头盖缝干及额区具褐色斑，单眼区褐色；后唇基、前唇基及上唇黄色；下颚须和触角黄色。中胸前盾片、盾片具淡褐色斑；足淡黄色，胫节和端跗节深黄色；前翅污黄色，后翅浅污黄色。腹部黄色或深黄色。肛侧板毛点22个。生殖突腹瓣细，基部以直角折回；背瓣与外瓣合并，端部细长，基部呈横行扩大，为"T"形，外瓣仅存1根刚毛；亚生殖板后缘中部平凹，骨化指状，端部圆钝；受精囊近椭圆形，色淡，横径长0.10mm。

采集记录： 1♀，秦岭，1500m，1956. Ⅷ. 07，杨集昆采。

分布： 陕西(秦岭)。

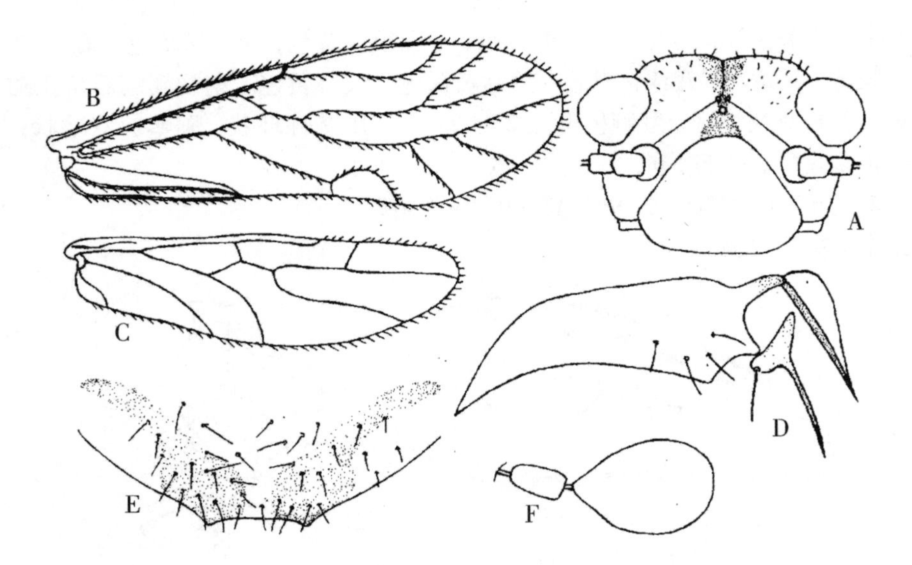

图 11 秦岭单蛄 *Caecilius qinlingensis* Li

A. 头; B. 前翅; C. 后翅; D. 生殖突; E. 亚生殖板; F. 受精囊

(12) 箭形单蛄 ***Caecilius sagittalis* Li, 2002** (图 12)

Caecilius sagittalis Li, 2002: 429.

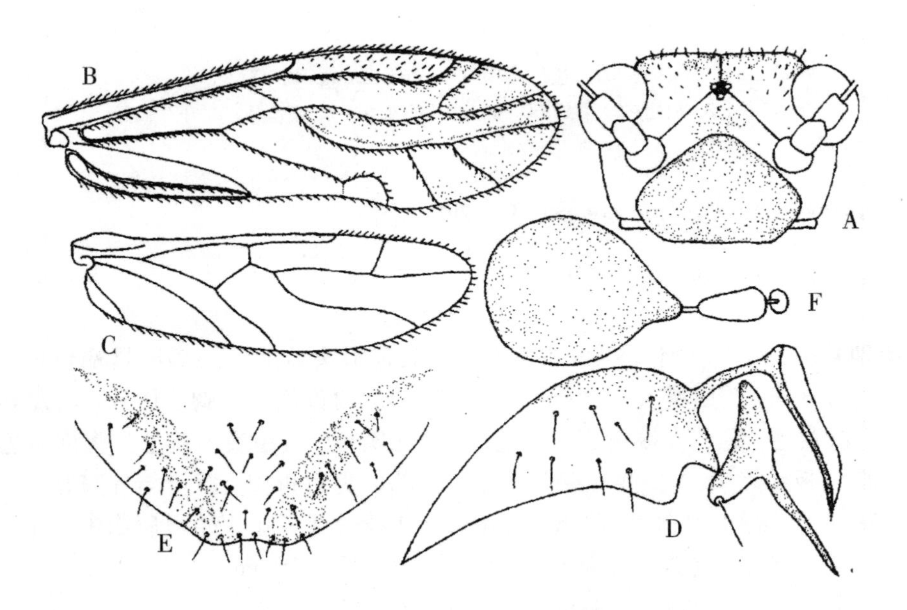

图 12 箭形单蛄 *Caecilius sagittalis* Li

A. 头; B. 前翅; C. 后翅; D. 生殖突; E. 生殖板; F. 受精囊

鉴别特征： 雌虫(酒精浸存)头淡黄色，头顶及额区具褐色斑，单眼区黑色；后唇基深褐色，前唇基及上唇褐色；下颚须黄色，第3~4节深褐色；触角黄褐色，第3~6节深褐色，第7节以后渐淡。胸部淡黄色，中胸、后胸背板深褐色；足黄色，胫节、跗节深褐色；前翅深污黄色，翅端沿翅后缘、R_{2+3}和R_{4+5}淡色，外缘具窄的淡色边；后翅污黄色。腹部淡黄色。前翅痣翅长条形，后角不明显。肛侧板毛点19个。生殖突腹瓣细长，以直角折回；背瓣与外瓣合并，端部短细，基部明显扩大为三角形，约与端等长，外瓣具1根长刚毛；亚生殖板后缘略凹，骨化箭状，细，向端变细尖；受精囊黄褐色，球形，横径长0.18mm。

采集记录： 1♀，南郑，1650m，1985.Ⅶ.22，李法圣采。

分布： 陕西(南郑)。

(13)张良氏单蛄 *Caecilius zhangliangi* **Li, 2002**(图13)

Caecilius zhangliangi Li, 2002: 492.

鉴别特征： 雌虫(酒精浸存)头褐色，两复眼及额区黄色，单眼区褐色；后唇基褐色，前唇基及上唇黄色；下颚须褐色，触角仅存5节，褐色，第3~4节黄色。胸部黄褐色，背面褐色；足淡黄色，端跗节和前中足胫节、跗节黄褐色；翅均匀污黄色，脉褐色。腹部淡黄色。前翅翅痣后角突出，圆钝。生殖突腹瓣细长，基部弧形弯回；背瓣与外瓣合并，端部细长，基部膨大，呈"T"形，外瓣具1根长刚毛；亚生殖板后缘平凹，骨化向端渐变细尖；受精囊淡色，球形，横径长0.11mm。

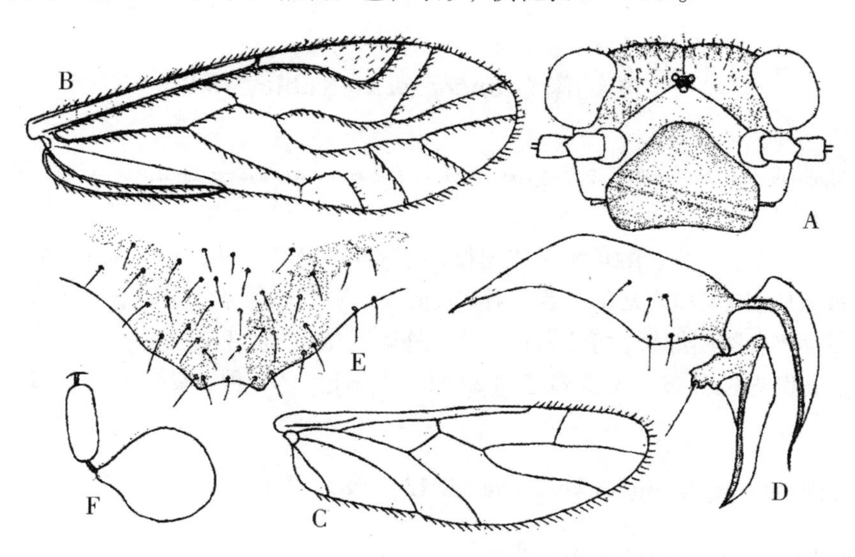

图13　张良氏单蛄 *Caecilius zhangliangi* Li

A. 头；B. 前翅；C. 后翅；D. 生殖突；E. 亚生殖板；F. 受精囊

采集记录： 2♀，留坝张良庙，1200m，1985. Ⅶ. 24，李法圣采。

分布： 陕西（留坝）。

（三）狭蛄科 Stenopsocidae

鉴别特征： 长翅，中等大小。触角 13 节，内颚叶向端渐细，不分岔。足跗节 2 节，爪无亚端齿，爪垫宽；后足仅基跗节具毛栉。痣翅狭长，后角与 Rs 以横脉相连；Rs 和 M 合并一段，M 分 3 支；Cu_{1a}室近三角形，顶角与 M 以横脉相连。前翅缘具毛，脉具单列毛或基部脉具双列毛，Cu_2 具毛或无毛，膜质部基半部无毛或有毛；后翅径叉缘具毛或无毛。雄虫阳茎环封闭，外阳基侧突粗壮，阳茎球通常 1 对；下生殖板简单。雌虫生殖突背腹瓣细长，背瓣基扩大，外瓣退化，无刚毛；亚生殖板简单，具“V”形骨化；受精囊通常呈梨形。

分类： 全世界已知 3 属 190 种，中国记录 3 属 154 种，陕西秦岭地区分布 2 属 11 种，包括 2 个新纪录种。

分属检索表

前翅臀区具 1 个或 2 个黑褐色斑 ······································· 雕蛄属 *Graphopsocus*
前翅臀区无斑 ··· 狭蛄属 *Stenopsocus*

5. 雕蛄属 *Graphopsocus* Koble, 1880

Graphopsocus Koble, 1880: 124. **Type species**: *Hemerobius cruciatus* Linnaeus, 1768.

属征： 小型，长翅。触角短于体翅长，内颚叶不分叉。前翅翅痣宽短，后角尖。前翅缘及翅脉具刚毛，Cu_2 无毛。雄虫阳茎环封闭，阳茎球通常 2 个；下生殖板简单。雌虫生殖突背瓣和腹瓣细长，背瓣基部扩大，外瓣退化，无刚毛；亚生殖板简单。

分布： 世界性分布。全世界已知 22 种，中国记录 18 种，秦岭地区分布 2 种。

（14）陕西雕蛄 *Graphopsocus shaanxiensis* Li, 1989（图 14）

Graphopsocus shaanxiensis Li, 1989: 43.

鉴别特征： 雄虫和雌虫（酒精浸存）体淡黄色，胸部具黑褐色斑。头黄褐色，头顶、额、后颊具褐色斑；颊下区黑色；后唇基淡褐色，具褐色条纹；上颚两侧缘黑色；

下颚须黄色，端节端褐色；触角基 3 节黄色，向端变褐色。前胸淡黄色，中后胸背板具黑褐色斑，侧板褐色。足淡黄色，跗节褐色。前翅污白色，脉黄褐色，前缘基端褐色，端斑黄褐色，基斑黑褐色；翅痣具斑；后翅端斑淡黄色，基斑黄褐色。腹部黄色。雌虫前翅翅痣宽短，后角明显。肛上板舌状；肛侧板外侧突出，毛点约 19 个。亚生殖板骨化区呈"V"形向末端变细尖；生殖突腹瓣长三角形；背瓣与外瓣合并，粗短，基部扩大；受精囊顶端膨大较小，直径约 0. 12mm。雄虫肛侧板稍呈黄褐色，端近方形，毛点约 23 个。下生殖板骨化基部扩大，末端波形向两侧弯伸；阳茎环封闭，外阳基侧突膨大，阳茎球 1 对。

采集记录： 1♂5♀，洋县，1200m，1985. Ⅶ. 18，李法圣采；3♂，镇巴，1985. Ⅶ. 20，李法圣采。

分布： 陕西（洋县、镇巴）。

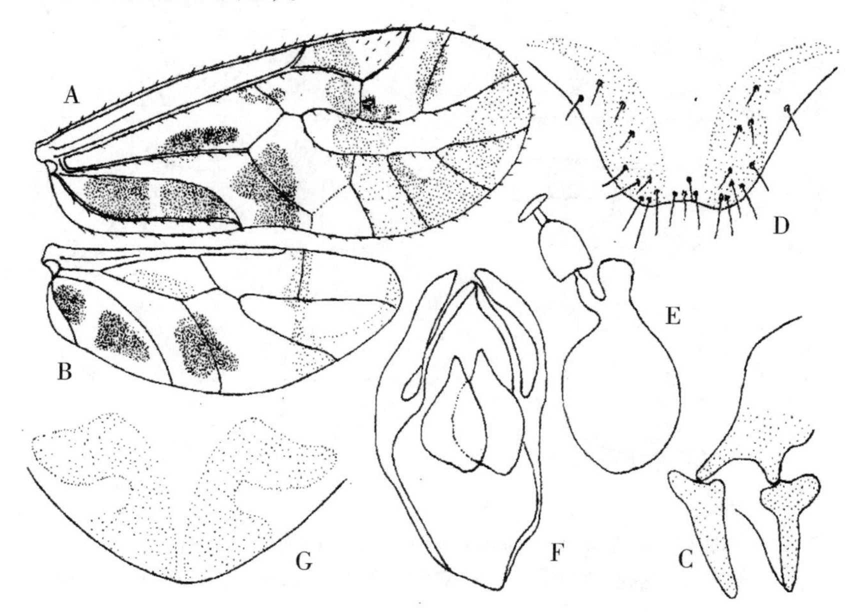

图 14　陕西雕蝎 *Graphopsocus shaanxiensis* Li（A-E♀，F-G♂）

A 头；B 前翅；C. 后翅；D. 生殖突；E. 亚生殖板；F. 阳茎环；G. 下生殖板

（15）琴雕蝎 *Graphosocus panduratus* Li，1989（图 15）

Graphosocus panduratus Li，1989：42.

鉴别特征： 雄虫和雌虫（酒精浸存）体黄色，具橘黄色斑。头顶及额区具橘黄色斑；后唇基黄色，具橘黄色条纹；下颚须黄色，触角黄色至黄褐色。前胸橘黄色；中后胸黄色，具橘黄色斑。足黄色，前翅污白色或淡黄色，端斑黄褐色，基斑橘红色；后翅浅污黄色，脉淡黄色，$M + Cu_1$ 和 Cu_1 褐色，翅基沿 $M + Cu_1$ 和 Cu_1 具斑，臀区具 2 块环斑。腹部黄色。雌虫前翅翅痣宽短，后缘具角。肛上板舌状，宽约为长的 1. 23

倍；肛侧板外侧突出，毛点约 19 个。亚生殖板骨化区呈“V”形向末端变细尖；生殖突腹瓣长三角形；背瓣与外瓣合并，粗短，基部扩大；受精囊顶端膨大较小，直径约 0.12mm。肛上板淡色，舌状；肛侧板近方形，毛点约 23 个。亚生殖板骨化指状，基部连在一起；生殖突腹瓣粗大，顶端突出；背瓣基部钩突；外瓣退化，无刚毛。受精囊近上部缢缩。雄虫肛上板锥形；肛侧板椭圆形，毛点约 16 个。下生殖板骨化粗壮，呈弧形弯曲；阳茎环及阳基侧突细，阳茎球 1 对相似。

采集记录： 3♀，周至楼观台，1200m，1962. Ⅷ. 13-14，李法圣采；1♂，秦岭，1500m，1962. Ⅷ. 14，李法圣采。

分布： 陕西（周至、凤县）。

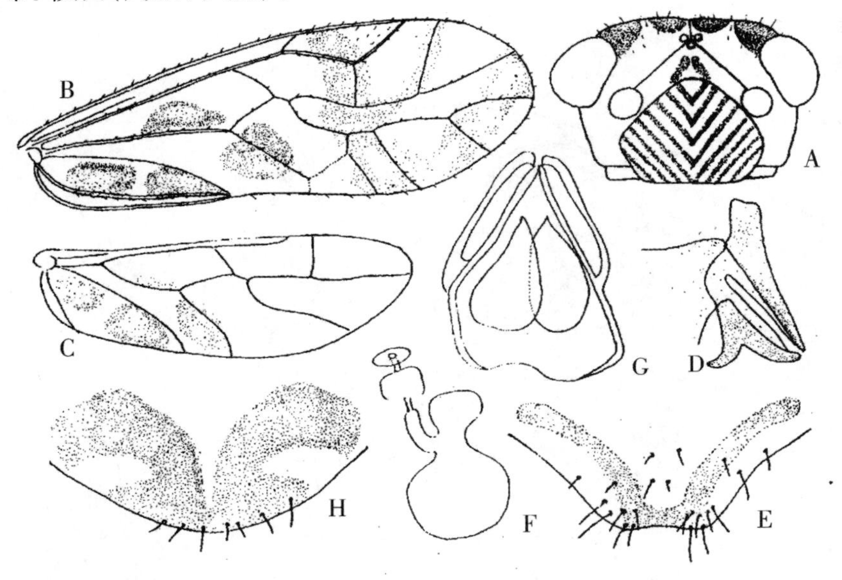

图 15　琴雕蛄 *Graphosocus panduratus* Li（A-F♀，G-H♂）

A. 头；B. 前翅；C. 后翅；D. 生殖突；E. 亚生殖板；F. 受精囊；G. 阳茎环；H. 下生殖板

6. 狭蛄属 *Stenopsocus* Hagen, 1866

Stenopsocus Hagen, 1866: 203. **Type species**: *Psocus immaculatus* Stephens, 1836.

属征： 中等大小，长翅。触角稍长于体翅。内颚叶不分叉。前翅与翅脉具刚毛，Cu_2 具毛或无毛；后翅仅径叉缘具毛。翅痣狭长。雄虫阳茎环封闭，下生殖板简单。雌虫生殖突背瓣和腹瓣细长，背瓣基部扩大，外瓣退化，无刚毛；亚生殖板简单；受精囊球形、椭圆形或梨形。

分布： 世界性分布。全世界已知 162 种，中国记录 135 种，秦岭地区发现 9 种，包括 2 个陕西新纪录种。

分种检索表

1. 前胸背板黄色，中后胸背板褐色、深褐色或具斑 …… 2
   整个胸部褐色、黑褐色或黑色 …… 5
2. 触角黄褐色 …… **雅狭蛄 *Stenopsocus bellatulus***
   触角黑色 …… 3
3. 头顶具黄色斑；足黄色、黄褐色或褐色 …… 4
   头部淡黄色；足白色 …… **横带狭蛄 *S. zonatus***
4. 腹部黄色，无斑 …… **短径狭蛄 *S. brachycladus***
   腹部黄色，第4～5节背面具褐色斑 …… **喜温狭蛄 *S. thermophilus***
5. 头部乳黄色，腹部白色 …… **叉斑狭蛄 *S. furcimaculatus***
   头顶具黄斑，腹部非白色 …… 6
6. 腹部第1～3节全部及第4～7节背面红褐色 …… **多角狭蛄 *S. polyceratus***
   腹部非红褐色 …… 7
7. 头部褐色；腹部黄色，具小褐斑 …… **径斑狭蛄 *S. radimaculatus***
   头部黑色；腹部非全黄色 …… 8
8. 腹部基半部黑色，端半部褐色 …… **斑额狭蛄 *S. frontalis***
   腹部基部褐色，其余为黄色 …… **黄额狭蛄 *S. flavifrons***

(16) 径斑狭蛄 *Stenopsocus radimaculatus* Li, 1989 (图 16)

Stenopsocus radimaculatus Li, 1989: 37.

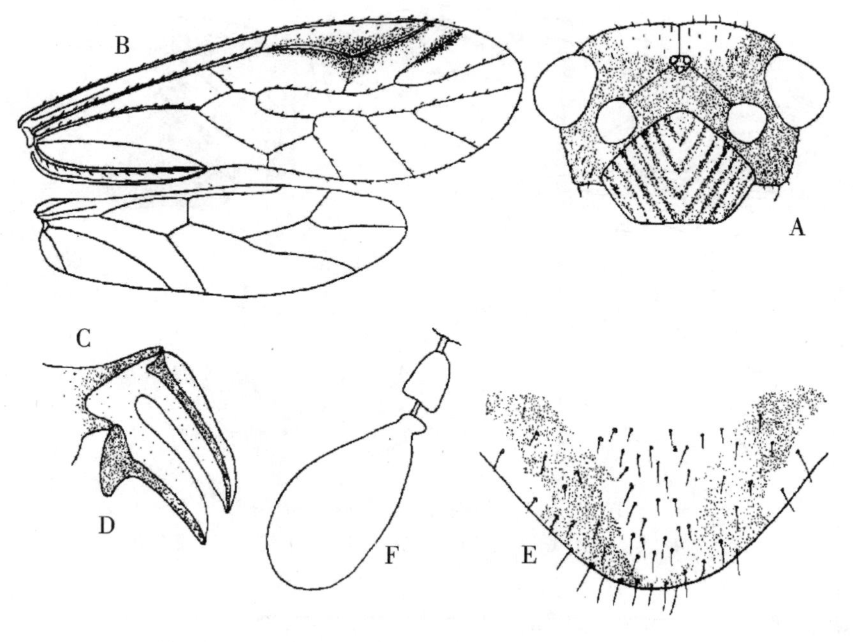

图 16　径斑狭蛄 *Stenopsocus radimaculatus* Li

A. 头；B. 前翅；C. 后翅；D. 生殖突；E. 亚生殖板；F. 受精囊

鉴别特征：雌虫(酒精浸存)头顶黄色，颊、颊下区、后唇基褐色，后唇基具深褐色条纹；下颚须黄色，触角褐色。前胸及中后胸褐色，具少量黄斑。足黄色，前翅浅污褐色，翅痣沿后缘、r-rs 和 R_{2+3}具褐色斑；后翅透明。腹部黄色，具小褐斑。前翅狭长，翅痣后角明显。肛上板半圆形，有骨化区；肛侧板宽阔，毛点约 27 个。下生殖板骨化呈“八”字形；受精囊梨形，长约为宽的 1.9 倍。

采集记录：1♀，留坝张良庙，1200m，1985. Ⅶ. 24，李法圣采。

分布：陕西(留坝)。

(17)斑额狭蛄 *Stenopsocus frontalis* Li, 1989(图 17)

Stenopsocus frontalis Li, 1989: 38.

鉴别特征：雌虫(酒精浸存)头黑色，头顶、额区黄色，额区具 1 块三角形褐斑；后唇基黑色；上唇及前唇基黑色；下颚须淡黄色，末节黄褐色；触角褐色，第 3 ~ 6 节黑色。前胸深褐色，中后胸黑色，仅前翅基胸部两侧黄色。足黄色，跗节端淡褐色。前翅透明、污黄色，脉黄褐色，痣翅鲜黄色，后缘具褐色斑，向下沿横脉到 Rs。腹部基部黑色，端半部褐色，生殖节黑色。前翅污黄色，透明；翅痣后角明显。雌虫肛上板圆锥状；肛侧板椭圆形，顶端突出，毛点约 31 个。亚生殖板骨化外侧波曲，端部呈足形扩大；生殖突腹瓣细长；背瓣基突向外侧突伸；受精囊小，端具角。

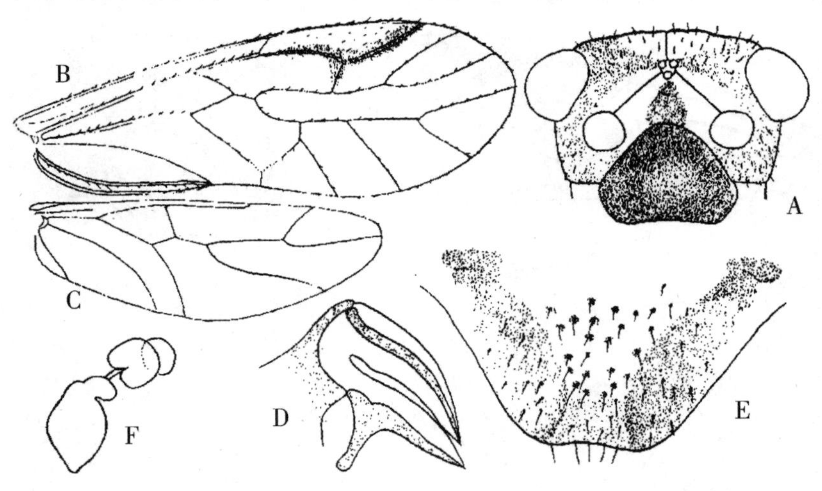

图 17　斑额狭蛄 *Stenopsocus frontalis* Li

A. 头；B. 前翅；C. 后翅；D. 生殖突；E. 亚生殖板；F. 受精囊

采集记录：1♀，佛坪，1200m，1985. Ⅶ. 16，李法圣采。

分布：陕西(佛坪)。

(18)黄额狭蝎 *Stenopsocus flavifrons* Li, 1989(图 18)

Stenopsocus flavifrons Li, 1989: 35.

鉴别特征: 雄虫和雌虫(酒精浸存)头部黑色至黑褐色,头顶、额区黄色;前唇基、上唇淡黄色;后唇基黑褐色;下颚须淡黄色;触角基2节褐色,3~8节黑色,以后各节渐淡为黄色。胸部黑色,腹面黄色,足黄色,胫节、端跗节及雄虫腿节端褐色。前翅污黄色、透明,翅痣沿后缘具宽的褐色带,沿 r-rs 向下延伸不达 Rs;后翅污黄色。腹基部褐色,其余为黄色,生殖节黑褐色。雌虫前翅翅痣长,后缘具角。肛侧板近椭圆形,毛点约24个。肛上板舌状;亚生殖板骨化短粗,两侧不齐;生殖突腹瓣细长;背瓣较短,基部向外钩弯;外瓣退化,无刚毛;受精囊梨形,长为宽的1.6倍。雄虫体肛侧板近圆形,毛点约20个。下生殖板骨化区呈"V"形,端部膨大明显;阳茎环封闭,外阳基侧突较细,阳茎球呈三角形。

采集记录: 3♂3♀,佛坪,1200m,1985.Ⅶ.23,李法圣采。

分布: 陕西(佛坪)。

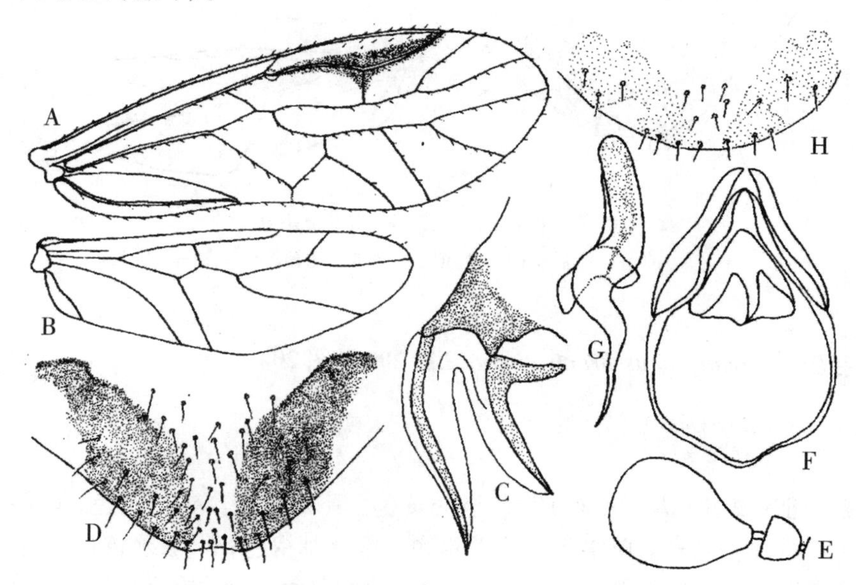

图 18　黄额狭蝎 *Stenopsocus flavifrons* Li (A-E♀, F-H♂)

A. 前翅;B. 后翅;C. 生殖突;D. 亚生殖板;E. 受精囊;F. 阳茎环;G. 阳茎环侧视;H. 下生殖板

(19)雅狭蝎 *Stenopsocus bellatulus* Li, 1989(图 19)

Stenopsocus bellatulus Li, 1989: 34.

鉴别特征: 雌虫(酒精浸存)头部黄褐色,头顶黄色;后唇基黄褐色,具褐色条纹

14 条，连成“V”形；下颚须全为黄色；触角黄褐色。前胸黄色；中后胸背面具褐色至黄褐色斑；足褐色，前翅透明，浅污黄色，R 褐色，其余脉为黄褐色；腹部淡黄色。前翅翅痣长，后缘具角。肛侧板椭圆形，毛点约 29 个；肛上板半圆形，具毛。生殖板骨化末端膨大；生殖突腹瓣细长，背瓣细，基部扩大；外瓣退化，无刚毛；受精囊近圆形，横径长 0.20mm。

采集记录：1♂，留坝张良庙，1200m，1985. Ⅶ. 24，李法圣采。

分布：陕西（留坝）。

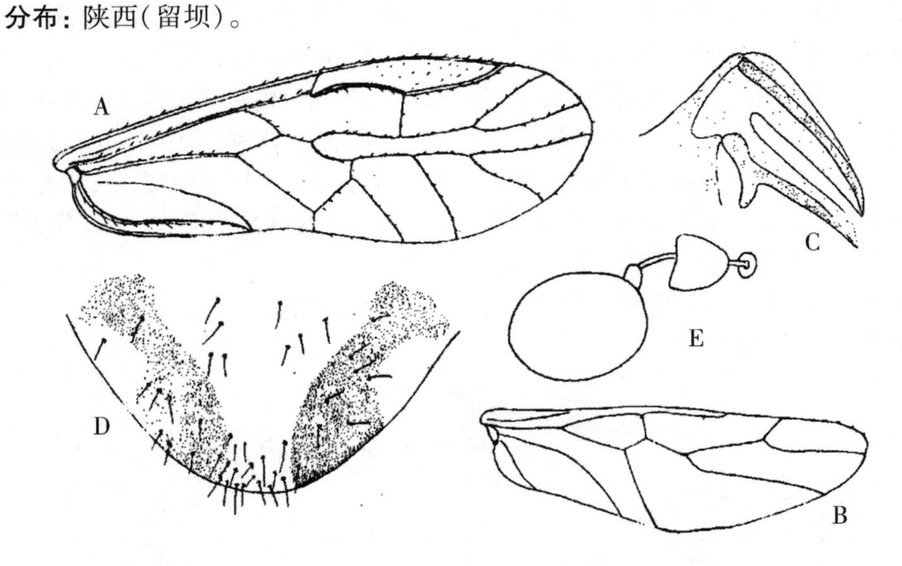

图 19 雅狭蛄 *Stenopsocus bellatulus* Li

A. 前翅；B. 后翅；C. 生殖突；D. 亚生殖板；E. 受精囊

(20) 短径狭蛄 *Stenopsocus brachycladus* Li, 2002（图 20）

Stenopsocus brachycladus Li, 2002: 689.

鉴别特征：雄虫（酒精浸存）黄色至淡黄色，具褐色斑。头顶黄色，两眼具黑色横带，后颊具黑褐色斑；单眼下额区黄褐色；后唇基褐色；下颚须黄色，端节褐色；触角基 2 节黄褐色，鞭节黑色，向端变褐色。前胸黄色，中后胸具褐斑。足黄色，后足胫黄褐色，端部及端跗节褐色。前翅透明，稍污黄色，翅痣后缘具细褐色边；后翅前缘近中部具淡褐色斑。腹部黄色。前翅翅痣狭长，后缘较平滑，后角小。肛侧板近椭圆形，毛点约 28 个；肛上板钝锥状，淡色。下生殖板骨化粗短，向两侧钩弯，阳茎环封闭，两侧突细尖，阳茎球 2 对，2 大 2 小。

采集记录：1♂，洋县，1985. Ⅶ. 18，李法圣采。

分布：陕西（洋县）。

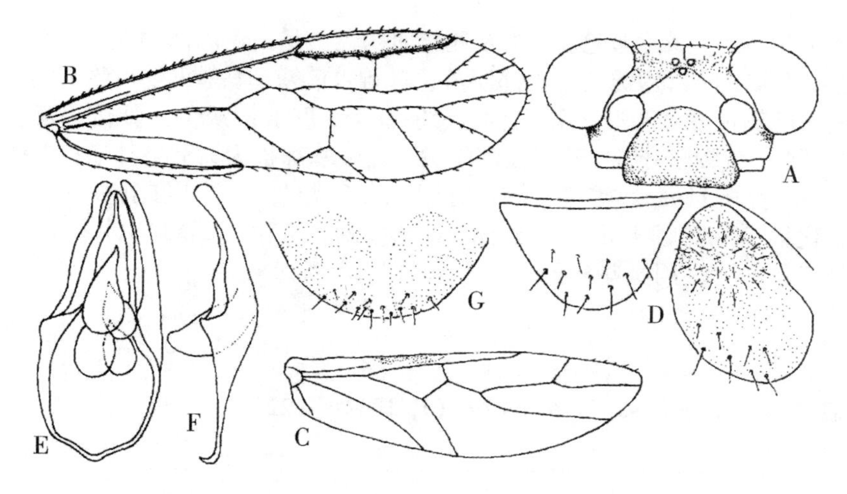

图 20　短径狭蝎 *Stenopsocus brachycladus* Li

A. 头；B. 前翅；C. 后翅；D. 肛上板和肛侧板；E. 阳茎环；F. 阳茎环侧视；G. 下生殖板

(21) 横带狭蝎 *Stenopsocus zonatus* Li, 1989（图 21）

Stenopsocus zonatus Li, 1989：32.

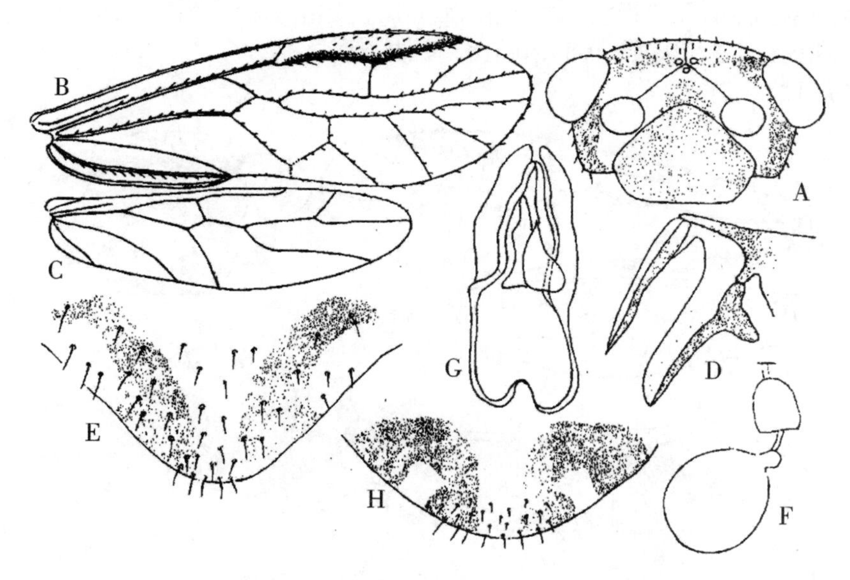

图 21　横带狭蝎 *Stenopsocus zonatus* Li（A-F♀，G-H♂）

A. 头；B. 前翅；C. 后翅；D. 生殖突；E. 亚生殖板；F. 受精囊；G. 阳茎环；H. 下生殖板

鉴别特征：雄虫和雌虫（酒精浸存）白色或淡黄色，胸背具黑褐色斑。头淡黄色，两复眼间，后颊具褐色带，单眼下斑淡褐色；后唇基黑褐色；下颚须淡黄色，触角基2节褐色，鞭节黑色，端部节渐变淡为黄褐色。前胸背板黄色，中胸前盾片和盾片黑褐色，盾片中央及小盾片黄色；后胸及侧腹面褐色。足白色。前翅浅污黄色，翅痣后缘斑、R 和 A 褐色；后翅透明。腹部淡黄色。雌虫前翅翅痣狭长，后缘具角；后翅径叉缘具毛。肛侧板近椭圆形，宽阔，毛点约 30 个；肛上板淡色无骨化。亚生殖板骨化区呈"V"形，边较整齐，生殖突腹部细尖；背瓣基部扩大，呈半月形；受精囊长稍大于宽，横径长 0.11mm。雄虫肛侧板近圆形，毛点约 35 个。肛上板近钝锥形。下生殖板骨化呈"V"形弧弯；阳茎环封闭，外阳基侧突粗壮，阳茎球 1 长 1 短。

采集记录： 4♂，周至厚畛子，2014. Ⅷ. 17，卢秀梅采。

分布： 陕西(周至)。

(22)喜温狭蛄 *Stenopsocus thermophilus* Li, 2002(图 22)

Stenopsocus thermophilus Li, 2002: 706.

鉴别特征： 雌虫(酒精浸存)头黄色，两复眼间、颊和额区具黑褐色斑或黑褐色带；后唇基黑褐色，前唇基及上唇黄色；下颚须黄色；触角黑色，基 2 节黄色，端 10 节后渐变淡为黄褐色。胸部黄色，中后胸背侧面具黑色斑纹；足黄色，基跗节和后足胫节端褐色；翅浅污黄色，脉黄色，R 褐色；翅痣污黄色，后缘具宽的黑色斑纹。腹部黄色，腹板第 4～6 节具褐斑。肛侧板毛点区褐色，生殖节褐色。前翅翅痣后角尖而明显。肛侧板毛点约 33 个。生殖突背瓣、腹瓣细长，背瓣基扩大呈"T"形；外瓣退化，无刚毛；亚生殖板后缘弧圆，骨化粗指状，端圆略向后卷曲；受精囊球形，横径长 0.18mm。

采集记录： 1♂，洋县，1985. Ⅶ. 18，李法圣采。

分布： 陕西(洋县)。

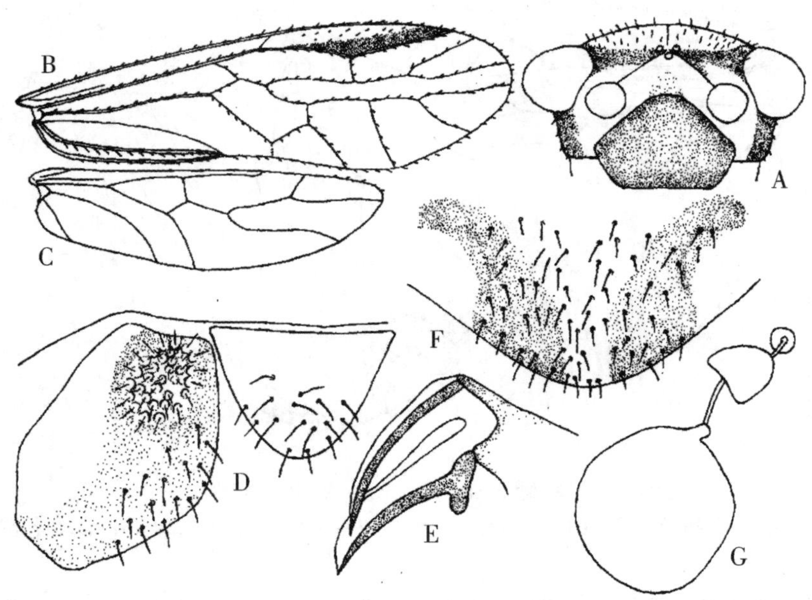

图 22 喜温狭蛄 *Stenopsocus thermophilus* Li

A. 头；B. 前翅；C. 后翅；D. 肛上板和肛侧板；E. 生殖突；F. 亚生殖板；G. 受精囊

(23)多角狭蛄 *Stenopsocus polyceratus* Li, 2002 陕西新纪录种(图 23)

Stenopsocus polyceratus Li, 2002: 613.

鉴别特征: 雌虫(酒精浸存)头部褐色,额区黄褐色,头顶一片椭圆区域黄色,颊区黑褐色。触角黑褐色。后唇基黑褐色,口器其他部分黄色,上唇具褐斑。胸部深褐色。腹部第 1~3 节的全部和第 4~7 节背板红褐色,生殖节深褐色。前翅透明,R 深褐色,前缘脉至翅痣前缘部分褐色,翅痣前缘黄色;R 与 Rs 相接点周围有褐斑,不与翅痣相接,翅痣黄色,后缘具深褐色斑,褐斑沿 r-rs 延伸,呈"T"形;r-rs 与 Rs 接点偏向 M 于 M_3 接点 Rs 分叉先于 M 末端分叉。后翅透明,前缘与 R 之间具深褐色斑。生殖节骨化明显。肛上板近三角形,肛侧板完全骨化,毛点区 22 个毛点。生殖突外瓣没有明显变细变尖,两侧边缘近乎平行,外瓣和腹瓣细长。

采集记录: 1♀,宁陕,2013. Ⅶ. 12,彩万志、王建赟采。

分布: 陕西(秦岭)、宁夏。

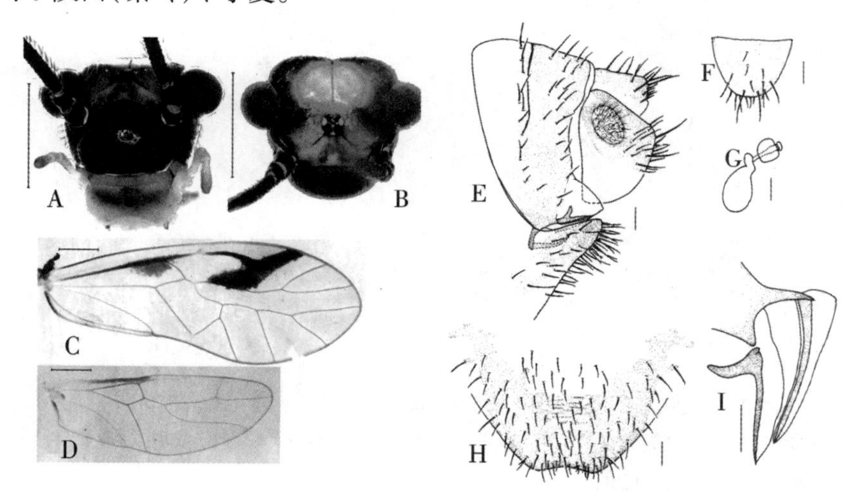

图 23　多角狭蛄 *Stenopsocus polyceratus* Li

A. 头部正视;B. 头部侧视;C. 前翅;D. 后翅;E. 生殖节侧视;F. 肛上板;G. 受精囊;H. 下生殖板;I. 生殖突

(24)叉斑狭蛄 *Stenopsocus furcimaculatus* (Li, 2002)陕西新纪录种(图 24)

Cubipilis furcimaculatus Li, 2002: 720.

鉴别特征: 雄虫(酒精浸存)头部黄白色。触角褐色。后唇基褐色,口器其他部分白色,下颚须末端褐色。胸部褐色。足白色,胫节和跗节略显褐色。腹部白色,生殖节略显褐色。前翅透明,翅脉褐色,R、$M + Cu_1$、M 和 Cu_1 深褐色,翅痣透明,后缘翅痣内侧具褐斑。r-rs 与 Rs 接点接近 M 于 M_3 接点,Rs 分叉点接近 M 末端分叉点。后翅透明,无明显斑纹。生殖节骨化不明显。肛上板近三角形;肛侧板仅毛点区轻微骨化，毛点区 35 个毛点。阳茎环为生殖节骨化最明显的部分，阳基侧突膨顶端未超过阳茎弓顶端，端部膨大，大部分具小刻点。雌虫(酒精浸存)体色与雄虫相似，触角鞭节黄色，各节端部黄色，上唇具明显褐斑，翅痣斑比雄虫略大。生殖节骨化极弱。肛上板近三角形，肛侧板毛点区有 32 个毛点。生殖突骨化不明显，外瓣极短，宽阔，形状不规则。

采集记录： 1♂2♀，华县少华山，2013. Ⅶ. 19，王玉玉采。

分布： 陕西(华县)、宁夏。

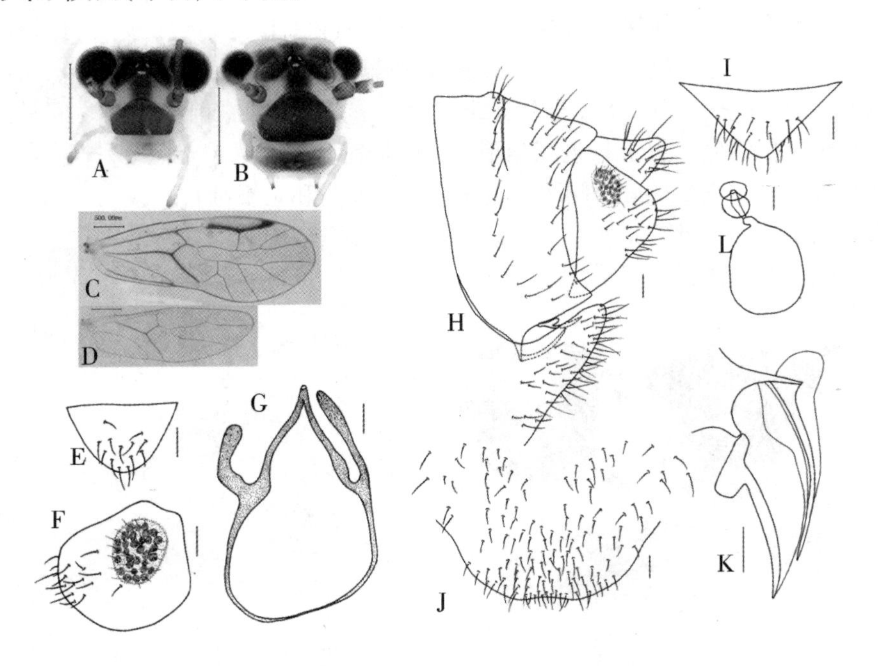

图 24 叉斑狭蛄 *Stenopsocus furcimaculatus* Li（A、E-G♂，B、H-L♀）

A. 头部正视；B. 头部正视；C. 前翅；D. 后翅；E. 肛上板；F. 肛侧板；G. 阳茎环；H. 生殖节侧视；I. 肛上板；J. 下生殖板；K. 生殖突；L. 受精囊

(四)双蛄科 Amphipsocidae

鉴别特征： 翅或短翅。体大、多毛、平扁。触角 13 节。足跗节分 2 节，爪无亚端齿，爪垫宽。前翅宽阔，前缘脉粗，痣翅到翅端密生长的垂直刚毛，翅痣后缘常具距脉；Rs 和 M 合并为一段，脉具双列刚毛，Cu_2 具毛。下生殖板简单，阳茎环具各种骨化的阳茎球。亚生殖板简单，具"V"形骨化；生殖突退化，腹瓣细尖，背瓣与外瓣合并，基部膨大，无刚毛。

分类： 全世界已知 21 属 226 种，中国已知 6 属 106 种，陕西秦岭地区已知 1 属 1 种。

7. 华双蜡属 *Siniamphipsocus* Li, 1997

Siniamphipsocus Li, 1997. Insects of the Three Gorge Reservoir area of Yangtze River: 444. **Type species**: *Siniamphipsocus aureus* Li, 1997 (original designation).

属征：中型。触角短于前翅，内颚叶不分叉；上唇感器刚毛状，4 根。前足腿节内侧具钉状刺。翅痣狭长，无后角，AP 室较高。后翅前缘基部无毛簇。雄虫肛上板具粗糙区，阳茎环封闭，阳茎呈球形或长椭圆形，雌虫生殖突细长，背瓣基部扩大，外瓣退化，无刚毛，受精囊球形。

分布：仅分布于东亚。全世界已知 22 种，中国记录 21 种，秦岭地区已知 1 种。

(25) 二条华双蜡 *Siniamphipsocus bilinearis* Li, 2002 (图 25)

Siniamphipsocus bilinearis Li, 2002: 793.

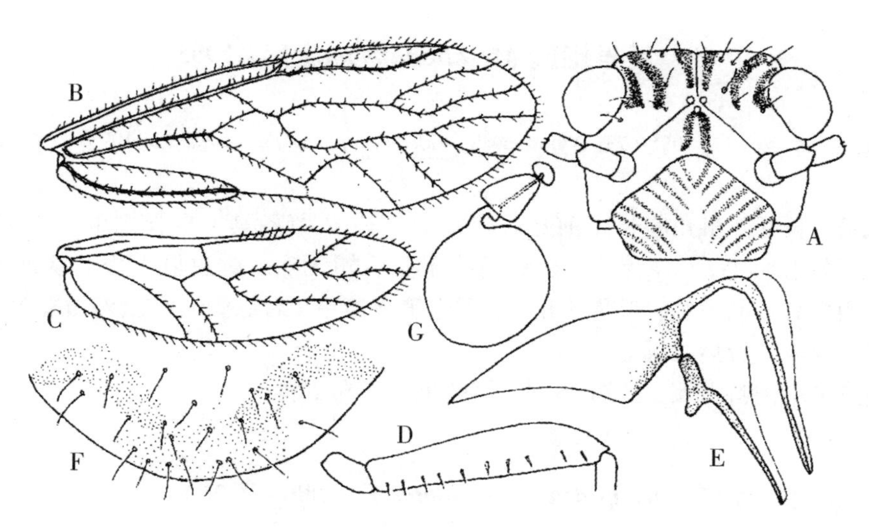

图 25　二条华双蜡 *Siniamphipsocus bilinearis* Li

A. 头; B. 前翅; C. 后翅; D. 前足腿节内侧; E. 生殖突; F. 亚生殖板; G. 受精囊

鉴别特征：雄虫(酒精浸存)头深黄色，具黄褐色斑，毛褐色；单眼区、复眼黑色；后唇基浅褐色，具稍深的条纹，前唇基和上唇黄色；下颚须黄色；触角深黄色，向端部稍变浅。胸部、足黄色；翅污黄色，痣深污黄色，脉褐色。腹部黄色。前翅翅痣狭长，无后角。肛侧板毛点 9 个或 12 个。生殖突背、腹瓣长而尖，背瓣基部扩大，外瓣退化，无刚毛。亚生殖板后缘弧圆，骨化基端膨大，向端渐变细，末端尖；受精囊球形，横径长 0.10mm。

采集记录： 1♀，周至楼观台，1200m，1962. Ⅷ. 06，李法圣采；1♀，秦岭，1200m，1962. Ⅷ. 06，杨集昆采。

分布： 陕西(周至)。

(五)半蝎科 Hemipsocidae

鉴别特征： 长翅；中小型，体翅长3.0～5.0mm。粗壮，被粗长刚毛；有长翅型和短翅型。触角13节，单眼3个，足跗节2节，爪无亚端齿，爪垫宽阔。前翅缘及翅脉(除 Cu_{1b} 和 Cu_2 无毛外)具单列刚毛，毛序较稳定；M分2支；cu_{1a} 室以横脉与M相连。翅痣扁，无后角。后翅无毛；Rs与M合并一段。雄虫肛上板端具3根长刚毛，基缘有齿或无齿；肛侧板具角突或无；阳茎环端开放，内阳基侧突细弱，下生殖板简单。雌虫腹瓣长而宽，背瓣窄，外瓣宽大，被稀疏长刚毛；亚生殖板后缘具凹缺或弧圆。

分类： 全世界已知3属58种，中国已知3属20种，陕西秦岭地区已知1属1种。

8. 后半蝎属 *Metahemipsocus* Li, 1995

Metahemipsocus Li, 1995: 73. **Type species**: *Metahemipsocus longicornis* Li, 1995.

属征： 长翅。触角略长于前翅；下颚须第2～3节各具1根长刚毛。头胸具毛。前翅缘及翅脉具毛，Cu_2 无毛，翅痣后缘平。后翅无毛。雄虫肛上板后缘两侧无角突，肛侧板具长的角突；阳茎环开放；下生殖板简单，后缘圆。雌虫外瓣宽阔，具稀疏长毛，亚生殖板后缘圆。

分布： 中国特有属，已知26种，秦岭地区分布1种。

(26) 二斑后半蝎 *Metahemipsocus bimaculatus* Li, 2002(图26)

Metahemipsocus bimaculatus Li, 2002: 896.

鉴别特征： 雌虫(酒精浸存)头黄色，复眼内侧具淡褐色斑，复眼黑色，单眼区褐色，后唇基无斑纹；下颚须和触角黄色，被褐色长毛。胸部、足黄色；翅透明，浅污褐色，毛基褐色。腹部黄色，背板黄褐色。前翅翅缘脉具毛，翅痣长叶状，后缘弧圆。肛侧板有毛点5个。生殖突腹瓣细，背瓣狭，外瓣宽阔，三角形，具3根长刚毛；亚生殖板后缘圆，骨化区呈"V"形，末端膨大。

采集记录： 1♀，留坝张良庙，1200m，1985. Ⅶ. 24，李法圣采。

分布： 陕西(留坝)。

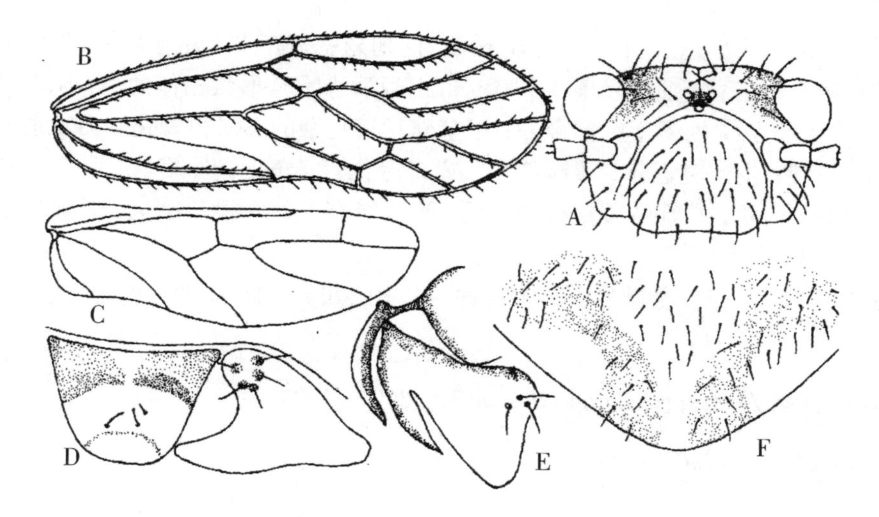

图 26　二斑后半蛄 *Metahemipsocus bimaculatus* Li
A. 头；B. 前翅；C. 后翅；D. 肛上板和肛侧板；E. 生殖突；F. 亚生殖板

（六）外蛄科 Ectopsocidae

鉴别特征：体暗褐色；翅透明或具斑纹。通常长翅型，少数短翅及小翅型。触角 13 节；内颚叶端分叉；上唇感觉器 5 个；头盖缝存在，单眼 3 个或无单眼。前翅缘及脉具稀疏小毛，Cu_2 无毛；后翅缘无毛或仅径叉缘具毛。前翅翅痣近矩形，Rs 与 M 通常以一点相连，或合并一段或以横脉相连，Rs 分 2 支，M 分 3 支，Cu_1 单一，Rs_b 长，常为 M_b 的 2 倍。后翅 Rs 与 M 以横脉相连。足跗节 2 节，爪无亚端齿，爪垫宽。第 9 腹节背常具齿突或其他构造。生殖突完全退化，仅存外瓣；亚生殖板简单，后叶单突或双突。阳茎环环状，阳茎球骨化强、复杂，下生殖板简单。

分类：全世界已知 7 属 226 种，中国记录 5 属 60 种，陕西秦岭地区发现 2 属 3 种。

分属检索表

后翅缘仅径叉缘具毛；雄虫第 9 腹节背板无交合器；阳茎球基部无长柄；雌虫生殖完全；亚生殖板后叶上双突 ……………………………………………… **外蛄属 *Ectopsocus***

后翅缘径叉缘无毛；雄虫第 9 腹节背板具复杂的交合器；阳茎球基部具长柄；雌虫生殖突退化，仅存外瓣；亚生殖板后叶上单突 …………………………………… **邻外蛄属 *Ectopsopsis***

9. 外蛄属 *Ectopsocus* McLachlan, 1899

Ectopsocus McLachlan, 1899: 277. **Type species**: *Ectopsocus briggsi* McLachlan, 1899.

属征：长翅或小翅。内颚叶端部分叉。前翅翅痣近矩形，翅脉具单列毛，Cu_2 无毛。雄虫第 9 跗节背板简单，具 1 列齿，肛上板后缘常具形状相似的齿；阳茎环基部开放，两侧骨化强，内阳茎端部合并；阳茎球具有复杂的不对称骨化。雌虫肛侧板内侧具 1 对齿突；生殖突退化，腹瓣细小，背瓣退化，三角形，外瓣具长刚毛；亚生殖板后叶双突，指状，端部各具 3 根长刚毛，近后缘有 1 列 6 根长刚毛，骨化由后叶向前延伸至第 6 腹板。

分布：世界广布。全世界已知 144 种，中国已知 18 种，陕西秦岭地区已知 2 种。

(27) 纵带外蛄 *Ectopsocus longitudinalis* Li, 2002(图 27)

Ectopsocus longitudinalis Li, 2002: 913.

鉴别特征：雌虫(酒精浸存)头黄色，具淡褐色斑，后唇基具淡褐色条斑；胸部黄色至黄褐色，背板具褐色纹，侧板在基节上方具褐色带；足黄色；翅污黄色，脉褐色，各脉端及 Rs 与 M 相接处具褐斑 10 个。腹部黄色，背板各节具褐色横带。前翅痣翅矩形，向端略变窄。后翅径叉缘具 6 根毛。肛上板舌状，肛侧板内侧齿突外大内小，毛点 8 个。生殖突腹瓣细长而尖；背瓣退化，仅存 1 个三角形膜板；外瓣发达，长锥状，多长毛；亚生殖板近端具 6 根长刚毛，后叶双突指状，骨化粗壮，端圆钝，略膨大；后叶长为骨化长的 27%。

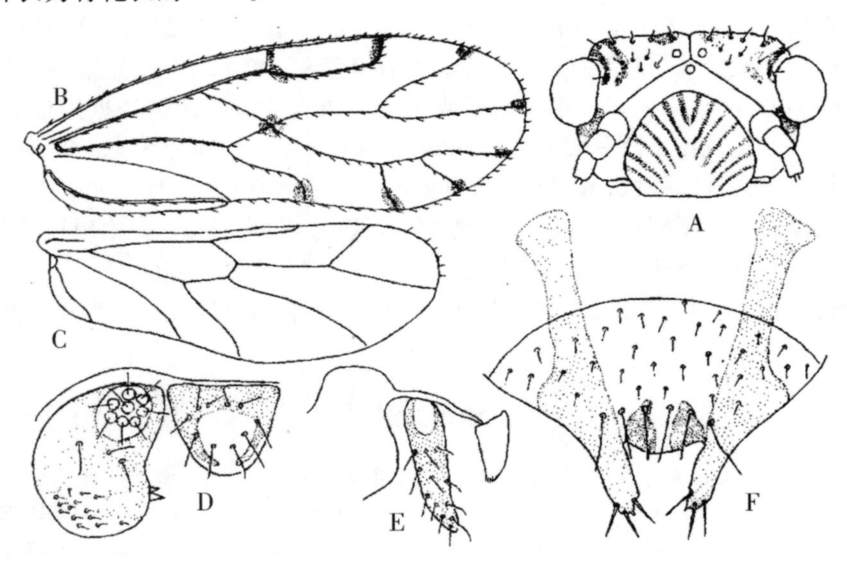

图 27 纵带外蛄 *Ectopsocus longitudinalis* Li

A. 头；B. 前翅；C. 后翅；D. 肛上板和肛侧板；E. 生殖突；F. 亚生殖板

采集记录：1♀，留坝张良庙，1200m，1985. Ⅶ. 24，李法圣采。

分布：陕西(留坝)。

(28)直叶外蝎 *Ectopsocus strictifoliatus* Li, 2002(图 28)

Ectopsocus strictifoliatus Li, 2002: 918.

鉴别特征：雌虫(酒精浸存)头黄褐色，具褐色斑，后唇基褐色，无条纹；下颚黄色；触角黄褐色。胸部及足黄色；翅浅污黄色，脉黄褐色，前翅各脉端及 Rs 与 M 相接处具褐色斑 10 个。腹部黄色，两侧及背板具褐色斑带。前翅痣翅矩形，Rs 与 M 以一点相接，R_{4+5}为 Rs_a 的 1.17 倍。后翅 Rs 与 M 以横脉相连，R_{4+5}短于 Rs_a；肛上板舌状，肛侧板内侧齿突外大内小，毛点 8 个。生殖突腹瓣细长而尖；背瓣退化，仅存 1 个三角形膜片；外瓣发达，近梭形，多具长刚毛；亚生殖板近基缘具 6 根长刚毛，后叶双突，端具 3 根长刚毛，骨化粗长，端外侧突出；后叶长为骨化长的 28%。

采集记录：1♀，南郑，1650m，1985. Ⅶ. 23，李法圣采。

分布：陕西(南郑)。

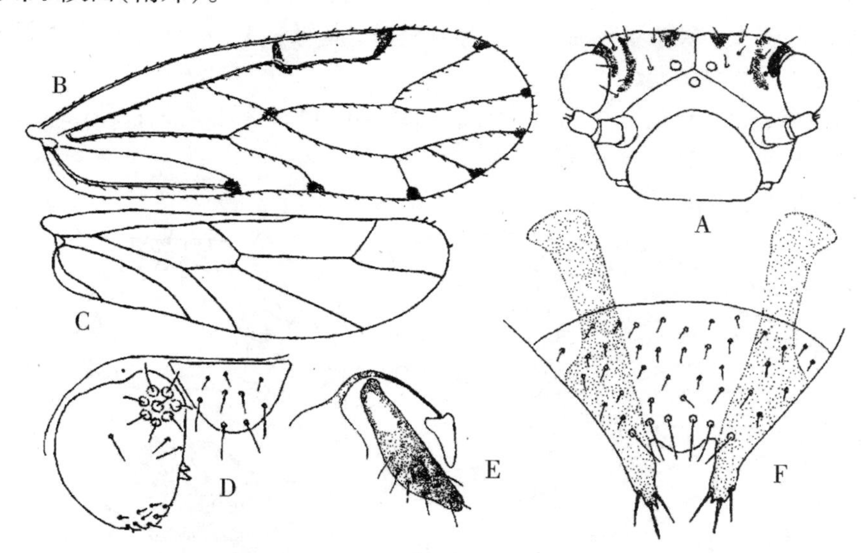

图 28　直叶外蝎 *Ectopsocus strictifoliatus* Li

A. 头；B. 前翅；C. 后翅；D. 肛上板和肛侧板；E. 生殖突；F. 亚生殖板

10. 邻外蝎属 *Ectopsocopsis* Badonnel, 1955

Ectopsocopsis Badonnel, 1955: 185. **Type species**: *Ectopsocus balli* Badonnel, 1955.

属征：触角约为体长的 1/2。雌虫和雄虫复眼小，差别不明显。翅端部宽阔，近矩形；翅缘及翅脉光滑无毛。雄虫第 9 跗节背板具复杂构造的交合器；肛侧板内侧具 1 个角突，毛点 8 个；阳茎环环状，内阳基侧突合并，阳茎球骨化复杂；下生殖板简单，后缘各具 1 个指突。雌虫生殖突退化，仅存外瓣，与受精囊孔板连在一起。

分布：古北区，新北区，东洋区，非洲区。全世界已知43种，中国已知22种，陕西秦岭地区已知1种。

(29) 黄头邻外蛄 *Ectopsocopsis luteolicapitus* Li, 2002（图29）

Ectopsocopsis luteolicapitus Li, 2002: 955.

鉴别特征：雄虫和雌虫（酒精浸存）头、后唇基黄色无斑；下颚须褐色，端节端黄色；触角褐色，向端渐变为黄褐色。胸部褐色，背面黄色，盾片及小盾片两侧褐色；足黄褐色；翅污褐色，脉褐色，腹部中央黄色。雄虫前翅翅痣矩形，向端渐变窄。第9腹节背板具交合器。阳茎环基缘宽厚，内阳基侧突端封闭，外阳基侧突细尖，波曲，阳茎球骨化强，基柄粗长，端楔尖；下生殖板后突短、细，端膨大。雌虫肛侧板内侧1个角突，毛点8个。生殖突退化，仅存外瓣，端具4根长刚毛，三角形；载瓣片近方形，略膨大；受精囊孔后骨片后伸到后缘，基缘具1个骨片；亚生殖板后叶单突，骨化弧弯，向端膨大。

采集记录：5♂5♀，洋县，1200m，1985. Ⅶ. 15，李法圣采；3♂5♀，镇巴，1650m，1985. Ⅶ. 20-21，李法圣采。

分布：陕西（洋县、镇巴）。

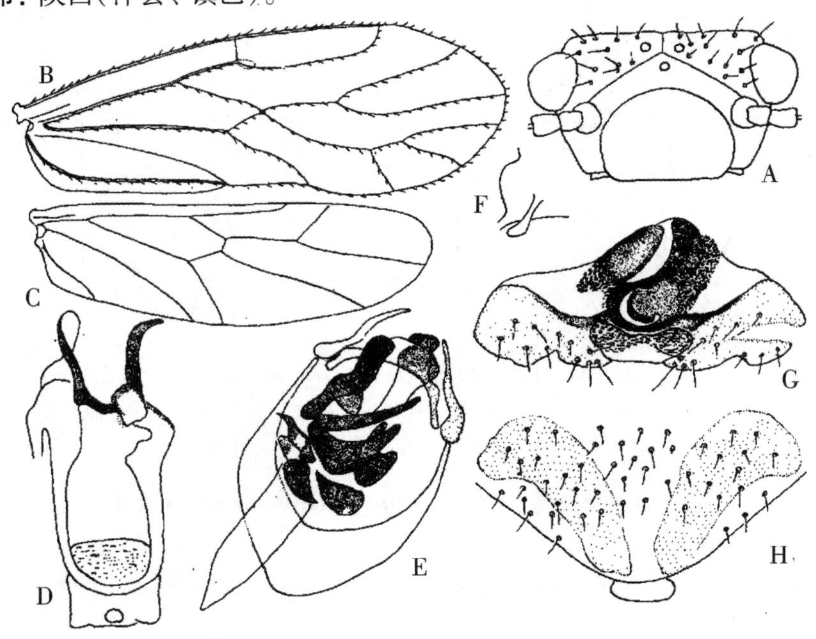

图29 黄头邻外蛄 *Ectopsocopsis luteolicapitus* Li（A-F♂，G-H♀）

A. 头；B. 前翅；C. 后翅；D. 交合器；E. 阳茎环；F. 下生殖板后突；G. 生殖突；H. 亚生殖板

（七）叉蜡科 Pseudocaeciliidae

鉴别特征：长翅或短翅。体翅多毛。内颚叶细，端分叉。具齿；触角 13 节，短于前翅长度。翅缘具毛，外缘具交叉毛，膜质部具毛或无毛；前翅脉毛双列，端部分支脉较稀疏；Cu_2 无毛；后翅仅端部脉具毛；前翅 Rs 与 M 合并一段，M 和 Cu_1 单一不分支；R 和 M 从基部分开，无共柄或共柄很短。跗节 2 节，爪具或无亚端齿，爪垫宽或细，端部膨大，通常基跗节具毛栉。雄虫外阳基侧突通常宽长，内阳基侧突形成封闭的阳茎环；阳茎环骨化杆状，骨化强或骨化弱或膜质；下生殖板后叶完全或左右分开，具各种角状或指状突出或齿突。雌虫亚生殖板后叶双突，少数呈锥状或弧圆，具 1 对或 2 对刚毛；生殖突完全，外瓣发达。

分类：全世界已知 27 属 262 种，中国记录 19 属 108 种，陕西秦岭地区分布 3 属 4 种。

分属检索表

1. 前翅膜质部除端部具毛外多毛 ………………………………………………………… 2
   前翅膜质部无毛或仅端部具毛 ……………………………………… **异叉蜡属 *Heterocaecilius***
2. 长翅；前翅 M 分 3 支 ……………………………………………………… **角叉蜡属 *Kerocaecilius***
   短翅；前翅 M 分 2 支 ……………………………………………………… **华叉蜡属 *Sinelipsocus***

11. 角叉蜡属 *Kerocaecilius* Li, 2002

Kerocaecilius Li, 2002: 1001. **Type species**: *Kerocaecilius grammocephalus* Li, 2002.

属征：体表多毛。内颚叶端部分叉。触角短于前翅。翅缘具毛，外缘具交叉毛；前翅翅脉具黄列毛，Cu_2 无毛；前翅膜质部具毛，后翅膜质部无毛。雄虫肛上板和肛侧板具粗糙区，肛侧板端部具长角突，毛点通常 10 个；阳茎环封闭，阳茎球骨化杆状；下生殖板后缘完整，具 6 个角突。雌虫生殖突腹瓣细长；背瓣宽长，端部分为两叶；外瓣发达具长刚毛，亚生殖板端部分双叶，具 2 对刚毛。

分布：中国特有属，已知 16 种，秦岭地区发现 2 种。

（30）楼观台角叉蜡 *Kerocaecilius louguantaiensis* Li, 2002（图 30）

Kerocaecilius louguantaiensis Li, 2002: 1014.

鉴别特征：雄虫(酒精浸存)头黄褐色，具深褐色斑，毛褐色，毛基周围黑色，单眼内侧褐色，复眼黑色；后唇基、上唇褐色，前唇基黄色；下颚须深褐色，触角黄色，胸部黄褐色；足黄色；翅深污黄或污黄褐色，翅痣前缘及脉稍深。腹部黄色，具少量黄褐色斑。前翅翅痣后角圆。肛上板三角形，端刚毛长位在瘤突上，具粗糙区；肛侧板毛点 10 个，具粗糙区。阳茎环基部中央以膜质相连，阳茎球骨化强，杆状；下生殖板具 3 对角突，外侧 1 对较短小；第 8 腹板侧缘骨化粗壮。

采集记录：1♂，周至楼观台，1200m，1962. Ⅷ. 17，李法圣采。

分布：陕西(周至)。

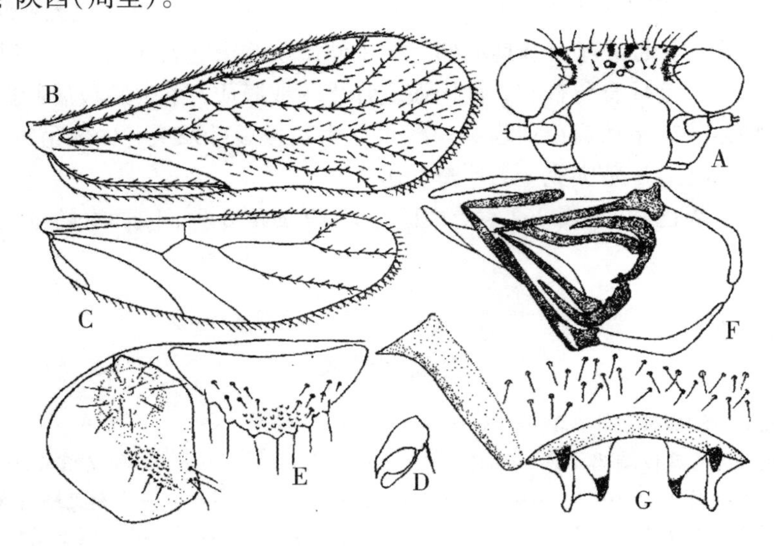

图 30 楼观台角叉蛄 *Kerocaecilius louguantaiensis* Li

A. 头；B. 前翅；C. 后翅；D. 爪；E. 肛上板和肛侧板；F. 阳茎环；G. 下生殖板

(31) 褐缘角叉蛄 ***Kerocaecilius phaeolomus* Li, 2002**(图 31)

Kerocaecilius phaeolomus Li, 2002: 1015.

鉴别特征：雄虫(酒精浸存)头黄色，具褐色长毛，无斑；单眼内侧及复眼黑色；后唇基、上唇黄色，前唇基黄褐色；下颚须深褐色；触角黄色，胸部褐色；足褐色，转节、茎节及基跗节黄色。翅深污褐色，前缘深褐色，脉褐色。腹部黄色，具黑褐色斑。前翅翅痣后缘平滑，端弧形。肛上板舌状；肛侧板毛点 10 个。生殖突腹瓣细长，端具小毛；背瓣长，端分叶，端角具小刚毛；外瓣短卵圆形，被长刚毛；于生殖板后突双叶，端细尖。

采集记录：2♀，佛坪，1200m，1985. Ⅶ. 16，李法圣采。

分布：陕西(佛坪)。

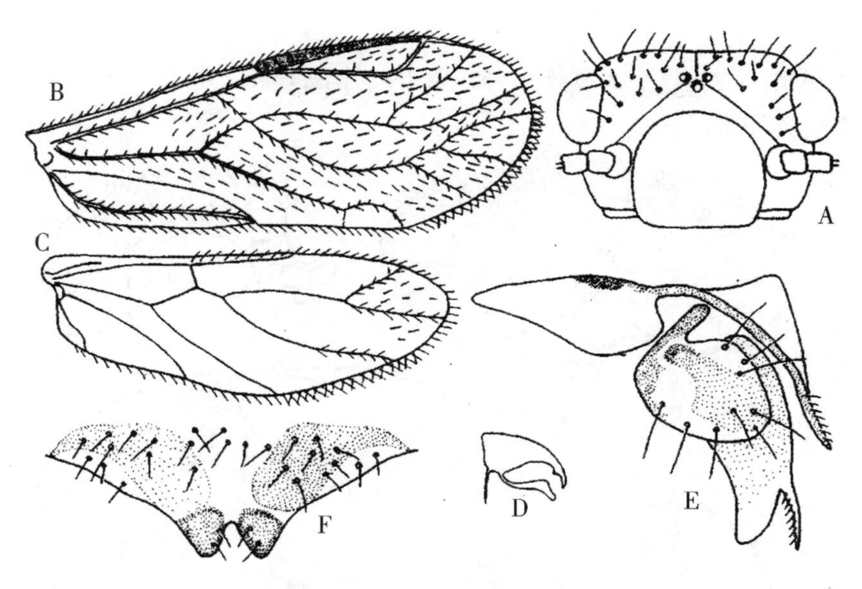

图 31　褐缘角叉啮 *Kerocaecilius phaeolomus* Li
A. 头；B. 前翅；C. 后翅；D. 爪；E. 生殖突；F. 亚生殖板

12. 华叉啮属 *Sinelipsocus* Li, 1992

Sinelipsocus Li, 1992: 197. **Type speices**: *Sinelipsocus villosus* Li, 1992.

属征：短翅，仅发现雌虫。前翅变厚，革质，近不透明；翅缘及脉被长毛，前缘基半部、R、M + Cu 和 A 具双列毛，Cu_2 无毛；翅痣宽长，具毛。后翅退化，翅缘具短刚毛。雌虫亚生殖板后叶双突，各具 2 根刚毛；生殖突背瓣宽阔，端部具长角突；外瓣圆或方，多长刚毛。

分布：中国特有属，已知 2 种，秦岭地区分布 1 种。

(32) 杨氏华叉啮 *Sinelipsocus yangi* Li, 1992（图 32）

Sinelipsocus yangi Li, 1992: 199.

鉴别特征：雌虫（酒精浸存）头黄色，具黄褐色斑，被黑褐色长毛，后唇基黄色，上唇褐色；单眼黄色，复眼黑色；下颚须黄褐色；触角黄色。足黄色至黄褐色。前翅褐色，近不透明，Cu_1 端污白色；后翅污黄褐色。触角长于前翅，被褐色长毛；后唇基大，长宽约等。足跗节分 2 节，爪具 1 个亚端齿，爪垫宽、端膨大。前翅翅痣长，被毛；Rs 与 M 以一点相连，Rs、M 各分 2 支，Cu_1 长，Cu_{1a}室小。后翅外后缘具短毛；脉不明显。雌虫肛上板近圆锥形；肛侧板半圆形，毛点 7 个。亚生殖板后端具双叶，骨化区呈“V”形，生殖突背瓣宽阔，外侧具长角突；腹瓣端尖；外瓣近方形，基端 1

个长柄突出，缘具长毛。

采集记录：1♀，周至楼观台，1962.Ⅷ.04，李法圣采。

分布：陕西(周至)。

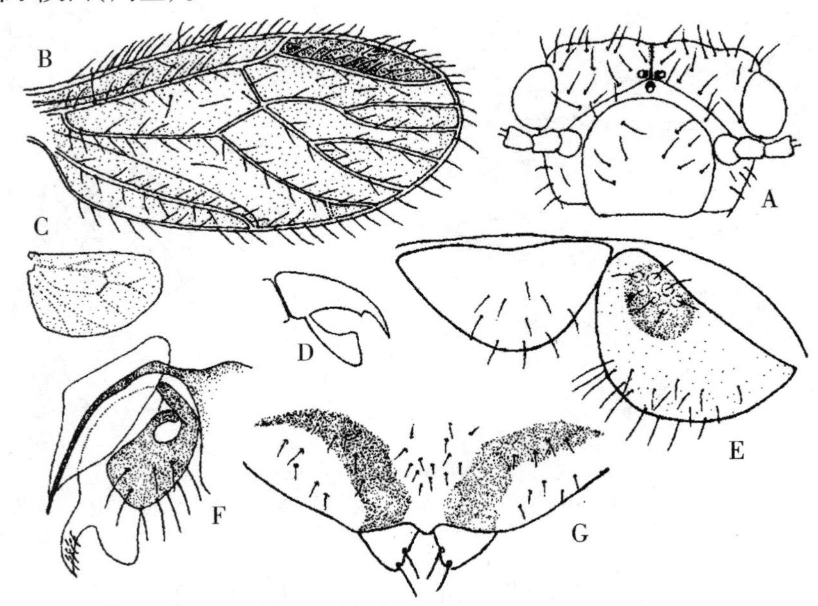

图32 杨氏华叉蛄 *Sinelipsocus yangi* Li

A. 头；B. 前翅；C. 后翅；D. 肛上板和肛侧板；E. 生殖突；F. 亚生殖板

13. 异叉蛄属 *Heterocaecilius* Lee *et* Thorton, 1967

Heterocaecilius Lee *et* Thorton, 1967: 13. **Type species**: *Heterocaecilius simplex* Lee *et* Thorton, 1967.

属征：爪无亚端齿，爪垫宽。前翅 Rs 与 M 合并一段或以一点相接。后翅 R 与 $M+Cu_1$ 由基部分开，无共柄。翅缘具毛，外缘具交叉毛，前翅翅脉具双列毛，通常端部分支脉较稀疏，Cu_2 无毛；后翅端部脉具毛。下生殖板后叶中央分开，具各种角突；阳茎骨化弱，杆状。生殖突完全，背瓣端部分叶，亚生殖板后叶双突，具 2 对刚毛。

分布：古北区，新北区，东洋区。全世界已知 37 种，中国记录 17 种，秦岭地区发现 1 种。

(33) 华西异叉蛄 *Heterocaecilius huaxiensis* Li, 2002(图 33)

Heterocaecilius huaxiensis Li, 2002: 1081.

鉴别特征：雌虫(酒精浸存)头黄色，具深黄色斑，毛黑褐色，毛基深褐色；单眼区黄色，复眼黑色；后唇基黄色，两侧具不完整的褐纹，前唇基、上唇黄色；下颚须、触角黄褐色。胸部黄色，侧具褐纹；足黄色；前翅深污黄色，脉淡色；后翅浅污黄色。腹部黄色，两侧具不规则褐斑。肛侧板毛点10个。生殖突腹瓣细长，背瓣宽大，端分叶；外瓣近长方形，具长刚毛；亚生殖后叶双突，具2对刚毛；基部骨化向端部变弯，渐尖。

采集记录： 2♀，秦岭，1500m，1962. Ⅷ. 09，杨集昆采。

分布： 陕西(秦岭)。

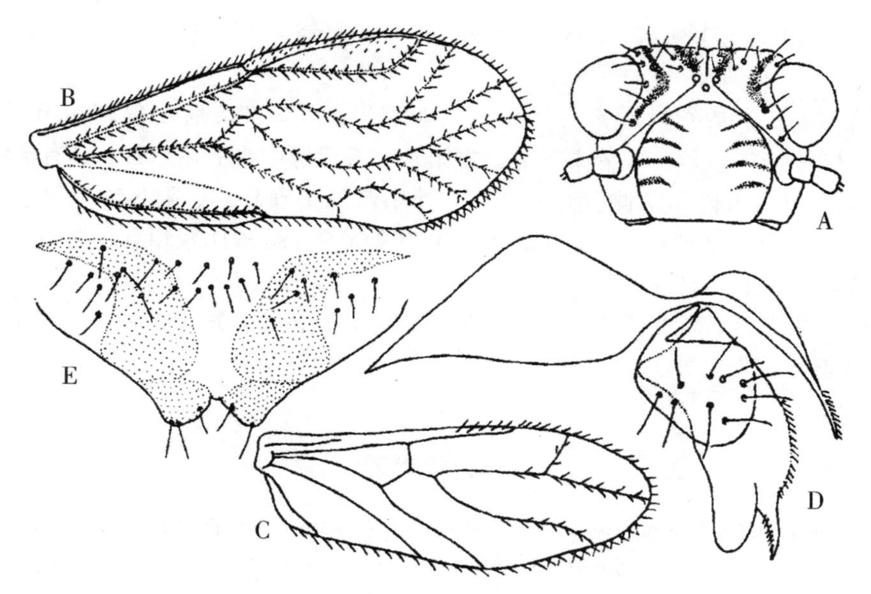

图33　华西异叉蝎 *Heterocaecilius huaxiensis* Li

A. 头；B. 前翅；C. 后翅；D. 生殖突；E. 亚生殖板

(八)围蝎科 Peripsocidae

鉴别特征： 体通常暗褐色，翅多暗褐色，稍透明，通常具斑、带。成虫通常长翅，稀有短翅或小翅。内颚叶细，端分岔。头光滑，或具微毛，头盖缝臂缺。前后翅无毛。前翅 Cu_1 单一，无 Cu_{1a} 室。后翅无毛，Rs 和 M 合并一段。足跗节分2节，仅基跗节具毛栉；爪具亚端齿，爪垫细，端钝。内阳基侧突端封闭，形成封闭的阳茎环，呈鸟喙状；少数基部开放，以膜质连接；外阳基侧突在阳茎环内。生殖突完全；外瓣发达，多毛。

分类： 全世界已知279种，中国记录183种，陕西秦岭地区发现2属8种。

分属检索表

阳茎球呈锚状，极少数无骨化打的阳茎球；雌虫亚生殖板后叶单叶 ……………… **围蝎属 *Peripsocus***
阳茎球不呈锚状；雌虫亚生殖板后叶双叶 …………………………………… **双突围蝎属 *Diplopsocus***

14. 围蝎属 *Peripsocus* Hagen, 1866

Peripsocus Hagen, 1866: 203. **Type species**: *Psocus phacopterus* Stephen, 1836.

属征：长翅。内颚叶端部分叉。爪具亚端齿，爪垫细。后足仅基跗节具毛栉。前翅 Rs 与 M 合并一段；M 分 3 支。雄虫第 9 背板后缘中央向后延伸，具有梳状的齿突或瘤突；阳茎由内阳基侧突合并成环，外阳基侧突在环内；阳茎球呈锚状，骨化强，对称。雌虫亚生殖板具明显的后叶；生殖突完全，腹瓣比较粗壮，端尖；背板宽阔，端部具刚毛；外瓣发达，多刚毛。

分布：古北区，新北区，东洋区，新热带区。全世界已知 252 种，中国记录 113 种，秦岭地区发现 5 种。

分种检索表

1. 头部、触角、胸部均褐色 ………………………………… **晋陕围蝎 *Peripsocus jinshaanensis***
   头部、触角均黄色或黄褐色………………………………………………………………… 2
2. 头部具褐色或黑色斑纹 …………………………………………………………………… 3
   头部无斑，胸部具褐色斑 ……………………………………………… **武侯氏围蝎 *P. wuhoi***
3. 头部具褐色斑，胸部黄色，无斑 ……………………………… **楼观台围蝎 *P. louguantaiensis***
   头部具黑色斑纹，胸部黄褐色或黄色具褐色斑纹……………………………………… 4
4. 胸部具褐色斑纹 ………………………………………………… **张良氏围蝎 *P. zhangliangi***
   胸部无斑 ………………………………………………………… **斜突围蝎 *P. plagiotropus***

(34) 武侯氏围蝎 *Peripsocus wuhoi* Li, 2002(图 34)

Peripsocus wuhoi Li, 2002: 1157.

鉴别特征：雄虫和雌虫(酒精浸存)头黄褐色，头顶稍深；单眼区，复眼黑色，后唇基黄褐色；雌虫隐见条纹，前唇基及上唇深褐色；下颚须及触角黄褐色。胸部黄褐色，背面具褐斑；足黄色，腿、胫及跗节黄褐色；翅污黄褐色，脉褐色，翅痣深污黄褐色。腹部黄色。雄虫第 9 腹节背板后突具 11 个齿；肛侧板毛点 42 个。阳茎环基宽，外阳基侧突长；阳茎球中叶前突细尖而短，后突宽钝，端方形，两侧叶针状；下生殖板骨化两边宽，中部细，后缘圆。雌虫肛侧板毛点 25 个。生殖突腹瓣细长，背瓣宽大，端具长刚毛；外瓣小，长约为背瓣的1/3，被长刚毛；亚生殖后叶十分长大，两侧骨化褐色；基部骨化呈羊角状分开，端向外弯。

采集记录：1♂4♀，勉县武侯墓，1200m，1985. Ⅶ. 26，李法圣采。

分布：陕西(勉县)。

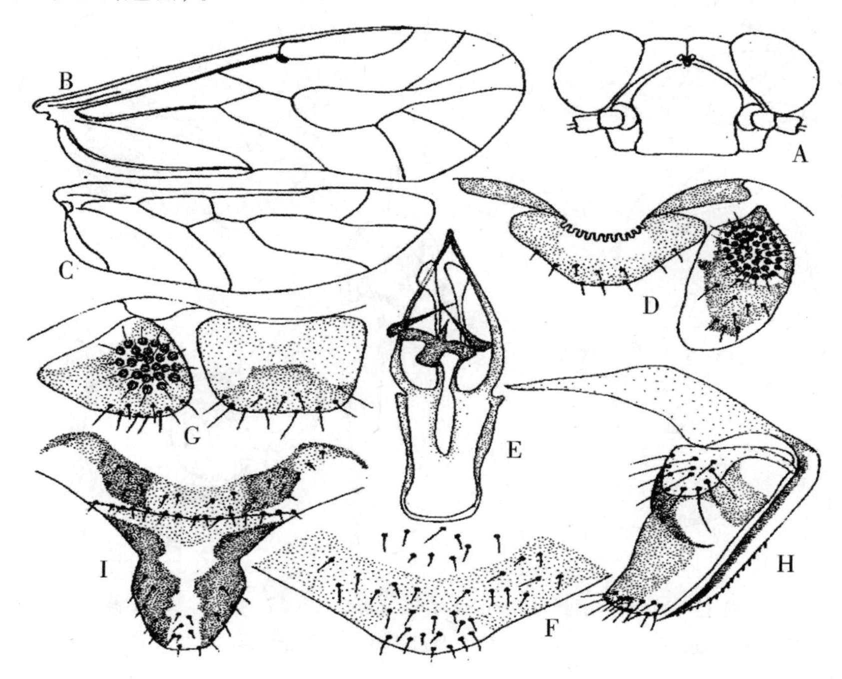

图34　武侯氏围蝎 *Peripsocus wuhoi* Li(A-F♂，G-I♀)

A. 头；B. 前翅；C. 后翅；D. 第9腹节背板后缘及肛上板和肛侧板；E. 阳茎环；F. 下生殖板；G. 生殖突；H. 肛上板和肛侧板；I. 亚生殖板

(35)楼观台围蝎 *Peripsocus louguantaiensis* Li, 2002(图35)

Peripsocus louguantaiensis Li, 2002: 1164.

鉴别特征：雄虫和雌虫(酒精浸存)头深黄色至黄褐色，具深褐色斑；单眼区、复眼黑色；后唇基隐见条纹，前唇基、上唇褐色；下颚须和触角淡黄色。胸部和足黄色；翅污黄色，脉黄褐色，翅痣深污黄色。腹部黄色，有稀疏的黄褐色斑。雄虫第9腹节背板后缘突出具6个齿，齿方形；肛上板三角形；肛侧板毛点28~29个，具很多小孔。阳茎环长0.45mm，基部窄，近端两侧具耳状突出；阳茎球中叶前后突约等长，尖锐；侧叶细尖，基部膨大；下生殖板后缘中央略凹，骨化呈"一"字形，后缘略波。雌虫肛侧板毛点22个。生殖突腹瓣较粗壮，长；背瓣宽短，端具长刚毛和齿突；外瓣长，长于背瓣的1/2；亚生殖板后叶宽短，基部骨化向端渐尖，弧弯。

采集记录：1♂1♀，周至楼观台，1200m，1962. Ⅷ. 14，李法圣采。

分布：陕西(周至)。

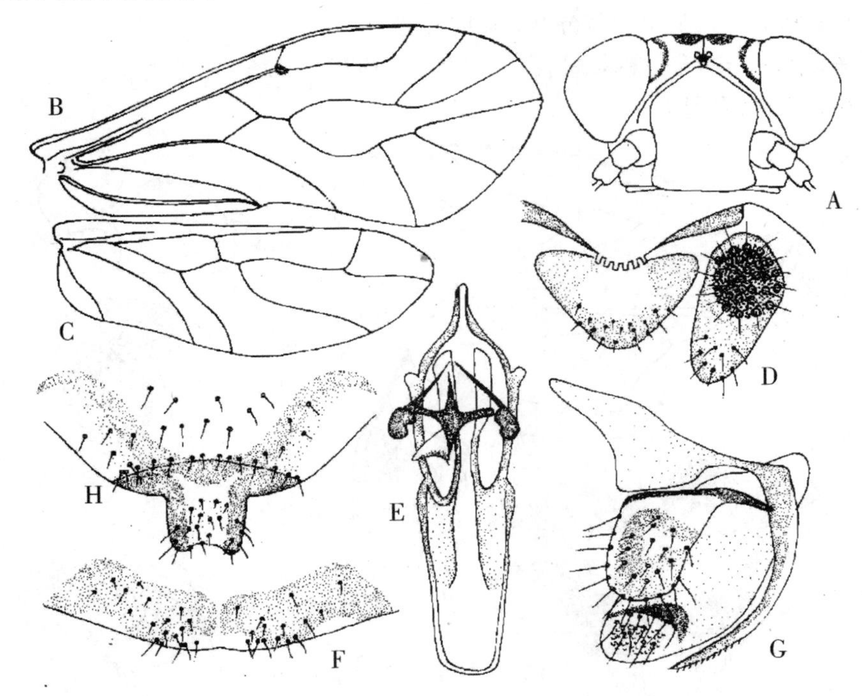

图35 楼观台围蚳 *Peripsocus louguantaiensis* Li(A-F♂，G-H♀)

A. 头；B. 前翅；C. 后翅；D. 第9腹节背板后缘及肛上板和肛侧板；E. 阳茎环；F. 下生殖板；G. 生殖突；H. 亚生殖板

(36)晋陕围蚳 *Peripspcus jinshaanensis* Li，2002(图36)

Peripspcus jinshaanensis Li，2002：1171.

鉴别特征：雄虫和雌虫(酒精浸存)头褐色，单眼区、复眼黑色；后唇基、前唇基、上唇褐色；下颚须褐色，端节深褐色；触角褐色。胸部褐色，背板深褐色，各骨片间黄色；足黄褐色，腿节背面及前中足胫、跗节深褐色；前翅污黄色至污黄褐色，脉褐色；翅痣污褐色，前缘具黑色区。腹部黄色。雄虫第9腹节背板后突出明显，具10个齿；肛上板三角形，肛侧板毛点约40个。阳茎环长0.49mm，最宽处为基宽的1.17倍；阳茎球中叶后突粗壮，长于前叶，侧叶细长；外阳基侧突细长，伸达环端；下生殖板后缘弧圆。雌虫肛侧板毛点28个；生殖突腹瓣细长；背瓣宽阔；外瓣短小，约为背瓣长的1/3，被长刚毛；亚生殖板后叶方形，基部骨化区指状，向端变细，端钝略向后弯。

采集记录：1♀，秦岭，1500m，1962.Ⅷ.05，李法圣采。

分布：陕西(秦岭)、山西。

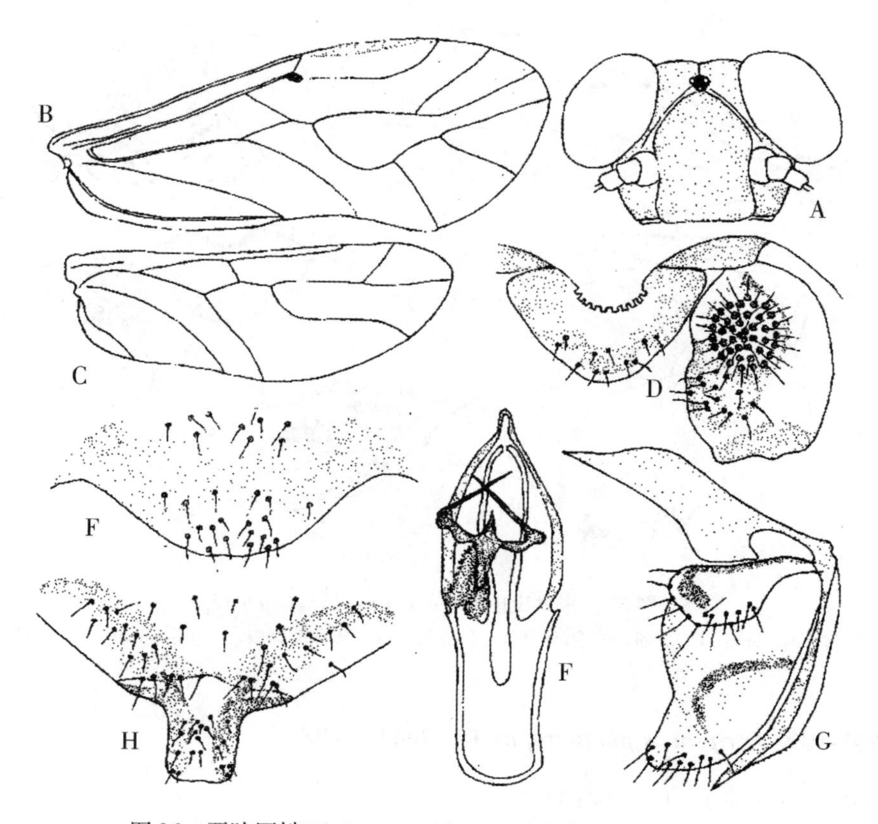

图 36 晋陕围蛄 *Peripspcus jinshaanensis* Li(A-F♂，G-H♀)

A. 头；B. 前翅 C. 后翅；D. 第 9 腹节背板后缘及肛上板和肛侧板；E. 阳茎环；F. 下生殖板；G. 生殖突；H. 亚生殖板

(37)张良氏围蛄 *Peripsocus zhangliangi* Li, 2002(图 37)

Peripsocus zhangliangi Li, 2002: 1165.

鉴别特征： 雄虫(酒精浸存)头乳黄色，具稀疏黑色斑纹；头盖缝干、单眼区、复眼黑色；后唇基具不完整的黑纹，前唇基、上唇淡色；下颚须、触角淡黄色。胸部黄色，有少量褐色纹；足淡黄色；翅污黄褐色，脉黄褐色；痣深污黄色。腹部乳黄色或淡白色；背板两侧具稀疏的小褐色斑。第 9 腹节背板后缘突出具 10 个齿；肛上板圆三角形，肛侧板毛点约 30 个。阳茎环基端近方形，长 0.41mm，阳茎球中叶前后突约等长，两侧叶骨化黑色，细长；下生殖板后缘中央具凹缺，骨化区呈“V”形。

采集记录： 1♂，留坝张良庙，1200m，1985. Ⅶ. 24，李法圣采。

分布： 陕西(留坝)。

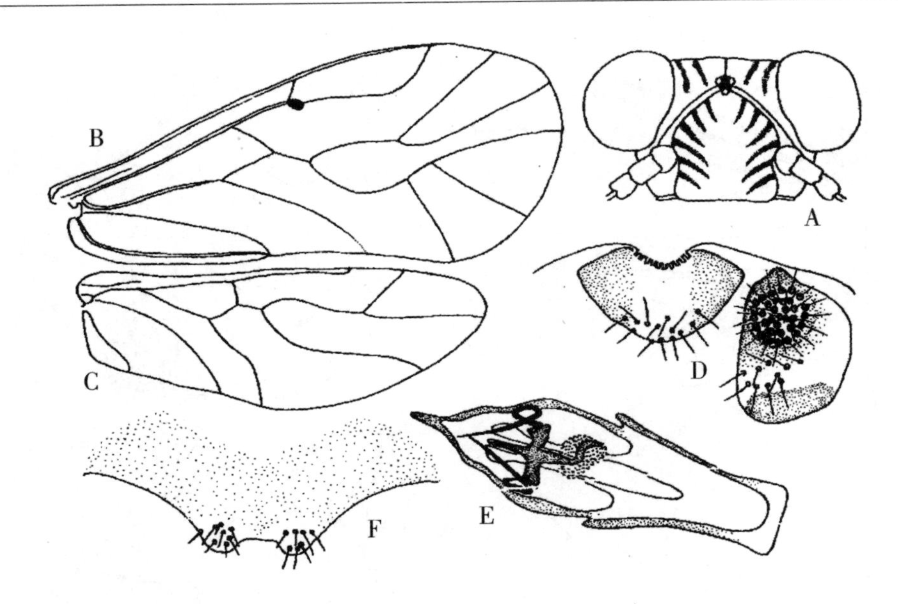

图 37 张良氏围蝎 *Peripsocus zhangliangi* Li

A. 头；B. 前翅；C. 后翅；D. 第 9 腹节背板后缘及肛上板和肛侧板；E. 阳茎环；F. 下生殖板

(38) 斜突围蝎 *Peripsocus plagiotropus* Li, 2002（图 38）

Peripsocus plagiotropus Li, 2002: 1182.

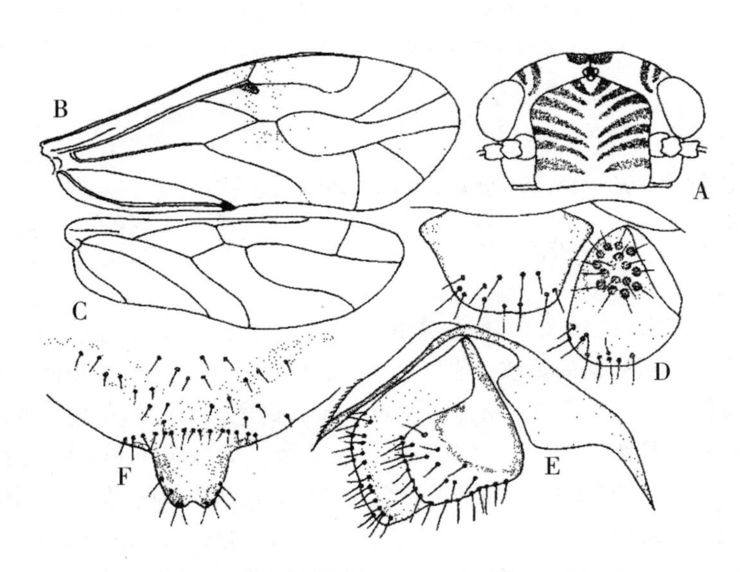

图 38 斜突围蝎 *Peripsocus plagiotropus* Li

A. 头；B. 前翅；C. 后翅；D. 肛上板和肛侧板；E. 生殖突；F. 亚生殖板

鉴别特征：雌虫（酒精浸存），头淡黄色，具黑色斑；单眼区、复眼黑色；后唇基具深褐色斑，基缘黄褐色；前唇基、上唇褐色；下颚须黄色；触角黄褐色。胸部深黄色；足黄色，前中胫、跗节褐色；翅污黄褐色，翅痣色稍深，中部白色横带仅前半部明显。腹部黄色，背板有少量褐色斑。前翅翅痣宽阔，后角圆。肛侧板毛点 16 个，生殖突腹瓣细长，具微毛；背瓣十分宽阔，端具长刚毛；外瓣发达，约为背板的 2/3，具长刚毛；亚生殖板后叶锥状，基部骨化呈“V”形分开，向端渐细尖，基部靠拢。

采集记录：2♀，秦岭，1500m，1962. Ⅷ. 04，李法圣采；2♀，秦岭，1500m，1962. Ⅷ. 09，杨集昆采。

分布：陕西(秦岭)。

15. 双突围蝎属 *Diplopsocus* Li *et* Mockford, 1993

Diplopsocus Li *et* Mockford, 1993: 55. **Type species**: *Diplopsocus cupressicolus* Li *et* Mockford, 1993.

属征：体色、外形及脉序与围蝎属相似。但雄虫第 9 跗节背板后缘平直，无齿突；阳茎环基部宽，骨化强。雌虫亚生殖板后双叶突出；外瓣短小，背瓣长。

分布：东洋区。全世界已知 34 种，中国记录 31 种，秦岭地区分布 3 种。

分种检索表

1. 头部褐色……………………………………… **白斑双突围蝎 *Diplopsocus albostigmus***
   头部黄色 ………………………………………………………………………… 2
2. 足褐色 ……………………………………………… **凹缘双突围蝎 *D. scrobiculatus***
   足黄色 ………………………………………………… **菱翅双突围蝎 *D. rhombeus***

(39) 凹缘双突围蝎 *Diplopsocus scrobiculatus* Li, 2002(图 39)

Diplopsocus scrobiculatus Li, 2002: 1247.

鉴别特征：雄虫和雌虫(酒精浸存)头黄色，具褐色斑；单眼区、复眼黑色；后唇基黄色，具褐色条纹，前唇基和上唇黄褐色；下颚须黄色，第 4 节褐色；触角黄褐色。胸部深褐色，中胸盾片两侧后方及小盾片黄色；足褐色，腿节腹面、胫节大部分及基跗节黄褐色；翅污黄色，脉褐色，翅痣深污黄色，腹部黄色，有散生的云状斑。雄虫第 9 腹节背板后缘平直；肛上板半圆形，肛侧板毛点约 31 个。阳茎环基端宽，骨化淡褐色，外阳基侧突端细，阳茎球细杆状，具网孔；下生殖板后缘凹缺呈长方形，骨化平伸。雌虫肛侧板毛点 25 个；生殖突腹瓣细长，端具短刚毛；背瓣宽大，端具刚毛和齿突；外瓣短小，小于背瓣长的 1/3，被长刚毛；亚生殖板后叶夹角宽弧圆形，基部骨化粗短弧弯。

采集记录：1♂1♀，秦岭，1500m，1962. Ⅷ. 05，李法圣采。

分布：陕西(秦岭)。

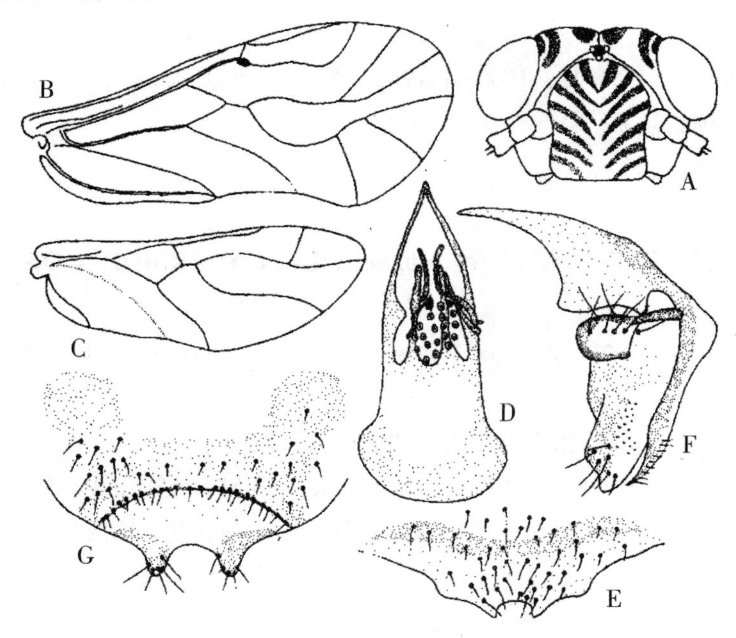

图 39　凹缘双突围蛄 *Diplopsocus scrobiculatus* Li(A-E♂，F-G♀)

A. 头；B. 前翅；C. 后翅；D. 阳茎环；E. 生殖板；F. 生殖突；G. 亚生殖板

(40)白斑双突围蛄 *Diplopsocus albostigmus* Li *et* Mockford, 1993(图 40)

Diplopsocus albostigmus Li *et* Mockford, 1993: 63.

鉴别特征：雄虫和雌虫(酒精浸存)头深褐色，具褐色斑；单眼区复眼黑色；后唇基深黄色，具褐色带，前唇基及上唇褐色；下颚须黄色，端节黄褐色；触角黄色至黄褐色。胸部背面黄色，具淡褐色斑，侧腹面黄褐色；足黄色，胫跗节褐色；翅污黄褐色，脉褐色，雄翅痣前缘基端具 1 个淡色白斑，后翅前缘及顶角具絮状褐色斑。腹部黄色，背侧面具絮状褐色斑，生殖节褐色，雄虫稍淡。雄虫前翅翅痣后角弧圆肛侧板毛点约 39 个。阳茎环基端宽阔，外阳基侧突位环内；阳茎球两组，基部的粗大，具齿；端部的较细小；下生殖板后缘具宽的深的凹缺，基部骨化横行。雌虫肛侧板毛点 16 个，毛点区多小孔。生殖突腹瓣细长，基部宽三角形；背瓣宽阔，端具刚毛；外瓣短小，长约为背瓣的 1/3，被长刚毛；亚生殖板后叶较小，夹角为锐角。

采集记录： 1♂1♀，宁陕火地塘，1985. Ⅵ. 08，李法圣采。

分布： 陕西(宁陕)。

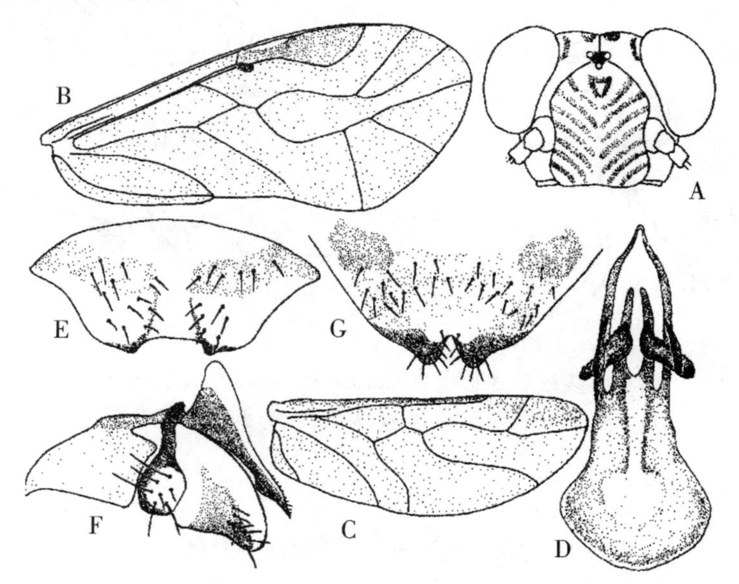

图 40　白斑双突围啮 *Diplopsocus albostigmus* Li et Mockford(A-E♂，F-G♀)

A. 头；B. 前翅；C. 后翅；D. 阳茎环；E. 下生殖板；F. 生殖突；G. 亚生殖板

(41) 菱翅双突围啮 *Diplopsocus rhombeus* Li *et* Mockford，1993(图 41)

Diplopsocus rhombeus Li *et* Mockford，1993：69.

鉴别特征： 雌虫(酒精浸存)，头鲜黄色，具黄褐色斑；单眼区、复眼黑色；后唇基黄色，具十分明显的黄褐色带，前唇基、上唇褐色；下颚须、触角黄褐色。胸部鲜黄褐色，背面稍深；足黄色，前中足胫节褐色；翅污黄色，脉黄褐色，前翅中部有淡色横带、白色横带，但不明显；后翅前缘深污黄色，r_3 室具 1 块污白色斑。腹部黄色。前翅翅痣近矩形。肛侧板毛点 19 个或 20 个。生殖突腹瓣粗长，端细尖，具小刚毛；背瓣宽大，具刚毛及齿突；外瓣短小，端球形，被长刚毛；亚生殖板后叶夹角弧圆，基部骨化端粗壮，骨化强，外弯。

采集记录： 1♀，秦岭，1500m，1962. Ⅷ. 06，李法圣采。

分布： 陕西(秦岭)。

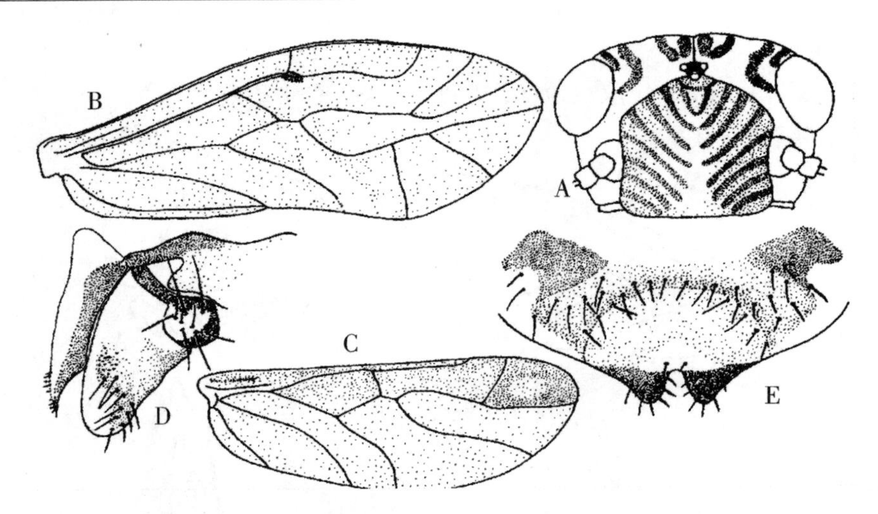

图 41 菱翅双突围蛄 *Diplopsocus rhombeus* Li *et* Mockford

A. 头；B. 前翅；C. 后翅；D. 生殖突；E. 亚生殖板

(九)蛄科 Psocidae

鉴别特征： 触角分 13 节，长度不定；下颚须 4 节；内颚叶端分叉。翅光滑，无毛；脉 Sc 存在；Rs 和 M 合并一段或以一点相连或以横脉相连；M 与 Cu_{1a} 合并一段或以一点相连或以横脉相连；Rs 分 2 支，M 分 3 支。后翅除部分在径叉缘有一些刚毛外，其余部分光滑。足跗节分 2 节，爪具亚端齿，爪垫细，端钝和具基部的刺。雄虫肛侧板端具明显的角突。下生殖板对称或不对称，通常具有各种各样的齿、刺、槽、脊或瘤等突起。阳茎环端封闭呈环状或退化，端部分开或两边完全分开为 2 条，基部以膜质连接。雌虫亚生殖板通常具有后叶，端缘具刚毛。常横宽，具后叶。受精囊孔周围常骨化。

分类： 为蛄目中最大的 1 科。全世界已知 1210 种，中国记录 37 属 357 种，陕西秦岭地区发现 6 属 7 种，包括 1 个新纪录属和 1 个新纪录种。

分属检索表

1. 触角常较前翅为短，鞭长第 1 节仅为前翅长的 1/5 ~ 1/8 ………………………………… 2
   触角通常为前翅的 1.5 倍以上，鞭长第 1 节为前翅的 1/3 ~ 1/4 ……………………… 5
2. 前翅 Cu_{1ab} 短于 $M + Cu_{1a}$；雄虫第 8 ~ 9 腹板骨化 ……………………………………… 3
   前翅 Cu_{1ab} 长于或等于 $M + Cu_{1a}$；雄虫仅第 9 腹板骨化……………………………… 4
3. 生殖板分 5 裂或中央内侧有 1 个宽的支撑的架；阳基侧突基部以膜质相连 ………………
   ……………………………………………………………………………… 拟新蛄属 ***Neopsocopsis***

下生殖板 3 裂或 2 裂，阳基侧突骨化基部连在一起 ……………………………… 蓓啮属 *Blaste*
4. 翅痣后缘弧圆，明显无后角，基部不凹入或无翅(雌虫) ………………… 联啮属 *Symbiopsocus*
翅痣有显著的后角(圆或尖)，有时有距脉，基部凹入…………………………… 点麻啮属 *Loensia*
5. 下额须端节长为宽的 3.2 倍以上，否则雌虫生殖突背瓣端圆 …………… 昧啮属 *Metylophorus*
下额须端节长为宽的 3 倍以下，否则雌虫生殖突瓣端尖 ………………… 触啮属 *Psococerastis*

16. 拟新啮属 *Neopsocopsis* Badonnel, 1936 陕西新纪录属

Neopsocopsis Badonnel, 1936: 761. **Type species**: *Psocus hirticornis* Reuter, 1893.
Pentablaste Li, 2002: 1367. **Type species**: *Pentablaste obconica* Li, 2002.

属征：触角较短，未达前翅末端。前翅常为淡褐色，翅痣后角圆，Sc 脉自由，Rs 与 M 合并一段或以一点相接，少数以横脉相连。部分雌虫前翅为短翅型。雄虫臀板后缘波曲，后缘中部突出；肛上板椭圆形，前中部具突起；肛侧板端尖，无明显角突；第 8 腹板骨化，与下生殖板相连；下生殖板对称，分 5 叶，中叶弧弯，1 对侧叶龙骨状，具齿，1 对内叶骨化呈棒状或略膨大；阳茎环端部开放，基部合并或以膜质相连。雌虫亚生殖板后叶长，基部略缢缩，部分骨化；亚生殖板基部骨化呈“V”形，两侧膨大；生殖突腹瓣细长、端尖，背瓣宽长，外瓣横长；生殖孔板骨化近圆形。

分布：古北区，东洋区。全世界已知 13 种，中国记录 12 种，秦岭地区发现 1 种。

(42)粗角拟新啮 *Neopsocopsis hirticornis* (Reuter, 1893) 陕西新纪录种(图 42)

Psocus hirticornis Reutre, 1893: 42.
Pentablaste obconica Li, 2002: 1373.
Neopsocopsis hirticornis: Badonnel, 1938: 239.

鉴别特征：雄虫和雌虫(酒精浸存)头黄色，具黑褐色斑，后唇基黄褐色，具深褐色条，上唇和前唇基褐色；下颚须黄褐色，末节褐色；触角褐色。胸部黄褐色，背板黄色，具黑褐色斑，中胸小盾片中央黄色；足黄褐色，中后足腿节背面、基节稍深一些；翅透明，浅栗褐色，翅痣、脉栗褐色。腹部黄色，具少量黄褐色斑，雄虫生殖节骨化强，褐色。雄虫前翅翅痣后缘圆。肛上板端部锥状突出；肛侧板端具角突，毛点约 30 个。阳基侧突基部以膜质连接，端分叉；下生殖板后叶 5 裂，两侧者呈锥状，中突圆锥状，对称。雌虫肛侧板舌状，肛侧板毛点约 30 个。生殖突腹瓣细长而尖；背瓣基部宽，向端变尖；外瓣横长，后叶横宽，具后角及长刚毛；亚生殖板后叶粗壮，基部稍缢缩；受精囊孔板钟罩形。

采集记录：1♂，周至老县城，2014.Ⅷ.19，卢秀梅采。

分布：陕西(周至)、内蒙古、北京、河北、山西、宁夏、湖北、湖南；欧洲。

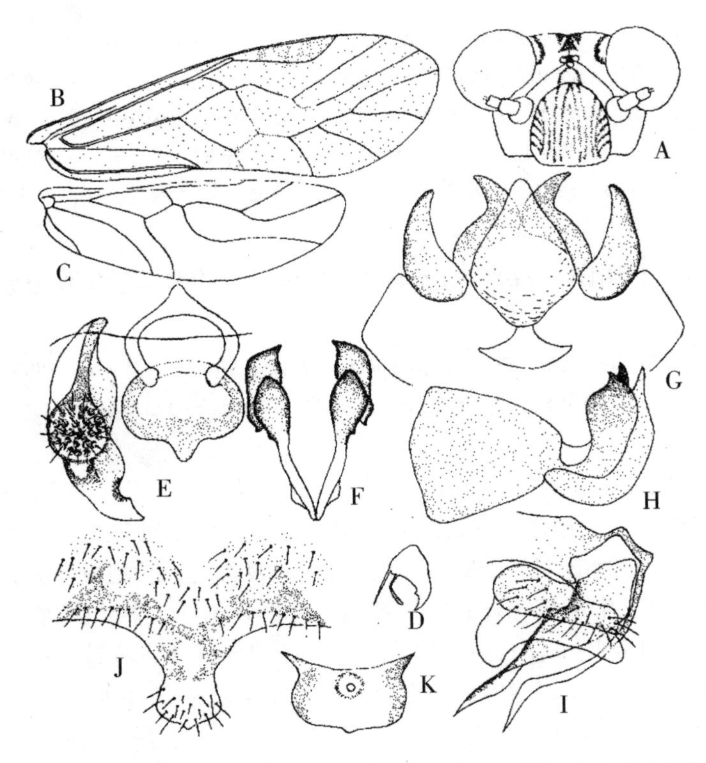

图 42　粗角拟新蛄 *Neopsocopsis hirticornis*（Reuter）（A-F♂，I-K♀）

A. 头；B. 前翅；C. 后翅；D. 爪；E. 肛上板和肛侧板；F. 阳基侧突；G. 下生殖板；H. 下生殖板侧视；I. 生殖突；J. 亚生殖板；K. 生殖孔板

17. 蓓蛄属 *Blaste* Kolbe, 1883

Blaste Koble, 1883: 79. **Type species**: *Blaste juvenilis* Koble, 1883.

属征：长翅。通常下颚须端节的长为宽的 3 倍以上；爪具亚端齿，爪垫细、端钝；后足跗节具毛栉。前翅翅痣后角圆或后缘弧圆；Rs 与 M 合并一段。后翅径叉缘无毛。雄虫第 8～9 腹板骨化，下生殖板对称，3 叶或 2 叶；肛上板具中角或侧角突，肛侧板端部具角突；阳基侧突端具分叉，基部膜质连接。雌虫生殖突腹瓣细长，端尖；背瓣宽长，端尖；外瓣具后叶；亚生殖板后叶圆，基部缢缩或不缢缩，骨化不伸达后叶端部。

分布：全北区，东洋区，非洲区，新热带区。全世界已知 110 种，中国记录 8 种，秦岭地区发现 1 种。

（43）拟枝蓓蛄 *Blaste smilivirgata* Li, 1989（图 43）

Blaste smilivirgata Li, 1989: 45.

鉴别特征： 雌虫(酒精浸存)头黄色，具黄褐色斑，后唇基条纹褐色，粗细相间，前唇基褐色，上唇深褐色；单眼区及复眼黑色。下颚须黄褐色，端节深褐色；触角黄褐色。胸、足黄褐色，小盾片后小盾平黄色。翅半透明，污褐色，翅痣和脉褐色。腹部黄色，有褐斑。前翅翅痣后角圆；后翅径叉缘无毛。肛上板近梯形，肛侧板毛点约34个。生殖突腹瓣细长；背瓣宽长；外瓣短，后叶宽，外侧具角突；亚生殖板后叶很长，长约为宽的3倍，骨化伸至后叶约2/3处；受精囊孔板中部骨化呈褐色纵带，横长0.25mm。

采集记录： 1♀，南郑，1630m，1985.Ⅶ.23，李法圣采。

分布： 陕西(南郑)。

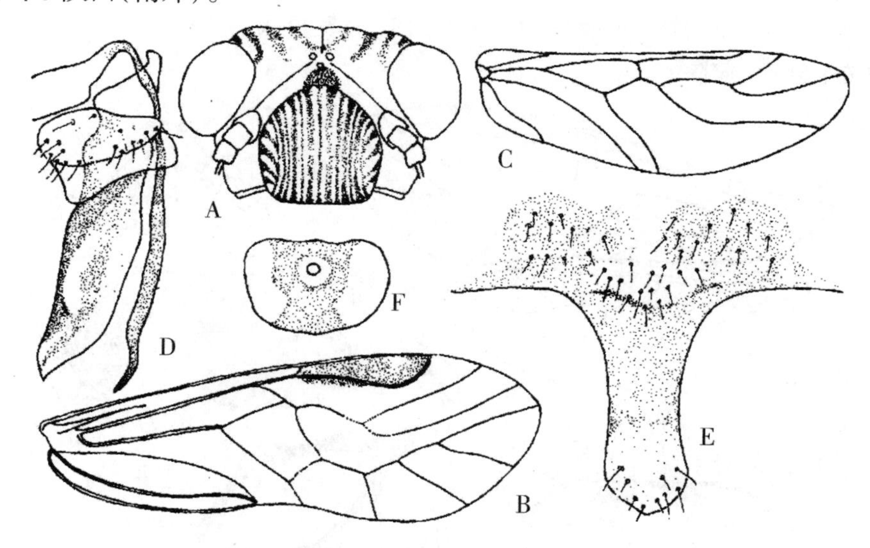

图43　拟枝蓓啮 *Blaste smilivirgata* Li

A. 头；B. 前翅；C. 后翅；D. 生殖突；E. 亚生殖板；F. 生殖囊孔板

18. 联啮属 *Symbiopsocus* Li, 1997

Symbiopsocus Li, 1997: 491. **Type species**: *Symbiopsocus leptocladus* Li, 1997.

属征： 触角达前翅端或稍长于前翅。翅一般为淡黄色，长，透明，少数具淡褐色斑；前翅翅痣或有短的距脉，Sc脉自由，Rs与M以横脉相连或以一点相接或合并一段。雄虫臀板后缘平直或中部略突出，位于肛上板下方；肛上板近圆形，端圆；肛侧板端具粗壮角突；下生殖板通常对称；阳茎闭合为环状，通常近菱形。雌虫亚生殖板具后叶，基部骨化近"V"形，两侧膨大，端部波曲或伸直；生殖突腹瓣细长，背瓣宽长，端具尖角，外瓣横长，具后叶。

分布： 古北区，东洋区。全世界已知23种，中国记录22种，秦岭地区发现1种。

(44)四突联蛄 *Symbiopsocus quadripartitus* Li, 2002(图 44)

Symbiopsocus quadripartitus Li, 2002: 1414.

鉴别特征: 雄虫(酒精浸存)头黄色, 具褐色斑, 后唇基黄色, 具褐色条斑, 前唇基、上唇深褐色, 单眼区突出, 黑色, 复眼黑色; 下颚须深褐色, 末节黑色; 触角黑褐色。前胸背板褐色, 中后胸黄色, 具深褐色斑; 足黄色, 基节、胫节端、跗节黑褐色; 翅透明, 脉褐色, 痣及后缘斑褐色。腹部黄色, 有淡褐色斑。前翅翅痣后角圆。肛上板方圆形, 近基部两侧各凹入; 肛侧板狭长, 端尖角突出, 毛点约 44 个。阳茎环菱形; 下生殖板后缘突出双叶, 内侧中突双叶, 两侧各有 1 个角突。

采集记录: 1♂, 宁陕火地塘, 1985. Ⅵ. 18, 杨集昆采。

分布: 陕西(宁陕)。

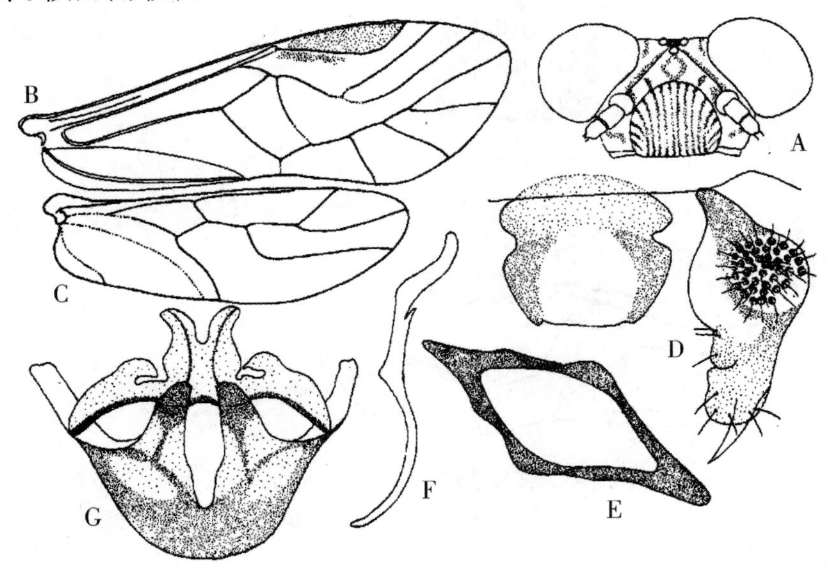

图 44 四突联蛄 *Symbiopsocus quadripartitus* Li

A. 头; B. 前翅; C. 后翅; D. 肛上板和肛侧板; E. 阳茎环; F. 阳茎环侧视; G. 下生殖板

19. 点麻蛄属 *Loensia* Enderlein, 1924

Loensia Enderlein, 1924: 35. **Type species**: *Psocus fasciatus* Fabricius, 1787.

属征: 长翅。下颚须内颚叶端部分叉。中胸前盾片无角突。前翅斑纹细碎, 外缘无大斑; 翅痣后角圆; Sc 脉通常自由, Rs 分叉不小于 90°。雄虫阳茎环状, 下生殖板对称或不对称。雌虫亚生殖板具后叶; 生殖突外瓣后叶有或无。

分布: 古北区, 东洋区, 新北区, 澳洲区。全世界已知 36 种, 中国记录 22 种,秦岭地区发现1种。

(45)双角点麻蝎 *Loensia binalis* Li, 2002(图45)

Loensia binalis Li, 2002 1537.

鉴别特征：雄虫(酒精浸存)头黄色，具褐色斑，后唇基具褐色条，上唇及前唇基褐色；单眼区及复眼黑色；下颚须黄色，端节褐色；触角黄色至黄褐色。胸部黄褐色，具褐色斑；足黄色；前面黄褐色；足黄色；前翅透明，具密而碎的褐斑，脉褐色，后翅浅污黄褐色。腹部黄色，具褐色斑。翅透明，污白色，脉褐色，密具碎褐斑，翅痣基及端黑色；后翅污黄色，脉黄褐色。腹部黄色，具褐色纹。前翅翅痣后角圆；Sc脉自由，Rs与M合并一段。第9腹节背板侧突指状，近端略角弯，端具齿；肛上板舌状；肛侧板葫芦状，端具细角突；阳茎环基部圆，端突出2个角，两侧中央具角突；下生殖板对称，具中叶。

采集记录：1♂，宁陕火地塘，1985. Ⅵ. 18，杨集昆采。

分布：陕西(宁陕)。

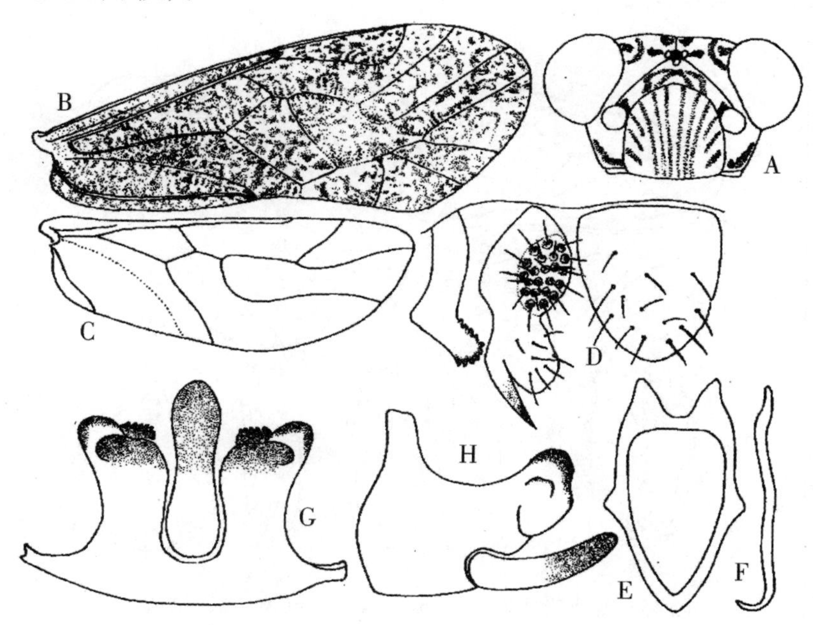

图45　双角点麻蝎 *Loensia binalis* Li

A. 头；B. 前翅；C. 后翅；D. 肛上板和肛侧板及第9腹节背板侧突；E. 阳茎环；F. 阴茎环侧视；G. 下生殖板；H. 下生殖板侧视

20. 昧蛄属 *Metylophorus* Pearman, 1932

Metylophorus Pearman, 1932: 202. **Type species**: *Psocus nebulosus* Stephens, 1836.

属征：触角长于前翅。下颚须端节长为宽的3.0～4.5倍。内颚叶端部分叉。翅污褐色或具污褐色斑；翅痣端部宽阔，后角圆；Sc脉自由，少数终止于R。雄虫肛侧板端部具长角突；下生殖板对称或不对称；阳茎环状，两侧常具角突。雌虫肛侧板具黑色杆状骨化结构；亚生殖板后叶长；生殖突腹瓣细长；背瓣宽长，端钝或扩大；外瓣横长，后叶端；生殖孔板骨化较强，常不对称。

分布：古北区，东洋区，非洲区，新热带区，澳洲区。全世界已知50种，中国记录26种，秦岭地区发现1种。

(46) 普通昧蛄 *Metylophorus plebius* Li, 2002（图46）

Metylophorus plebius Li, 2002: 1562.

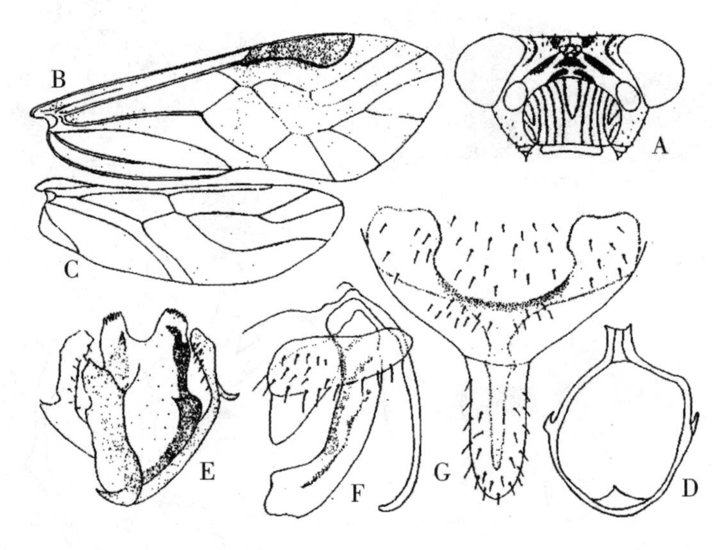

图46 普通昧蛄 *Metylophorus plebius* Li（A-E♂，F-G♀）

A. 头；B. 前翅；C. 后翅；D. 阳茎环；E. 生殖板；F. 生殖突；G. 亚生殖板

鉴别特征：雄虫和雌虫（酒精浸存）体褐色至深褐色。头部黄色，具深褐色斑；后唇基具深褐色条；下颚须黄褐色，末节深褐色；触角深褐色，第1～3节大部分黄色。足深褐色，腿节基半黄褐色。翅褐色，翅痣、脉深褐色。腹部黄色，具深褐色不规则斑。雄虫前翅翅痣宽阔，后角圆。肛侧板毛点约25个。下生殖板不对称，共7个突出，中叶近基有1个角突；阳茎环封闭，颈短，近中两侧具小角突出。雌虫肛上板舌状，长约为宽的4/5；肛侧板长锥状，毛点约37个。亚生殖板后突长，骨化后突锥状，细长；基部骨化横突弧向后弯，两端膨大；生殖突背瓣背瓣狭长，末端膨大，具骨化条；腹瓣细长，端钝；外瓣横长，具后突，端圆；受精囊孔口具骨化。

采集记录：2♂4♀，秦岭，1500m，1962. Ⅷ. 05-09，李法圣采。

分布：陕西（秦岭）、吉林、山西、甘肃、浙江、湖北、湖南、广西、四川。

21. 触蛄属 *Psococerastis* Pearman, 1932

Psococerastis Pearman, 1932: 202. **Type species**: *Psocus gibbosus* Sulzer, 1776.

属征：长翅。触角长是前翅的1.5～2.0倍。下颚须端节粗短。翅痣后角钝圆；Sc脉大多自由，少数终止于R脉；Rs脉分叉大约60°。雄虫第9腹节背板中央一般呈圆形或舌状突出；阳茎环。雌虫生殖突腹瓣细长，背瓣宽阔，端尖，外瓣后叶明显；亚生殖板后叶短圆，基部缢缩，骨化后伸部分呈音叉形。

分布：世界广布。全世界已知138种，中国记录81种，秦岭地区分布2种。

（47）粗茎触蛄 *Psococerastis stulticaulis* Li, 1989（图47）

Psococerastis stulticaulis Li, 1989: 48.

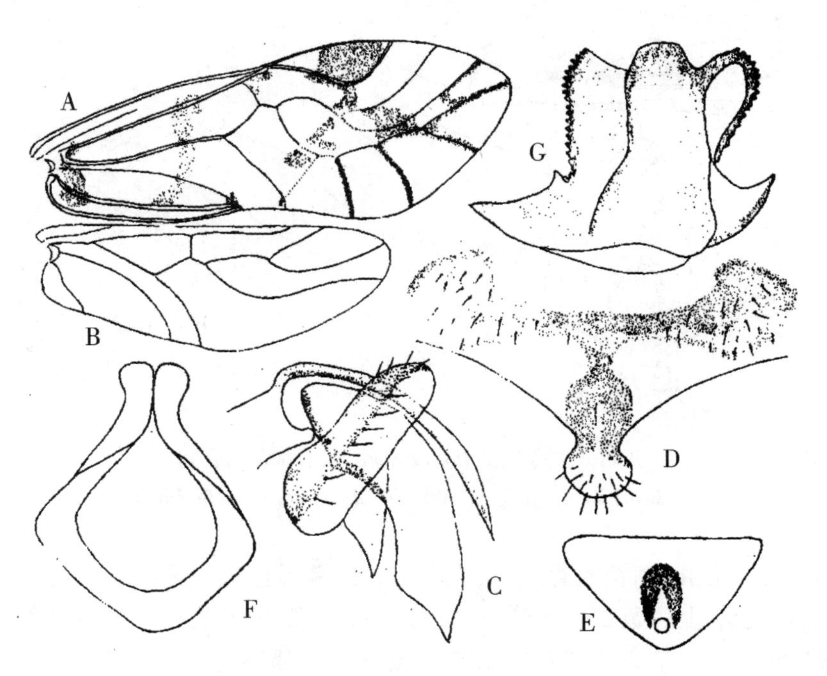

图47　粗茎触蛄 *Psococerastis stulticaulis* Li（A-E♀，F-G♂）

A. 前翅；B. 后翅；C. 生殖突；D. 亚生殖板；E. 受精囊孔板；F. 阳茎环；G. 下生殖板

鉴别特征：雄虫和雌虫(酒精浸存)头黄色，具褐色斑，沿头盖缝干斑黑色；后唇基黄色，具褐色条，上唇及前唇基黄色；单眼区及复眼黑色；下颚须黄色，第3节黄褐色，第4节褐色。胸部黄色，具黑褐色斑；足黄色，腿节具褐斑，胫节两端及跗节黑褐色；翅透明，麦褐色，前翅具褐斑，端部脉沿脉具斑，痣斑褐色。腹部黄色，具褐色斑。雌虫前翅翅痣宽阔，后角圆。肛上板锥状，肛侧板三角形；毛点约38个。生殖突背瓣细长；背瓣宽长，端稍尖；外瓣横长，后突三角形；亚生殖板后叶圆，基部缩狭，基部骨化横长，两端膨大；受精囊孔板三角形，孔上部具"V"形骨化。雄虫肛上板半圆形，肛侧端角细长，毛点约35个。阳茎环粗壮，近菱形；下生殖板不对称。

采集记录：1♂1♀，佛坪，1200m，1985.Ⅶ.16，李法圣采。

分布：陕西(佛坪)、内蒙古、山西、甘肃、安徽、湖北、贵州。

(48)大突触蛄 *Psococerastis magniprocessus* Li，2005(图48)

Psococerastis magniprocessus Li，2005：308.

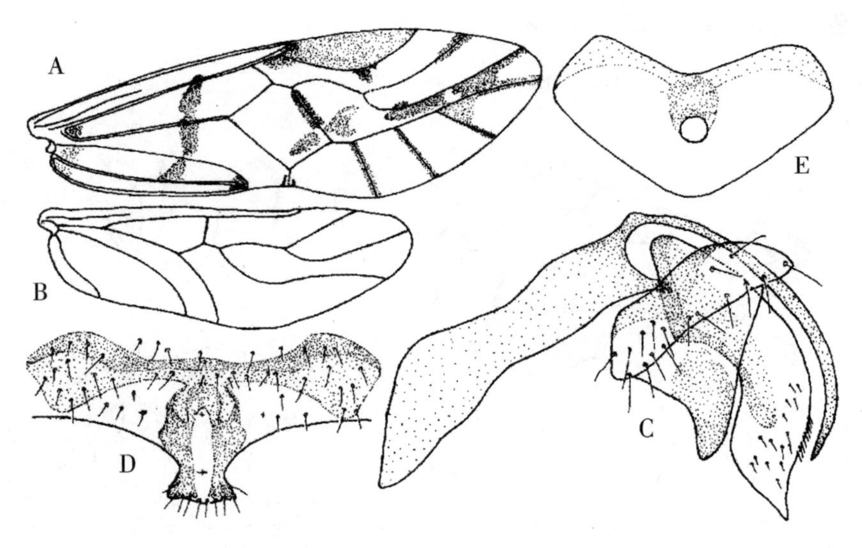

图48 大突触蛄 *Psococerastis magniprocessus* Li

A. 前翅；B. 后翅；C. 生殖突；D. 亚生殖板；E. 受精囊孔板

鉴别特征：雌虫(酒精浸存)，头乳白色，具黑褐色斑；后唇基黄色，具黑色条斑，前唇基黑色，上唇黄白色；单眼内侧黑色，复眼灰褐色；下颚须褐色，基2节黄色；触角黄褐色，第3节端及以后各节黑色。胸部黑色，具黄色斑。足深褐色，腿节腹面、胫节大部分乳白色；翅透明，浅污黄色，前翅斑黑褐色。腹部背面具黑褐色宽带，腹面黄色。前翅翅痣后角弧圆。肛上板锥状；肛侧板毛点约38个。生殖突腹瓣细长；背瓣宽阔，端削尖；外瓣横长，具长刚毛，后突长大，角状；亚生殖板后叶短，端平截，基略缩狭，基部骨化两侧近方圆形；受精囊孔板呈“V”形，孔口具骨化。

采集记录：1♀，周至楼观台，1020m，1999. Ⅵ. 23，章有为采。

分布：陕西(周至)、甘肃。

参考文献

Badonnel A. 1938. Sur le *Psocus hirticornis* Reuter, 1893. *Bulletin de la Societe zoologique de France* 63: 237-239.

Li, F -S. 2002. *Psocoptera of China*. Science Press, Beijing. 1-1976. [李法圣, 2002. 中国蝎目志, 北京:科学出版社. 1-1976.]

Li, F -S. 2005. Psocoptera: Amphientomidae, Caeciliusidae, Stenopsocidae, Amphipsocidae, Hemipsocidae, Ectopsocidae, Pseudocaeciliidae, Peripsocidae, Mesopsocidae, Psocidae and Lachesillidae. Pp. 293-310. *In*: Yang X-K (ed.). *Insect Fauna of Middle-West Qinling Range and South Mountains of Gansu Province*. Beijing: Science Press, 1-1055. [李法圣, 2005. 蝎虫目:重蝎科, 单蝎科, 狭蝎科, 双蝎科, 半蝎科, 外蝎科, 叉蝎科, 围蝎科, 羚蝎科, 蝎科和分蝎科, 293-310. 见:杨星科主编:秦岭西段及甘南地区昆虫. 北京:科学出版社. 1-1055.]

New, T. R. 1977. Psocoptera of the Oriental Region: A review of published taxonomic information with keys to families and genera. *Oriental Insects* (*Supplements*), 6: 1-83.

Turner, B. D. 1974. The abdominal adhesive organs of Caecilius equivocatus Mockford (Caeciliidae, Psocoptera, Insecta). *Journal of Natural History*, 8: 427-431.

Yoshizawa, K. 2010. Systematic revision of the Japanese species of the subfamily Amphigerontiinae (Psocodea: 'Psocoptera': Psocidae). *Insecta Matsumurana*, new series, 66: 11-36.

缨翅目 Thysanoptera

冯纪年 郭付振 张诗萌
（西北农林科技大学，陕西杨凌 712100）

缨翅目 Thysanoptera，异名泡脚目 Physapoda，中文名蓟马，英文名 thrips。Thrips 一词源自希腊文，意为钻木虫。Thysanoptera 一词亦源自希腊文，意为翅有缘缨。成虫体细长而扁，或圆筒形；一般长 0.4 ~ 8.0mm，个别体长可达 14.0mm（澳洲产）；体黄褐色、苍白色或黑色；触角 5 ~ 9 节，鞭状或念珠状；复眼多为圆形；雌虫和雄虫或其一方往往有长翅型、短翅型、无翅型等个体，少数种类兼有所有这些类型，这种变化在秋季发生较普遍；有翅种类单眼 2 个或 3 个，无翅种类有或无单眼；口器锉吸式，上颚口针多为不对称。有翅时翅狭长，边缘有缨毛。足小，各足相似，或前足略膨大，跗节 1 ~ 2 节，顶端常有可伸缩的泡囊，有 1 ~ 2 个爪，有或无距。雌虫产卵器锯状或无。

缨翅目全世界已知约 1200 属 7400 种。蓟马许多种类广泛分布于世界各地，食性复杂。蓟马中许多种类栖息在植物（如大蓟、小蓟）花中，蓟马的中文名就是这样来的。蓟马个体小，行动敏捷，善飞、善跳，多生活在植物花中取食花粉和花粉粒，也有相当一部分种类生活在植物叶面取食植物汁液，生活在植物叶面表皮下造成虫瘿，为植物害虫。少数种类生活在枯枝落叶中，取食真菌孢子。还有一些种类捕食其他蓟马、螨类，为人类的益虫。

西花蓟马 *Frankliniella occidentalis*（Pergande，1895）是一种极具危害性的世界性害虫，2003 年入侵中国，已在北京、云南、浙江、山东、贵州、江苏、陕西、新疆等地成功定殖并建立种群，并对当地蔬菜和花卉的生产造成了巨大的危害，根据适生性分析结果，该虫在中国的潜在分布区多达 28 个省（市、自治区），威胁巨大；西花蓟马寄主包括园林花卉、蔬菜和农作物等 60 科 500 多种植物。该虫除直接危害寄主植物外，同时还传播多种病毒，严重影响作物的产量和品质。有些种类为害作物后，还因为分泌物可诱发病害，造成植物二次受害，并传播病毒病，如烟蓟马 *Thrips tabaci* Lindeman，1889 传播番茄斑萎病遍及整个世界，严重危害番茄、烟草、莴苣、菠萝、马铃薯和观赏植物。

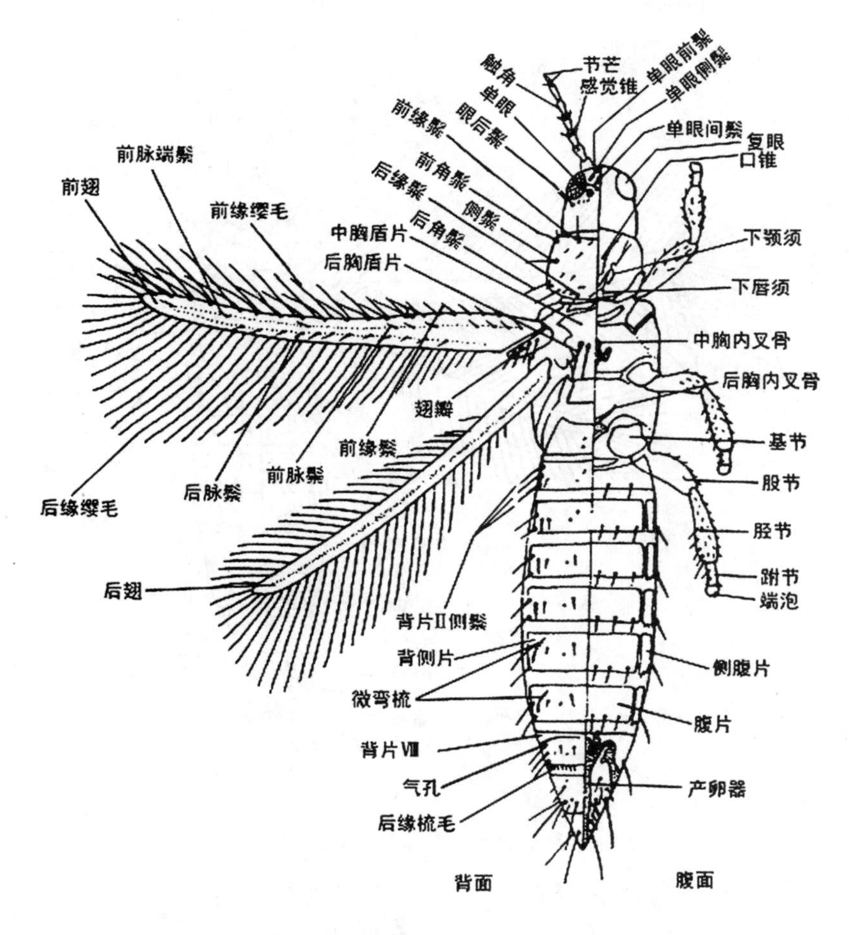

图 49 锯尾亚目形态特征(仿 韩运发, 1997)

成虫通常体微小、细长且略扁。锯尾亚目(图 49)一般体长 0.5 ~ 3.0mm，一些种类腹部宽圆形。管尾亚目(图 50)一般体长 0.5 ~ 10.0mm，最长的可达 14.0mm(澳洲产)，一些种类形状奇异，尾管很长。体色一般为深浅不同的黄色、棕色、灰色至黑色或黄色、棕色、黑色兼有，很少有黄白色。足、翅和刚毛颜色与体色相同或不同。体表着生许多鬃毛(图 51)。某些捕食性种类，当它们捕食带有红色色素昆虫后，会出现沿腹部中纵线的红色带；菌食性种类体表常有红色絮状斑。

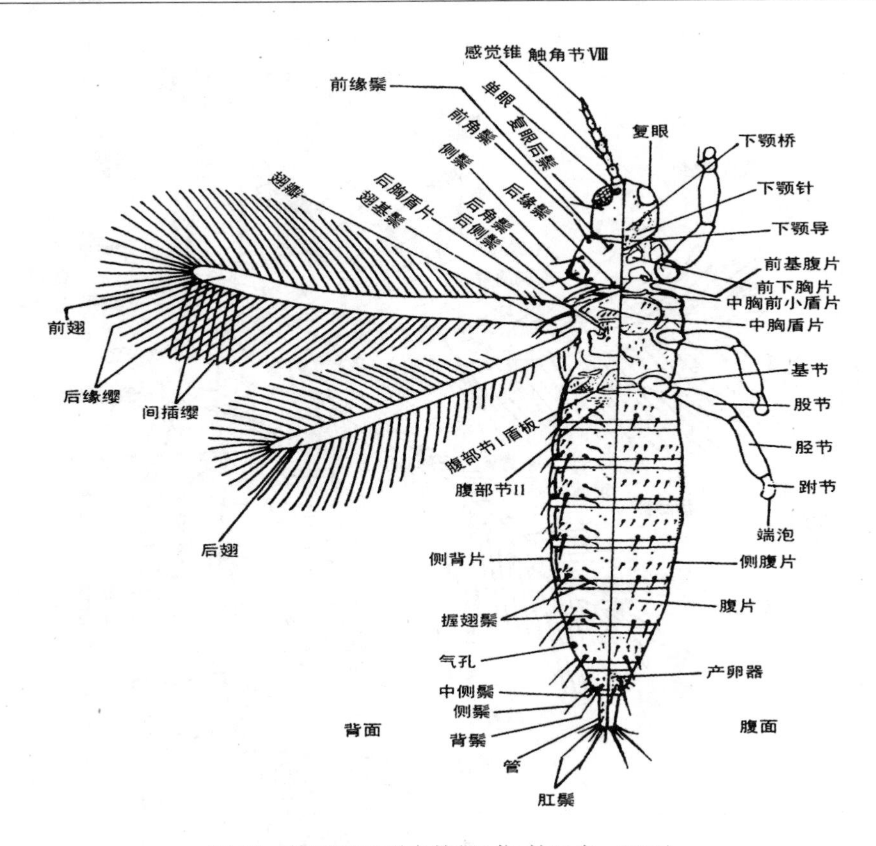

图 50 管尾亚目形态特征(仿 韩运发, 1997)

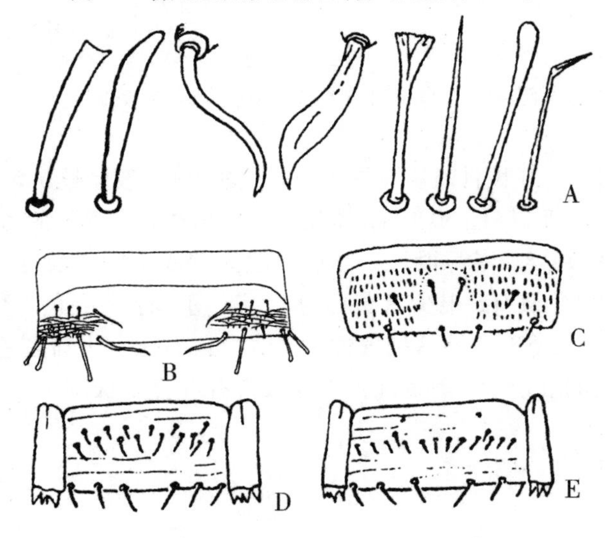

图 51 蓟马体上的鬃

A. 鬃的各种类型(types of setae); B-E. 腹部第5节腹板着生的副鬃; B. 管蓟马科之一种, 示副鬃; C-E. 蓟马科之一种, 示微毛; (图 C, D, E. 仿 张维球, 2000)

头部(图 52，图 53)为下口式。头壳通常是一个整体，少数种类在头背两侧沿颊有缺口。头宽大多大于头长，少数特别宽，或长与宽相近，或长大于宽。通常较扁，有时前部在复眼前略凹，单眼区有的隆起，或头背有隆起的脊，在管尾亚目中常见到，也有头背很凸形成球面状。头前缘略直或圆，通常在触角基间略向前延伸。管尾亚目的很多种类复眼前延伸或异常延伸，但在锯尾亚目中极少种类略延伸。颊(genae)直或略拱或很拱，后缘不收缩或甚收缩。头背大多具有横线纹、网纹、皱纹或颗粒。

复眼着生于头顶两侧，大多圆形、长卵圆形，少数肾形。一些无翅的种类，复眼中的小眼数减少，纹蓟马和管蓟马的一些种类复眼腹面向后延伸。单眼着生于复眼间，居中或位于中线前后，有的种类前单眼着生在复眼前延伸的部位上。单眼 3 个，近似等边三角形、扁三角形或长三角形排列，即后单眼间距等于、小于或大于前单眼的间距。用以连接 3 个单眼的线称三角形连线或称单眼三角形连线(ocellar triangle)；3 个单眼外缘的连线称三角形外缘连线；3 个单眼中心的连线称三角形中心连线；3 个单眼内缘的连线称三角形内缘连线(如图 54)。单眼间鬃在单眼三角形连线上的位置变化是非常重要的种级分类特征。单眼内缘常有红色的月晕。单眼的存在常与翅的有无有关，无翅型和短翅型单眼常退化。长翅型个体有 3 个单眼，半长翅型和短翅型的单眼可以变小，无翅型缺单眼，少数种仅缺前单眼。

蓟马科中多数类群有 2 对或 3 对单眼鬃和 1 排眼后鬃。在前单眼的称单眼前鬃(anteocellar setae)，即鬃 1(pair Ⅰ)；在单眼前鬃前外侧或两侧的称前外侧鬃(antero-lateral setae of anterocellar)，即鬃 2(pair Ⅱ)；位于单眼间的称单眼间鬃(interocellar setae)，即鬃 3(pair Ⅲ)。眼后鬃包括单眼后鬃(postocellar setae)及复眼后鬃(postocular setae)，大致排列为 1 条或 2 条横列，或不规则排列。它们或都很小，或有长有短。在管蓟马科中，一般有 3 对单眼鬃和 1 对复眼后鬃，单眼鬃发达或不发达，复眼后鬃一般发达。颊鬃细小或粗大呈刺，有时着生在大小不同的疣上。

头壳内幕骨(tentorium)(图 53)的发达程度，各科有所不同。纹蓟马科(Aeolothripidae)和大腿蓟马科(Merothripidae)幕骨前臂(anterior arms)、后臂(posterior arms)和幕骨桥(tentorial bridge)均发达(图 53:A，B)，而蓟马总科和管蓟马亚目则仅保留幕骨前臂，幕骨桥消失或中断(图 53:C，D)。

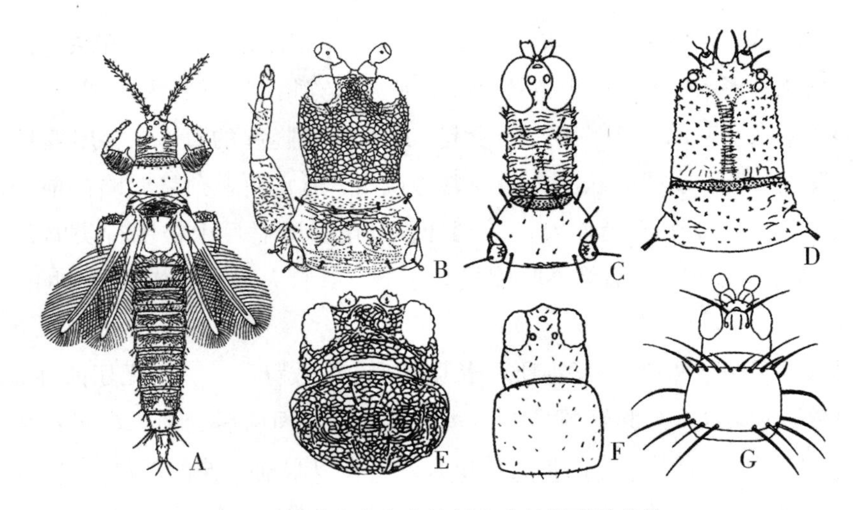

图 52 蓟马成虫表皮特征和头的类型及前胸

A. 一种管蓟马科，示表皮特征；B-D. 管蓟马科头和前胸背面；E，G. 蓟马科头和前胸背面；F. 纹蓟马科头和前胸背面（A，C，D，E. 仿 Stannard，1968；B，F. 仿 韩运发，1997）

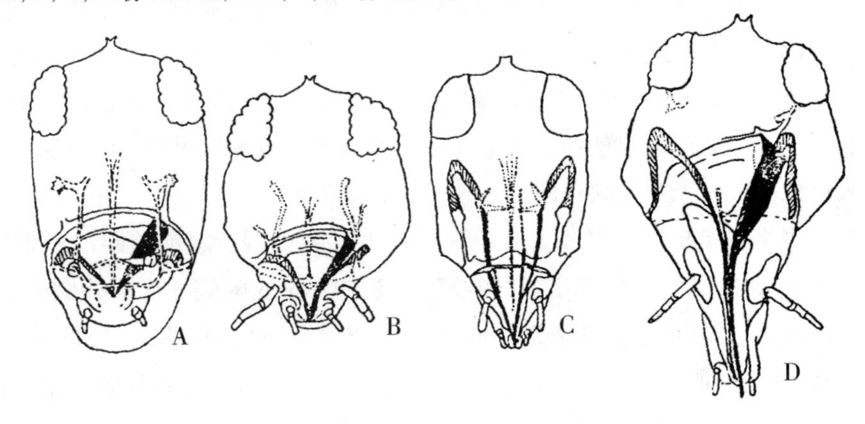

图 53 头部幕骨的结构

A. 大腿蓟马 *Merothrips*（Merothripidae）；B. 黑蓟马 *Melanthrips*（Melanthripidae）；C. 简管蓟马 *Haplothrips*（Phlaeothripidae）；D. 松蓟马 *Chilothrips*（Thripidae）（仿 Mound，1980）

触角通常着生在头顶两侧，一般为 7 ~9 节，但一些种类由于一些节愈合而形成 4 ~6 节。鞭状、棍棒状或念珠状。各节着生有感觉鬃和成列的微毛。触角感觉器除第 1 节外，各节都可具有。第 2 节背面位于背端通常有个小圆孔（pore），有人称为钟形感觉器（campaniform sensillum）。第 3、4 节上有感觉域（sense areas）或感觉锥（sense cones），均无色；自第 5 节以后数节绝大多数种类仅具简单感觉锥，只有极少数有纵的感觉域。感觉域有的呈带状或纵向延伸；完全或不完全盘绕端部，甚至环绕全节；有的类群这些感觉带上具连续的小孔；有的感觉带很宽或略圆，近似鼓膜状。感觉锥可分 3 类：一是最普通的简单（simple）感觉锥，少数较尖，大都呈“牛角状”，端部钝圆；二是简单感觉锥的变态—近三角形感觉锥，较少见，其特点是基部宽而短；三是叉状(forked)感觉锥，亦端部钝圆，多见于蓟马科多数种类中。触角的形状在某些种类中为雌虫和雄虫异型，两者有显著差异。各节感觉锥数目与分布不一致，在末端1节或2节上常缺，中间数节上1~3(4)个，但常附加1个至数个小感觉锥，个别类群第3节端部有1轮多而粗的感觉锥。通常第3、4节上的数目在分类上更有价值。触角的节数，各节的长宽比及其颜色的深浅；感觉锥在触角上的位置及其形状和大小，尤其是第3~4节感觉锥简单或叉状，是重要的属级和种级分类特征。第6节内侧简单感觉锥基部是否膨大并与该节愈合也是重要的属级分类特征(图54)。

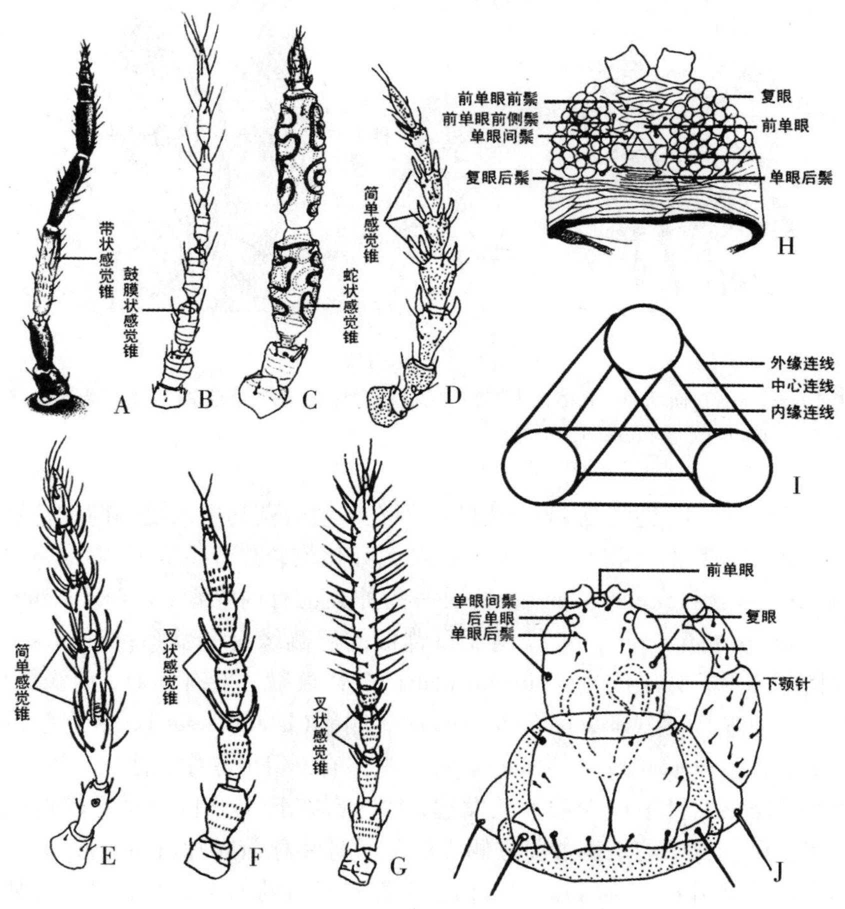

图54 头部鬃和触角

A. 纹蓟马科之一种触角；B. 大腿蓟马科之一种蓟马；C. 异蓟马科之一种的触角；D和E. 管蓟马科之一种的触角；F和G. 蓟马科之一种的触角；H. 蓟马科头背面单眼三角连线及鬃；I. 蓟马单眼三角形连线；J. 管蓟马科头、前胸背面和触角；(图A，B，H. 仿 韩运发，1997；C. 仿 Mound，1996)

口器(图55)生自头下方向后倾斜，呈圆锥体，称为口锥(mouth-cone，rostrum)。由上颚、下颚、舌、上唇和下唇等构成。右上颚退化，左上颚发达，左右不对称，是蓟马独具的特点，这种情形，锯尾亚目较管尾亚目显著。下颚生自板状物，发育为针刺，称为口针，即下颚针(maxillary stylets)。在锯尾亚目中，口针通常短，仅限于口锥内，而管尾亚目口针较长或很长，甚至在口锥内盘绕；中部有或无下颚桥连接。灵管蓟马亚科的下颚针宽或接近下唇宽度，但多数类群很细。下颚针是具有舌状物和槽系统互相嵌合的针状结构，亚端部有孔，端部有复杂的装饰物。下颚须2~8节，下唇须1~4节。口锥的长短、宽窄、端部或尖或圆、口针粗细、缩入头内的程度和间距(特别是中部间距)、下颚须和下唇须节数和长短等常是分类的重要依据。

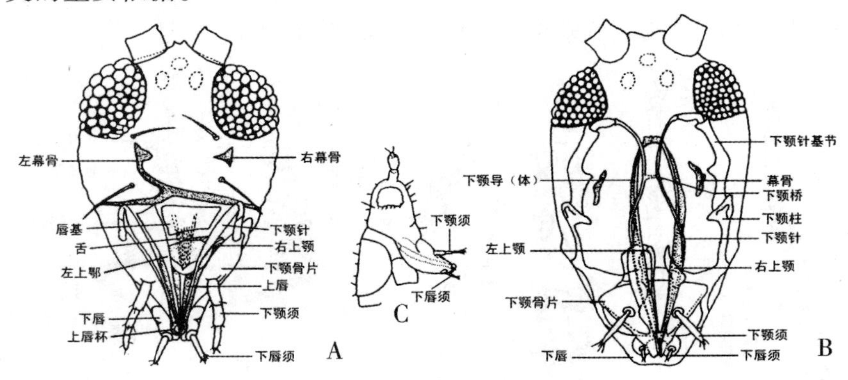

图55 蓟马口锥

A. 锯尾亚目口锥、头部腹面观；B. 管尾亚目口锥、头部腹面观；C. 锯尾亚目口锥、头部侧面观；(A, B. 仿 Annanthakrishnan, 1979；C. 仿 Stannard, 1968)

前胸(图56:D, F)能活动，小于翅胸，但在某些管蓟马中前足和前胸特别发达而宽于翅胸。锯尾亚目的前胸背板完整，一般无分化沟，常着生有后缘鬃(posteromarginal setae)和后角鬃(postangular setae)，一些种类也有前缘鬃(anteromarginal setae)和前角鬃(anteroangular setae)。管尾亚目背板的后侧缘有侧缝(epimeral sutures)存在，将背板两侧下方分成侧片(epimeral plates)，背板鬃一般有5对，前缘鬃(anteromarginal setae)和前角鬃(anteroangular setae)，侧鬃(lateral setae)，后侧鬃(epimeral setae)和后缘鬃(posteromarginal setae)。背片中部有不等的小鬃，称背片鬃(discal setae)。侧鬃在锯尾亚目中仅少数种类发达，后缘鬃在管尾亚目中总是较退化的。前胸腹面，在锯尾亚目中前足基节前方侧缘的1对骨片称前腹片(presternum)，口锥两侧的1对骨片称颈片(ervical plates)，相当于管尾亚目的前小胸片，位于足基节内侧的1对骨片称羊齿(ferna)，相当于管尾亚目的前基腹片。在管尾亚目中，在口锥端侧常有1对骨片称前小胸片(praepectus)，在足基节后内侧的1对骨片称前基腹片(probasisternum)，在它中央后方的1个通常为降落伞形的小骨片称刺腹片(spinasternum)(图57:D)。这些骨片在不同种类中大小、形状和位置不尽相同，在属、种级的分类上有一定用途。

翅胸(图56:E, G, H)是中胸和后胸的总称，总是愈合的。翅越发达，翅胸也就越大。中胸较短，特别是背片。所有缨翅目昆虫无例外有1个六角形或八角形的中胸盾片(mesoscutum)，横而略凸。其前方有1个横条，称前盾片(praescutum)，但在

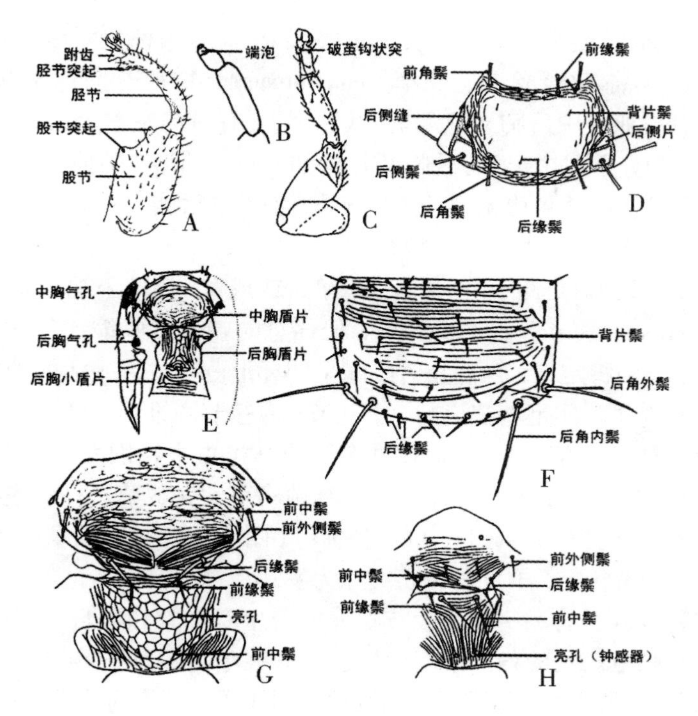

图 56　蓟马的胸部和前足

A. 管蓟马科之一种的前足，示跗齿、股节、胫节突起；B. 管蓟马科之一种的前足，示端泡；C. 大腿蓟马科之一种的前足，示破茧钩状突；D. 管蓟马科之一种的前胸背面，示毛序及线纹；E. 大腿蓟马科之一种翅胸背面，示中胸、后胸盾片及气孔；F. 蓟马科之一种前胸背片，示毛序及线纹；G. 纹蓟马科一种中胸、后胸盾片，示毛序及线纹；H. 蓟马科之一种中胸、后胸盾片，示毛序及线纹图（A. 仿 Okajima，2002；C. 仿 张维球，2000；E，F，G，H. 仿 韩运发，1997）

无翅型中常缺。其两侧被前侧片（episternal）和后侧片（epimeral）包围。前翅着生点位于中胸盾片两侧，其前有 1 个三角形小瓣称翅基片（tegula）。中胸盾片上以横交错线纹为多。前外侧角的鬃称前外侧鬃（ante-extenal-lateral setae），位置稳定，多数发达；后中部的鬃称后中鬃（posterior-median setae），在后缘上的鬃称后缘鬃（postmarginal setae），后 2 种鬃一般较小，位置常有变化，通常在前部两侧有 1 对细孔。后胸通常狭于中胸，具 2 块大骨片，前部的 1 块称后胸盾片（metascutum）；其后的 1 块较小，称后胸小盾片（metascutellum），但在管尾亚目或少数锯尾亚目中与前者愈合。两侧的骨片称侧片，又分前侧片和后侧片。后胸盾片前缘有 1 对鬃在两侧或两前缘角，即外对（exterior pairs），称前缘鬃（anteror marginal setae），在前中部（有时在前缘）的，即内对（interior pairs），称前中鬃（antermedian setae）。在纹蓟马科中它位于近后部。通常在中部有 1 对细孔，也称为钟形感觉器（campaniform sensilla）。后胸花纹多种多样。鬃、花纹的变化，在蓟马科中被普遍作为种的区别特征。中胸腹片较大，向后伸。其前的骨片称中胸前小腹片（mesoprasternum），在管尾亚目中形状多变，在锯尾亚目中有人称刺腹片（spinasternum），变化较小。中胸腹片两侧骨片称侧片（前侧片和后侧片）。后胸腹片通常是1个大块骨片，不再分，但因种类而形状有所不同。中胸、后胸腹片内中脊突形成内胸叉骨（endofurcae），并常有向前的延伸物——刺（spinula）。在管尾亚目中后胸叉骨常呈"八"字形，有时前端愈合并延伸呈刺。在锯尾亚目中，可分为如下几个类型：后胸叉骨特别发达，琴形，延伸至中胸；中后胸内叉骨均有刺；中后胸内叉骨均无刺；仅中胸叉骨有刺，后胸叉骨无刺。内叉骨的变异常用作族、属、种级的分类特征（图57）。

足（图56：A，B，C）足跗节1~2节，爪单一或成对，跗节末端有显著可突出的端泡（terminal protrusible vesicle）（图56：B），但休息时端泡常收缩，不易察见，步行时突出，以增加步行的稳定性，当静止时收缩呈凹杯形。营虫瘿生活的种类，有爪发达而端泡不发达的现象。前足基节扁圆，中基节、后基节圆锥形。转节小，有时部分与股节愈合。股节最粗，约纺锤形，但在许多管蓟马雄虫中特别发达，几乎呈三角形，内缘或多或少直，有时凹，外缘强烈凸出。纹蓟马科和大腿蓟马科一些种类，前足端跗节内侧有破茧钩状突（cocoon breaking hooks）（图56：C）。管蓟马亚目一些种类的端跗节，常着生有齿状突，雄虫的齿状突尤为发达。基节窝间距的差异，在管尾亚目中用以区别亚科或族。有一些种类股节膨大或着生有形状和数目不同的齿突。足表面大都具线纹或颗粒。足的各节常有形形色色的大小与数目不等的微毛、刚毛、鬃、刺、距、钩、齿、丘和节结，尤其在管蓟马科中最多见，常作为分类特征。

翅（图58）均为膜质，一些锯尾亚目的前翅翅脉、管尾亚目中前翅具鬃的翅基区较骨化。按其发育程度，可分长翅型、半长翅型、短翅型和无翅型4种。纹蓟马科的前翅长而宽，端圆或很宽。蓟马总科的前翅长而窄，多剑形，端尖而略弯，前缘略凸后缘略凹，但少数类群前缘或后缘直。管尾亚目中前翅形状呈现5类：中部窄呈鞋底形；一致宽或略弯，端窄圆，即Phlaeothripinae型；基部到中部窄，向端部边缘平行；中部扭曲；向端部变宽。后翅更细，脉序更简单，至多有1条退化的中纵脉（R）和1条基部残留物（Co）。管尾亚目的翅脉完全消失。在锯尾亚目中翅前缘称前缘脉（eostal vein，marginal vein）。此外，另有2条纵脉：前脉（upper，principal，Hauptader vein）近于前缘或少数情况下与前缘脉合并；后脉（lower vein，second longitudinal vein，nebender）近于后缘，在近基部处从前脉分离出来，有时消失。横脉存在于纹蓟马科中，有2~5条。在某些锯尾亚目中，仅1条可见横脉在翅近基部，或把后脉与前脉分离出来的分支处视为横脉。纵脉一般不达边缘。脉有时呈现1列微螺旋环。翅周缘具细长缨毛（fringe hair，cilia），是缨翅目名称的由来，但在少数种类中所有缨毛都短如鬃，且缨毛常是波曲的。管蓟马前翅后端缘常有起源于翅面下斜着插于其他缨毛间，形成间插缨或重缨（interlocated，double，fringe duplicated cilia），可从1~50根或更多，但多半为10~20根。在锯尾亚目中前缘脉鬃大都存在；前脉鬃或连续排列，或间断排列从而分离出基部鬃和端鬃；后脉鬃通常连续排列但常很少或缺，前翅后缘通常无鬃。部分类群前脉鬃、中脉鬃、后脉鬃均变短小甚至全缺。管尾亚目的绝大多数在近翅基部有3根粗鬃，罕有2根或4根，但有时变得很小。这些脉鬃形状、大小、数量和位置常因种类而异，是常用的分类特征。

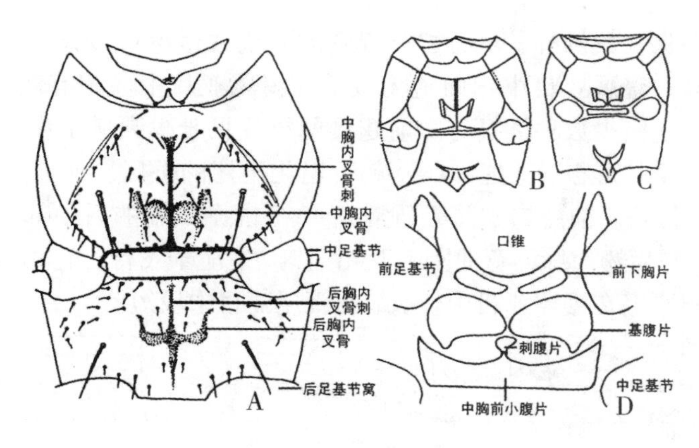

图 57　蓟马胸部腹面骨片及内叉骨

A. 纹蓟马科之中后胸内叉骨；B，C. 蓟马科之后胸内叉骨；D. 管蓟马科之中后胸内叉骨（仿 韩运发，1991）

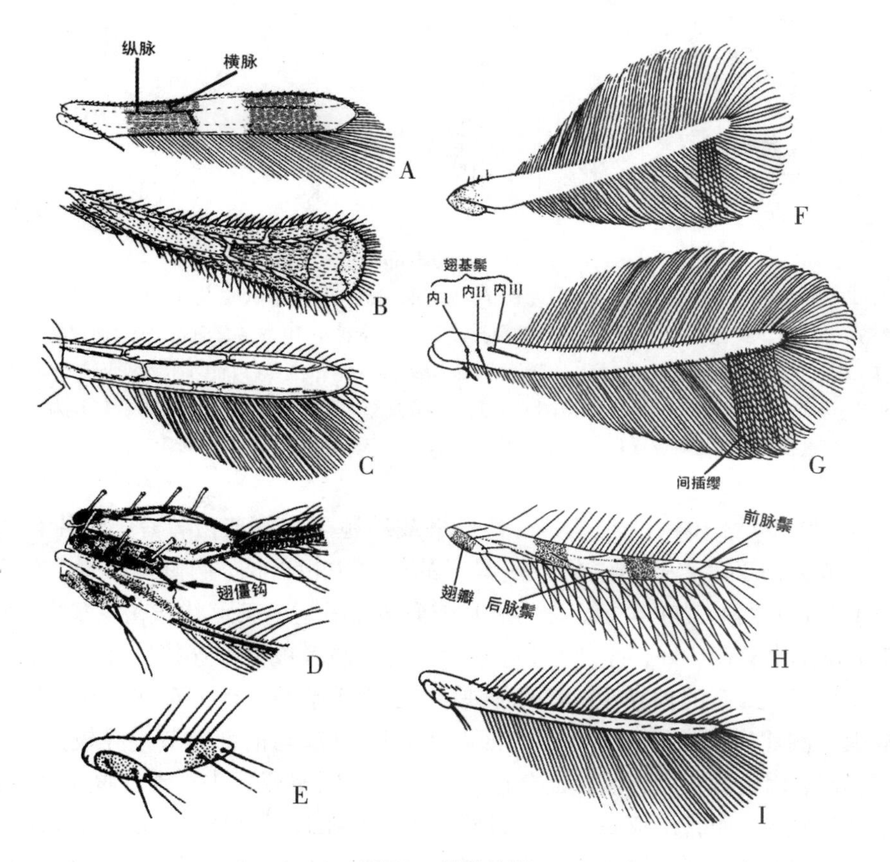

图 58　蓟马的翅

A-C. 纹蓟马科前翅，示翅形状和翅面微毛、纵脉、横脉；D. 异蓟马科前翅、后翅基半部，示前后翅连锁机构——翅僵钩；E. 蓟马科短翅型的前翅；F. 管蓟马科前翅，示翅中部收缩、翅基鬃和缨毛；G. 管蓟马科前翅，示翅边缘平行，翅基鬃和缨毛；H，I. 蓟马科的前翅，示毛序；I. 蓟马科的前翅，示锯尾亚目翅面有微毛和毛序（A，C，E，F，G. 仿 韩运发，1997；B. 仿 Ananthakrishnan，1968；D. 仿 Mound，1996）

锯尾亚目中除少数例外，翅面披有规则的微毛或微毛的变态——微颗粒，其疏密分布常有差异。管尾亚目中翅面绝无微毛。锯尾亚目中前翅有暗带者颇为普遍，而管尾亚目中只是极少数种类具有。前翅具网纹仅见于少数例子中。长翅型的前翅基部后缘连接 1 个长形板，称翅瓣(scale)，退化至翅的臀区。而后翅翅瓣仅锯尾亚目存在，管尾亚目缺。前翅翅瓣前缘通常有 4 ~ 7 根鬃，瓣的后中部有 1 根鬃，端部有 2 根长刚毛，与后翅前缘的弯曲刚毛互相挂钩，适应于飞行。它相当于别的昆虫的翅僵钩。这 2 根刚毛在锯尾亚目中较长，在管尾亚目中较短。

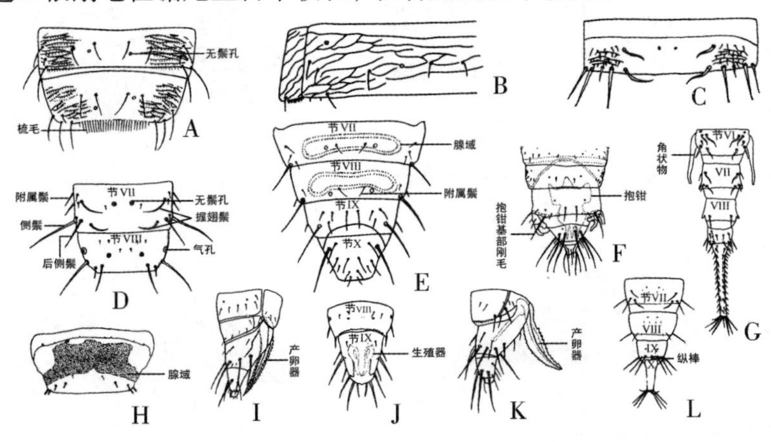

图 59　蓟马腹部特征

A. 蓟马科第 7 ~ 8 腹节背面观，示梳毛；B. 蓟马科第 5 腹节背面观；C. 管蓟马科第 5 腹节背面观；D. 管蓟马科第 7 ~ 8 腹节，示毛序、无鬃孔、握翅鬃和气孔；E. 蓟马科第 7 ~ 10 腹节背面观，示腹面观腺域；F, I. 纹蓟马科，F. 雄虫腹部末端背面观，示抱钳；I. 雌虫腹部末端背面观，示产卵器)；G, L. 管蓟马科(G. 雄虫腹部第 6 ~ 10 节，示角状物；L. 雌虫腹部纵棒)；H. 管蓟马科腹部第 8 节，示腺域；J, K. 蓟马科(J. 雄虫腹部末端背面观；K. 雌虫腹部末端侧面观)(D, F, J, I. 仿 韩运发，1997；G. 仿 Mound，1983)

腹部(图 59)由 10 ~ 11 节构成，常扁平或纺锤形。各节由背片、腹片和侧片构成。第 1 节甚小于第 2 ~ 7 节，在纹蓟马科的雄虫中相当长，两侧有纵脊，在管蓟马科中第 1 节背片特化出 1 个板，称为盾片或盾板(pelta)，其形状和花纹多变。第 2 ~ 7 节背片和腹片发育良好，各自为 1 个横片，通常两者被侧片连接。在一个属内，侧片甚至变异很大，有的种存在，有的种缺少，或第 1 节缺其他节存在。在管尾亚目中侧片缺少。侧片后部常具程度不一的锯齿。第 8 ~ 9 节与前部数节差异较大，甚至两性也不相同，因包含生殖器官，也合称生殖节。在锯尾亚目中，雌虫腹端似圆锥体，雄虫末端呈圆形，而管尾亚目末端呈管状。第 8 节在管尾亚目中与前部节相似，雌虫的背片与雄虫基本一致，腹片分为 2 个侧片，常与背片愈合，侧腹片形成产卵器背瓣的基部。第 9 节在锯尾亚目的雄虫中较大，背片和腹片在前部愈合，背片缘凹入，腹片后部向后延伸；雌虫背片和腹片愈合为一体形成槽以接纳产卵器；在管尾亚目中，背片与腹片在基部合并，构成下生殖板(hypandrium)。第 10 节在锯尾亚目雄虫中背片小但清楚，腹片是由膜连接的 2 块板构成；在雌虫中通常呈锥形，罕有管状，背片有完全或不完全纵裂；在管尾亚目中第10节称为管。第11节在锯尾亚目中，大都退化，通常雌虫比雄虫发育良好；在纹蓟马科中，骨化较强，即清楚的11节；在蓟马科中仅留痕迹；在管尾亚目中，形成肛环，与第10节(管)端部愈合为一体，载有1轮肛鬃。腹部各节线纹和网纹因种类而异。在少数锯尾亚目中，背片和腹片或仅背片的少数节或多节的后缘存在三角形齿或膜片。第1、6节背片两侧各有气孔1对。在纹蓟马雄虫中，第3~6节背片常有形状不一的深色骨化板或线。管蓟马科的多种雄虫在第6~8节两侧，或1节或3节具有侧突，或长或短，角状或三角形。锯尾亚目雄虫第9节背面和两侧常有颗粒，粗刺、突起、距状物、叉状物、抱器等。雄虫腺区和腺孔存在锯尾亚目中的许多种类的腹片第2~8节或某一节上，通常是第3~7节上，以低凹、色淡、骨化弱为特征；大多横卵形和哑铃形，此外还有圆形、不封口的环形和不规则形，通常每节1个，或2~3个，以至20~30个小圆点的亦有，其大小不尽相同；在管蓟马科雄虫中仅有少数类群在第8节或第7~8节腹片上具有多半为横的腺域。在罕有情况下，雌虫腹片具有无结构的鼓膜小区，其功能尚不清楚。腹部第1~9节背片、腹片全部或一部分密排微毛，见于异蓟马科、蓟马科的部分类群和管蓟马科的极少种类，而纹蓟马类缺。锯尾亚目的一些类群第5~8节背片两侧的微弯梳上亦有微毛，第8节后缘梳毛有时着生在三角形基板上。背片鬃在锯尾亚目中第1节的鬃小而少，第2~8节鬃序是2对鬃在中部，即自内向外对1(又称中对鬃)和对2，对3(通常着生在后缘上)，对4在侧部和对5及对6在侧缘呈近似三角形排列，但第2节侧缘有时有3~4根鬃。内1对鬃的间距和长度因种类而异，往往相差很大。第6~8节的鬃常比前部节的长。第9节鬃在雌虫中多半前中部1对短鬃，近后缘或后缘上有3对长鬃，长鬃间夹1根短鬃；长鬃（自内向外)对1称背中鬃，对2称中侧鬃，对3称侧鬃；雄虫的鬃序常很不相同，各鬃呈2排或3排横列。第10节鬃通常有2对长鬃和少数短鬃，长鬃内对1称背中鬃，内对2鬃称中侧鬃。在有背侧片的种类中，每个背侧片内后角有1根鬃，有时另有3~4根鬃在背侧片中部，又称附属鬃(副鬃，accessory setae)。在管尾亚目中，第1节背片的板内或其两侧有1对鬃，但有时缺，后侧角有1根长鬃。在长翅个体中，第2~7节背片各有1对至多对反曲的多为矛形的握翅鬃(wing-holding setae，wing-retaining setae)，但在无翅或短翅型个体中，握翅鬃变的小而直。在握翅鬃外侧常有3~7对小鬃。在后侧缘通常有1对长鬃与腹片后侧角的1对长鬃并列，有时称后侧长鬃内1和内2。第9节后缘如有3对长鬃，其间各夹1根短鬃；在雄虫中往往对2(即中侧鬃)短于另2根。第10节(管)末端有1轮6根长鬃，其间各夹1根短鬃，亦称肛鬃(臀鬃，anal setae)。腹片鬃第1节有1~2对，或缺。在锯尾亚目雌虫中，通常第2节有2对，第3~7节有3对后缘鬃，第7节的内对通常着生在后缘之前。在腹片(disk)上蓟马科许多种类常有1~2排或不规则排列的附属鬃，其数目和长短因种类而异，即使同一个体也因体节而异。在纹蓟马中后缘鬃有3~4对，仅第7节腹片有2对附属鬃。在管尾亚目中，大都有1横排小的附属鬃，而在某些类群中，这些鬃不规则散生。在纹蓟马科某些种类中，第10节背片后缘有1对细长感觉刚毛，着生在大而色淡的称底形孔即毛点(trichobothria)中。在大腿蓟马科中，除少数无翅种类外，更显著，毛基部直径约 8μm。腹部背片除第 11 节外，第 1 ~10 节各有 2 对孔，称无鬃孔(bristleless pores)或单孔(haplori)。背片第 1 ~8 节，1 对位于背片中部，或接近前缘，或接近后缘，另 1 对位于背片前角。在管尾亚目中，对 1 孔更互相靠近些。这种孔仅在少数无翅管蓟马科中存在，中间节缺。

雌虫生殖器(图 59:I, K, L; 图 61:C, D)在锯尾亚目中生殖孔位于腹部腹片第 8 节和第 9 节之间。大多数类群的产卵器由 2 对几丁质化的具有锯齿的瓣构成，它们之间有槽——卵被产下时经过的通道。每一瓣是扁而长的镰形物，凹的边最硬化。瓣基部与形状大小不同的板——负瓣片(valvifers)相连。锯尾亚目的产卵器背向或腹向弯曲，在科间发育程度有所不同，在大腿蓟马科中比较原始，骨化弱，不太弯曲。在极少类群中，产卵器为可伸缩的膜质。在管尾亚目中，生殖孔亦位于腹片第 8 节和第 9 节之间，产卵器是由 1 个细柔可翻的斜槽状构成。在 8、9 节腹内有两根弯曲的几丁化的针状物，在第 9 节腹内有 1 个几丁质化的黑纵棒。第 10 节(管)是卵被产下时经过的通道。

雄虫生殖器(图 59:F, J; 图 61:A, B)在蓟马科中，基部是几丁化的，称阳茎基(periandrium)，从此伸出阳茎(端)(aedeangus)和阳茎基侧突(parameres)，阳茎(端)是向后而少许向上弯的细槽，端部尖或钝。系自阳茎(端)基部和阳茎基侧突的是阳茎基背片(epiphallus)——膜囊。在它里面射精管(ductus ejaculatorius)终止在端部，几丁化程度不同。阳茎基背片多变，表面有几丁质增厚物和小齿。纹蓟马科的种类有 2 对阳茎基侧突，基部甚突出，背对短，腹对长，在侧部有齿或锯齿，其形状因种类不同而异。在蓟马科中，背阳茎基侧突(dorsal parameres)缺，仅有 3 个附肢，1 个中阳茎(端)和 2 个侧腹的阳茎基侧突。在管尾亚目中，基部的阳茎基(periandrium)退化为小板。阳茎基侧突位于侧面，有 3 根刚毛在端部。1 个骨化延长的船状板叫作舟形片(navicula)，阳茎基背片上呈现有斜纹。阳茎基背片的端部，是阳茎(端)，其端部或简单，或叉状、杆状或抹刀形。射精管开口在阳茎端部。

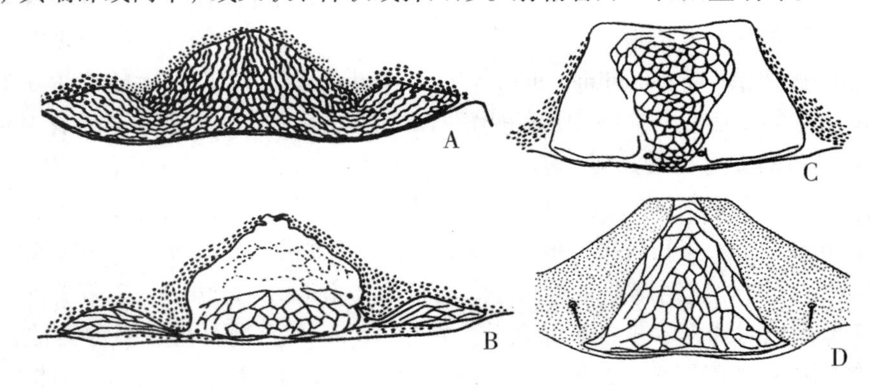

图 60 管蓟马科腹部第 1 节背片的盾板类型

A, B. 灵管蓟马亚科第 1 盾板；C, D. 管蓟马亚科第 1 盾板

(A, B, C. 仿 Mound, 1983; D. 仿 Woo, 2000)

在缨翅目分类上，锯尾亚目雌虫生殖器的产卵器和管尾亚目的管早已应用到亚目分类阶元，而雄虫生殖器仅应用到少数几个属内。

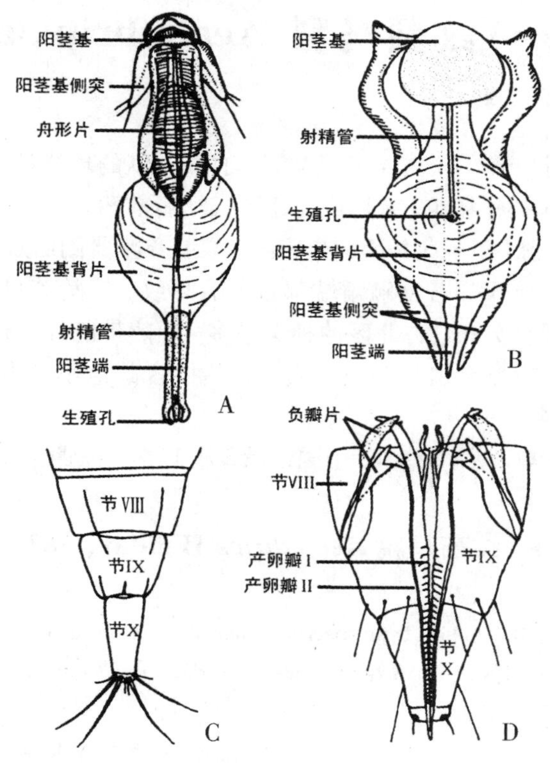

图 61　蓟马的生殖器

A, C. 管蓟马科的生殖器(A. 雄虫外生殖器; C. 雌虫腹部节Ⅷ-X背面观); B, D. 蓟马科的生殖器(B. 雄虫外生殖器; D. 雌虫腹部节Ⅷ-X腹面观)(仿 Ananthakrishnan, 1979)

分科成虫检索表

1. 雌虫无特殊产卵器，两性腹末端均呈管状。末节臀刚毛在端部自 1 个环生出。翅发达者前翅无前缘脉，有时仅 1 条不达顶端的中央纵条纹，翅面绝无纤微毛，仅有少数基部鬃(**管尾亚目 Tubulifera**) ………………………………………………… **管蓟马科 Phlaeothripidae**

   雌虫腹部第 8 节腹面有锯齿状产卵器，背面观腹部末端圆锥状，第 10 节罕有管状的。雄虫末端钝圆，绝无管状的。末节臀刚毛自体节生出。翅发达者前翅具前缘脉，通常至少有 1 条纵脉自基部伸向端部，翅面通常有纤微毛(**锯尾亚目 Terebrantia**) ………………………… 2

2. 产卵器向上弯曲；翅宽而端部圆；触角 9 节，翅上有明显的横脉，头和前胸鬃小，中后胸腹板内突叉状，有长刺；前翅有 2 个相互完全分离的暗棕色条带 …………… **纹蓟马科 Aeolothripidae**

   产卵器向下弯曲；翅窄而端部尖；触角第 7～8 节，翅上无横脉…………… **蓟马科 Thripidae**

(一)纹蓟马科 Aeolothripidae

鉴别特征： 触角 9 节，第 3、4 节感觉域弯曲的、纵的环绕端部的带状或长卵形。下颚须 3 节，下唇须 2 或 4 节。有翅或无翅。长翅者前翅宽，多具有暗带，端部宽或圆，有 2 条纵脉及横脉(多至 5 条)。体不扁。雌虫产卵器侧面观背向弯曲。腹部 11 节。雄虫腹部第 1 节延长。若虫触角端部数节有环纹，二龄若虫腹部第 9 节上多半有 4 根刺。本科世界性分布，古北区的种类最多，湿热带区种类较少。

生物学： 大多数种类在植物花中取食，有些捕食其他小昆虫。但也有人认为这个科是个捕食性小科。

分类： 全世界已知 28 属 200 种，中国记录 3 属 17 种，陕西秦岭地区发现 1 属 1 种。

1. 纹蓟马属 *Aeolothrips* Haliday, 1836

Aeolothrips Haliday, 1836: 451. **Type species**: *Aeolothrips albicinctus* Haliday, 1836.

Franklinothrips Back, 1912: 75. **Type species**: *Aeolothrips vespiformis* Crawford, 1909.

属征： 头长和宽等长，或宽大于长。头、前胸和翅上无长鬃。触角 9 节，末端 4 节短小但连接紧密，第 3 节背面和第 4 节腹面端半部外侧有纵带状感觉域。翅发达或退化，翅发达者前翅宽而端圆，前缘缨毛消失，常有暗带；有 2 条纵脉，横脉多则 4 条，少者 2 条，且常模糊。前足第 2 跗节（端跗节）上有钩齿。中后胸腹片内叉骨均有刺。腹部背片两侧无微弯梳，后缘无梳毛。雄虫腹部第 9 节两侧抱钳有或无。

常见于各种草本或低矮的灌木上，尤以花中为多，其行动敏捷，适于捕食其他小昆虫，如蚜虫和其他种类的蓟马，在生物防治中具有一定的作用。

分布： 世界广布。全世界已知近 100 种，中国记录 13 种，秦岭地区发现 1 种。

(1) 横纹蓟马 *Aeolothrips fasciatus* (Linnaeus, 1758) (图 62)

Thrips fasciata Linnaeus, 1758, 1: 457.

Physapus fasciata: Sulzer, 1761: 17.

Aeolothrips (*Coleothrips*) *fasciata*: Haliday, 1836: 451.

Aeolothrips fasciatus: Wu, 1935: 336.

鉴别特征： 体长 1.5 ~ 1.8mm。雌虫体及足淡至暗棕色。头长 145.0μm，头部：复眼后宽 177.0μm、后缘宽 187.0μm，宽大于长，短于前胸。复眼长 80.0μm，复面向后延伸，长 121.0μm。复眼间有 16 根小鬃、眼后有 36 根小鬃，长 9.0～19.0μm。触角 9 节，触角第 2 节端部淡棕色，第 3 节基部 8/10～9/10 黄白色至白色，其余各节棕色，第 3 节端部棕色部分通常不超过该处节的宽度。第 1～9 节长(宽)分别为 26.0(36.0) μm、53.0(29.0)μm、121.0(24.0) μm、102.0(24.0)μm、72.0(24.0) μm、24.0(17.0)μm、17.0(17.0)μm、14.0(9.0) μm、12.0(4.0)μm；第 6～9 节长 68.0μm，总长 444.0μm；第 5 节长为第 4 节的 0.71 倍，为第 6 节的 3.0 倍，为第 6～9 节之和的 1.07 倍。第 3、4 节上有纵感觉带，第 3 节上纵感觉带占该节长的 1/3；第 4 节纵感觉带端部膨大而略弯，占该节长的 1/2。前胸长 175.0μm，宽 206.0μm。背片约有 36 根小鬃。后胸盾片除两侧和后外侧为纵线外，两侧网纹较纵长，中部网纹蜂窝式；中部有 1 对细孔；前缘鬃长 26.0μm，后中鬃长 19.0μm。前翅长 935.0μm，中部宽 131.0μm，长为宽的 7.13 倍，前翅基色白，近中部和近端部有互相分离的 2 个暗带，基部暗带长 243.0μm，为宽的 2.0 倍；端部暗带长 243.0μm，为宽的 2.13 倍。基部暗带的 2 条横脉清楚，端部暗带上的横脉常模糊，甚至不可见。后翅白色。前跗节钩齿较大。腹部第 2～8 节背片鬃均细小，鬃内 2 和 2 位于中部细孔两侧，内 3～6 在侧部略呈三角形排列，内 4 距后缘较近。第 9 节背片长 145.0μm，后缘长鬃长分别为背中鬃长 160.0μm，中侧鬃和侧鬃长 165.0μm。

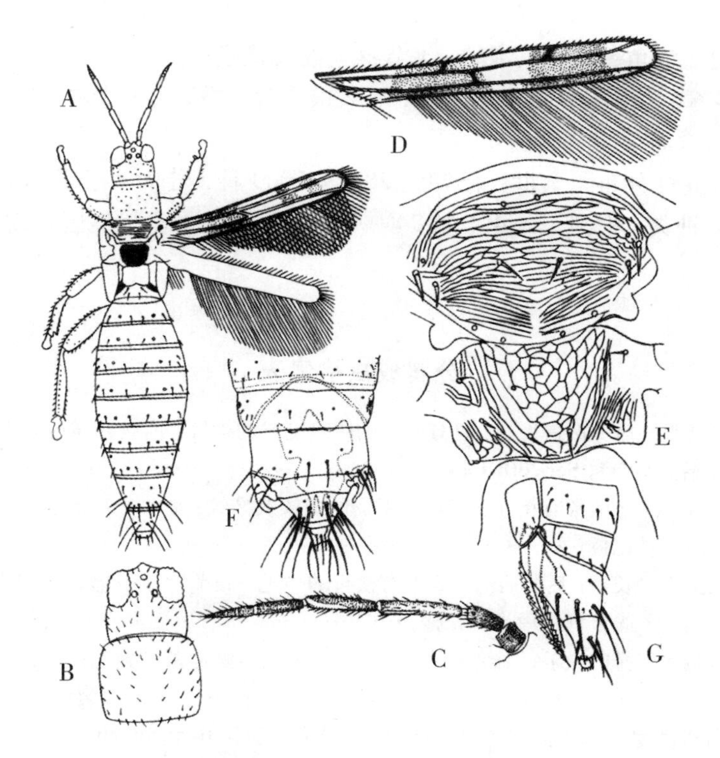

图 62　横纹蓟马 *Aeolothrips fasciatus* (Linnaeus)(仿 韩运发，1997)

A. 整体；B. 头和前胸；C. 触角；D. 前翅；E. 中胸和后胸盾片；F. 雄虫腹部第 7～11节背片；G. 雌虫侧面观第7～11节背片

雄虫近似于雌虫，但触角第2节端半部淡棕色，第3节较暗，足及腹部第2～6节较淡；腹部第1节长于雌虫，两侧有棕色纵条；第4、5节背片两侧各1对骨化片；第9节两侧有雄虫抱钳。腹部第9节两侧1对鬃不粗，长55.0μm，雄虫抱钳在其后；背片后部有2排鬃，前排2对鬃在两侧，微小，长7.0μm；后排鬃内1长24.0μm，内2长26.0μm，内3在抱钳基部，长97.0μm，超过抱钳，内4在抱钳上，长48.0μm。

采集记录： 3♀，凤县，1988.Ⅶ.19，冯纪年采；1♀，太白山蒿坪寺，1997.Ⅷ.16，晁平安采。

分布： 陕西（太白山，凤县、宁陕）、黑龙江、辽宁、内蒙古、北京、河北、河南、宁夏、甘肃、江苏、湖北、四川、云南、西藏。

寄主： 在苜蓿 *Medicago sativa*（Fabaceae），小麦，玉米，大豆，油菜，菊科，月季等植物上捕食其他小节肢动物。

（二）蓟马科 Thripidae

鉴别特征： 触角5～9节，第3～4节感觉锥叉状或者简单；下颚须2～3节，下唇须2节；翅较窄，端部较尖，常略弯曲，有2根或者1根纵脉，少缺，横脉常退化；锯状产卵器腹向弯曲。

分类： 世界性分布。全世界已知约280属2000种，分为4个亚科，包括锯尾亚目中的大多数种类，中国记录4亚科74属290余种，陕西秦岭地区发现4亚科22属51种。

分属成虫检索表

1. 足常密披微毛列；后头区常发达，且具明显的相互交错的横纹；前胸在靠近后缘中部有1个大的骨化板（**绢蓟马亚科 Sericothripinae**）…………………… 2
   足常不密披微毛列，但常有相互交织的或者弱的横纹或网纹；后头突后的后头区常不发达，很狭窄，前胸没有骨化板…………………… 3
2. 常短翅，雌虫很少长翅；后胸后部1/3处有横排的微毛；腹节背板中部和两侧均密披微毛，主要鬃由亚缘伸出；腹节背板后缘梳完整 …………………… **绢蓟马属 *Sericothrips***
   常长翅；后胸无横排的微毛，刻纹为纵纹，腹节背板仅两侧均密披微毛；腹节背板后缘梳中间存在或缺失 …………………… **裂绢蓟马属 *Hydatothrips***
3. 后胸内叉骨极度增大，伸至中胸，基部有横脊（**棍蓟马亚科 Dendrothripinae**） …………………… 4
   后胸内叉骨常不极度增大，常不发达…………………… 5
4. 后足跗节明显延长，是胫节的3/5 …………………… **伪棍蓟马属 *Pseudodendrothrips***
   后足跗节不明显延长，是胫节的2/5；前翅后缘直，似棍；前缘端部向后弯曲；前翅前缘缨毛从

腹面发出，远离前缘脉；前胸后角无长鬃 …………………………… **棍蓟马属 *Dendrothrips***

5. 头和足常有强烈的网纹（在 *Monilothrips* 中足常光滑）；触角节端部常细长且尖，顶部针状；体强烈骨化（**针蓟马亚科 Panchaetothripinae**） …………………………… 6

头和足常无网纹，如有网纹则触角端部不尖，体常不强烈骨化（**蓟马亚科 Thripinae**） ……… 7

6. 前翅前缘无长缨毛，触角 7 节 …………………………… **缺缨针蓟马属 *Phibalothrips***

前翅前缘有长缨毛，触角 8 节 …………………………… **领针蓟马属 *Helionothrips***

7. 触角第 2 节有指状突起 …………………………… **指蓟马属 *Chirothrips***

触角第 2 节无指状突起 …………………………… 8

8. 前胸无长鬃 …………………………… 9

前胸有长鬃 …………………………… 10

9. 腹节腹板有许多附属鬃 …………………………… **缺翅蓟马属 *Aptinothrips***

腹节腹板少许附属鬃 …………………………… **呆蓟马属 *Anaphothrips***

10. 前翅前脉鬃列完全，脉鬃端部头状；前胸后角鬃端部头状；头和前胸有强网纹；腹节背板中对鬃长且相互靠近，两侧刻纹间有许多微毛 …………………………… **棘蓟马属 *Echinothrips***

前翅无此类鬃或无翅；前胸亦无此类鬃；其他特征多变 …………………………… 11

11. 前胸有 6 对非常长的鬃 …………………………… **食螨蓟马属 *Scolothrips***

前胸长鬃从不多于 5 对 …………………………… 12

12. 腹节背板两侧 1/3 处密披微毛 …………………………… **硬蓟马属 *Scirtothrips***

腹节背板两侧 1/3 处无密披微毛；腹节背板两侧很少有微毛 …………………………… 13

13. 前胸前缘有长鬃 …………………………… **花蓟马属 *Frankliniella***

前胸前缘无长鬃；后胸盾片中部几乎光滑 …………………………… 14

14. 触角第 1 节有 1 对背顶鬃 …………………………… 15

触角第 1 节无背顶鬃 …………………………… 16

15. 触角第 6 节感觉锥基部膨大 …………………………… **齿蓟马属 *Odontothrips***

触角第 6 节感觉锥普通，基部膨大 …………………………… **大蓟马属 *Megalurothrips***

16. 第 5 ~ 8 腹节背板两侧有成对微弯梳 …………………………… 17

腹节背板无微弯梳 …………………………… 21

17. 腹节背板后缘无缘膜 …………………………… 18

腹节背板有缘膜 …………………………… 19

18. 前单眼前侧鬃长于单眼间鬃 …………………………… **直鬃蓟马属 *Stenchaetothrips***

前单眼前侧鬃短于单眼间鬃 …………………………… **蓟马属 *Thrips***

19. 腹板有许多附属鬃，无缘膜；基腹片有鬃 …………………………… **小头蓟马属 *Microcephalothrips***

腹板无附属鬃，后缘有缘膜；基腹片无鬃 …………………………… 20

20. 第 2 ~ 7 腹节背板缘膜完整；第 8 节背板后缘缘膜上着生有细长的后缘梳毛 …………………………… **片膜蓟马属 *Ernothrips***

第 2 ~ 8 腹节背板缘膜齿状 …………………………… **腹齿蓟马属 *Fulmekiola***

21. 腹节背板和腹板布满六角形网纹；第 10 节呈管状 …………………………… **梳蓟马属 *Ctenothrips***

腹节背板和腹板无六角形网纹，前胸后角鬃普通；触角第 3 ~ 4 节普通 … **带蓟马属 *Taeniothrips***

Ⅰ. 棍蓟马亚科 Dendrothripinae

鉴别特征：体扁而宽，具刻纹。头通常在复眼间下陷；触角第2节膨大；下颚须2节；中胸具刺腹片常与后胸腹片愈合；后胸腹片内叉骨极度增大，伸至中胸腹片；前翅后缘缨毛直；跗节通常1节。腹部背片两侧有网纹、横纹或微毛状线纹，中对鬃粗且相互靠近。

本亚科种类后胸内叉骨极度增大是其主要特征，用于区别本科内其他亚科。针蓟马亚科 Panchaetithripinae 中某些属，如 *Selenthrips* 后胸内叉骨亦极度增大，有可能与本亚科起源于一个共同祖先。

分类：全世界已知15属90余种，中国记录3属15种，陕西秦岭地区发现2属2种。

2. 棍蓟马属 *Dendrothrips* Uzel, 1895

Dendrothrips Uzel, 1895: 159. **Type species**: *Dendrothrips tiliae* Uzel, 1895 (= *Thrips ornata* Jablonowski, 1894).

Dendrothrips (*Dichaetella*) Priesner, 1921: 116. **Type species**: *Dendrothrips karnyi* Priesner, 1921.

Dendrothrips (*Monochaetella*) Priesner, 1921: 116. **Type species**: *Dendrothrips saltatrix* Uzel, 1895.

Dendrothripiella Bagnall, 1927: 567. **Type species**: *Dendrothripiella phyllireae* Bagnall, 1927.

Monochaetella: Shumsher Singh, 1946: 158.

属征：体略扁，头宽大于头长，前缘触角延伸物较宽，截断形，触角基部之后凹陷，单眼间距宽；复眼很大。触角8节，第6节有时有横斜缝，似有9节；第3~4节感觉锥简单或叉状；下颚须和下唇须2节。前胸短，很宽；无长鬃，无或有1对较短后角鬃。后胸腹片内叉骨极度增大。前翅后缘直，似棍；脉鬃短小，前脉鬃位于前缘缨毛之前。足跗节有1节。第1腹节及第2~10腹节背片两侧网纹区内有颗粒；第2~8节背片前部中对鬃位置靠近；第8节有后缘梳；第9节部分纵裂；侧片存在；第9、10节的长鬃较短。雄虫腹部腹片无腺域；第9节背片无角状鬃。这个属的显著特征是前翅后缘直，端部向后弯，前缘缨毛着生于翅下面，前缘之内。

分布：亚洲，非洲，欧洲。全世界已报道50余种，中国记录8种，秦岭地区发现1种。

(2) 茶棍蓟马 *Dendrothrips minowai* Priesner, 1935（图63）

Dendrothrips minowai Priesner, 1935: 353.

鉴别特征：体长1.1mm。雌虫体棕色，中胸有1个亮区；触角第1节黄棕色，第2节与第6～8节灰棕色，第3～5节黄色，但第5节端半部颜色暗；跗节黄色；翅暗棕色。头宽甚大于头长，两复眼间布满网纹或线纹，纹间布满颗粒；头鬃短小，单眼前侧鬃存在，单眼间鬃在前后单眼中心连线之外。触角8节，第3～4节感觉锥简单，第6节有横斜缝。口锥伸至前胸腹板约2/3处。胸部前胸背板布满网状刻纹，中部刻纹最显著，网纹间布满短线和灰黑色颗粒，背片鬃小；后胸背片布满纵网纹，网纹间布满黑色颗粒；中后胸腹片愈合，中胸腹片叉骨有刺，后胸腹片叉骨极度增大，伸至中胸腹片；翅鬃弱，前缘缨着生于前缘脉之下，翅面布满微刺，缨毛直；跗节1节，后跗节有1个端距。腹部第1～8腹节背片两侧布满不规则线纹，线纹上和线纹间布满黑色颗粒，中部较光滑；第6～8节背片后缘有不完整的细小微毛；第9～10节背片中部有微毛；第8节背片后缘梳完整，中间长而两侧细小；第2～7节腹片布满刻纹，第2节腹片后缘鬃有2对，第3～6节腹片有3对，第7节腹片后缘鬃有4对，均着生在后缘上，鬃小；腹片无附属鬃，第9节背片鬃几乎在一条直线上。

雄虫长翅型，似雌虫，较小；触角第1节和第3～5节色暗于雌虫；第2～4腹节和第9～10腹节淡黄色。腹部第9节背片有5对鬃，沿后缘略呈弧形排列。腹片无腺域。

采集记录：1♀，安康，1986. Ⅴ.15，冯纪年采。

分布：陕西（安康）、湖南、广东、海南、广西、贵州；朝鲜，日本。

寄主：山茶 *Camellia japonica*（Theaceae），油茶，小叶胭脂，荷术。

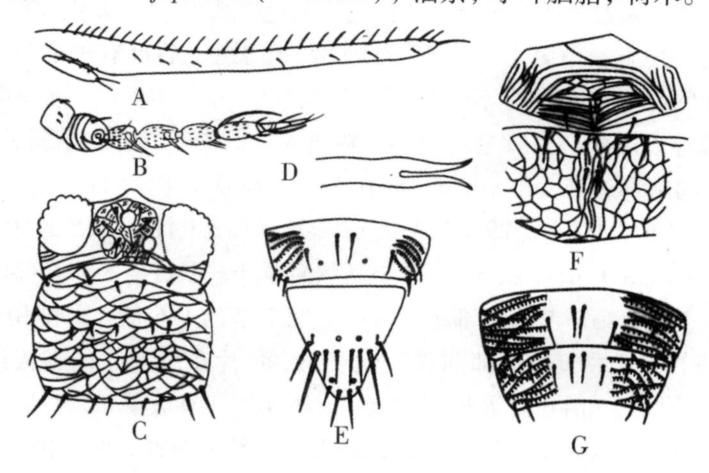

图63　茶棍蓟马 *Dendrothrips minowai* Priesner

A. 前翅；B. 触角；C. 头和前胸；D. 后胸内叉骨；E. 第8～10腹节背片；F. 中胸、后胸盾片；G. 第6～7腹节背片

3. 伪棍蓟马属 *Pseudodendrothrips* Schmutz, 1913

Pseudodendrothrips Schmutz, 1913: 992, 998. **Types species**: *Pseudodendrothrips ornatissima* Schmutz, 1913.

属征：体甚小，头宽甚大于长，前缘在复眼间凹陷，颊向基部收缩，复眼大而突出；触角8节或9节，第2节最大，第3～4节感觉锥叉状；下颚须2节。前胸甚宽于长，有横内突在中部；后角鬃有1对，较长，后缘鬃有3对。后胸盾片无钟形感器。前翅基部宽，端部尖，不向后弯，前缘缨毛着生在前缘上，后缘缨毛直；中胸腹片内叉骨具弱刺；后胸腹片内叉骨增大。各跗节1节，后跗节很长，后足胫节有1根粗刚毛在端部。腹节背片侧部有细密横纹，略呈网状；第2～8节背片中对鬃靠近，向后部渐长，6对背鬃较长；第8节后缘梳不规则，第9、10节后部有微毛；背侧片不与背片分离。雄虫腹部第9节背片无角状粗鬃，腹片无腺域。

分布：亚洲，非洲，美洲。全世界已知19种，中国记录6种，秦岭地区发现1种。

(3) 桑伪棍蓟马 *Pseudodendrothrips mori* (Niwa, 1908) (图64)

Belothrips mori Niwa, 1908: 180.

Pseudodendrothrips mori: Stannard, 1968: 237.

鉴别特征：体长0.6～0.8mm。雌虫体淡黄色至白色，一般头和前胸色较深；触角第1节常较淡；体鬃色淡；前翅淡黄色或带灰色。头宽大于头长，复眼凸出，头前缘触角间向前延伸至触角第1节中部，截断形，颊很短，后部有平滑颈状带，带内后部有模糊细横线纹。单眼区有不规则网纹和线纹，单眼间鬃位于前单眼两侧，在单眼三角形外缘连线之外。头背鬃均短小。触角8节，第7节有1条斜缝，似有9节，第2节最大，向端部逐渐变细；第1～8节长(宽)依次分别为17.0(22.0)μm、27.0(24.0)μm、30.0(17.0)μm、29.0(17.0)μm、25.0(13.0)μm、29.0(10.0)μm、20.0(15.0)μm、13.0(3.0)μm；第3～4节上叉状感觉锥较长，第6节基部内侧感觉锥长是第6节的1.3倍，第7节外基部感觉锥长是第7节的1.6倍。口锥相当长，端部窄圆。下颚须基节长于端节。胸部前胸宽大于长，背片布满交错的细横纹，两侧后部各有2个光滑无纹区，后角外鬃长于内鬃，前缘无鬃，前角鬃和2对后缘鬃和5对背片鬃均短小；中后胸两侧中部略收缩，后胸盾片中部有纵纹，两侧网纹略呈六角形，前缘鬃距前缘近，前中鬃距前缘20.0μm，相互靠近，中胸、后胸盾片各鬃均短小；中胸内叉骨无刺，后胸内叉骨增大，并排向前延伸。前翅长616.0μm，中部宽34.0μm；前缘鬃约30根，前脉基部鬃有3根，中和端部鬃有4根或3根，后脉鬃缺。足较细，后足胫节端部有1个长距，后足跗节很长，是后足胫节长的7/10，端部有2个小距。腹部第2～7腹节背片两侧有宽的线纹区，由横线和短纵线互相结合构成；第8节两侧横纹区较小；第5节背片长74.0μm，宽30.0μm；第2～7节背片后缘中部有些微毛；第9～10节后部有些微毛；第8节后缘梳完整；第2～7节各背片有鬃约10对，有纹区内有8对，对2在纹区内缘，各中对鬃(对1)相当长；第9节背鬃：背中鬃长42.0μm，中侧鬃长32.0μm，侧鬃长25.0μm。腹片无附属鬃。

雄虫一般形态和体色相似于雌虫，但体色一致淡，头和前胫节不阴暗。触角第1~2节色淡，其余灰色，但第3~5节基部色淡。第9腹节背片鬃略呈弧形排列，鬃：内对1长19.0μm，内对2长29.0μm，内对3长34.0μm，内对4长18.0μm，内对5长32.0μm。腹片无腺域。

采集记录：3♀，洛南，1989.Ⅷ.01，赵小蓉采。

分布：陕西(洛南)、北京、河北、河南、江苏、浙江、湖北、湖南、福建、台湾、广东、海南、广西；朝鲜，日本，美国。

寄主：桑 *Morus alba* (Moraceae)，柳。

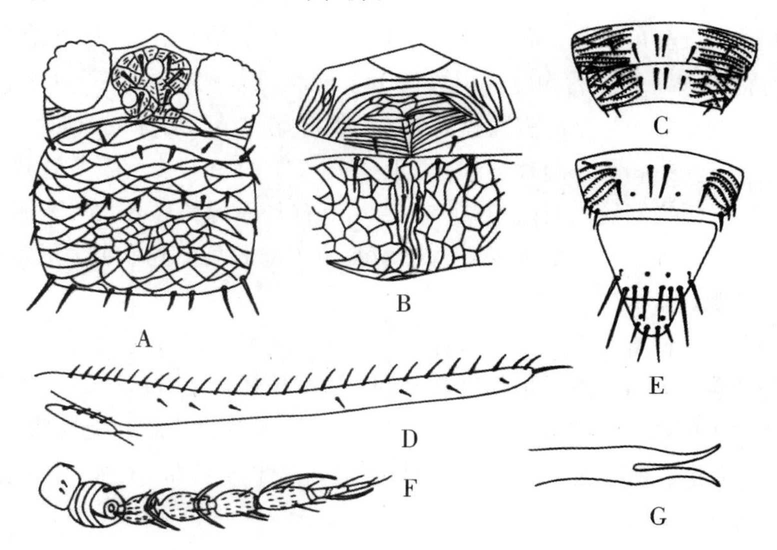

图64　桑伪棍蓟马 *Pseudodendrothrips mori* (Niwa)

A. 头和前胸；B. 中胸、后胸盾片；C. 第5~6腹节背片；D. 前翅；E. 第8~10腹节背片；F. 触角；G. 后胸内叉骨

Ⅱ. 针蓟马亚科 Panchaetothripinae

鉴别特征：体表通常有雕刻纹，头和前胸罕有平滑，常有隆起刻纹，体背和足通常有网纹。触角5~8节；第2节增大呈球状；第3、4节通常端部收缩如瓶，但基部有梗；端部数节偶尔愈合为一体，节芒通常2节，针状。触角常缺微毛，第3节罕有微毛，第4节偶有微毛。单眼罕有缺，单眼区常隆起。下颚须2节。中胸、后胸腹片内叉骨通常很发达。前翅前脉与前缘脉常愈合，超过基部的1/3。腹节背片常具特化的刻纹，如成簇的圆纹、孔区或网结状突起；偶尔有反曲的握翅鬃或单个中刚毛。第10节偶然不对称，少数有延长的第10节，管状。腹部通常缺侧片。雄虫腹片腺域呈

现单个或完整。

分类：全世界已知35属125种；中国记录12属31种，陕西秦岭地区发现2属3种。

4. 领针蓟马属 *Helionothrips* Bagnall, 1932

Helionothrips Bagnall, 1932: 506. **Type species**: *Helionothrips brunneipennis* Bagnall, 1932.

属征：头通常宽，复眼大，两颊短；后头顶有粗脊，其后形成宽的颈片，前缘中部向前拱，领之前部有六角形网纹；后领完全网纹，单眼大，通常位于强的单眼丘的边缘上；头鬃长。触角8节，第3、4节叉状感觉锥长，第5、6节有横排微毛。下颚须2节。前胸布满网纹。后胸盾片中央有1个网状刻纹构成的倒三角形区。前翅前缘缨毛甚长于前缘鬃，整个翅表面盖以微毛，前脉鬃稀疏，后缘毛波曲。后胸腹片内叉骨膨大，琴形。中胸前小腹片突起，长且有端叉。跗节1节。腹节背片前缘线重，中部有扇状区，两侧网纹内有蠕虫状纹；第8节背片后缘梳多不完全；第10背片纵裂完全。腹片各节有网纹。雄虫第9腹节背片有前对和后对角状刺，通常有疣状突。腹片通常有圆腺区。

Wilson(1975)检查过221个该属标本，发现下列特征在种间鉴别中较为可靠：触角第2节的颜色；触角节感觉锥长度和排列；后头顶颈片上纹区中蠕虫状皱纹；前翅脉叉处1簇增大的微毛；腹部第2~7节前缘线；第8节背片后缘梳的情况。

分布：古北区，东洋区，非洲区，新热带区。全世界已知26种，中国记录12种，秦岭地区发现2种。

分种检索表

中后足胫节最基部和最端部浅黄；雄虫腹节第7~8节有腺域，第9节背板前缘粗壮鬃基部距离很近 ………………………………………… **安领针蓟马 *Helionothrips aino***

中后足胫节仅最端部浅黄；雄虫腹节第6~8节有腺域，第9节背板前缘粗壮鬃基部距离很远 …………………………………………… **木领针蓟马 *H. mube***

(4) 安领针蓟马 *Helionothrips aino* (Ishida, 1931)(图65)

Heliothrips aino Ishida, 1931: 34.

Helionothrips aino: Wilson, 1975: 122.

Helionothrips antennatus Kurosawa, 1968: 79.

鉴别特征：体长约1.4mm。雌虫体黑棕色，头完全棕色。触角第1～5节和第6节基部2/3处黄色，第6节端部1/3处和第7～8节棕色；前翅基部、前后脉分叉处和最端部棕色，其余部分为淡棕色，或最端部也为淡棕色；足胫节端部和跗节黄色。头宽大于头长。复眼大，单眼在小丘上，间距小，近复眼后缘。颊短而略拱，后部窄，后头顶有粗脊，其后领(颈片)前缘拱、后缘直，领之前布满网纹，领上网纹，后部的网纹内有许多颗粒状小点。头鬃细，前单眼前外侧鬃长25.0μm，后移于前单眼后缘的单眼丘和复眼之间，单眼间鬃长25.0μm，位于前后单眼之中的三角形连线上。眼后鬃有5对。触角8节，第4节的颈细而短于第3节，第7节很短，第7、8节较愈合；第4节线纹少，但腹面有横排微毛；触角1～8节长(宽)分别为23.0(28.0)μm、32.0(36.0)μm、72.0(25.0)μm、54.0(28.0)μm、46.0(23.0)μm、25.0(20.0)μm、7.0(9.0)μm、29.0(3.0)μm，总长291.0μm；第3、4节的感觉锥为叉状，臂长64.0μm和80.0μm，第4节的伸达第5节端部；第4节背端另有1个简单感觉锥，伸达第5节端部；第5～7节的感觉锥均为简单的；第5节外端1个，长19.0μm；第6节外端1个，长16.0μm，内侧1个，长61.0μm；第7节外端1个，长41.0μm。口锥端部宽圆。胸部前胸宽大于长。背片布满网纹，但后部两侧有1对小的少纹区。网纹中无皱纹。中胸盾片完整，后部1/3处有伪中纵裂；前部网纹中有蠕虫状皱纹；后胸盾片中部隆起刻纹构成倒三角形区，其两侧网纹细；前缘鬃长19.0μm，前中鬃长距前缘21.0μm，无细孔。后胸盾片后缘无延伸，布满网纹。前翅长930.0μm，中部宽51.0μm；端部钝；脉显著，前脉在与后脉分叉处与前缘脉愈合；前缘鬃有26根，前脉基部鬃有6根，端部2根，后脉鬃有6根；中部鬃长分别为前缘鬃长33.0μm，后脉鬃长25.0μm；翅面微毛大小近似。前缘缨毛甚长，后缘缨毛波曲。翅瓣前缘鬃有4根。后翅有暗中纵脉。腹部第1腹节背片前脊线重，两侧1/3处网纹隆起似齿，在中央前部缺网纹。第2～8节背片前脊线重，第2～7节两侧各有两处向后凹入，第2～8节中部向前拱处有两细线向后延伸呈海扇状；两侧网纹重，后缘延伸而开放似齿，海扇两侧网纹少。第8节后缘梳中间有间断，约4根梳毛的间距。背片中对鬃小。节纵裂完全。腹片第1～10节均有网纹；后缘鬃均在后缘前。

雄虫体色与一般结构相似于雌虫，但体较细。第9腹节背片鬃大约为3条横列，前排1对较细，中排2对，内1对呈粗刺状，内2对较细；后排3对，内1对粗刺状，其后约有9个尾向小圆瘤，内2、3对较细。第7～8节腹片前中部各有1个椭圆腺域，第7节为24.0μm(宽)×12.0μm，占腹片宽度的17%；第8节为25.0μm(宽)×15.0μm，占腹片宽度的19%。

采集记录：1♀，秦岭，1962.Ⅷ.06，李法圣采。

分布：陕西(凤县)、河南、江西、福建、台湾、广东、广西、云南；朝鲜，日本。

寄主：蓖麻 *Ricinus communis* (Euphorbiaceae)，杂草，樟树，阴香，兰类，芋头，细叶桉。

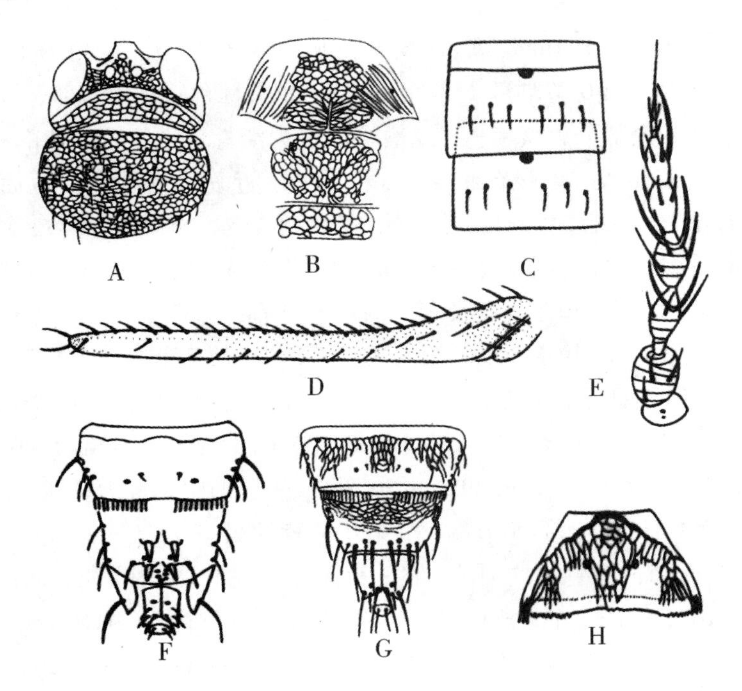

图 65　安领针蓟马 *Helionothrips aino* (Ishida)（C，F，G，H. 仿 Kudô，1992）

A. 头和前胸；B. 中胸、后胸盾片；C. 雄虫第 7～8 节腺域；D. 前翅；E. 触角；F. 雄虫第 8～10 节背片；G. 雌虫第 8～10 节背片；H. 雌虫第 1 节背片

(5) 木领针蓟马 *Helionothrips mube* Kudô，1992（图 66）

Helionothrips mube Kudô，1992：271.

鉴别特征：体长 1.4～1.5mm。雌虫体完全黑棕色。触角第 1～5 节灰白色，第 6～8节黄色。胫节最端部和跗节黄色。前翅基部棕色，亚基部有 1 个白色区，其后是 1 个淡棕色区，接着是黄色区，约占翅的 2/3，最端部淡棕色。头宽大于头长；复眼大；单眼在小丘上，近复眼后缘；颊短，平直；后头顶有粗脊，其后的领前缘拱后缘直，领内布满网纹，网内有颗粒状小点。头鬃细，单眼前侧鬃后移，位于单眼间鬃之后外侧，在单眼区小丘和复眼中间。单眼间鬃位于前后单眼中心连线上，眼后鬃中，单眼后鬃最小，离后单眼较远，相互靠近，位于后单眼后内侧。复眼后鬃有 4 对，较细小，长于单眼间鬃，靠近后头顶粗脊，前 3 个绕脊排列，最后 1 个在脊之前。触角 8 节：第 4 节的颈短于第 3 节的颈，但粗细相似；第 6、7 节较愈合；第 4～6 节线纹少，但腹面有横排微毛。触角各节长（宽）分别为：第 1 节 24.0(20.0)μm、第 2 节 38.0(30.0)μm、第 3 节 66.0(22.0)μm、第 4 节 52.0(22.0)μm、第 5 节 42.0(20.0)μm、第 6 节 28.0(18.0)μm、第 7 节 10.0(6.0)μm、第 8 节 32.0(3.0)μm。触角第 3 节长为宽的 3 倍，第 3～4 节感觉锥叉状，第 3 节叉状感觉锥伸至第 4 节端部，第 4 节叉状感觉锥长度超过第 5 节端部，伸至第 6 节中部，第 6

节上简单感觉锥伸过第8节。口锥端部钝圆，下唇须2节，第1节宽为第2节的2倍。前胸背片布满网纹，网纹中无皱纹，后部中间似有1个凹陷区，背鬃细。中胸盾片完整，后部1/3处中部裂开两侧为纵纹，中后部为网纹，网纹内光滑；中胸前侧片后缘长且窄，端部尖。后胸盾片中部隆起刻纹构成倒三角形，两侧为网纹，后缘两侧有2个小的纵线区。前缘鬃和前中鬃都在倒三角区内，均在前缘之后，其后无细孔。后胸小盾片与后胸盾片分开，其上布满网纹。前翅前脉鬃有6根，端鬃有2根，后脉鬃有5~6根，后缘缨毛波曲。腹部第1腹节背片前缘片重，前缘线中部鼓起，呈半椭圆形；腹节背片两侧的亚中部为光滑区外，其余部分为网纹；第8节后缘梳毛中间缺，两侧存在；第9节背片后缘鬃较粗长；第10节背片中部完全纵裂。第2~8节腹片中部各有3对鬃，较细长，第7节后缘两侧还有1对靠近的短鬃。雄虫同雌虫，第9节上有2对刺状鬃，后缘有6~8个疣状突。

采集记录：2♀1♂，太白山，2002. Ⅶ.15，张桂玲采。

分布：陕西（太白山）、台湾；日本。

寄主：草，野木瓜属 *Stauntonia*（Lardizabalaceae）。

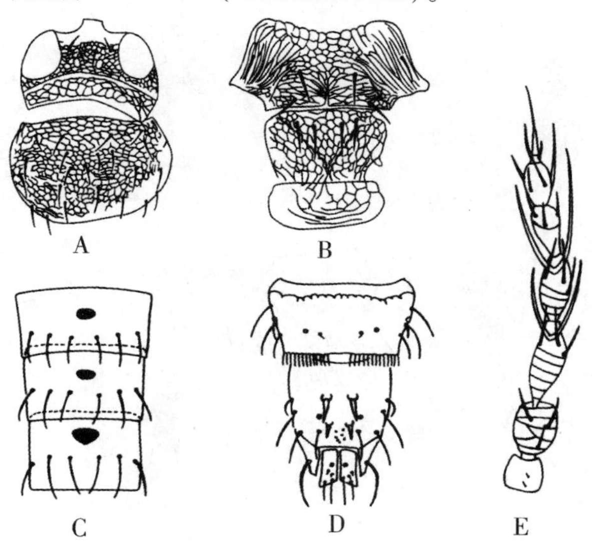

图66 木领针蓟马 *Helionothrips mube* Kudô（C，D 仿 Kudô，1992）

A. 头和前胸；B. 中胸、后胸盾片；C. 雄虫第6~8腹节腺域；D. 雄虫第8~10腹节背片；E. 触角

5. 缺缨针蓟马属 *Phibalothrips* Hood，1918

Phibalothrips Hood，1918：125. **Type species**：*Phibalothrips exilis* Hood，1918.

属征：体二色，头部后缘显著收缩呈颈状。头鬃小。单眼在前部隆起的小丘上。颊长于复眼后缘之前部分。触角7节，第3~4节感觉锥简单，微毛缺。口锥适当长，下颚须 2 节。前胸网纹，鬃细小；中胸盾片完整；后胸背片中部有 1 个刻纹粗的倒三角形区。前翅细长，前缘、后缘直，端部略细；前缘缺缨毛和缘鬃；前脉与前缘脉愈合；脉鬃小；后缘缨毛直。跗节 1 节。腹部两侧 1/3 处有多角形网纹，其中又有纵皱纹，中部平滑，前缘线中部以两条线向后延伸；第 8 节背片后缘鬃缺；第 4 节背片长鬃超过第 10 节，第 10 节纵裂完全。第 2 腹节前部有多角形网纹。雄虫相似于雌虫，第 9 节背片长鬃距离宽，中部平滑。第 3 ~ 7 腹节腹片前中部有圆形或椭圆形腺域。

本属前翅的特征显著，尤以前缘无缨毛、无鬃更为突出，可与其他属相区别。

分布：东洋区，非洲区。全世界已知 4 种，中国记录 1 种，秦岭地区有分布。

（6）二色缺缨针蓟马 *Phibalothrips peringueyi* (Faure, 1925)（图 67）

Reticulothrips peringueyi Faure, 1925: 145.

Phibalothrips peringueyi: Ananthakrishnan, 1964: 87.

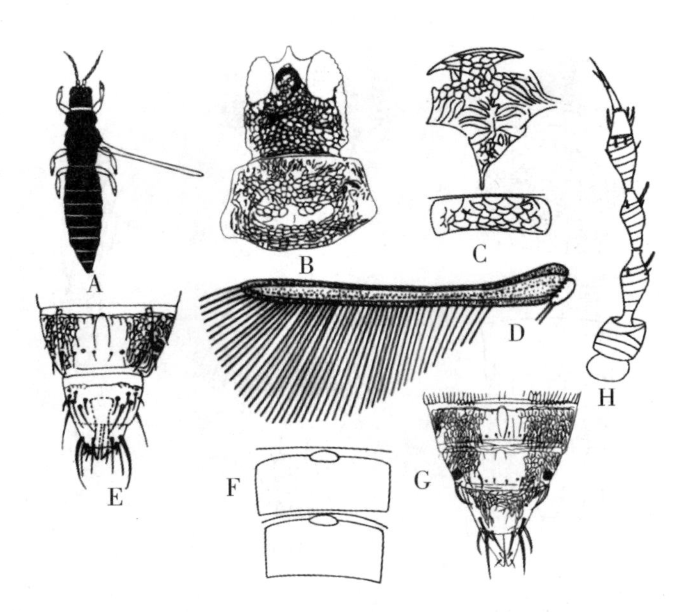

图 67　二色缺缨针蓟马 *Phibalothrips peringueyi* (Faure)

（A, D, E, F, G. 仿 Han, 1997）

A. 雌虫整体；B. 头和前胸；C. 中胸、后胸盾片；D. 前翅；E. 雄虫第 8 ~ 10 腹节背片；F. 雄虫第 6 ~ 7 腹节腺域；G. 雌虫第 7 ~ 10 腹节背片；H. 触角

鉴别特征：体长 1.0 ~ 1.2mm。雌虫头部、胸部、触角第 5 节端部和第 6 ~ 7 节及各足腿节棕色；触角第 1 ~ 4 节和第 5 节基半部，各足胫节、跗节和腹部黄色；前翅基部和翅瓣棕色，其后黄色，中部颜色略浅。头近方形，长大于宽；颊较直，长于眼前部分，后缘收缩呈颈状。背片网纹粗，围墙状，鬃小；单眼小，间距小，位于隆起丘上；单眼间鬃位于前后单眼中心连线上，眼后鬃距眼远，呈不规则排列。触角 7 节：

第2节粗，呈桶状；第3～4节较细长，管形，两端细；第5～7节较愈合，但节间缝清楚；第5、6节呈纺锤形；第2～5节有横纹，但无微毛，仅第2节和第6～7节有短鬃。第1～7节长(宽)分别为23.0(25.0)μm、38.0(36.0)μm、76.0(16.0)μm、60.0(16.0)μm、71.0(20.0)μm、25.0(14.0)μm、43.0(5.0)μm，总长339.0μm，第3节长为宽4.5倍。第3～4节感觉锥简单；口锥伸至前胸腹板中部。胸部前胸宽大于长，背板布满网纹，侧缘有薄缘片，后角显著，鬃小而稀疏。中胸背片前部有1个明显的三角形，其内为横网纹，两侧为纵线纹，后部为横线纹。后胸盾片三角区内刻纹隆起，前中鬃及其后亮孔位于三角区内，三角形外为稀疏弱纹，后胸小盾片大，横而有弱网纹，后胸内叉骨无刺，且不向前延伸；前翅狭长，前后缘直，前脉与前缘合并，后脉不可见；翅面有微毛；脉鬃退化，仅前脉鬃基部有痕迹；前缘无缨毛，后缘缨毛直；足粗，跗节2节。腹部第1腹节背片具网纹，各节背片前缘线细，腹片前缘线粗，第2～8节背片两侧1/3处有的网纹内有纵皱纹，两侧后缘有网纹延伸呈现齿状梳，中部无纹，自前缘线有条线向后延伸；各背片鬃均在后缘之前，中对鬃微小而相互靠近；第8节后缘梳不完整，中间间断。第2～8节腹片有网纹或线纹，各后缘鬃均在后缘之前。

雄虫似雌虫，但较小。第3～7节腹片前部有横卵形腺域，第2节的较圆，有时变成2个小圆点；第5节的中央长12.0μm，两端长11.0μm，宽(横)42.0μm。第3～7腺域占该节腹片宽度的比值分别为0.22、0.26、0.3、0.26、0.3。

采集记录：1♀，佛坪，200m，1998. Ⅶ. 29，姚健采。

分布：陕西(佛坪)、河南、福建、广东、海南、广西、云南；印度，非洲。

寄主：茅草，玉米，玉棕，狗尾草，禾本科杂草及其他杂草。

Ⅲ. 绢蓟马亚科 Sericothripinae

鉴别特征：头通常比较短，宽于长，眼前或多或少下陷，很少向前延伸。触角7～8节，第2节不特别增大。第3、4节感觉锥叉状。下颚须常为3节。前胸通常具有特殊纹和无纹区，中胸腹片与后胸腹片被缝分离，中胸内叉骨有刺。足股、胫节上常密披微环列微毛。跗节2节。前翅后缘缨毛波曲。腹部有密排微毛，中对鬃互相靠近。腹部密披微毛是这个亚科的主要特征。

分类：世界性分布。全世界已知3属140余种，中国记录3属27种，陕西秦岭地区记述2属2种。

6. 裂绢蓟马属 *Hydatothrips* Karny, 1913

Hydatothrips Karny, 1913: 281. **Type species**: *Hydatothrips adolfifriderici* Karny, 1913.

Zonothrips Priesner, 1926: 260. **Type species**: *Zonothrips karnyi* Priesner, 1926.

Corcithrips Bhatti, 1973: 409. **Type species**: *Corcithrips hartwigi* Bhatti, 1973.

Faureana Bhatti, 1973: 411. **Type species**: *Zonothrips smutsi* Faure, 1957.

Hydatothrips (*Pyrothrips*) Bhatti, 1973: 424. **Type species**: *Sericothrips* (*Hydatothrips*) *boerhaaviae* Seshadri *et* Ananthakrishnan, 1954.

属征：头宽，后头区呈新月形；触角7节或8节，第3、4节感觉锥叉状，第6节有1个线状感觉锥。前胸有骨化板。头和前胸密布横纹或网纹。"V"形内突后胸腹片分为两臂。两性翅均发达，前翅前脉鬃完全，后脉鬃有0～2根。第1～7腹节背板两侧1/3处密被微毛；第2～7腹节背板后缘有梳毛，两侧长，中间短或无；第8节后缘梳完整。第2～7腹节背片中对鬃位置和大小不相似，第2～4节背板中对鬃相互靠近，第5～8节中对鬃相距很宽。

分布：古北区，东洋区，非洲区。本属全世界已知40余种，中国记录14种，秦岭地区发现1种。

(7)基裂绢蓟马 *Hydatothrips proximus* Bhatti, 1973(图68)

Hydatothrips proximus Bhatti, 1973: 403.

Hydatothrips jiawuensis Chou *et* Feng, 1990: 11.

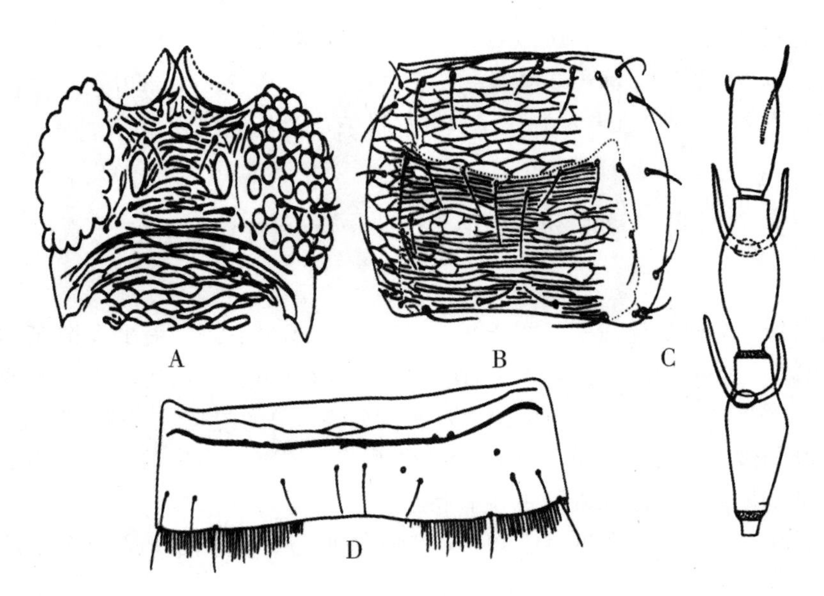

图68 基裂绢蓟马 *Hydatothrips proximus* Bhatti(仿 Bhatti, 1973)

A. 头；B. 前胸；C. 触角第3～5节；D. 第4腹节背片

鉴别特征：雌虫长翅。体深棕色。第4、5腹节黄色，但背板前脊线颜色深。触角第1、2节浅黄色，第3节浅棕色浅于端部(但通常全部黄色)，第4节端半部深棕色，基部有1个深色环，第5～8节深棕色，第5节亚基部常浅。前翅翅瓣、翅基部至亚端部色深，之后为1个和翅瓣差不多长的透明横带，之后是深色区，向端部逐渐变浅。足除后足腿节色深外其余黄色有弱的棕色斑，腿节和胫节除基部和端部外浅棕色，胫节有浅的棕色斑；跗节黄色；前足除腿节的深色区外常浅黄色。触角8节，前胸骨化板角钝；骨化板内线纹间有皱纹，骨化板外无皱纹。胸部前翅前缘脉鬃有25~29根，前脉有22~26根，基部有3~4根，端部19~23根，后脉无鬃；翅瓣鬃4+1根。腹部腹节背板鬃S2两侧有密排微毛，第1~5节除中对鬃之间和之前有1片小的不明显的小微毛外中部无鬃。背板鬃S3位于后缘上，第4~7节背板鬃S3两侧有鬃3根。各节背板鬃式分别为第2、3节为2+1m+2；第4~7节为2+1m+2+1m。第7、8节背板后缘梳常完整，正模背板第7节后缘不完整；腹板中部(中对鬃以内)无微毛；后缘梳中间缺，在鬃S2两侧后缘梳存在。

雄虫体色和雌虫相似。触角第3节60.0~64.0(16.0~18.0)μm，第4节50.0~54.0(17.0~19.0)μm，第5节39.0~42.0(15.0~16.0)μm。翅瓣鬃有3或4根。第8腹节背板后缘梳毛完整。第6、7节腹板各有1个横的腺域。第8节腹板后缘中对鬃非常长。

采集记录：1♀，长安嘉午台，1987.Ⅶ.22，冯纪年采。

分布：陕西(长安)；印度。

寄主：羊齿植物，桦树，松属 *Pinus* (Pinaceae)等。

7. 绢蓟马属 *Sericothrips* Haliday, 1836

Sericothrips Haliday, 1836: 439. **Type species**: *Sericothrips staphylinus* Haliday, 1836.

Rhytidothrips Karny, 1910: 41. **Type species**: *Rhytidothrips bicornis* Karny, 1910.

Sussericothrips Han, 1991: 208. **Type species**: *Sussericothrips melilotus* Han, 1991.

属征：常短翅，雌虫很少长翅。后胸盾片后部1/3处有横排的微毛。腹节背板中部和两侧均密被微毛，主要鬃由亚缘伸出。腹节背板后缘梳完整。

分布：全北区，非洲区。全世界已知9种，中国分布2种，秦岭地区记录1种。

(8)后稷绢蓟马 *Sericothrips houjii* (Chou *et* Feng, 1990)(图69)

Hydatothrips houjii Chou *et* Feng, 1990: 9.

Sussericothrips melilotus Han, 1991: 208.

Sericothrips houjii: Mirab-balou, Hu, Feng & Chen. 2011: 55.

鉴别特征：体长1.0~1.3mm。雌虫头、胸、第7~10腹节和触角第4~8节棕色；第1~3腹节浅棕色，第4~6腹节颜色浅；第2~7腹节背板前脊深棕色。前翅亚基部有1个白色条带；足被微毛，胫节和腹节黄棕色，基节和腿节棕色。头宽大于头长；单眼鬃有3对，单眼间鬃位于单眼三角形之外；后头突非常靠近复眼后缘。触角8节，第3、4节感觉锥叉状。胸部前胸布满网纹，有1个大的骨化板；跗节2节。前翅后脉无鬃。腹部腹节背板密披微毛；第1～8腹节背板后缘梳毛完整，中对鬃等距排列。腹板无附属鬃；第2～7腹节腹板后缘有鬃，第7节位于后缘之前。

雄虫体较雌虫小，腹末节颜色浅，为黄色；腹部第4～7节腹面中部前缘有小的椭圆形腺域。

采集记录： 1♀，长安嘉午台，1987. Ⅶ. 22，冯纪年采；55♀3♂，太白山，2002. Ⅶ. 13/15，张桂玲采。

分布： 陕西(长安、武功、太白)、北京、河南。

寄主： 杂草。

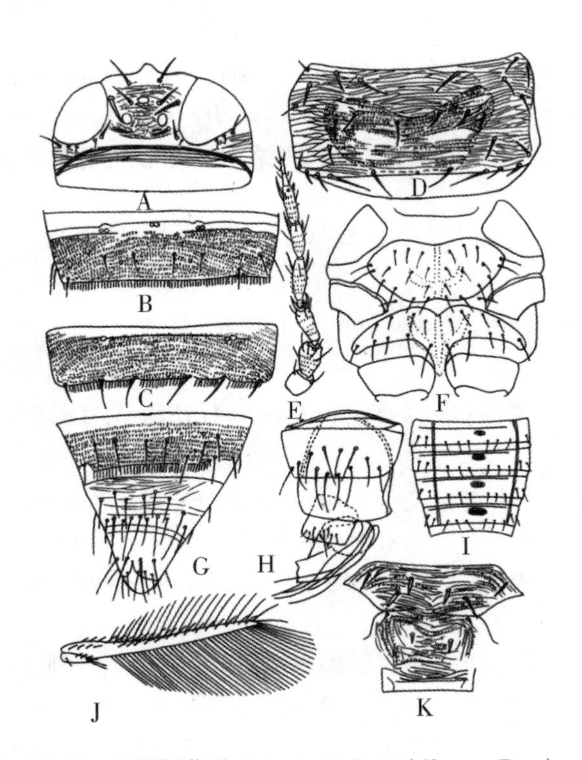

图69 后稷绢蓟马 *Sericothrips houjii* (Chou *et* Feng)

A. 头；B. 第5腹节背片；C. 第5腹节腹片；D. 前胸；E. 触角；F. 中胸、后胸腹片；G. 雌虫第8～10腹节背片；H. 雄虫第9～10腹节；I. 雄虫第4～7腹节；J. 前翅；K. 中胸、后胸盾片

Ⅳ. 蓟马亚科 Thripinae

鉴别特征： 体表刻纹简单，通常有横交错纹，有时局部有网纹。足少有网纹。触角6～9节，第2节通常长方形，第3、4节少有很长并呈瓶状，其上一般有微毛；端节罕有愈合，节芒1节或2节，非针状。下颚须通常3节，少有2节。无翅型或缺翅

型中单眼缺。头和前胸无隆起刻纹，常有长鬃。长翅、缺翅或无翅。前翅罕有缺前缘缨毛，前脉少有与前缘愈合。后胸内叉骨少有很大的，中胸、后胸内叉骨有或无刺。腹部各节至少有 1 对侧片，通常有背侧片；背片通常无特殊刻纹、反曲的刚毛或单个的中对鬃；第 10 节对称，罕有管状的。雄虫腹部腹片腺域偶尔分成几部分。

分类：世界性分布。本亚科下设 2 族 2 亚族，包括 280 属 1970 余种，中国记录 55 属 216 种，陕西秦岭地区发现 16 属 44 种。

8. 呆蓟马属 *Anaphothrips* Uzel, 1895

Anaphothrips Uzel, 1895: 142. **Type species**: *Anaphothrips virgo* Uzel, 1895 = *Thrips obscura* Muller, 1776.

属征：长翅型或短翅型。触角 8～9 节，第 2 节有背刚毛，第 3、4 节有叉状感觉锥，第 6 节有时有横斜缝。头有 2 对前单眼鬃，眼后鬃单列。前胸宽大于长，无特别长的鬃。羊齿未分割，基腹片膜质，无刚毛，中胸腹侧缝存在，中胸腹片内叉骨有刺。后胸后侧片有 2 根刚毛。跗节 2 节。长翅型前翅前脉鬃列有宽的间断。后脉鬃有 6～11 根；翅瓣通常有端刚毛；后缘缨毛波曲。腹部背片和腹片后缘无缘凸；第 2～8腹节背片中对鬃微小，间距宽；第 9 节中背刚毛微小，间距宽；背侧片和侧片缝存在。侧片有明显的后缘延伸物。背片上的背孔的位置可变，在后缘以前或靠近后缘。第 8 节背片后缘有梳或密的延伸物；第 10 节背片有纵裂。第 2 节腹片有 2 对后缘鬃，第 3～7 节各有 3 对后缘鬃，除了第 7 节的内 1 后缘鬃外，均生长在后缘上。雄虫第3～6节腹片(或第 7 节)各有 1 个卵形或月牙形或“C”形腺域；第 9 节背片有 2 对粗短角状鬃。

分布：世界广布。全世界已知 78 种，中国记录 5 种，秦岭地区记述 1 种。

(9)玉米黄呆蓟马 *Anaphothrips obscurus* (Müller, 1776)(图 70)

Thrips obscura Müller, 1776: 96.
Anaphothrips obscurus Bhatti, 1978: 89.
Euthrips obscura: Targioni-Tozzetti, 1881: 133.
Anaphothrips virgo Uzel, 1895: 35.
Anaphothrips (*Anaphothrips*) *obscurus*: Priesner, 1925: 145.
Anaphothrips obscurus f. *collaris* Priesner, 1926: 185.
Anaphothrips obscurus f. *grisea* Priesner, 1926: 185.
Anaphothrips discrepans Bagnall, 1933: 651.
Pseudoarticulella obscurus: Morison, 1948: 51.

鉴别特征：雄虫长翅型。体暗黄，胸部有不定型的暗灰色斑，腹部背片较暗；触角第1节淡白，第2～4节黄色，但逐渐变暗，第5～8节灰棕色；口锥端部棕色，前翅灰黄色。足黄色，股节和胫节外缘略暗。腹部鬃较暗。头宽略大于头长；头前部较圆，后部背面有横纹；单眼区在复眼间前中部，单眼间鬃位于前后单眼三角形外缘连线之外。触角8节，第2节较大，第3节有梗，第4～6节基部和端部较细，第3～4节叉状感觉锥较短，第6节端部有淡而亮的斜缝。胸部前胸宽大于长，背片光滑，仅边缘有少数线纹和鬃；中胸盾片线纹不密；后胸盾片中部有模糊网纹，两侧为纵纹，其后有1对亮孔。前翅前缘鬃有21根，前脉基部鬃有8～10根，端鬃有2根，后脉鬃有7～8根。仅中胸腹片内叉骨有刺。腹部腹节背片两侧有少数线纹，第5～8节背片两侧无微弯梳，第8节后缘梳完整。腹部无附属鬃，后缘鬃较长。雌虫短翅型似长翅型，仅翅短。雄虫长翅型，第3～4腹节有"C"形腺域。

采集记录： 1♀，杨凌，2002.Ⅷ.20，李武高采。

分布： 陕西(杨凌)、内蒙古、河北、山西、河南、宁夏、甘肃、新疆、江苏、浙江、福建、台湾、广东、海南、四川、贵州、西藏；蒙古，俄罗斯，朝鲜，日本，马来西亚，欧洲，埃及，摩洛哥，美国，加拿大，新西兰，澳大利亚。

寄主： 玉米 *Zea mays* (Gramineae)，水稻，小麦，谷子，淡竹叶，蟋蟀草，狗尾草，棉花。

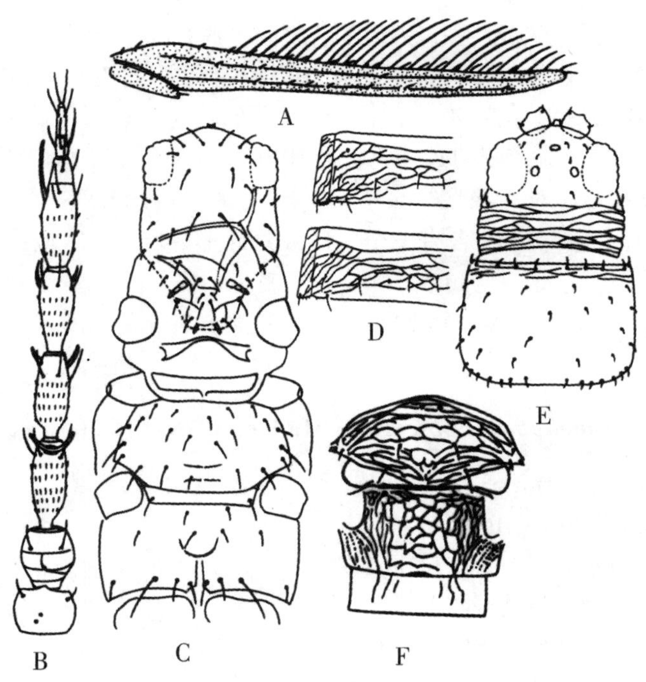

图70 玉米黄呆蓟马 *Anaphothrips obscurus* (Müller)(仿 Kudô, 1989)

A. 前翅；B. 触角；C. 头和胸(腹面)；D. 第3～4腹节背片(部分)；E. 头和前胸；F. 中胸、后胸盾片

9. 缺翅蓟马属 *Aptinothrips* Haliday, 1836

Thrips (*Aptinothrips*) Halidaey, 1836: 444, 445. **Type species**: *Thrips* (*Aptinothrips*) *rufus* Haliday, 1836.

Uzeliella Bagnall, 1908: 5. **Type species**: *Uzeliella lubocki* Bagnall,1908.

Carinopleuris Bagnall, 1908: 5. **Type species**: *Uzeliella lubbocki* Bagnall, 1908.

Apothrips Djadetshko, 1964: 124. **Type species**: *Thrips stylifera* Trybom, 1894.

Aptinothrips: Palmer *et al.*, 1989: 12.

属征：体小而细长。体表有细线纹和网纹。头较长，眼前略延伸。复眼小，单眼缺。触角6节或8节，第3、4节有简单感觉锥。下颚须3节。除第9、10腹节外，体上无长鬃。翅胸窄，中胸、后胸背片分界线不明显。中胸腹片和后胸腹片被1条缝分开。总是无翅。足短粗，胫节球棒状，跗节1节或2节。腹节背片有许多疏散小鬃；背孔(即无鬃孔)间距宽，位于近两侧后部。第8节背片缺后缘梳；第10节背片纵裂。雄虫腹部腹片无腺域。本属与几个无翅属相近，如 *Prosopothrips* Uzel, 1895，但后者腹部背片后缘有梳毛。

分布：亚洲，欧洲，美洲，非洲，大洋洲。全世界已知4种，中国分布3种，秦岭地区记录1种。

(10) 芒缺翅蓟马 *Aptinothrips stylifer* Trybom, 1894(图71)

Aptinothrips stylifer Trybom, 1894: 43.

Aptinothrips rufa: Uzel, 1895: 35.

Aptinothrips rufa var. *stylifer*: Priesner, 1920: 52.

鉴别特征：体长约1.3mm。雌虫和雄虫均无翅。体和足黄色。触角第1、3节淡黄色，第2、4节颜色略暗，第5节暗黄色，触角第6~8节及腹部端部深棕色。触角8节，第1~8节长(宽)分别为18.0(29.0)μm、29.0(23.0)μm、32.0(18.0)μm、26.0(19.0)μm、29.0(18.0)μm、23.0(18.0)μm、11.0(7.0)μm、15.0(5.0)μm，总长183.0μm；第3节长为宽的1.78倍，第3~4节感觉锥简单，第6节梗状，长为第5节的1.5倍，第7、8节形成节芒。头长大于头宽。无单眼，颊略微外拱。两眼间有细微网纹，后部有横纹。复眼小。头背鬃均微小。触角第2~5节似球形，第3、4节简单感觉锥在外端。口锥端宽圆。胸部前胸宽大于长，无长鬃，背片线纹模糊，鬃微小。中胸、后胸盾片因缺翅，几乎就是中胸、后胸背片，鬃微小。中胸、后胸腹片骨上仅中胸有很短的刺。跗节2分节。腹部腹节背板和腹板后缘无缘膜。第9节背板后缘中对鬃约为侧鬃的60%。背板后缘有弱的齿状缘膜。腹板有很多附属鬃。

采集记录：5♀，宁陕火地塘平河梁，2012m，2010.Ⅶ.05，胡庆玲采。

分布：陕西(宁陕)、宁夏、西藏；广布于世界的温带地区。

寄主：青稞，小麦 *Triticum aestivum*（Gramineae）等禾本科植物。

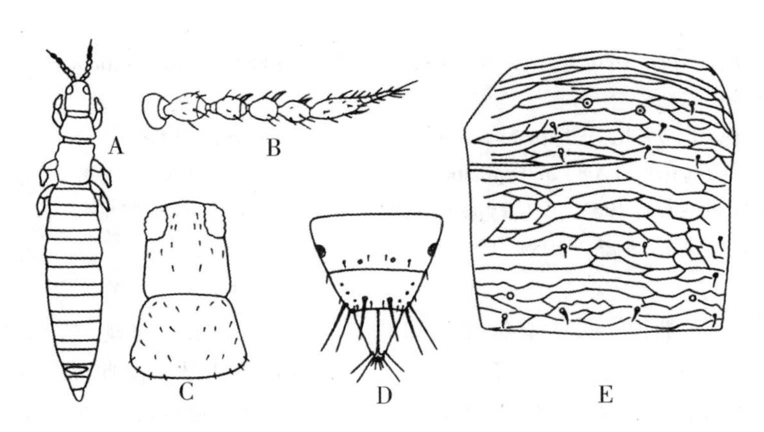

图 71 芒缺翅蓟马 *Aptinothrips stylifer* Trybom(仿 韩运发，1997)

A. 雌虫全体；B. 触角；C. 头和前胸；D. 第 8 ~ 10 腹节背片；E. 中胸、后胸盾片

10. 指蓟马属 *Chirothrips* Haliday, 1836

Thrips（*Chirothrips*）Haliday, 1836: 444. **Type species**: *Thrips*（*Chirothrips*）*manicata* Haliday, 1836.

Chirothrips: Mound & Houston, 1987: 6.

属征：体略扁。头小，前缘常延伸至触角间。复眼相当大。颊短，前部收缩。雌虫单眼位于复眼间后部，雄虫有时无。触角 8 节，第 1 节通常增大；第 2 节外端部大多数种类呈指状向外延伸；第 3 节感觉锥简单，第 4 节感觉锥简单或叉状。前胸梯形，扁，鬃长度不一，后角鬃通常发达。前胸基部腹片之前的三角形板状物由致密细纹构成。中胸腹片被 1 条宽缝于后胸腹片分离。前足增大，前股节外端角常延伸为钩齿状。跗节 2 节。雌虫长翅，雄虫无翅或短翅。前翅窄，两脉鬃间断。腹部有侧片。背、腹片无微毛，常在后缘有起伏分离的扇形物。背片无后缘梳。腹片无附属鬃。雌虫第 10 背片完全纵裂。雄虫有或无腺域。前胸梯形，头小，触角第 2 节端部向外延伸，常呈指形突起；前足膨大，是这个属与其他属相区别的一组特征。这个属的种类，生活在禾本科及莎草科植物花中，在植物残渣及草地中冬眠。移动缓慢，可引起谷物的“白穗”。

分布：主要分布于亚洲、非洲、美洲和欧洲。全世界已知 70 种，中国记录 8 种，秦岭地区记录 3 种。

分种检索表

1. 前胸较短 ………………………………………………………… **非洲指蓟马 *Chirothrips africanus***

前胸正常 …………………………………………………………………………………………… 2

2. 触角第 2 ~ 3 节深褐色；腹部背板和腹板有明显的黑色横向刻纹 ……… **袖指蓟马 *C. manicatus***

触角第 2 ~ 3 节灰白色；腹部背板和腹板无横向刻纹 …………………… **周氏指蓟马 *C. choui***

(11) 非洲指蓟马 *Chirothrips africanus* Prisner, 1932(图 72)

Chirothrips africanus Priesner, 1932: 45.

Chirothrips aethiops Bagnall, 1932: 183.

Chirothrips ramakrishnai Ananthakrishnan, 1957: 92.

鉴别特征： 雌虫体棕色至深棕色，胸部有橘黄色色素，触角颜色深，第 3 节黄色，第 4 节浅于其后各节。头在复眼前延伸很少，比 *C. pallidicornis* 多，比 *C. manicatus* 少。头顶除单眼鬃外，有 4 根短鬃；后单眼位于复眼后缘几条横纹之后；单眼间鬃位于前单眼之前；靠近复眼前角仅有 1 对小鬃。触角 8 节，触角第 2 节不显著向外延伸，在外缘无凹陷，端部尖，且突起上无任何感觉区或感觉板，边缘完全骨化，第 3、4 节感觉锥简单。胸部前胸短于其他种，后角鬃分别长为 32.0 ~ 35.0μm 和 20.0 ~ 32.0μm。前翅长 657.0μm，前脉基鬃 4 + 3 根，端鬃 1 + 1 根，后脉鬃有 3 ~ 4 根。前足胫节和前足跗节端部浅黄色，中后足胫节浅灰黄色。翅棕灰色，基部浅。腹部腹节端部短尖，和 *C. manicatus* 差不多，短于 *C. meridionalis*；第 9 节鬃长 52.0 ~ 76.0μm。

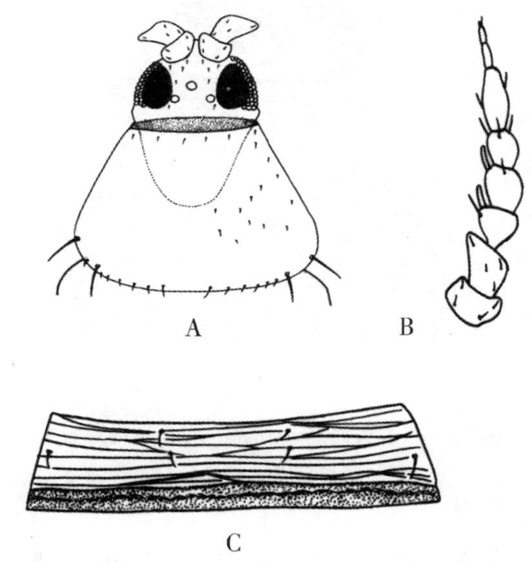

图 72　非洲指蓟马 *Chirothrips africanus* Prisner(仿 Ananthakrishnan, 1957)

A. 头和前胸；B. 触角；C. 腹节腹板

雄虫总是短翅，比雌虫色浅，尤其是触角第 2 节和胸部。复眼更扁，更小，无单眼；2 对单眼前鬃位于复眼前角，颊长 16.0 ~ 20.0μm。触角总长 156.0μm，各节长（宽）分别为 28.0(31.0)μm、22.0(25.0)μm、22.0(22.0)μm、25.0(24.0)μm、17.0(18.0)μm、21.0 ~ 22.0(15.0)μm、7.0 ~ 8.0(6.0)μm、6.0 ~ 7.0(3.0)μm。前胸长 154.0μm，宽 190.0μm。翅胸宽 200.0 ~ 208.0μm。翅瓣长 44.0 ~ 48.0μm。第3 ~ 7 腹节腹板有小的点状腺域，宽约 20.0μm。

采集记录：5♀，太白山，2012m，1986. Ⅵ. 23，冯纪年采。

分布：陕西（太白山）、西藏；印度，埃及，塞浦路斯。

寄主：禾本科和莎草科。

（12）周氏指蓟马 *Chirothrips choui* Feng，1996（图 73）

Chirothrips choui Feng，1996：175.

图 73 周氏指蓟马 *Chirothrips choui* Feng *et* Li

A. 触角；B. 头和前胸

鉴别特征：雌虫体褐色。触角第 2 ~ 3 节色淡，黄色；复眼黑色，单眼月晕红色；足跗节和翅灰白色；腹部第 1 ~ 8 节淡橘黄色，腹部黄褐色具有黑色横向刻纹线。头三角形，复眼大三角形；单眼区位于复眼间后部，单眼鬃有 3 对，单眼前鬃和前侧鬃几乎平行，远离前单眼，靠近头顶单眼间鬃，单眼间鬃前移，位于前单眼前外侧；眼后鬃有 3 对，不在一条直线上；触角 8 节，第 2 节外侧有 1 个尖锐指状突起，第 3 ~ 4

节感觉锥简单，端部钝；下颚须3节。胸部前胸梯形，后角有2对长鬃，外角鬃略长于内角鬃，后缘鬃有8对；前足腿节和胫节膨大；前翅纤细，剑状，前缘鬃有14根，前脉基鬃有4根，端鬃有2根，后脉鬃有4根。腹部腹节背板和腹板无横向刻纹线，腹部第4节腹板后缘有小型扁状片14个，其他各节无。第8节背片后缘无梳毛。腹片无附属鬃。

采集记录：3♀，秦岭，1986.Ⅷ.23，冯纪年采。

分布：陕西(秦岭)。

寄主：杂草。

(13)袖指蓟马 *Chirothrips manicatus* (Haliday, 1836)(图74)

Thrips (*Chirothrips*) *manicata* Haliday, 1836: 444.
Chirothrips antennatus Osborn, 1883: 154.
Chirothrips similis Bagnall, 1909: 34, 35.
Chirothrips laingi Bagnall, 1932: 185.
Chirothrips bagnalli: Priesner, 1949a: 173.
Chirothrips manicatus: zur Strassen, 1967: 32.

鉴别特征：长约1.2mm。雌虫体暗棕色，但触角第2节外端部及第3节或第3~4节，前足胫节端部及各跗节呈黄色至淡棕色。体鬃颜色暗。前翅棕灰色，或近基部微淡或有淡色部分。头长大于头宽或等于头宽，自后向前渐窄，后部有横纹。单眼区位于两复眼间后部，单眼鬃有3对，单眼前鬃和前侧鬃位于复眼前缘内和触角后，单眼间鬃位于前单眼前外侧，眼后有3对鬃排列不在一条直线上。触角8节，第1节增大，第2节外侧有1个指形突起，端部尖，第3~4节感觉锥简单，端部钝。下颚须3节。胸部前胸梯形，背片布满横纹和短鬃，后角有2对长鬃，外侧稍长于内侧，后缘鬃有7对。中胸盾片有横纹，其上有短鬃。后胸盾片中部有向后弯的横纹，两侧为纵纹，前中鬃远离前缘，前缘鬃靠近前缘，中后部有对小亮孔，不在同一水平线上，间距大。中后胸内叉骨均无刺。前足腿节和胫节膨大。前翅纤细，剑状，前缘鬃有16根，前脉基鬃有4根，端鬃有2根，后脉鬃有3~4根。腹部第1~8腹节背片有横纹，第1~8或第1~9节背片后缘无三角形齿，但有膜片，腹片后缘有时呈现三角形。第8节背片后缘无梳毛。腹片无附属鬃，第2~5节有退化三角形痕迹。雄虫似雌虫，较小，短翅型。雄虫无单眼，后胸盾片无纵纹，第3~7腹片有腺域。

采集记录：2头，长安嘉午台，1987.Ⅶ.22，冯纪年采。

分布：陕西(长安)、吉林、辽宁、内蒙古、河北、河南、宁夏、台湾；蒙古，朝鲜，日本，欧洲，北美洲，澳大利亚，新西兰。

寄主：稗，芨芨草，燕麦等禾本科植物。

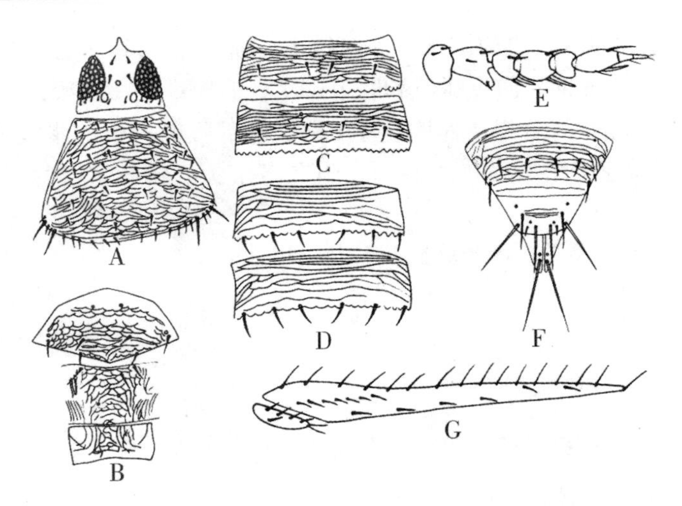

图 74 袖指蓟马 *Chirothrips manicatus*（Haliday）

A. 头和前胸；B. 中胸、后胸盾片；C. 第5～6腹节背片；D. 第5～6腹节腹片；E. 触角；F. 雌虫腹部第8～10节背片；G. 前翅

11. 梳蓟马属 *Ctenothrips* Franklin, 1907

Ctenothrips Franklin, 1907：247. **Type species**：*Ctenothrip bridwelli* Franklin, 1907.

属征：头长略微大于宽，颊外拱，单眼大。单眼间鬃和眼后鬃仅适当长，或短。触角8节，第3～4节感觉锥叉状。下颚须3节；下唇须2节。前胸背片有弱纹或几乎平滑，主要鬃适当长，后角鬃最长。中胸、后胸及腹部具有六角形网纹。前翅有2条纵脉，各有完全和大致规则的鬃列；后缘缨毛波曲。各足跗节2节。第8腹节背片后缘梳完整。雌虫第10腹节呈管状，完全纵裂；雄虫第3～8节腹板各有1个很宽的腺域；第9节背片无角状粗鬃。

本属外形和带蓟马属种类相似，但本属腹部背片和腹片布满六角形网纹，第10节背片宽而长，呈管状是其最显著的特征，易与其他属相区别。

分布：古北区，新北区，东洋区。全世界记录11种，中国记录10种，秦岭地区记录1种。

(14) 太白梳蓟马 *Ctenothrips taibaishanensis* Feng *et* Zhang, 2003（图75）

Ctenothrips taibaishanensis Feng *et* Zhang, 2003：175.

鉴别特征：体长2.0mm。雌虫深棕色，但胸部、足的胫节和跗节颜色略淡。触角第1节和第2节深棕色，第3～4节色淡，第3节自基部起3/4处淡棕色；第4节中部2/3处淡棕色，基部和端部黄色，第5节基部黄色；第6～8节棕色。前翅近基部处色淡。第2~8腹节背板前缘线黑色。头长大于头宽，头顶在眼后有横线纹，颊外拱。单眼呈三角形排列在复眼间后部，单眼前鬃缺，前外侧鬃长48.0μm，单眼间鬃长60.0μm，在后单眼前缘线以内，位于前后单眼内缘连线以内；单眼后鬃远离后单眼；复眼后鬃有5对，鬃1、2、4和鬃5排列在一条直线上。触角8节，各节长(宽)分别为第1节38.0(32.0)μm、第2节48.0(34.0)μm、第3节94.0(22.0)μm、第4节76.0(22.0)μm、第5节60.0(20.0)μm、第6节82.0(24.0)μm、第7节12.0(8.0)μm、第8节22.0(6.0)μm。口锥长，伸过前胸腹板1/2处，达前足基部后缘。下颚须3节，1~3节下颚须长依次分别为24.0μm、12.0μm、24.0μm。下唇须1节。胸部前胸宽大于长，背面光滑，鬃少；后角有1对长鬃，后角内鬃长54.0μm，后角外鬃长60.0μm；后缘鬃有2对。中胸盾片中部有横线纹，在两侧分叉向后倾斜，前部有1对亮孔；后中鬃远离后缘，后缘鬃接近后缘，距离后缘4.0μm。后胸两侧有少数纵纹，中后部为多角形网纹，延至后胸小盾片；前缘鬃距前缘2.0~4.0μm；前中鬃距前缘18.0μm；中部有1对亮孔。中后胸内叉骨均无刺。前翅前缘鬃有26根，前脉鬃有21根，后脉鬃有14根，翅瓣鬃有4+1根。各足细长，其上无线纹，有众多小刚毛。腹部第1~8腹节背板有网纹，且第2~7节背面的网纹呈多角形，后部光滑，第8节背面前的网纹排成两排，第9节上无网纹，第10节上有较大网纹。背片中对鬃短小，在无鬃孔前内侧。第8节后缘梳细长，完整；第9节背中鬃、中侧鬃、侧鬃长依次分别为168.0μm、192.0μm、168.0μm；第10节背中鬃长156.0μm，侧鬃长144.0μm。腹面各节有3对后缘鬃，无附属鬃。除第7节后缘中鬃着生在后缘之前外，其他均着生在后缘上。侧片有2根附属鬃，后缘齿大多退化，仅内侧有1~3个。雄虫同雌虫，较小。第3~8腹节腹板前缘有椭圆形雄虫腺域。

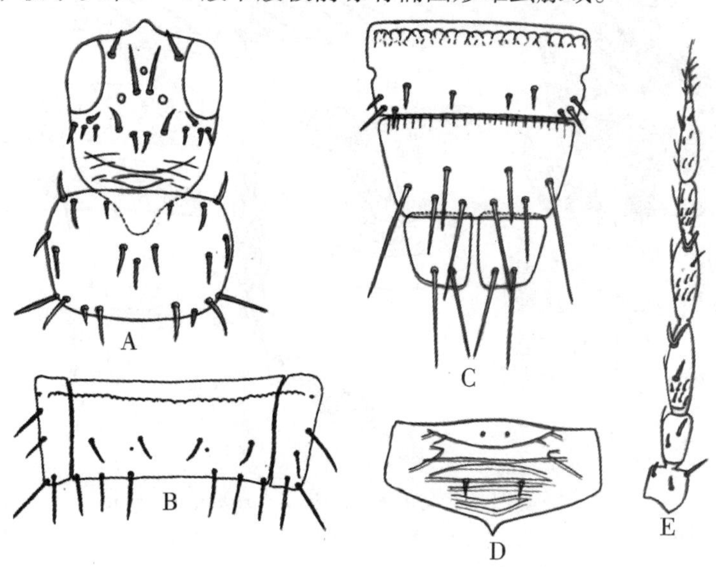

图75　太白梳蓟马 *Ctenothrips taibaishanensis* Feng *et* Zhang

A. 头和前胸；B. 第7腹节腹片；C. 第8~10腹节背片；D. 中胸盾片；E. 触角

采集记录: 3♀, 长安翠华山, 860m, 2010. Ⅵ. 03, 胡庆玲采; 4♀, 户县朱雀森林公园, 1864m, 2010. Ⅴ. 10, 胡庆玲采; 2♀1♂, 太白山, 2002. Ⅶ. 15, 张桂玲采。

分布: 陕西(长安、户县、太白)。

寄主: 杂草。

12. 棘蓟马属 *Echinothrips* Moulton, 1911

Echinothrips Moulton, 1911: 11. **Type species**: *Echinothrips mexicanus* Moulton, 1911.

属征: 棕色, 长翅。触角 8 节, 第 1 节无背顶鬃, 第 3、4 节感觉锥叉状。单眼前鬃存在, 复眼后通常有 2 对长鬃。前胸有 2 对后角鬃; 后胸背板中对鬃由前缘后发出。前翅前缘脉、前脉鬃头状, 连续排列, 后脉无鬃, 缨毛弯曲。第 1 ~ 8 腹节背板中对鬃长且相互靠近; 背板两侧刻纹上一般有微毛; 第 8 节后缘梳长; 腹板后缘鬃常着生在后缘之前。雄虫第 3 ~ 8 腹节腹板有许多小的腺。

分布: 全北区。全世界已知 7 种, 中国仅记录 1 种, 秦岭地区有分布。

(15) 美洲棘蓟马 *Echinothrips americanus* Morgan, 1913 (图 76)

Echinothrips americanus Morgan, 1913: 14.

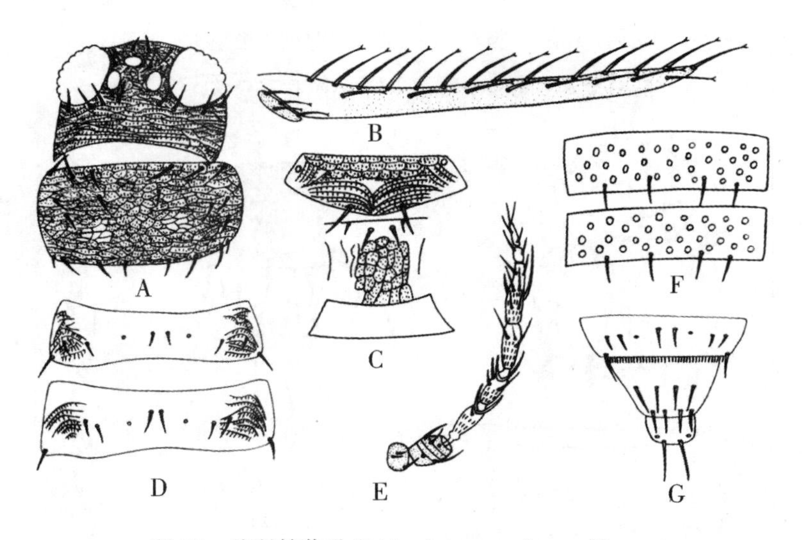

图 76 美洲棘蓟马 *Echinothrips americanus* Morgan

A. 头和前胸; B. 前翅; C. 中胸、后胸盾片; D. 第 5 ~ 6 腹节背片; E. 触角; F. 第 5 ~ 6 腹节腹片, 示腺域; G. 第 8 ~ 10 腹节背片

鉴别特征: 雌虫长翅。体深棕色至黑色, 第 1、2 节深棕色, 第 3、4 和第 5 节基

半部色浅，其余节淡棕色。腹部节有红的皮下色素，胫节端部、跗节黄色。头部有复杂的网状刻纹，3 对单眼鬃均存在，复眼内缘有 2 对粗壮的眼后鬃。触角 8 节，第 3、4 节感觉锥叉状，第 6 节长于第 7、8 节长度的总和。胸部前胸有强网纹，后角有 2 对重要鬃；后胸背板网状，中对鬃小，着生于前缘附近。前翅尖，向前弯曲；前缘脉和前脉鬃头状，后脉无鬃。腹部第 2 ~ 8 腹节背板中对鬃长且相互靠近，背板两侧 1/3 处有明显微毛；第 8 节背片后缘梳完整。腹板后缘鬃着生于后缘之前。雄虫比雌虫小，颜色浅些。第 3 ~ 8 腹节腹板每节有数个小的圆形腺域。

采集记录：5♀，杨凌西农昆博温室，220m，2008. Ⅶ. 20，郑建武采。

分布：陕西（杨凌）、北京、海南；俄罗斯，日本，泰国，欧洲，非洲，北美洲，澳洲。

寄主：杂草，马兜铃。

13. 片膜蓟马属 *Ernothrips* Bhatti, 1967

Thrips (*Ernothrips*) Bhatti, 1967: 34. **Type species**: *Thrips lobatus* Bhatti, 1967.
Ernothrips: Bhatti, 1969b: 367.

属征：前单眼前鬃缺，前单眼前外侧鬃不长于单眼间鬃。触角 7 节，第 3 ~ 4 节感觉锥叉状。下颚须 3 节。前胸背板每后角有 2 根长鬃，后缘鬃有 3 ~ 6 对。仅中胸内叉骨有刺。第 2 ~ 7 腹节腹板后缘有膜片，膜片被分割成小块，后缘鬃着生在分割线处。

分布：东洋区。全世界已知 4 种，中国记录 2 种，秦岭地区记录 2 种。

分种检索表

单眼间鬃位于前后单眼外缘连线之外；后胸盾片中部为网纹；前胸背板后缘鬃有 5 对 …………………… **裂片膜蓟马 *Ernothrips lobatus***
单眼间鬃位于前后单眼中心连线上；后胸盾片前中部有下凹的横纹，其后及两侧为纵线纹；前胸背板后缘鬃有 4 对 …………………… **纵纹片膜蓟马 *E. longitudinalis***

(16) 裂片膜蓟马 *Ernothrips lobatus* (Bhatti, 1967)（图 77）

Thrips (*Ernothrips*) *lobatus* Bhatti, 1967: 18.
Ernothrips lobatus: Bhatti, 1969b: 376.
Thrips immsi Bagnall, 1926: 110.
Thrips (*Thrips*) *immsi*: Wu, 1935: 344.

鉴别特征：体长约 1.0mm。雌虫体棕色。触角第 3 节黄色，及第 4 节黄棕色；各足胫节端部大部分和跗节黄色；前翅棕色，基部 1/3 处较淡；所有鬃棕色。头部单眼前部和复眼后有众多横纹，后单眼靠近复眼，单眼间鬃在前后单眼中心连线与外缘连线之间，眼后鬃围复眼呈单行排列。两颊微拱。触角7节，第3~4节上叉状感觉锥短而粗。口锥伸至前足基节间。下颚须3节。胸部前胸背面布满清晰横纹，其上有众多短鬃，后角外鬃稍短于后角内鬃，后缘鬃有5对。中胸盾片横纹清晰；后胸盾片前中鬃之前有3~4条倾斜的横纹，并向后开口呈纵纹，两侧为纵密纹，前缘鬃在前缘上，前中鬃在前缘之后，1对亮孔靠近后部。仅中胸内叉骨有刺。前翅前缘鬃有23根，前脉基鬃有4+3根，端鬃有2根，后脉鬃有12根，翅瓣前缘鬃有5根。前足较粗壮。腹部腹节背片两侧有线纹，第5~8节背片两侧微弯梳清楚，第8节后缘梳完整，第1~9节背片后缘有膜状缘片，其上有横细纹。第2~7节腹片后缘有裂片状膜片，着生在缘膜裂缝基部。腹板无附属鬃。

采集记录：1♀，眉县蒿坪寺，2012m，1986. Ⅵ. 18，冯纪年采。

分布：陕西（眉县）、河南、湖北、湖南、台湾、海南；印度。

寄主：月季，豆科藤本植物，沿阶草，枇杷，乌桕花。

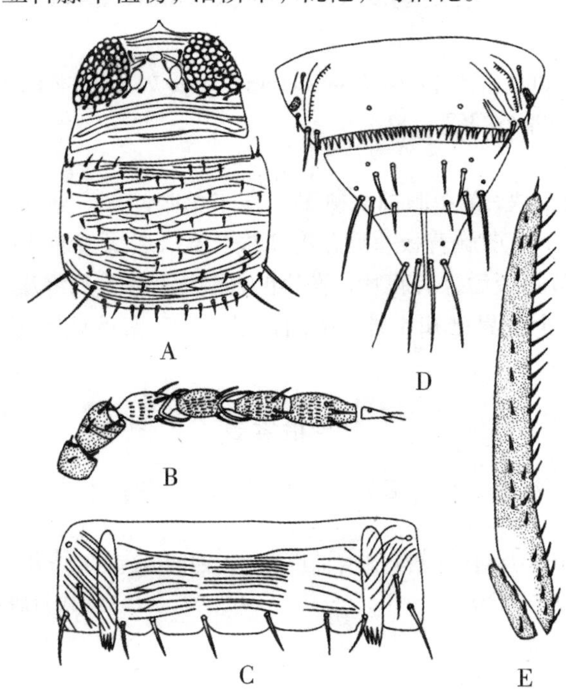

图77 裂片膜蓟马 *Ernothrips lobatus*（Bhatti）

A. 头和前胸；B. 触角；C. 第5腹节腹片；D. 第8~10腹节背片；E. 前翅

（17）纵纹片膜蓟马 *Ernothrips longitudinalis* Zhou，Zhang *et* Feng，2008（图78）

Ernothrips longitudinalis Zhou，Zhang *et* Feng，2008：91.

鉴别特征：体长约0.9mm。雌虫体棕色。触角第3~4节黄色，但第4节颜色暗；前翅棕色，基部颜色淡；各足胫节端部及跗节黄色；第1～8腹节背片前缘脊线褐色。头宽大于头长，单眼区前后均有横线纹分布。单眼区位于两复眼间后部，前单眼前鬃缺，前单眼前外侧鬃长9.0μm，单眼间鬃长12.0μm，在前后单眼中心连线上，单眼后鬃长12.0μm，位于两后单眼之后，眼后鬃紧紧围绕复眼排列，鬃1小于鬃2。触角7节，第3节明显有梗，第3～4节感觉锥叉状；第1～7节长(宽)依次分别为16.0(21.0)μm、26.0(23.0)μm、32.0(19.0)μm、26.0(19.0)μm、26.0(17.0)μm、37.0(19.0)μm、12.0(7.0)μm。口锥端部尖，伸至2个前足基节间，下颚须3节。胸部前胸宽大于长，前胸背板布满清晰的横纹，背片鬃小，后缘角鬃内角鬃长于外角鬃，后缘鬃有4对，长度近乎相等。中胸背片布满横线纹，前外侧鬃长于中后鬃和后缘鬃。后胸背片前中部有下凹的横纹，其后及两侧为纵线纹，小盾片上有4条纵纹，前缘鬃短于前中鬃，前中鬃远离前缘，在其末端有1对无鬃孔。中后胸腹片分离。仅中胸腹片叉骨有刺。前翅全长545.0μm，前缘鬃有21根，前脉基鬃有4+3根，端鬃有2根，后脉鬃有10～11根，翅瓣鬃有4+2根。跗节2节。腹部第1腹节背片布满交错线纹，第2～7节背片仅两侧有横线纹；第5～8节背片微弯梳清晰，第8节背片后缘梳完整；腹片布满横交错线纹，第3～7节腹片后缘鬃有3对，但第7节腹片后缘中对鬃在后缘之前。腹板无附属鬃。雄虫似雌虫，较小，腹部细；触角第2节端部大部分黄色，边缘色深；第8节背片后缘无梳；腹部第3～7节腹板前中部有横形腺域。

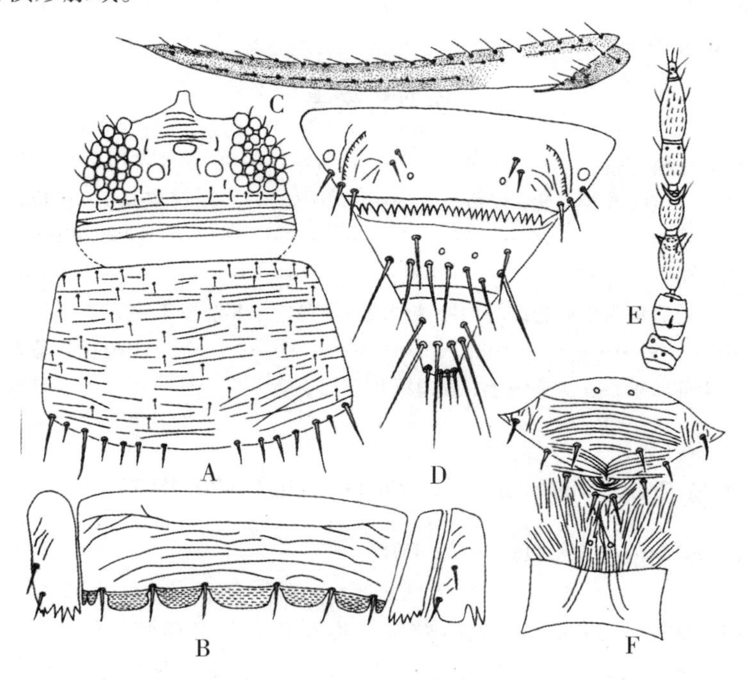

图78　纵纹片膜蓟马 *Ernothrips longitudinalis* Zhou, Zhang *et* Feng

A. 头和前胸；B. 第5腹节腹片；C. 前翅；D. 第8～10腹节背片；E. 触角；F. 中胸、后胸盾片

采集记录： 1♀，汉阴，1990. Ⅳ. 15，赵小蓉采；1♀，安康，1990. Ⅳ. 09，赵小蓉采。

分布： 陕西（汉阴、安康）、河南、湖北。

寄主： 油菜 *Brassica campestris*（Brassicaceae），花，香菜。

14. 花蓟马属 *Frankliniella* Karny, 1910

Frankliniella Karny, 1910: 46. **Type species**: *Thrips intonesa* Trybom, 1895.

属征： 触角 8 节。单眼鬃有 3 对，单眼间鬃发达。颊不外拱，通常后部窄。下颚须 3 节。前胸前缘、前角各有 1 对长鬃，但前角长鬃长于前缘长鬃，后角有 2 对长鬃，后缘有 1 对较长鬃，其外有 2 对短鬃，其内有 1 对短鬃。前翅两条纵脉鬃大致连续排列。第 5～8 腹节背片两侧有微弯梳，第 8 节微梳的气孔在前侧。第 8 节背板后缘有梳或无梳。雄虫腹部仅末端 2 节有较粗鬃，无角齿状物。腹板有腺域。若虫触角较细，腹部表皮平滑，披有细微毛，端部无齿状物。

本属前胸背片有 4 对长鬃，近些年来，有些作者认为后缘较长鬃内有 1 对短鬃是一个重要特征；头背有 3 对单眼鬃和前翅前脉鬃、后脉鬃大致连续排列是其与其他属鉴别的好特征，易与其他属鉴别。

分布： 世界广布，大多分布于南美和北美洲。全世界已知约 150 种，中国记录 14 种，秦岭地区记录 4 种。

分种检索表

1. 腹部第 8 节后缘梳完整 ························· 2
   腹部第 8 节后缘梳缺或较退化，仅留痕迹 ························· **禾蓟马 *Frankliniella tenuicornis***
2. 后胸盾片有钟感器 ························· **西花蓟马 *F. occidentalis***
   后胸盾片无钟感器 ························· 3
3. 单眼间鬃位于前后单眼中心连线与内缘连线之间；触角第 8 节短于第 7 节 ························· **山楂花蓟马 *F. hawksworthi***
   单眼间鬃位于前后单眼外缘连线上；触角第 8 节长于第 7 节 ························· **花蓟马 *F. Intonsa***

（18）山楂花蓟马 *Frankliniella hawksworthi* O' Neill, 1970（图 79）

Frankliniella hawksworthi O' Neill, 1970: 457.

鉴别特征： 体长 1.2mm。雌虫体棕色。头部和胸部颜色淡；触角第 3～4 节及第 5 节基部黄色；翅淡黄色；足黄色；腹部第 2～8 节背片前缘脊线褐色。头长小于头宽，头前缘不凸，复眼后有横刻纹；单眼间鬃在前后单眼中心连线与内缘连线之间，后单眼后鬃在两后单眼后，复眼后鬃有 4 对，鬃 3 最长。触角 8 节，第 3～4 节叉状感觉锥小，第 3 节基部明显有梗，第 3～4 节上有 4 排微毛，第 1～8 节长（宽）依次分别为 21. 0 (28. 0) μm、33. 0 (23. 0) μm、42. 0 (19. 0) μm、42. 0 (19. 0) μm、33.0(16.0)μm、44.0(16.0)μm、10.0(7.0)μm、9.0(5.0)μm。口锥端部钝圆，伸至前足基节间。下颚须 3 节，下唇须 1 节。胸部前胸长小于宽，前胸背板有极度弱的横纹，前缘亚中对鬃长 49.0μm，前角鬃长 63.0μm，后缘鬃有 5 对，亚中对鬃长26.0μm，其内有 1 对短鬃，后角鬃有 2 对，内角鬃长 70.0μm，外角鬃长 51.0μm。中胸背片布满横线纹，前外侧鬃长 26.0μm，后缘鬃和中后鬃均接近后缘。后胸背片前缘有几条横线纹，其后为多角形网纹，两侧为纵线纹，前缘鬃长 26.0μm，前中鬃在前缘上，其间距离大于其与前缘鬃的距离，其后无鬃孔。中后胸腹片愈合。仅中胸叉骨有刺。前翅全长 409.0μm，前缘鬃有 23 根，前脉鬃有 15 +2 根，后脉鬃有 11 根，翅瓣鬃有5 +1根。腹部第 1 腹节背片布满横线纹；第 2 ~8 节背片仅两侧有横线纹；第 5 ~8 节背片微弯梳存在；第 8 节背片后缘梳完整。腹板布满横线纹。腹片和背侧片无附属鬃。

采集记录：1♀，杨陵，1987. Ⅶ. 20，冯纪年采。

分布：陕西(杨凌)；美国。

寄主：美人蕉，菊科。

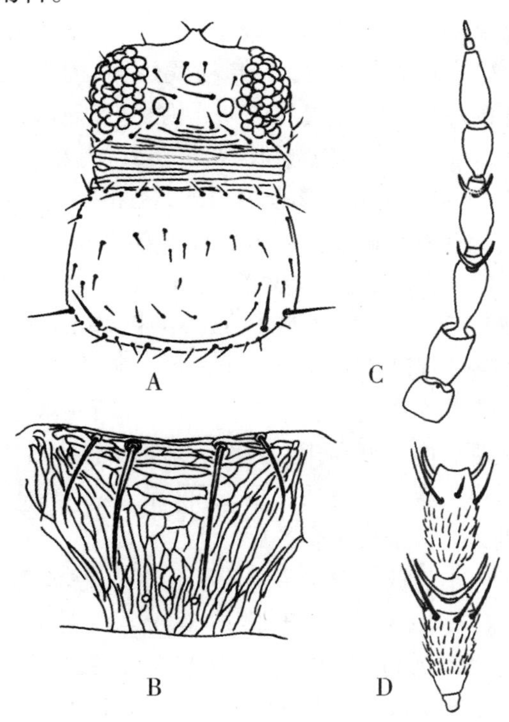

图 79　山楂花蓟马 *Frankliniella hawksworthi* O'Neill

A. 头和前胸；B. 后胸盾片；C. 触角；D. 触角第 3 ~4 节

(19) 花蓟马 *Frankliniella intonsa* (Trybom, 1895) (图 80)

Thrips intonesa Trybom, 1895: 182.

Thrips pallida Karny, 1907: 49.

Frankliniella vulgatesimus: Bagnall, 1911: 10.

Frakliniella formosae Moulton, 1928a: 291.

Frankliniella intonesa nigropilosa: Han, 1997: 264.

鉴别特征: 体长约1.4mm。雌虫体棕色。头、胸颜色稍淡，前足股节端部和胫节淡棕色。触角第3~4节和第5节基半部黄色，第1~2节和第6~8节棕色。前翅微黄色。腹部第1~7节前缘线暗棕色。体鬃和翅鬃暗棕色。头宽大于头长，颊后部窄，头顶前缘仅中央突出，背片在眼后有横纹。单眼间鬃较粗，在后单眼前内侧，位于前单眼、后单眼中心连线上。眼后鬃仅复眼后鬃3较长而粗，其他均细小。触角8节，较粗，第3节有梗节，第3~5节基部较细，第3~4节端部略细缩；第1~8节长(宽)依次分别为24.0(32.0)μm、41.0(29.0)μm、61.0(24.0)μm、56.0(22.0)μm、41.0(22.0)μm、55.0(22.0)μm、9.0(7.0)μm、17.0(5.0)μm，总长304.0μm；第3节长为宽的2.54倍；第3、4节感觉锥叉状。口锥长151.0μm，基部宽136.0μm、中部宽97.0μm、端部宽49.0μm。下颚须第1~3节长分别为长10.0μm(基节)、10.0μm、24.0μm。胸部前胸宽大于长，背片横线纹弱，中部更模糊。背片鬃有10根，前缘鬃有4对，内2对长；后缘鬃有5对，内2较长，长鬃分别长为前缘鬃长53.0μm，前角鬃长61.0μm，后角外鬃长90.0μm，内鬃长88.0μm，后缘鬃长51.0μm；其他各鬃长7.0~19.0μm。羊齿内端细，互相接触。中胸盾片布满细横纹；中后鬃和后缘鬃均在后缘稍前，较细。后胸盾片前部为横线，约3条，其后为网纹，两侧为纵纹；前缘鬃较细，在前缘上；前中鬃较粗，靠近前缘；亮孔(钟感器)缺。中胸内叉骨刺长度大于叉骨宽。前翅长977.0μm，中部宽78.0μm；前缘鬃有27根；前脉鬃均匀排列，有21根；后脉鬃有18根。腹部第1腹节背片布满横纹，第2~8节背片仅两侧有横线纹；腹片亦有线纹。第5~8节背片两侧微弯梳清楚。第5节背片中对鬃在背片中横线稍后，位于无鬃孔前内侧。第8节背片后缘梳完整，梳毛基部略为三角形，梳毛稀疏而小。腹片仅有后缘鬃，第2节2对，第3~7节3对，除第7节中对鬃略微在后缘之前外，其余均着生在后缘上。

雄虫相似于雌虫，但小而黄。第9节背片鬃几乎为1条横列，各鬃长分别为内对1长34.0μm、内对2长7.0μm、内对3长19.0μm、内对4长17.0μm、内对5长80.0μm(很粗)；侧鬃长59.0μm(亦粗)，第10节内对鬃细，外对很粗。第3~7节腹片有近似哑铃形腺域，第5节的中央长15.0μm，两端长17.0μm，宽61.0μm，约占腹片宽度的43%。

采集记录: 2♀，佛坪地庄沟，2015.Ⅶ.20，郭雪洁、曹瞳采。

分布: 陕西(太白、武功、佛坪)、黑龙江、吉林、辽宁、内蒙古、北京、河北、山东、河南、宁夏、甘肃、新疆、江苏、安徽、浙江、湖北、江西、湖南、福建、台湾、广东、海南、广西、四川、贵州、云南、西藏；蒙古，俄罗斯，朝鲜，日本，印度，格鲁吉亚，欧洲。

寄主：苜蓿 *Medicago sativa*（Fabaceae），紫云英，红花草，蓝花草，苕子，山野豌豌，红豆草等。

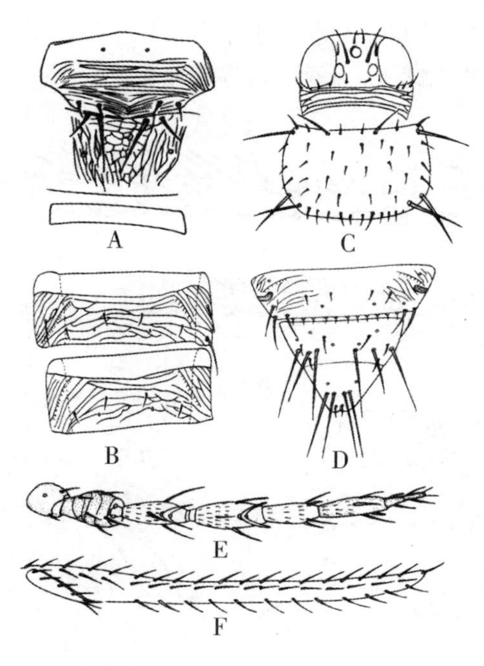

图 80　花蓟马 *Frankliniella intonsa*（Trybom）

A. 中胸、后胸盾片；B. 第 5～6 腹节背片；C. 头和前胸；D. 第 8～10 腹节背片；E. 触角；F. 前翅

（20）西花蓟马 *Frankliniella occidentalis*（Pergande，1895）（图 81）

Euthrips occidentalis Pergande，1895：392.

Euthrips helianthi Moulton，1911：16.

Frankliniella tritici var. *moultoni* Hood，1914：38.

Frankliniella moultoni：Treherne，1924：83.

Frankliniella claripennis Morgan，1925：138，142.

Frankliniella trehernei Morgan，1925：139，144.

Frankliniella dahliae Moulton，1948：70，97.

鉴别特征：雌虫长翅。身体和足颜色多变。触角第 3～5 节黄色，但端部棕色。前翅白色，鬃色深。头宽大于头长。单眼鬃有 3 对，单眼间鬃长于后单眼外缘之间的距离，着生于单眼三角形前部；眼后鬃 1 存在，鬃 4 长于后单眼之间的距离。触角 8 节，第 3、4 节感觉锥叉状，第 8 节长于第 7 节。胸部前胸有 5 对主要鬃。前缘鬃稍短于前角鬃，1 对小鬃位于后缘亚中鬃之内。后胸背板前缘有 2 对鬃，钟感器通常存在。前翅鬃列完全。腹部第 5～8 腹节背板有成对的微弯梳，有时在第 4 节不明显，第 8 节微弯梳在气孔前外侧；第 8 节后缘梳完整。第 3～7 节腹板无附属鬃。雄虫小于雌虫，颜色稍白。第 8 腹节背板无后缘梳。第 3 ~ 7 节腹板有横的腺域。

采集记录： 3♀，咸阳，2008. Ⅶ. 20，冯纪年采。

分布： 陕西(咸阳)、北京、山东、河南、江苏、安徽、浙江、湖北、福建、广东、海南、广西、重庆、四川、贵州、云南；世界性分布。

寄主： 花卉。

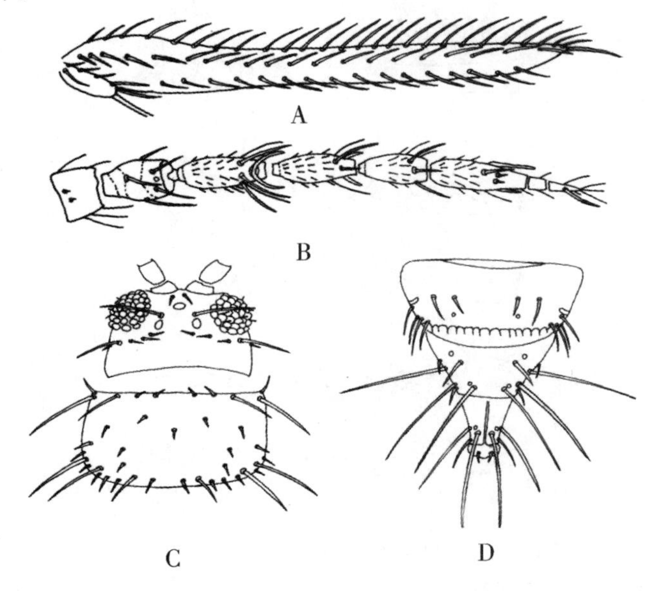

图 81 西花蓟马 *Frankliniella occidentalis* (Pergande, 1895)
A. 前翅；B. 触角；C. 头和前胸；D. 第 8 ~ 10 腹节背片

(21) 禾蓟马 *Frankliniinella tenuicornis* (Uzel, 1895) (图 82)

Physopus tenuicornuis Uzel, 1895: 32.
Physopus nervosa Uzel, 1895: 32.
Frankliniella nervosa: Karny, 1912: 335.
Frankliniella tenuicornis: Steinweden & Moulton, 1930: 22.

鉴别特征： 体长 1.3 ~ 1.4mm。雌虫体灰褐色至黑褐色。头、胸、腹灰色部分不甚规则。第 3 ~ 8 腹节前缘较暗，腹端通常很暗。触角第 3、4 节或第 3、4 和第 5 节基部黄色，其余为灰褐色。前翅灰白色或微黄色。体鬃和翅鬃暗灰色。头宽大于头长，头背在眼前和眼后有横纹，前缘向前拱圆，两颊平行。单眼呈三角形排列于复眼间后部。前单眼前鬃、前侧鬃长 19.0 ~ 22.0μm。单眼间鬃长 52.0μm，在前单眼、后单眼之中，位于单眼外缘连线上。后单眼后内侧有 1 根小鬃，复眼后鬃围眼排列。触角 8 节，较瘦细，第 3 节有梗；第 1 ~ 8 节长(宽)依次分别为 24.0(37.0)μm、39.0(53.0)μm、66.0(22.0)μm、59.0(22.0)μm、59.0(17.0)μm、68.0(19.0)μm、10.0(7.0)μm、15.0(5.0)μm，总长 340.0μm，第 3 节长为宽的 3 倍；第 3、4 节叉状感觉锥长24.0μm。口锥长107.0μm，基部宽158.0μm，中部宽97.0μm，端部宽49.0μm。第1~3节下颚须长依次分别为(基节)17.0μm、12.0μm、22.0μm。胸部前胸宽大于长，背片前半部和后缘有横纹，背片鬃有12根，其中近后角的1根较长而粗；长鬃分别长为前缘鬃43.0μm，前角鬃73.0μm，后角外鬃73.0μm，内鬃97.0μm，后缘鬃37.0μm；后缘鬃共5对，后缘长鬃内有1对，略小于其他短后缘鬃。中胸盾片有横纹，中对鬃与后缘鬃几乎在1条横线上，距后缘约20.0μm，鬃长分别为前外侧鬃24.0μm，中后鬃15.0μm，后缘鬃19.0μm。后胸盾片中前部有横纹，其后和两侧为纵纹，1对亮孔(钟形感觉器)在后部，前缘鬃较细，前中鬃较粗，均靠近前缘，前缘鬃长29.0μm，间距44.0μm；前中鬃长58.0μm，间距17.0μm。中胸内叉骨刺较长但弱。前翅长822.0μm，中部宽73.0μm。前缘鬃有24根，前脉鬃有19根，后脉鬃有15根。腹部第1~8腹节背片和腹片布满横线纹；第4~8节背片两侧微梳长而不弯；第5节背片中对鬃间在背片中横线上，位于无鬃孔(在后部1/3以内)前内侧；第5节背片鬃:内1(中对鬃)长7.0μm，内2长7.0μm，内3长24.0μm，内4(后缘上)长49.0μm，内5长46.0μm，内6(后缘上)长63.0μm；鬃3~5呈三角形排列，第6~7节背片鬃4退化。第8节背片后缘梳退化，常仅可见痕迹。腹片无附属鬃。第2节后缘鬃有2对，第3~7节有3对，均着生在后缘上。

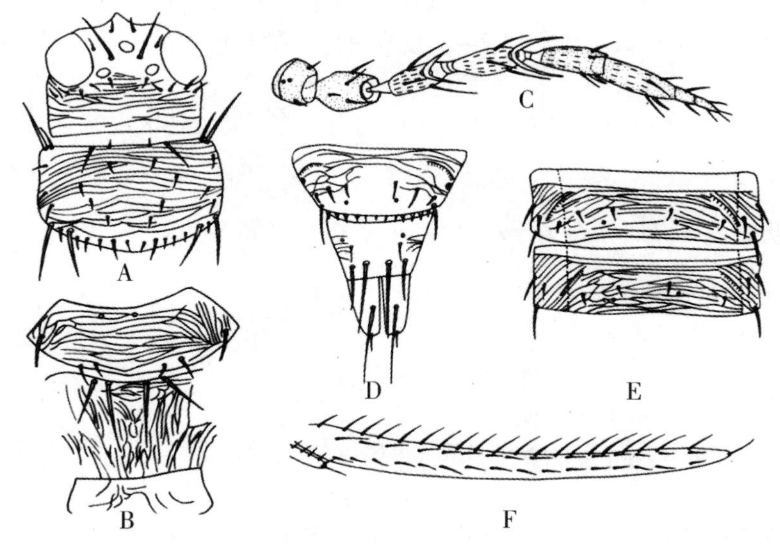

图82　禾蓟马 *Frankliniella tenuicornis* (Uzel)

A. 头和前胸；B. 中胸、后胸盾片；C. 触角；D. 第8~10腹节背片；E. 第6~7腹节背片；F. 前翅

雄虫形态一般相似于雌虫，但较小而黄。腹部第9节背鬃，对2在最后，其他在前，约呈1条横列，对3和对5较粗而长。侧鬃有1对亦较粗。第3~7节腹片有横腺域，少数略微呈哑铃形；第5节腺域中部长10.0μm，端部长12.0μm，宽58.0μm，约占腹片宽的34%。

采集记录：1♀，太白山莺歌镇，1999.Ⅶ.18，曹兵伟采；1♀，杨凌西农校园，

2001. Ⅹ.02，张桂玲采；1♀，杨凌，2002. Ⅷ. 15，李武高采。

分布： 陕西（太白，杨凌）、黑龙江、吉林、辽宁、内蒙古、北京、河北、山西、山东、河南、宁夏、甘肃、青海、新疆、江苏、湖北、江西、湖南、福建、台湾、广东、广西、四川、贵州、云南、西藏；蒙古，俄罗斯，朝鲜，日本，巴基斯坦，欧洲，加拿大，美国。

寄主： 小麦 *Triticum aestivum*（Gramineae），玉米，谷子，大麦，水稻，高粱，稗，狗尾草，芦珠草，糜子，苜蓿，西红柿，洋葱，白蒿，曼陀罗，地稔，蟋蟀草，狼尾草，枸杞，漏斗菜，马齿苋，葱，葛缕子花。

15. 腹齿蓟马属 *Fulmekiola* Karny, 1925

Fulmekiola Karny, 1925: 18. **Type species**: *Fulmekiola interrupta* Karny, 1925.

属征： 单眼前外侧鬃远长于单眼间鬃。触角 7 节，第 3 ~ 4 节有叉状感觉锥。下颚须 3 节。前胸后角有 2 对长鬃，后缘鬃有 3 对。中后胸内叉骨均无刺。两性长翅型，前翅前缘鬃有 4 根。各跗节 2 节，后胫节无特别长的刚毛。第 1 ~ 8 腹节背片和第 2 ~ 7 节腹片有长角齿。雄虫第 2 ~ 8 腹节腹片后缘有角状齿；第 3 ~ 7 腹节腹片有横腺域。

分布： 东洋区。全世界已知仅 1 种，中国有分布，秦岭地区也有分布。

(22) 蔗腹齿蓟马 *Fulmekiola serrata* (Kobus, 1892)（图 83）

Thrips serrata Kobus, 1892: 589.
Stenothrips minutus Karny, 1915: 85.
Fulmekiola interrupta Karny, 1925: 19.
Fulmekiola serrata: Bhatti & Mound, 1980: 12.
Baliothrips serratus: Jacot-Guillarmod, 1974: 716.

鉴别特征： 雌虫体细长，灰褐色，胸部和腹部第 1 节色淡；触角第 1 ~ 2 节、第 6 节端部和第 7 节灰褐色；头部和腹部颜色一致，第 3 ~ 5 节和第 6 节基部黄色；前翅淡鬃，基部黄色；各足胫节和跗节黄色。头后部有横线纹，单眼月晕红色，单眼间鬃细长，位于前后单眼三角形外缘连线之外，单眼前侧鬃粗，眼后鬃均细小，单眼后鬃远离后单眼，在其他鬃之后，其他鬃紧围复眼排列。触角 7 节，第 3 ~ 4 节有短的叉状感觉锥。口锥端部钝，伸至前胸腹板 1/3 处。胸部前胸背板有横纹，背鬃稀疏，很短，后角有 2 对长鬃，后缘鬃有 3 对，很小。中胸盾片有横纹，前面有 1 对亮孔。后胸盾片前部有横纹，其后和两侧为纵密纹，前缘鬃和前中鬃靠近，1 对亮孔在中后部。中后胸内叉骨均无刺。前翅前缘鬃有 22 根，前脉基部鬃有 4 + 3 根，端鬃有 3

根，后脉鬃有9根。腹部第2~8腹节背片有弧形线纹，第5~8节背片两侧有微弯梳，第2~8节背片中对鬃微小，第6~8节中对鬃较长，各中对鬃在无鬃孔前内方或正上方，第8节背片后缘无梳毛。腹板无附属鬃，第5~7节腹面后缘有粗齿，被后缘鬃分开。雄虫相似于雌虫，但体较细小，色通常较淡。前足较粗，前股节增大。第3~7腹节腹板有横腺域。第9节背鬃的内3在最前，其余在其后，大致呈弧形排列。

采集记录： 1♀，太白山，2002. Ⅶ. 13，张桂玲采。

分布： 陕西（太白）、江苏、浙江、湖南、福建、台湾、广东、海南、广西、四川、云南；日本，越南，印度，孟加拉国，菲律宾，马来西亚，印度尼西亚，巴基斯坦，毛里求斯。

寄主： 甘蔗 *Saccharum officinarum*（Gramineae），荻，马铃薯叶。

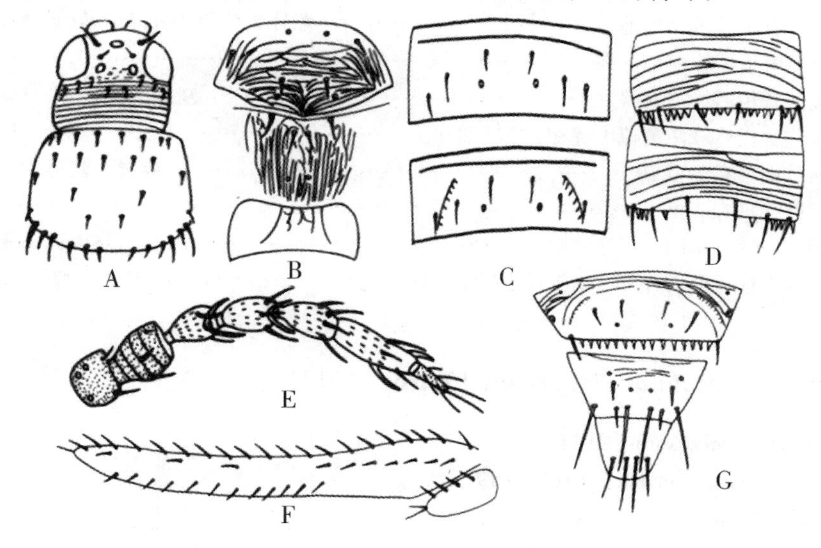

图83　蔗腹齿蓟马 *Fulmekiola serrata*（Kobus）

A. 头和前胸；B. 中胸、后胸盾片；C. 第4~5腹节背片；D. 第6~7腹节腹片；E. 触角；F. 前翅；G. 第8~10腹节背片

16. 大蓟马属 *Megalurothrips* Bagnall, 1915

Megalurothrips Bagnall, 1915: 589. **Type pecies**: *Megalurothrips typicus* Bagnall, 1915.

Taeniothrips（*Pongamiothrips*）Ananthakrishnan, 1962: 90.

属征： 触角8节，第1节有1对背顶鬃，第3~4节感觉锥叉状，第6节简单感觉锥基部略增大；触角通常呈性二态，雌虫触角较粗，雄虫触角较细，主要表现在第3~4节上。头背有3对单眼鬃，眼后鬃呈单列。口锥不长，下颚须3节。前胸每后角有2根长鬃。前足无钩齿；前翅基部和近端部有淡色区；前脉鬃端半部有小的间断，端鬃有2根。体鬃和翅鬃发达。腹部第8节背片气孔上面有成片微毛，后缘梳毛仅两侧存在，中部缺。腹部背片无凸缘延伸，呈膜片。腹端鬃长。雌虫腹节背片常在两侧有线纹。雄虫背片中部和两侧均有线纹。雄虫腹节腹片通常无腺域但有时有众多附属鬃。

本属与齿蓟马属近缘。今近来对非洲的大蓟马属种类雄虫的研究结果表明，雄虫的内阳(茎)基鞘内刺相似于 *Odontothrips ulicis*；前足胫节端部有粗的刚毛亦相似于 *Odontothrips* 中的一些种类，但后者前足胫节有钩、前跗节有小齿，触角第6节简单感觉锥基部显著增大这一特点可与本属区别。

分布：东洋区。全世界已知20余种，中国记录10种，秦岭地区记录5种。

分种检索表

1. 第8腹节背板后缘无梳毛 …… **蒿坪大蓟马 *Megalurothrips haopingensis***
   第8腹节背板后缘梳毛存在 …… 2
2. 第8腹节背板后缘梳完整 …… **灰褐大蓟马 *M. grisbrunneus***
   第8腹节背板后缘两侧梳毛存在，中间缺 …… 3
3. 前翅前脉端鬃有3根 …… **等鬃大蓟马 *M. equaletae***
   前翅前脉端鬃有2根 …… 4
4. 单眼间鬃在前后单眼内缘连线上 …… **端大蓟马 *M. distalis***
   单眼间鬃在前单眼后外侧，在前后单眼中心连线之外 …… **普通大蓟马 *M. usitatus***

(23) 端大蓟马 *Megalurothrips distalis* (Karny, 1913)(图84)

Taeniothrips distalis Karny, 1913: 122.
Frankliniella vitata Schmutz, 1913: 1019.
Physothrips brunneicornis Bagnall, 1916: 218.
Taeniothrips morosus Priesner, 1938: 476.
Taeniothrips ditissimus Ananthakrishnan *et* Jagadish, 1966: 250.
Taeniothrips nigricornis: Mound, 1968: 54.
Megalurothrips distalis: Bhatti, 1969a: 240.

鉴别特征：体长1.8mm，雌虫体褐色，黄褐色到黑褐色。触角一致为褐色，前翅黄褐色，近基部和近端部各有1个淡色区。头长小于头宽，后部有横纹。单眼呈扁三角形，排列于复眼间后部，单眼前鬃和前侧鬃约等长，但前鬃稍粗于前侧鬃，单眼间鬃在后单眼前内侧，位于前后单眼内缘连线上。眼后鬃有6对，前4个排成1列。触角8节，第3~4节叉状感觉锥呈"U"形，伸达前节中部。胸部前胸宽大于长，背片前后部有横纹，每后角有2根长鬃，后缘鬃有4对，内对最长。中胸布满横线纹，中后鬃和后缘鬃较小，都靠近后缘。后胸盾片前部为横纹，后部线纹模糊，两侧为稀纵纹，1对亮孔在中部；前中鬃和前缘鬃均在前缘之后，相互靠近，前中鬃较粗且长。前翅前缘鬃有31根，前脉基部鬃有21根，端鬃有2根，后脉鬃有19根，翅瓣前缘鬃有4根。腹部第2~8腹节背片两侧布满横纹，第8节背片前部两侧有几排微毛，后缘两侧有梳毛，中部无。背侧片无附属鬃，后缘有7~9个齿。第2节腹片后缘鬃有2对，第3~7节后缘鬃有3对，第7节后缘中对鬃在后缘之前。雄虫相似于雌虫，但体较小；头两颊略缩窄，触角较雌虫细，腹部背片布满横纹；腹片有众多矛形附属鬃。触角第3~4节基半部颜色较黄，体色较黄，足全黄色。

采集记录：4♀，太白山，2002. Ⅶ. 12，张桂玲采；2♀，太白山莺歌镇，1999. Ⅶ. 18，郭兵伟采；1♂，杨凌，1998. Ⅷ. 19，马彩霞采；2♀，武功，1956. Ⅵ，周尧采。

分布：陕西(太白、杨凌、武功)、辽宁、河北、山东、河南、江苏、湖北、湖南、福建、台湾、广东、海南、广西、四川、贵州、云南、西藏；朝鲜，日本，斯里兰卡，菲律宾，印度尼西亚，斐济。

寄主：苜蓿 *Medicago sativa* (Fabaceae)，紫云英，红花草，洋槐，紫藤，胡枝子，小麦，玉米，豆类，刺儿菜，向日葵，万寿菊，油菜，月季，樱花，烟草，木芙蓉，洋紫荆，樟树，麦冬，槭树，柑橘，石榴，大麻，钩藤，杧果，酸杷，苹果，羊蹄甲。

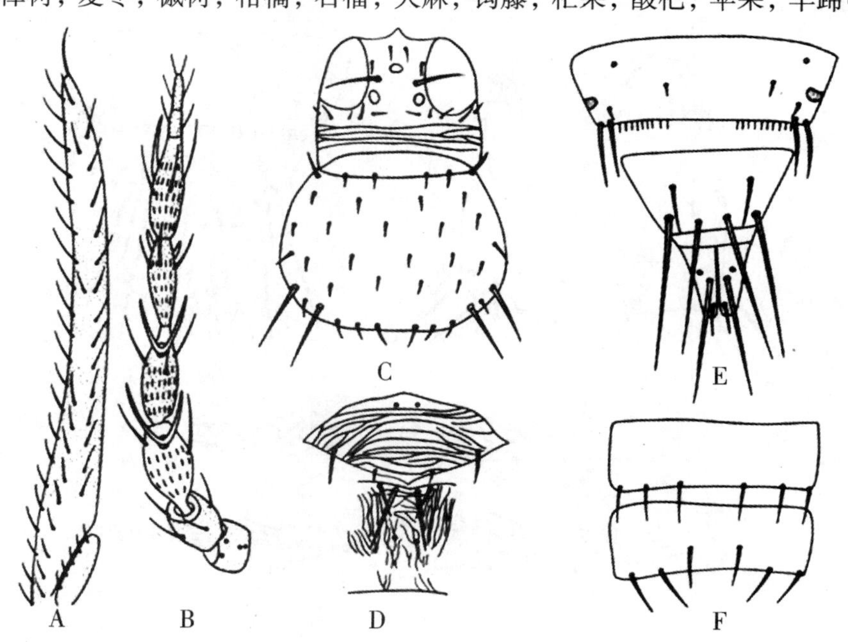

图84　端大蓟马 *Megalurothrips distalis* (Karny)

A. 前翅；B. 触角；C. 头和前胸；D. 中胸、后胸盾片；E. 雌虫第8~10腹节背片；F. 第6~7腹节腹片

(24) 等鬃大蓟马 *Megalurothrips equaletae* Feng, Chao *et* Ma, 1999 (图85)

Megalurothrips equaletae Feng, Chao *et* Ma, 1999: 261.

鉴别特征：体长2.1mm。雌虫体深褐色，触角深褐色；第9~10腹节颜色略深；前足胫节与跗节黄色，中后足跗节黄色；前翅灰色，基部有1个明显的透明带。头宽大于头长。触角8节，第2~8节长(宽)分别为34.0(35.0) μm、43.0(27.0) μm、

60.0(25.0) μm、64.0(33.0) μm、40.0(18.0) μm、61.0(30.0) μm、19.0(12.0) μm、22.0 (6.0) μm。单眼间鬃长，着生在单眼三角形连线内，眼后鬃排列成一线，鬃 5 长于鬃 1、鬃 2 和鬃 4，鬃 3 最短。口锥端部尖达前胸长度的 2/3。胸部前胸背板后缘角鬃长，有 2 对，内对长于外对，其内侧后缘鬃有 4 对，S1 长 29.0μm，约为 S2、S3、S4 的 2 倍。前翅前缘鬃有 30 根，上脉基鬃有 19 根，端鬃有 3 根等距离分布，下脉基鬃有 17 根。腹部第 2～9 腹节腹板后缘鬃发达，除第 2 节腹板外各节有 4～6 根后缘鬃。第 8 腹节背板后缘梳状毛发达，中部缺；第 9 节背板后缘 S1、S2、S3 长分别为 175.0μm、174.0μm、176.0μm；第 10 节背板后缘 S1、S2 长分别为 180.0μm、178.0μm。第 2～8 节背板前缘各有 1 条黑色横带。

采集记录：3♀，太白山，1997.Ⅷ.14，晁平安采。

分布：陕西(太白)。

寄主：杂草。

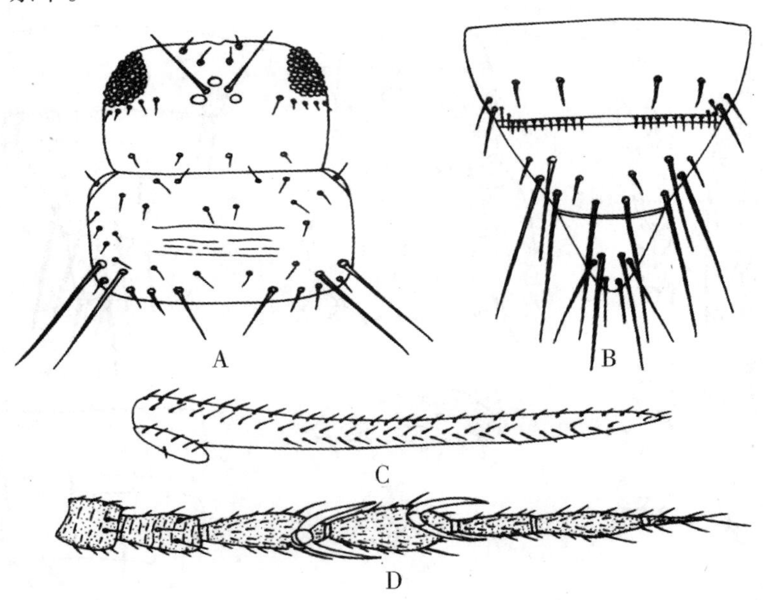

图 85 等鬃大蓟马 *Megalurothrips equaletae*. Feng, Chao & Ma

A. 头和前胸；B. 雌虫第 8～10 腹节背片；C. 前翅；D. 触角

(25) 灰褐大蓟马 *Megalurothrips grisbrunneus* Feng, Chou *et* Li, 1995(图 86)

Megalurothrips grisbrunneus Feng, Chou *et* Li, 1995: 15.

鉴别特征：体长 1.25～1.60mm。雌虫灰褐色，头褐色，触角第 4 节基部 1/4 处黄色，其余各节灰色，胸部和腹部灰色，第 9、10 节腹节色略深，足的胫节端部和腹节黄色，前翅灰色，基部有 1 个明显的透明带。头长大于头宽，头的后方微收。触角 8 节，第 1～8 节长(宽)依次分别为 20.0 (30.0) μm、37.0 (25.0) μm、70.0 (27.0) μm、

75.0(25.0) μm、40.0(17.0) μm、60.0(20.0) μm、10.0(7.0) μm、20.0(5.0) μm。单眼间鬃长，着生在单眼三角形连线之内后单眼之前；眼后鬃排列规则，鬃4长于鬃2和鬃3，鬃1最短。口锥端部尖，达前胸长度的2/3。胸部前胸背板后角鬃长，有2对，内对长于外对，其内侧后缘鬃有3对，S1长53.0μm，约是S2和S3的3倍。后胸背板有1对明显的钟形感觉孔。前翅前缘鬃有27根，上脉基鬃有10根，端鬃有1+2根，下脉鬃有13根，翅瓣鬃有5+1根。腹部第2~9腹节腹板后缘鬃发达，除第2节外，几乎与体节等长。第7节腹板后缘鬃着生在后缘之前。第8节背板后缘梳状毛发达。第9节背板后缘S1、S2、S3分别长212.0μm、70.0μm、20.0μm。产卵器长280.0μm。

雄虫颜色比雌虫略深。第3~7腹节腹板有腺域，卵圆形，第3~7节腺域长(宽)依次分别为50.0(12.5) μm、47.5(13.8) μm、37.5(15.0) μm、32.5(16.3) μm、37.5(16.3) μm。外生殖器阳茎基部分叉，端部尖锐。

采集记录： 3♀1♂杨陵，1987.Ⅶ.25，冯纪年采。

分布： 陕西(杨凌)。

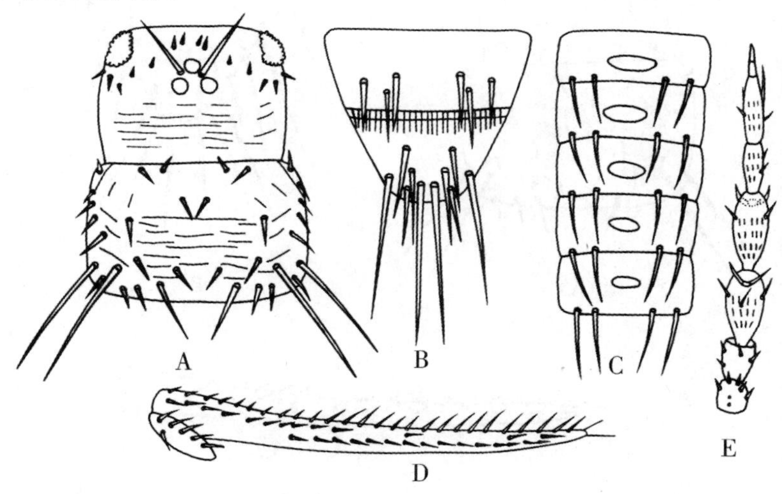

图86 灰褐大蓟马 *Megalurothrips grisbrunneus* Feng, Chou *et* Li

A. 头和前胸；B. 第8~9腹节背片；C. 雄虫第3~7腹节腹板；D. 前翅；E. 触角

(26)蒿坪大蓟马 *Megalurothrips haopingensis* Feng, Chao *et* Ma, 1999(图87)

Megalurothrips haopingensis Feng, Chao *et* Ma, 1999: 261.

鉴别特征： 体长2.1mm。雌虫橘黄色到浅褐色，头褐色，触角褐色。腹部橘黄色至浅褐色，第9~10节颜色略深，各足跗节黄色，前翅灰色，基部色淡，有透明带，端部色一致。头宽大于头长。触角8节，第1~8节长(宽)依次分别为35.0(36.0) μm、41.0(28.0) μm、60.0(26.0) μm、67.0(27.0) μm、41.0(20.0) μm、68.0(23.0) μm、

17.0(11.0) μm、20.0(6.0) μm。单眼间鬃长，着生在单眼三角连线内；眼后鬃2、鬃3、鬃4、鬃5排成1条直线，且大小相等，鬃1远离鬃2、3、4及鬃5。口锥端部尖达前胸2/3处。胸部前胸背板后缘角鬃长，有2对，内对长于外对；后缘鬃有4对，S1长39.0μm，约为S2、S3、S4的2倍。前翅前缘鬃有28根，上脉基鬃有20根，端鬃有3根，下脉鬃有15根。腹部第2～8背板前缘前脊线黑色；第8节背板后缘无梳状毛；第9节背板S1、S2、S3长分别为180.0μm、196.0μm、184.0μm；第10节背板S1、S2、S3长分别为190.0μm、175.0μm、150.0μm。第2～9腹节腹板后缘鬃发达，除第2节外，各为6根。产卵器长348.0μm。

采集记录： 2♀，眉县蒿坪寺，1997.Ⅷ.14，晁平安采。

分布： 陕西(眉县)。

寄主： 棉花 *Gossypium hirsutum* (Malvaceae)。

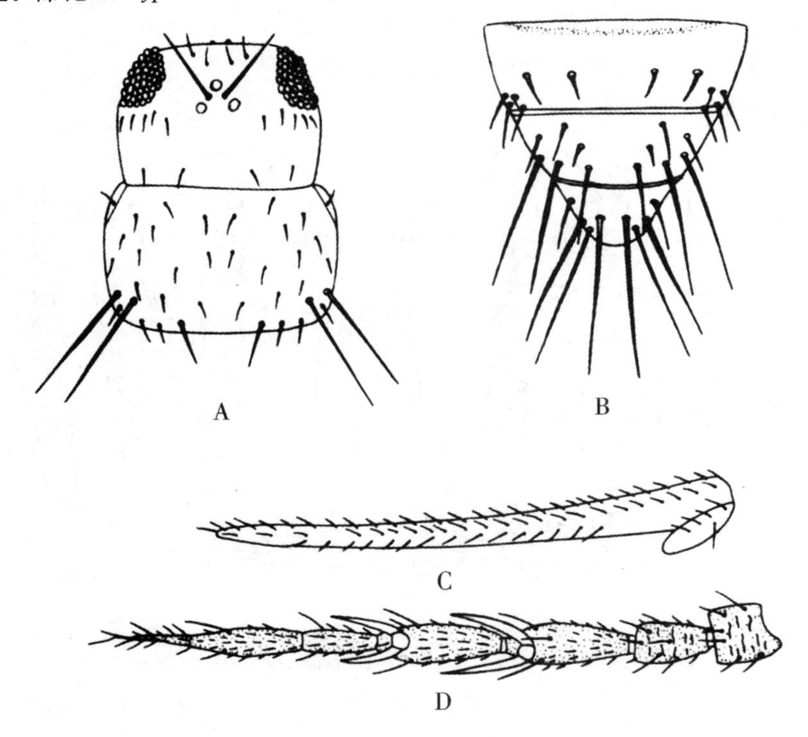

图87 蒿坪大蓟马 *Megalurothrips haopingensis* Feng, Chao *et* Ma

A. 头和前胸；B. 第8～10腹节背片；C. 前翅；D. 触角

(27) 普通大蓟马 *Megalurothrips usitatus* (Bagnall, 1913)(图88)

Physothrips usitatus Bagnall, 1913: 293.

Megalurothrips usitatus: Han, 1997: 232.

Frankliniella nigricornis Schmutz, 1913: 1018.

Taeniothrips nigricornis: Priesner, 1938: 470.

鉴别特征： 体长1.6mm。雌虫体棕色至暗棕色，触角除第3～4节及第5节最基部黄色外，其余为棕色。前翅基部和近端部有2个淡色区，端部淡色区较大。前足胫节自基部向端部逐渐变淡，各跗节黄色。体鬃较暗。头宽大于头长，头前缘两触角间略向前延伸，两颊近乎直，复眼后有横纹，复眼大，约占头长和宽的2/3。单眼位于复眼中后部，单眼间鬃位于前单眼后外侧，在前后单眼中心连线和外缘连线之间；眼后鬃小，紧绕复眼排列。触角8节，第3～4节基部有梗，端部细缩为颈状，其上叉状感觉锥伸至前节中部，第6节内侧感觉锥伸达第7节基半部。口锥伸达前胸腹片中部，下颚须3节。胸部前胸背片有稀疏模糊横纹，背片鬃细且短，前角鬃较粗且长，后角有2对长鬃，内对大于外对，后缘鬃有4对，最内对最长。中胸布满横纹，中后鬃几乎在一条水平线上，靠近后缘。后胸盾片中部前边是横纹，后面为不规则较模糊的纹，两侧为纵纹，伸至后胸小盾片上。前缘鬃和前中鬃均在前缘上，1对亮孔在中部。前翅前缘鬃有25根，前脉基部和中部鬃共有15根，端鬃有2根，后脉鬃有14根。腹部腹节背片两侧有横纹，第8节后缘梳仅两侧存在，中部仅留痕迹，背片两侧有微毛；第2节腹片后缘鬃有2对，第3～7节后缘鬃有3对，第7节后缘中对鬃在后缘之前。腹片无附属鬃。

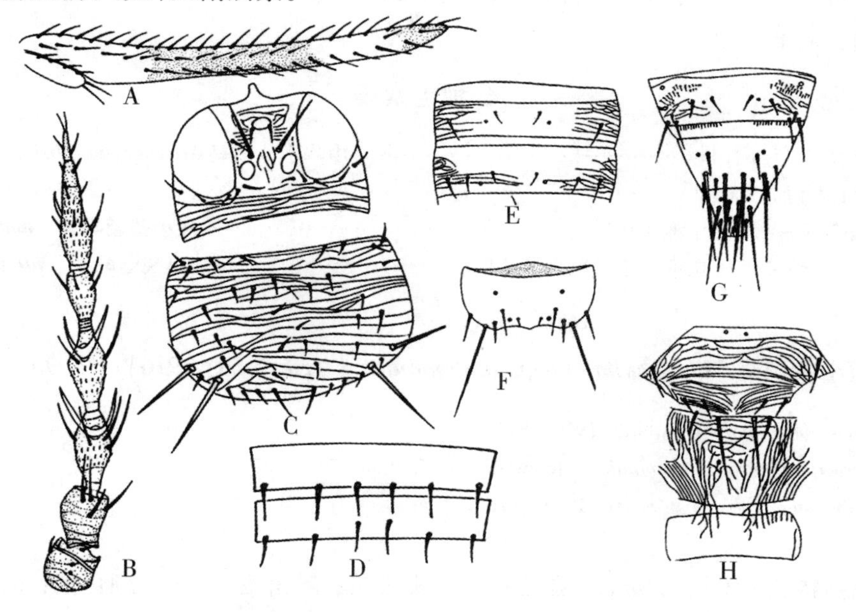

图88　普通大蓟马 *Megalurothrips usitatus*(Bagnall)

A. 前翅；B. 触角；C. 头和前胸；D. 第6～7腹节腹片；E. 第5～6腹节背板；F. 雄虫第9腹节背片；G. 雌虫第8～10腹节背片；H. 中胸、后胸盾片

雄虫体色相似于雌虫，但较细小。触角较雌虫为细，第3节淡黄色，第4节基部灰黄色，前胸淡黄色，前股节较粗而长于雌虫，且暗棕色。第9节背片后缘无刚毛延伸物；背鬃的内对2和内对5在最前，内对1居中，内对3和内对4在最后。第9腹

节阳茎基部之前有2对粗黑刺。阳茎短，基部亚球形。

采集记录： 1♀，凤县桑园，1988. Ⅶ. 19，冯纪年采。

分布： 陕西(凤县)、湖北、台湾、广西、云南；日本，印度，斯里兰卡，菲律宾，澳大利亚。

寄主： 丝瓜，大豆及其他豆类花中，杂草，菜叶。

17. 小头蓟马属 *Microcephalothrips* Bagnall, 1926

Microcephalothrips Bagnall, 1926: 113. **Type species**: *Thrips abdominalis* Crawford, 1910.

Ctenothripella Priesner, 1927: 344, 442. **Type species**: *Thrips abdominalis* Crawford, 1910.

属征： 头小，宽略大于长。复眼大。前单眼与后单眼远离。头鬃小。触角7节，第3～4节感觉锥简单或叉状。口锥适当大。下颚须3节。前胸背板鬃小，后缘鬃有5～6对。前翅前脉鬃有大间断，后脉鬃连续排列；中胸腹片内叉骨有刺。跗节2节。腹部背片后缘有三角形扇状片。腹片有附属鬃。雄虫第3～7节腹板有腺域。

分布： 古北区，东洋区，新北区，新热带区。全世界已知4种，中国记录4种，秦岭地区记录3种。

分种检索表

1. 中胸背片后缘有刺 …………………………… 中华小头蓟马 *Microcephalothrips chinensis*
   中胸背片后缘无刺 …………………………………………………………………… 2
2. 触角第3～4节感觉锥叉状 ………………………………… 腹小头蓟马 *M. abdominalis*
   触角第3～4节感觉锥简单或第3节简单 …………………… 杨陵小头蓟马 *M. yanglingensis*

(28) 腹小头蓟马 *Microcephalothrips abdominalis* (Crawford, 1910) (图89)

Thrips abdominalis Crawford, 1910: 157.

Microcephalothrips abdominalis: Steinweden & Moulton, 1930: 27.

Thrips microcephalus Priesner, 1923: 116.

鉴别特征： 体长1.0mm。雌虫棕色，头较暗；触角第3～4节颜色淡；前翅淡棕色，前胫节和各跗节淡棕色。头宽大于头长，单眼区前后有横线纹。头鬃小。单眼间鬃在前单眼后两侧，位于前后单眼外缘连线之外，单眼后鬃在后单眼后内侧；复眼后鬃有4对。触角7节，第3～4节感觉锥叉状。口锥端部钝圆，伸至前足基节间。羊齿分离。下颚须3节。胸部前胸宽大于长，背片较光滑，后缘处有横线纹，背片鬃小，后缘鬃有6对，后角鬃有2对，内角鬃长于外角鬃。羊齿分离。中胸背片布满横交错线纹，后缘无刺；后胸背片前中部有几条横纹，其后及两侧为纵纹，前缘鬃长16.0μm，前中鬃远离前缘，长19.0μm，其间距离大于其与前缘鬃的水平距离，中后部有1对无鬃孔。中后胸腹片分离。仅中胸腹片叉骨有刺。前翅前缘鬃有21根，前脉基鬃有4+3根，端鬃有3根，后脉鬃有7根，翅瓣鬃有4+1根。腹部第1腹节背片布满横线纹；第2~8节背片仅两侧有横线纹，后缘有三角形扇片；第2节背片背侧鬃有3根，第5~8节微弯梳存在。第2节腹片后缘鬃有2对，第3~7节腹片后缘鬃有3对，第7节后缘中对鬃在后缘之前；腹片有附属鬃。雄虫似雌虫，较小而色淡；第2~7腹节腹片各有1个近圆形或横椭圆形腺域。腹片的附属鬃比雌虫的少。

采集记录：1♀，杨凌，1997. Ⅶ.23，晁平安采；1♀，杨凌，1997. Ⅷ.10，晁平安采；3♀，西农校园，1995. Ⅸ.03，郭宏伟采；2，杨凌，1998. Ⅷ.13，马彩霞采。

分布：陕西(杨凌)、北京、河南、江苏、上海、浙江、湖北、湖南、福建、台湾、广东、海南、广西、四川、贵州、云南；朝鲜，日本，印度，菲律宾，新西兰，印度尼西亚，埃及，澳大利亚等。

寄主：松柏，菊科花内，蔷薇科，豆科，杂草。

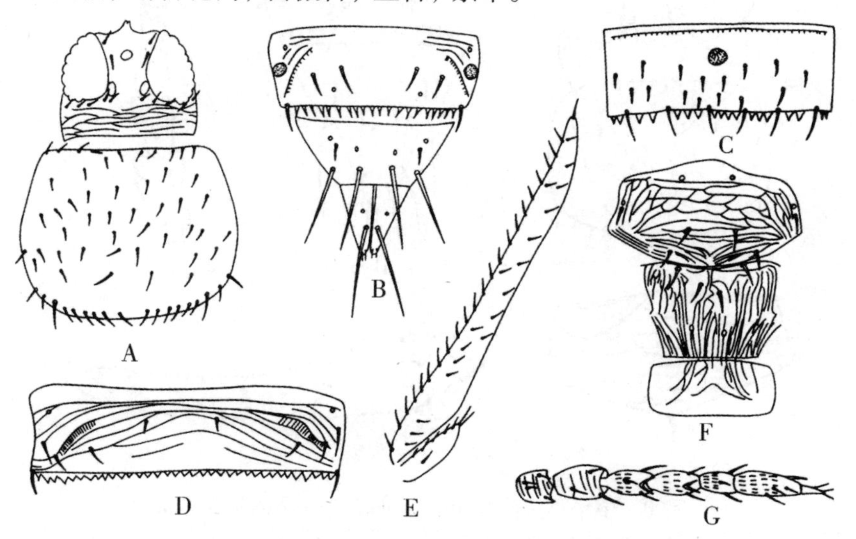

图89　腹小头蓟马 *Microcephalothrips abdominalis* (Crawford)

A. 头和前胸；B. 雌虫第8~10腹节背片；C. 雄虫第5腹节腹片；D. 第5腹节背片；E. 前翅；F. 中胸、后胸盾片；G. 触角

(29) 中华小头蓟马 *Microcephalothrips chinensis* Feng, Nan *et* Guo, 1998 (图90)

Microcephalothrips chinensis Feng, Nan *et* Guo, 1998: 257.

鉴别特征：体长1.0mm。雌虫体棕色。触角3~4节颜色淡。前翅淡棕色。头宽大于头长，单眼间鬃几乎与前单眼平行，在前后单眼外缘连线之外，眼后鬃有4对，鬃1~3呈1条直线排列。触角7节，第3~4节感觉锥简单。口锥端部尖，下颚须3节。胸部前胸宽大于长，后缘处有几条横线纹，后缘角鬃有2对，外角鬃长于内角鬃，后缘鬃有6对。中胸背片有横刻纹，后缘中部具小刺；后胸背片前中部有几条横纹，其后及两侧为纵纹，前缘鬃长16.0μm，前中鬃远离前缘，长19.0μm，其间距离大于其与前缘鬃的水平距离，中后部有1对无鬃孔。前翅前缘鬃有21根，前脉基鬃有4+3根，端鬃有3根，后脉鬃有7根，翅瓣鬃有4+1根。腹部第1~8节背片后缘有扇状片；第2节背侧鬃有3根，第5~8节背片微弯梳存在；第8节背片侧缘有腺孔，后缘梳完整。第2节腹片后缘鬃有2对，第3~7节腹片后缘鬃有3对，第7节腹片后缘中对鬃在后缘之前。腹片有附属鬃。雄虫未明。

采集记录： 13♀，杨陵，1995.Ⅸ.03，郭宏伟采。

分布： 陕西（杨凌）、河南。

寄主： 菊花，万寿菊，杂草。

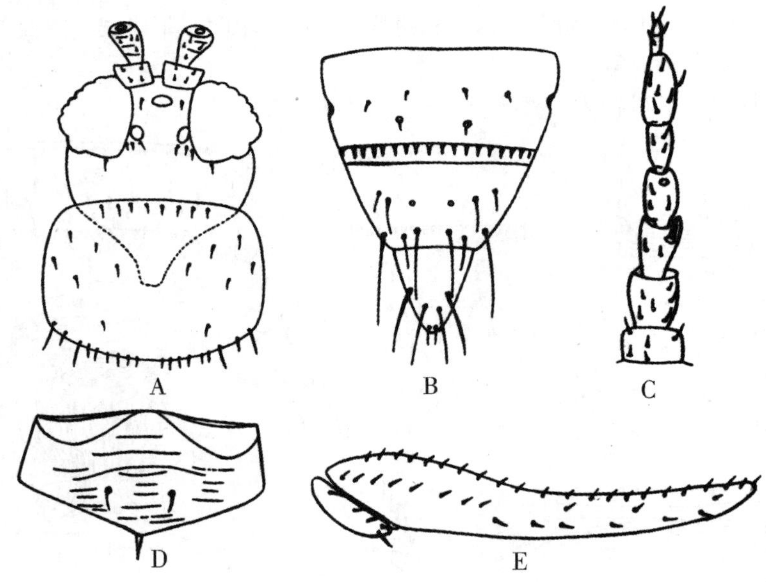

图90 中华小头蓟马 *Microcephalothrips chinensis* Feng

A. 头和前胸；B. 雌虫第8~10腹节背片；C. 触角；D. 中胸盾片；E. 前翅

（30）杨陵小头蓟马 *Microcephalothrips yanglingensis* Feng *et* Zhang, 2002（图91）

Microcephalothrips yanglingensis Feng *et* Zhang, 2002: 167.

鉴别特征： 体长1.1mm。雌虫体色棕色；触角第3~4节颜色淡；前翅淡棕色；腹部背片无褐色前缘脊线。头部头宽大于长，单眼区前后有横纹，头鬃短小。单眼间鬃在前单眼稍后两侧，位于前后单眼外缘连线之外，眼后鬃有3对，紧紧围绕复眼排列。触角7节，第3~4节明显有梗，第3节感觉锥简单，第4节感觉锥叉状；第1~7节长（宽）依次分别为16.0（21.0）μm、23.0（21.0）μm、35.0（16.0）μm、28.0（19.0）μm、23.0（16.0）μm、33.0（19.0）μm、14.0（7.0）μm。口锥短，端部钝圆，下颚须3节。胸部前胸宽大于长，背片鬃短，后角鬃有2对，外角鬃小于内角鬃，后缘鬃有6对。中胸背片具横线纹，后缘中部无刺；后胸前中部有几条横线纹，其后及两侧为纵纹，前缘鬃长28.0μm，前中鬃长14.0μm，远离前缘，其间距大于其与前缘鬃的水平距离，中后部有1对无鬃孔。中后胸腹片分离，仅中胸腹片叉骨有刺。前翅前缘鬃有19根，前脉基鬃有5+2根，端鬃有3根，后脉鬃有7根，翅瓣鬃有4+1根。腹部第1~3节背片布满横线纹；第2节背侧鬃有3根；第4~8节背片仅两侧有线纹；第1~8节背片后缘着生有锯齿状扇片；第5~8节背片微弯梳存在。第2~7节腹片有横线纹，第2节腹片后缘鬃有2对，第3~7节后缘鬃有3对，第7节后缘中对鬃在后缘之前。腹片有附属鬃。雄虫未明。

采集记录： 4♀，杨凌，1998. Ⅷ. 03，马彩霞采。

分布： 陕西(杨凌)。

寄主： 月季 *Rosa chinensis* (Rosaceae)，万寿菊。

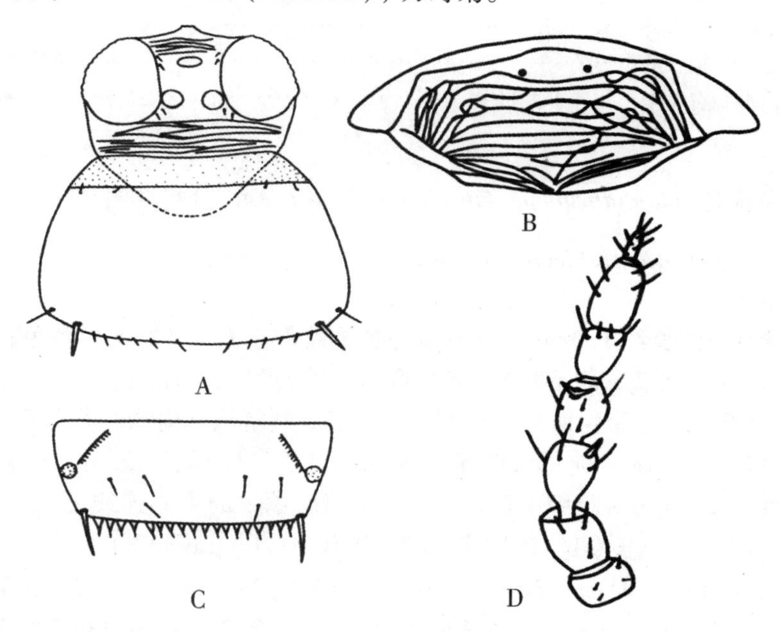

图91　杨陵小头蓟马 *Microcephalothrips yanglingensis* Femg *et* Zhang

A. 头和前胸；B. 中胸盾片；C. 第8腹节背片；D. 触角

18. 齿蓟马属 *Odontothrips* Amyot *et* Serville, 1843

Odontothrips Amyot *et* Serville, 1843: 642. **Type species**: *Odontothrips phalerata* Amyot *et* Serville, 1843(= *Thrips phalerata* Haliday, 1836)

属征： 体形像带蓟马属，棕色至暗棕色。触角第3节黄色和第4节常部分黄色，跗节和前胫节黄色。触角8节，第3、4节感觉锥叉状，第6节上感觉锥基部常特别增大，与该节愈合。下颚须3节，下唇须2节。前单眼鬃有2对，单眼间鬃比较长。

前胸后角有2对长鬃。前足粗，前胫内缘端部有1个或2个爪状突起，偶有缺，但有时退化；跗节为2节；前跗节端节内缘有1个或2个小钩齿或节结。总是长翅，通常暗，前翅纵脉2条，脉鬃排列较完整，前脉端鬃常为2根。腹部有侧片；第1~7节背片和第9~10节背片相似于腹片，缺微毛；雌虫背片第8节后缘有梳，前侧部近气孔处有些微毛；第10背片背面纵裂不完整；腹片无附属鬃。雄虫腹部末端背面有对角状鬃或无；腹片无腺域；生殖器常包含1个内阳茎基鞘，通常具刺。

分布：全北区，非洲区。全世界已知30余种，中国分布10种，本文记录3种。

分种检索表

1. 前翅基部和亚端部各有1个浅色带 ………………………… **间齿蓟马 *Odontothrips intermedius***
   前翅除基部浅色带外一致为棕色 ……………………………………………… 2
2. 前胫节有1个粗壮的齿 ……………………………………………… **牛角花齿蓟马 *O. loti***
   前胫节内端缘有1个小钩和1根粗鬃 ……………………… **五毛齿蓟马 *O. pentatrichopus***

(31) 五毛齿蓟马 *Odontothrips pentatrichopus* Han *et* Cui, 1992 (图92)

Odontothrips pentatrichopus Han *et* Cui, 1992: 422.

鉴别特征：体长约1.3mm。雌虫体棕色，触角棕色，仅第3节黄色；前翅淡棕色，基部约1/4淡黄色；前足股节端部、胫节(除边缘棕色)暗黄色，各跗节黄色；腹部第2~7节近前缘有深色横条。头宽大于头长，颊略拱。前缘和复眼后有3~4条横纹。复眼长84.0μm。前单眼前鬃长8.0μm，前外侧鬃长15.0μm；单眼间鬃长48.0μm，间距22.0μm，距后单眼较近，位于前后单眼的中心连线上；眼后鬃较小。触角8节，第1~8节长(宽)依次分别为40.0(31.0)μm、37.0(27.0)μm、66.0(23.0)μm、63.0(23.0)μm、38.0(19.0)μm、57.0(23.0)μm、10.0(8.0)μm、18.0(7.0)μm，总长331.0μm；第3节长为宽的2.9倍，第3节长为第6节的1.2倍；第3、4节的叉状感觉锥臂长42.0μm，简单感觉锥长分别为第5节内端的长21.0μm，外端长10.0μm，第6节内侧长33.0μm(基部与该节愈合部分长24.0μm)，外侧长11.0μm，外下侧长21.0μm，第7节外侧长21.0μm。口锥长127.0μm，基部宽121.0μm、中部宽63.0μm、端部宽31.0μm；第1~3节下颚须长分别为(基节)25.0μm、14.0μm、21.0μm。胸部前胸宽大于长，背片光滑，背片鬃约26根，后角内鬃长于外鬃，后缘鬃有4对。中胸盾片横线纹稀少，前部、中部横线在两端处模糊，后部线纹亦模糊；前外侧鬃长31.0μm，中后鬃和后缘鬃长21.0μm，均在后缘上。后胸盾片线纹轻，前中部约有5条横线，两侧有些纵线；无细孔；前缘鬃在前缘上；前中鬃长而粗，在前缘上。前翅长963.0μm，中部宽70.0μm；前缘鬃有33根，前脉基中鬃5+11根或4+13根，超过翅中部有1个较大间隔，端鬃有5根均匀排列，后脉鬃有17根；中部翅鬃长分别为前缘鬃长47.0μm，前脉鬃长42.0μm，后脉鬃长

55.0μm。翅瓣前缘鬃有5根。中胸内叉骨有刺，后胸内叉骨无刺。前胫节内端缘有1个小钩和1根粗鬃；前足跗节无小齿。腹部 第1腹节背片布满横纹，第2~8节前缘线有1~2条，侧部线纹限于有侧鬃区；第9、10节光滑；第2~6节背片中对鬃小，第7、8节的较大；第2节背片侧缘鬃有4对(包括后缘鬃)，第5节背片长102.0μm，宽396.0μm；第5节背鬃的中对鬃长10.0μm，间距106.0μm，侧鬃(自内向外)：鬃1长21.0μm，鬃2长37.0μm，鬃3长47.0μm，后缘鬃长53.0μm；各节背片两侧均无微弯梳。第8节后缘梳不完全，在中部和两侧缺；第9背片长鬃：背中鬃长127.0μm，侧中鬃长129.0μm，侧鬃长125.0μm；第10节纵裂很短，鬃长121.0μm。背侧片无微毛，无附属鬃，仅有后缘鬃。腹片无附属鬃。雄虫未明。

采集记录：2♀，洋县，1990.Ⅳ.15，赵小蓉采；1♀，汉中，1990.Ⅳ.10，赵小蓉采。

分布：陕西(洋县、汉中)、四川。

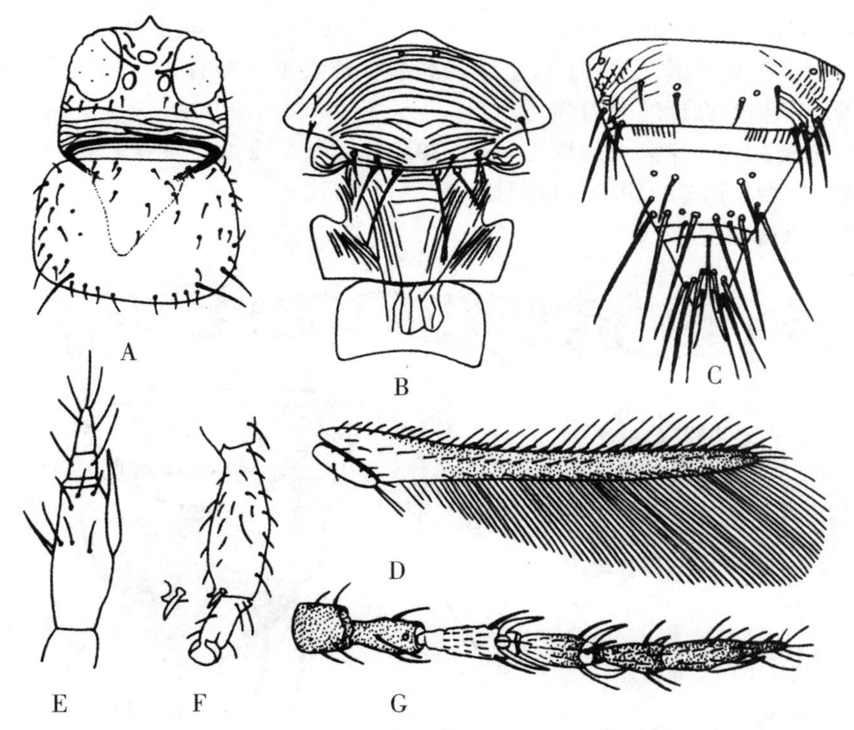

图92　五毛齿蓟马 *Odontothrips pentatrichopus* Han *et* Cui(仿 韩运发，1997)

A. 头和前胸；B. 中胸、后胸盾片；C. 第8~10腹节背片；D. 前翅；E. 触角第6~8；F. 前足胫节；G. 触角

(32)间齿蓟马 *Odontothrips intermedius* (Uzel, 1895)(图93)

Physopus intermedia Uzel, 1895: 33.

Odontothrips intermedius: Pitkin, 1972: 375.

鉴别特征：雌虫体棕色。触角第3节浅黄色，其余节为棕色，头后缘有深色条带。前翅基部和亚端部各有1条浅色条带，后翅颜色很浅，有1条纵线。前胫节和中足胫节中部、端部黄褐色，后足棕色。头宽大于头长。单眼鬃有3对，单眼间鬃着生于单眼三角形中心连线上，眼后鬃有5对，眼后有横纹。口锥接近三角形，下颚须3节。触角8节，第3节长是宽的3倍，第3、4节感觉锥叉状，第6节感觉锥基部增大。胸部前胸光滑，背鬃有17根，前角鬃有3对，后角长鬃有2对，后缘鬃有4对，鬃1稍长。中胸背板中部有横纹，两侧有纵纹，中胸腹板内叉骨存在。后胸背板前缘有横纹，两侧有纵纹，中对鬃不位于前缘，中部有1对钟形感器。前足腿节粗壮，胫节有1个粗壮的齿，内缘为1根鬃，跗节无瘤状突起；中后足正常，后足胫节内缘有7～8根粗壮鬃。前翅正常，前缘脉鬃有24～29根，前脉4～5＋11～13＋2根，后脉16～18根，翅瓣5＋1根。腹部第1腹节背板布满刻纹，有1对小鬃和1对钟感器，第2～7节两侧有一些刻纹，中部平滑。第8节有后缘梳，但中部和最两边缺，第9节有3对排成一排的鬃，第10节中部纵裂。第3～8节腹板有弱。雄虫外部形态和雌虫相似。第9腹节有6对鬃，其中1对呈刺状突起。雄虫生殖器有2对由微管支持的着生于微管端部相互靠近的内阳茎刺。

采集记录：3♀，宁陕火地塘平河梁，2012m，2010.Ⅶ.04，胡庆玲采。

分布：陕西（宁陕）、北京；俄罗斯，欧洲，澳洲。

寄主：豆科植物花。

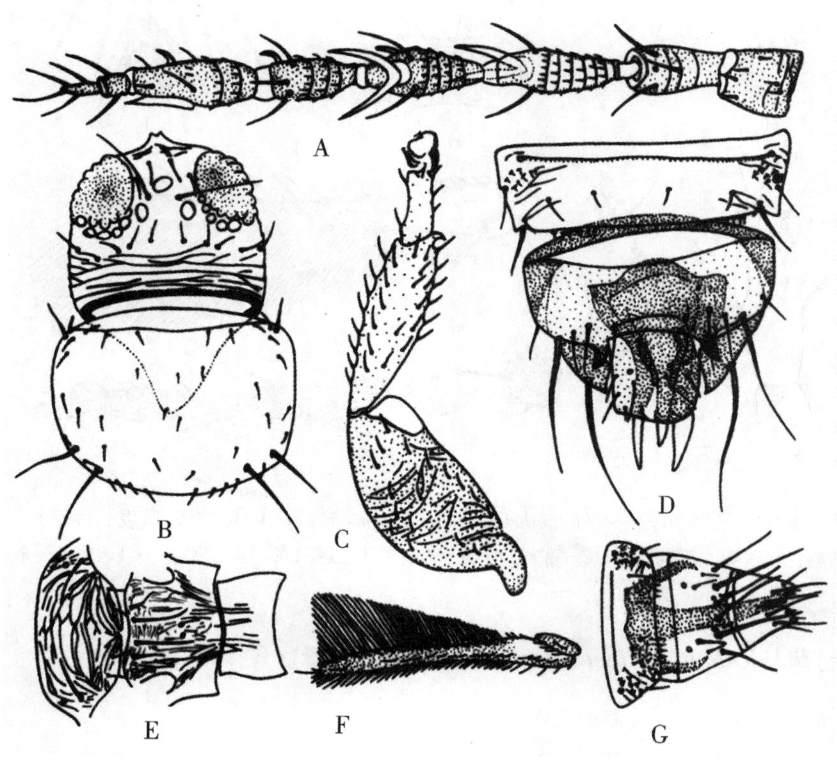

图93 间齿蓟马 *Odontothrips intermedius*（Uzel）（仿 Dang，2010）

A. 触角；B. 头和前胸；C. 前足；D. 雄虫第8～10腹节背片；E. 中胸、后胸盾片；F. 前翅；G. 雌虫第8～10腹节背片

(33)牛角花齿蓟马 *Odontothrips loti* (Haliday, 1852)(图 94)

Thrips loti Haliday, 1852: 1108.
Physopus ulicis: Uzel, 1895: 33.
Euthrips ulicis var. *californicus* Moulton, 1907: 44.
Odontothrips thoracicus Bagnall, 1934: 59.
Odontothrips quadrimanus Bagnall, 1934: 60.
Odontothrips loti: Pitkin, 1972: 375.

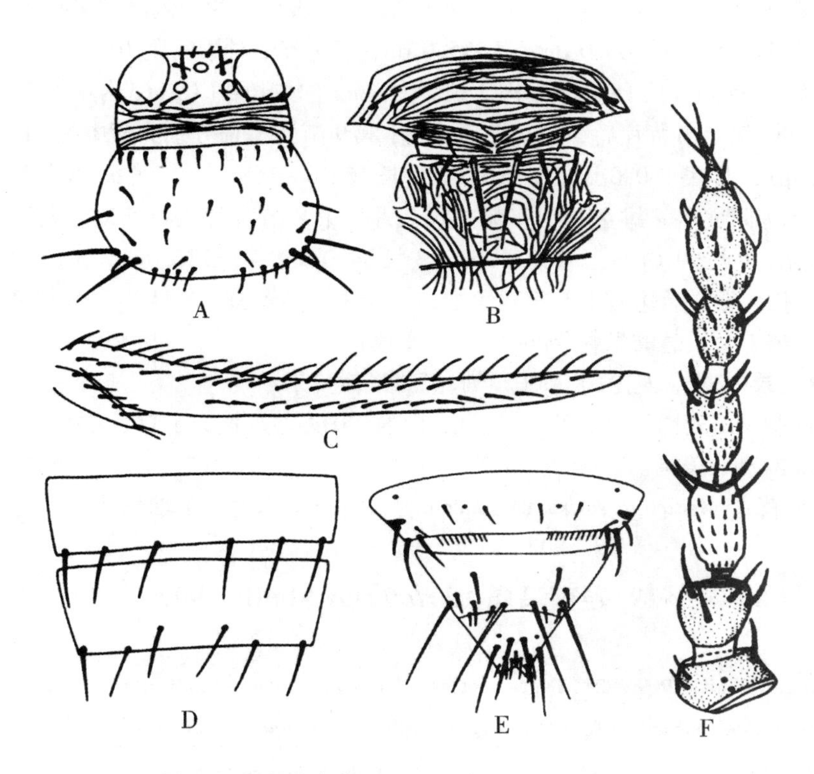

图 94　牛角花齿蓟马 *Odontothrips loti* (Haliday)

A. 头和前胸; B. 中胸、后胸盾片; C. 前翅; D. 第 6 ~ 7 腹节腹片; E. 第 8 ~ 10 腹节背片; F. 触角

鉴别特征: 体长约 1.5mm。雌虫体暗棕色，包括足和触角，但前足胫节、中足胫节、后足胫节最基部暗黄色；各跗节和触角第 3 节黄色；第 4 节有时为淡棕色。前翅灰暗，包括最基部及翅瓣，但基部约 1/7 无色透明。主要鬃暗。头宽大于头长，颊略外拱。背片眼后有横纹。单眼呈三角形排列于复眼间中后部。单眼间鬃位于前后单眼中间，在三角形外缘连线上。前单眼前中鬃长 34.0μm，前侧鬃长 21.0μm。眼后鬃长约 18.0μm。触角 8 节，第 3 节有梗，第 4 节基部较细；第 3、4 节端部较细缩；第 1 ~ 8 节长(宽)依次分别为 19.0(34.0)μm、40.0(27.0)μm、62.0(20.0)μm、57.0(20.0)μm、42.0(17.0)μm、59.0(18.0)μm、12.0(7.0)μm、17.0(5.0)μm，总长 308.0μm；第 3 节长为宽的 3.1 倍；第 3、4 节叉状感觉锥臂长约 25.0 ~ 28.0μm；第 4 节

内侧感觉锥长 27.0μm，其中基部 9/10 与节体愈合，口锥端部窄圆，长 110.0μm，基部宽 110.0μm，中部宽 89.0μm，端部宽 50.0μm。下颚须 3 节。胸部前胸宽大于长，背片较光滑，线纹很少，背片鬃约 16 根；前角鬃较长，后角内鬃长于外鬃。后缘鬃有 3 对。中胸盾片横纹稀。后胸盾片中部仅为稀疏横线，两侧为纵纹。前翅前缘鬃长 34.0μm，间距 49.0μm，距前缘 3.0μm；前中鬃长 59.0μm，间距 18.0μm，距前缘 5.0μm。前翅长 804.0μm，中部宽 61.0μm；前缘鬃有 24 根，前脉鬃端部有小间断，端鬃有 2 根，其 16 +2 根；后脉鬃有 12 根；翅瓣鬃有 5 根。中胸腹片叉骨刺清楚。前足胫节内端有 1 个钩和 1 根粗鬃，跗节内端有 1 个小齿。腹部第 2 ~7 腹节背片两侧横纹稀疏；中对鬃小，间距宽；第 5 节背片长 100.0μm，宽 395.0μm；第 5 节中对鬃间距 105.0μm，各鬃长分别为内 1 鬃(中对鬃)长 15.0μm、内 2 长 24.0μm、内 3 长 46.0μm、内 4 长 63.0μm、内 5 长 45.0μm；第 8 节背片后缘中部缺后缘梳；第 9 节背鬃长分别为背中鬃 142.0μm、中侧鬃 171.0μm、侧鬃 180.0μm；第 10 节背鬃长 160.0 ~168.0μm；第 5 ~8 节背片两侧无弯梳。腹片无附属鬃。雄虫相似于雌虫但较小，第 9 节背片鬃有 5 对，大致呈弧形排列，分别为内 1 长 19.0μm、2 长 51.0μm、3 长 34.0μm、4 长 126.0μm、5 长 49.0μm，内 4 最粗、最长。鬃 2 后边有 1 对短粗角状齿。雄虫生殖器有 1 对粗内阳茎基刺(endothecal spines)被 1 个发达的微管(canaliculus)支撑。

采集记录： 2♀，太白山，2002. Ⅶ. 15，张桂玲采。

分布： 陕西(太白)、内蒙古、河北、山西、山东、河南、宁夏、甘肃；蒙古，俄罗斯，日本，欧洲，美国。

寄主： 苜蓿 *Medicago sativa* (Fabaceae)，黄花草木樨，车轴草属。

19. 硬蓟马属 *Scirtothrips* Shull, 1909

Scirtothrips Shull, 1909: 222. **Types species**: *Scirtothrips ruthveni* Shull, 1909.

Sericothripoides Bagnall, 1929: 69. **Types species**: *Dendrothrips bispinosus* Bagnall, 1924.

属征： 体小，黄色或橙黄色，有的种类腹部背片或腹片前缘脊有黑色斑，背片中部亦有暗色区域。头宽大于头长，有的在复眼前延伸。有单眼。头鬃均短小，单眼鬃有 3 对。触角 8 节，第 3 ~4 节感觉锥叉状。下颚须 3 节。前胸常有细密横纹，无骨化板，后角有 1 对较长鬃，后缘鬃有 4 对。中后胸内叉骨均有刺。前翅窄，有 2 条纵脉，但后脉不显著；前脉鬃间断，后脉仅在端部有少数鬃。跗节 2 节。第 1 ~8 腹节两侧有密排微毛，多数种类腹片两侧也有微毛；背片中对刚毛较靠近，第 8 节后缘梳完整；第 9 节背片长鬃不像在 *Sericothrips* 中那样多，仅有 3 对。第 2 ~7 节腹板均有后缘鬃，无附属鬃。雄虫第 9 腹节两侧有时有 1 对镰形抱钳；腹片无腺域。

分布： 主要分布于热带和亚热带。全世界已知约 40 种，中国记录 7 种，秦岭地区记录 1 种。

(34)茶黄硬蓟马 *Scirtothrips dorsalis* Hood, 1919(图 95)

Scirtothrips dorsalis Hood, 1919: 90.
Heliothrips minutissimus Bagnall, 1919: 260.
Anaphothrips andreae Karny, 1925: 24.

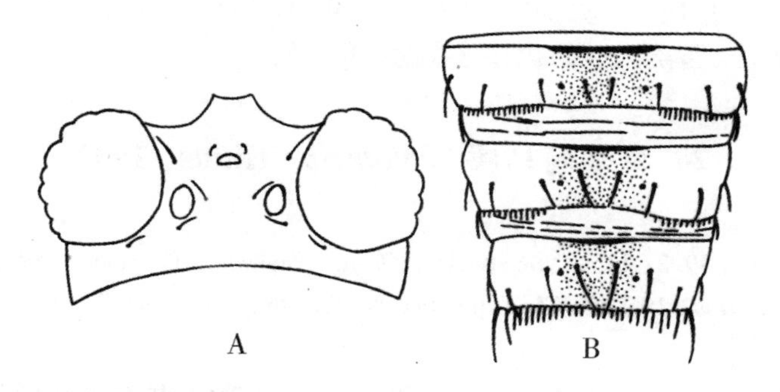

图 95　茶黄硬蓟马 *Scirtothrips dorsalis* Hood(仿 Wang, 1994)
A. 头; B. 第 6~8 腹节背片

鉴别特征: 体长约 0.9mm。雌虫黄色, 但触角和翅较暗, 触角第 3 节基部淡; 足黄色; 第 3~8 腹节背片中部有灰色暗斑, 另有暗前脊线; 体鬃暗; 前翅橙黄带灰色, 近基部似有 1 个小淡色区。头宽大于头长, 头背有众多的细横线纹。单眼呈扁三角形,排列于复眼间中后部。单眼间鬃位于两后单眼内缘。触角 8 节, 第 2 节粗, 第 3 节基部有梗, 第 4 节基部较细, 第 3、4 节端部较细; 第 1~8 节长(宽)依次分别为 15.0(21.0)μm、29.0(24.0)μm、45.0(17.0)μm、45.0(17.0)μm、31.0(15.0)μm、41.0(13.0)μm、8.0(6.0)μm、10.0(5.0)μm, 总长 224.0μm; 第 3 节长为宽的 2.65 倍, 3、4 节叉状感觉锥臂长 22.0μm。口锥端部宽圆。胸部前胸宽大于长, 背片布满细横纹, 中部、后部两侧有无纹光滑区, 背片鬃约 20 根, 后缘鬃有 3 对。中胸盾片布满横线纹。后胸盾片有网纹和线纹, 中部两侧的较弱, 前缘鬃距前缘 0~3.0μm, 前中鬃距前缘 9.0μm。前翅窄, 长 551.0μm, 中部宽 32.0μm; 前缘鬃有 24 根, 前脉基部鬃有 7 根, 端鬃有 3 根(其中 1 根在中部), 后脉鬃有 2 根。中胸、后胸内叉骨刺较长。前足较短粗。各跗节 2 节。腹部第 1 腹节背片有细横纹; 第 2~8 节背片两侧 1/3处有密排微毛, 通常有 10 排, 约占该节长的 2/3; 第 8 节后缘梳完整; 第 2~7 节背片中对鬃间距小, 第 7、8 节中对鬃显著加长; 第 5 节背片长 45.0μm, 宽189.0μm; 内对鬃 1 间距为 15.0μm, 各鬃长分别为内对 1(中对鬃)长 13.0μm, 内对 2 长 14.0μm, 内对 3 长 19.0μm, 内对 4(后缘上)长 17.0μm, 内对 5、6 长 24.0μm; 第 9 节背片长有鬃是体鬃最长者, 长分别为背中鬃长 44.0μm, 中侧鬃长 46.0μm, 侧鬃长 44.0μm; 第 10 节鬃长 46.0~51.0μm。腹片第 3~7 节整个宽度均有微毛。后缘鬃着生在后缘上。腹板无附属鬃。雄虫相似于雌虫, 但较细小。腹部各节暗斑和前缘线常不显著。第 9 节背片鬃长分别为:内 1、内 2 长 32.0μm, 内 3 长 23.0μm, 内 4、内

5 长 29.0μm。

采集记录：1♀，安康，1987.Ⅷ.19，冯纪年采。

分布：陕西(安康)、河南、江苏、安徽、浙江、福建、台湾、广东、海南、广西、云南；日本，印度，马来西亚，印度尼西亚，巴基斯坦，非洲，澳大利亚。

寄主：茶，葡萄，杧果，草莓，花生，棉，木棉，芦苇，咖啡，牛筋果，苏里南朱缨花，苦楝，红茎野牡丹，哈曼榕，鸡毛松，黄柳，黄桐，银杏，黑珠莎，垂耳相思，台湾相思，双翼豆，番荔枝，荷花，绣线菊，草，树。

20. 食螨蓟马属 *Scolothrips* Hinds, 1902

Scolothrips Hinds, 1902: 133. **Type species**: *Thrips sexmaculata* Pergande, 1894.
Chaetothrips Priesner, 1949b: 124. **Type species**: *Scolothrips uzeli* Schille, 1911.

属征：头宽于长。触角 8 节，节上有长刚毛，第 3、4 节有叉状感觉锥。下颚须 3 节。前胸前缘有 5 对(2 对长的和 3 对短的)鬃，侧缘有 1 对长鬃，后缘有 4 对(3 对长的和 1 对短的)鬃；1 对前基鬃(在后缘之前)存在或缺。雌虫总是长翅，雄虫长翅、半长翅或短翅。翅脉或多或少显著，沿着脉排列有鬃，多数种类有 3 个暗点或暗带，其中 1 个在翅瓣上。腹端鬃较长。腹片仅有后缘鬃，无附属鬃。体较弱，体鬃和翅鬃很长。若虫体鬃特别长而弯曲，头鬃长于头。若虫和成虫均捕食叶螨。

分布：世界广布。全世界已知近 20 种，中国记录 5 种，秦岭地区记录 1 种。

(35) 塔六点蓟马 *Scolothrips takahashii* Priesner, 1950 (图 96)

Scolothrips takahashii Priesner, 1950: 52.

鉴别特征：体长 1.1 ~ 1.2mm，雌虫体黄至橙黄色。中胸盾片两侧和后胸盾片、第 1 ~ 8 腹节背片暗灰(有的个体腹部背片暗灰色斑不显著)，第 9、10 节暗灰。触角第 1 节淡黄色，第 2 ~ 8 节淡灰色，第 3 ~ 6 节基部略淡。前翅透明而微黄，但翅瓣基部 2/3 前后脉交岔处及超过中部有 2 个长大于宽的黑斑。体鬃和翅鬃弱灰，在黑斑上的鬃较暗。头宽大于头长，背片光滑无纹。复眼长约为头长的 2/3。单眼在丘上。前单眼前鬃长 61.0μm，前外侧鬃长 44.0μm，单眼间鬃长 95.0μm，在前单眼后，位于单眼三角形中心连线外缘。单眼后鬃长 24.0μm，复眼后鬃内 1 长 5.0μm，后外侧有 2 根鬃，长 15.0μm 和 24.0μm。触角 8 节，第 3、4 节近似纺锤形；第 1 ~ 8 节长(宽)依次分别为 18.0(27.0)μm、29.0(24.0)μm、36.0(19.0)μm、33.0(19.0)μm、30.0(15.0)μm、45.0(15.0)μm、11.0(7.0)μm、15.0(5.0)μm，总长 216.0μm；第 3 节长为宽的 1.89 倍；第 3、4 节叉状感觉锥臂长 24.0μm。口锥长 100.0μm，基部宽 110.0μm，中部宽 68.0μm，端部宽 46.0μm。下颚须长分别为第 1 节(基节)12.0μm，第 2 节 14.0μm，第 3 节 13.0μm。胸部前胸宽大于长。背片光滑，仅后部有 2 条线纹，除边缘鬃外，无背片鬃。各长鬃分别长为前缘鬃 118.0μm，前角鬃110.0μm，后角内鬃 115.0μm，外鬃 104.0μm，后缘鬃 79.0μm，侧鬃 106.0μm。中胸、后胸内叉骨有刺，长 71.0～73.0μm，大于内叉骨宽度。中胸盾片后部有横线纹，中后鬃远离后缘，各鬃长为前外侧鬃 61.0μm，后中鬃 32.0μm，后缘鬃 29.0μm。后胸盾片前部有 2 条横线，其后为网纹，两侧为纵纹，无亮孔（钟形感觉器）。中胸、后胸内叉骨均有刺。前翅长 784.0μm，近基部宽 70.0μm，中部（中斑处）宽 63.0μm，近端部宽 59.0μm。前缘鬃有 19～20 根，前脉鬃有 9～10 根，后脉鬃有 4～6 根。中斑长 121.0μm，端斑长 109.0μm。中斑处长鬃长分别为前缘鬃长 142.0μm，前脉鬃长 110.0μm，后脉鬃长 129.0μm。前缘缨毛长 73.0μm，甚短于前缘鬃；翅端缘鬃长 126.0μm。腹部第 2～8 腹节背片两侧有稀疏横纹。各节中对鬃微小，与无鬃孔在一条横线上，位于孔的内侧。第 5 节背片长 87.0μm，各鬃的中对鬃间距 61.0μm，鬃长分别为内 1（中对鬃）长 7.0μm，内 2 长 19.0μm，内 3 长 12.0μm，内 4（后缘上）长 25.0μm，内 5 长 19.0μm，内 6（背侧片后缘上）长 61.0μm。第 8 节背片后缘无梳。第 9 节背鬃长分别为背中鬃 83.0μm，中侧鬃、侧鬃 85.0μm。第 10 节背鬃长 68.0～78.0μm。腹片无附属鬃。腹片后缘鬃，除第 7 节内中对鬃 1 着生在后缘之前外，均着生在后缘上。第 5 节后缘鬃长 72.0μm。

雄虫一般形态与雌虫相似，但较细小，体色淡黄，腹部背片灰色，翅胸仅前翅基部附近灰黑色。长翅型，翅斑与雌虫相似。第 9 腹节背片鬃内对 1（背中鬃）、2 和内对 4 大致在前列，内对 3 和 5 在后列。鬃：内 1 长 34.0μm，内 2、3、4 长24.0μm，内 5（侧）长 68.0μm。第 3～8 节腹片上有哑铃形腺域，占据腹片宽度的大部分，第 5 节的腺域中央长 14.0μm，两端长 27.0μm，宽 166.0μm。

采集记录：4♀，武功，1998. Ⅷ. 25，赵小蓉采。

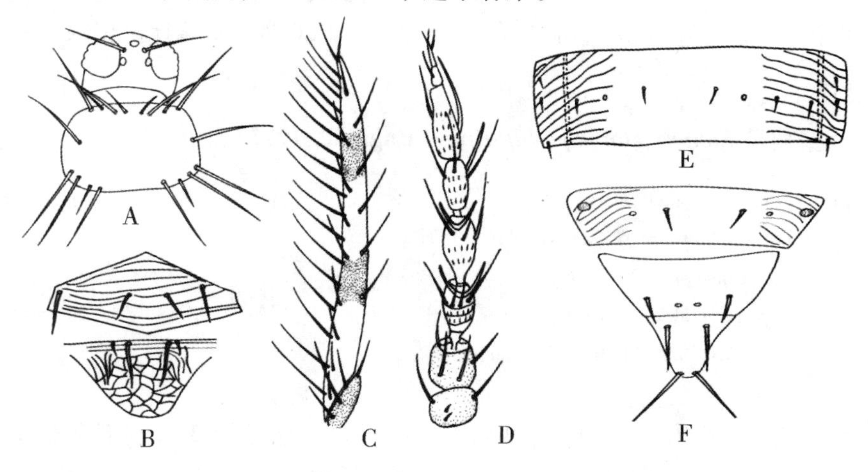

图 96　塔六点蓟马 *Scolothrips takahashii* Priesner

A. 头和前胸；B. 中胸、后胸盾片；C. 前翅；D. 触角；E. 第 5 腹节背片；F. 第 8～10 腹节背片

分布：陕西（武功）、北京、河北、山东、河南、江苏、浙江、湖北、湖南、福建、

台湾、广东、海南、广西、四川、云南。

寄主：扁豆，大豆，菜豆角，红豆，绿豆，萹蓄，豇豆，茄子，柑橘，九里香，龙葵，益母草，丝瓜，玉米，稻，谷子，小麦，茅草，曼陀罗，葎草，蓖麻，棉花，苋，冬葵，铁线莲，悬钩子，枸杞，柏树，洋槐，梨，桑，白毛杨，核桃，桃，苹果，加拿大杨。塔六点蓟马在这些植物上捕食叶螨。

21. 直鬃蓟马属 *Stenchaetothrips* Bagnall, 1926

Stenchaetothrips Bagnall, 1926: 107. **Type species**: *Stenchaetothrips melanurus* Bagnall, 1926.

Anaphidothrips Hood 1954: 211. **Type species**: *Anaphidothrips brasiliensis* Hood, 1954.

Chloëthrips Priesner, 1957: 162. **Type species**: *Thrips* (*Bagnallia*) *oryzae* Willims, 1916 (= *Bagnallia biformis* Bagnall, 1913).

Chloëthrips subgenus *Mictothrips* Anathakrishnan *et* Jagadish, 1967b: 374. **Type species**: not designated.

属征：头和宽基本等长，头背缺单眼前鬃，单眼前侧鬃常长于单眼间鬃，很少等长(*S. caulis* 和 *S. hullikalli*)。眼后鬃单行或双行排列，鬃3大于或等于鬃1的长度。下颚须3节。触角7节，第3、4节感觉锥叉状。前胸每后角有2对长鬃，后角鬃之间后缘鬃有3对。中胸腹侧缝存在。后胸有或无钟感器。中后胸内叉骨有或无刺。跗节2节。后足胫节外缘无长刚毛。两性翅发达；前翅前脉基鬃有7根，端鬃有3根，后脉鬃均匀排列，多于10根；翅瓣鬃5+1根。腹节背板后缘和两侧有或无齿；第5~8腹节两侧有微弯梳，第8节后缘梳完整或缺失。腹板无附属鬃。

分布：东洋区。全世界已知30余种，中国记录20种，秦岭地区记录1种。

(36) 稻直鬃蓟马 *Stenchaetothrips biformis* (Bagnall, 1913) (图97)

Bagnallia biformis Bagnall, 1913: 237.

Thrips (*Bagnallia*) *oryzae* Williams, 1916: 353.

Thrips oryzae: Priesner, 1957: 162.

Baliothrips biformis: Mound, 1968: 26.

Stenchaetothrips biformis: Bhatti & Mound, 1980: 14.

鉴别特征：体长约1.0mm。雌虫细长，暗棕色。触角第2节端部和第4节基部暗黄色，第3节黄色，其余各节暗棕色。前翅灰棕色。头长略小于头宽，触角间有1个延伸物。单眼前侧鬃长于单眼间鬃，单眼间鬃位于前后单眼外缘连线之外，眼后鬃1短于眼后鬃3。触角7节，第3~4节上有叉状感觉锥。口锥伸至前胸腹板2/3处。下颚须3节。胸部前胸宽大于长，有2对近等长的后角鬃，后缘鬃有3对。中胸盾片前部和后部较光滑。后胸盾片前部有几条横纹，中部和两侧全为细纵纹，前中鬃在前缘后，其后无亮孔。中后胸腹片内叉骨无刺。前翅前缘鬃有 24 根，前脉鬃有 4 +3 根，端鬃有 3 根，后脉鬃有 11 根。腹部第 1 ~8 节两侧后缘有向外斜的微齿，有的个体仅留痕迹；第 2 腹节背片侧缘纵列鬃有 4 根；第 5 ~8 节两侧有微弯梳；第 8 节背片后缘梳完整。腹片无附属鬃，第 7 节后缘中对鬃着生在后缘之前，其他后缘鬃着生在后缘上。雄虫体色稍淡而小，腹部钝圆。腹部背片后缘齿比雌虫显著。第 3 ~7 节腹片有哑铃形雄虫腺域。

采集记录： 2♀，佛坪岳坝，2015. Ⅶ. 20，郭雪洁、曹瞳采。

分布： 陕西（佛坪、宁陕）、辽宁、河北、河南、宁夏、江苏、浙江、湖北、江西、湖南、福建、台湾、广东、海南、广西、四川、贵州、云南；朝鲜，日本，越南，泰国，印度，孟加拉国，尼泊尔，斯里兰卡，菲律宾，马来西亚，印度尼西亚，巴基斯坦，罗马尼亚，英国，巴西。

寄主： 水稻，小麦 *Triticum aestivum* (Gramineae)，大麦，玉米，游草，稗草，看麦娘，鹅冠草，蟋蟀草，白茅，芦苇，狗牙根，野燕麦。

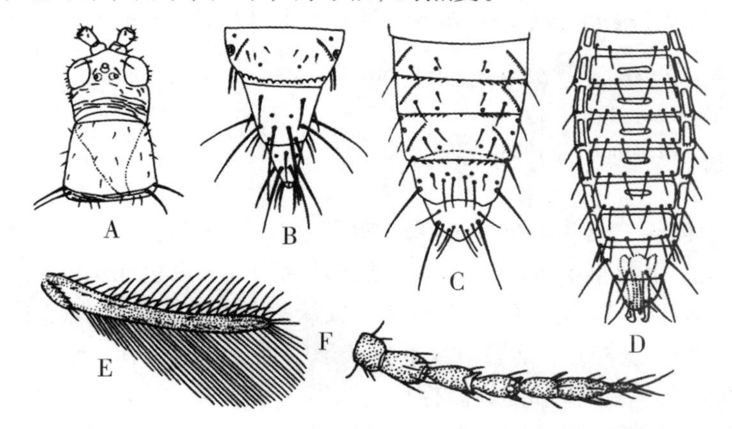

图 97　稻直鬃蓟马 *Stenchaetothrips biformis* (Bagnall)（仿 韩运发，1997）

A. 头和前胸；B. 雌虫第 8 ~ 10 腹节背片；C. 雄虫第 6 ~ 10 腹节背片；D. 雄虫第 2 ~ 10 腹节腹片；E. 前翅；F. 触角

22. 带蓟马属 *Taeniothrips* Amyot *et* Serville, 1843

Taeniothrips Amyot *et* Serville, 1843: 644. **Type species**: *Thrips primulae* Haliday, 1836 (= *Thrips picipes* Zetterstedt, 1828).

Oxythrips Uzel, 1895: 34. **Type species**: *Oxythrips ajugae* Uzel, 1895.

属征： 触角 8 节，第 3、4 节感觉锥叉状，第 6 节内侧简单感觉锥基部不增长，不与该节愈合。头背前单眼前鬃缺，前外侧鬃和单眼间鬃存在；单眼间鬃常位于后单眼间。下颚须 3 节。前胸每后角有 2 根长鬃，后缘鬃有 3 对。后胸前侧片缺刚毛。中胸腹片内叉骨有刺，后胸叉骨无刺。翅发达或退化；翅发达者前翅有 2 条纵脉；前脉鬃有间断，后脉鬃较多，约有 10 根；翅瓣前缘鬃有 5 根。跗节 2 节。腹部有侧片。

第6、7节背片无微毛；第8节背片微毛呈不规则群，后缘梳完整。第5~8节背片两侧缺微弯梳。腹片无附属鬃。雄虫第9节背片无角状刺突；腹片有腺域。

分布：古北区，东洋区。全世界已知40余种，中国记录9种，秦岭地区记录3种。

分种检索表

1. 前翅基部和中部浅；前脉基鬃有4根，端鬃有3根，后脉鬃有8根 …………………………………… **鹊带蓟马 *Taeniothrips picipes***

   前翅仅基部色淡；前后脉鬃序亦不同 …………………………………… 2

2. 触角第3节两端和第4节最基部色淡，第5节基部有1个界线不清的淡区；后胸盾片后部有较大网纹。雄虫腹片腺域微宽，占据腹片宽度的大部分 ……………… **油加律带蓟马 *T. eucharii***

   触角仅第3节或第3节基半部淡。后胸盾片后部网纹不很大。雄虫腹片腺域约占据腹片宽度的28% …………………………………… **大带蓟马 *T. major***

(37)油加律带蓟马 *Taeniothrips eucharii* (Whetzel, 1923)(图98)

Physothrips eucharii Morgan: Whetzel, 1923: 30 (never described by Morgan).

Taeniothrips eucharii: Bhatti, 1978: 195.

Taeniothrips gracilis Moulton, 1928b: 289.

鉴别特征：体长1.50~1.66mm。雌虫暗棕色。触角棕色，但第3节的梗、最基部和端部1/3处，以及第4节最基部和感觉锥基部的圆环白色或黄色，第5节基部有1个界线不清的淡区。前股节灰棕色但外缘较淡；中股节、后股节除了最基部较淡外，棕色；所有胫节灰棕色，前胫节端部稍淡于中足、后足胫节；各跗节黄色。前翅暗棕色，但基部淡。各体鬃和翅鬃暗棕色。头宽大于头长，眼后有许多横纹，复眼突出，眼后显著收缩，颊显著外拱，单眼位于复眼间中后部，头前缘在复眼向前延伸。单眼前外鬃长18.0μm；单眼间鬃长93.0μm，约为头长的1/2，在后单眼前缘线上或稍前，位于3个单眼内缘连线上。单眼后鬃长14.0μm，复眼后鬃：内对1长13.0μm，内对2长23.0μm，内对3长17.0μm，内对4长13.0μm。触角8节，第3节基部梗显著；第4、5节基部显著细；第3、4节端部细缩如瓶颈，其长约为该节长度的1/3；第1~8节长(宽)依次分别为30.0(36.0)μm、39.0(30.0)μm、78.0(27.0)μm、87.0(23.0)μm、45.0(18.0)μm、81.0(18.0)μm、10.0(7.0)μm、18.0(5.0)μm，总长401.0μm；3、4节叉状感觉锥较大，臂长45.0~50.0μm，分别达至前1节的2/5和1/2处；第6节内侧感觉锥较细，长43.0μm，伸达第7节近端部。口锥伸达前足基节后缘。下颚须长分别为第1节(基节)长18.0μm、第2节长12.0μm、第3节长21.0μm。胸部前胸宽大于长，背片有微弱模糊横纹。前缘鬃、侧鬃和背片鬃长约23.0μm，但背片近后外缘处有1根鬃较长，长约34.0μm，前角鬃长29.0μm，后角外鬃长105.0μm，内鬃长120.0μm；后缘鬃有3对，(自内向外)长分别为内1长48.0μm，内2长18.0μm，内3长15.0μm。中胸盾片有横纹，有3对鬃大小近似，前外侧鬃长23.0μm，中后鬃长28.0μm，后缘鬃长24.0μm。后胸盾片线纹，除后外侧部分外较稀疏，前部有3条横纹，其后为大网纹，后部网纹模糊；前缘鬃(外对鬃)长41.0μm，间距67.0μm，在前缘上；前中鬃(内对鬃)长57.0μm，间距13.0μm，距前缘3.0μm；1对细孔在中部。前翅长934.0μm，中部宽66.0μm；前缘鬃有24~26根，前脉基中部鬃有7~9根，端鬃有3根，后脉鬃有11~14根。腹部腹节背片两侧有微弱稀疏横纹。第1~8节前缘有棕色横线；第5~8节成为横带。第1~8节背片中对鬃向后数节渐长而间距小，其后外侧有细孔1对。第5节背片中对鬃间距71.0μm，各鬃长分别为中对鬃(对1)长11.0μm，对2长21.0μm，对3长38.0μm，对4(后缘上)长58.0μm，对5长41.0μm。第7节腹板后缘中对鬃和亚中对鬃均在后缘之前。第8节背片后缘梳毛长而完整。第9节背片后缘长鬃长度分别为背中鬃长187.0μm，侧中鬃长178.0μm，侧鬃长187.0μm。第10节背片后缘长鬃长175.0~178.0μm。腹片无附属鬃。

雄虫一般形态与结构相似于雌虫，但有如下不同:前股节较淡，体较细小，触角第6节长为宽的5倍。第9腹节长鬃长度分别为中背鬃长60.0μm，侧鬃长105.0μm。第10节的弯曲鬃长110.0μm。第3~7节腹片雄虫腺域大，中部收缩，其宽度占据该节腹片宽度的大部分。第9节背片中部有1对长刺(鬃)在接近后缘中央，在其前外侧有1对短的。

采集记录：3♀，西农校园，2001.Ⅹ.02，张桂玲采。

分布：陕西(杨凌)、北京、浙江、台湾、广东、海南、香港、广西；日本，美国夏威夷，百慕大群岛。

寄主：麦藁菊，野芝麻，石蚕属，蚕平，冬麦及其他豆类，杂草。

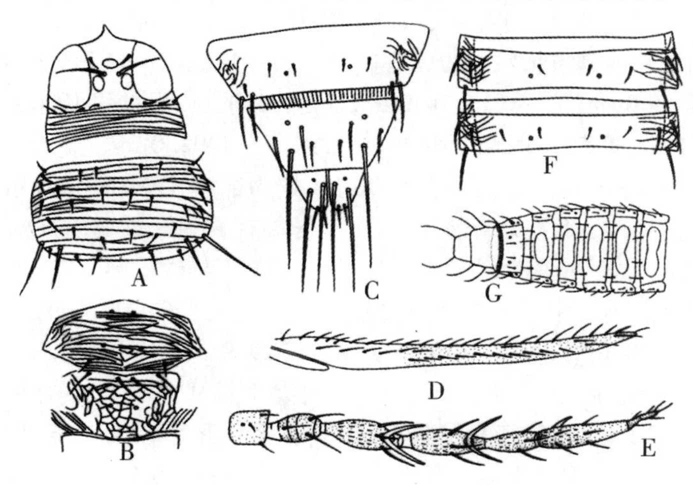

图98　油加律带蓟马 *Taeniothrips eucharii*(Whetzel)

A. 头和前胸；B. 中胸、后胸盾片；C. 雌虫第8~10腹节背片；D. 前翅；E. 触角；F. 第5~6腹节背片；G. 雄虫第3~10腹节腹片

(38) 大带蓟马 *Taeniothrips major* Bagnall, 1916(图 99)

Taeniothrips major Bagnall, 1916: 216.

Thrips ciliatus Bhatti, 1969b: 380.

鉴别特征： 体长 1.9 ~ 2.0mm。雌虫体栗棕色，包括触角和足，但触角第 3 节或第 3 节基半部淡棕色。前足胫节(边缘除外)，其他股节、胫节基部及各跗节淡黄色。前翅暗棕色，包括翅瓣，但基部占翅长的 1/7 淡。体鬃和翅鬃暗棕色。头宽大于头长，两颊强烈外拱，复眼突出，眼后有横纹。前单眼前侧鬃长 36.0μm，单眼间鬃长 67.0 ~ 88.0μm，位于两后单眼内缘。单眼后鬃和复眼后鬃呈 1 条横列排列于眼后；鬃长分别为单眼后鬃长 22.0μm，复眼后鬃 1 长 24.0μm、鬃 2 长 10.0μm、鬃 3 长 35.0μm、鬃 4 长 27.0μm、鬃 5 长 10.0μm。触角 8 节，第 3 节基部有梗，第 3、4 节端部收缩，第 1 ~ 8 节长(宽)依次分别为 36.0(48.0)μm、48.0(33.0)μm、82.0(27.0)μm、73.0(26.0)μm、55.0(24.0)μm、77.0(24.0)μm、14.0(10.0)μm、17.0(8.0)μm，总长 400.0μm；第 3 节长为宽的 3 倍；3、4 节上叉状感觉锥不很长，臂长32.0μm，伸达前节基部。口锥长 153.0μm，宽分别为基部 175.0μm、中部 85.0μm、端部 61.0μm。下颚须长分别为第 1 节(基节)长 17.0μm、第 2 节长 15.0μm、第 3 节长 29.0μm。胸部前胸宽大于长，背片前、后缘有些横纹，背片有鬃约 18 根，后侧 1 根鬃较长，长 38.0μm，其他长约 25.0μm。前胸鬃较长，长36.0μm；后角外鬃长69.0μm，内鬃 79.0μm；后缘鬃有 3 对。羊齿内端接触。中胸盾片横线纹向后弯，中后鬃距后缘远；前外侧鬃长 29.0μm，中后鬃长 32.0μm，后缘鬃长 29.0μm。后胸盾片前部有横纹，其后为网纹，两侧为纵纹；前缘鬃长 49.0μm，间距 73.0μm，距前缘 4.0μm；前中鬃长 74.0μm，间距 36.0μm，距前缘 10.0μm；1 对亮孔在中后部。中胸内叉骨刺长而粗。前翅长 1100.0 ~ 1492.0μm，宽分别为近基部宽 146.0μm，中部宽 97.0μm，近端部宽 49.0μm。翅中部鬃长 73.0 ~ 80.0μm。前缘鬃有 28 根；前脉基部鬃有 4 +5 根，端鬃有 3 根，后脉鬃有 14 根；翅瓣前缘鬃有 5 根。腹部第 1 ~ 7 腹节，背、腹片布满横纹，第 8 节背片仅两侧有横纹。第 2 ~ 7 节背片无鬃孔在后半部，甚至靠近后缘，中对鬃在其前内方。第 5 节背片长 141.0μm，宽490.0μm；中对鬃间距97.0μm，鬃长分别为内鬃 1(中对鬃)长 29.0μm，内鬃 2 长 41.0μm，内鬃 3(在后缘上)长 80.0μm，内鬃 4 长 63.0μm，内鬃 5 长 97.0μm，内鬃 6(背侧片后缘上)长90.0μm；鬃 3 ~ 5 不呈三角形排列，鬃 3 和鬃 4 几乎在同一条纵线上。第 6、7 节背片鬃 4 退化变小。第 8 节背片气孔前有几根微毛；后缘梳完全，梳毛细长。第 9 节背片鬃长分别为背中鬃209.0μm、中侧鬃 214.0μm、侧鬃209.0μm。第 10 节背鬃长175.0 ~ 189.0μm。背侧片和腹片无附属鬃。第 7 节腹片中对鬃在后缘之前。

雄虫体色和一般形态相似于雌虫，但较小，触角较细。触角第 1 ~ 8 节长(宽)依次分别为 36.0(37.0)μm、49.0(29.0)μm、87.0(21.0)μm、70.0(21.0)μm、53.0(19.0)μm、73.0(19.0)μm、12.0(10.0)μm、17.0(9.0)μm，总长 397.0μm；第 3 节长为宽的 4.14 倍。第 9 腹节背片鬃的内 1、3、4 在前排，内 2 和内 5 在后排，鬃长分

别为内 1 长 85.0μm、内 2 长 137.0μm、内 3 长 44.0μm、内 4 长 49.0μm、内 5 长 168.0μm，侧鬃长 170.0μm。第 3～7 节腹片有横腺域；第 5 节腺域长 29.0μm、宽 83.0μm，约为腹片宽度的 28%。

采集记录： 7♀2♂，太白山，2002.Ⅶ.15，张桂玲采。

分布： 陕西（太白）、西藏；朝鲜，印度。

寄主： 大叶杜鹃，银莲花，飞燕草，金丝桃，风轮菜，爵床花，续断，接骨木，野菊花，独活。

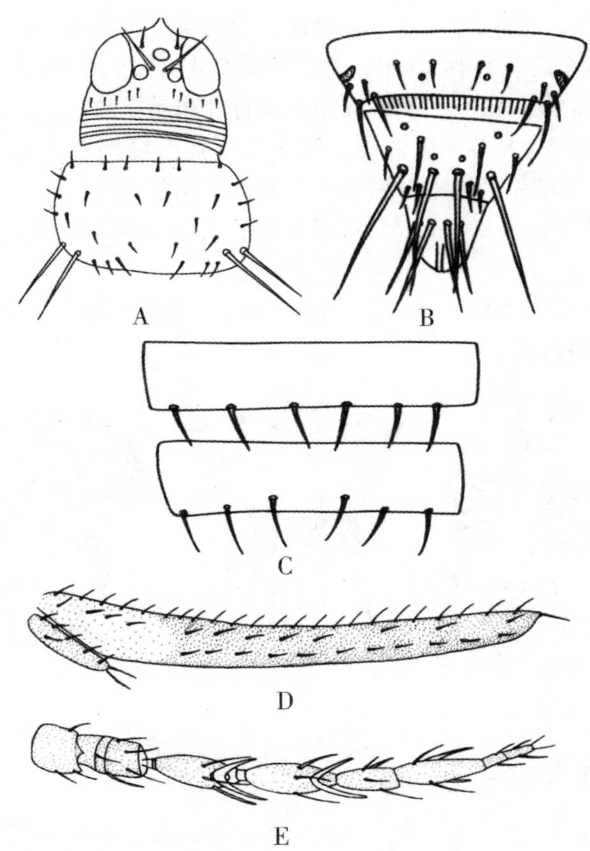

图 99　大带蓟马 *Taeniothrips major* Bagnall

A. 头和前胸；B. 第 8～10 腹节背片；C. 第 6～7 腹节腹片；D. 前翅；E. 触角

(39) 鹊带蓟马 *Taeniothrips picipes* (Zetterstedt, 1828)（图 100）

Thrips picipes Zetterstedt, 1828: 561.

Thrips primulae Haliday, 1836: 449.

Taeniothrips primulae: Amyot & Serville, 1843: 644.

Taeniothrips decora: Amyot & Serville, 1843: 644.

Physopus primulae: Uzel, 1895: 33.

Physothrips alpinus: Karny, 1912: 340.

鉴别特征：体长1.7mm。雌虫体黑褐色。第3~4节色淡及第5节基部色淡，其余为黑褐色。翅暗黄色，基部色淡。跗节黄色。头长略大于头宽。单眼间鬃位于两后单眼间，在两后单眼前缘切线上，眼后鬃有5对。触角8节，全长317.5μm，第3~4节感觉锥叉状。口锥几乎伸到前胸腹板后缘。下颚须3节，下唇须1节。胸部前胸宽大于长，后角鬃有2对，近相等，后缘鬃有3对。中胸背片布满鱼纹状网纹。后胸背片中部为网纹，两侧为纵纹，前中鬃接近前缘，其后有1对无鬃孔。仅中胸腹片内叉骨有刺。前翅前缘鬃有20根，前脉基鬃有4+3根，端鬃有3根，后脉鬃有8根，翅瓣前缘鬃有5根。跗节2节。腹部腹节背片布满横纹，腹片近两侧有横纹。第8节后缘梳完整。第5~8节无微弯梳。第2节腹片后缘鬃有2对，第3~7节腹片后缘鬃有3对，第7节腹片后缘中对鬃和亚中对鬃在后缘之前。

采集记录：2♂，长安嘉午台，1987.Ⅶ.22，冯纪年采；2，太白山，2002.Ⅶ.15，张桂玲采。

分布：陕西(长安、太白)、河南；朝鲜，日本，欧洲，澳大利亚等。

寄主：杂草，鸡冠花。

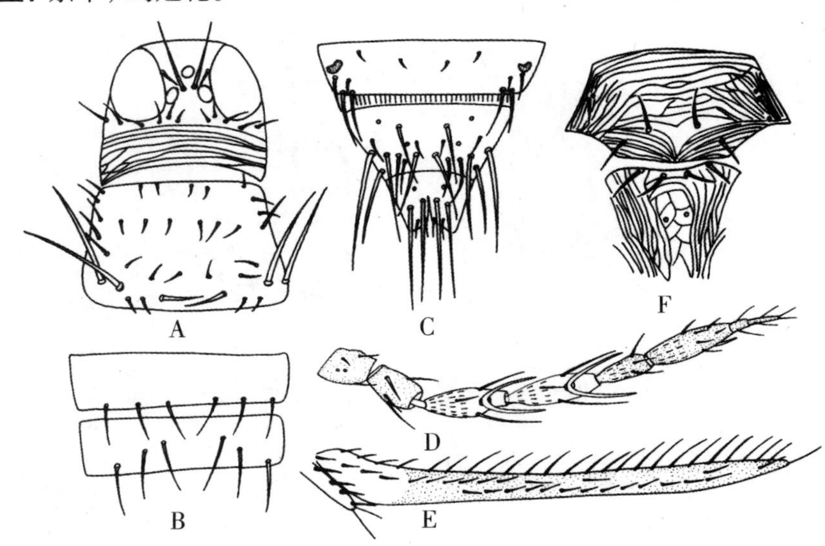

图100 鹊带蓟马 *Taeniothrips picipes* (Zefferstedt)

A. 头和前胸；B. 第6~7腹节腹片；C. 第8~10腹节背片；D. 触角；E. 前翅；F. 中胸、后胸盾片

23. 蓟马属 *Thrips* Linnaeus, 1758

Thrips Linnaeus, 1758: 343. **Type species**: *Thrips physapus* Linnaeus, 1758.

Euthrips Targioni-Tozzetti, 1881: 133. **Type species**: *Thrips physapus* Linneaeus, 1758.

Parathrips Karny, 1907: 47. **Type species**: *Parathrips uzeli* Karny, 1907.

Priesneria Bagnall, 1926: 549. **Type species**: *Priesneria kellyana* Bagnall, 1926.

属征：头宽通常大于头长，有时长大于宽。前单眼前鬃(对1)缺，前外侧鬃(对2)短于或约等于单眼间鬃(对3)。眼后鬃呈1列，无特别长的。触角7或8节，第3、4节感觉锥叉状。下颚须3节。前胸背片每后角有2根长鬃；通常有3对后缘鬃，常有4对，甚至6对(如 *T. acaciae* Hood 有4~6对)；背片鬃通常不发达，有时前角、前缘和侧鬃发达。仅中胸内叉骨有刺。跗节2节。翅通常发达，少有短翅型。长翅者翅瓣前缘鬃有5根，偶有4根；前翅前脉鬃或有宽的间断(7~10根基部鬃和2~7根端鬃)或近乎连续排列；后脉鬃较多。腹部第5~8节背片两侧有微弯梳，第8节的微弯梳位于气孔的后中(内)侧。腹片有或无附属鬃。

分布：世界广布。本属为蓟马科中最大的属，中国分布41种，秦岭地区记录13种。

分种检索表

1. 腹节腹片无附属鬃 …… 2
　腹节腹片至少有1对附属鬃 …… 7
2. 腹节侧片有附属鬃 …… **短角蓟马 *Thrips brevicornis***
　腹节侧片无附属鬃 …… 3
3. 前翅前脉端鬃有4~7根；腹节侧片有成排的微毛 …… **烟蓟马 *T. tabaci***
　前翅前脉端鬃最多有3根；腹节侧片刻纹不同，无相距很近的成排微毛 …… 4
4. 第8腹节后缘梳完整 …… 5
　第8腹节后缘梳中部缺，体黄色，腹部第2节背片侧缘有3根纵裂的鬃 …… **大蓟马 *T. major***
5. 后胸盾片有成对钟感器 …… 6
　后胸盾片无钟感器 …… **黑毛蓟马 *T. nigropilosus***
6. 触角7节 …… **黄蓟马 *T. flavus***
　触角8节 …… **八节黄蓟马 *T. flavidulus***
7. 后胸盾片无成对钟感器 …… 8
　后胸盾片有成对钟感器 …… 10
8. 触角8节，单眼间鬃位于单眼三角形外 …… **葱韭蓟马 *T. alliorum***
　触角7节 …… 9
9. 腹节侧片无附属鬃 …… **蒲公英蓟马 *T. trehernei***
　腹节侧片有2~4根附属鬃 …… **双附鬃蓟马 *T. pillichi***
10. 触角7节 …… 11
　触角8节 …… 12
11. 体黄色 …… **色蓟马 *T. coloratus***
　体棕色 …… **黄胸蓟马 *T. hawaiiensis***
12. 前翅前脉端鬃有3根；第8腹节后缘梳长而完整 …… **杜鹃蓟马 *T. andrewsi***
　前翅前脉端鬃有8根；第8腹节后缘梳短小但完整 …… **黑蓟马 *T. atratus***

(40) 葱韭蓟马 *Thrips alliorum* (Priesner, 1935)(图101)

Taeniothrips alliorum Priesner, 1935: 128.

Thrips alliorum: Bhatti, 1978: 195.

Taeniothrips carteri Moulton, 1936: 183.

鉴别特征： 长约1.5mm。雌虫体粟棕色。触角除第3节或基部大半暗黄色外，其余为棕色。前翅色略黄而微暗。足棕色，但前足胫节(两侧除外)，中足、后足胫节两端或端部和各足跗节暗黄色。体鬃暗棕而翅鬃暗黄色。腹部第2~8节背片前缘线黑棕色。头宽大于头长，眼后有横纹。单眼在复眼间中后部。单眼前侧鬃长21.0μm；单眼间鬃长40.0μm，基部间距27.0μm，在前单眼、后单眼之中途的中心连线外缘；单眼后鬃距后单眼远；复眼后鬃呈1条横列。触角8节，第1~8节长(宽)分别为26.0(34.0)μm、38.0(27.0)μm、61.0(19.0)μm、56.0(19.0)μm、45.0(17.0)μm、58.0(19.0)μm、10.0(8.0)μm、12.0(5.0)μm，总长306.0μm；第3节长为宽的3.2倍；第3、4节叉状感觉锥伸达前节基部，臂长15.0~20.0μm。口锥长156.0μm，宽分别为基部162.0μm、中部105.0μm、端部39.0μm。下颚须长分别为第1节(基节)15.0μm，第2节11.0μm，第3节18.0μm。胸部前胸宽大于长，背片前、后缘有横线纹；背片鬃较少，16~20根；后侧角1根鬃较长；前角鬃长24.0μm；后角外鬃短于内鬃；后缘鬃有3对。羊齿内端相连。中胸盾片布满横纹，中后鬃离后缘远；前外侧鬃长22.0μm，中后鬃长15.0μm。后胸盾片前中部有几条横纹，其后和两侧有纵纹；前缘鬃距前缘5.0μm；前中鬃距前缘20.0μm。中胸内叉骨刺长50.0μm。前翅长760.0μm，中部宽57.0μm；前缘鬃有23根；前脉基部鬃有7根，端鬃有3根；后脉鬃有12根；翅瓣前缘鬃有5根。腹部第2~8腹节背片前缘和两侧有横纹。中对鬃约在背片中横线上，无鬃孔在后半部，第5~8节背片两侧的微弯梳模糊，第5节和第6节的梳几乎不可见。第5节背片长109.0μm，宽350.0μm；中对鬃间距73.0μm；鬃:内1(中对鬃)长10.0μm，内2长24.0μm，内3长29.0μm，内4长(后缘上)49.0μm，内5长39.0μm，内6(背侧片后缘上)长44.0μm。鬃3~5略呈三角形排列。第6、7节背片的鬃3退化变小。第8节背片后缘梳退化，可见少数痕迹。第9节背片长鬃:背中鬃长120.0μm，中侧鬃长144.0μm，侧鬃长154.0μm。第10节背片鬃长139.0μm和134.0μm。背侧片通常有1~3根，偶尔有0~6根附属鬃。第2节腹片有附属鬃有6~8根，第3~7节有9~14根。第7节腹片中对后缘鬃在后缘之前。

雄虫短翅型，体色与雌虫基本一致，但体较小，触角较细。前翅长114.0μm，中部宽57.0μm。前缘鬃有8根，前脉鬃有6根，后脉鬃有2根，翅瓣前缘鬃有5根；后翅亦短。前翅、后翅连锁机构仍存在。第9腹节背鬃的对1和对3在前列，对2、4和侧鬃居中列，对5在最后，鬃:内鬃1长24.0μm，内鬃2长19.0μm，内鬃3长39.0μm，内鬃4长15.0μm，内鬃5长100.0μm，内鬃6(侧鬃)长83.0μm。第3~8节腹片附属鬃为4~8根。第5节腹片腺域长29.0μm，宽105.0μm。各节腺域占腹片宽度的44%~48%。

采集记录： 4♀，勉县，1990.Ⅳ.25，赵小蓉采；2♀，勉县，1990.Ⅳ.24，赵小蓉采；1♀，勉县，1990.Ⅳ.25，赵小蓉采；2♀，汉阴，1990.Ⅳ.15，赵小蓉采。

分布： 陕西(勉县、汉阴)、辽宁、河北、山东、宁夏、新疆、江苏、浙江、福建、台湾、广东、海南、广西、贵州；朝鲜，日本，美国(夏威夷)。

寄主： 葱 *Allium fistulosum* (Liliaceae)，洋葱，韭菜，茴香，蒜苗，萝卜。

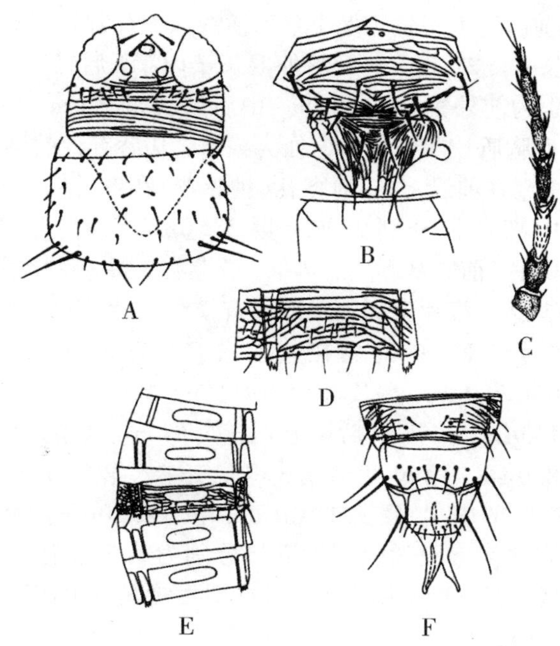

图 101 葱韭蓟马 *Thrips alliorum* (Priesner)(仿 韩运发，1997)

A. 头和前胸；B. 中胸、后胸盾片；C. 触角；D. 第 5 腹节腹片；E. 雄虫第 3 ~ 7 腹节腹片；F. 雄虫第 8 ~ 10 腹节背片

(41) 杜鹃蓟马 *Thrips andrewsi* (Bagnall, 1921) (图 102)

Physothrips andrewsi Bagnall, 1921a: 394.

Taeniothrips (*Physothrips*) *andrewsi*: Ramakrishna, 1928: 256.

Taeniothrips andrewsi: Steinweden & Moulton, 1930: 22.

Thrips andrewsi: Bhatti, 1969b: 380.

鉴别特征： 体长约 1.6mm。雌虫体暗棕色，包括触角，但触角第 3 节黄色，第 4 节基部黄色或略微黄色，第 5 节有较淡的亚基环，常不清楚。前翅灰棕色，但基部 1/4处较淡。足股节淡棕色，后股节较暗些；各胫节暗黄色，跗节较胫节淡。体鬃和翅鬃暗。头宽大于头长，两颊较外拱，眼前和眼后有横纹。单眼在复眼间中部、后部。前单眼前侧鬃长 10.0μm；单眼间鬃长 44.0μm，在前单眼后，位于前单眼、后单眼外缘连线上；眼后鬃粗细相似，较细；单眼后鬃长 17.0μm；复眼后鬃呈 1 条横列。触角 8 节，第 3 ~ 4 节端部稍细缩；第 1 ~ 8 节长(宽)依次分别为 29.0(34.0)μm、39.0(29.0)μm、75.0(22.0)μm、70.0(19.0)μm、49.0(17.0)μm、63.0(17.0)μm、10.0(7.0)μm、22.0(5.0)μm，总长 357.0μm；第 3 节长为宽的 3.4 倍；第 3、4 节上叉状感觉锥不长，臂长 24.0μm。口锥长 146.0μm，基部宽 150.0μm，中部宽 85.0μm，端部宽 36.0μm。下颚须：第 1 节（基节）长 19.0μm，第 2 节长 12.0μm，第 3 节长27.0μm。胸部前胸宽大于长，背片布满横线纹；有背片鬃有 30 根，后侧有 1 根较长鬃；前角鬃较长，长 27.0μm；后角外鬃长于内鬃，后缘鬃有 3 对。中胸盾片布满横线纹；鬃长分别为前外鬃长 44.0μm，中后鬃长 24.0μm，后缘鬃长 22.0μm；中后鬃离后缘较远。后胸盾片前中部 1/3 处为横纹，其后有少数网纹，两侧为纵纹；前缘鬃在前缘上；前中鬃在前缘上；1 对亮孔（钟感器）在较后部。前翅长 1079.0μm，中部宽 66.0μm；翅中部鬃长分别为前缘鬃 58.0μm、前脉鬃 44.0μm、后脉鬃 51.0μm。前缘鬃有 30 根，前脉基部鬃有 7 根，端鬃有 3 根，后脉鬃有 14 根。腹部第 2～8 腹节背片两侧有横纹，腹片两侧和中部均有横纹。背片第 2 节两侧缘纵列鬃有 4 根。背片无鬃孔在后半部，中对鬃在其前内方。第 5 节背片长 105.0μm，宽 202.0μm；中对鬃间距 107.0μm；鬃长分别为内鬃 1（中对鬃）长 10.0μm，内鬃 2 长 15.0μm，内鬃 3 长 34.0μm，内鬃 4（后缘上）长 78.0μm，内鬃 5 长 44.0μm，内鬃 6（背侧片后缘上）长 58.0μm。第 6、7 节鬃 3 退化变小。第 8 节背片后缘梳完整，毛短，仅两侧缘缺。第 9 节背片鬃长 124.0μm 和 112.0μm。第 10 节背片鬃长 122.0μm。背侧片无附属鬃。腹片附属鬃数目分别为第 2 节有 3 根，第 3～7 节有 11～17根，长短和排列不甚规则。第 7 节腹片中对后缘鬃着生在后缘之前。

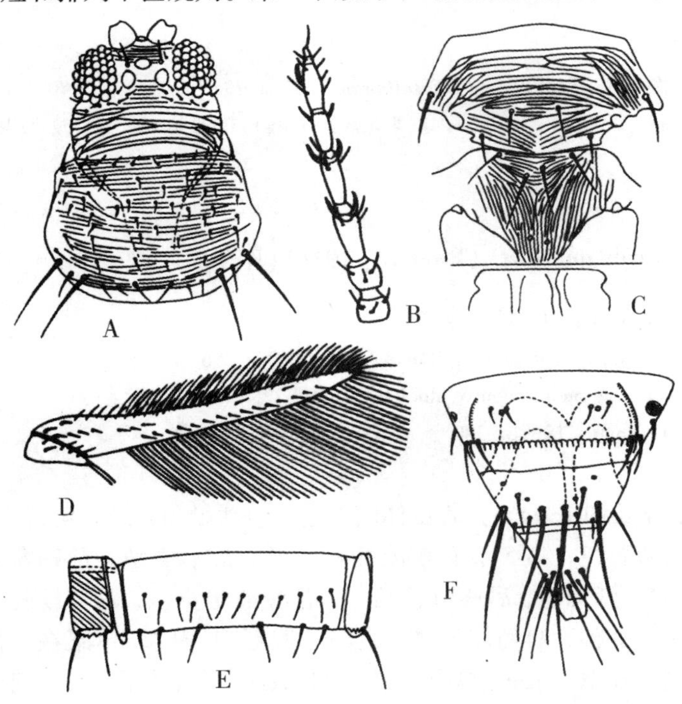

图 102 杜鹃蓟马 *Thrips andrewsi*（Bagnall）（仿 韩运发，1997）

A. 头和前胸；B. 触角；C. 中胸、后胸盾片；D. 前翅；E. 雌虫第 5 腹节腹片；F. 雌虫第 8～10 腹节背片雄虫长翅型。体较小，黄色，包括足。触角第1～3节淡黄色，第4、5节端部1/3处灰色，第6节常在基部1/3～1/4处淡，第6～8节灰暗，第5、6节各有1个暗基环。长鬃暗。触角8节，第1～6节长(宽)依次分别为69.0(17.0)μm、59.0(17.0)μm、46.0(16.0)μm、60.0(18.0)μm。第8腹节后缘无梳，仅中部有少数(5根)微毛。各节腺域宽(长)66.0～89.0(14.0～16.0)μm。

采集记录：1♀，五台山，1987.Ⅶ.21，冯纪年采；1♀，杨凌，1998.Ⅷ.18，冯纪年采；1♀，西农校园，2001.Ⅹ.02，张桂玲采。

分布：陕西(长安、杨凌)、河南、江苏、浙江、湖北、湖南、广东、海南、广西、四川、云南；日本，印度。

寄主：茶，咖啡，菊料，柳，羊耳朵树，柑橘，桉树，茉莉花，唇形科，玉兰，油菜 *Brassica campestris* (Brassicaceae)，美人蕉，大荔花，杂草。

(42)黑蓟马 *Thrips atratus* Haliday，1836(图103)

Thrips atratus Haliday，1836：447.
Physapus atratus：Amyot & Serville，1843：643.
Euthrips atrata：Karny，1907，52：45.

鉴别特征：体长1.4mm。雌虫体黑棕色，包括触角、足；但触角第3节的梗淡，第4、5节有1个亚基淡环；前胫节(边缘除外)、各跗节略淡，淡灰棕色。前翅暗灰棕色，但基部约1/5较淡。体鬃和翅鬃暗。头宽大于头长，两颊拱，眼后有横纹。复眼长73.0μm。单眼在复眼间中部。前单眼前侧鬃长20.0μm；单眼间鬃长49.0μm，在前单眼后外侧，位于前、后单眼外缘连线上；后单眼后鬃距后单眼甚远，在复眼后鬃内1之后，与其他复眼后鬃呈1条横列。触角8节，第1～8节长(宽)依次分别为24.0(32.0)μm、44.0(27.0)μm、73.0(24.0)μm、61.0(22.0)μm、44.0(17.0)μm、63.0(19.0)μm、10.0(10.0)μm、17.0(7.0)μm，总长336.0μm；第3节长为宽的3.04倍；3、4节叉状感觉锥臂长32.0μm。口锥长122.0μm，宽分别为基部122.0μm、中部85.0μm、端部37.0μm。下颚须长分别为第1节15.0μm、第2节10.0μm、第3节19.0μm。胸部前胸宽大于长，背片布满弱横线纹，中部线纹很弱，几乎不可见；背片鬃有20根，后外侧有1根较长，后角外鬃长100.0μm，内鬃长102.0μm；后缘鬃有3对。中胸盾片布满横纹，中后鬃离后缘远；鬃长分别为前外侧鬃24.0μm、中后鬃29.0μm、后缘鬃19.0μm。后胸盾片前中部约有4条横纹，其后和两侧为密纵线纹；1对亮孔(钟形感觉器)在后部；前缘鬃在前缘上；前中鬃距前缘4.0～10.0μm。前翅长977.0μm，中部宽61.0μm；翅中部鬃长分别为前缘鬃90.0μm、前脉鬃63.0μm、后脉鬃长71.0μm。前缘鬃有29根，前脉基部鬃有7根，端鬃有8根，后脉鬃有13根腹部第2～8腹节背片前缘和两侧有横线纹，而腹片全部有横纹。中对鬃约在背片横中线上，无鬃孔在后半部。第5节背片长118.0μm，宽365.0μm；中对鬃间距74.0μm；鬃长分别为内鬃1(中对鬃)长18.0μm，内鬃2、3长29.0μm，内鬃4(后缘上)长58.0μm，内鬃5长55.0μm，内鬃6(背侧片后缘上)长73.0μm。第6、7节和鬃3退化，很小。第2节背片侧缘纵列鬃有3根。第2~7节背侧片各有附属鬃2~4根。第8节背片后缘梳毛细小，中部和两侧有小的间断。第9节背片鬃长分别为背中鬃131.0μm、中侧鬃148.0μm、侧鬃160.0μm。第10节背片鬃长146.0μm和139.0μm。第2节腹片附属鬃有2根，其他节各有12~20根，较细长，排列不甚规则，有时呈现2排。第7节中对后缘鬃在后缘之前。

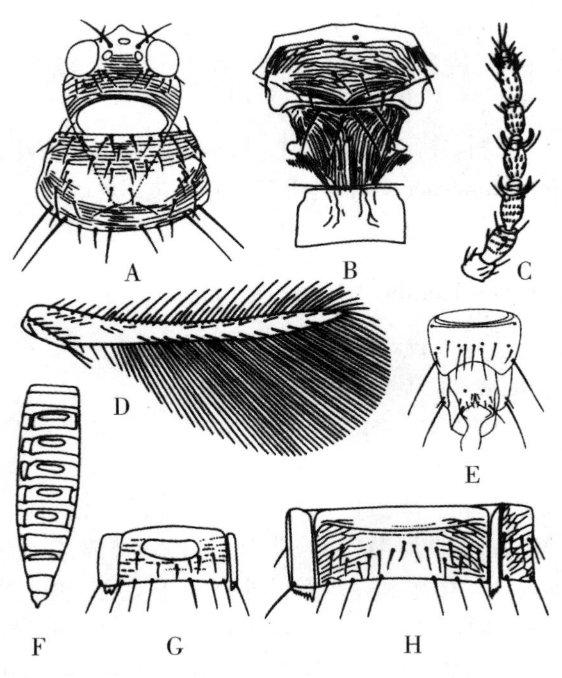

图103　黑蓟马 *Thrips atratus* Haliday(仿 韩运发，1997)

A. 头和前胸；B. 中胸、后胸盾片；C. 触角；D. 前翅；E. 雄虫第9~10腹节背片；F. 雄虫第2~10腹节腹片；G. 雄虫第5腹节腹片；H. 雌虫第5腹节腹片

雄虫体色，包括触角、翅和足与雌虫基本一致，唯触角第3节略淡。体较细。腹部第9节背片鬃的内1、内3、内6和侧鬃在前，内2居中，内4和内5在最后；鬃长分别为内1长34.0μm，内2长34.0μm，内3长24.0μm，内4长12.0μm，内5长85.0μm，内6长34.0μm，侧鬃80.0μm。腹片后缘鬃(包括第7、8节的鬃)均着生在后缘上。第5节腹片腺域长19.0μm，宽73.0μm；各腺域占腹片宽度的45%~68%倍。

采集记录：6头，太白山，2002.Ⅶ.13，张桂玲采。

分布：陕西(太白)、新疆；蒙古，俄罗斯，朝鲜，格鲁吉亚，欧洲，美国，加拿大。

寄主：美女樱，杂草。

(43)短角蓟马 *Thrips brevicornis* Priesner, 1920(图 104)

Thrips flavus var. *brevicornis* Priesner, 1920: 59.

Thrips brevicornis: Han & Cui, 1992: 428.

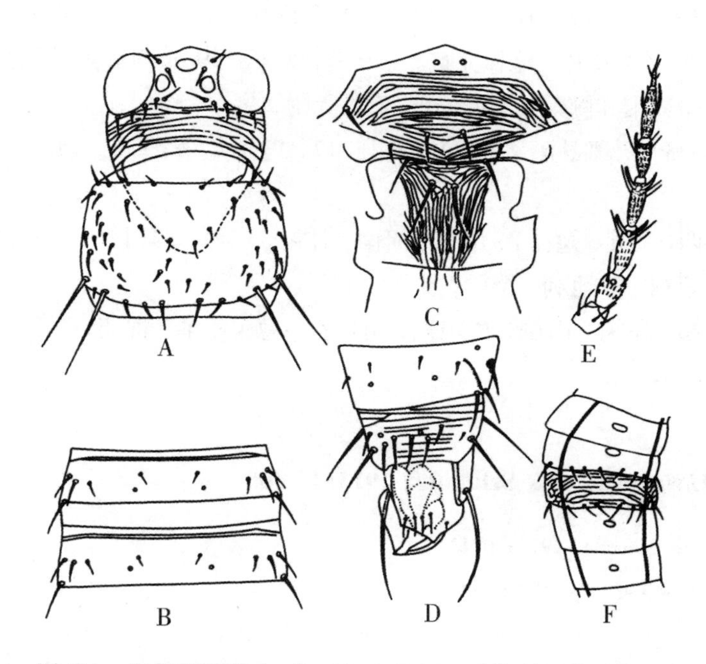

图 104　短角蓟马 *Thrips brevicornis* Priesner(仿 韩运发, 1997)

A. 头和前胸; B. 第 3 ~ 4 腹节背片; C. 中胸、后胸盾片; D. 雄虫第 8 ~ 10 腹节; E. 触角; F. 雄虫第 3 ~ 7 腹节腹片

鉴别特征: 体长 1.3mm。雌虫全体黄色,包括足和翅;但触角第 4、5(基部略淡除外)、6、7 节棕色。体鬃较暗。头宽大于头长。眼后有横纹。复眼长 59.0μm。前单眼前外侧鬃长 13.0μm;单眼间鬃长 23.0μm,间距 31.0μm,位于前单眼后外侧,在单眼间三角形外缘连线之外。单眼后鬃长 23.0μm,复眼后鬃长,大致 1 条横列。触角 7 节,第 1 ~ 7 节长(宽)依次分别为 21.0(28.0)μm、34.0(25.0)μm、56.0(24.0)μm、51.0(19.0)μm、42.0(18.0)μm、55.0(18.0)μm、18.0(6.0)μm,总长 279.0μm;第 3 节长为宽的 2.3 倍。3、4 节叉状感觉锥长 18.0μm 和 23.0μm。口锥端部窄圆,长 105.0μm,基部宽 103.0μm、中部宽 77.0μm、端部宽 38.0μm。胸部前胸宽大于长。背片仅边缘有些线纹。后角内鬃长于外鬃;后缘鬃有 3 对,背片鬃约 32 根。中胸前外侧鬃长 23.0μm,中后鬃长 20.0μm,后缘鬃长 18.0μm。后胸盾片前中部有 4 ~ 5 条横线纹,其后及两侧为较密纵线纹;前缘鬃在前缘上;前中鬃距前缘 18.0μm,小于与前缘鬃的间距;有细孔 1 对。前翅长 739.0μm,中部宽 54.0μm;前

缘鬃有 28 根，前脉基部鬃 4 + 4 根，端鬃有 3 根，后脉鬃有 16 根。翅瓣前缘鬃有 5 根。腹部腹节背片两侧有弱线纹。第 2 节背片侧缘纵列鬃有 4 根。第 5 ~ 8 节背片两侧微弯梳清楚。第 5 节背片长 92.0μm，各鬃长分别为中对鬃（内鬃 1）12.0μm、亚中对鬃（内鬃 2）19.0μm、内鬃 3 长 33.0μm、内鬃 4 长 58.0μm、内鬃 5 长 41.0μm；第 3 节背片内鬃 2 长 25.0μm，内鬃 3 长 33.0μm，第 4 节背片内鬃 2 长 25.0μm，内鬃 3 长 35.0μm，内鬃 2 短于并细于内鬃 3。第 8 节背片后缘梳完整。第 9 节背片长 77.0μm，后缘长鬃的长分别为背中鬃长 84.0μm，中侧鬃和侧鬃长 124.0μm。腹片无附属鬃。

采集记录： 3♀，凤县酒奠梁，1988. Ⅶ. 17，冯纪年采；2♀，勉县，1994. Ⅳ. 24，冯纪年采。

分布： 陕西（凤县、勉县）、山东、河南、甘肃、广西、四川、云南；蒙古，俄罗斯，罗马尼亚，匈牙利，奥地利，德国，英国，芬兰。

寄主： 沙参，桃树，山柳，草豌豌，南瓜花，葱，芹菜，番茄，豆科，菊科，蒜苗，萝卜，芍药，杂草，鼠李。

(44) 色蓟马 *Thrips coloratus* Schmutz, 1913（图 105）

Thrips coloratus Schmutz, 1913: 1002.

Thrips melanurus Bagnall, 1926: 111.

鉴别特征： 体长 1.2mm。雌虫体橙黄色，包括足，但后胸小盾片、腹部背片中部灰棕色，末 2 节全为暗棕色，连成 1 条暗纵带。触角第 1 ~ 3 节及第 4 节基部黄色，其余部分灰棕色。前翅灰黄色，但基部约 1/4 处较淡。体鬃和翅鬃暗棕色。腹部第 2 ~ 8 节背片前缘线暗。头宽大于头长，背面布满横纹。单眼位于复眼间中部、后部。前单眼前侧鬃长 15.0μm，较细；单眼间鬃长 29.0μm，较粗，位于前单眼、后单眼外缘连线之外；单眼后鬃距后单眼近，大小如单眼间鬃，长 29.0μm；复眼后鬃较细小，围眼排列成单行。触角 7 节，第 3 ~ 4 节端部略细缩；第 3、4 节叉状感觉锥臂长 16.0μm。胸部前胸明显宽大于长，背片布满横纹，但后部两侧有光滑区；背片鬃较多，约 36 根；后外侧有 1 根鬃较粗而长；后角鬃长分别为外鬃长 50.0μm，内鬃长 54.0μm；后缘鬃有 3 对，均较粗但不长。中胸盾片布满横纹；鬃较粗短，中后鬃距后缘远；前外侧鬃长 32.0μm，中后鬃长 17.0μm，后缘鬃长 17.0μm。后胸盾片前中部有几条密排横纹，其后有几个横、纵网纹，两侧为密纵纹；1 对亮孔（钟感器）在后部；前缘鬃较粗，在前缘上；前中鬃较粗，距前缘 12.0μm。前翅长 670.0μm，中部宽 44.0μm；翅鬃较粗短，翅中部鬃长分别为前缘鬃长 40.0μm，前脉鬃长 33.0μm，后脉鬃长 35.0μm。前缘鬃有 27 根，前脉基部鬃有 7 根，端鬃有 3 根，后脉鬃有 13 根。腹部第 2 ~ 8 腹节背片中对鬃两侧有横纹，腹片中部和两侧均有横纹。第 2 节背片侧缘纵列鬃4根。无鬃孔在背片后半部，中对鬃在前半部，位于无鬃孔的前内方。第5节背片长72.0μm，宽265.0μm；中对鬃间距63.0μm；鬃长分别为内1鬃(中对鬃)长7.0μm，内2长17.0μm，内3长30.0μm，内4(后缘上)长41.0μm，内5长32.0μm，内6(背侧片后缘上)长29.0μm，第6、7节鬃3退化变小。第8节背片后缘梳完整，梳毛细。背侧片无附属鬃。腹片附属鬃细而长，各节数目分别为第2节2根，第3～8节有13～16根。第7节腹片中对后缘鬃的后缘上。

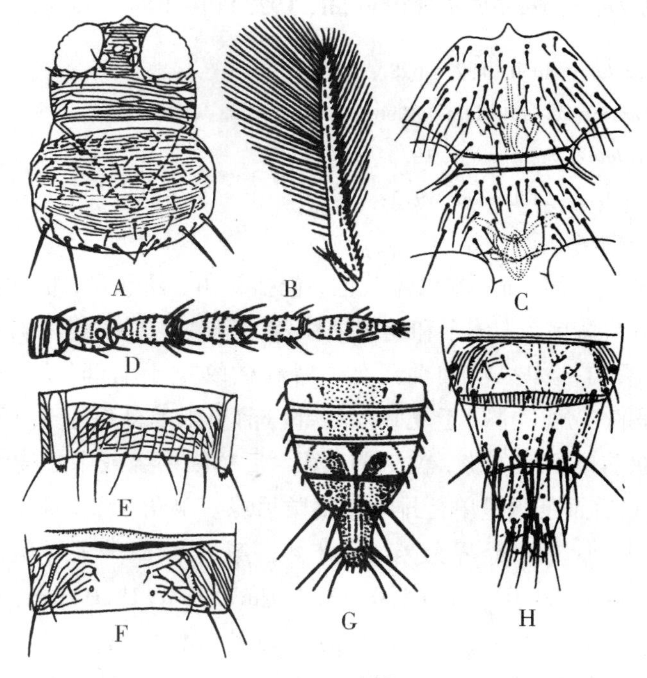

图105　色蓟马 *Thrips coloratus* Schmutz(仿 韩运发，1997)

A. 头和前胸；B. 前翅；C. 中胸、后胸腹片；D. 触角；E. 第5腹节腹片；F. 第5腹节背片；G. 雌虫第6～10腹节背片；H. 雌虫第8～10腹节背片

雄虫比雌虫小。体色相似于雌虫，但腹部暗斑消失，翅色淡。触角第6节端部1/4，第5节端部，第6节端部2/3处和第7节棕色。体鬃和翅鬃棕色。第3～7节腹片有近似哑铃形腺域，在前缘，其宽度占腹片宽度的30%～40%。第5节的腺域中部长5.0μm，两端长7.0μm，宽58.0μm。第9节背片鬃3和鬃6及侧鬃的前列，鬃1、2、4居中列，鬃5在最后；鬃4很细小，鬃长分别为鬃1、2长32.0μm，鬃3长19.0μm，鬃4长10.0μm，鬃5长63.0μm，鬃6长34.0μm，侧鬃长44.0μm。

采集记录：1♀，西农校园，1987.Ⅴ.08，冯纪年采；1♀，宁陕火地塘，2000.Ⅶ.21，沙忠利采。

分布：陕西(杨凌、宁陕)、河南、浙江、湖北、江西、湖南、台湾、广东、海南、广西、四川、贵州、云南、西藏；朝鲜，日本，印度，尼泊尔，斯里兰卡，印度尼西亚，巴基斯坦，新几内亚(巴布)，澳大利亚。

寄主：水稻，竹，柚，柑橘，枇杷，杧果，大叶桉，大叶桃，咖啡，猕猴桃，油茶，山茶，茶，油桐，桂花，苦瓜，百日花，柏，夜来香，十字花科，细叶桉，钩藤，珍珠，梅，苦楝，西蜀山柳，金合欢，蔷薇。

(45)八节黄蓟马 *Thrips flavidulus* (Bagnall, 1923)(图 106)

Physothrips flavidulus Bagnall, 1923: 628.

Taeniothrips (*Physothrips*) *flavidulus*: Ramakrishnan, 1928: 256.

Taeniothrips flavidulus: Steinweden, 1933: 282.

Thrips flavidulus: Jacot-Cuillarmod, 1975: 1114.

鉴别特征：体长 1.4mm。雌虫体黄色，包括触角、翅和足；但触角第 3～5 节端半部及第 4～8 节暗黄棕色，体鬃和翅鬃烟棕色。腹部第 2～8 节背片前缘线色较深。头宽大于头长，头前部中央略向前延伸，后部横纹重于前部，颊略外拱。复眼长 69.0μm。单眼呈扁三角形排列于复眼间后部。前单眼前外侧鬃长 15.0μm；单眼间鬃长 19.0μm，在前单眼后外缘，位于前单眼、后单眼内缘或中心连线上；单眼后鬃距后单眼近；复眼后鬃围眼呈单行排列于复眼后缘。触角 8 节，第 3～4 节端部稍细缩，第 7、8 节很小，两者界线常不清楚；第 1～8 节长(宽)依次分别为 24.0(28.0)μm、30.0(24.0)μm、61.0(18.0)μm、60.0(18.0)μm、39.(16.0)μm、59.0(17.0)μm、6.0 (6.0)μm、9.0(5.0)μm，总长 288.0μm；第 3 节长为宽的 3.39 倍，第 3、4 节叉状感觉锥伸达前节基部，臂长 24.0μm。口锥长 116.0μm，宽分别为基部150.0μm、中部 82.0μm、端部 36.0μm。下颚须：第 1 节(基节)长 18.0μm，第 2 节长 12.0μm，第 3 节长 22.0μm。胸部前胸宽大于长，背片布满横纹，但两侧有光滑区；背片鬃较多，边缘鬃除外，有鬃约 40 根；前外侧有 2 根鬃较暗，粗而长，后外侧有 1 根鬃较暗，粗而长，其他背片鬃较细；前角鬃长 23.0μm，后角外鬃长 71.0μm，内鬃长 74.0μm；后缘鬃有 3 对，内对粗而长。中胸盾片布满横纹；前外侧鬃显著粗而长，长 38.0μm，后中鬃距后缘远，长 26.0μm，后缘鬃长 21.0μm。后胸盾片前中部有几条短横纹，其后为网纹，两侧为纵纹；1 对亮孔(钟感器)的后部相互靠近，很小；前缘鬃在前缘上；前中鬃长 47.0μm 距前缘 19.0μm。前翅长 833.0μm，中部宽 61.0μm；翅中部鬃长分别为前缘鬃 45.0μm，前脉鬃 38.0μm，后脉鬃 47.0μm。前缘鬃有 24 根；前脉基部鬃有 7 根，端鬃有 3 根，后脉鬃有 16 根。腹部第 2～8 腹节背片两侧有横纹，而腹片两侧和中部均有横纹。第5～8节背片两侧微弯梳，长而清晰。第 2 节背片侧缘纵列鬃有 4 根。无鬃孔在背片后半部，中对鬃在背片中横线上，位于无鬃孔前内方。第 5 节背片长 94.0μm，宽 335.0μm；中对鬃间距 58.0μm；鬃：内 1

鬃(中对鬃)长12.0μm，内2长17.0μm，内3长24.0μm，内4(后缘上)长53.0μm，内5长35.0μm，内6(背侧片后缘上)长54.0μm。第6～7节背片鬃3退化变小。第8节背片后缘梳完整，梳毛细。第9节背鬃：背中鬃长82.0μm，中侧鬃长111.0μm，侧鬃长104.0μm。第10节背鬃长108.0μm和100.0μm。背侧片和腹片均无附属鬃。第7节腹片中对后缘鬃着生的后缘之前。

雄虫较雌虫细小而色淡，黄白色。唯触角第3～4节端半部、第5节端部、第6节端部大半及第7节和第8节较灰暗，长体鬃和翅鬃较暗。第2腹节背片侧缘纵列鬃有4根，但前面1根很小。腹部第9节背片内鬃3的前，内鬃1居中，其他在后；内鬃：内1长36.0μm，内2长39.0μm，内3长20.0μm，内4(很细)长8.0μm，内5长68.0μm，内6长34.0μm，侧鬃长49.0μm。腹片横腺域的前部不清晰，易被忽视；第5节腹片腺域长7.0μm，宽59.0μm；第3～5节腺域宽度和占腹片宽度比例分别为第3节腺宽49.0μm，占腹片的0.3，第4节腺宽58.0μm，占腹片的0.38，第5节腺宽56.0μm，占腹片的0.38，第6～8节缺。

采集记录：1♀，汉中，1994.Ⅳ.22，冯纪年采；1♀，安康，1986.Ⅴ.15，冯纪年采；1♀，安康，1994.Ⅳ.09，冯纪年采。

分布：陕西(汉中、安康)、辽宁、河北、山东、河南、宁夏、甘肃、江苏、浙江、湖北、江西、湖南、福建、台湾、广东、海南、广西、四川、贵州、云南、西藏；朝鲜，日本，印度，尼泊尔，斯里兰卡，东南亚。

寄主：桃，李，野杜梨，苹果，月季，牡丹，珍珠梅，蔷薇，白刺花，山梅花，油菜，白菜，小麦 *Triticum aestivum* (Gramineae)，青稞，茭白，芒属，牵牛花，向日葵，黄花蒿，绿绒蒿，刺儿菜，绣线菊，马铃薯等。

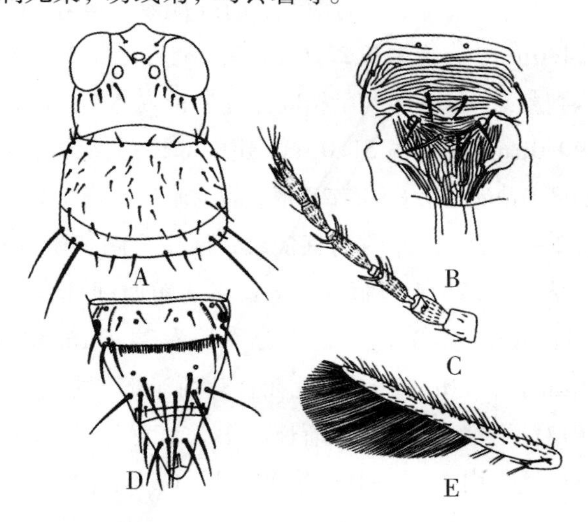

图106　八节黄蓟马 *Thrips flavidulus* (Bagnall)(仿 韩运发，1997)

A. 头和前胸；B. 中胸、后胸盾片；C. 触角；D. 雌虫第8～10腹节背片；E. 前翅

(46)黄蓟马 *Thrips flavus* Schrank，1776(图 107)

Thrips flavus Schrank，1776：31.

Physothrips flavus Bagnall，1916：399.

Thrips flavus var. *kyotoi* Moulton，1928a：302，327.

Thrips clarus Moulton，1928b：294.

Taeniothrips rhopalantennalis Shumsher Singh，1946：166.

鉴别特征：体长1.1mm。雌虫体黄色，包括足、触角和翅，但触角第3～5节端部大半部较暗，第6～7节暗棕色，腹部第2～8节前缘线较暗，体鬃和翅鬃暗棕色。头宽大于头长，两颊略外拱，眼前、后有横纹。复眼较突出。前单眼前侧鬃长14.0μm；单眼间鬃长20.0μm，位于前眼与后眼中心连线上；单眼后鬃距后单眼近，约长如单眼间鬃；复眼后鬃围眼呈单行排列于复眼后缘。触角7节，第3～4节端部稍细缩；第1～7节长(宽)依次为27.0(29.0)μm、27.0(27.0)μm、56.0(19.0)μm、54.0(19.0)μm、41.0(17.0)μm、56.0(17.0)μm、15.0(7.0)μm，总长276.0μm；第3节长为宽的2.95倍；3、4节叉状感觉锥伸达前节基部，臂长24.0μm。口锥长116.0μm，基部宽121.0μm，中部宽87.0μm，端部宽48.0μm。下颚须：第1节(基节)长12.0μm，第2节长7.0μm，第3节长15.0μm。胸部前胸宽大于长，背片布满横线纹，但中部较弱，背片鬃约30根，前外侧有1根鬃较粗，长22.0μm，后外侧有1根鬃较粗而长，前角鬃长24.0μm，后角外鬃长82.0μm，内鬃长82.0μm，后缘有3对。羊齿内端接触。中胸盾片前中部为横纹；前外侧鬃显著粗而长，长39.0μm；中后鬃距后缘远，长24.0μm；后缘鬃长22.0μm。后胸盾片前中部为横纹，其后和两侧为纵纹；1对亮孔(钟感器)在后部，互相间距小；前缘鬃在前缘上；前中鬃距前缘17.0μm。前翅长899.0μm，中部宽51.0μm；翅中部鬃：前缘鬃长66.0μm，前脉鬃长49.0μm，后脉鬃长68.0μm。前缘鬃有28根；前脉基部鬃有7根，端鬃有3根；后脉鬃有14根。腹部第2～8腹节背片两侧有横纹，腹片两侧和中部均有横纹。第2节背片侧缘纵列鬃有4根。第2～4节背片鬃2比鬃3短而细，鬃2和鬃3：第2节鬃2长24.0μm，鬃3长34.0μm；第3节鬃2、3分别长为24.0μm和39.0μm，第4节鬃2、3分别长为17.0μm和34.0μm。无鬃孔在背片后半部，中对鬃在背片前半部，位于无鬃孔前内方。中对鬃自第6节向后渐长。第5节背片长92.0μm，宽267.0μm；中对鬃间距78.0μm，鬃：内1鬃(中对鬃)长12.0μm，内2长16.0μm，内3长32.0μm，内4(后缘上)长64.0μm，内5长49.0μm，内6(背侧片后缘上)长63.0μm。第6、7节的鬃3退化变小。第8节背片后缘梳完整，梳毛细。第9节背鬃：背中鬃长85.0μm，中侧鬃长109.0μm，侧鬃长117.0μm。第10节背鬃长109.0μm和

107.0μm。

雄虫相似于雌虫，但较小而淡黄。腹部第8节背片后缘梳缺。第3～7节腹片有横腺域，长9.0～11.0μm，第3～7节宽依次为56.0μm、59.0μm、52.0μm、50.0μm、38.0μm。

采集记录：1♀，长安南五台，1987.Ⅴ.22，冯纪年采；1♀，秦岭，1962.Ⅷ.06，李法圣采。

分布：陕西（长安、凤县）、河北、河南、江苏、浙江、湖北、湖南、福建、台湾、广东、海南、广西、贵州、云南；朝鲜，日本，亚洲，欧洲，北美洲，马德拉群岛（大西洋），马拉维（非洲）。

寄主：珍珠梅，蔷薇，车轮梅，油菜 *Brassica campestris*（Brassicaceae），甘蓝，麦类，水稻，棉花，节瓜，西瓜，茄，烟草，洋紫荆，葎草，苜蓿，大豆，老叶石柄，柏，小百合，枣，猕猴桃，马尾松，柑橘，茉莉，木兰，琼木蓝，海桐，菝葜，刺槐，青榨槭，山楂，绣线菊。

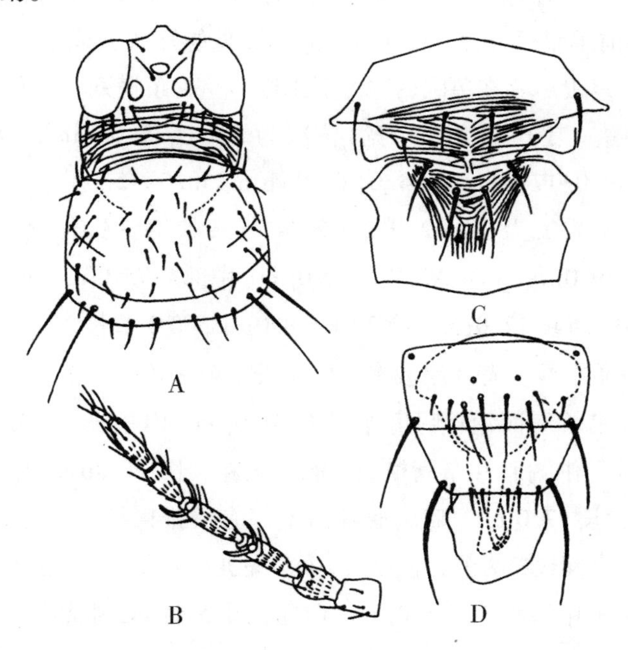

图107　黄蓟马 *Thrips flavus* Schrank（仿 韩运发，1997）

A. 头和前胸；B. 触角；C. 中胸、后胸盾片；D. 雄虫第8～10腹节背片

(47)黄胸蓟马 *Thrips hawaiiensis* (Morgan, 1913)（图108）

Euthrips hawaiiensis Morgan, 1913: 3.

Taeniothrips eriobotryae Moulton 1928a: 297.

Taeniothrips pallipes: Moulton, 1928a: 302.

Thrips albipes Bagnall: Moulton, 1928a: 302.

Taeniothrips hawaiiensis: Steinweden, 1933: 286.

Thrips hawaiiensis f. *imitator* Priesner, 1934: 267, 286.

Taeniothrips pallipes var. *florinatus* Priesner, 1938: 489.

Taeniothrips rhodomyrti Priesner, 1938: 492.

Thrips hawaiiensis: Bhatti, 1969b: 381.

鉴别特征: 体长1.2mm。雌虫体色淡至暗棕色，通常胸部色淡，橙黄色或淡棕色。腹部背片前缘线暗棕色。触角棕色，但第3节黄色，有时第4、5节基部略淡。前翅灰棕色，但基部的1/4处淡。足淡于胸，尤以胫节为显著，黄色；股节较暗黄。体鬃和翅鬃暗棕。头宽大于头长，两颊略拱，眼间横纹较前、后部为轻。复眼长64.0μm。单眼呈扁三角形排列于复眼间中、后部。前单眼前侧鬃长13.0μm；单眼间鬃长25.0μm，在前单眼后外侧，位于前、后单眼外缘连线上或中心连线之外；单眼后鬃靠近后单眼；复眼后鬃在单眼后鬃之后围眼另呈1条横列。触角节7节，第3~4节端部有短的细缩。第1~7节长(宽)依次为22.0(25.0)μm、30.0(20.0)μm、50.0(17.0)μm、49.0(17.0)μm、34.0(15.0)μm、50.0(15.0)μm、17.0(7.0)μm，总长252.0μm；第3节长为宽的2.9倍；3、4节叉状感觉锥伸达前节基部，臂长18.0μm。口锥长109.0μm，口锥基部宽120.0μm、中部宽75.0μm、近端部宽32.0μm。下颚须:第1节(基节)长17.0μm，第2节长8.0μm，第3节长21.0μm。胸部前胸宽大于长，背片布满重横纹。背片鬃较多，有36根；前侧角有2根，后侧角有1根鬃较粗而长，其他背片鬃较细而短；后角外鬃长50.0μm，内鬃长53.0μm；后缘鬃有3对。羊齿内端相连。中胸盾片布满横纹；前外鬃粗，长34.0μm；中后鬃距后缘远，长20.0μm；后缘鬃长17.0μm。后胸盾片前中部有密排横纹，其后似有2~3个横、纵网纹，但不显著呈网纹，两侧为密纵纹；1对亮孔(钟感器)互相靠近在后部；前缘鬃距前缘3.0μm；前中鬃距前缘3.0μm。前翅长665.0μm，中部宽39.0μm；翅中部鬃长分别为前缘鬃长42.0μm，前脉鬃长39.0μm，后脉鬃42.0μm。前缘鬃有25根，前脉基部有7根，端鬃有3根，后脉鬃有14根。腹部第2~8腹节背片中对鬃两侧有重横线纹而腹片两侧和中部均有线纹但轻微。第2节背片侧缘鬃有4根。无鬃孔在背片后半部，中对鬃在前半部，位于无鬃孔前内方。第5节背片长74.0μm，宽284.0μm；中对鬃间距63.0μm；中对鬃:(内1鬃)长5.0μm，内2长17.0μm，内3长29.0μm，内4(后缘上)长51.0μm，内5长34.0μm，内6(背侧片后缘上)长49.0μm。第6~7节鬃3退化变小。第8节背片后缘梳完整，梳毛不长，细，不密。

第9节背片：背中鬃长74.0μm，中侧鬃长84.0μm，侧鬃长86.0μm。第10节背鬃长86.0μm和84.0μm。背侧片无附属鬃。腹片附属鬃细长，大致呈1条横列，鬃数分别为第2节5根，第3～7节有13～20根。第7节腹片中对后缘鬃略在后缘之前。

雄虫相似于雌虫，但体较小而黄，第3～7节腹片有横腺域。第8节背片后缘梳毛在中部不显著。第9节背片中对鬃(b1)与对2鬃(b2)呈1个横列或中对鬃(b1)略在对2鬃(b2)之前；中对鬃(b1)的间距为中对鬃(b1)与对2鬃(b2)间距的0.43～1.50倍；中对鬃(b1)长19.0～35.0μm，对2鬃(b2)长19.0～38.0μm。

采集记录： 4♀，杨凌，1998.Ⅶ，晁平安采。

分布： 陕西(太白，杨凌)、河南、甘肃、江苏、浙江、湖北、湖南、台湾、广东、海南、广西、四川、云南、西藏；朝鲜，日本，越南，秦国，印度，孟加拉国，斯里兰卡，菲律宾，马来西亚，新加坡，印度尼西亚，巴基斯坦，新西兰，澳大利亚，巴布亚新几内亚，牙买加，墨西哥，美国。

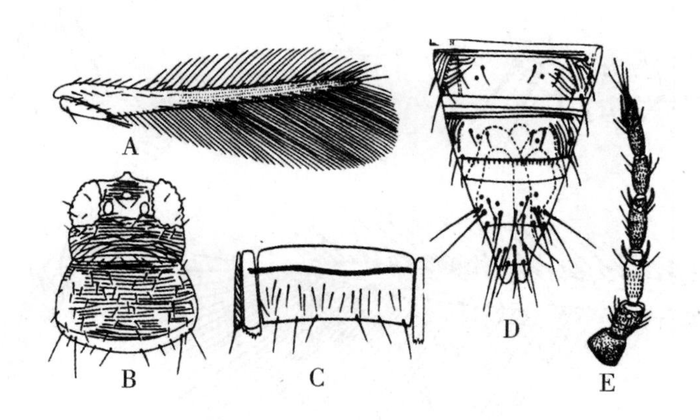

图108　黄胸蓟马 *Thrips hawaiiensis* (Morgan)(仿 韩运发，1997)
A. 前翅；B. 头和前胸；C. 第5腹节腹片；D. 雌虫第7～10腹节背片；E. 触角

寄主： 油菜 *Brassica campestris* (Brassicaceae)，白菜，南瓜，野玫瑰，珍珠海，车轮梅，油桐，茶，猪屎豆，刺槐，中国槐，豌豆，大豆，菊花，柑橘，猕猴桃，夜来香，洋紫荆，蒲桃，桃金娘，桑，酸杷，杧果，羊蹄甲，金合欢，咖啡，倒钩刺，滇丁香，瑞香，独活，茄科，青皮象耳豆，海南粗丝木，药用狗牙花，烟草，月季，白刺花，凤凰木，白楸，茜草，三叉苦，牵牛花，蓼，桉树，紫薇，玉米，李树，野棉花，丝瓜，苜蓿，大荔花，茄子。

(48) 大蓟马 *Thrips major* Uzel, 1895(图 109)

Thrips major Uzel, 1895: 36.

Thrips major var. *adusta* Uzel, 1895: 180.

Thrips major var. *gracilicornis* Uzel, 1895: 180.

Thrips fuscipennis var. *major*: Priesner, 1920: 57.

Thrips fuscipennis ab. *adustus*: Priesner, 1920: 57.

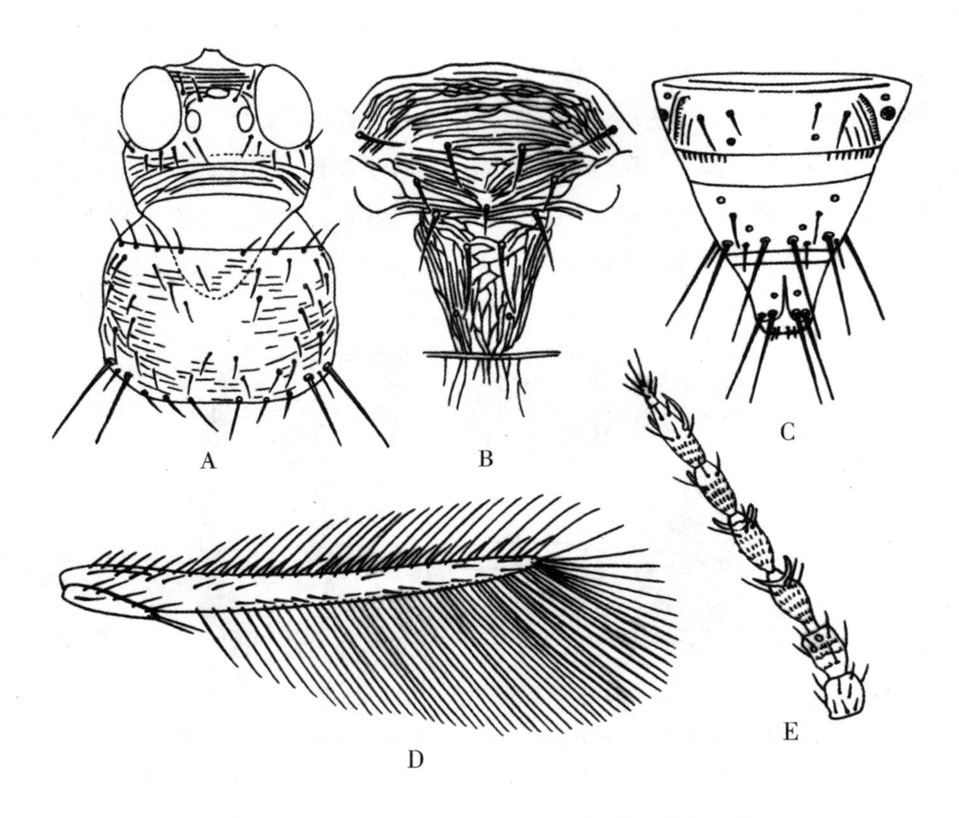

图 109 大蓟马 *Thrips major* Uzel (仿 韩运发,1997)

A. 头和前胸; B. 中胸、后胸盾片; C. 雌虫第 8 ~ 10 腹节背片; D. 前翅; E. 触角

鉴别特征: 体长约 1.2mm。雌虫黄棕色。触角第 3 节及各足胫节、跗节略淡,前翅暗黄色至淡棕色。第 1 ~ 8 腹节背板前部有深棕色横条。头宽大于头长,长短于前胸,单眼前和复眼后有粗糙横线。前单眼前外侧鬃长 21.0μm; 单眼间鬃位于前单眼后外方的前后单眼中心连线之外缘,长 21.0μm; 单眼后鬃和复眼后鬃排为 1 条横列。触角 7 节,第 1 ~ 7 节长(宽)依次分别为 21.0(26.0)μm、34.0(24.0)μm、59.0(20.0)μm、42.0(21.0)μm、37.0(18.0)μm、50.0(18.0)μm、21.0(7.0)μm,总长 265.0μm。第 3 节背面叉状感觉锥臂长 17.0μm; 第 4 节腹面叉状感觉锥臂长 18.0μm; 第 6 节内侧简单感觉锥长 23.0μm。口锥长 106.0μm,端部宽 27.0μm。下

颚须:第 1 节(基节)长 10.0μm,第 2 节长 10.0μm,第 3 节长 21.0μm。胸部前胸宽大于长,背片布满横纹,后部两侧各有 1 个无纹区;前缘鬃长 18.0μm,前角鬃长 14.0μm,侧鬃长 19.0μm,后角内外鬃长 50.0μm,后缘鬃有 3 对;背片鬃约 26 根。中胸盾片前外侧鬃长 27.0μm,中后鬃长 24.0μm,后缘鬃长 21.0μm。后胸盾片仅前中部有几条横纹,中部有纵网纹,两侧及后外侧皆为纵纹;1 对亮孔在后部;前缘鬃在前缘上;前中鬃距前缘 19.0μm。前翅长 808.0μm,中部宽 58.0μm;前缘鬃有 27 根,前脉基部鬃有 7 根,端鬃有 3 根,后脉鬃有 12~13 根;翅瓣前缘鬃有 5 根。腹部第 2~8 腹节背片在中对鬃之前和两侧有横纹。第 5~8 节两侧有微弯梳,第 8 节后缘梳仅两侧存在;第 2~8 节中对鬃小,第 5 节的长 10.0μm,间距 63.0μm;第 2 节侧缘有 3 根鬃纵列。背片第 9 节长鬃:背中对鬃长 66.0μm,侧中对鬃长 95.0μm,侧鬃长 98.0μm。第 1~7 节背侧片线纹上有微毛。第 2~7 节侧片后端呈显著锯齿状延伸。腹片无附属鬃。

采集记录:♂,杨陵,1988. Ⅴ.06,冯纪年采。

分布:陕西(杨凌)、内蒙古、宁夏、甘肃、新疆;蒙古,俄罗斯,巴基斯坦,欧洲,摩洛哥,大洋洲个别岛屿。

寄主:榆树(叶),芹菜,油菜,小麦。

(49)黑毛蓟马 *Thrips nigropilosus* Uzel, 1895(图 110)

Thrips nigropilosus Uzel, 1895: 37.

Thrips nigropilosus var. *laevior* Uzel, 1895: 199.

Thrips heraclei Moulton, 1926: 25.

鉴别特征:体长约 1.2mm。雌虫体黄色,包括触角、足和翅,但胸部和腹部两端常有不规则灰棕色斑。触角第 1 节色很淡,第 2、3 节黄色,第 4~7 节黄棕色。足淡黄色。前翅略黄色。体鬃和翅鬃黑色。头部头宽大于长,单眼前后有横线纹,颊略外拱。单眼间鬃显著粗于其他头背鬃,在前单眼与后单眼中途,位于前单眼与后单眼外缘连线上;单眼后鬃距后单眼近,在复眼后鬃前;复眼后鬃围眼排列。触角为 7 节,第 3、4 节端部有短的略微细缩,第 1~7 节长(宽)依次分别为 29.0(33.0)μm、37.0(28.0)μm、50.0(17.0)μm、46.0(17.0)μm、33.0(16.0)μm、55.0(17.0)μm、27.0(7.0)μm,总长 277.0μm。第 3 节长为宽的 2.9 倍;3、4 节叉状感觉锥长 21.0μm。口锥长 114.0μm,下颚须 3 节。胸部前胸宽大于长,背片布满横纹,背片鬃有 24 根,近前缘两侧,近前侧角和近后侧角各有 1 根粗而长的鬃,共 3 对,大约如后缘内对鬃,其他背片鬃细,后角内鬃长于外鬃,后缘鬃有 3 对。中胸盾片布满横纹,鬃较细。后胸盾片前中部网纹较大,两侧有纵线纹,亮孔(钟感器)缺,前缘鬃在前缘上,前中鬃距前缘 12.0μm。前翅长 714.0μm,中部宽 58.0μm;翅中部前缘鬃长 64.0μm、前脉鬃长 43.0μm、后脉鬃长 53.0μm;前缘鬃有 21 根,前脉基部鬃有 6~8

根，端鬃有2根，后脉鬃有11根。腹部第2～8腹节背片和腹片线纹轻微。第2节背片侧缘纵列鬃有3根。第5节背片微梳小于第6～8节微梳，无鬃孔在背片后半部，中对鬃在背片前半部，两者间距相似；第2～7节背片中对鬃(内鬃1)和亚中对鬃(内鬃2)显著长于其他种；第5节背片长116.0μm，宽380.0μm，中对鬃间距83.0μm，中对鬃:内鬃1长43.0μm，内鬃2长39.0μm，内鬃3长35.0μm，内鬃4(后缘上)长68.0μm，内鬃5长41.0μm，内鬃6(背侧片后缘上)长35.0μm；第4、7节的鬃3退化变小；第8节背片后缘梳毛细，中部稀疏，两侧缺；第9节背鬃：背中鬃长106.0μm，中侧鬃长120.0μm，侧鬃长104.0μm；第10节背鬃长106.0μm。背侧片和腹片无附属鬃。第7节腹片后缘中对鬃在后缘之前。

雄虫短翅型，第3～7节腹片有哑铃形横腺域。本种是一个广布的个体(翅长、体色、鬃)变异大的种群。雌虫有长翅、半长翅、短翅的不同类型，而雄虫罕见，通常是短翅的。

采集记录： 5♀，周至楼观台，556m，2008.Ⅴ.09，胡庆玲采。

分布： 陕西(周至)、黑龙江、江苏、广东、四川；朝鲜，日本，土耳其，欧洲，非洲北部，美国，斐济，澳大利亚，新西兰。

寄主： 大豆，烟草，马蓝，铁杉，菊，灰灰菜，草。

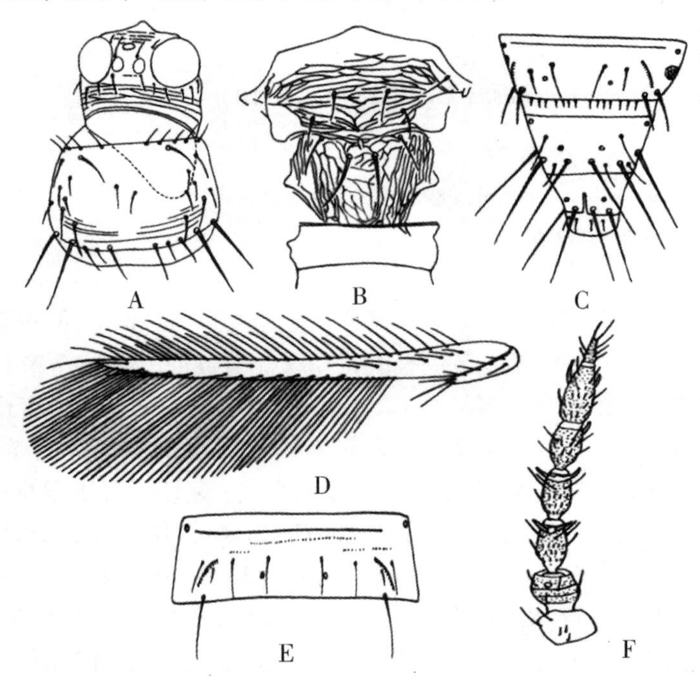

图110 黑毛蓟马 *Thrips nigropilosus* Uzel (仿 韩运发,1997)

A. 头和前胸；B. 中胸、后胸盾片；C. 雌虫第8～10腹节背片；D. 前翅(fore wing)；E. 第5腹节腹片；F. 触节

(50)双附鬃蓟马 *Thrips pillichi* Priesner, 1924(图 111)

Thrips pillichi Priesner, 1924: 2.

Thrips pillichi f. *fallaciosa* Priesner, 1924: 2.

Thrips kerschneri Priesner, 1927: 345.

Thrips pillichi f. *kerschneri*: Priesner, 1964: 87.

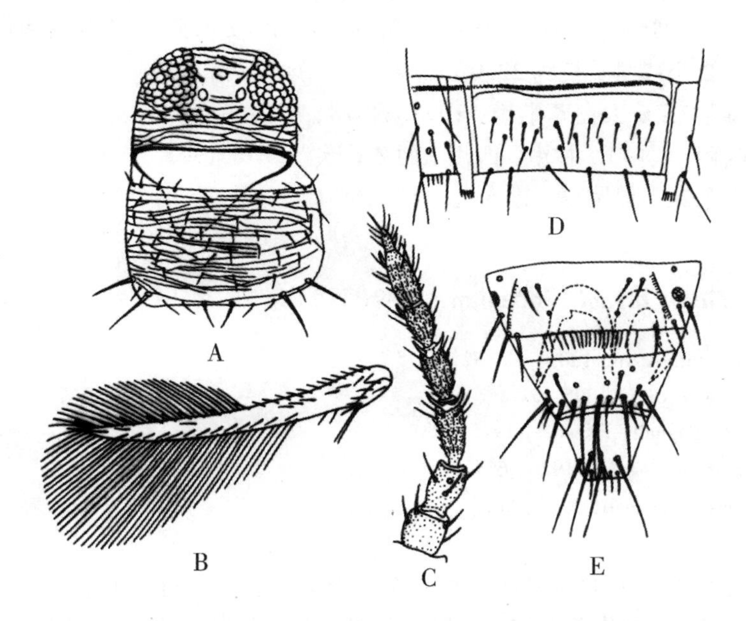

图 111　双附鬃蓟马 *Thrips pillichi* Priesner(仿 韩运发, 1997)

A. 头和前胸; B. 前翅; C. 触角; D. 第 5 腹节腹片; E. 第 8～10 腹节背片

鉴别特征: 体长约 1.2mm。雌虫体棕色，头、前胸、翅胸、触角第 3 节与第 4 节的最基部、前翅及前足胫节(边缘除外)各跗节淡棕色，腹部第 3～8 节背片前缘有暗棕色条。头宽大于头长，长短于前胸，颊略微向外拱，单眼前有细横纹，眼后横纹较粗糙。复眼长 63.0μm。前单眼前外侧鬃长 20.0μm，单眼间鬃较短小，长 19.0μm，位于前单眼后外方的前单眼与后单眼中心连线上；单眼和复眼后鬃共 6 对，紧靠复眼排为 1 条横列。触角 7 节，第 1～7 节长(宽)依次分别为 25.0(23.0)μm、32.0(23.0)μm、53.0(19.0)μm、42.0(19.0)μm、32.0(17.0)μm、40.0(19.0)μm、16.0(8.0)μm，总长 240.0μm。第 3 节长为宽的 2.8 倍；第 3、4 节的叉状感觉锥臂长 20.0μm。口锥长 90.0μm，口锥基部宽 132.0μm、中部宽 95.0μm、端部宽 38.0μm。下颚须长分别为第 1 节(基节)长 12.0μm，第 2 节长 10.0μm，第 3 节长 14.0μm。胸部前胸宽大于长，背面有较细横纹；鬃长:前缘鬃 17.0μm，前角鬃 17.0μm，侧鬃 11.0μm，后角外鬃 42.0μm，内鬃 44.0μm；后缘鬃有 3 对；背片鬃约 36 根，长约 14.0μm。中胸盾片前外侧鬃长 23.0μm，中后鬃长 17.0μm，后缘鬃长 19.0μm。后胸盾片仅前缘有 3～4 条短横纹，其后，两侧及后外侧皆为纵纹；前缘鬃长 39.0μm，间距42.0μm，前中鬃长33.0μm，间距6.0μm，距前缘11.0μm。前翅长774.0μm，中部宽53.0μm；长为中部宽的14.8倍，前缘鬃有27根，前脉基部鬃有7～8根，端鬃有3根，后脉鬃有13根；翅瓣前缘鬃有5根。腹部第1腹节背片布满横纹，第2～8节中对鬃两侧有横纹，背片前缘有1条横纹；第5～8节两侧微弯梳显著。第8节后缘梳两侧缺，梳毛长18.0～21.0μm。第2节的侧缘鬃有3根。背侧片第3～7节有附属鬃有2～4根。腹部第9节背片鬃：背中鬃长84.0μm，中侧鬃长74.0μm，侧鬃长67.0μm。第5节背片鬃长90.0～95.0μm。第3～7节腹板各有附属鬃有14～20根，大致均呈2个横排，长约22.0μm。

采集记录：2♀，太白莺歌镇，1998.Ⅶ.18，曹兵伟采。

分布：陕西（太白）、甘肃、四川、西藏；欧洲。

寄主：野菊花，狗尾草，杉木。

（51）烟蓟马 *Thrips tabaci* Lindeman，1889（图112）

Thrips tabaci Lindeman，1889：61，72.

Thrips communis Uzel，1895：37.

Thrips debilis Bagnall：Priesner，1925：150.

Thrips frankeniae Bagnall，1926：654.

Thrips adamsoni Bagnall，1923：58.

鉴别特征：体长1.1mm。雌虫体暗黄色至淡棕色，触角第1节较淡，第3～5节淡黄棕色，但第4～5节端部较暗，其余为灰棕色。足胫节端部和跗节较淡。前翅淡黄色。腹部第2～8节背片较暗，前缘线栗棕色。体鬃和翅鬃暗。头宽大于头长，单眼前、单眼后有横纹，颊略微拱。单眼在复眼间中后部；前单眼前外侧鬃长15.0μm；单眼间鬃长20.0μm，在前单眼后外侧，位于前单眼与后单眼中心连线之外缘；单眼后鬃距后单眼较远，在复眼后鬃之前，与复眼后鬃呈弧形排列于复眼后。触角7节，第3、4节端部略细缩；第1～7节长（宽）依次分别为20.0（29.0）μm、32.0（22.0）μm、45.0（17.0）μm、41.0（16.0）μm、36.0（16.0）μm、46.0（16.0）μm、13.0（6.0）μm，总长234.0μm。第3节长为宽的2.65倍；第3、4节叉状感觉锥伸达前节基部，臂长16.0μm。口锥长109.0μm，口锥基部宽115.0μm、中部宽83.0μm、端部宽40.0μm。下颚须：第1节长11.0μm，第2节长8.0μm，第3节长15.0μm。胸部前胸宽大于长，背片布满横纹。背片鬃约36根，无显著粗而长的鬃；后角外鬃长35.0μm，内鬃长38.0μm；后缘鬃有3对。中胸盾片有横纹，各鬃大小近似，前外侧鬃长23.0μm；中后鬃长22.0μm，距后缘较远；后缘鬃长16.0μm。后胸盾片前中部有向横条纹，其后有几个横、纵网纹，两侧为纵纹；前缘鬃在前缘上；前中鬃距前缘14.0μm；亮孔（钟感器）缺。前翅长650.0μm，中部宽48.0μm；前缘鬃有23根；前脉基部鬃有7根，端鬃有4～6根，后脉鬃有13～14根。腹部第2～8腹节背片无鬃孔和中对鬃两侧有横纹，腹片中部和两侧均有横纹。背片两侧和背侧片线纹上有众多纤微毛；无鬃孔在背片后半部；中对鬃在背片前半部，位于无鬃孔前内方。第 2 节背片侧缘纵列鬃有 3 根。第 5 节背片长 70.0μm，宽 271.0μm；中对鬃间距较小，47.0μm；鬃：内 1(中对鬃)长 10.0μm，内 2 长 15.0μm，内 3 长 32.0μm，内 4 长(后缘上)34.0μm，内 5 长 32.0μm，内 6(背侧片后缘上)长 29.0μm；第 6 ~ 7 节鬃 3 退化变小。第 8 节背片后缘梳完整，仅两侧缘缺，梳毛细。第 9 节背鬃：背中鬃长 65.0μm，中侧鬃长 70.0μm，侧鬃长 69.0μm。第 10 节背鬃长 70.0μm 和 72.0μm。背侧片和腹片无附属鬃。第 7 节腹片中对后缘鬃在后缘之前。雄虫未明。

采集记录：14♀，翠华山，1987. Ⅶ. 21，冯纪年采；1♀，凤县酒奠梁，1988. Ⅷ. 18，冯纪年采；6♀，杨陵，1988. Ⅹ. 05，张皓辉采。

分布：陕西(长安、凤县、杨凌)、吉林、辽宁、内蒙古、河北、山西、山东、河南、宁夏、甘肃、新疆、江苏、湖北、湖南、台湾、广东、海南、广西、四川、贵州、云南、西藏；蒙古，朝鲜，日本，印度，菲律宾，广泛分布于全世界各大洲。

寄主：水稻，小麦，玉米，毛竹，大豆，豆角，苜蓿，草木樨，苦豆子，豌豆，蚕豆，兰花草，珍珠海，黄刺梅，月季，苹果，李，梅，草莓，球茎甘蓝，白菜等。

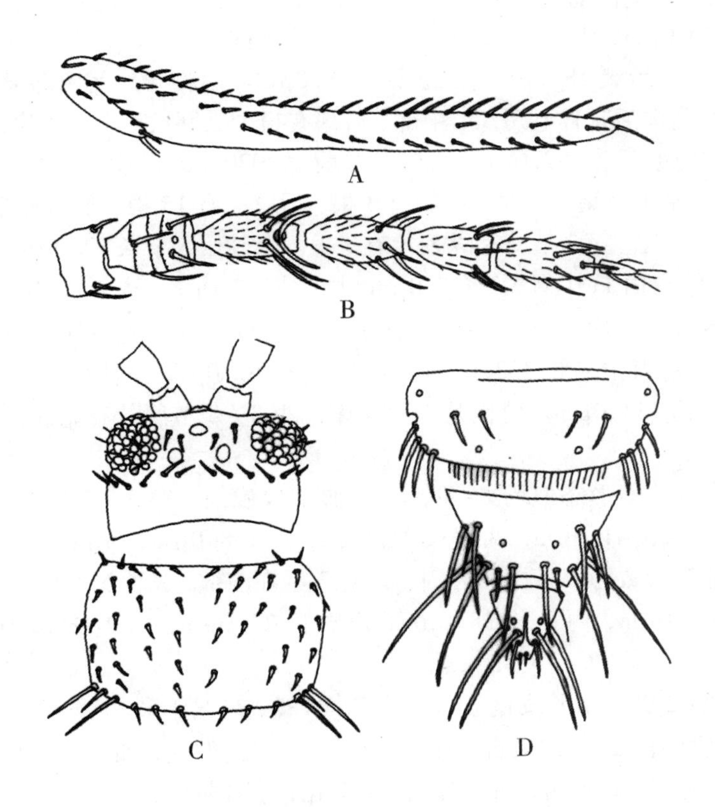

图 112　烟蓟马 *Thrips tabaci* Lindeman

A. 前翅；B. 触角；C. 头和前胸；D. 第 8 ~ 10 腹节背片

(52)蒲公英蓟马 *Thrips trehernei* Priesner, 1927(图 113)

Thrips trehernei Priesner, 1927: 111 (perhaps var. of *Thrips hukkinenis* Priesner).

Thrips hukkinenis: Gentile & Bailey, 1968: 17.

鉴别特征: 体长约 1.5mm。雌虫体棕色，包括体鬃；但触角第 3 节、前翅、前足胫节(边缘除外)、中足跗节、后足跗节较淡，黄棕色，前足跗节接近黄色。头部头宽大于长，颊略拱。头背除单眼间以外布满横纹。前单前侧鬃长 18.0μm，单眼间鬃长 26.0μm，在前后单眼间之中突，位于前后单眼外缘连线之内，复眼后鬃呈 1 条横列。触角 7 节，第 3 节基部有梗，端部缩窄，第 4、5 节基部较细；第 1 ~ 7 节长(宽)依次分别为 26.0(29.0)μm、38.0(27.0)μm、51.0(22.0)μm、49.0(18.0)μm、38.0(18.0)μm、56.0(19.0)μm、17.0(8.0)μm，总长 275.0μm；第 3、4 节叉状感觉锥臂长 18.0μm，第 6 节内侧简单感觉锥长 18.0μm。口锥伸达前胸腹片中部，长 102.0μm，端部宽 44.0μm。下颚须第 1 基节长 14.0μm、第 2 基节长 10.0μm、第 3 基节长 17.0μm。胸部前胸宽大于长，背片周缘有轻线纹，除边缘鬃外，有鬃 20 根，后角外鬃长 70.0μm，内鬃长 72.0μm，背片后外侧有 1 对较长鬃。中胸盾片前外侧鬃长 15.0μm，中后鬃 18.0μm，后缘鬃长 19.0μm。后胸盾片前中部横纹向后倾斜，前部两侧横纹斜向后延伸到后缘，中部、后部有很少纵网纹，主要为密纵纹，前缘鬃在前缘上；前中鬃距前缘 2.0μm，无细孔。前翅 1020.0μm，中部宽 64.0μm；前缘鬃有 25 根，前脉基中部鬃有 7 根，端鬃有 3 根，后脉鬃有 15 根。腹部腹节背片两侧的横纹和微弯梳显著。第 2 节背片纵列鬃有 3 根。背片第 5 节长 97.0μm，宽 324.0μm，各鬃(自内向外):内 1(中对鬃)长 5.0μm，内 2 长 13.0μm，内 3 长 18.0μm，内 4(在后缘上)长 28.0μm，内 5 长 10.0μm；内 1 鬃间距 51.0μm。第 8 节背片后缘梳完整。第 9 节背片长鬃:背中鬃长 153.0μm，中侧鬃长 161.0μm，侧鬃长 148.0μm。第 10 节背片长鬃长约 133.0μm。背侧片无附属鬃。第 3 ~ 8 节腹片有附属鬃 8 ~ 9 根，大致为 1 条横列。

雄虫体色和一般形态似雌虫，但较小，腹部较瘦细。第 3 ~ 7 节腹片雄虫腺域较宽；第 5 节:中部长 41.0μm，两端长 31.0μm，宽 158.0μm，约占腹片宽度的 48%。第 9 节背片毛序大致为 2 条横列分别为内对 3 鬃在前部，其他鬃在后部。鬃(自内向外):内 1 长 46.0μm，内 2 长 38.0μm，内 3 长 23.0μm，内 4 长 18.0μm，内 5 长 79.0μm。

采集记录: 2♀2♂，长安南五台，1987. Ⅴ.22，冯纪年采。

分布: 陕西(长安)、内蒙古、甘肃、青海、湖北；欧洲，加拿大，美国。

寄主: 麻艽花，龙胆属，向日葵花，苦菜花，蒙古蒲公英。

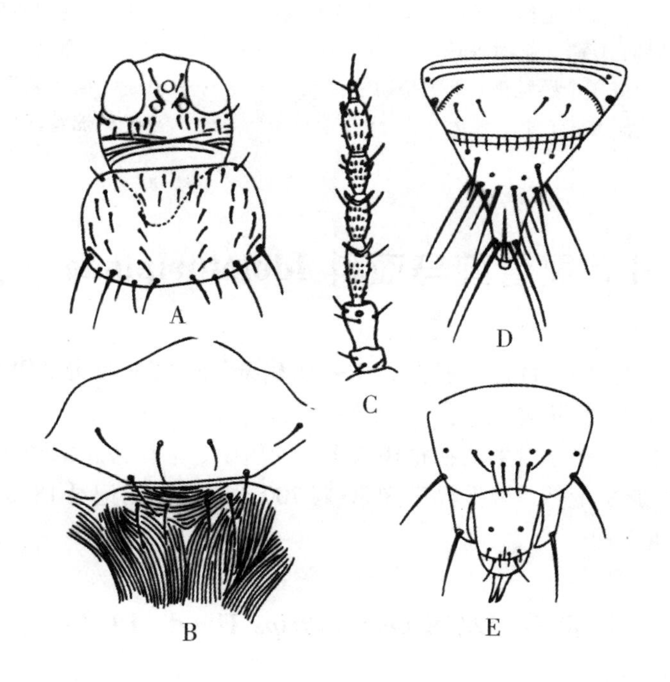

图 113　蒲公英蓟马 *Thrips trehernei* Priesner(仿 韩运发, 1997)
A. 头和前胸; B. 中胸、后胸盾片; C. 触角; D. 雌虫第 8 ~ 10 腹节背片; E. 雄虫第 9 ~ 10 腹节背片

(三)管蓟马科 Phlaeothripidae

鉴别特征: 腹部末端呈圆管状; 有翅或无翅; 有翅型前后翅相似, 翅脉消失, 翅面缺纤细微毛。

生物学: 本科的种类约一半取食绿色植物; 在温带区一般在菊科和禾本科植物花内, 在热带区常在植物叶上营虫瘿生活; 一些亲缘关系甚远的种类捕食其他小节肢动物。而几乎有一半的种类在树皮下, 枯枝落叶或叶屑中取食真菌孢子、菌丝体或菌的消化产物。

分类: 本科分 2 个亚科, 即灵管蓟马亚科(Idolothripinae)和管蓟马亚科(Phaleothripinae)。全世界已知约 450 属 500 种, 中国记录 76 属 253 余种, 陕西秦岭地区分布 4 属 6 种。

分属成虫检索表

1. 下颚针粗, 直径一般在 5 ~ 10μm **灵管蓟马亚科 Idolothripinae** ………………………………… 2
   下颚针细, 直径一般在 2 ~ 3μm **管蓟马亚科 Phlaeothripinae** ………………………………… 3

2. 头在复眼前延伸，或者略延伸；复眼经常在腹面延长 …………………… **岛管蓟马属 *Nesothrips***
   头在复眼前不延伸；复眼在腹面等长 ………………………………… **肚管蓟马属 *Gastrothrips***
3. 触角第 3 节具 1 个或 2 个感觉锥；下颚桥通常存在 …………………… **简管蓟马属 *Haplothrips***
   触角第 3 节具 3 个感觉锥；下颚桥无 ………………………………… **器管蓟马属 *Hoplothrips***

Ⅰ. 灵管蓟马亚科 Idolothripinae

鉴别特征：下颚针粗，直径一般在 5.0~10.0μm；雄虫一般腹部第 8 节无腺域；雄虫腹部第 9 节的 B2 鬃发达，几乎与 B1 鬃等长。

生物学：取食菌类孢子，生活在枯树枝上、叶屑中、草和苔属植物丛的基部。

分类：共有 2 族 9 亚族，全世界已知 80 属 700 余种，中国记录 18 属 59 种，陕西秦岭地区分布 2 属 2 种。

24. 肚管蓟马属 *Gastrothrips* Hood, 1912

Gastrothrips Hood, 1912: 156. **Type species**: *Gastrothrips ruficauda* Hood, 1912.
Isopterothrips Bagnall, 1926: 533. **Type species**: *Isopterothrips tenuipennis* Bagnall, 1926.
Syncerothrips Hood, 1935: 191. **Type species**: *Syncerothrips harti* Hood, 1935.

属征：体中等大小，通常黑色，翅发达或退化。头长大于头宽，头宽大于头长很少，且不在复眼前延伸；复眼后鬃发达，复眼大，复眼在头背面的长度与在腹面的长度相等。两颊很少有粗大的齿。触角 8 节，第 3 节有 1 个或 2 个感觉锥，第 4 节有 3 个感觉锥。前胸背板具有横纹，有时横纹在雄虫中延伸较长。前缘鬃通常小。前下胸片存在，前基腹片发达，翅有或无，间插缨有或无。前足跗节齿在雄虫中存在，雌虫中有或无。腹部第 1 节盾片轮廓三角形，且有小的侧叶。腹部背片第 2~7 节各具有 1 对发达的“S”形握翅鬃，管两侧较直，通常为黄色，或比腹部色淡。

分布：古北区，东洋区，新热带区。全世界纪录 38 种，中国已知 3 种，秦岭地区记录 1 种。

(53) 宽盾肚管蓟马 *Gastrothrips eurypelta* Cao, Guo *et* Feng, 2009（图 114）

Gastrothrips eurypelta Cao, Guo *et* Feng, 2009: 894.

鉴别特征：体长 1.70~2.45mm。雌虫体为两色，但触角第 3 节黄色，前足胫节棕黄色，翅基部灰色。各主要体鬃棕黄色。头长 360.0μm，头部复眼前宽 110.0μm、复眼处宽 170.0μm、复眼后缘宽 180.0μm、后缘宽 170.0μm。两颊略拱，基部略收缩。每侧有2~3根小鬃。复眼后有横线纹，单眼区及颊中央光滑。单眼呈扁三角形排列，位于复眼中线以前，前单眼距离后单眼50.0μm，两后单眼距90.0μm。单眼后鬃长40.0μm，端部钝。复眼大，长60.0μm。复眼后鬃端部钝，长90.0μm，距复眼25.0μm，其他头背鬃短小，长约10.0μm。触角8节，第8节细长，第3~7节有明显的梗节，刚毛长，第1~8节长(宽)依次为45.0(40.0)μm、50.0(25.0)μm、90.0(20.0)μm、70.0(30.0)μm、65.0(25.0)μm、60.0(25.0)μm、40.0(20.0)μm、35.0(15.0)μm，总长455.0μm；第3节长为宽的4.5倍，各节感觉锥细长，第3~7节数目分别为1+0+1、1+1+1、1+1+1、1+1、1。口锥短，端部宽圆，长140.0μm，宽分别为基部宽150.0μm，端部宽70.0μm。下颚针缩入头内约为头长的3/10，呈"V"形，中部间距宽，相距100.0μm。下颚须基节长10.0μm，端节长30.0μm。下唇须基节长20.0μm，端节长10.0μm。下颚桥缺。胸部前胸长150.0μm，前部宽200.0μm，后部宽260.0μm。背片除基部有横线纹外，其余部位光滑。内棕黑色条约占前胸背片长的1/2。后侧缝完全。除后缘鬃都较小外，其他各鬃发达：前缘鬃长20.0μm，前角鬃长25.0μm，侧鬃长40.0μm，后侧鬃长60.0μm，后角鬃长75.0μm为最长鬃，端部均钝。其他鬃均细小，长约10.0μm。前下胸片细长条形；前基腹片内缘相互靠近。中胸前小腹片中峰变得细小，两侧叶中部变细条形，两端略向前延伸。中胸盾片有横线纹，后部缺。前外侧鬃长20.0μm，中后鬃和后缘鬃细小，长25.0μm和20.0μm。后胸盾片前部有模糊的横线纹，两侧有模糊的纵线纹，中央光滑。前缘角有3对微小鬃，长约15.0μm，前中鬃端部钝，长30.0μm，距前缘30.0μm。翅芽长150.0μm，无间插缨；内1与内2之间的距离小于内2与内3之间的距离，内1和内3发达，端部钝，内2退化，长分别为40.0μm、15.0μm、55.0μm。各足线纹少，前足跗节无齿。腹部第1节的盾板三角形，两侧叶与中央连接宽，板内有纵条纹。基部有1对微孔，相距100.0μm。腹部背片线纹模糊；第2~7节有1对反曲的握翅鬃，前缘角有2~3对小鬃。第5节背片长150.0μm，宽400.0μm。第9节背片后缘鬃：背中鬃长120.0μm，中侧鬃长150.0μm，侧鬃长160.0μm，端部均尖。第10节(管)长190.0μm，为头长的0.53%，头部基部宽70.0μm、端部宽40.0μm。第9节肛鬃长120.0~130.0μm，短于管。

雄虫体色和一般结构相似于雌虫，但雄虫前足跗节有三角形的齿。腹部第10节背片后缘鬃：背中鬃长120.0μm，中侧鬃长120.0μm，侧鬃长130.0μm，端部均尖。第10节(管)长155.0μm，第10节基部宽65.0μm、端部宽35.0μm。第9节肛鬃长90.0~100.0μm，短于管。

无翅型：体色和一般结构相似于有翅型。

采集记录：1♂，绥德，1990.Ⅷ.10，宋彦林采。

分布：陕西(长安、绥德)、河北。

寄主：葡萄，杂草。

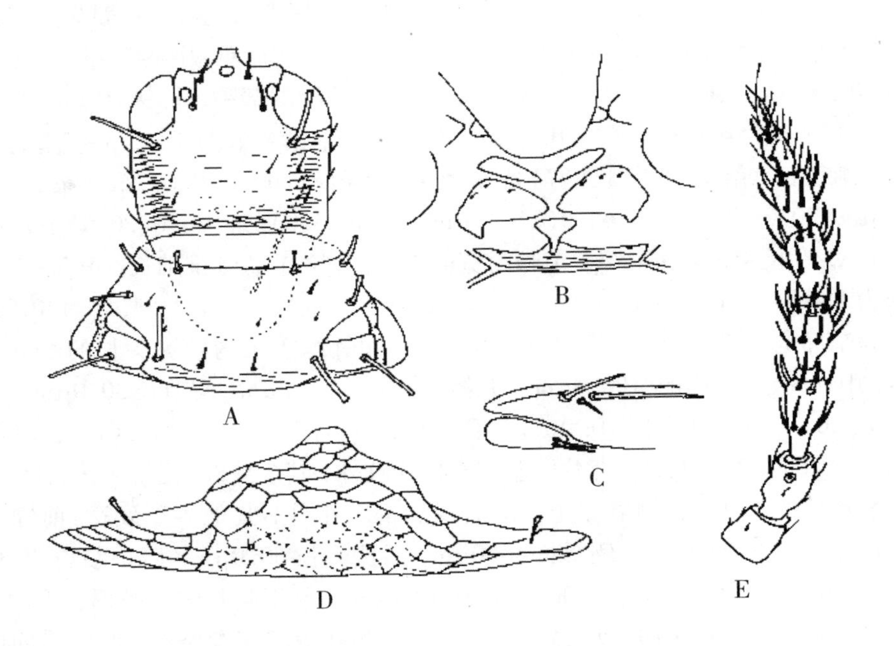

图 114 宽盾肚管蓟马 *Gastrothrips eurypelta* Cao, Guo *et* Feng
A. 头和前胸背板背面观; B. 前胸、中胸腹板; C. 翅基鬃; D. 腹部第 1 节盾板; E. 触角

25. 岛管蓟马属 *Nesothrips* Kirkaldy, 1907

Nesothrips Kirkaldy, 1907: 103. **Type species**: *Nesothrips oahuansis* Kirkaldy, 1907.

属征: 小到中等大小。头宽通常大于头长，常呈卵圆，但有时长于宽，通常在眼前略延伸。复眼腹面长度可变。口锥端部宽圆。下颚针在头内呈"V"形，间距宽。触角 8 节，第 3 节有 2 个感觉锥，第 4 节有 4 个。第 7 节短而宽，有不显著梗，与第 7 节间的缝明显。前胸背片宽，在大雄虫中增大，后侧缝完全。前下胸片及中胸前小腹片一般发达。前足跗齿存在于雄虫中，而雌虫缺。有翅者通常有间插缨毛。后胸盾片中对鬃通常小。腹部第 1 节背片盾板大多数种有侧叶。管比较短，边缘直。

分布: 亚洲，非洲南部，澳洲。全世界已知 22 种，中国记录 4 种，秦岭地区记录 1 种。

(54) 短颈岛管蓟马 *Nesothrips brevicollis* (Bagnall, 1914) (图 115)

Oedemothrips brevicollis Bagnall, 1914: 22.
Nesothrips brevicollis: Mound, 1974: 114.

鉴别特征: 体长 1.6～1.7mm。雌虫体较短而粗，体暗棕色至黑棕色，但触角第

2 节端部较淡，第 3 和第 4 节基部黄色，翅较暗黄色，基部 2/3 处有棕色纵条，前足胫节(边缘除外)及各跗节较黄，体鬃暗。头长 167.0μm，复眼处和复眼后宽分别为 199.0μm、170.0μm；头长为复眼处宽的 85%。头背线纹模糊，后部较窄，宽大于长或长几乎等于宽。复眼长 63.0μm。前单眼距后单眼 34.0μm，后单眼间距 60.0μm。复眼后鬃尖，长 72.0μm，距眼 9.0μm。单眼后鬃长 29.0μm；复眼后鬃内侧有 1 对鬃细，长 21.0μm；其他头鬃很小，长 12.0μm。触角 8 节，较短粗，第 3～7 节基部的梗显著，第 7 节基部宽；第 1～8 节长(宽)依次分别为 36.0(38.0)μm、48.0(34.0)μm、65.0(29.0)μm、60.0(31.0)μm、53.0(31.0)μm、48.0(29.0)μm、34.0(24.0)μm、126.0(12.0)μm，总长 374.0μm。感觉锥较细，长约 24.0μm；第 3～7节数目分别为 1+1、1+2+1、1+1、1+1、1。口锥端部较宽圆，长 121.0μm，口锥基部宽 158.0μm、中部宽 121.0μm、端部宽 72.0μm。下颚须基节长 14.0μm，端节长 38.0μm。口针缩入头内，中部间距 72.0μm。无下颚桥。胸部前胸甚短于头，很宽，长 133.0μm，前部宽 204.0μm，后部宽 267.0μm。背片光滑，后侧缝完全，内纵黑条占背片长约 2/3。除边缘鬃外，仅 2 根极小鬃，各边缘鬃：前缘鬃长 24.0μm，前角鬃长 29.0μm，侧鬃长 34.0μm，后侧鬃长 68.0μm，后角鬃长 43.0μm，后缘鬃长 14.0μm。腹面前下胸片长条形。前基腹片近乎长三角形。中胸前小腹片中峰显著，两侧叶略向前外伸。中胸盾片前部和后缘有稀疏横纹；各鬃均微小，长 7.0～9.0μm。后胸盾片中部有网纹，两侧有纵纹，均轻微模糊；前缘鬃微小，互相靠近于前缘角；前中鬃较长，细而尖，长 34.0μm，距前缘 41.0μm。前翅中部略窄，长 719.0μm，前翅近基部宽 85.0μm、中部宽 55.0μm、近端部宽 51.0μm；间插缨 10 根；翅基鬃间距近似，内 1 距前缘较内 2 和内 3 为近，均尖；翅基鬃：内 1 长 38.0μm，内 2 长 53.0μm，内 3 长 87.0μm。各足线纹少，鬃少而短；跗节无齿。腹部第 1 节的盾板中部馒头形，网纹横向，两侧叶向外渐细。第 2～9 节背片前脊线清楚；线纹和网纹很轻微或模糊；管光滑，鬃微小。第 2 节的握翅鬃不反曲，第 3～7 节各节仅后部 1 对握翅鬃，其他小鬃少。第 5 节背片长 97.0μm，宽 413.0μm，后缘长侧鬃长分别为 97.0μm 和 60.0μm。第 9 节背片后缘长鬃长度分别为背中鬃长 85.0μm，中侧鬃长 106.0μm，侧鬃长 121.0μm，显著短于管。第 10 节(管)长 184.0μm，为头长的 1.1 倍，第 10 节基部宽 85.0μm、端部宽 43.0μm。第 10 节长肛鬃：内中鬃长 104.0μm，中侧鬃长 92.0μm，甚短于管。

采集记录：1♀，眉县蒿坪寺，2006. Ⅷ. 29，杨晓娜采。

分布：陕西(眉县)、天津、山西、河南、浙江、湖北、湖南、福建、台湾、海南；日本，印度，菲律宾，印度尼西亚，毛里求斯，斐济，美国(夏威夷)。

寄主：枯枝落叶。

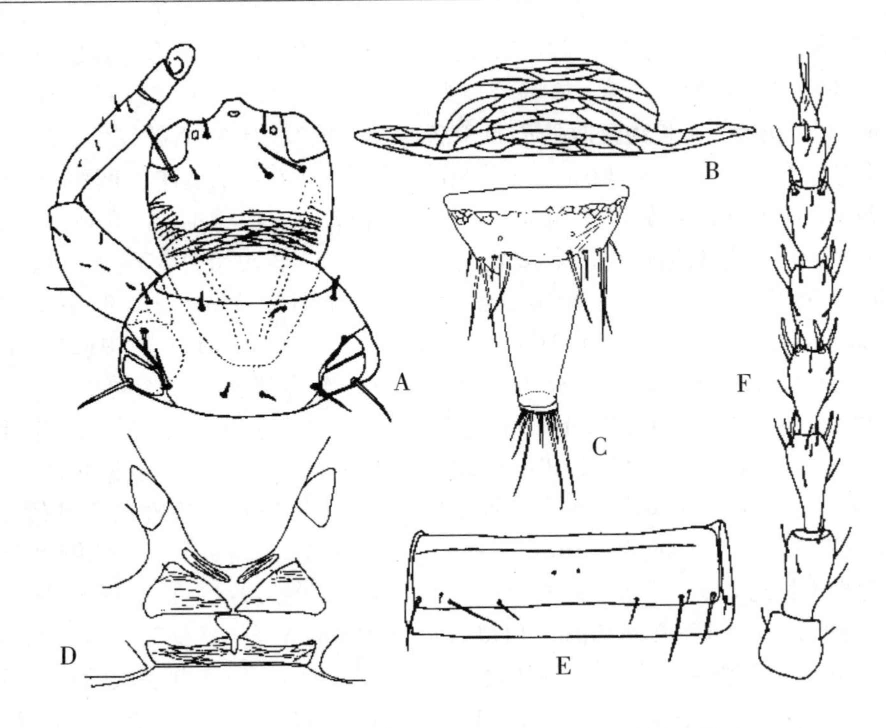

图 115 短颈岛管蓟马 *Nesothrips brevicollis*（Bagnall）

A. 头、前足及前胸背板背面观；B. 腹部第 1 节盾板；C. 雌虫 9～10 节腹面；D. 前胸、中胸腹板；E. 腹部第 5 节背板；F. 触角

Ⅱ. 管蓟马亚科 Phlaeothripinae

鉴别特征：下颚针细，直径 1.0～3.0μm，细于下唇须。

生物学：少数种类捕食性，相当多的种类植食性，约半数的种类与在死木头和叶屑中的真菌相伴。

分类：全世界已知 370 属 2800 种，中国记录 58 属，194 种，陕西秦岭地区发现 2 属 4 种。

26. 简管蓟马属 *Haplothrips* Amyot *et* Serville, 1843

Haplothrips Amyot *et* Serville, 1843: 640. **Type species**: *Phloeothrips albipennis* Burmeister, 1836.

属征：中等大小，通常单色，很少两色。复眼中等大小，腹面一般不延伸。单眼存在。触角 8 节，第 3 节不对称，有 0～3 个简单感觉锥，第 4 节有 4 个(2 + 2 或 2 + 2^{+1})感觉锥。第 8 节基部无梗。下颚口针通常长，缩入头壳很深，中间间距较宽；口针桥存在。口锥短，端部宽圆或窄圆。前下胸片存在。后侧缝完全。通常为长翅型，前翅中部收缩，间插缨有或无。腹部第2～7节通常各有2对"S"形承翅鬃。雄虫股节略增大，无腹腺域。

分布：古北区，东洋区，非洲区，新北区，新热带区。该属常分为两亚属，即 *Haplothrips* 和 *Trybomiella* 亚属。全世界已知340多种，中国报道有22种，秦岭地区记录3种。

分种检索表

1. 触角第3节具2个感觉锥 ………………………………………………………… 2
   触角第3节具1个感觉锥 ……………………… **华简管蓟马 *Haplothrips* (*Haplothrips*) *chinensis***
2. 口针深入头内部达复眼后鬃处；肛鬃短于管 ………………… **稻简管蓟马 *H.* (*H.*) *aculeatus***
   口针缩入头内，在中部相互靠近；肛鬃长于管 ………………… **麦简管蓟马 *H.* (*H.*) *tritici***

(55)稻简管蓟马 *Haplothrips* (*Haplothrips*) *aculeatus* (Fabricius, 1803)(图116)

Thrips aculeatus Fabricius, 1803: 312.

Haplothrips aculeatus: Karny, 1912: 327.

Phloeothrips aculeate Haliday, 1836: 441.

鉴别特征：体长1.76～2.23mm。雄虫体棕色。触角第1、2、6、7、8节棕色较暗，第3节，第5节黄色；前足胫节中间部分为黄色，各足跗节为淡黄色。头长190.0μm，头部复眼前缘宽75.0μm、复眼后缘宽160.0μm、基部宽160.0μm。两颊中部微拱，较深，未接触复眼后缘，口针中间间距较宽；口针桥存在。触角8节，触角第3～6节感觉锥分别为1、2+2、1+1、1+1；第1～8节长(宽)依次分别为25.0(25.0)μm、45.0(25.0)μm、45.0(22.0)μm、50.0(30.0)μm、45.0(25.0)μm、40.0(24.0)μm、40.0(20.0)μm、25.0(13.0)μm。胸部前胸长130.0μm，短于头部，前缘宽200.0μm，后缘宽265.0μm。前下胸片存在，近似三角形。基腹片较大。后侧缝完全。前胸背板前缘鬃和后缘鬃退化，其余各鬃发达，前角鬃长30.0μm，中侧鬃长40.0μm，后角鬃长50.0μm，后侧鬃长55.0μm。前足腿节略膨大，跗节基部内缘有齿。中胸小腹片中间连接，中央有圆形突起。中胸背板横网纹明显。后胸背板中部纵网纹较少。翅基部鬃内1到内3端部尖，分别长25.0μm、35.0μm、50.0μm。前翅无色，中部收缩，间插缨6～7根。腹部第1腹节盾板三角形，两边无耳形延伸，端部钝，上有弯曲的网纹。腹部第2～7节各有2对"S"形承翅鬃，4对附属鬃。腹部第7～8节有淡网纹。第5节的长(宽)为65.0(240.0)μm。第9节背中鬃2短粗，背中鬃1、背侧鬃2和侧鬃3端部均尖，分别长100.0μm、40.0μm、110.0μm。尾管长110.0μm，短于头部和前胸，基部宽55.0μm，端部宽33.0μm。肛鬃有3对，长于尾管，分别长120.0μm、126.0μm、140.0μm。伪阳茎端刺均匀细长，端部不膨大，顶端钝圆。雌虫形态特征与雄虫相似；前足胫节全为棕色；前足跗节的齿较雄虫小。

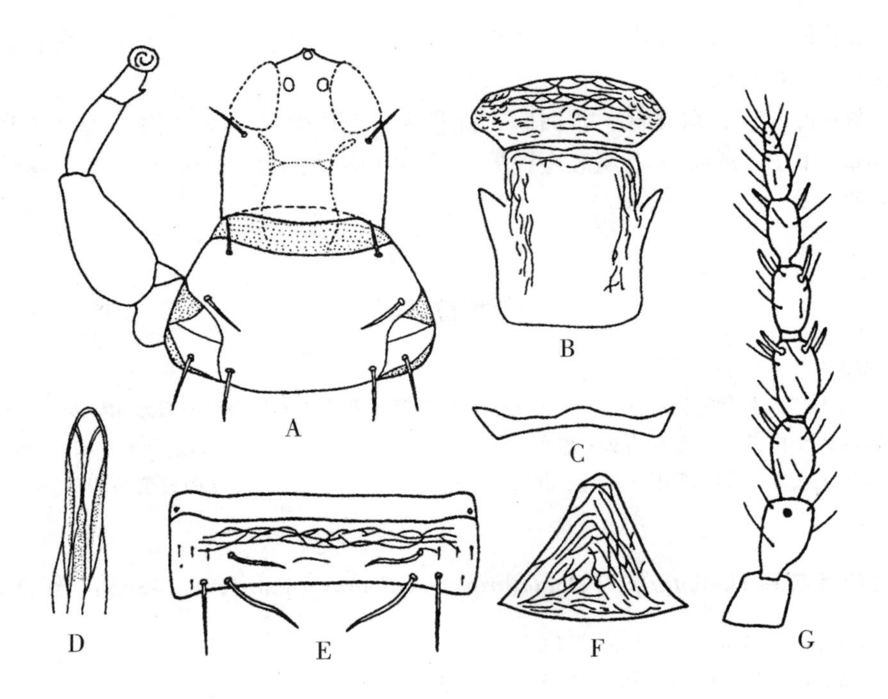

图 116 稻简管蓟马 *Haplothrips* (*Haplothrips*) *aculeatus* (Fabricius)

A. 雄虫头、前足和前胸背板背面观；B. 中胸、后胸背片；C. 雄虫中胸前小腹片；D. 伪阳茎端刺；E. 腹部第 5 节背板；F. 腹部第 1 节盾片；G. 触角

采集记录：2♀3♂，秦岭，2530m，2010. Ⅶ. 22，韩斐采；5♀2♂，秦岭牛背梁，2750m，2010. Ⅶ. 22，韩斐采。

分布：陕西(柞水)、黑龙江、吉林、辽宁、内蒙古、北京、河北、山西、河南、宁夏、甘肃、新疆、江苏、安徽、湖北、湖南、福建、台湾、广东、海南、广西、四川、贵州、云南、西藏；俄罗斯，朝鲜，日本，东南亚，欧洲西部。

寄主：沙枣，沙竹，唐菖蒲，金老梅，白草，水稻，小麦，玉米，高粱及多种禾本科杂草，莎草科植物。

(56) 华简管蓟马 ***Haplothrips* (*Haplothrips*) *chinensis* Priesner, 1933**(图 117)

Haplothrips chinensis Priesner, 1933: 359.

Haplothrips grandior Priesner, 1933: 361.

鉴别特征：体长 2.14mm。雌虫体暗棕色。头部及管基部颜色较深；触角第 3～6 节黄色；前足胫节及全部跗节黄色；管端半部 1/3 处黄棕色。头长 220.0μm，头部复眼前缘宽 60.0μm、复眼后缘宽 220.0μm、基部宽 218.0μm。两颊平直。前单眼着生在延伸物上，复眼腹面无延伸，背面长 70.0μm；复眼后鬃钝，长为 55.0μm，距复眼后缘 20.0μm，距边缘 25.0μm。口锥长 105.0μm，端部钝；下颚口针缩入头内不深，仅到中部，中间间距宽，75.0μm；口针桥存在。触角第3～6节感觉锥分别为0+1、2+2、1+1、1+1。第1～8节长(宽)依次为30.0(31.0)μm、50.0(31.0)μm、50.0(28.0)μm、53.0(35.0)μm、50.0(30.0)μm、45.0(23.0)μm、40.0(27.0)μm、27.0(13.0)μm。胸部前胸长145.0μm，短于头部，前缘宽150.0μm，后缘宽350.0μm。前胸背板后缘鬃退化，其余各主要鬃发达且端部膨大，前缘鬃长28.0μm，前角鬃长30.0μm，中侧鬃长35.0μm，后角鬃长55.0μm，后侧鬃长70.0μm。后侧缝完全。前下胸片存在，基腹片相对较大。前足胫节略膨大，前足跗节有微齿。中胸前小腹片连接，中央有圆形突起。中胸背板前部1/4为膜质，前部3/4有弱横网纹。后胸背板纵网纹很弱。前翅中部收缩，间插缨有6～10根；翅基部内1、2端部膨大，内3端部尖，内2距内3距离较近，内1～3几乎排成1条直线，分别长50.0μm、50.0μm、55.0μm。腹部第1节盾板端部钝圆，两边有耳形延伸，上面有淡网纹。第2～7节各有2对"S"形握翅鬃，3对附属鬃。第5节长(宽)为110.0(315.0)μm。第9节背中鬃1、背侧鬃2和侧鬃3均长，端部尖，分别长110.0μm、100.0μm、115.0μm。尾管长140.0μm，短于头部和前胸，基部宽70.0μm，端部宽40.0μm。肛鬃有3对，短于尾管，分别长110.0μm、905.0μm、85.0μm。雄虫体色和形态均相似于雌虫。腹部第9节较短。伪阳茎端刺近端部突然膨大，指状，顶端钝，射精管较长。

采集记录：2♀，秦岭牛背梁，1200m，2010.Ⅶ.20，韩斐采。

分布：陕西(柞水)、吉林、北京、河北、山西、河南、宁夏、新疆、江苏、安徽、浙江、湖北、湖南、福建、台湾、广东、海南、广西、贵州、云南、西藏；朝鲜，日本。

寄主：桃，李，柑橘类等果树，豆类，桂花，十字花科植物以及多种野生植物的花内，后缕草，竹，花桃，龙眼花。

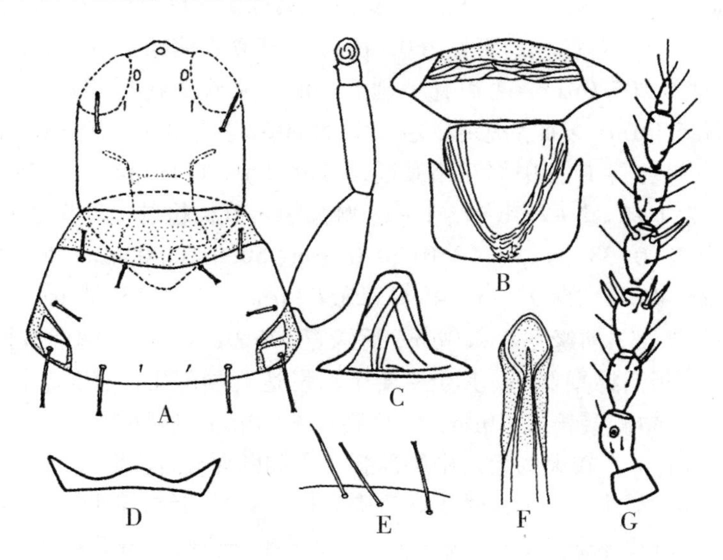

图117　华简管蓟马 *Haplothrips* (*Haplothrips*) *chinensis* Priesner

A. 雌虫头、前足和前胸背板背面观；B. 中后胸背板；C. 腹部第1节盾片；D. 雌虫中胸前小腹片；E. 翅基鬃；F. 伪阳茎端刺；G. 触角

(57)麦简管蓟马 *Haplothrips* (*Haplothrips*) *tritici*(**Kurdjumov, 1912**)(图 118)

Anthothrips tritici Kurdjumov, 1912: 43.

Haplothrips tritici: Karny, 1913: 65.

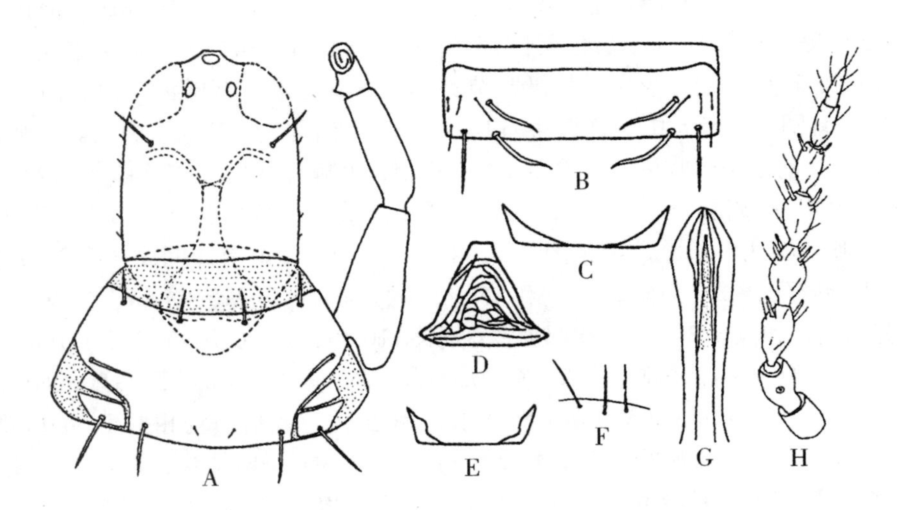

图 118 麦简管蓟马 *Haplothrips* (*Haplothrips*) *tritici*(Kurdjumov)

A. 雄虫头、前足和前胸背板背面观; B. 腹部第 5 节背板; C. 雌虫中胸前小腹片; D. 腹部第 1 节盾片; E. 雄虫中胸前小腹片; F. 翅基鬃; G. 伪阳茎端刺; H. 触角

鉴别特征: 体长 2.802 ~ 2.158mm。雄虫体黑棕色。前足胫节端半部和跗节黄棕色; 触角第 3 ~ 6 节为黄棕色。头长 260.0μm, 头部复眼前缘宽 80.0μm、复眼后缘宽 200.0μm、基部宽 205.0μm。两颊有小刺毛。前单眼着生在延伸物上。复眼腹面无延伸, 背面长 85.0μm; 复眼后鬃端部尖, 长 50.0μm。口锥长 100.0μm, 端部钝; 下颚口针缩入头内较深, 口针中部互相靠近, 间距很小; 口针桥存在。触角第 3 ~ 6 节的感觉锥分别为 1 + 1、2 + 2、1 + 1、1 + 1; 触角第 8 节长超过第 7 节之半; 第 1 ~ 8 节长(宽)依次为 28.0(33.0) μm、53.0(30.0) μm、50.0(33.0) μm、55.0(35.0) μm、48.0(31.0) μm、45.0(25.0) μm、45.0(23.0) μm、37.0(13.0) μm。胸部前胸长 165.0μm, 短于头部, 前缘宽 250.0μm, 后缘宽 375.0μm。前下胸近似长方形。后侧缝完全。前胸背板后缘鬃弱小, 其余主要鬃均发达且端部尖, 前缘鬃长 30.0μm, 前角鬃长 40.0μm, 中侧鬃长 45.0μm, 后角鬃长 60.0μm, 后侧鬃长 65.0μm。前足腿节略膨大, 跗节有 1 个较大的齿。中胸前腹片中间断开, 两边形成 2 个三角形片。中胸背板上有横网纹, 前面 1/4 为膜质。后胸背板上有纵网纹, 但网纹较淡。前翅间插缨有 8 ~ 10 根, 翅基部鬃内 1 ~ 3 端部尖, 几乎成 1 条直线, 内 1 ~ 3 分别长 40.0μm、45.0μm、55.0μm。前翅瓣及基部淡褐色。腹部第 1 节盾板梯形, 端部平截状, 上有曲线纹。腹部第 2 ~ 7 节各有 2 对"S"握翅鬃, 4 对附属鬃。第 5 节长(宽)为 110.0(320.0) μm。第 9 节背侧鬃 B2 短粗, 背中鬃 B1、背侧鬃 B2 及侧鬃 B3 分别长为

130.0μm、50.0μm、140.0μm。尾管长125.0μm，短于头部和前胸，基部宽65.0μm，端部宽35.0μm。肛鬃有3对，分别长145.0μm、150.0μm、146.0μm。伪阳茎端刺端部略膨大，指状，阳茎较长，顶端钝圆。雌虫形态特征与雄虫相似，但体色较暗。前足跗节齿较小；腹部第1节盾板边缘曲线平滑，无弯曲；腹部第9节、第2节与第1节等长。

采集记录：1♀，汉阴，1990.Ⅳ.13，赵小蓉采。

分布：陕西(汉阴)、广泛分布于黄河以北；俄罗斯，朝鲜，欧洲。

寄主：麦类，玉米，茄子花，冰草，苦兰。

27. 器管蓟马属 *Hoplothrips* Amyot *et* Serville, 1843

Hoplothrips Amyot *et* Serville, 1843: 640. **Type species**: *Thrips corticis* de Geer, 1773.

属征：头短或稍长，宽如长，偶有长于宽；背面平滑或有弱网纹。颊光滑或有个别小刺，有时仅有1对粗刺。复眼通常小，不甚长于触角第1节的长度；在短翅或无翅型中常退化到仅有几个小眼面。单眼存在于长翅型或短翅型中，在短翅型和无翅型中常退化或缺。复眼后鬃有1对，发达。触角8节，端节基部细缩与第7节界线清楚。第3节有1~3个，第4节有2~4个感觉锥。口锥普通或较长，端部较宽圆或较尖。下颚桥缺。下颚针缩入头内较深，在中部较靠近。前胸背片平滑或有弱纹；大多数鬃发达，后侧缝完全。前下胸片通常缺。后胸盾片无强刻纹。前翅发达者中部不收缩，边缘平行；总有间插缨；翅基鬃常不规则。两性前股节增大，粗壮雄虫前股节很强。股节、胫节无钩齿。前足跗节上，雄虫有齿，雌虫多半有齿。长翅型腹部背片各有2对握翅鬃但不粗大。第9节鬃长，端部尖，常弯曲，罕有扁钝。雄虫第9节中侧鬃(鬃2)短粗。管短到稍长，短于头。雄虫第8节腹片腺域圆形、卵形或横带状；有些种类在各腹片两侧有特殊网纹，可能94中国管蓟马科分类研究是另一类腺体。

分布：古北区，东洋区，新北区，澳洲区。全世界已知130种，中国记录8种，秦岭地区记录1种。

(58) 日本器管蓟马 *Hoplothrips japonicus* (Karny, 1913) (图119)

Dolerothrips japonicus Karny, 1913: 126.

Cryptothrips japonicus Karny, 1913: 127.

Hoplothrips flavipes: Hood, 1915: 106.

Machatothrips ohtai Ishida, 1932: 12.

Hoplothrips japonicus: Okajima, 2006: 353.

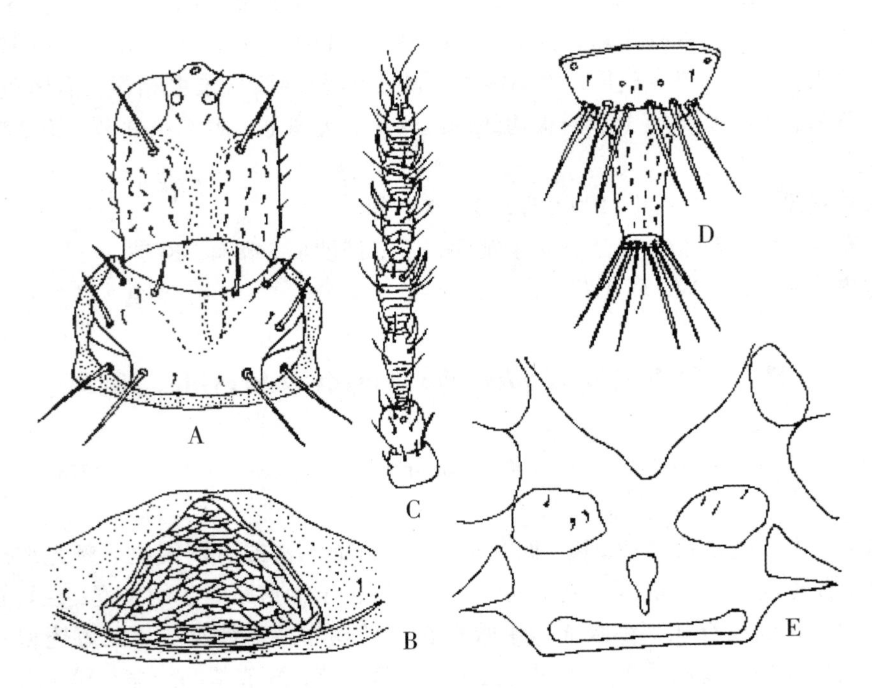

图 119 日本器管蓟马 *Hoplothrips japonicus*（Karny）(仿 韩运发，1997)

A. 头和前胸背板背面观；B. 腹部第 1 节盾板；C. 触角；D. 雌虫第 9 ~ 10 节；E. 前胸、中胸腹板

鉴别特征：体长约 2.8mm。雌虫体棕色至黑色；但触角第 3 ~ 8 节及前足胫节和各跗节黄色；触角第 2 节端部、前足股节、中和后足股节端部、中和后足胫节两端淡棕色；翅几乎无色；体鬃淡棕色，但黄色部位的体鬃黄色。复眼后鬃、前胸长鬃、前足基节外缘鬃、翅基鬃、中胸前外侧鬃、腹部第 1 ~ 8 节后缘长侧鬃及第 9 节背片后缘鬃端部均略钝或尖而不锐。头长 315.0μm，头部复眼处宽 243.0μm、复眼后宽 267.0μm，头长为复眼处宽的 1.3 倍。背片横线纹显著，两颊略微拱。复眼长 85.0μm。单眼大致排列成三角形。复眼后鬃长于复眼，长 121.0μm，距眼 29.0μm。单眼间鬃、单眼后鬃和颊鬃长约 14.0μm；4 ~ 5 根颊鬃略粗，其他背鬃很细小。触角 8 节，各节无明显的梗，横纹细，中间数节较长；第 1 ~ 8 节长（宽）依次为 48.0 (58.0)μm、55.0(48.0)μm、68.0(36.0)μm、82.0(41.0)μm、72.0(38.0)μm、63.0 (38.0)μm、58.0(29.0)μm、36.0(14.0)μm，总长 485.0μm；第 3 节长为宽的 1.86 倍。感觉锥第 3 节和第 4 节的较粗，长约 24.3μm，第 5 ~ 7 节的较细；第 5、6 节的长 34.0μm，但小的仅长 9.0μm；第 7 节的长 29.0μm；第 3 ~ 7 节数目分别为 1、1 + 2、1 + 1 + 1、1 + 1 + 1、1。口锥端部窄圆，长 170.0μm，基部宽 230.0μm，端部宽 72.0μm。下颚须基节很短，长 4.0μm，但端节长 53.0μm，为基节长的 10.9 倍。口

针较细，缩至头内复眼后缘，中部间距较窄，约15.0μm。胸部前胸长194.0μm，前部宽291.0μm，后部宽388.0μm。背片前角有几条纵的,后部有几条横的线纹；后侧缝完全。边缘鬃:前缘鬃长63.0μm，前角鬃长77.0μm，侧鬃长102.0μm，后侧鬃长145.0μm，后角鬃长126.0μm，后缘鬃长14.0μm。其他背鬃少而细小。腹面前下胸片缺。前基腹片形状不甚规则。中胸前小腹片似1条横带，两侧叶不显著高。中胸盾片横线纹和网纹多，但中后部较光滑；前外侧鬃基部较粗，长92.0μm；中后鬃和后缘鬃较小，长14.0~17.0μm。后胸盾片除后部两侧光滑外，密布纵线纹和网纹；前缘鬃很小，位于前缘角；前中鬃较大，长63.0μm，距前缘58.0μm。前翅长1130.0μm，间插缨14根翅基鬃间距相似，翅基鬃内1长80.0μm、内2与内3长87.0μm。前足股节较发达，跗节无齿。腹部背片第1节的盾板近似钟形，前端平；板内网纹两侧的纵向，中部的横向。背片的线纹较多。第2~7节各有2对握翅鬃，但较细，外侧有3~4对小鬃；后缘侧鬃甚大于握翅鬃；第5节的内1长187.0μm、内2长150.0μm。第9节背片后缘长鬃长度分别为背中鬃和中侧鬃长218.0μm，侧鬃长226.0μm，短于管。管长267.0μm，为头长的85%，管基部宽123.0μm、端部宽60.0μm。肛鬃长189.0~194.0μm。

采集记录：1♀，汉阴，1990.Ⅳ.15，赵小蓉采。

分布：陕西(汉阴)、江苏、江西、福建、广东、海南；日本。

寄主：朽木，树皮下。

参考文献

Amyot, B. and Serville, A. 1843. Histoire naturelle des Insectes Hemipteres, Fain & Thunot, Paris. 637-646.

Ananthakrishnan, T. N. 1957. Studies on some Indian Thysanoptera Ⅳ. *Zoologischer Anzeiger*, 159(5-6): 92-102.

Ananthakrishnan, T. N. 1962. Some little known Indian Terebrantia (Thysanoptera). *Proceedings of the Royal Entomological Society of London* (B), 31: 87-91.

Ananthakrishnan, T. N. 1964. A contribution to our knowledge of the Tubulifera (Thysanoptera) from India. *Opuscula Entomologica*, Suppl., 25: 1-120.

Ananthakrishnan, T. N. and Jagadish, A. 1966. Coffee and tea infesting thrips from Annamalais (S. India) with description of two new species of *Taeniothrips*. *Indian Journal of Entomology*, 28 (2): 250-257.

Bagnall, R. S. 1908. On some new genera and species of Thysanoptera. *Transactions of the Natural History Society of Nothuraberland*, 43: 183-217.

Bagnall, R. S. 1909. A contribution to our knowledge of the British Thysanoptera (Terebrantia), with notes on injurious species. *Journal of economic Biology*, 4: 33-41.

Bagnall, R. S. 1911. Notes on some new and rare Thysanoptera (Terebrantia), with a preliminary list of the known British species. *Journal of economic Biology*, 6: 1-11.

Bagnall, R. S. 1913. Brief descriptions of new Thysanoptera. Ⅰ. *Annals and Magazine of Natural History*, (8) 12: 290-299.

Bagnall, R. S. 1914. Brief descriptions of new Thysanoptera. Ⅲ. *Annals and Magazine of Natural History*, (8)13: 22-31.

Bagnall, R. S. 1915. Brief descriptions of new Thysanoptera. Ⅵ. *Annals and Magazine of Natural History*, (8) 15 : 588-597.

Bagnall, R. S. 1916. Brief descriptions of new Thysanoptera. Ⅶ. *Annals and Magazine of Natural History*, (8) 17: 213-412.

Bagnall, R. S. 1919. Brief descriptions of new Thysanoptera. Ⅹ. *Annals and Magazine of Natural History*, (9) 4: 253-277.

Bagnall, R. S. 1921. Brief descriptions of new Thysanoptera. Ⅻ. *Annals and Magazine of Natural History*, (9)8 : 393-400.

Bagnall, R. S. 1923. Brief descriptions of new Thysanoptera. Ⅷ. *Annals and Magazine of Natural History*, (9) 12: 624-631.

Bagnall, R. S. 1926. Brief descriptions of new Thysanoptera. XV. *Annals and Magazine of Natural History*, (9)17: 98-114.

Bagnall, R. S. 1926. Brief descriptions of new Thysanoptera XVI. *Annals and Magazine of Natural History*, (9) 20: 545-560.

Bagnall, R. S. 1929. On some new and interesting Thysanoptera of economic importance. *Bulletin of entomological Research*, 20: 69-76.

Bagnall, R. S. 1932. Brief descriptions of new Thysanoptera XVII. *Annals and Magazine of Natural History*, (10)10: 505-520.

Bagnall, R. S. 1933. Contributions towards a knowledge of the European Thysanoptera. Ⅳ. *Annals and Magazine of Natural History*, 11(10):647-661.

Bagnall, R. S. 1934. Acontribution towards a knowledge of the genus *Acolothrips* (Thysanoptera) with description of new species. *Entomologist's Monthly Magazine*, 70: 120-127.

Bhatti, J. S. 1969a. The Taxonomic status of *Megalurothrips* Bagnall (Thysanoptera: Thripidae). *Oriental Insects*, 3 (3): 239-244.

Bhatti, J. S. 1969b. Taxonomic studies in some Thripini (Thysanoptera: Thripidae). *Oriental Insects.*, 3 (4): 367-382.

Bhatti, J. S. 1973. A preliminary revision of Sericothrips Haliday, sensu lat., and related genera, with a revised concept of the tribe Sericothripini. *Oriental Insects*, 7: 403-449.

Bhatti, J. S. 1978. Systematics of Anaphothrips Uzel, 1895 sensu latu and some related genera (Insecta: Thysanoptera: Thripidae). *Senckenbergiana Biologica*, 59(1-2):85-114.

Bhatti, J. S. 1978. A preliminary rivision of *Taeniothrips* (Thysanoptera: Thripidae). *Oriental Insects*, 12 (2): 157-199.

Bhatti J. S. and Mound, L. A. 1980. The genera of grass-and cereal-feeding Thysanoptera related to the genus Thrips (Thysanoptera:Thripidae). *Bulletin of Entomology*, 21 (1-2): 1-22.

Cao,S-J, Guo, F-Z and Feng, J-N. 2009. Taxonomic Study of the Genus *Gastrothrips* (Thysanoptera, Phlaeothripidae) from China. *Acta Zootaxonomica Sinica*,34 (4): 894-897. [曹少杰，郭付振，冯纪年. 2009，中国肚管蓟马属分类研究（缨翅目：管蓟马科）. 动物分类学报. 34 (4): 894-897.]

Chou, I. and Feng, J-N. 1990. Three new species of the genus *Hydatothrips* (Thysanoptera: Thripidae) from China. *Entomotaxonomia*, 12 (1): 9-12. [周尧，冯纪年，1990. 中国扁蓟马属三新种. 昆虫分类学报，12 (1) : 9-12.]

Crawford, D. L. 1910. Thysanoptera of Mexico and the south II. *Pomona College Journal of Entomology*, 2 : 153-170.

Faure, J. C. 1925. A new genus and five new species of South African Thysanoptera. *South African Journal of Natural History*, 5: 143-166.

Franklin, H. J. 1907. Ctenothrips, new genus. *Entomological News*,1: 247-250.

Feng, J. N. and Li, P. 1996. A new species and a new record species of *Chirothrips* (Thysanoptera: Thripidae) from China. *Entomotaxonomia*, 18(3): 175-177.

Feng, J-N., Chou, I and Li, P. 1995. A new species of the genus *Megalurothrips* (Thysanoptera: Thripidae) from China. *Entomotaxonomia*, 17 (1): 15-17. [冯纪年，周尧，李萍，1995. 中国大蓟马属一新种（缨翅目：蓟马科）. 昆虫分类学报，17 (1):15-17.]

Feng, J-N., Chao, P-A. and Ma, C-X. 1999. Two new species of the genus *Megalurothrips* (Thysanoptera: Thripidae) from Shaanxi, China. *Entomotaxonomia*, 26 (3): 163-165. [冯纪年，晁平安，马彩霞. 1999. 陕西太白山大蓟马属二新种（缨翅目：蓟马科）. 昆虫分类学报，21 (4): 261-264.]

Feng, J-N., Nan, X-P. and Guo, H-W. 1998. Two new species of *Microcephalothrips* (Thysanoptera: Thripidae) from China. Entomotaxonomia, 20: 257-260. [冯纪年，南新平，郭宏伟，1998. 中国小头蓟马属二新种（缨翅目：蓟马科）. 昆虫分类学报，20(4): 257-260.]

Feng, J-N., Zhang, J-M. and Sha, Z-L. 2002. A new species of *Microcephalothrips* (Thysanoptera: Thripidae) from China. *Entomotaxonomia*, 24 : 167-169. [冯纪年，张建民，沙忠利，2002. 中国小头蓟马属一新种（缨翅目：蓟马科）. 昆虫分类学报，24 (3): 167-169.]

Feng, J-N., Zhang, G-L. and Wang, P-M. 2003. A new species of the genus *Ctenothrips* (Thysanoptera: Thripidae) from China. *Entomotaxonomia*, 25(3): 175-177. [冯纪年，张桂玲，王培明，2002. 中国梳蓟马属一新种（缨翅目：蓟马科）. 昆虫分类学报，25 (3): 175-177.]

Gentile, A. G. and Bailey, S. F. 1968. A revision of the genus *Thrips* Linnaeus in the new world with a catalogue of the world species (Thysanoptera: Thripidae). *University of California Publications in Entomology*, 51: 1-95.

Haliday, A. H. 1836. An epitome of the British genera in the Order Thysanoptera with indications of a few of the species. *Entomological Magazine*,3: 439- 451.

Haliday, A. H. 1852. Order III Physapoda. pp. 1094-1118. in: Walker, F. (ed.). List of the Homopterous insects in the British Museum. Part Ⅳ. London: British Museum.

Han,Y-F and Zhang, G-X. 1981. Thysanoptera. Pp. 295-299. In: Huang, F. S. (ed.). Insects of Xizang, Vol. 1. Beijing: Science Press, 600pp. [韩运发, 张广学, 1981. 缨翅目. 295-299. 见:黄复生主编. 西藏昆虫. 第一卷. 北京:科学出版社, 600 页.]

Han, Y-F. 1988. Thysanoptera: Aeolothripidae, Thripidae, Phlaeothripidae. pp177-191. In: Huang, F. S. (ed.). Insects of Mt. Namjagbarwa Region of Xizang. Beijing: Science Press, 621pp. [韩运发. 1988. 缨翅目: 纹蓟马科、蓟马科、管蓟马科. 177-191. 见:黄复生主编. 西藏南迦巴瓦峰地区昆虫. 北京:科学出版社, 621 页.]

Han, Y-F. 1991. A new genus and species of *Sericothripina* from China (Insecta: Thripidae). *Acta Entomologica Sinica*,34: 208-211. [韩运发, 1991. 中国绢蓟马亚科一新属新种(缨翅目:蓟马科). 昆虫分类学报, 34: 208-211.]

Han,Y-F. 1997. Economic Insect Fauna of China. Fasc. 55. Thysanoptera. Science Press. Beijing, China. 513 pp. [韩运发, 1997. 中国经济昆虫志(缨翅目). 北京:科学出版社. 1-513.]

Han, Y-F. and Cui, Y-Q. 1992. *Thysanoptera*. pp. 420-434. In: Chen, S. Ch. (ed.). Insects of the Hengduan Mountains Region. Vol. I. Science Press. Beijing, 865pp. [韩运发, 崔云琦. 1992. 横断山区昆虫. 第一册, 缨翅目, 420- 434. 北京: 科学出版社, 865 页.]

Hood,J. D. 1912. Descriptions of new North American Thysanoptera. *Proceedings of the Entomological Society of Washington*, 14, 129-160.

Hood , J. D. 1914. Two Porto Rican Thysanoptera from Sugarcane. *Insecutor inscitiae menstruus*, 2: 38- 41.

Hood , J. D. 1915. *Hoplothrips corticis*: a problem in nomenclature. *The Entomologist*, 1915, 102-107.

Hood , J. D. 1918. New genera and species of Australia Thysanoptera. *Memoirs of the Queensland Museum*, 6: 121-150.

Hood , J. D. 1919. On some new Thysanoptcra from Southern India. *Insecutor inscitiae menstruus*, 7: 90-103.

Hood , J. D. 1935. Thysanoptera of the family Phlaeothripidae. Revista de Entomologia, 5: 159-199.

Hood ,J. D. 1954. A new Chaetanaphothrips from Formosa with a note on the banana thrips. *Proceedings of the Biological Society of Washington*, 67: 215-218.

Ishida, M. 1931. Fauna of the Thysanoptera in Japan 2. *Insecta Mastsumurana*, 6 (1): 32- 42.

Ishida, M. 1932. Fauna of the Thysanoptera in Japan. *Insecta Matsumurana*, 7(1-2): 1-16.

Jacot-Guillarmod, J. C. 1975. Catalogue of the Thysanoptera of the world. Part 4. *Annals of the Cape provincial Museums (Natural History)*, 7(4): 977-1255.

Karny, H. 1907. Die Orthopterenfauna des Küstengebietes von Österreich-Ungarn. *Berlin Entomologische Zeitschrift*, 52: 17-52.

Karny, H. 1910. Neue Thysanopteren der Wiener Gegend. *Mitteilungen des Naturwissenschaftlichen Vereins an der Universität Wien*, 8: 41-57.

Karny, H. 1912. Revision der von Serville aufgestellten Thysanopteren-Genera. *Zoologische Annalen*, 4: 322-344.

Karny, H. 1913. Beiträge zur Kenntnis der Gallen von Java 5. Über die javanischen Thysanopteren-cecidien und deren Bewohner. *Bulletin du Jardin Botanique de Buitenzorg*, 10, 1-126.

Karny, H. 1913. Thysanoptera. *Wissenschaftliche Ergebnisse der Deutschen Zentral-Afrika Expedition* 1907-1908, 4: 281-282.

Karny, H. 1915. Beiträge zur Kenntnis der Gallen von Java. Zweite Mitteilung über die javanischen Thysanopterocecidien und deren Bewohner. *Zeitschrift für wissenschaftliche Insektenbiologie*, 11: 138-147.

Karny, H. 1925. Die an Tabak auf Java und Sumatra angetroffenen Blasenfüsser. *Bulletin van het deli Proefstation te Medan*, 23: 1-55.

Kudô, I. 1992. Panchaetothripinae in Japan (Thysanoptera, Thripidae) 2. Panchaetothripini, the Genus *Helionothrips. Japanese Journal of Entomology*, 60 (2): 271-289.

Kurosawa, M. 1968. Thysanoptera of Japan. *Insecta Matsumurana*, Suppl., 4: 1-94.

Lindeman, K. 1889. Die schädlichsten Insekten des Tabak. *Byull' Moskovskogo Obshchestva Ispytatelei Prirody*, 1888: 10-77.

Majid, M-B., Tong, X-L., Feng, J-N. and Chen, X-X. 2011a. Thrips (Insecta: Thysanoptera) of China. *Journal of species list sand distribution*, 7(6): 720-744.

Mirab-balou, M., Hu, Q. L., Feng, J. N. and Chen. X. X. 2011b. A new species of Sericothripinae from China (Thysanoptera: Thripidae), with two new synonyms and one new record. Zootaxa 3009: 55-61.

Morgan, A. C. 1913. New genera and species of Thysanoptera with notes on distribution and food plants. *Proceedings of the United States National Museum*, 46, 1-55.

Morgan, A. C. 1925. Six new species of Frankliniella and a key to the American species. *Canadian Entomologist*, 57: 138-147.

Moulton, D. 1907. Contributions to our knowledge of the Thysanoptera of California. *Technical series, USDA Bureau of Entomology*, 12/3: 39-68.

Moulton, D. 1911. Synopsis, catalogue and bibliography of North American Thysanoptera, with descriptions of new species. *Technical series, USDA Bureau of Entomology*, 21: 1-56.

Moulton, D. 1926. New California Thysanoptera with notes on other species. *Pan-Pacific Entomologist*, 3: 19-28.

Moulton, D. 1928a. The Thysanoptera of Japan: New species, notes, and a list of all known Japanese species. *Annotationes Zoologicae Japonensis*, 11(4): 287-337.

Moulton, D. 1928b. New Thysanoptera from Formosa. *Transactions of the Natural History Society of Formosa*, 18(98): 287-328.

Moulton, D. 1936. Thysanoptera of the Hawaiian Islands. *Proceedings of the Hawaiian entomological Society*, 9: 181-188.

Moulton, D. 1948. The genus *Frankliniella* Karny, with keys for the determination of species (Thysanoptera). *Revista de Entomologia*, 19: 55-114.

Mound, L A. 1968. A review of R. S. Bagnall's Thysanoptera collections. *Bulletin of the British Museum (Natural History) Entomology*, Suppl., 11: 1-181.

Mound, L. A. 1974. The *Nesothrips* complex of spore-feeding Thysanoptera (Phlaeothripidae: Idolothripinae). *Bulletin of the British Museum (Natural History) Entomology*, 31 (5): 107-188.

Mound, L. A. and Houston, K. J. 1987. An Annotated Check-list of Thysanoptera from Australia. *British Museum (Natural History), London*, 4: 1-28.

Okajima, S. 2006. The Insects of Japan. Volume 2. The suborder Tubulifera (Thysanoptera). Fukuoka: Touka Shobo Co. Ltd, 720pp.

O'Neill, K. 1970. *Frankliniella hawksworthi*, a new species on dwarfmistletoe of ponderosa pine in southwestern United States (Thysanoptera: Thripidae). *Proceedings of the Entomological Society of Washington*, 72 (4): 454- 458.

Osborn, H. 1883. Notes on Thripidae, with descriptions of new species. *Canadian Entomologist*, 15: 151-156.

Palmer, J. M., Mound, L. A. and du Heaume, G. J. 1989. Guides to insects of importance to man 2. Thysanoptera: 1-73, figs. 1-252. In: Betts, C. R. [ed.] CAB International Institute of Entomology and British Museum (Natural History), London.

Pitkin, B. R. 1972. A revision of the flower-living genus *Odontothrips* Amyot and Serville (Thysanoptera: Thripidae). *Bulletin of the British Museum (Natural History) Entomology*,, 26 (9): 371-402.

Priesner, H. 1920. Beitrag sur Kenntnis der Thysanopteren Oberösterreichs. *Jahresberichte Musem Francisco Carolinus*, 78: 50-63.

Priesner, H. 1920. Beitrag sur Kenntnis der Thysanopteren Oberösterreichs. *Jahresberichte Musem Francisco Carolinus*, 78: 50-63.

Priesner, H. 1921. *Haplothrips*-Studien. *Treubia*, 2(1): 12-16.

Priesner, H. 1924. Neue europäische Thysanopteren (Ⅲ). *Konowia*, 3: 1-5.

Priesner, H. 1925. Neue Thysanopteren. *Deutsche entomologische Zeitschrift*, :13-28.

Priesner, H. 1925. Katalog der europäischen Thysanoptera. Konowia, 4: 141-159.

Priesner, H. 1926. Die Thysanopteren Europas. Abteilung Ⅰ-Ⅱ. Wien: F. Wagner Verlag. pp. 1-342.

Priesner, H. 1927. Die Thysanopteren Europas. Abteilung Ⅲ. Wien : F. Wagner Verlag. pp. 343-568.

Priesner, H. 1933. Indomalayische Thysanoptercn. Ⅳ. Konowia, 12:? 69-85; 307-318.

Priesner, H. 1933. Indomalayische Thysanopteren V. Revision der indomalayischen Arten der Gattung *Haplothrips Serv*. *Records of the Indian Museum*, 35: 347-369.

Priesner, H. 1934. Indomalayische Thysanopteren (VI) *Natuurkundig Tijdschrift voor Nederlandsch-Indie*, 94 (3): 254-290.

Priesner, H. 1935. Neue exotische Thysanopteren. *Stylops*, 4: 125-131.

Priesner, H. 1935. New or little-known oriental Thysanoptera. *Philippine Journal of Science*, 57: 351-375.

Priesner, H. 1938. Materialen zu einer Revision der *Taeniothrips*-Arten (Thysanoptera) des indomalayischen Faunengebietes. *Treubia*, 16: 469-526.

Priesner, H. 1949a. Studies on the genus *Chirothrips* Hal. (Thysanoptera). Bulletin de la Société Royal Entomologique d'Egypte, 33: 159-175.

Priesner, H. 1949b. Genera Thysanopterorum. Keys for the Identification of the genera of the order Thysanoptera. *Bulletin De La Société Entomologique D' egypte*, 33: 31-157.

Priesner, H. 1950. Studies on the genus *Scolothrips* (Thysanoptera). *Bulletin de la Societe Royale entomologique d'Egypte*, 34 : 39-68.

Priesner, H. 1957. Zur vergleichenden Morphologie des Endothorax der Thysanoptera (Vorlaufige Mitteilung). *Zoologischer Anzeiger*, 159 (7/8): 159-167.

Priesne,r H. 1964. Ordnung Thysanoptera. *Bestimmungsbucher zur Bodenfaunia Europas* 2: 1-242. Berlin.

Ramakrishna Ayyar, T. V. 1928. A contribution to our knowledge of the Thysanoptera of India. *Memoirs of the Department of Agriculture of India* (Entomology Series 10) 7: 217-316.

Schmutz, K. 1913. Zur kenntis Thysanopteren Fauna von Ceylon. *Sitzungsberichte der Kaiserlichen Akademie der Wissenschaften*, 122(7): 991-1089.

Shull, A. F. 1909. Some apparently new Thysanoptera from Michigan. *Entomological News*, 20(5): 220-228.

Shumsher, S. 1946. Studies on the systematics of Indian Terebrantia. *Indian Journal of Entomology*, 7: 147-188.

Stannard, L. J. 1968. The Thrips or Thysanoptera of Illinois. *Bulletin of the Illinois Natural History Survey*, 29 (4): 1-552.

Steinweden, J. B. 1933. A key to all known species of the genus *Taeniothrips* Amyot and serville. *Transactions of the American Entomological Society*, 59: 269-293.

Steinweden, J. B. and Moulton, D. 1930. Thysanoptera from China. *Proceeding Natural History Society Fukien Christin University*, 3: 19-30.

Uzel , H. 1895. *Monographie der Ordnung Thysanoptera. KÖnigrätz*, Bohemia, pp. 1- 472.

Whetzel, H. H. 1923. *Report of the plant pathologist for the period January 1st to May 31st*, 1922. (Bermuda) Board and Dept. Agriculture and Forestry, 1922, 1-2832.

Williams, C. B. 1916. *Thrips oryzae* sp. nov. injurious to rice in India. *Bulletin of Entomological Re-*

search,6: 353-355.

Wilson, T H. 1975. A monograph of the subfamily Panchaetothripinae (Thysanoptera: Thripidae). *Memoirs of the American Entomological Institute*, 23: 1-354.

Wu, C F. 1935. Catalogue Insectorum Sinensium, 1: 335-352 (Thysanoptera).

Zhou, H-F, Zhang, G-L and Feng, J-N. 2008. A new species of the genus *Ernothrips* Bhatti (Thysanoptera: Thripidae) from China. *Entomotaxonomia*, 30 (2): 91-94. [周辉凤, 张桂玲, 冯纪年, 2008. 中国片膜蓟马属一新种(缨翅目:蓟马科). 昆虫分类学报, 30 (2): 91-94.]

Zur Strassen, R. 1967. Studies on the *Chirothrips* Haliday (Thysanoptera: Thripidae) with descriptions of new species. *Journal Entomological Socity of South Africa*, 29: 23- 43.

广翅目 Megaloptera

刘星月　杨帆　杨定
（中国农业大学昆虫学系 北京 100193）

鉴别特征：成虫小型至大型。头大，多呈方形，前口式；口器咀嚼式，部分种类的雄虫上颚极长；复眼大，半球形。翅宽大，膜质、透明或半透明，前后翅形相似，但后翅具发达的臀区；脉序复杂，呈网状，无缘饰。幼虫蛃形，头前口式，口器咀嚼式，上颚发达；腹部两侧成对的气管腮。

生物学：完全变态。生活史较长，完成1代一般需1年以上，最长可达5年。卵块产于水边石头、树干、叶片等物体上。幼虫孵化后很快落入或爬入水中，常生活于流水的石块下或池塘及静流的底层。幼虫广谱捕食性；蛹为裸蛹，常见于水边的石块下或朽木树皮下。成虫白天停息在水边岩石或植物上，多数种类夜间活动，具趋光性。广翅目幼虫对水质变化敏感，可作为指示生物用于水质监测；幼虫还可以作为淡水经济鱼类的饵料，并具有一定的药用价值。

分类：世界性分布。全世界已知仅380余种，包括齿蛉、鱼蛉和泥蛉三大类群。中国已知120余种，陕西秦岭地区发现2科6属11种。

分科检索表

成虫具3枚单眼；足第4跗节圆柱形；具翅疤。幼虫腹部第1~8节两侧具气管鳃，第10节特化为1对钩状臀足 ……………………………………………… **齿蛉科 Corydalidae**

成虫无单眼；足第4跗节近二叶状；无翅疤。幼虫腹部第1~7节两侧具气管鳃，第10节延长为1条中尾丝 ……………………………………………… **泥蛉科 Sialidae**

（一）齿蛉科 Corydalidae

鉴别特征：头部短粗或扁宽，头顶呈三角形或近方形。复眼大，半球形，明显突出。单眼3枚，近卵圆形。触角丝状、近锯齿状或栉状。唇基完整或中部凹缺。上唇呈三角形、卵圆形或长方形；上颚发达，内缘多具发达的齿；下颚须4~5节；下唇须多为3~4节。前胸四边形，一般较头部细；中后胸粗壮。跗节5节，均为圆柱状。翅长卵圆形；径脉与中脉间具翅疤，前翅翅疤3个，后翅翅疤2个。雄虫腹端第9腹板发达；肛上板1对，发达；臀胝卵圆形，发达；第10生殖基节多为发达。雌虫腹端生殖基节多具发达的侧骨片，端部多具细指状的生殖刺突。幼虫腹部第1~8节两侧各具1对气管鳃，末端具1对末端具爪的臀足。

分类：全世界已知27属约300种，中国记录10属109种，陕西秦岭地区有5属10种。研究标本保存在中国农业大学昆虫博物馆（CAU）及中国科学院动物研究所（IZCAS）。

Ⅰ. 齿蛉亚科 Corydalinae

分属检索表

1. 前翅1A分3支 …………………………………………………… 星齿蛉属 *Protohermes*
   前翅1A分2支 …………………………………………………………………… 2
2. 头顶具1对发达的齿状突；雌虫和雄虫上颚明显异型；前翅前缘横脉网状 ……………………………………………………………… 巨齿蛉属 *Acanthacorydalis*
   头顶无齿状突；雌虫和雄虫上颚形状相同；前翅前缘横脉相互平行而非网状 ……………………………………………………………… 齿蛉属 *Neoneuromus*

1. 巨齿蛉属 *Acanthacorydalis* van der Weele, 1907

Acanthacorydalis van der Weele, 1907: 228. **Type species**: *Corydalis asiatica* Wood-Mason, 1884: 110.

属征：大型，体长50.0~105.0mm，前翅长55.0~95.0mm，后翅长50.0~80.0mm，体粗壮，呈黑色或黑褐色，头部和前胸多有对称的黄色斑纹。头部大而扁宽，头顶明显呈方形，唇基前缘中央具1个较深的半圆形凹缺。复眼后侧缘齿发达，头顶还具1对齿状突起。触角长丝状，雌虫和雄虫的长度几乎相等。上唇三角形，雌虫和雄虫上颚二型现象显著，雄虫上颚极发达，明显大于雌虫，约等于头部及前胸的总长，其内缘基部具1个大齿，端半部具1~3个小齿；雌虫上颚约等于头部长，内缘具3个齿且中间的齿微弱。外咽片前端两侧一般向前呈刺状突伸。前胸比头部窄，长明显大于宽，背板近后侧缘处微隆起，腹板后缘中央具1对较小的齿状突起；中后胸较前胸粗壮。翅大而狭长，长约为宽的3倍，翅面烟褐色，横脉两侧多具褐斑；前翅前缘横脉多分叉或连接。径分脉（Rs）分7~10支，前中脉（MA）分叉；径横脉5~10条；后中脉（MP）分2主支，前支分2~4支，后支分2~3支；第1臀脉（1A）分2支。雄虫腹端第9背板一般纵向分成左右对称的2片，中央连接处微弱骨化；第9腹板宽大于长，端缘两侧各具1个瓣状突起；肛上板棒状，略弯曲，约与第9背板等长；生殖刺突短粗，中部有时膨大，末端具1个骨化的小爪；第10生殖基节倒拱形，稍骨化，生殖刺突细长，指状。雌虫腹端第8生殖基节宽阔，端缘中央弧形凹缺；肛上板背面两侧向后突伸，中央弧形凹缺，腹面半圆形；第9生殖基节膜质瓣状，侧骨片长条状，中部宽而两端较窄；生殖刺突指状，基部与第 9 生殖基节无关节。

分布：东洋区，但东方巨齿蛉 *A. orientalis* 在古北区也有分布。全世界已知 8 种，中国记录 6 种，秦岭地区有 1 种。

(1) 东方巨齿蛉 *Acanthacorydalis orientalis* (McLachlan, 1899) (图 120)

Corydalis orientalis McLachlan, 1899: 281.

Acanthacorydalis kolbei van der Weele, 1907: 230.

鉴别特征：头部黑褐色，而前侧角黄色；头顶具黄色网状纹；中单眼前具 1 个黄斑，侧单眼后具 2 个黄斑。雄虫上颚极发达，内缘基齿发达，尖锐，中齿和端齿短尖。胸部黑褐色，前胸具若干黄斑。前胸背板前缘两侧各具 1 个逗点状黄斑，其后紧接 1 个长钩状黄斑，近侧缘还具 1 个纵斑；近后侧缘微隆起，黄色；中斑多呈长梭标状并伸达前缘，其基部两侧具 1 对三角形黄斑。足黑褐色，密被金黄色短毛，转节和股节基部及前足基节内侧黄色，爪暗红色。翅浅烟褐色，前翅横脉两侧多具褐斑。腹部黑褐色，背面略带黄色，被暗黄色短毛。雄虫腹端第 9 背板纵向分为左右 2 片，基缘呈“V”形凹缺；第 9 腹板横宽，其瓣状突末端缩尖；肛上板棒状，略外弯，末端内缘略凹陷；生殖刺突极短粗，中部明显膨大，端部缩小且稍内弯，末端具 1 个骨化小爪；第 10 生殖基节基缘中央梯形凹缺，端缘中央略弧形浅凹，生殖刺突较短，约为侧臂长的 1/2。雌虫腹端肛上板背面两侧向后突伸，腹面半圆形，侧视略向后突伸；第 9 生殖基节膜质瓣状，后端近方形，侧骨片长条状，中部宽而两端窄。

采集记录：1♀，周至厚畛子 1350m，1999. Ⅵ. 24，朱朝东采（IZCAS）；2♀，太白山 1350m，1980. Ⅶ. 11，韩寅恒采（IZCAS）；1♀，太白黄柏塬，1980. Ⅶ. 14（IZCAS）；3♀，留坝庙台子 1470m，1999. Ⅶ. 01，贺同利采（IZCAS）；5♀，洋县华阳，2014. Ⅵ. 01-07，张巍巍采（CAU）；1♀，佛坪，1985. Ⅶ. 17，李法圣采（CAU）；2♀，佛坪 900m，1999. Ⅵ. 27，姚建采（IZCAS）；1♀，佛坪 890m，1999. Ⅵ. 26，贺同利采（IZCAS）；1♀，旬阳白柳 439m，2014. Ⅵ. 22，张蕾采（CAU）；2♀，柞水凤凰古镇 731m，2014. Ⅵ. 25，张蕾采（CAU）；4♀，丹凤太子庙 1111m，2014. Ⅶ. 01，张蕾采（CAU）；2♀，丹凤蔡川 1208m，2014. Ⅶ. 02，张蕾采（CAU）；3♀，丹凤蔡川 1190m，2014. Ⅵ. 30，张蕾采（CAU）；1♂，镇安苗圃，1981. Ⅴ. 30（CAU）；1♂1♀，镇安云盖寺 803m，2014. Ⅵ. 18，张蕾采（CAU）；5♀，镇安云盖寺 900m，2014. Ⅵ. 21，张蕾采（CAU）。

分布：陕西（太白、周至、留坝、洋县、佛坪、旬阳、柞水、丹凤、镇安）、北京、天津、河北、山西、河南、甘肃、湖北、湖南、福建、广东、重庆、四川、云南。

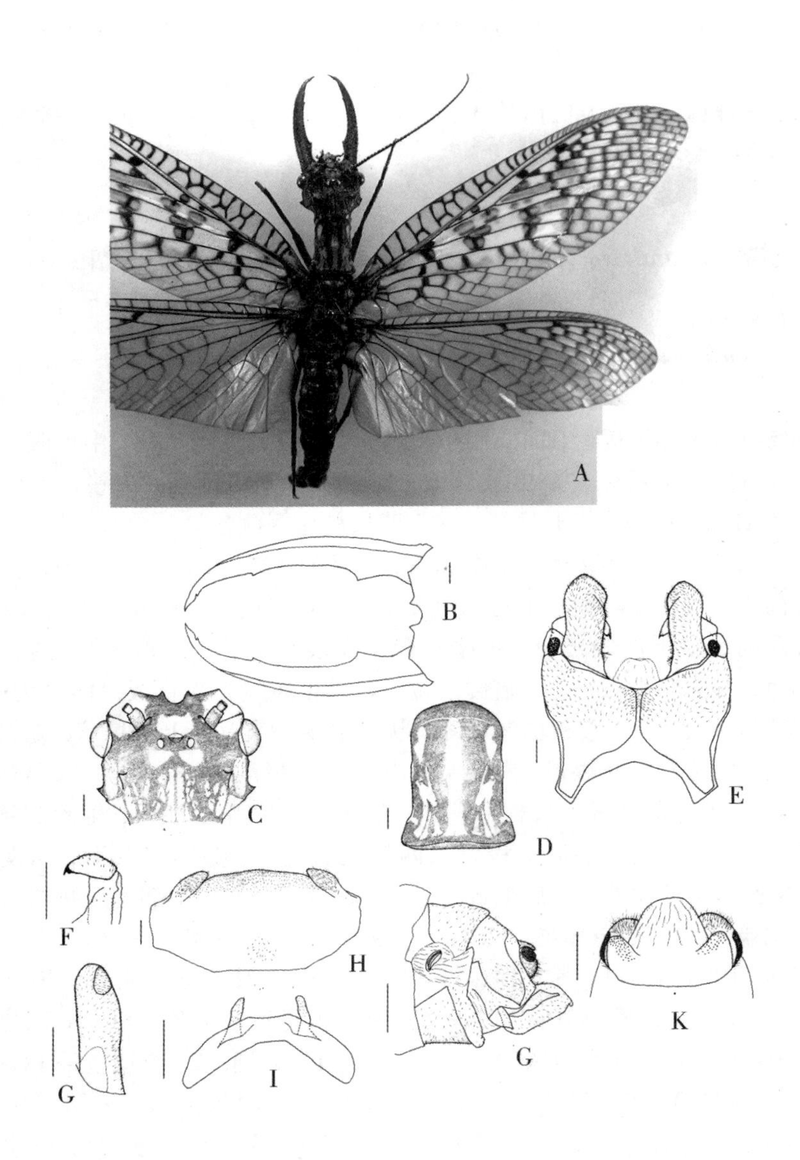

图 120 东方巨齿蛉 *Acanthacorydalis orientalis* (McLachlan)

A. 整体照；B. 雄虫上颚；C. 雄虫头部背视；D. 雄虫前胸背板背视；E. 雄虫外生殖器背视；F. 第 9 腹板腹视；G. 生殖刺突腹视；H. 肛上板腹视；I. 第 10 生殖基节及生殖刺突腹视；J. 雌虫腹部末端侧视；K. 雌虫外生殖器背视。标尺：1mm

2. 齿蛉属 *Neoneuromus* van der Weele, 1909

Neoneuromus van der Weele, 1909: 252. **Type species**: *Neuromus fenestralis* McLachlan, 1869.

属征：体长 35.0 ~ 72.0mm。体黄褐色、红褐色或黑褐色。头部大而扁平，头顶明显呈方形，复眼后侧缘齿发达，刺状，头顶无齿状突起。触角丝状，约等于头部和前胸的总长。唇基前缘中央微凹。上唇卵圆形，宽约为长的3倍；雌虫和雄虫上颚形状大小相同，内缘具3个齿。前胸长明显大于宽。翅大而狭长，端半部多为褐色，横脉两侧多具褐斑。Rs分9～12支，MA分2叉；径横脉分4～7条；MP1+2分3～8支，MP3+4分2支；1A分2支。雄虫腹端第9背板完整，基缘弧形凹缺，基部中央具内陷，端缘中央具向两侧延伸的裂缝；第9腹板纵向延长，基部宽并向端部渐窄，端半部突伸在肛上板之间，末端平截或分叉；肛上板棒状，端半部明显膨大而内弯；生殖刺突为细长的爪状，末端具1个内弯的骨化小爪；第10生殖基节基部宽而向端部缩小，基缘梯形或弧形凹缺，中部两侧多向后隆突，生殖刺突细长，指状，但有时完全消失；载肛突圆柱形，骨化较强。雌虫腹端第8生殖基节宽阔，近长方形；腹视端缘凹缺，与生殖基节间无膜质连接；肛上板背面两侧明显向后突伸，腹面分成半圆形或近方形的2片；第9生殖基节膜质瓣状，其侧骨片刀状，后端宽而前端明显缩小成柄状；生殖刺突指状，基部第9生殖基节无关节。

分布：东洋区，但个别种也分布于古北区南部。全世界已知9种，中国记录5种，秦岭地区有1种。

(2)普通齿蛉 *Neoneuromus ignobilis* **Navás, 1932**(图121)

Neoneuromus ignobilis Navás, 1932: 147.

Corydalis huangshanensis Ôuchi, 1939: 230.

鉴别特征：头部黄褐色，复眼后侧区具1个宽的黑色纵带斑，有时纵斑向两侧扩展以至整个头顶几乎为黑色。单眼间黑色，单眼前有横向扩展到触角基部的黑斑。后头近侧缘处黑色。胸部黄褐色。前胸背板两侧各具1个宽的黑色纵带斑。足基节、转节和股节腹面暗黄色，股节背面、胫节和跗节黑褐色，爪暗红色。前翅端半部黄褐色或褐色而基半部几乎无色。后翅色浅，基半部完全透明。脉黄色，横脉色深，特别是前缘横脉和径横脉深褐色。腹部黑褐色，被黄褐色短毛。雄虫腹端第9背板完整，基缘弧形凹缺；第9腹板末端中央深凹，明显分成2叉；肛上板棒状，端半部明显膨大，末端明显向内弯曲；生殖刺突为细长的爪状，末端具1个内弯的骨化小爪；第10生殖基节两侧臂较长，腹视基缘较深的弧形凹缺，端缘平直，两侧略向外延伸，中部两侧隆突发达，其上各生具1个细长的生殖刺突。雌虫腹端肛上板腹面分成近方形的2片。

采集记录：1♂，佛坪龙草坪，2006.Ⅶ.27，朱雅君采（CAU）。

分布：陕西(佛坪)、山西、安徽、浙江、湖北、江西、湖南、福建、广东、广西、重庆、四川、贵州；越南。

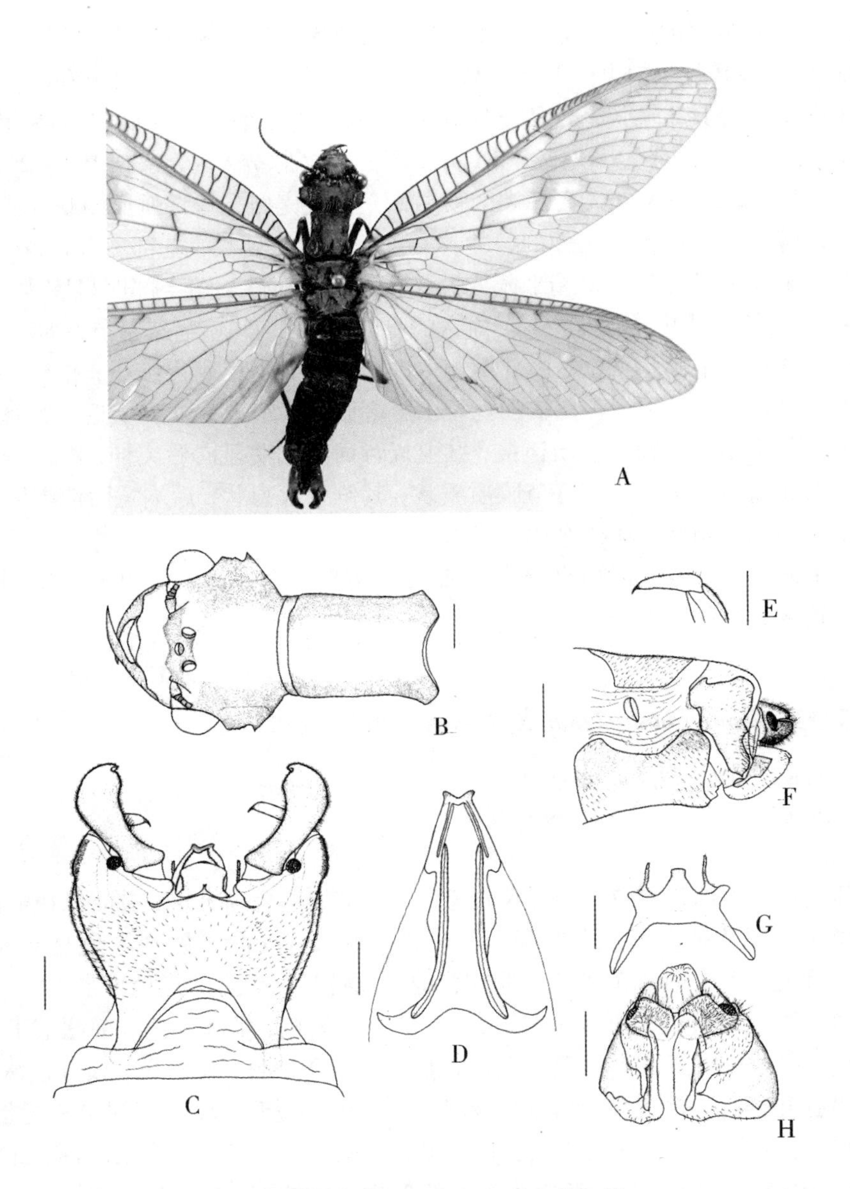

图 121 普通齿蛉 *Neoneuromus ignobilis* Navás

A. 整体照; B. 雄虫头部与前胸背板背视; C. 雄虫外生殖器背视; D. 第 9 腹板腹视; E. 生殖刺突腹视; F. 第 10 生殖基节及生殖刺突腹视; G. 雌虫腹部末端侧视; H. 雌虫外生殖器腹视。标尺:1mm

3. 星齿蛉属 *Protohermes* van der Weele, 1907

Protohermes van der Weele, 1907: 243. **Type species**: *Hermes anticus* Walker, 1853.

Allohermes Lestage, 1927: 100. **Type species**: *Protohermes davidi* van der Weele, 1909.

属征：体长20.0～60.0mm。体多为浅黄色或黄褐色，但有时为黑褐色。头部短粗，复眼后侧缘齿有或无。单眼球形突出，中单眼有时横长，侧单眼靠近或远离中单眼。触角近锯齿状。唇基前缘中央无凹缺。上唇近三角形。前胸长略大于宽，背板两侧具数量、形状各异的黑斑或褐斑。翅大而狭长，浅烟褐色至黑褐色，多具淡黄色或乳白色的斑纹。Rs分7～10支，MA分2～3叉；径横脉分6～14条；MP1+2分4～9支，MP3+4分2～4支；1A分3支。雄虫腹端第9背板完整，基缘弧形凹缺；第9腹板多为宽阔，端缘中央具“V”形或梯形凹缺，凹缺的宽窄深浅因种而异；肛上板形状变化很大，呈细指状、棒状、短圆柱状、扁平瓣状或长带状；生殖刺突爪状，多向内背侧弯曲，长短粗细因种而异；第10生殖基节一般呈拱形，有时具背向突伸的中突，生殖刺突呈指状或瘤状，有时则强烈膨大成梯形。雌虫腹端第8生殖基节侧视三角形或梯形，后缘多突伸，且其中央有时凹缺；第9腹节侧面有时具1对膜质的囊状突；第9生殖基节膜质瓣状，其侧骨片较退化；生殖刺突指状，基部与第9生殖基节具关节；肛上板侧视被臀胝分为背腹两叶，背叶一般近三角形，腹叶一般近半圆形。

分布：东洋区，少数种也分布于古北区。全世界已知72种，中国记录46种，秦岭地区有3种。

分种检索表

1. 前翅无任何浅色斑纹，如有则仅为3个圆斑且位于径脉与中脉间的翅疤处…………………………………………………………………………………… **湖北星齿蛉 *Protohermes hubeiensis***
   前翅基部和中部具若干乳白色或淡黄色斑纹，近端部1/3处多具1个乳白色或淡黄色圆斑……………………………………………………………………………………………… 2
2. 雄虫肛上板棒状，末端不凹缺 ………………………………………… **炎黄星齿蛉 *P. xanthodes***
   雄虫肛上板短柱状，末端凹缺 ………………………………………… **尖突星齿蛉 *P. acutatus***

（3）尖突星齿蛉 *Protohermes acutatus* Liu, Hayashi *et* Yang, 2007（图122）

Protohermes acutatus Liu, Hayashi *et* Yang, 2007: 13.

鉴别特征：头部黄褐色，无复眼后侧缘齿。头顶两侧各具3个褐色或黑色的斑，前面的斑较大，近方形；后面外侧的斑楔形，内侧的斑小点状，但有时斑纹的颜色变浅甚至完全消失。中单眼横长，侧单眼远离中单眼。前胸黄褐色，背板两侧各具2个黑色纵带斑。足黄色且密被黄色短毛，但前中足胫节宽的端部、后足胫节窄的端部及跗节呈黑色。前翅透明，极浅的烟褐色，前缘横脉间无明显褐斑，翅基部具1个大淡黄斑，中部具3～4个淡黄斑，翅端部1/3处具1个极小的白色点斑。后翅较前翅色浅，端部1/3处具1个极小的白色点斑。脉黑褐色，但在淡黄斑中呈黄色。腹部褐色，被黄色短毛。雄虫腹端第9背板近长方形，基缘梯形凹缺，端缘微凹；第9腹板宽阔，中部明显隆起，端缘梯形凹缺，两侧各形成1个末端钝圆的三角形突起；肛上板短柱状，外端角不突出，末端微凹且密生长毛；肛上板腹面内端角具1个小突，其上具1根毛簇；生殖刺突乃基粗端细，略向内背侧弯曲的爪；第10生殖基节拱形，基缘背中突稍隆起，端缘中央具1个较大的"V"形凹缺，两侧各形成1个尖锐的三角形突起；生殖刺突指状，其端半部明显变细且向内弯曲。雌虫腹端第8生殖基节侧视近三角形，端缘明显突出，腹视端缘中央呈"U"形凹缺；第9背板侧面具1对极发达的近长方形囊状突；第9生殖基节端缘平直，端半部腹面微凹；肛上板侧面被臀胝分成背腹两叶，背叶侧近三角形，末端钝圆，腹叶侧视近半圆形。

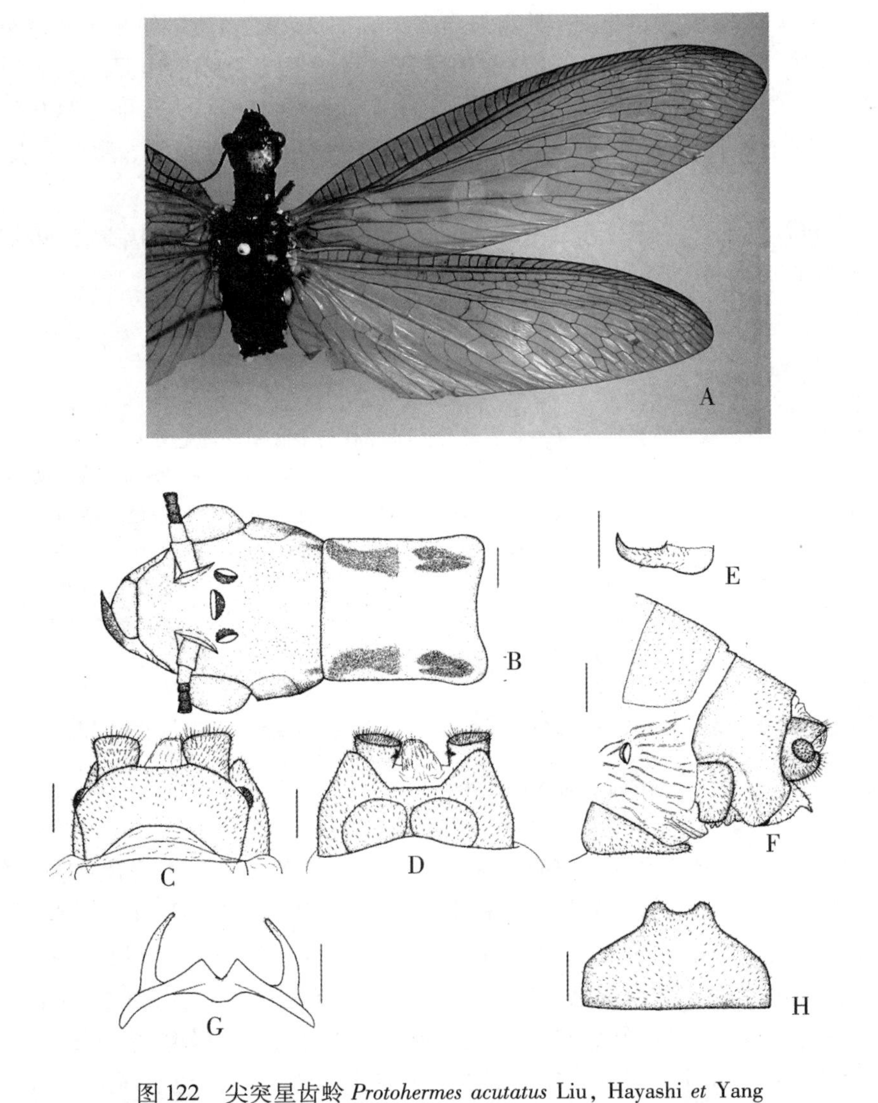

图122 尖突星齿蛉 *Protohermes acutatus* Liu, Hayashi *et* Yang

A. 整体图；B. 雄虫头部与前胸背板背视；C. 雄虫外生殖器背视；D. 雄虫外生殖器腹视；E. 生殖刺突后视；F. 第10生殖基节及生殖刺突腹视；G. 雌虫腹部末端侧视；H. 雌虫第8生殖基节腹视。标尺：1mm

采集记录：1♂，佛坪，867m，2007. Ⅷ. 16，史宏亮采（CAU）；1♀，佛坪岳坝，1216m，2014. Ⅷ. 25，卢秀梅采（CAU）；1♂，旬阳白柳，439m，2014. Ⅵ. 22，张蕾采（CAU）。

分布：陕西（佛坪、旬阳）、湖北、重庆。

（4）湖北星齿蛉 *Protohermes hubeiensis* Yang *et* Yang，1992（图 123）

Protohermes hubeiensis Yang *et* Yang，1992：408.

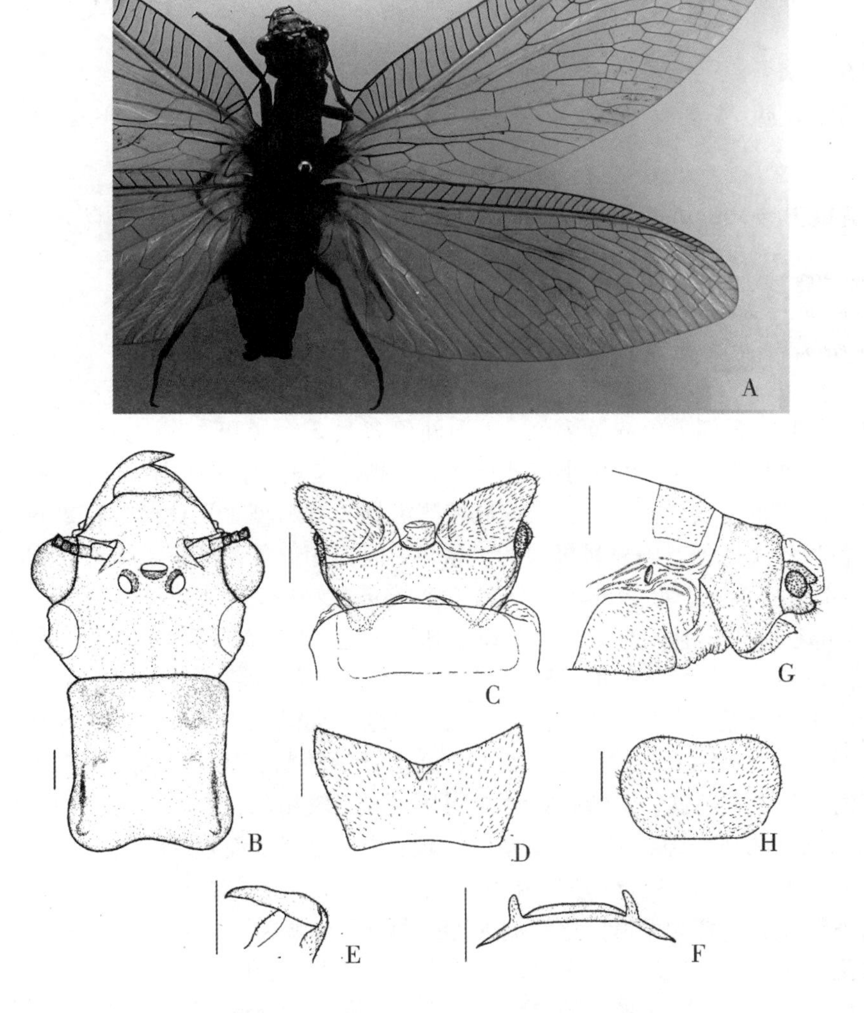

图 123　湖北星齿蛉 *Protohermes hubeiensis* Yang *et* Yang

A. 整体照；B. 雄虫头部与前胸背板背视；C. 雄虫外生殖器背视；D. 第 9 腹板腹视；E. 生殖刺突腹视；F. 第 10 生殖基节腹视；G. 雌虫腹部末端侧视；H. 雌虫第 8 生殖基节腹视。标尺：1mm

鉴别特征：头部黄色，无任何黑斑，复眼后侧缘齿短钝。侧单眼靠近中单眼，中单眼不横长。前胸黄色，但背板中央大部分深黄褐色，前缘两侧浅褐色，近侧缘后半部各具1条细长的褐色钩状纹。足黄褐色，密被黄色短毛，但胫节宽的端部和跗节黑褐色。翅无色透明。脉暗黄色，端半部的纵脉颜色变深，且前缘脉、前缘横脉以及臀脉基部黑褐色。腹部黑褐色，但腹面黄褐色，被黄色短毛。雄虫腹端第9背板近梯形，宽约为长的4倍，基缘弧形凹缺，但中央略隆起，端缘中央突出；第9腹板近梯形，侧缘斜直但端半部略内弯，端缘呈浅的"V"形凹缺，两侧各形成1个末端缩尖的三角形突起；肛上板扁平的瓣状，近三角形，末端钝圆，背面基半部略皱褶；生殖刺突爪状，不明显弯曲；第10生殖基节拱形，基缘宽的梯形凹缺，背中突短而横宽，生殖刺突短指状且略内弯。雌虫腹端第8生殖基节宽阔，近梯形，腹视端缘微凹；第9生殖基节窄，端部略突出并下弯；肛上板侧面被臀胝分成背腹两叶，背叶短钝，腹叶较宽大。

采集记录：1♀，洋县长青，2006. Ⅶ. 29，朱雅君采（CAU）。

分布：陕西（洋县）、湖北。

（5）炎黄星齿蛉 *Protohermes xanthodes* Navás, 1913（图124）

Protohermes xanthodes Navás, 1913: 427.
Protohermes rubidus Stitz, 1914: 201.
Protohermes martynovae Vshivkova, 1995: 24.

鉴别特征：头部黄色或黄褐色；头顶两侧各具3个黑斑，前面的斑大，近方形，后面外侧的斑楔形，内侧的斑小点状；复眼后侧缘齿短钝。中单眼横长，侧单眼远离中单眼。胸部黄色或黄褐色，前胸背板近侧缘具2对黑斑。足黄色且密被黄色短毛，但胫节和跗节浅褐色。前翅呈极浅的烟褐色，但翅痣黄色，翅基部具1个淡黄斑，中部具3~4个淡黄斑，近端部1/3处具1个淡黄色小圆斑。后翅基半部近乎无色透明，翅中部径脉与中脉间具2个淡黄斑。脉浅褐色，但在淡黄斑中的脉及后翅基半部的翅脉淡黄色，亚前缘脉和第1径脉有时呈黄色。腹部黄色或褐色，被黄色短毛。雄虫腹端第9背板近长方形，基缘梯形凹缺，端缘中央微凹；第9腹板端缘梯形凹缺，两侧各形成1个末端尖锐的三角形突起；肛上板短棒状，基粗端细，中部内侧微凹，近端部内侧具1根毛簇；生殖刺突背视明显可见，较粗壮，末端具1个内弯的小爪；第10生殖基节拱形，基缘弧形，生殖刺突较骨化，呈指状而末端缩尖。雌虫腹端第8生殖基节端缘平截，侧视近梯形；第9生殖基节端缘弧形，端半部腹面无凹缺；肛上板侧面被臀胝分成背腹两叶，背叶侧视近三角形，末端钝圆，腹叶侧视近半圆形。

采集记录：1♂2♀，洋县华阳，2014. Ⅵ. 01-07，张巍巍采（CAU）；1♀，佛坪，900m，1999. Ⅵ. 27，姚建采（IZCAS）；1♂7♀，佛坪，890m，1999. Ⅵ. 26，贺同利采（IZCAS）；2♀，佛坪，900m，1999. Ⅵ. 27，朱朝东采（IZCAS）；1♂3♀，旬阳白柳，439m，2014. Ⅵ. 22，张蕾采（CAU）；12♀，柞水凤凰古镇，731m，2014. Ⅵ. 25，张蕾

采（CAU）；1♂，柞水凤凰古镇，785m，2014. Ⅵ. 26，张蕾采（CAU）；3♀，丹凤蔡川，1190m，2014. Ⅵ. 30，张蕾采（CAU）；7♀，丹凤蔡川太子庙，1111m，2014. Ⅶ. 01，张蕾采（CAU）；2♂3♀，丹凤蔡川，1208m，2014. Ⅶ. 02，张蕾采（CAU）；1♀，镇安云盖寺，803m，2014. Ⅵ. 18，张蕾采（CAU）；21♀，镇安云盖寺，900m，2014. Ⅵ. 21，张蕾采（CAU）。

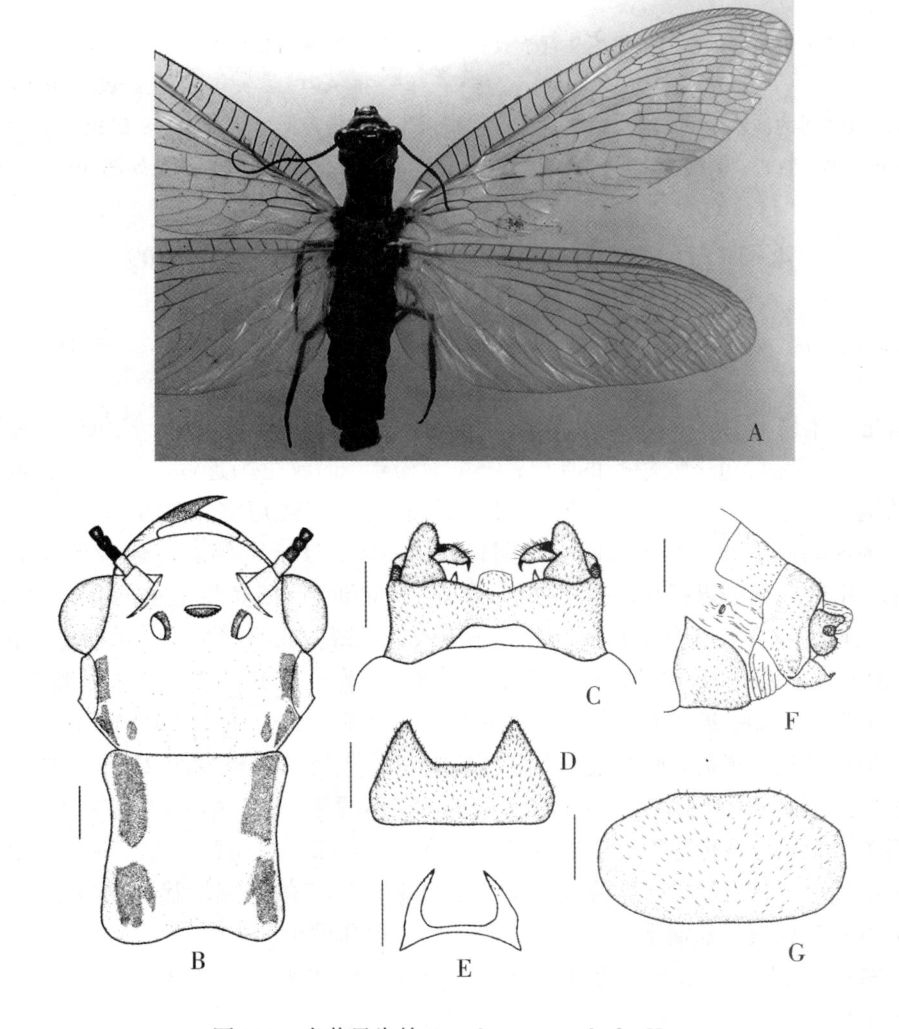

图 124　炎黄星齿蛉 *Protohermes xanthodes* Navás

A. 整体照；B. 雄虫头部与前胸背板背视；C. 雄虫外生殖器背视；D. 第 9 腹板腹视；E. 第 10 生殖基节腹视；F. 雌虫腹部末端侧视；G. 雌虫腹部末端腹视。标尺：1mm

分布：陕西（洋县、佛坪、旬阳、柞水、丹凤、镇安）、辽宁、北京、河北、山西、山东、河南、甘肃、安徽、浙江、湖北、江西、湖南、广东、广西、重庆、四川、贵州、云南；俄罗斯，朝鲜，韩国。

Ⅱ. 鱼蛉亚科 Chauliodinae

分属检索表

前翅臀脉较平直而非波状；雄虫第9背板背视宽大于长，侧视向腹面缢缩；雄虫第10生殖基节外露 ………………………………………………………………………… **斑鱼蛉属 *Neochauliodes***

前翅臀脉强烈的波状弯曲；雄虫第9背板背视长大于宽，侧视向后腹面扩展；雄虫第10生殖基节包被于第9背板，侧视不可见 ……………………………………… **华鱼蛉属 *Sinochauliodes***

4. 斑鱼蛉属 *Neochauliodes* van der Weele, 1909

Neochauliodes van der Weele, 1909: 259. **Type species**: *Chauliodes sinensis* Walker, 1853.

属征：体长15.0~50.0mm。体黄色至黑色。头部短粗，头顶近三角形。复眼明显突出。触角一般短于前翅长的1/2，雄虫为栉状，而雌虫为近锯齿状。上唇近卵圆形。前胸近圆柱形，长宽近乎相等；中后胸较粗壮。翅较短宽，长约为宽的2.5倍，末端钝圆或略向后弯；翅透明或半透明，多具褐斑，且于中部多有连接形成的横带斑，有时几乎完全呈黑褐色。Rs后支无分叉，MA单支，径横脉3条，MP分2单支，1A和2A均为2支且各分支在前翅均近乎平直，后翅基部的MA长，并通过1条短分支与MP再次连接。雄虫腹端第9背板近长方形，宽约为长的2倍，基缘弧形凹缺；第9腹板骨化较弱，近半圆形，短于第9背板，端缘具1个近三角形膜质瓣；肛上板略短于第9背板，侧扁，近四边形，侧视基缘宽约为第9背板宽的2/3，末端多膨大并具多列黑色刺状短毛；臀胝位于肛上板基部，不明显突出；第10生殖基节强骨化，结构简单，长约为第9背板与肛上板长度之和，端半部一般向背上方弯曲。雌虫腹端第8生殖基节近梯形，端缘明显向后突出；肛上板近三角形或指状，下端角多凹缺；第9生殖基节扁阔，末端平截或缩尖；生殖刺突退化消失。

分布：东洋区，少数种分布于古北区。全世界已知46种，中国记录28种，秦岭地区有4种。

分种检索表

1. 前翅前缘横脉基半部密布褐色点斑；Rs后2支不向后明显弯曲；雄虫第10生殖基节侧视中部膨大 ……………………………………………… **缘点斑鱼蛉 *Neochauliodes bowringi***

   前翅前缘横脉基半部无褐色点斑；Rs后2支明显向后弯曲；雄虫第10生殖基节侧视中部不膨大 ………………………………………………………………………………… 2

2. 前翅基半部(前缘域基部除外)密布褐色小点斑；雄虫第10生殖基节侧视端部不膨大 ……………………………………………………………………………… **碎斑鱼蛉 *N. parasparsus***
前翅基半部无褐色小点斑；雄虫第10生殖基节侧视端部膨大 …………………………………… 3
3. 前翅中横带斑宽阔；雌虫第9生殖基节端部无钩状突 …………… **圆端斑鱼蛉 *N. rotundatus***
前翅中横带斑分成若干细条斑；雌虫第9生殖基节端部具1个钩状突 …………………………………………………………………………………… **小碎斑鱼蛉 *N. sparsus***

(6) 缘点斑鱼蛉 *Neochauliodes bowringi* (McLachlan, 1867) (图125)

Chauliodes bowringi McLachlan, 1867: 260.

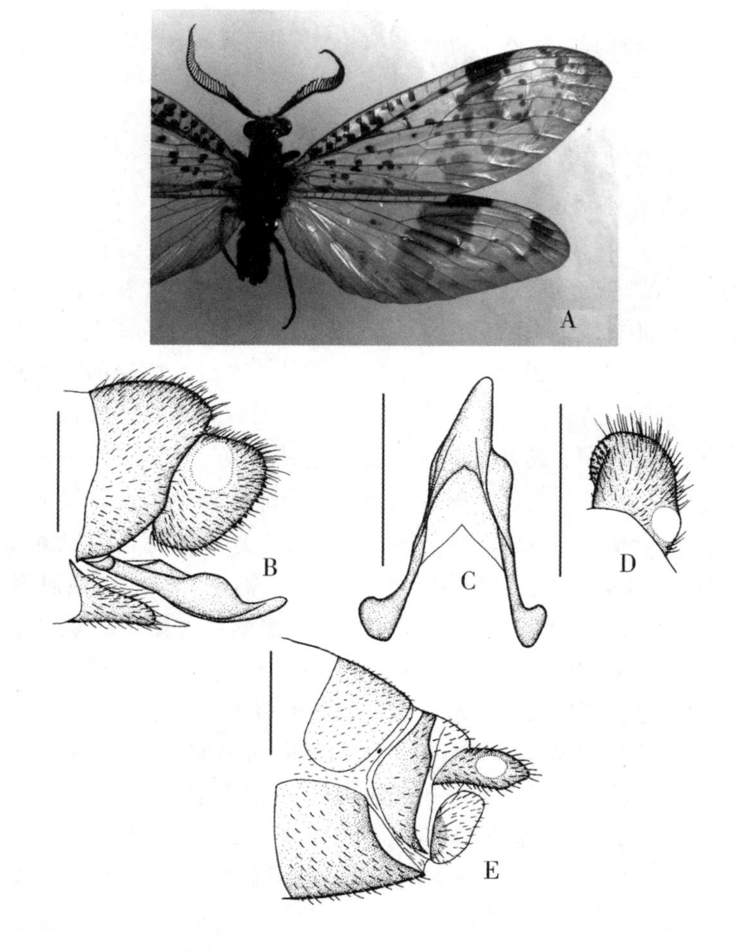

图125　缘点斑鱼蛉 *Neochauliodes bowringi* (McLachlan)

A. 整体照；B. 雄虫外生殖器侧视；C. 第10生殖基节腹视；D. 肛上板背视；E. 雌虫腹部末端侧视。标尺：1mm

鉴别特征： 头部深褐色，但唇基暗黄色。胸部深褐色，但中后胸背板中央浅褐色。足深褐色，密被褐色短毛，爪红褐色。翅近无色透明，具明显的褐色斑纹；翅痣淡黄色。前翅散布很多近圆形的褐色斑点，并在前缘区基部最密集且颜色最深；翅痣两侧各具1个黑斑，且内侧的斑较长；中横带斑连接前缘并延伸至 R_4 处。后翅与前翅斑型相似，但基半部无任何斑纹，中横带较前翅宽而长，连接翅的前后缘。脉浅褐色，但在褐斑中的翅脉呈黑褐色。Rs 后2支近乎平直而不向后弯曲。腹部黑褐色。雄虫腹端肛上板侧视近半圆形，背缘平直，腹缘弧形，背视端半部略膨大；第10生殖基节强骨化，狭长，腹视端半部明显缢缩并略向右弯曲，侧视中部明显膨大，端部略向背面弯曲。雌虫腹端第8生殖基节宽大，后端缘明显向后突伸；肛上板指状，末端缩尖；第9生殖基节垂直向背面突伸，近长方形，末端钝圆。

采集记录： 1♂，太白山，周尧采（CAU）。

分布： 陕西（太白山）、江西、湖南、福建、广东、海南、香港、广西、贵州；越南。

（7）碎斑鱼蛉 *Neochauliodes parasparsus* Liu *et* Yang, 2005（图126）

Neochauliodes parasparsus Liu *et* Yang, 2005：298.

鉴别特征： 头部暗黄色；额具黑褐色斑，并向头顶两侧扩展。前胸暗黄色，但背板大部黑褐色，仅前缘和后缘暗黄色。足暗黄褐色，密被黄色短毛，但胫节宽的端部和跗节黑褐色，爪红褐色。翅无色透明，具大量褐色碎斑。前翅前缘域近基部具1个浅褐色斑，但有时退化消失，翅痣内外各具1个褐斑，内侧的斑较长，外侧的斑较短且有时分裂成几个小点斑；翅基部具大量浅褐色小点斑，中部具2～3条浅褐色窄横带斑，但有时相互连接成1条较宽的横带斑；翅端部沿纵脉具大量浅褐色小点斑。后翅翅痣内外各具1个褐斑，内侧的斑较长，中部具1条连接翅痣内斑的横带斑并延伸至中脉，翅端部沿纵脉具少量浅褐色小点斑。脉浅褐色，但前缘横脉及褐斑处的翅脉深褐色。Rs 后2支端半部明显向后弯曲。腹部黑褐色。雄虫腹端肛上板侧视近方形，背端角较圆，背视宽的端部略膨大而不呈球形；第10生殖基节强骨化，腹视基缘浅的弧形凹缺，近端部略加宽，末端略凹缺，侧视刀状，略向背面弯曲，中部明显隆突。雌虫腹端第8生殖基节梯形，后端缘明显向后突伸；肛上板短粗，背端角缩尖且明显突伸；第9生殖基节叶状，向端部略缢缩，末端缩尖。

采集记录： 1♂，周至厚畛子，1350m，1999.Ⅵ.22，章有为采（IZCAS）；1♂，佛坪，1985.Ⅶ.17（CAU）；8♂，佛坪东河台，2006.Ⅶ.25，朱雅君采（CAU）；1♂，佛坪桦木桥，2006.Ⅶ.26，朱雅君采（CAU）；1♂，佛坪龙草坪，2006.Ⅶ.27，朱雅君采（CAU）；1♂，佛坪大古坪，1216m，2014.Ⅷ.21，卢秀梅采（CAU）；1♂，宁陕旬阳坝，1980.Ⅶ.17（CAU）；1♂，宁陕，1600m，1979.Ⅶ.23，韩寅恒采（IZCAS）；1♀，旬阳，1960.Ⅶ.29（CAU）；1♂1♀，旬阳白柳，439m，2014.Ⅵ.22，张蕾采（CAU）；7♂1♀，柞水凤凰古镇，785m，2014.Ⅵ.26，张蕾采（CAU）；2♂，柞水广货街，

1172m，2014. Ⅶ. 26，唐楚飞、丁双玫采（CAU）；1♂，丹凤蔡川太子庙，1111m，2014. Ⅶ. 01，张蕾采（CAU）；1♀，镇安，1981. Ⅷ. 16，周启珍、王俐采（CAU）；1♂，镇安云盖寺，803m，2014. Ⅵ. 18，张蕾采（CAU）；4♂，镇安云盖寺，900m，2014. Ⅵ. 21，张蕾采（CAU）。

分布：陕西（周至、佛坪、宁陕、旬阳、柞水、丹凤、镇安）、山西、河南、甘肃、湖北、湖南、四川。

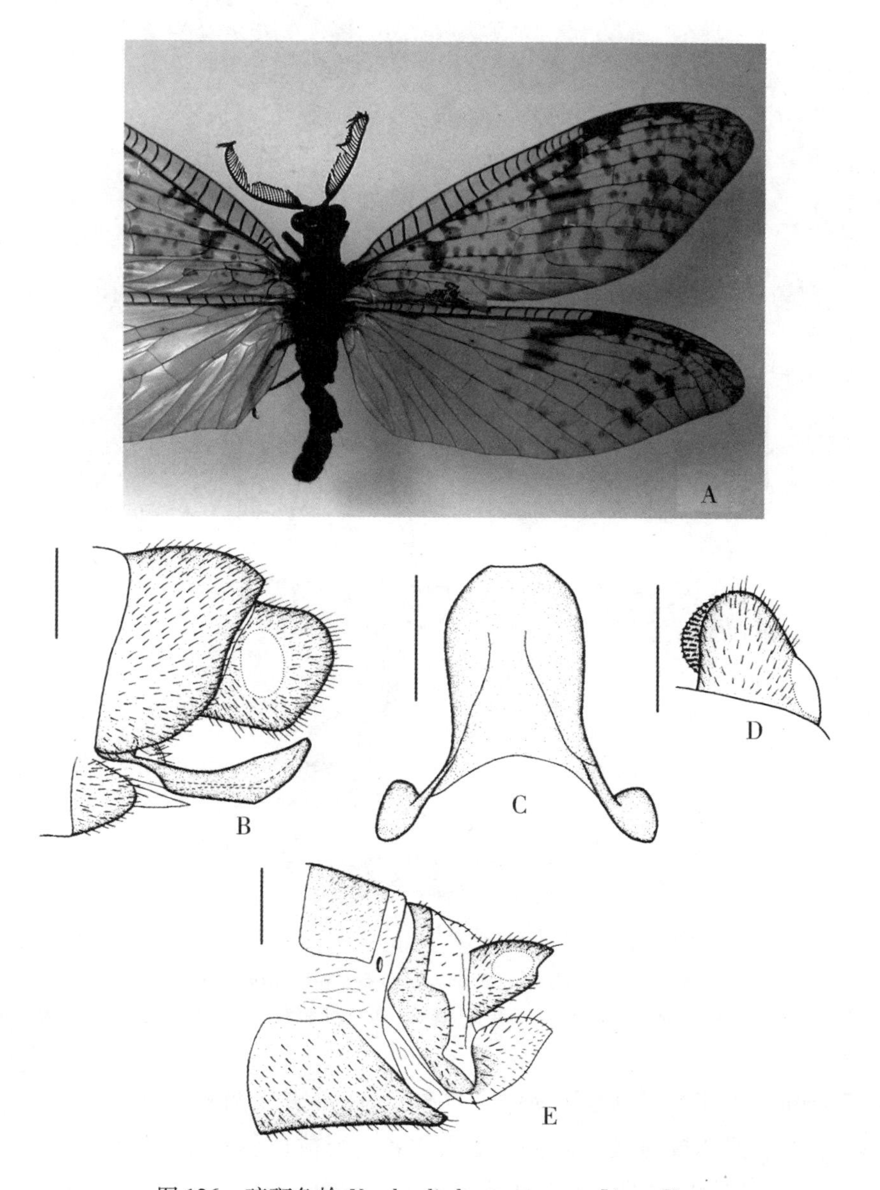

图 126　碎斑鱼蛉 *Neochauliodes parasparsus* Liu *et* Yang

A. 整体照；B. 雄虫外生殖器侧视；C. 第 10 生殖基节腹视；D. 肛上板背视；E. 雌虫腹部末端侧视。标尺：1mm

(8)圆端斑鱼蛉 *Neochauliodes rotundatus* Tjeder, 1937(图 127)

Neochauliodes rotundatus Tjeder, 1937: 4.

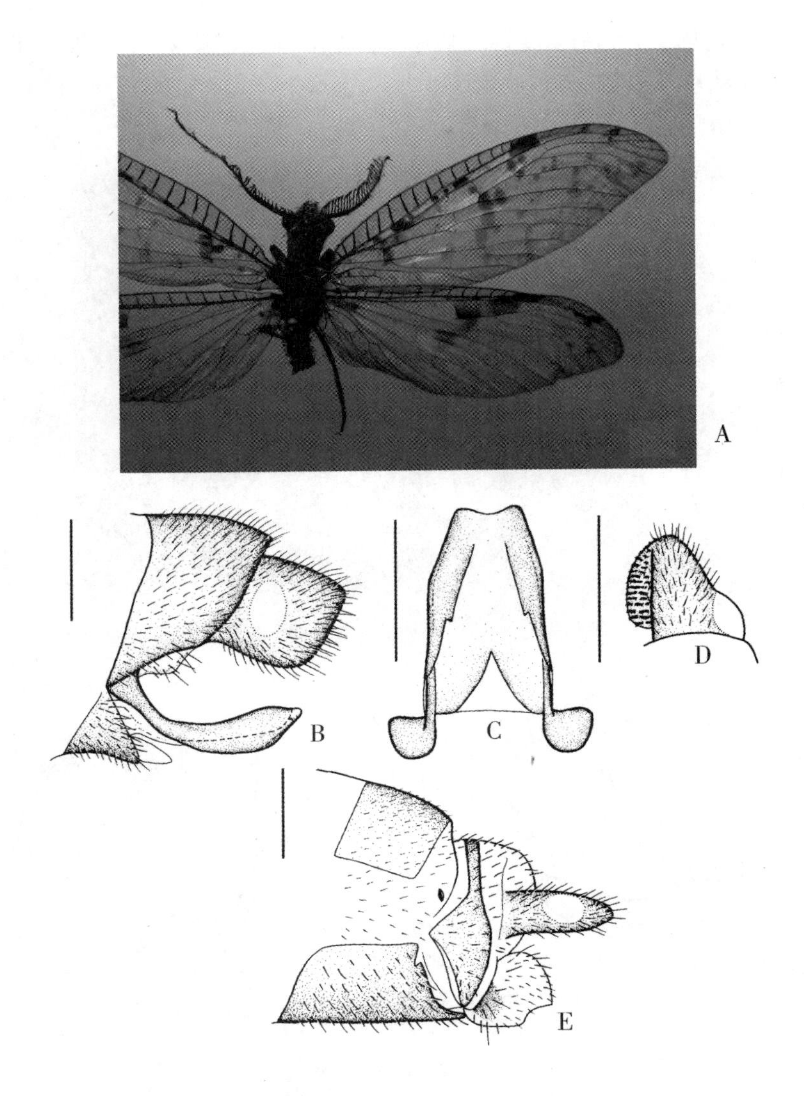

图 127 圆端斑鱼蛉 *Neochauliodes rotundatus* Tjeder

A. 整体照; B. 雄虫外生殖器侧视; C. 第 10 生殖基节腹视; D. 肛上板背视; E. 雌虫腹部末端侧视。标尺:1mm

鉴别特征: 头部黄褐色至深褐色。前胸黄褐色,背板两侧各具 1 个深褐色纵斑;中后胸浅褐色,但背板两侧深褐色。足黑褐色,密被黄色短毛,但股节有时呈浅褐色,爪红褐色。翅无色透明,具若干褐斑;翅痣较短,淡黄色,其内外两侧各具 1 个较短的条斑。前翅前缘域近基部具 1 个褐斑;翅基部具少量小点斑,有时则完全无斑；中横带斑较宽，连接前缘并伸达中脉；翅端部的斑多相互连接，色很浅且有时近乎消失。后翅与前翅斑型相似，但基部无任何斑纹。脉褐色。Rs 后 2 支端部明显向后弯曲。腹部黑褐色。腹端肛上板侧视近方形，端缘较圆，背视端半部球形膨大；第 10 生殖基节强骨化，腹视较宽，近舌形，基缘呈"V"形凹缺，端缘微凹，侧视端部明显膨大并向背面弯曲。雌虫腹端第 8 生殖基节侧视近梯形，后端缘明显向后突伸；肛上板短粗的棒状，末端缩尖；第 9 生殖基节膜质瓣状，近长方形，垂直向背面突伸，末端平截。

采集记录： 1♂，佛坪，900m，1999. Ⅵ. 27，胡建采（IZCAS）；9♀，佛坪，890 ~ 900m，1999. Ⅵ. 26-27，贺同利采（IZCAS）；3♀，旬阳白柳，439m，2014. Ⅵ. 22，张蕾采（CAU）；3♀，柞水凤凰古镇，731m，2014. Ⅵ. 25，张蕾采（CAU）；1♀，柞水凤凰古镇，785m，2014. Ⅵ. 26，张蕾采（CAU）；1♂1♀，镇安云盖寺，900m，2014. Ⅵ. 21，张蕾采（CAU）。

分布： 陕西（佛坪、旬阳、柞水、镇安）、黑龙江、北京、河北、河南、甘肃、湖北、重庆、四川。

（9）小碎斑鱼蛉 *Neochauliodes sparsus* Liu *et* Yang, 2005（图 128）

Neochauliodes sparsus Liu *et* Yang, 2005: 298.

鉴别特征： 头部黄褐色，头顶两侧略呈浅褐色。前胸黄褐色，但背板大部呈浅褐色，仅端部具 1 个倒三角形的黄斑；中后胸浅褐色，但背板两侧褐色。足黄色，且密被黄色短毛，但胫节宽的端部和跗节浅褐色，爪暗红色。翅透明，极浅的灰褐色，具少量褐斑。前翅翅痣内侧具 1 个褐斑，外侧有时具 1 个褐色小点斑；翅基部具少量褐色碎斑，中部具 2 ~ 3 条短而细的褐色横斑，有时此斑分散成若干小碎斑，端部沿纵脉具若干褐色小点斑。后翅的褐斑较前翅明显减少，中部具 1 条连接前缘的较细的横斑，端部具少量褐色小点斑。脉淡黄色，但前缘横脉及褐斑处的翅脉深褐色。Rs 后 2 支端半部明显向后弯曲。腹部黑褐色。雄虫腹端肛上板侧视近方形，腹端角圆，背视端半部略膨大但不呈球形；第 10 生殖基节强骨化，腹视近长方形，基缘呈"V"形凹缺；端部略缢缩，末端明显凹缺，侧视端半部明显膨大，但末端略缢缩。雌虫腹端第 8 生殖基节近梯形，后端缘明显向后突伸；肛上板指状，末端缢缩；第 9 生殖基节短宽，腹缘端部弧形凹缺，末端缩尖。

采集记录： 4♀，丹凤蔡川太子庙，1111m，2014. Ⅶ. 01，张蕾采（CAU）；3♀，丹凤蔡川，1190m，2014. Ⅵ. 30，张蕾采（CAU）。

分布： 陕西（丹凤）、河南、山东、福建。

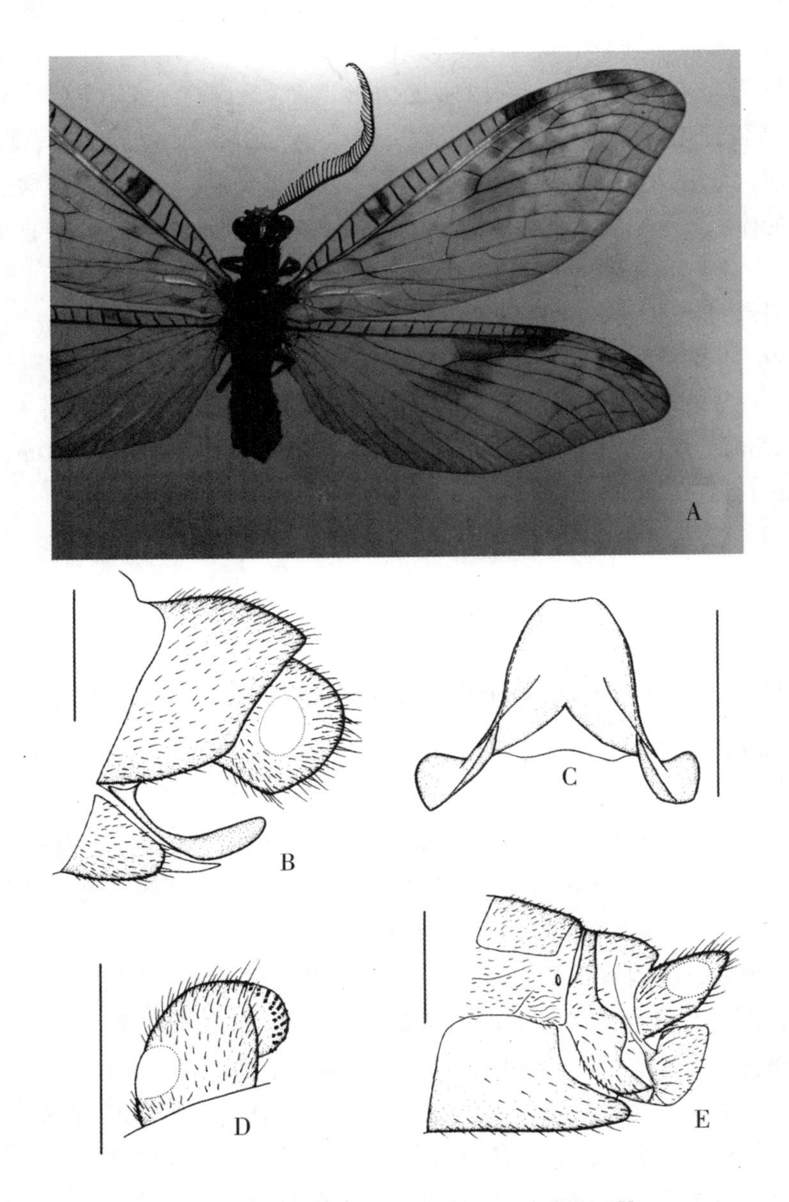

图 128 小碎斑鱼蛉 *Neochauliodes sparsus* Liu *et* Yang

A. 整体照；B. 雄虫外生殖器侧视；C. 第10生殖基节腹视；D. 肛上板背视；E. 雌虫腹部末端侧视。标尺：1mm

5. 华鱼蛉属 *Sinochauliodes* Liu *et* Yang, 2006 陕西新纪录属

Sinochauliodes Liu *et* Yang, 2006: 663. **Type species**: *Sinochauliodes squalidus* Liu *et* Yang, 2006.

属征：体长20.0~45.0mm。体褐色至黑色。头部短粗，头顶近三角形。雄虫触角栉状，长超过前翅长的1/2；雌虫触角近锯齿状，短于前翅长的1/2。上唇近卵圆形。前胸近圆柱形，长宽近乎相等；中后胸较粗壮。足除密被短毛外还具若干长毛。翅狭长，长约为宽的4倍，末端钝圆或略下弯；翅透明或半透明，多具褐斑，有时完全呈黑褐色。Rs后支无分叉，MA单支，径横脉3条，MP分2单支，1A和2A均为2支，前翅1A后支及2A两分支明显波状弯曲，后翅基部MA长，并通过1条短分支与MP再次连接。雄虫腹端第9背板近长方形，长大于宽，基缘呈"V"形凹缺；第9腹板骨化较弱，近半圆形，明显短于第9背板，端缘具1个近三角形膜质瓣；肛上板短于第9背板，侧扁，侧视基缘宽约为第9背板宽的2/3；腹面基部内侧具1个浅凹槽，末端多膨大并具若干列黑色刺状短毛；臀胝位于第10背板基部，大，但不明显突出；第10生殖基节强骨化，短于第9背板，几乎完全包被于第9背板内，基粗端细并向背上方弯曲。雌虫腹端第8生殖基节近梯形，端缘一般向后突出；肛上板短棒状，背端角突出，臀胝不明显突出；第9生殖基节近梯形，末端缩尖；生殖刺突退化消失。

分布：分布于中国东南部。目前已知4种，秦岭地区有1种，为陕西省新纪录。

(10) 灰翅华鱼蛉 *Sinochauliodes griseus* (Yang *et* Yang, 1992) 陕西新纪录种（图129）

Neochauliodes griseus Yang *et* Yang, 1992: 643.

鉴别特征：头部黄褐色，但额完全黑褐色，头顶两侧及后侧缘也呈黑褐色。胸部浅褐色。足黄褐色，密被暗黄色毛，但胫节和跗节黑褐色，爪红褐色。翅狭长，浅灰褐色，无明显斑纹。脉褐色。腹部褐色。雄虫腹端第9背板侧视近方形，腹端角圆，后缘近乎垂直；第9腹板半圆形，端缘中央具1个小三角形膜质瓣；肛上板侧扁，侧视基半部宽而端半部明显缢缩；腹视基半部内侧纵向浅凹，端半部内侧略膨大成球形；第10生殖基节强骨化，向背面弯曲，长约为第9背板的2/3，侧视末端缩尖，腹视基缘宽且呈梯形凹缺，端半部略变窄，近端部略向两侧膨大，末端平截。雌虫腹端第8生殖基节近梯形，后端缘明显向后突伸；肛上板短棒状，末端腹面微凹；第9生殖基节膜质瓣状，扁阔，端部明显缢缩且向内侧弯曲。

采集记录：1♂，洋县华阳，2014.Ⅵ.01-07，张巍巍采（CAU）。

分布：陕西（洋县）、浙江。

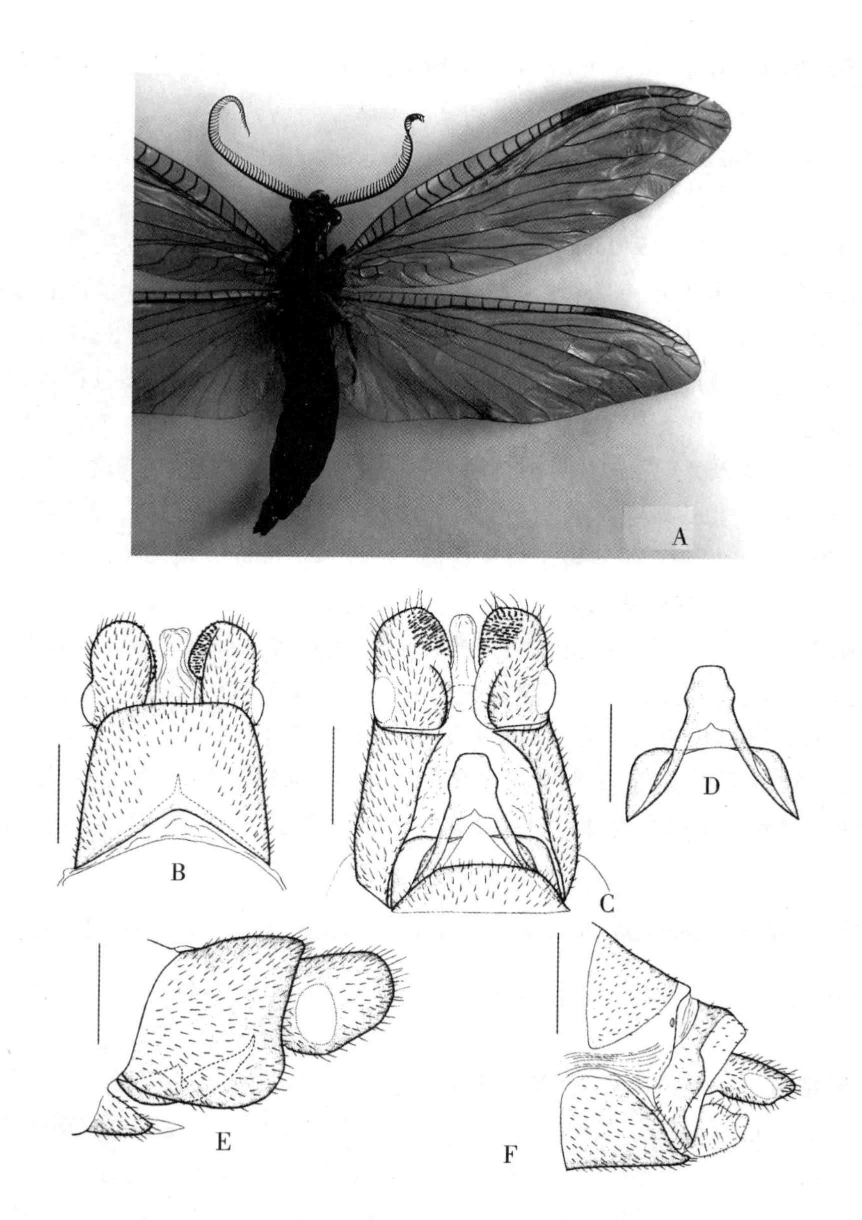

图 129 灰翅华鱼蛉 *Sinochauliodes griseus* (Yang *et* Yang)
A. 整体照；B. 雄虫外生殖器背视；C. 雄虫外生殖器腹视；D. 第10生殖基节腹视；E. 雄虫外生殖器侧视；F. 雌虫腹部末端侧视。标尺：1mm

(二)泥蛉科 Sialidae

鉴别特征：体小型，体翅多为黑褐色。头部短粗，头顶近方形。复眼大，半球形，稍突出或明显突出。单眼退化消失。触角丝状，被短毛。唇基完整。上唇短宽，雄虫端缘微凹或纵向分为2叶；上颚短尖，内缘的齿退化；下颚须4节；下唇须3节。前胸长方形，与头部近乎等宽；中后胸粗壮，不长于前胸。足第4跗节扩展成垫状，两侧骨化较强。翅卵圆形，无斑纹和翅疤。Rs分2~4支，MA分1~2支；径横脉3条；MP分前后2支，有时各分支端部分叉，MP1+2基半部细弱。雄虫第9背板短，基缘凹缺；第9腹板呈宽板状或窄带状；肛上板多愈合为1个围绕肛门的骨片，但有时仍分为1对；第9生殖基节多扁平；臀胝退化；第11生殖基节强骨化，中部纵向分开，基部宽，端部具呈爪状或刺状生殖刺突，有时还具1对膜质侧突。雌虫腹端肛上板极短缩；臀胝退化；第9生殖基节末端钝圆，生殖刺突短而圆。幼虫腹部第1~7节两侧各具1对气管鳃，其腹面无毛簇，第8节无气管鳃，第10节特化为1条中尾丝。

分类：全世界已知8属80余种，中国记录2属14种，陕西秦岭地区有1属1种。研究标本保存在中国农业大学昆虫博物馆(CAU)。

6. 泥蛉属 *Sialis* Latreille, 1802

Sialis Latreille, 1802: 290. **Type species**: *Hemerobius lutarius* Linnaeus, 1758.

属征：体长7.0~16.0mm。体黑色，头部或前胸有时完全为黄褐色或橙黄色；翅灰褐色。头短宽，头顶多具黄褐色隆起的斑。雄虫上唇多由基部分为2叶；雌虫上唇短宽，近长方形，端缘微凹；雄虫上颚端部具窝形内陷。翅近卵圆形；前翅长约为宽的3倍，前缘域近基部明显加宽。前缘横脉基部多与Sc垂直，但有时与Sc外侧成锐角；Rs分2~5支但多分4支，MP1+2分1支，MP3+4分2支。雌虫和雄虫外生殖器结构复杂多样，种间特化显著。

分布：广布于古北区、新北区及东洋区北部。全世界已知59种，中国记录13种，秦岭地区分布1种。

(11)河南泥蛉 *Sialis henanensis* Liu *et* Yang, 2006(图 130)

Sialis henanensis Liu *et* Yang, 2006: 395.

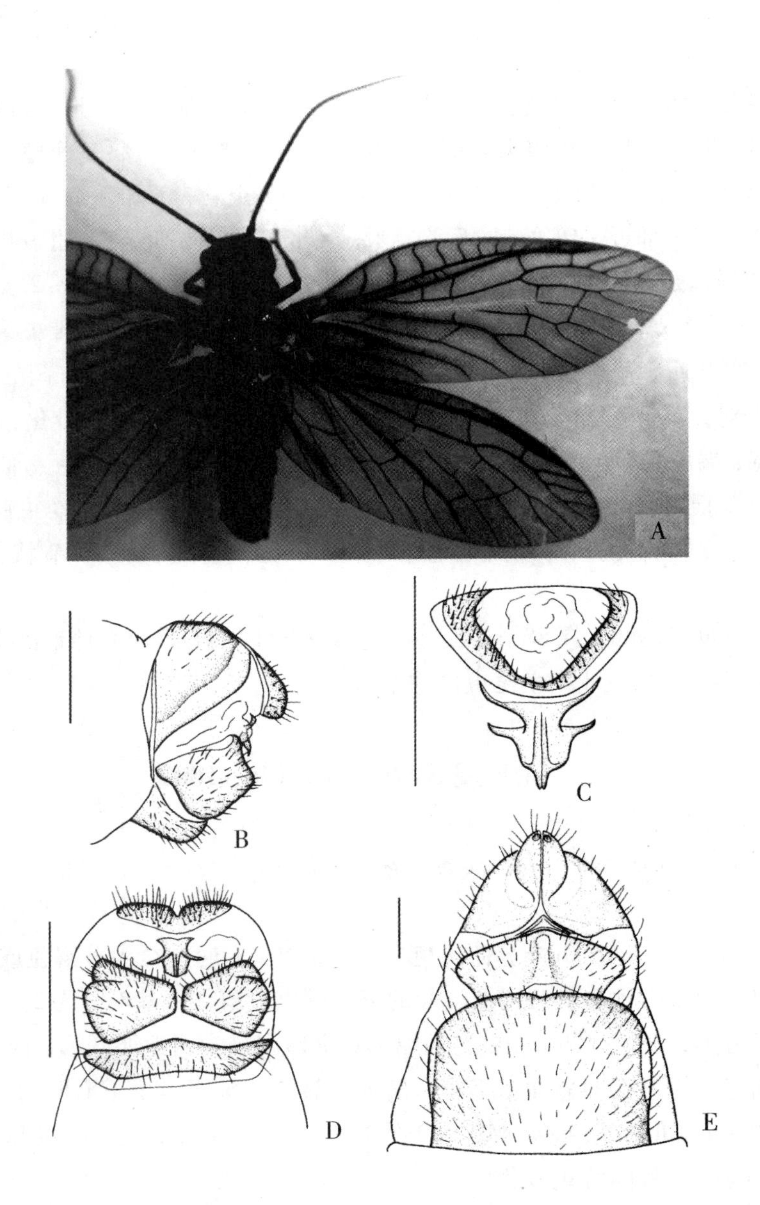

图 130　河南泥蛉 *Sialis henanensis* Liu *et* Yang

A. 整体照; B. 雄虫外生殖器侧视; C. 肛上板和第 11 生殖基节后视; D. 雄虫外生殖器后视; E. 雌虫腹部末端腹视。标尺:0.5mm

鉴别特征: 头部黑色，但头顶中央具 1 对隆起的黄褐色纵斑，其两侧还具若干隆起的黄褐色点斑。胸部黑色。足深褐色。翅浅褐色，后翅较前翅色浅；脉深褐色。腹部黑色。雄虫腹端第 9 腹板短，拱形，腹视两侧略缢缩；肛上板短，侧视向腹面逐渐变宽；第 11 生殖基节骨化，侧视短小的爪状，后视基部向两侧扩展并形成 1 对细长的骨片，中部向两侧翼状扩展形成 1 对骨片，但此骨片较基部骨片短而宽，端半部宽阔，仅末端强烈缢缩形成爪状的生殖刺突；第 9 生殖基节侧视近方形，略短于第 9 背板，背端角斜向背面突伸，腹视近梯形，末端三角形突伸。雌虫腹端第 7 腹板宽阔，近方形，端缘中央具小凹缺；第 8 生殖基节基缘微凹，端缘中央及端侧角隆突，中央纵向浅凹。

采集记录： 2♀，周至厚畛子老县城，1745m，2007. Ⅴ. 26，史宏亮采（CAU）。

分布： 陕西（周至）、河南。

参考文献

Liu, X-Y., Hayashi, F. and Yang, D. 2007a. Systematics of the *Protohermes costalis* species-group (Megaloptera: Corydalidae). *Zootaxa*, 1439: 1-46.

Liu, X-Y., Hayashi, F. and Yang, D. 2007b. Revision of the *Neochauliodes sinensis* species-group (Megaloptera: Corydalidae: Chauliodinae). *Zootaxa*, 1511: 29-54.

Liu, X-Y. and Yang, D. 2004. A revision of the genus *Neoneuromus* in China (Megaloptera: Corydalidae). *Hydrobiologia*, 517: 147-159.

Liu, X-Y. and Yang, D. 2005a. Notes on the genus *Neochauliodes* from Guangxi, China (Megaloptera: Corydalidae). *Zootaxa*, 1045: 1-24.

Liu, X-Y. and Yang, D. 2005b. Notes on the genus *Neochauliodes* Weele, 1909 (Megaloptera: Corydalidae) from Henan, China. *Entomological Science*, 8: 293-300.

Liu, X-Y. and Yang, D. 2006. The genus *Sialis* Latreille, 1802 (Megaloptera: Sialidae) in Palaearctic China, with description of a new species. *Entomologica Fennica*, 17: 394-399.

Liu, X-Y. and Yang, D. 2006. Phylogeny of the subfamily Chauliodinae (Megaloptera: Corydalidae), with description of a new genus from the Oriental Realm. *Systematic Entomology*, 31: 652-670.

Yang, D. and Liu, X-Y. 2010. *Fauna Sinica*, Insecta. Vol. 51, Megaloptera. Science Press, Beijing. 1-457. [刘星月，杨定. 2010. 中国动物志 昆虫纲 第 51 卷 广翅目. 北京：科学出版社. 1-457.]

蛇蛉目 Raphidioptera

刘星月 杨帆
(中国农业大学昆虫学系 北京 100193)

鉴别特征：成虫体细长，小型至中型，多为褐色或黑色。头长，后部近方形或缢缩呈三角形；触角丝状；口器咀嚼式；复眼大，单眼 3 个或无；前胸极度延长，呈颈状；中胸、后胸短宽；前翅与后翅相似，狭长，膜质、透明；翅脉网状，具发达翅痣，后翅无明显的臀区；雄虫腹端第 9 背板与第 9 腹板多为愈合，肛上板为 1 个围绕肛门的环形骨片，雌虫具发达的细长产卵器。幼虫狭长；头长而扁；口器发达，前口式；小眼每侧有4 ~7个集聚一处；触角细长，分 3 ~4 节；前胸大而长，与头部相似；中胸、后胸较小；足短小，跗节不分节，爪 1 对，无中垫；腹部 10 节，中部宽大，端部渐小，无突起或附肢，气门 8 对。

生物学：完全变态。生活史较长，完成 1 代一般需 2 年左右。成虫和幼虫均为肉食性。幼虫陆生，主要生活在山区，多为树栖，常在松、柏等松散的树皮下，捕食小蠹等林木害虫。蛹为裸蛹，能活动。成虫多发生在森林地带中的草丛、花和树干等处，捕食其他昆虫，是一类天敌昆虫。

分类：北半球分布。目前全世界已知 230 余种，包括蛇蛉科 Raphidiidae 和盲蛇蛉科 Inocelliidae 2 个科，中国已知 30 余种，陕西秦岭地区分布 1 科 1 属 1 种。

（一）盲蛇蛉科 Inocelliidae

鉴别特征：成虫体细长，小型至中型，多为褐色或黑色，腹部各节多具黄色横斑。头长，后部近方形；触角丝状；口器咀嚼式；复眼大，无单眼；前胸极度延长，呈颈状；中胸、后胸短宽；前翅与后翅相似，狭长，膜质、透明，翅脉网状，具发达翅痣，翅痣内无横脉；雄虫腹端第 9 生殖基节壳状，内表面多具刺突和毛簇。

分类：全世界已知 7 属 30 余种，中国记录 3 属 20 种，陕西秦岭有 1 属 1 种。研究标本保存在中国农业大学昆虫博物馆(CAU)。

1. 华盲蛇蛉属 *Sininocellia* Yang, 1985

Sininocellia Yang, 1985: 25. **Type species**: *Sininocellia gigantos* Yang, 1985: 26 (orig. des.).

属征：大型蛇蛉。体黑褐色，头部和前胸具复杂的黄褐色斑纹；翅无色透明，亚前缘域具1个浅黄色小点斑。Rs前后两支间具1条短横脉，并形成1个多边形翅室；后翅MA基部斜长。雄虫腹端第8~9腹节强烈膨大；第9生殖基节壳状，内表面具不发达的生殖刺突及毛簇，生殖叶弱骨化，拱形；殖弧叶盾状，具中突。伪阳茎基部背面具1个强骨化骨片。

分布：中国特有属，仅知2种，陕西秦岭有1种。

(1) 集昆华盲蛇蛉 *Sininocellia chikun* Liu, Aspöck, Zhan *et* Aspöck, 2012(图131)

Sinoinocellia chikun Liu, Aspöck, Zhan *et* Aspöck, 2012: 236.

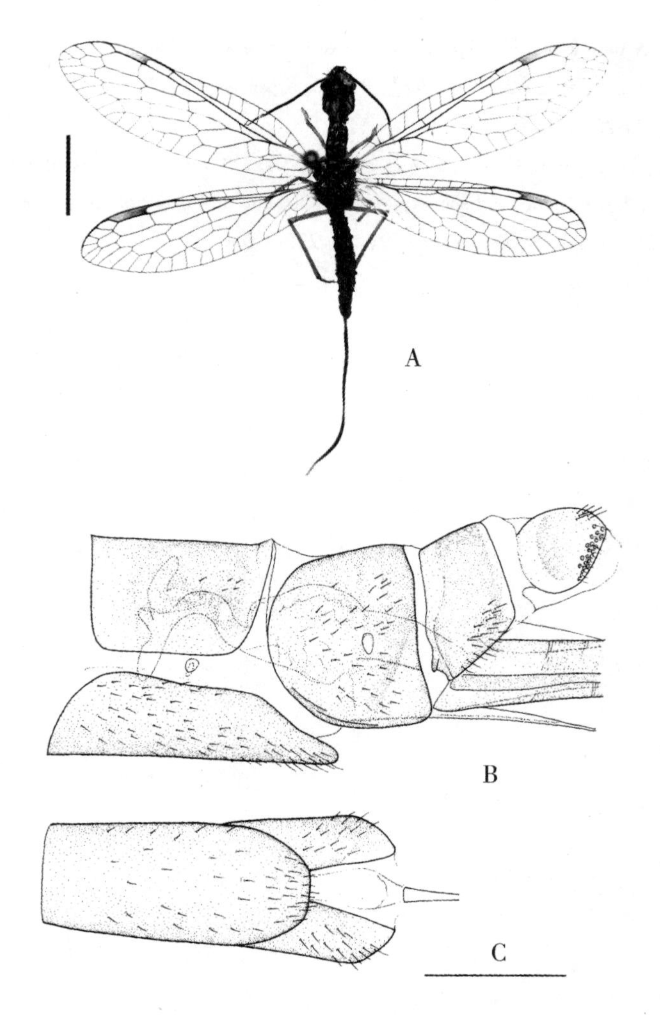

图131　集昆华盲蛇蛉 *Sinoinocellia chikun* Liu, Aspöck, Zhan *et* Aspöck

A. 整体照；B. 雌虫外生殖器侧视；C. 雌虫外生殖器腹视。标尺:1.0mm (A)/0.5mm (B, C)

鉴别特征：头部近长方形，黑褐色；唇基褐色，但前缘黄色；额区具 1 个黄色点斑；头顶具 4 对黄斑，其中外侧 3 对分别为近三角形、带状及小点状，中部 1 对细长并延伸至后头。胸部黑褐色；前胸背板黑色，侧缘黄色，中部具黄色条斑，并环绕成心形。足黄色。翅透明，基部黄色，亚前缘域中部具 1 个黄斑；翅痣黄褐色。腹部背面红褐色，中部具亮黄色纵斑，其两侧具 1 对黄色点斑；腹面暗黄色。雌虫腹端第 7 腹板侧视近梯形，后缘隆突。亚生殖片膜质，表面皱褶。

采集记录：1♀，宁陕三官庙，2010. Ⅵ. 10，郑晓光采（CAU）。

分布：陕西（宁陕）、河南。

参考文献

Yang, C-K. 1985. A new genus and species of snakefly from Wuyishan (Raphidioptera: Inocelliidae). *Wuyi Science Journal*, 5: 25-28. [杨集昆. 1985. 武夷山蛇蛉一新属新种（蛇蛉目：盲蛇蛉科）. 武夷科学，5: 25-28.]

Liu, X-Y., Aspöck, H., Zhan, C-H. and Aspöck, U. 2012. A review of the snakefly genus *Sininocellia* (Raphidioptera, Inocelliidae): discovery of the first male and description of a new species from China. *Deutsche Entomologische Zeitschrift*, 59(2): 235-243.

脉翅目 Neuroptera

刘星月[1] 刘志琦[1] 杨星科[2]
(1. 中国农业大学昆虫学系 北京 100193; 2. 中国科学院动物研究所 北京 100101)

鉴别特征: 成虫小型至大型。口器咀嚼式; 触角长, 多节; 复眼发达。翅膜质透明, 翅脉网状。无尾须。幼虫蛃型, 口器为捕吸式, 上颚呈长镰刀状或刺状; 胸足发达, 但无腹足。

生物学: 完全变态。卵多为长卵形或有小突起, 有时具丝质长柄。幼虫多数陆生, 捕食性; 少数水生。老熟幼虫在丝质茧内化蛹, 蛹为强颚离蛹。

分类: 世界性分布。现生脉翅目全世界已知 16 科 6000 余种, 中国已知 14 科约 900 种, 陕西秦岭地区分布 9 科 31 属 60 种。

分科检索表

1. 体翅覆白粉, 翅脉简单, 无前缘横脉列和翅痣 ………………………… **粉蛉科 Coniopterygidae**
   体翅无白粉, 翅脉复杂, 有前缘横脉列和翅痣 ………………………… 2
2. 前翅 MA 与 MP 间具翅疤 ………………………… 3
   前翅无翅疤 ………………………… 5
3. 头部具 3 个单眼 ………………………… **溪蛉科 Osmylidae**
   头部无单眼 ………………………… 4
4. 触角雌虫和雄虫异型, 雄虫栉状, 雌虫丝状; 雌虫产卵器细长管状, 向背上方弯曲 ………………………… **栉角蛉科 Dilaridae**
   触角雌虫和雄虫同型, 均为念珠状或丝状; 雌虫产卵器短瓣状 ………… **泽蛉科 Nevrorthidae**
5. 触角末端膨大 ………………………… 6
   触角末端不膨大 ………………………… 7
6. 触角末端逐渐膨大呈棒状, 翅痣下方具 1 个狭长翅室………………… **蚁蛉科 Myrmeleontidae**
   触角末端突然膨大呈球杆状, 翅痣下方无狭长翅室 ………………… **蝶角蛉科 Ascalaphidae**
7. 前足特化为捕捉足 ………………………… **螳蛉科 Mantispidae**
   前足正常 ………………………… 8
8. 前翅 Rs 至少有 2 条直接与 R 相连, 翅脉 R 与 Rs 间横脉 1 ~ 3 条……… **褐蛉科 Hemerobiidae**
   前翅 Rs 只有 1 条直接与 R 相连, 翅脉 R 与 Rs 间横脉 5 条以上 ……… **草蛉科 Chrysopidae**

(一)粉蛉科 Coniopterygidae

刘志琦　贾春枫
(中国农业大学昆虫系 北京 100093)

鉴别特征: 小型昆虫，体长仅2.0~3.0mm。体及翅均覆有灰白色蜡粉。在脉翅目中个体最小，形态最为特殊，极易与脉翅目其他科相区别。翅脉简单，无前缘脉列，前缘包括肩横脉在内，也只有1~2条前缘横脉，纵脉数目也大大少于脉翅目其他类群，一般仅有8~10条，而且到翅缘不再分成小叉。足细长，密生细毛。跗节5节，其中第1节最长，等于其余4节之和；第4节扁宽，背方凹入，并环绕着第5节。爪细小。腹部有10节，大部分骨化很弱，只有雄虫腹端的外生殖器部分骨化强，呈深褐色；第11节退化消失，也没有尾须的痕迹。

生物学: 粉蛉的成虫与幼虫均为捕食性，可取食叶螨、蚜虫、介壳虫和飞虱等小型昆虫。粉蛉的生活环境是多种多样的。从高大的乔木，到低矮的灌木、草丛；从茂密的森林到植被稀疏的荒漠，甚至在裸露的岩石上都可寻找到它们的踪迹。但是更多的种类还是生活在木本植物上。

分类: 粉蛉科世界性分布，目前包括3个亚科，即粉蛉亚科 Coniopteryginae，囊粉蛉亚科 Aleuroupteryginae 和 Brucheiserinae 亚科。全世界已知23属534种。中国记录11属66种，陕西秦岭地区有3属5种。

分属检索表

1. 后翅M不分支 ………………………………………… **粉蛉属 *Coniopteryx***
   后翅M分支 ………………………………………… 2
2. 前后翅的m-cu横脉均斜向连在M的后支或分叉处 ……………… **重粉蛉属 *Semilalis***
   至少前翅的m-cu横脉与纵脉垂直，并常连在M的主干上 ……… **啮粉蛉属 *Conwentzia***

1. 粉蛉属 *Coniopteryx* Curtis, 1834

Coniopteryx Curtis, 1834: 528. **Type species**: *Coniopteryx tineiformis* Curtis, 1834.

Malacomyza Wesmael, 1836: 166. **Type species**: *Malacomyza lacea* Wesmael, 1836.

Sciodus Zetterstedt, 1840: 1050. **Type species**: *Sciodus lacteus* Zetterstedt, 1840.

Aleuronia Fitch, 1856: 96. **Type species**: *Aleuronia westwoodi* Fitch, 1856: 802.

Deasia Navas et Marcet, 1910: 150. **Type species**: *Deasia parthenia* Navas & Marcet, 1910.

属征：头侧视高略大于宽，额区在触角窝之间有1个横行的未骨化区域，其下方的额区高度骨化，某些种类具有指状突起、钩状突起。触角20～38节，柄节和梗节长仅略大于宽，鞭节各节向端部渐细，具有明显的第二性别特征，雄虫的触角明显比雌虫短粗；除具有2圈细长前伸的普通毛外，多数种类雄虫的梗节和鞭节的端部还具有短粗的鳞状毛，某些种类在两排普通长毛之间还生有一些较粗的、向外生长的、端部略弯曲的长刚毛。此外，有些种类的雄虫的某些鞭节上具有各种刺状突起，所以粉蛉属的雄虫触角是重要的分类特征之一。下颚须细长，5节，末节不明显宽于前几节，但有的种类端部几节膨大，第4节上生有浓密的感觉毛。下唇须3节，第1节长略大于宽，第2节长等于宽，末节弯曲。

胸部具有明显的2对背斑。翅无斑，缘毛无或很短。前翅长是宽的2.5倍，无明显的肩横脉，Rs在翅基部分出，M分支；后翅比前翅狭长，长是宽的3倍，Rs分支，但M不分支。前后翅横脉的数目和位置种内变化很大，不作为种的分类依据。前足腿节具有短粗而弯曲的毛。腹部灰色，骨化很弱。前7节具有蜡腺，呈宽带状分布在背板和腹板的两侧。第8节骨化弱。雄虫外生殖器结构为臀板位于腹端背方，骨化弱，生有长毛。臀板的下面是1对殖弧叶，针突从殖弧叶的基部或中部伸出，端部常分成内和外2支。下生殖板宽大，前缘被1条连续或在腹面中断的内脊所加强，后缘常生有长毛，其与背缘之间常形成突起，称之为侧突，后缘腹面向前凹入，称之为中端缺刻或中端凹缺，中端缺刻两边的突起，即侧视时位于后缘与腹缘之间的突起，称为尾突，有时中端缺刻的底部还生有1个分叉的横板。阳基侧突细长，中部常由1个腹突与针突的前支相连，左右阳基侧突的腹突又常被1条横桥相连，阳基侧突的端部常向背方突出，称为端突。阳茎由1个或1对骨化的杆组成。上述结构是此属种类鉴定的重要特征。

雌虫外生殖器骨化弱。第9节背板狭窄，向下延伸，其腹面的1个横板为第9节腹板，臀板常并入第9节背板，肛门的下面常有1个横板为第10腹板，其腹面两侧为1对骨化的侧生殖突。此属的雌外生殖器很相似，过去一直难以鉴定到种，但近年，Sziráki通过解剖和染色，利用对交配囊描述，鉴定了欧洲部分种类的雌虫，为此属雌虫的鉴定提供了新的途径。

分布：世界各地均有分布。全世界已知212种，中国记录37种，秦岭地区发现3种。

分种检索表

1. 触角末节端部具有1根细长而弯曲的爪状长毛 ……………………………………………………… **爪角粉蛉 *Coniopteryx*（*Coniopteryx*）*prehensilis***
   触角末节无爪状毛 …………………………………………………………… 2
2. 阳基侧突的端部具有背端突 ……………………… **圣洁粉蛉 *C.*（*C.*）*pygmaea***
   阳基侧突的端部无背端突 ……………………… **阿氏粉蛉 *C.*（*C.*）*aspoecki***

(1) 爪角粉蛉 *Coniopteryx* (*Coniopteryx*) *prehensilis* Murphy *et* Lee, 1971

Coniopteryx prehensilis Murphy *et* Lee, 1971: 155.
Coniopteryx (*Coniopteryx*) *unguicornis* Meinander, 1972: 249.

鉴别特征：前翅长1.8～2.0mm，宽0.7～0.8mm。后翅长1.3～1.8mm，宽0.7～0.9mm。头褐色。复眼褐色。额区和下颚须、下唇须正常。触角褐色，28～31节，长1.2～1.4mm。基部鞭节宽是长的2倍，端节狭长，长是宽的3倍，末端具有1根弯曲、粗壮的爪状刚毛。鳞状毛位于梗节和大部分鞭节的端部，但端部6节无，普通毛排成2圈，端部13节具有1或2根刚毛。胸部黄色，具有深色背斑。翅色淡，足褐色。腹部褐色。雄虫外生殖器下生殖板侧视高等于宽，前缘平直，中部不明显前突呈弧形，前缘内脊腹视连续，侧突形成下生殖板的端背角，不明显突出，尾突端而尖，但后视圆钝，中端缺刻呈“U”形，不伸达下生殖板宽度的1/2。殖弧叶因与臀板愈合而不明显，针突分叉，阳基侧突细长，端部向下弯曲，末端略上弯呈小钩状，在中部靠后有1个小的腹突。阳茎为1个杆或无。

采集记录：2♂，镇巴，1985.Ⅶ.20，李法圣采。

分布：陕西(镇巴)、浙江、江西、福建、广西、四川、云南；印度，新加坡。

(2) 圣洁粉蛉 *Coniopteryx* (*Coniopteryx*) *pygmaea* Enderlein, 1906

Coniopteryx pygmaea Enderlein, 1906: 201.
Deasia parthenia Navás *et* Marcet, 1910: 151.

鉴别特征：前翅长1.7～2.7mm，宽0.8～1.5mm。后翅长1.3～2.2mm，宽0.5～1.1mm。体长2.1mm。头深褐色。额区、下颚须和下唇须正常。触角褐色，23～30节，长1.0～1.7mm。雄虫触角梗节的全部和鞭节的端部具有鳞状毛，基部的鞭节宽是长的2倍，普通毛排成2圈。至少近端部的一些鞭节具有长刚毛。胸部深褐色，具有黑色背斑。翅几乎透明。腹部褐色。雄虫外生殖器下生殖板侧视高等于宽，前缘平直，中部不明显前突呈弧形，前缘内脊(Aah)腹面完整，侧突(Lh)明显而尖，尾突(Ch)侧视细尖，腹视呈三角形，中端缺刻(Maih)呈“V”形。殖弧叶(Gs)宽大，针突分叉，内(Ist)和外(Ost)两支均细长。阳基侧突(Par)细长，端部下弯，背端突细长，阳基侧突的近中部还有1个明显的腹突。

采集记录：3♂，秦岭，1961.Ⅷ.08，杨集昆采。

分布：陕西(秦岭)、辽宁、内蒙古、北京、河北、山西、宁夏、甘肃、浙江；亚洲，欧洲，中东地区。

(3) 阿氏粉蛉 *Coniopteryx* (*Coniopteryx*) *aspoecki* Kis, 1967

Coniopteryx aspoecki Kis, 1967: 123. T

鉴别特征: 前翅长 2.1 ~2.5mm, 宽 0.9 ~1.1mm。后翅长 1.7 ~2.1mm, 宽 0.7 ~0.9mm。头黄褐色。额区正常。触角黑褐色, 26 ~30 节。雄虫触角的基部鞭节宽略大于长, 鳞状毛分布在梗节和各鞭节的端部, 非常厚密。普通毛排成 2 圈, 各鞭节上还有长刚毛。下颚须、下唇须褐色。胸部黄褐色, 具有黑褐色背斑。翅淡褐色, 腹部褐色。雄外生殖器下生殖板侧视高近等于宽, 前缘平直, 中部不明显前突呈弧形, 前缘内脊腹面完整, 尾突细长, 侧视尖而腹视圆钝, 中端缺刻呈"U"形, 底部中央具有 1 条向上的脊, 后视呈突起状。殖弧叶端部很宽。针突分叉, 外支后伸而内支前伸。阳基侧突细长, 在中部靠后有 1 个明显的腹突, 端部向下弯曲。阳茎骨化, 由 2 个杆组成。

采集记录: 5♂10♀, 秦岭, 1961. Ⅷ. 08-09, 杨集昆采。

分布: 陕西(秦岭)、吉林、内蒙古、北京、河北、山西、河南、宁夏、甘肃、上海、浙江、贵州; 蒙古, 罗马尼亚, 奥地利。

2. 重粉蛉属 *Semidalis* Enderlein, 1905

Semidalis Enderlein, 1905: 197. **Type species**: *Coniopteryx aleyrodiformis* Stephens, 1836.
Alema Enderlein, 1905: 226. **Type species**: *Alema boliviensis* Enderlein, 1905.
Alemella Enderlein, 1906: 208. **Type species**: *Alema boliviensis* Enderlein, 1905.
Niphas Enderlein, 1908: 12. **Type species**: *Niphas absurdiceps* Enderlein, 1908.
Parasemidalis Roepke, 1916: 156. **Type species**: *Parasemidalis decipiens* Roepke, 1916.
Protosemidalis Karny, 1924: 474. **Type species**: *Protosemidalis pluriramosa* Karny, 1924.
Metasemidalis Karny, 1924: 478. **Type species**: Parasemidalis decipiens Roepke, 1916.
Ahlersia Enderlein, 1929: 221. **Type species**: *Coniopteryx pulchella* Mclachlan, 1882.

属征: 头侧视高等于宽, 额区在触角间有 1 个不骨化区, 但不向下延伸。触角多为 30 节左右, 柄节和梗节的长与宽近等, 个别种类柄节长是宽的数倍, 雄虫的鞭节长等于宽, 雌虫则长略大于宽, 鞭节上的毛规则地排成 2 圈, 没有鳞状毛。下颚须细长, 末节不比前几节宽。下唇须基部几节小, 长不大于宽, 末节卷曲, 基部宽是前几节的 2 倍。多数种类翅上无斑, 少数种类前后翅具有黑斑, 中国种类均无斑。前翅长是宽的 2 倍。肩横脉一般有 1 条。R 脉在翅中部前分为 R_1 与 Rs。Rs 与 M 均分叉。横脉 r 的位置种内差异很大。m-cu 有 2 条, 端部 1 条倾斜, 一般连在 M 的后支 M_{3+4} 上, 而不是连在 M 的主干上, 缘毛无或很短。后翅脉序与前翅相似, 只有翅前缘的基部具有缘毛。腹部灰色, 骨化很弱。前 7 节具有蜡腺, 但第 8 节无。雄虫外生殖器骨化强。第 9 节背板和腹板愈合, 前缘被 1 条内脊所加强。臀板基部与第 9 节愈合,腹面有 1 个大型的外突，其背后角常向内突起（后视和背视可见）。下生殖板发达，但有时完全并入第 9 节腹板，其背面常形成向后的长刺，又称尾刺。在下生殖板的背面有时还有 1 个骨化很弱的骨片，向前斜伸向阳基侧突的腹面。某些种类在阳基侧突的上方可见第 10 腹板。阳基侧突简单，背面通常生有具有 1 个至数个钩状突起。阳茎位于阳基侧突之间，为 1 个或 1 对细长的杆，但有时消失。雌虫外生殖器结构简单，一般很难鉴定到种。臀板发达，一般骨化强。侧生殖突色深而且多毛。第 9 腹板退化，且为膜质。交配囊位于两侧生殖突之间，色淡而骨化弱。

分布：除澳洲以外，各地均有分布。全世界已知 63 种，中国记录 12 种，秦岭地区发现 1 种。

（4）广重粉蛉 *Semidalis aleyrodiformis*（Stephens，1836）

Coniopteryx aleyrodiformis Stephens，1836：116.
Semidalis curtisiana Enderlein，1906：212.
Semidalis albata Enderlein，1907：5.
Semidalis alpina Withycombe，1925：17.
Semidalis poincianae Withycombe，1925：18.

鉴别特征：体长 2.0～3.1mm。头褐色。触角黑褐色，25～33 节，雄虫的鞭节除基部几节外，长略大于宽。胸部褐色，具有大的黑褐色背斑。翅烟色几乎透明。前翅长 2.1～3.9mm，后翅长 1.7～3.2mm。腹部褐色。雄虫外生殖器深褐色：臀板外突细长，呈指状，长明显大于宽，其内角的突起背视为三角形。下生殖板侧视短小。阳基侧突具有 2 个尖的背突，1 个位于中部，另 1 个位于端部，端部的多数大于中部的，不同地区的标本阳基侧突的形状略有不同。小钩小，爪状。阳基侧突的上方有 1 块斜向的骨板为第 10 腹板。

采集记录：1♀，秦岭，1951. Ⅷ. 09，杨集昆采；1♂3♀，秦岭，1951. Ⅷ. 18，杨集昆采；1♀，秦岭，1961. Ⅷ. 08，程汉华采；3♀，秦岭，1962. Ⅷ. 05，杨集昆采；1♂，秦岭，1965. Ⅶ. 08，程汉华采；1♂8♀，周至楼观台，1962. Ⅷ. 13，李法圣采；4♂2♀，周至楼观台，1962. Ⅷ. 13，杨集昆采；2♂2♀，周至楼观台，1962. Ⅷ. 16，李法圣采；25♂53♀，周至楼观台，1962. Ⅷ. 16，杨集昆采；2♂，周至楼观台，1962. Ⅷ. 17，杨集昆采。

分布：陕西（秦岭，周至）、吉林、辽宁、内蒙古、北京、河北、天津、山西、山东、河南、宁夏、甘肃、新疆、江苏、上海、安徽、浙江、湖北、江西、福建、广东、海南、香港、广西、重庆、四川、贵州、云南、西藏；日本，泰国，印度，尼泊尔，哈萨克斯坦，欧洲。

3. 啮粉蛉属 *Conwentzia* Enderlein, 1905

Conwentzia Enderlein, 1905: 10. **Type species**: *Conwentzia pineticola* Enderlein, 1905.

属征：头侧视高等于宽。额区在触角间有1个不骨化的膜质区，但不向下延伸。触角30~57节，雄虫的节数常多于雌虫，而且种类不同其数目也不同。柄节和梗节长与宽近等，鞭节长是宽的1.0~1.5倍，雄虫鞭节宽是雌虫的1.5倍。鞭节上的毛不成圈排列，无鳞状毛。下颚须细长，末节不比其他节更宽。下唇须的基节短小，长不大于宽，末节卷曲，卵形，宽是前几节的2倍。胸部色单一，无明显的背斑。前翅长是宽的2.5倍，无斑，但具有明显的翅痣。翅基有2条肩横脉。Rs和M均分支。Rs在翅中部从R分出，故R与M分开处到R分支处的距离略长于或等于从R分支处到横脉r的距离。横脉r和m-cu的位置种内差异很大。后翅多为退化，等于或短于前翅长的1/2，只有北美的 *Conerntzia baretti*（Banks, 1899）具大小正常的后翅。退化的后翅翅脉也退化，不同种类具有一定差异，可作为种鉴定时的辅助依据，一般Sc端部与 R_1 愈合；Rs和M不分叉；Cu和A消失；后翅发达的种类翅脉与前翅相似。翅前缘具有短缘毛。中足、后足细长，其腿节是否膨大，可用作种的分类特征。腹部灰色，骨化弱。蜡腺分布在第1~7节，背板上的蜡腺带明显大于腹板两侧的，雄虫第8节无蜡腺，有时雌虫的第6~7节也无或很少。雄虫外生殖器骨化强。第9节的背板和腹板愈合，有的种类其前缘被1条内脊所加强。臀板基部并入第9节，端部形成1个大型的指状外突（outer processes），后视时其内下角常具有1个向内的、端部多分叉的突起（腹内突）；下生殖板与第9节在腹面愈合，针突从下生殖板的背方伸出；阳基侧突简单，具有1个背端齿。在阳基侧突的上方和臀板的内突之间有1个小形骨板，为第10腹板。阳茎位于阳基侧突之间，但多数种类消失。雌虫外生殖器骨化弱，结构简单，很难提供种的鉴别特征。臀板发达，并入第9背板；第9腹板退化；侧生殖突很小，位于臀板的腹面。

分布：全北区，东洋区的北部，非洲。全世界已知13种，中国记录4种，秦岭地区分布1种。

(5) 中华啮粉蛉 *Conwentzia sinica* Yang, 1974

Conwentzia sinica Yang, 1974: 84.

鉴别特征：前翅长2.5~3.4mm，后翅长1.0~1.6mm。头部黄褐色。触角31~36节，基部2节色淡，柄节粗大，梗节圆筒形，长大于宽，鞭节褐色。下颚须和下唇须黄褐色，背面较深。胸部褐色。前翅横脉状的 Sc_2 位于r的内侧，无色透明，r横脉的大部分也透明，只有后端1小段为褐色。肘横脉cu在 Cu_1 和 Cu_2 之间向外斜伸，肘臀横脉 cu-a 则向内斜伸。从 Cu_2 开始，以下的脉均为无色透明而不显著。后翅短小，与前翅的比例为1.0∶2.1，Sc 粗壮，与下面的 R_1 平行，Sc 与 R_1 间的横脉与前后两脉垂直。Rs 和 M 单一，其间有横脉 r-m 连接，Cu_1 达翅缘，与 Cu_2 之间也有横脉。Sc_1 与 R_1 的大部分为褐色，两脉的端部和其他脉为无色透明。足淡黄褐色，中后足胫节的中部显然粗大，两端略带褐色，跗节褐色，5 节。腹部褐色，雄外生殖器臀板外突(Ope)后缘倾斜，宽大于长，其腹内突细小，端部不分叉。针突(Sty)细长，腹视时端部略呈钩状。阳基侧突较短，基半部细而端半部膨大，末端上弯。第 10 腹板(Ⅹ)在阳基侧突的背方为 1 个弓形骨片。阳茎细长而直，基部膨大。雌虫腹端臀板褐色，略呈半圆形，其腹缘完整，无内凹的缺刻，刚毛稀疏，每侧仅有 20 余根。

采集记录： 1♂1♀，周至楼观台，1962.Ⅷ.15，杨集昆采；1♀，太白山营头口蒿坪，1951.Ⅷ.15，周尧采。

分布： 陕西(太白山，周至)、吉林、辽宁、河北、山西、甘肃、江苏、浙江、福建、广东、广西、云南。

(二)泽蛉科 Nevrorthidae

刘星月

(中国农业大学昆虫学系 北京 100193)

鉴别特征： 体中小型，纤细，黄色或黄褐色。头部无单眼，触角念珠状；翅具翅疤和缘饰，翅脉分支较少，前缘横脉多在前缘分叉，无肩迴脉，Rs 仅 1 支从 R 分出，阶脉 2 组，CuA 长距离与翅后缘平行。幼虫水生，体狭长，上颚与头长近乎相等，末端内弯，内缘无齿；前胸明显窄于头宽，腹部无气管腮。

分类： 现生泽蛉科全世界已知 4 属 15 种，间断分布于西欧、东亚及澳大利亚；中国已知 2 属 7 种，陕西秦岭地区有 1 属 1 种。研究标本保存在中国农业大学昆虫博物馆(CAU)。

4. 汉泽蛉属 *Nipponeurorthus* Nakahara, 1958

Nipponeurorthus Nakahara, 1958: 25. **Type species**: *Nipponeurorthus pallidinervis* Nakahara, 1958.

属征： 前翅前缘横脉大多具至少 1 条分叉横脉，后翅 MA 与 MP 前支在外阶脉外侧分叉。雄虫第 9 腹板短，不向后延伸成柄状；第 11 生殖刺突小，并向后分 2 叉。

分布： 东亚地区。全世界已知 11 种，中国记录 6 种，秦岭地区有 1 种。

(6) 秦汉泽蛉 *Nipponeurorthus qinicus* Yang in Chen, 1998(图 132)

Nipponeurorthus qinicus Yang in Chen, 1998: 104.

鉴别特征: 体黄色，无斑。头部黄色。足黄色，仅跗节末端稍暗。翅透明，无斑纹。前翅脉暗褐色，仅基部及 MP 前翅基部为黄色; 阶脉内组 5 段，外组 8 段，Rs 分 4 条，第 1 条在外阶脉组以内分叉。后翅基部的脉呈黄色，端半部暗褐色; Rs 第 1 条在外阶脉组以内分叉，CuA 与后缘长距离平行。雄虫腹部末端粗大，肛上板为 1 个近梯形骨片，臀胝隆突; 第 9 生殖基节端部钩状; 第 10 生殖基节复合体端部亦为钩状。

采集记录: 1♂，安康(CAU)。

分布: 陕西(安康)。

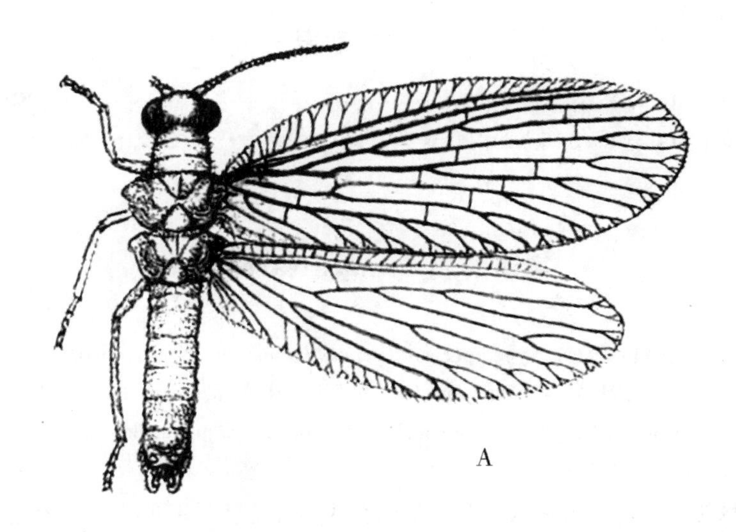

图 132　秦汉泽蛉 *Nipponeurorthus qinicus* Yang，整体照

(三)溪蛉科 Osmylidae

王永杰[1]　徐晗[2]　刘志琦[2]
(1. 首都师范大学 北京 100048; 2. 中国农业大学 北京 100193)

鉴别特征: 溪蛉科成虫体型一般为中型，身体通常褐色至深褐色，触角较短，一般不超过前翅长(但是伽溪蛉亚科 Gumillinae 触角极长，超过翅长); 头部具 3 个明显的单眼(伽溪蛉亚科单眼缺失); 前翅与后翅大小相近，翅上缘饰、翅疤发育完整，前翅 Sc 与 R_1 末端愈合，且伸至翅前缘; Rs 形成多条平行分支，且分支间具多条径分

横脉；MA 与 Rs 分支基部愈合；溪蛉科外生殖器保留了脉翅目的原始特征，结构对称，且雄虫殖弧叶外露，部分伸出体外。

生物学：溪蛉幼虫通常生活在溪边的苔藓或石头上，可捕食双翅目幼虫等小型昆虫。而溪蛉成虫 1 年发生 1 代，通常生活于水边或水边植物上，生活环境通常潮湿阴暗；成虫食性广泛，可捕食蚜虫、蜘蛛、螨等。

分类：分布于除新北区外各大动物地理区系，包括 8 个亚科，即溪蛉亚科 Osmylinae、少脉溪蛉亚科 Protosmylinae、瑕溪蛉亚科 Spilosmylinae、伽溪蛉亚科 Gumillinae、狭溪蛉亚科 Stenosmylinae、肯氏溪蛉亚科 Kempyninae、Eidoporisminae、Porisminae。全世界已知 31 属 214 种。中国记录 3 亚科 9 属 50 余种，陕西秦岭地区有 2 属 3 种。

分属检索表

MP 分叉点位于 MA 与 Rs 第 1 分支间 ························ **离溪蛉属 *Lysmus***
MP 分叉点位于 MA 与 Rs 分离点的内侧 ························ **异溪蛉属 *Heterosmylus***

5. 离溪蛉属 *Lysmus* Navás, 1911

Lysmus Navás, 1911: 1910. **Type species**: *Osmylus harmndinus* Navás, 1910.
Eososmylus Krüger, 1915: 74. **Type species**: *Spilosmylus nigricornis* Nakahara, 1914.
Neolysmus Nakahara, 1955: 13. **Type species**: *Neolysmus ogatai* Nakahara, 1955.

属征：体型中小型，前翅翅脉密布褐色刚毛，膜区翅斑稀少；翅痣浅褐色至黄色，翅疤浅色不清楚；前缘横脉简单不分叉，且翅痣处横脉较稀疏；sc-r1 横脉 1 条，靠近翅基部；r1-rs 横脉多条；Rs 分支 7～8 条，不超过 10 条；径分横脉较少，形成 2～3组完整阶脉；MP 分叉点位于 MA 与 Rs 第 1 分支间；MP 之间横脉较多。后翅与前翅相近，翅痣浅色；MA 基部退化；MP 两分支平行，不扩张；CuP 短且单支。雄虫第 9 背板狭长，臀板近似方形，瘤突不明显，臀胝小；殖弧叶侧视弓形，边缘杆状骨化，末端一般骨化较强；殖弓内突呈臂状弯曲，末端叶状突起；殖弓杆发达，呈托盘状；阳基侧突呈“C”形弯曲，基部细长，末端膨大，内侧骨片明显高于外侧，背视阳基侧突呈舟型；下殖弓叉状。雌虫第 8 背板宽大，腹板退化，侧视呈指状突；第 9 背板狭长，臀板近似梯形，臀胝圆形至椭圆形；第 9 生殖基节狭长，与产卵瓣愈合；产卵瓣近似指状，刺突长；受精囊侧视弯曲，基部膨大，连有长的受精囊腺。

分布：古北区，东洋区。全世界已知 9 种，中国记录 4 种，秦岭地区发现 1 种。

(7)胜利离溪蛉 *Lysmus victus* Yang, 1997

Lysmus victus Yang, 1997: 581.

Lysmus pallidius Yang, 2001: 303. syn. nov.

鉴别特征: 体型中小型，头部褐色至暗褐色，复眼黑色；触角黄色至褐色，基部深色。胸部褐色至黑色，前胸长略大于宽，中后胸变化较小。足黄色至褐色，刚毛黄色；爪褐色，内具小齿。前翅略宽阔，翅上除翅痣外几乎无斑，翅脉浅色；内阶脉处覆有浅色色斑；CuP 末端具 1 个明显褐斑；翅疤不明显；r1-rs 横脉分多条，Rs 分支 9～10条；径分横脉形成 3 组完整阶脉；MP 间横脉 5 条。后翅透明无斑，CuP 单支。雄虫臀胝圆形，殖弧叶末端形成 1 个指状背突，殖弓内突臂状弯曲，末端叶状突起不明显；阳基侧突侧视呈“C”形弯曲，基部指状，末端膨大，近三角形，内侧骨片高于外侧。雌虫第 8 腹板退化，侧视近似指状；臀板近似梯形，臀胝中位；第 9 生殖基节狭长与产卵瓣明显分离不愈合，产卵瓣指状，中间有 1 条深色纵带，刺突指状；受精囊弯曲，基部膨大，受精囊腺细长，呈螺旋排列。

采集记录: 1♂1♀，秦岭 2160m，2006. Ⅶ. 24，王伟芹采。

分布: 陕西(秦岭)、河北、甘肃、浙江、湖北、湖南、贵州。

6. 异溪蛉属 *Heterosmylus* Krüger, 1913

Heterosmylus Krüger, 1913: 237. **Type species**: *Heterosmylus asperses* Krüger, 1913.

属征: 中小型昆虫，头部褐色至深褐色，复眼黑色；单眼明显，眼基部瘤突清楚；触角较短，通常不超过前翅的 1/2。前胸黑色，具黄色刚毛；中后胸黑褐色；足黄色，具褐色短刚毛；爪褐色。翅较宽，翅脉较粗壮，常具少量色斑；翅痣颜色深，褐色至深褐色，中间颜色稍浅；翅疤浅色不明显；前翅前缘横脉简单，末端不分叉；1 条 sc-r1横脉位于翅基部；Rs 略远离翅基部，形成 8～10 条分支；径分横脉较少，排列规则，一般形成 3 组阶脉；MP 分支位于 MA 与 Rs 分离点内侧，MP 横脉一般不超过 4 条，与阶脉数相近；Cu 分支靠近翅基部，CuA 较长，末端形成栉状分支，CuP 超过 CuA 的 1/2。后翅与前翅大小相近，通常除翅痣外无其他翅斑；MA 基部退化，仅由部分残余；MP 分支靠近翅基部；CuA 较长，形成大量栉状分支，CuP 不超过 CuA 的 1/2，于翅后缘倾斜。雄虫臀板宽大，瘤突不明显；臀胝大，圆形。殖弧叶弓形，边缘骨化呈杆状，末端通常骨化较强，形成 1 个明显杆状突起；殖弓内突弯曲，末端略微膨大；殖弓杆发达，呈托盘状；阳基侧突侧视呈“C”形弯曲，末端膨大，背视呈勺状，基部相连；下殖弓叉状。雌虫第 8 背板发达，近似方形，腹板退化，与第 9 背板相连；第 9 背板条形；臀板近似五边形；产卵瓣狭长呈指状，刺突乳突状；受精囊通常呈圆柱状，中部对称弯曲，连有细长的受精囊腺。

分布：东洋区。全世界已知8种，中国记录7种，秦岭地区发现2种。

分种检索表

前翅除翅痣外，具棕褐色翅斑且部分横脉具晕斑，殖弧叶末端略呈指状突起 ……………………
…………………………………………………… **神农异溪蛉 *Heterosmylus shennonganus***
前翅除翅痣外，几乎无斑，殖弧叶末端呈上折弯曲突起 ………… **卧龙异溪蛉 *H. wolonganus***

(8) 神农异溪蛉 *Heterosmylus shennonganus* Yang, 1997

Heterosmylus shennonganus Yang, 1997: 581.

鉴别特征：体型中等，头顶具1条褐色横带；额黄色，两侧褐色；复眼亮黑色，触角黑褐色；单眼大而突出；下颚须和下唇须褐色。胸部黑色，前胸中部具2条狭长黑褐色纵带；中胸具黑色刚毛。前翅分布棕色翅斑，翅脉棕褐色，密布深色刚毛；翅痣棕褐色，中间黄色；翅斑浅褐色；前缘域分布有3～4条棕色翅斑；r1-rs横脉覆有晕斑；MP、Cu横脉均有晕斑；翅外缘有零散分布浅色翅斑；Rs分支7～8条，阶脉2组；MP横脉4条，形成4个多边形翅室；CuA长于CuP，末端形成复杂栉状分支。后翅斑较少，翅痣浅褐色，中间部分黄色；Sc与R_1见分布深色翅斑；MA基部发育完好。雄虫臀板背部具1个角突，瘤突明显，臀胝椭圆形，中位；殖弧叶末端骨化较强，形成1个指状突；殖弧内突呈臂状弯曲，末端呈叶状突起；阳基侧突粗壮，基部指状弯曲，略细，末端略膨大，内叶稍高于外叶；背视末端呈锥形。雌虫第8腹板指状，臀板近似五边形，臀胝大，近中位；第9生殖基节与产卵瓣愈合，产卵瓣近似指状，近基部膨大，刺突指状；受精囊中部弯曲，两臂等长。

采集记录：1♀，宁陕向阳，1982.Ⅷ.24，雷生辉采。

分布：陕西（宁陕）、河南、湖北、重庆。

(9) 卧龙异溪蛉 *Heterosmylus wolonganus* Yang, 1992

Heterosmylus wolonganus Yang, 1992: 440.

鉴别特征：头部深褐色，额黄色，近触角处具1个深色斑；复眼黑褐色，触角深色；单眼褐色；下颚须和下唇须黄褐色。胸部黑色，前胸中部具2条黄色细带，两侧具黑色刚毛；后胸前缘具2个褐色圆斑。前翅除翅痣外，几乎无斑；翅痣深褐色，中间浅色；翅疤不明显；R_1深浅相间；Rs分支9条，阶脉两组；MP间横脉4条，形成多个不规则的翅室。后翅与前翅相似，翅痣明显，中间黄色两边褐色；MA基部退化，不明显，仅余1个浅色痕迹。雄虫臀板宽大，瘤突明显，臀胝圆形中位；殖弧叶端部骨化较强，形成1个向上弯曲突起；殖弓内突臂状弯曲，末端片状突伸；殖弓杆长，与殖弧叶相连；阳基侧突侧视钩形弯曲，基部近似指状，略尖，末端膨大，内侧骨片明显高于外侧；背视阳基侧突呈舟型。雌虫第8腹板退化，腹视宽阔；臀板梯形，臀胝大，椭圆形；第9生殖基节与产卵瓣愈合，产卵瓣柱形；刺突长，近似锥形；受精囊中部弯曲，两臂等长。

采集记录：2♂，宁陕，1985.Ⅵ.18，杨集昆采；1♀，宁陕向阳，1982.Ⅷ.24，雷生辉采。

分布：陕西（宁陕）、河南、甘肃、四川。

（四）栉角蛉科 Dilaridae

张韦　杨帆　刘星月
（中国农业大学昆虫系 北京 100093）

鉴别特征：体中小型。头部黄褐色，头顶具3个单眼状毛瘤。复眼大，半球形。触角有明显的雌虫和雄虫二型现象，雄虫触角栉状，雌虫触角线状。前胸较短；中后胸发达。足跗节5节，均为圆柱状。翅宽阔，大多透明，翅面一般布有黄褐色斑纹。前后翅均具有缘饰。雄虫第9背板背视后缘一般呈“V”形或“U”形凹缺，末端钝圆，密被长毛，第9腹板一般明显短于第9背板；生殖基节包括第9生殖基节、第10生殖基节和殖弧叶。雌虫第9背板侧视一般较狭长，斜向腹面延伸；受精囊弯曲，长管状；肛上板较小，卵圆形。

分类：全世界已知5属95种，中国记录2属33种，陕西秦岭地区有1属2种。研究标本保存在中国农业大学昆虫博物馆（CAU）。

7. 栉角蛉属 *Dilar* Rambur, 1838

Dilar Rambur, 1838: 445. **Type species**: *Dilar nevadensis* Rambur, 1838.
Cladocera Hagen, 1860: 56. Nomen nudum.
Lidar Navás, 1909: 153. **Type species**: *Dilar meridionalis* Hagen, 1866.
Fuentenus Navás, 1909: 154. **Type species**: *Dilar campestris* Navás, 1903.
Rexavius Navás, 1909: 664. **Type species**: *Dilar nietneri* Hagen, 1858.
Nepal Navás, 1909: 661. **Type species**: *Nepal harmandi* Navás, 1909.

属征：中等大小，体长3.0~8.0mm，雌虫略大，体长5.0~10.0mm。雄虫触角栉状，基部2节和端部第6~8节无分支，一般第1鞭小节分支很短，中间各分支较两端者长。翅宽阔，一般密布褐色斑纹；翅前缘域宽阔，大多横脉简单，极少分叉；亚前缘域较前缘域窄；R与Rs间多于5条横脉，MA在翅基部与R有较短愈合，无连接 MP 的横脉；MP 主支 2 条；前翅翅疤有 2 ~ 3 个，后翅翅疤有 1 个；前翅一般在 R 至 CuP 间具缘饰，后翅一般在 R 至 CuA 间具缘饰。雄虫第 9 背板背视前缘一般呈浅弧形凹缺，后缘呈“V”形或“U”形凹缺，末端钝圆，密被长毛，第 9 腹板一般明显短于第 9 背板；肛上板高度特化。生殖基节包括 1 对骨化较强的第 9 生殖基节和 1 对第 10 生殖基节以及横梁状的殖弧叶。下生殖板一般为梯形，两侧略呈弧形。雌虫第 9 背板一般较狭长，侧视斜向腹面延伸；受精囊弯曲，长管状；肛上板较小，卵圆形。

分布：古北区，东洋区。全世界已知66 种，中国记录32 种，秦岭地区分布2 种。

分种检索表

前翅深褐色，翅斑大多互相融合，翅疤外侧的无斑区不明显；雄虫第 9 生殖基节端部分 2 叉 ……………………………………………………………………………… **深斑栉角蛉 *Dilar spectabilis***

前翅浅黄色，翅斑分散分布，翅疤外侧具明显的无斑区；雄虫第 9 生殖基节端部细长、无分叉 ……………………………………………………………………………… **太白栉角蛉 *D. taibaishanus***

（10）深斑栉角蛉 *Dilar spectabilis* Zhang，Liu，Aspöck *et* Aspöck，2014（图 133）

Dilar spectabilis Zhang，Liu，Aspöck *et* Aspöck，2014：19.

鉴别特征：头部深黄褐色，单眼状毛瘤淡黄色。前胸浅黄褐色，前胸背板前缘及后侧角淡黄色，中央具 1 对卵圆形黄斑；中胸黄褐色，中胸背板前缘及两侧深褐色，中间具 1 个淡黄色“X”形条斑，小盾片深褐色；后胸背板浅黄褐色，两侧色略深，小盾片深褐色。足浅黄褐色，股节末端黑褐色。翅长宽比为 7∶3，深烟褐色，密布褐色斑纹。前翅密布形状不规则的褐色斑，基部斑纹色略深，呈不规则形状排列，中部翅疤外侧具 1 个无斑区。后翅与前翅斑型近似，但较前翅色浅。腹部浅黄色，第 1 ~ 8 节背面略呈浅黄褐色。雄虫腹端第 9 背板背视前缘略呈弧形，后缘呈深“V”形凹缺，两侧形成 1 对宽的近三角形半背片，其后端钝圆且密被长毛，侧视宽阔，腹缘平直，后缘弧形；第 9 腹板明显短于第 9 背板，后缘弧形隆突；肛上板背视近梯形，中间具 1 对弯钩状突起，末端具 1 对短宽的片状突起，其下方具 1 对分叉的爪状突起及 1 对骨化较弱的短指状突起；第 9 生殖基节基部膨大，骨化较强，其后变细、弯曲，末端爪状，第 10 生殖基节长刺状，略短于第 9 生殖基节，基部与殖弧叶相接，近前端延伸出 1 个近三角形骨化物与第 9 生殖基节相接，殖弧叶细横梁状，其两端与第 9 生殖基节基部相接。雌虫腹端第 7 腹板侧视近方形，腹视近方形，后缘平截；第 8 腹节腹面膜质，着生 1 个前端膜质，后端稍骨化的囊状物；第 9 背板侧视狭窄；肛上板卵圆形。受精囊长管状，弯曲，基部膨大，端部较细。

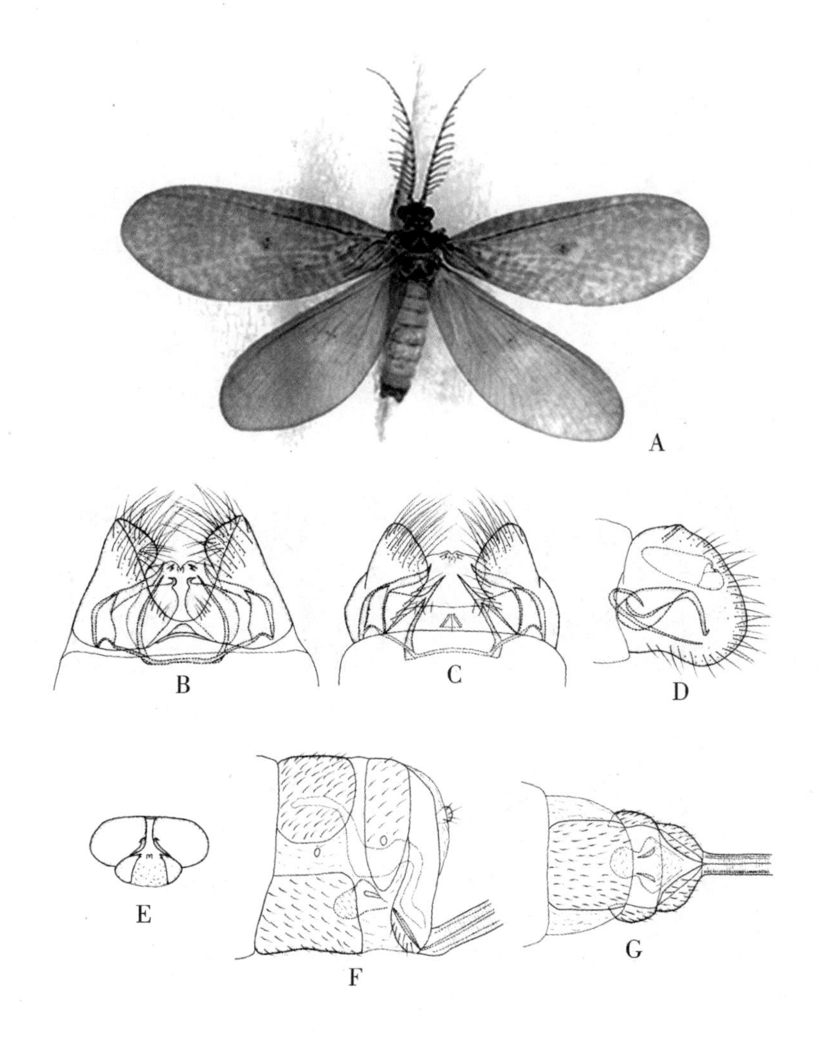

图 133　深斑栉角蛉 *Dilar spectabilis* Zhang, Liu, Aspöck *et* Aspöck

A. 整体照；B. 雄虫外生殖器背视；C. 雄虫外生殖器腹视；D. 雄虫外生殖器侧视；E. 雄虫肛上板后视；F. 雌虫外生殖器侧视；G. 雌虫外生殖器腹视

采集记录： 1♂，太白山大殿，1956. Ⅶ. 26，周尧采（CAU）；1♂，太白山蒿坪寺，1956. Ⅶ. 20，周尧采（CAU）；1♂，佛坪龙草坪，1985. Ⅶ. 16，李法圣采（CAU）。

分布： 陕西（太白山，佛坪）、河南、宁夏、甘肃。

（11）太白栉角蛉 *Dilar taibaishanus* Zhang, Liu, Aspöck *et* Aspöck, 2014（图 134）

Dilar taibaishanus Zhang, Liu, Aspöck *et* Aspöck, 2014: 21.

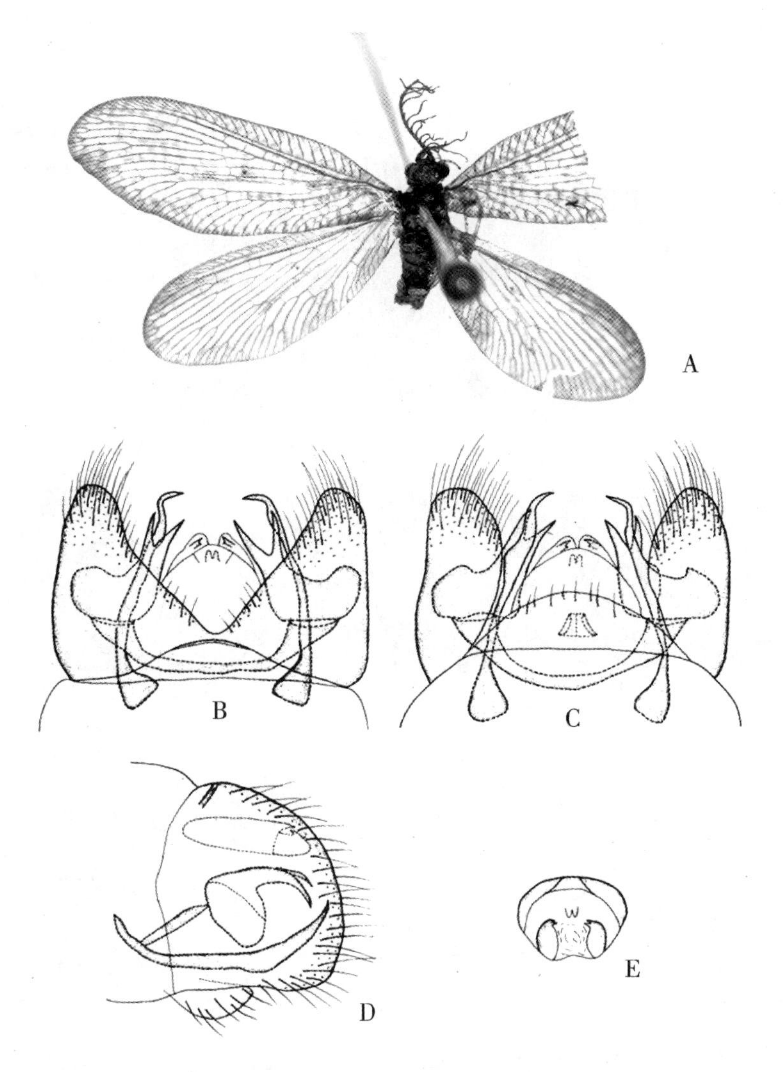

图 134 太白栉角蛉 *Dilar taibaishanus* Zhang，Liu，Aspöck *et* Aspöck

A. 整体照；B. 雄虫外生殖器背视；C. 雄虫外生殖器腹视；D. 雄虫外生殖器侧视；E. 雄虫肛上板后视

鉴别特征：头部黄褐色，单眼状毛瘤淡黄色。前胸黄褐色，前胸背板深褐色，中央具1对卵圆形的黄斑；中胸黄褐色，中胸背板前缘及两侧深褐色；后胸背板黄褐色，两侧色略深。足浅黄褐色，股节末端黑褐色。翅长宽比为3∶1，透明，略呈浅黄褐色，密布浅褐色斑纹。前翅密布形状不规则的浅褐色斑，基部斑纹色略深，呈横向弧形排列，中部翅疤外侧具1个无斑区。后翅浅黄褐色，斑不明显。脉浅黄褐色，横脉较纵脉色浅。腹部黄色，第1～8节背面略呈浅黄褐色。雄腹端第9背板背视前缘呈浅弧形凹缺，后缘呈深“V”形凹缺，中部窄，两侧形成1对宽的近三角形半背片，其后端钝圆且密被长毛，侧视宽阔，腹缘平直，后缘弧形；第9腹板明显短于第9背板，后缘弧形隆突；肛上板背视近半圆形，末端具1对半圆形的片状突起，其下方具

1 对分叉的爪状突起及 1 对骨化较弱的短指状突起；第 9 生殖基节基部呈膨大的囊状，其后为骨化强烈的叉状，第 10 生殖基节较细长，基部和末端呈钩状，明显长于第 9 生殖基节，殖弧叶横梁状，其两端膨大，与第 9 生殖基节基部相接。内生殖板梯形，两侧弧形。

采集记录：1♂，太白山蒿坪寺 1200m，1982. Ⅶ. 18，周静若、刘兰采(CAU)。

分布：陕西(太白山)。

(五) 螳蛉科 Mantispidae

杨秀帅　王 珊
(中国农业大学昆虫系 北京 100093)

鉴别特征：体色多为黄褐色，具黑斑；部分种类体色为黑色，具黄斑。头部三角形，复眼突出于头顶两侧，无单眼。触角一般短于前胸，多呈线状或者念珠状，部分种为栉角状。前胸延伸数倍于宽，前端膨大，其后缘具 1 对前背突，长管状部分常具横皱或环沟；中后胸粗壮。前足卷曲挟持于伸长的前胸两侧，其基节细长，距基部 1/3 处有 1 个环痕，腿节粗大，腹缘具齿列及 1 个大而粗的刺状齿，胫节细长而弧弯，跗节短而紧凑。翅膜质，透明或具色斑，后翅稍短；翅前缘近端部具明显的翅痣，呈狭长或宽短的三角形；翅脉简单，径分脉多排列整齐，翅基具轭叶，但不发达。腹部筒形，雌虫的腹部膨大，部分拟态胡蜂的螳蛉其腹部似胡蜂般背部强烈膨大。

生物学：幼虫为寄生性。成虫为捕食性，在乔木、灌木丛上比较常见，空间分布较高，多在树冠上层。

分类：世界性分布。目前包括 4 个亚科，即螳蛉亚科 Mantispinae，Symphrasinae 亚科，Drepanicinae 亚科和 Calomantispinae 亚科。全世界已知 50 属 410 余种。中国已记载 9 属 40 种，陕西秦岭地区有 1 属 1 种。

8. 优螳蛉属 *Eumantispa* Okamoto, 1910

Eumantispa Okamoto, 1910: 538. **Type species**: *Mantispa harmandi* Navás, 1909.

属征：体中到大型。体色大部分为黄色、褐色及红褐色，具黑斑，部分种前胸整体呈黑色。触角典型的念珠状，鞭节褐色。前胸细长，具 1 列环沟，10 个左右；前胸背板表面光滑，无明显刚毛。前后翅相似，后翅稍短，狭长柳叶形；翅痣红褐色，狭长三角形；前翅径室数目有 4 ~ 8 个不等，中间径室呈规则的四边形；后翅 Cu 与 A 间具 1 条长横脉。腹部臀板的尾突明显，但较短，不超过腹板后缘，内侧基部刺瘤上密生短粗的黑刺。

分布：古北区，东洋区，澳洲区。全世界已知13种。中国记录5种，秦岭地区发现1种。

(12) 汉优螳蛉 *Eumantispa harmandi* (**Navás, 1909**)

Mantispa harmandi Navás, 1909: 480.

Mantispa nawae Miyake, 1910: 216.

Mantispa sasakii Miyake, 1910: 217.

Eumantispa suzukii Okamoto, 1910: 538.

Eumantispa harmandi: Nakahara, 1912: 333.

鉴别特征：体长13.5~21.5mm。雄虫头部大部分黄色，触角基部具黑褐色大斑，头顶后缘中央具1个黑褐色斑。上唇黄色；上颚中央大部分黄色，内外边缘黑褐色；下颚须和下唇须黄色。前胸膨大部分褐色，近基部中央具1条窄的黄色纵带；长管状部分黄色，具大约10个环沟；前背基褐色。中胸前盾片黑色；中胸盾片中央褐色，两侧具对称而模糊的黑褐色纵带，外缘翅基处褐色；后胸盾片中央黄色，两侧具对称而模糊的黑褐色纵带，外缘褐色；小盾片黄色。中后胸侧板大部分黄色，中胸侧板前缘黑色，中胸下前侧片后缘黑色，后胸侧板后缘黑色。前足大部分黄色，基部具黑褐色带。中后足大部分黄色，基节基部黑褐色，爪尖深褐色，具4~5个齿。翅大部分透明，仅最基部具浅黄褐色斑；翅脉大部分褐色，但Sc和R大部分黄色，前翅Sc、R+M和Cu基部黑色；翅痣红褐色。前翅RA径室5~7个。腹部第1背板褐色，中央具1个大黑斑；第2背板前侧具三角形黑褐斑，后侧红褐色，后缘黑色；第3背板黄褐色，中央具模糊的黑带，前端分叉，呈“Y”形；第4~7背板前侧大部分黄色，后侧浅褐色，后缘黑色；第8背板大部分黄色，后缘具黑褐斑。第1和第2腹板黄色，第3~8腹板黄色，后缘黑色，其中第3和第4腹板后缘黑带中央模糊几乎断开。雄虫外生殖器:第9背板和臀板呈黄色；第9腹板黄褐色；伪阳茎细长，下侧伪阳茎膜两侧具1对对称的小骨片；中突细长，端部无明显分叉，两侧具窄的骨化膜；殖弧叶腹视呈三角形。雌虫外部形态特征近似雄虫，主要差异如下:触角基部无黑斑，仅具黑色横带；腹部背板中央多无黑带；受精囊结构简单，末端受精囊管细长。

采集记录：1♂，留坝，1983.Ⅷ.15；1♂，留坝，1983.Ⅷ.27；1♂，留坝，1983.Ⅸ.04；1♂，佛坪，2006.Ⅶ.25，王伟芹采；1♀，洋县长青保护区，2006.Ⅶ.29，朱雅君采；20♂60♀，宁陕火地塘1550m，2009.Ⅷ.18-19/21，钟问采；1♀，宁陕火地塘1580m，1998.Ⅷ.26，姚建采。21♂9♀，宁陕火地塘1580m，1998.Ⅷ.14-15/17-18/26，袁德成采；1♂1♀，旬阳坝，2007.Ⅷ.10，史宏亮采。

分布：陕西(留坝、洋县、佛坪、宁陕)、吉林、北京、河北、湖北、湖南、台湾、四川；俄罗斯，韩国，日本，越南。

（六）褐蛉科 Hemerobiidae

赵旸　严冰珍　田燕林　刘志琦
（中国农业大学 北京 100193）

鉴别特征： 成虫小型至中型，一般呈黄褐色，少数种绿色。触角念珠状，下颚须5节，下唇须3节，端节长而末端变细。前胸短阔，两侧多具叶突。中胸粗大，小盾片大，后胸小盾片较小。翅形多样，卵形或狭长，多具褐斑，翅缘具有缘饰，翅脉生有长毛；Rs至少2条，一般为3～4条，多则超过10条，直接从R脉上分出；其间相连的横脉呈阶梯状，故称为阶脉，阶脉1～5组不等。足细长，胫节具有小锯齿，跗节5节。腹部由10节组成，其中臀板发达，表面具有陷毛丛，雄虫臀板常具各种突起，其形状是各属种间鉴别的重要特征，外生殖器由殖弧叶、阳基侧突及下生殖板组成；雌虫腹端较简单，亚生殖板的有无及形状是种类鉴别的重要依据。

生物学： 褐蛉科属于完全变态类昆虫，其发育经历卵、幼虫、蛹和成虫4个阶段。幼虫一般3个龄期，各龄期幼虫都是活跃的捕食者，可以捕食多种害虫，如蚜虫、螨类、介壳虫、木虱以及其他小型的软体昆虫等的卵及成虫。成虫通常是在黄昏或夜间活动，具有趋光性和假死性，生活在多种环境中，如森林、种植园、果园等。

分类： 全世界已知11个亚科27属621种，中国记录7亚科11属130种，陕西秦岭地区分布3属5种。研究标本保存在中国农业大学。

分属检索表

1. 前翅Sc-r横脉数≥3 …………………………………………………………………… 2
   前翅Sc-r横脉数≤3 ………………………………………………… **脉褐蛉属 *Micromus***
2. 前翅前缘横脉列之间短横脉数≥5 ……………………………… **钩翅褐蛉属 *Drepanepteryx***
   前翅前缘横脉列之间短横脉数≤4 ……………………………………… **脉线蛉属 *Neuronema***

9. 脉线蛉属 *Neuronema* McLachlan, 1869

Neuronema McLachlan, 1869: 27. **Type species**: *Hemerobius decisus* Walker, 1860.
Ninguta Navás, 1912: 420. **Type species**: *Megalomus deltoides* Navás, 1909.
Ninga Navás, 1913: 122. **Type species**: *Megalomus deltoides* Navás, 1909.
Kulinga Navás, 1936: 49. **Type species**: *Kulinga pielina* Navás, 1936: 50.
Sineuronema Yang, 1964: 276, 280. **Type species**: *Neuronema sinensis* Tjeder, 1936.

属征：触角60余节。前足胫节基部和端部背面各具1个颜色不同的褐斑，胫节细长，跗节5节。前翅前缘具1条透明印痕，后缘中央多具1个透明斑。Rs分4～7支，pre-3ir1分1支以上。前翅多数为3组阶脉(前缘阶脉除外)，少数4组。后翅沿前缘和阶脉组多具褐色条带。雄虫第9腹节背板侧缘向下延伸，末端略向后弯，腹板发达，向后延伸。殖弧叶中央具殖弧中突，绝大多数种类两侧具成对的殖弧后突。阳基侧突不成对，大部分愈合，基部为1条扁的脊突。雌虫亚生殖板中叶或圆或长，大多数顶端具缺口，两侧具发达程度不一的翼状突出，基部常呈瘤状或指状突。

分布：亚洲。全世界已知29种，中国记录24种，秦岭地区分布1种。

(13) 薄叶脉线蛉 *Neuronema laminatum* Tjeder, 1936

Neuronema laminatum Tjeder, 1936: 8.

鉴别特征：体长7.5～10.2mm。头部黄褐色，头顶基部具2个褐斑，触角窝黄褐色，周围褐色，触角黄褐色，65节以上；额区具1个褐斑，呈"人"字形，唇基黑褐色，上唇褐色，下颚须和下唇须末端1节基部褐色。前翅黄褐色，阶脉褐色，后缘中央具1个三角形透明斑，Rs分4～6支(少数7支)；后翅透明，Cu脉端半色深，沿两组阶脉具淡褐色带，Rs分9～11支。雄虫臀板瓢形，后缘具小齿，下角凹入伸出1条长臂，臂狭长而直，端部具小齿；殖弧后突大，呈叶片状；阳基侧突的阳侧突基末端或尖或圆，端叶端部呈斜截锐角或直角，背叶细长，端部较细。雌虫腹端臀板近似三角形，亚生殖板宽大，两侧翼宽大，基部为1对卵形球面突。

采集记录：1♂1♀，太白山上白云，1956.Ⅶ.23，采集人不详；1头，雌虫和雄虫不详，太白山，1981.Ⅷ.14，周静若采。

分布：陕西(太白山)、黑龙江、吉林、辽宁、北京、河北、内蒙古、山西、河南、宁夏、甘肃、湖北、湖南、安徽、福建、四川；俄罗斯。

10. 钩翅褐蛉属 *Drepanepteryx* Leach, 1815

Drepanepteryx Leach, 1815: 138. **Type species**: *Hemerobius phalaenoides* Linnaeus, 1758.

Canisius Navás, 1913: 512. **Type species**: *Hemerobius algidus* Erichson in Middendorff, 1851.

Oedobius Nakahara, 1915: 44. **Type species**: *Oedobius infalatus* Nakahara, 1915.

Phlebonema Krüger, 1922: 170. **Type species**: *Hemerobius algidus* Erichson in Middendorff, 1851.

Bestreta Navás, 1924: 222. **Type species**: *Bestreta iaponica* Navás, 1924.

属征：前翅前缘域宽，有肩迴脉，基部具一系列短横脉，一般5段以上，形成1组前缘阶脉。Rs分8～13支，所有Rs从R脉到翅缘方向近似平行。后翅CuP脉非常发达，多分支。阶脉3组(前缘阶脉除外)。雄虫臀板无任何突起。雌虫生殖突基节上的刺突消失。

分布：东洋区。全世界已知6种，中国记录1种，秦岭地区有分布。

(14) 钩翅褐蛉 *Drepanepteryx phalaenoides* (Linnaeus, 1758)

Hemerobius phalaenoides Linnaeus, 1758: 550.

Drepanepteryx phalaenoides: Hoffmann, 1962: 322.

鉴别特征：体长7.4~9.4mm。头部浅褐色，头顶两触角间近三角形区域色微浅于周围，头后部区域颜色加深；触角褐色，55节以上，各节均密生短毛；唇基及上唇微微浅于周围呈黄褐色，上颚末端明显加深，呈褐色。前翅侧缘前角呈钩状，侧后缘呈波状，具2~3个凹陷，前翅浅褐色多具灰色波状纹，前缘域具多条并列的褐色斜纹；沿中阶脉组及外阶脉组各具褐色斜纹；在内外阶脉组之间沿 R_3 及 R_4 脉具褐色横纹；在 CuA 分叉处具近似五星状褐色斑；Cu 脉至翅后缘具1条斜亮纹；后翅近椭圆形，侧后缘微微凹陷非钩状，翅面浅黄褐色，透明无斑，翅脉浅黄褐色透明。腹部黄褐色，背板深于侧板及腹板。雄虫臀板后缘非直线状，中央微凹，后部微膨大；殖弧叶中突基部较宽，渐细，下弯呈微钩状，两侧缘微下翻，末端尖细呈钩状，后突细长，微短于中突，末端钝圆；阳基侧突从基部处左右分离，中间由透明膜相连，端叶尖细。雌虫臀板后缘中具凹陷，后部膨大圆钝；亚生殖板腹面观呈长椭圆形，顶端中央微凹，侧缘中部微凸呈半圆形。

采集记录：1♀，宁陕旬阳坝，1982. Ⅳ. 15，雷生辉采；1♂1♀，宁陕广货街，2014. Ⅶ. 27，赵旸采。

分布：陕西（宁陕）、黑龙江、吉林、北京；俄罗斯，日本，德国，瑞典，罗马尼亚。

11. 脉褐蛉属 *Micromus* Rambur, 1842

Micromus Rambur, 1842: 416. **Type species**: *Hemerobius variegatus* Fabricius, 1793.

Nesomicromus Perkins, 1899: 37. **Type species**: *Nesomicromus vagus* Perkins, 1899.

Pseudopsectra Perkins, 1899: 46. **Type species**: *Pseudopsectra lobipennis* Perkins, 1899.

Nesothauma Perkins, 1899: 47. **Type species**: *Nesothauma haleakalae* Perkins, 1899.

Nenus Navás, 1912: 200. **Type species**: *Nenus longulus* Navás, 1912.

Eumicromus Nakahara, 1915: 36. **Type species**: *Micromus numerosus* Navás, 1909.

Paramicromus Nakahara, 1919: 137. **Type species**: *Eumicronus dissimilis* Nakahara, 1915.

Archaeomicromus Krüger, 1922: 171. **Type species**: *Micromus timidus* Hagen, 1853.

Indomicromus Krüger, 1922: 171. **Type species**: *Micromus australis* Hagen, 1858.

Stenomicromus Krüger, 1922: 171. **Type species**: *Hemeiobius paganus* Linnaeus, 1767.

Heteromicromus Krüger, 1922: 171. **Type species**: *Heteromicromus audax* Krüger, 1922.

Neomicromus Krüger, 1922: 154. **Type species**: *Micromus tessellatus* Gerstaecker, 1887.
Pseudomicromus Krüger, 1922: 172. **Type species**: *Hemerobius angulatus* Stephens, 1836.
Paramicromus Krüger, 1922: 172. **Type species**: *Micromus insipidus* Hagen, 1861.
Stenomus Navás, 1922: 55. **Type species**: *Stenomus nesaeus* Navás, 1922: 55.
Phlebiomus Navás, 1922: 25. **Type species**: *Phlebiomus yunnanus* Navás, 1922.
Tanca Navás, 1929: 374. **Type species**: *Tanca loriana* Navás, 1929.
Menutus Navás, 1932: 35. **Type species**: *Micromus haitiensis* Smith, 1931.
Idiomicromus Nakahara, 1955: 8. **Type species**: *Idiomicromus kanoi* Nakahara, 1955.
Spilomicromus Nakahara, 1960: 26. **Type species**: *Eumicromus maculatipes* Nakahara, 1915.
Anomicromus Nakahara, 1960: 30. **Type species**: *Nesomicromus paradoxus* Perkins, 1899.
Ameromicromus Nakahara, 1960: 33. **Type species**: *Micromus insipidus* Hagen, 1861.
Afromicromus Nakahara, 1960: 34. **Type species**: *Micromus capensis* Esben-Petersen, 1920.
Austromicromus Nakahara, 1960: 35. **Type species**: *Hemerobius tasmaniae* Walker, 1860.
Mixomicromus Ghosh, 1977: 235. **Type species**: *Mixomicromus lampus* Ghosh, 1977.

属征：触角 50 余节；前翅肩区狭窄，Rs 分 3～7 支，M_{3+4}与 CuA 愈合，CuP 简单不分叉；sc-r 分 1 支或没有，2sc-r 和 2m-cu 缺失，具有 1cua-cup 横脉和 2cua-cup 横脉，阶脉一般为 2 组，少数种有 3 组；后翅一般色浅，褐斑较少，M_{3+4}与 CuA 合并。雄虫第 9 背板与臀板部分重合，侧后角延伸成不同形状的突出物；殖弧叶具有新殖弧突。

分布：世界广布。全世界已知 92 种，中国记录 17 种，秦岭地区分布 3 种。

分种检索表

1. 前翅阶脉 2 组 ······ **角纹脉褐蛉 *Micromus angulatus***
 前翅阶脉 3 组 ······ 2
2. 前翅 CUA 未分叉即与 M_{3+4}融合 ······ **点线脉褐蛉 *M. linearis***
 前翅 CUA 先分叉再与 M_{3+4}融合 ······ **花斑脉褐蛉 *M. variegatus***

(15) 角纹脉褐蛉 *Micromus angulatus* (Stephens, 1836)

Hemerobius angulatus Stephens, 1936: 106.
Micromus angulatus: Hagen, 1886: 280.

鉴别特征：体长 3.8～7.0mm。头部灰褐色，两复眼之间具 2 道粗的黑色斑纹；触角呈浅褐色，各节均密生短毛；触角窝呈浅黄色，周围颜色较深，额及唇基浅黄色，额颊沟，颊下沟，额唇基沟以及前幕骨陷，呈深褐色。前翅密布大小不等的褐色斑和黄褐色波状纹，沿阶脉尤其明显，翅脉呈黄褐色；前翅 Rs 分为 4 支，仅 R_1，R_4 脉在外阶脉组之前分叉，其余均为简单；后翅呈浅黄褐色，翅面无斑；Rs 共 4 支。雄虫第9背板狭长，与臀板融合完全，呈椭圆形，侧后角向后延伸出1个细长的长臂，末端尖细侧视呈刀片状；第9腹板侧视近似呈卵圆形密布褐色长毛，后缘长于臀板后缘短于臀板延伸的长臂；殖弧叶无殖弧中突，殖弧后突左右呈末端渐细的钩状结构；阳基侧突端叶相互愈合未分离，侧视呈细长刀片状，端叶末端渐细，微微向上弯曲成钩状，俯视呈梭形。雌虫第9背板背半部细窄腹半部发达，宽大呈圆钝状，第9腹板发达呈卵圆状，超出臀板；臀板近似卵圆形；亚生殖板腹面观端部渐细，基部圆钝，呈水滴形。

采集记录： 1♂1♀，秦岭，1961. Ⅷ. 08，金瑞华采。

分布： 陕西（秦岭）、内蒙古、北京、河北、河南、宁夏、浙江、湖北、台湾、云南；日本，英国。

（16）点线脉褐蛉 *Micromus linearis* Hagen, 1858

Micromus linearis Hagen, 1858: 483.

Micromus multipunctatus Matsumura, 1907: 171.

鉴别特征： 体长4.7～4.9mm。头部黄褐色，头顶复眼后缘各具有1个三角形褐色斑；触角黄褐色，末端色较深，触角窝前缘有1条细的弧形黑纹；唇基与额的连接处有1对黑褐色斑点。前胸背板两侧有1对条状褐色斑纹，中央向中间突出呈刀尖状，而中后胸背板两侧各有1个大的近圆形褐色斑，主要位于盾片。前翅狭长，透亮黄褐色，近后缘Cu脉至后缘区域形成烟褐色的条带，翅痣处具有成对的褐色斑（2～3对），M脉第1个分叉点与Cu脉间具有1个褐色斑点；翅脉除Sc外各纵脉上均有一段段的黑褐色纹，而使翅脉呈现黑白相间的点线；内外阶脉除内阶脉组靠近身体第1条短脉偶尔透明外，其余均为黑褐色；Rs分为4支，除R_4分叉其余均简单不分叉。后翅黄褐色透明，前缘近端部Sc与R脉之间有一段褐色区域。雄虫第9背板与臀板愈合；前侧角伸长渐细，深入第8背板中；侧后角伸长特化呈顶端尖细的钩状，长度超出第9腹板，两侧钩状伸长向内弯曲交叉，臀板椭圆形。殖弧叶的中突细长，基部宽阔且上表面具有密集的小刺，基部至端部渐细，顶端具有钩状突，无后突。雌虫第9背板背半部分狭长，而腹半部分宽阔，且向后扩展呈“b”形，与臀板和第9腹板部分重合；亚生殖板短小呈卵形。

采集记录： 2♂1♀，柞水，2014. Ⅶ. 31，赵旸采。

分布： 陕西（柞水）、内蒙古、河南、宁夏、甘肃、浙江、湖北、江西、湖南、福建、台湾、广西、重庆、四川、贵州、云南、西藏；俄罗斯，日本，斯里兰卡。

（17）花斑脉褐蛉 *Micromus variegatus*（Fabricius, 1793）

Hemerobius variegatus Fabricius, 1793: 106.

Micromus variegatus: Nakahara, 1915: 33.

鉴别特征: 体长3.9~4.2mm。头部黄褐色,复眼后侧各有1条褐色近长方形纵斑;触角浅黄褐色,密布褐色毛,触角窝周围具1圈深褐色环纹;额部平坦而呈明显的深褐色,额唇基沟与额颊沟、颊下沟均呈深褐色,两侧前幕骨陷明显呈深褐色。前翅呈淡黄色,密布大小不等的褐色斑;在中脉的分支点,横脉3im、4im、3ir、4ir处有5个大褐色斑,并且近似呈线状排列,形成2条覆盖2组阶脉的褐色斑列;Rs分为3支,均简单不分叉;后翅色浅,呈浅黄色;在翅前缘、翅外缘、横脉3im处有3个大褐斑;翅脉均呈淡褐色,Rs分叉成3支。腹部黄褐色,背板与腹板颜色深于侧板,第1~4腹节腹板中间有1个褐色环纹;雄虫第9背板前侧角伸长向前延伸,进入第8节背板,后缘与臀板融合,后下角延长渐细向上弯曲呈针状,臀板呈椭圆形;雌虫第8背板侧视近似矩形,第9背板背半部分狭长,而腹半部分宽大,且向后扩展呈"b"形,与部分臀板融合,臀板侧视近似卵圆形,无亚生殖板。

采集记录: 1♂,秦岭,1961.Ⅷ.08,杨集昆采;1♂2♀,秦岭,1961.Ⅷ.09,杨集昆采;1♂,旬阳,2014.Ⅷ.03,赵旸采。

分布: 陕西(凤县、旬阳)、河南、浙江、湖北、四川;日本,英国,加拿大。

(七)草蛉科 Chrysopidae

黄正中 聂瑞娥 杨星科

(中国科学院动物研究所 北京100101)

鉴别特征: 复眼发达,具金属光泽;额与唇基区分开,头部多有斑纹。触角丝状,多节,其长度与前翅相比,常作为分属特征之一;口器为咀嚼式,上颚对称或不对称;前胸一般与头等宽或窄于头部;两侧平行,其背面颜色、斑纹等多作为分类特征;中胸最宽,被中纵沟分为两半,具前盾片和小盾片;后胸背板窄于中胸,无前盾片。前后翅透明,个别属翅面具斑纹;翅脉类型、颜色是重要的分类特征。腹部一般为9节,雌虫和雄虫可以通过腹端来识别。雄虫外生殖器结构复杂,不同属的差异很大。

生物学: 草蛉科昆虫因其幼虫具有捕食性(幼虫因捕食蚜虫又称"蚜狮")而被广泛用于生物防治。

分类: 全世界分布约80属1300种,中国记录27属251种,陕西秦岭地区发现8属28种。

分属检索表

1. 前翅有明显的轭叶(**幻草蛉亚科 Nothochrysinae**)；内阶脉与 Psm 相接，外阶脉与 Psc 相接 …………………………………………………………… **幻草蛉属 *Nothochrysa***
   前翅无轭叶(**草蛉亚科 Chrysopinae**) …………………………………… 2
2. 雄虫腹部第 8、9 腹板分开 …………………………………… 3
   雄虫腹部第 8、9 腹板合并 …………………………………… 4
3. 雄虫臀板及第 9 腹板末端均呈钩状 …………………………………… **尼草蛉属 *Nineta***
   雄虫臀板及第 9 腹板末端不呈钩状 …………………………………… **草蛉属 *Chrysopa***
4. 雄虫腹端具瘤状突起 …………………………………… 5
   雄虫腹端不具瘤状突起 …………………………………… 6
5. 前翅 m_2 是 m_1 长的 2 倍；雄虫外生殖器无殖下片 …………………… **通草蛉属 *Chrysoperla***
   前翅 m_2 小于 m_1 长的 2 倍；雄虫外生殖器具殖下片 …………………… **玛草蛉属 *Mallada***
6. 横脉周围有褐色晕斑 …………………………………… **俗草蛉属 *Suarius***
   翅面无斑 …………………………………… 7
7. 触角长于前翅 …………………………………… **叉草蛉属 *Pseudomallada***
   触角不长于前翅 …………………………………… **线草蛉属 *Cunctochrysa***

12. 幻草蛉属 *Nothochrysa* McLachlan, 1868

Nothochrysa McLachlan, 1868: 195. **Type species**: *Chrysopa fulviceps* Stephens, 1836.

Nathanica Navás, 1913: 180. **Type species**: *Hemerobius capitatus* Fabricius, 1793.

属征：中型到大型种类；体褐色，头部无斑或在头顶及额区具黑色宽带。上颚宽大，不对称；触角短于前翅，鞭节各节长是宽的3 倍，每节具5～6 个毛圈。前胸背板侧缘具斑或整个黑色，中胸、后胸背板黑褐色或具斑；足无斑，爪基部膨大或不膨大。翅较长，前缘区基部窄；内中室四边形，阶脉 2 组，内阶脉与 Psm 相接，外阶脉与 Psc 相接；1A 分岔。腹部褐色，毛长；雄虫臀板及第 8＋9 腹板宽阔，接近三角形；雌虫第 8 背板短小。雄虫外生殖器缺殖弧梁、殖下片及中片；殖弧叶弧形，内突小，三角形；雌虫外生殖器亚生殖板无柄，贮精囊囊体腹痕发达，导卵管长，膜突缺。

分布：全北区。中国记录 1 种，秦岭地区有分布。

(18) 中华幻草蛉 *Nothochrysa sinica* Yang, 1986(图 135)

Nothochrysa sinica Yang, 1986: 278.

鉴别特征：体长 12.0～14.0mm。头部橙黄色，无斑；触角是前翅长的 2/3，第

1～2节橙黄色，其余为黑褐色。前胸背板两侧各具1条纵斑纹，中胸、后胸盾片两侧各具1个黑斑。翅透明，翅痣狭长，除纵脉多为黄绿色外，横脉均为黑色，Psc 基半端及1A、2A 的一部分为黄褐色；内中室四边形，有的个体为三角形，阶脉两组。后翅脉的颜色基本与前翅相同。足黄褐色，跗节褐色。腹部黑褐色，第7背板长于第8背板。雌虫亚生殖板底缘平直，顶端具宽大的凹刻；贮精囊囊体扁窄，膜突小，半圆形。

采集记录： 1♀，西安，1981.Ⅷ；2♀，宁陕旬阳坝，1982.Ⅷ.24。

分布： 陕西(西安，宁陕)、宁夏、甘肃、湖北。

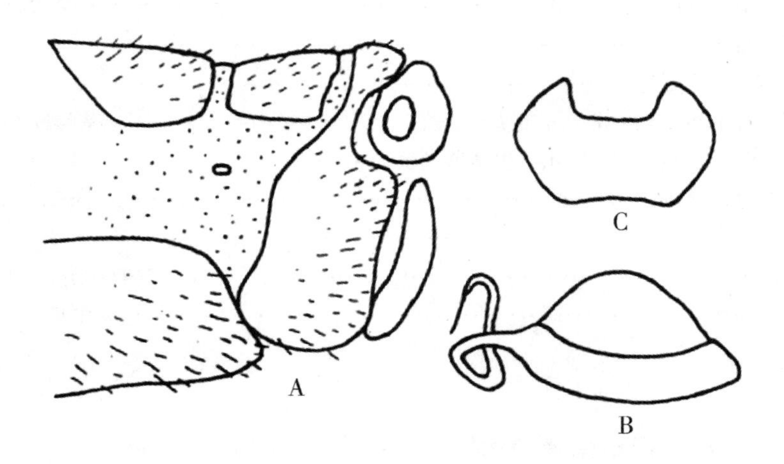

图135 中华幻草蛉 *Nothochrysa sinica* Yang
A. 雌虫腹端侧视；B. 储精囊；C. 亚生殖板

13. 草蛉属 *Chrysopa* Leach, 1815

Chrysopa Leach, 1815: 138. **Type species**: *Hemerobius perla* L., 1758.

Chrysopa Leach, 1815: 138. **Type species**: *Hemerobius perla* L., 1758: 549.

Aelolops Billberg, 1820: 95. **Type species**: *Hemerobius chrysops* L., 1758.

Chrysopisca McLachlan, 1875: 23. **Type species**: *Chrysopisca miunta* McLachlan, 1875.

Cintameva Navás, 1914: 214. **Type species**: *Cintameva venulosa* Navás, 1914.

Metachrysopa Steinmann, 1964: 264. **Type species**: *Chrysopa septempunctata* Wesmael, 1841.

Nigrochrysopa Steinmann, 1964: 264. **Type species**: *Chrysopa formosa* Brauer, 1851.

Parachrysopa Séméria, 1983: 310. **Type species**: *Hemerobius pallens* Rambur, 1838.

属征： 头部多具斑纹；触角短于前翅，第2节多为褐色或黑褐色；雄虫第8、9腹板明显分开，臀板外缘光滑，内缘中部凹陷，把臀板分成两部分；第9腹板末端一般具生殖脊；雄虫外生殖器简单，具殖弧叶、内突及伪阳茎，在殖弧叶下是1对生殖囊；每个囊上具生殖毛。背视殖弧叶的中部上缘无齿、加宽，下缘多有齿；内突多为近似三角形骨片，顶端较细长，有时弯曲。

分布：古北区，东洋区，新北区。中国已知25种，秦岭地区发现4种。

分种检索表

1. 头顶具4个黑斑，额区为"X"形黑斑 ………………………… **多斑草蛉 *Chrysopa intima***
   头顶无"X"形黑斑 ……………………………………………………………… 2
2. 前翅阶脉中间黑，两端绿 ………………………………………… **大草蛉 *Ch. pallens***
   非上特征 ………………………………………………………………………… 3
3. 前翅前缘横脉列整体黑色 ……………………………………… **丽草蛉 *Ch. formosa***
   前翅前缘横脉列近Sc端黑色 ………………………………… **叶色草蛉 *Ch. Phyllochroma***

(19) 丽草蛉 *Chrysopa formosa* Brauer, 1851(图136)

Chrysopa formosa Brauer, 1851: 8.
Chrysopa burmeisteri Schneider, 1851: 123.
Hemerobius beckii Costa, 1855: 16.
Chrysopa atomaria Navás, 1908: 18.
Chrysopa laletana Navás, 1909: 793.
Chrysopa frontalis Pongracz, 1912: 201.
Chrysopa decempunctata Lacroix, 1913: 106.
Chrysopa gelini Lacroix, 1913: 105.
Chrysopa gundisavi Navás, 1914: 214.
Chrysopa bufona Navás, 1915: 73.
Chrysopa gundisalvi Navás, 1915: 73.
Chrysopa japana Okamoto, 1919: 42.
Chrysopa foedata Navás, 1919: 54.
Chrysopa boguniana Navás, 1919: 54.
Chrysopa yuanensis Navás, 1932: 113.
Cintameva sobradielina Navás, 1933: 15.
Cintameva tetuanensis Navás, 1934: 6.
Chrysopa bicristata Tjeder, 1936: 28.

鉴别特征：体长8.0~11.0mm。头部绿色，具9个黑褐色；颚唇须黑褐色；触角第1节绿色，第2节黑褐色，鞭节褐色。前胸背板绿色，两侧有褐斑和黑色刚毛，基部有1条横沟，不达侧缘，横沟两端有"V"形黑斑；中胸、后胸背板绿色，盾片后缘两侧近翅基处分别具1个褐色斑；足绿色，胫端、跗节及爪为褐色，爪基部弯曲。前翅前缘横脉列19条，黑褐色，翅痣浅绿色，内无脉；径横脉11条，近R_1端褐色；Rs分枝12条，第1、2条褐色，第3、4条近Psm端褐色，其余为绿色，Psm-Psc分支8

条，第1、2、8条褐色，第3～6条两端褐色、中间绿色，第7条全绿；内中室三角形，r-m位于其上；阶脉绿色，(内/外)左 =5/7= 右。后翅前缘横脉列15条，黑褐色；径横脉10条，近 R_1 端褐色；阶脉绿色，(内/外)左 =4/6= 右。

采集记录：1♀，太白山，1958. Ⅷ；1♂，武功，1951. Ⅴ. 23；1♂1♀，武功，1951. Ⅶ. 07。

分布：陕西(太白、武功)、黑龙江、吉林、辽宁、北京、河北、内蒙古、山西、河南、宁夏、甘肃、青海、新疆、山东、江苏、安徽、浙江、湖北、江西、湖南、福建、广东、四川、贵州、云南、西藏；蒙古，俄罗斯，朝鲜，日本，欧洲。

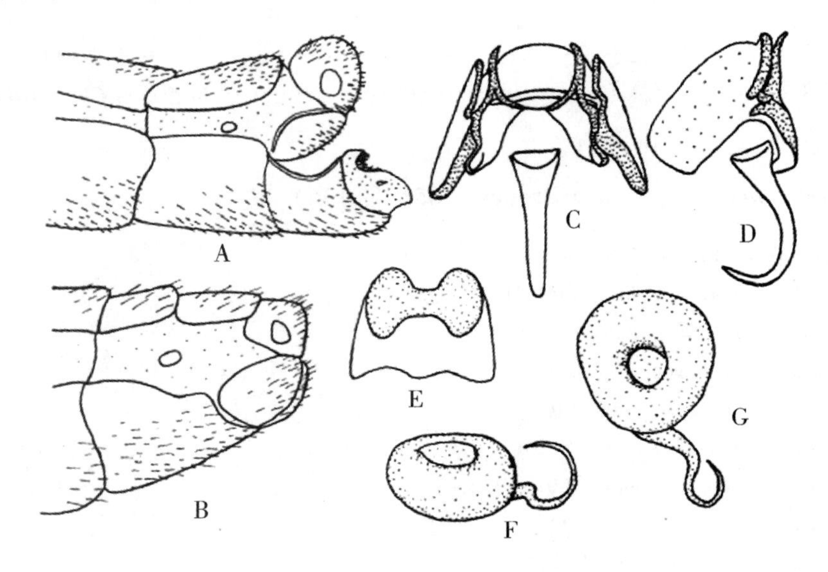

图136 丽草蛉 *Chrysopa formosa* Brauer

A. 雄虫腹端；B. 雌虫腹端；C. 雄虫外生殖器背视；D. 雄虫外生殖器侧视；E. 亚生殖板；F，G. 储精囊

(20) 大草蛉 *Chrysopa pallens* (Rambur, 1838)(图137)

Hemerobius pallens Rambur, 1838: 9.

Chrysopa bipunctata Fitch, 1855: 791.

Chrysopa septempunctata Wesmael, 1841: 210.

Hemerobius mauricianus Rambur, 1842: 425.

Chrysopa nobilis Schneider, 1851: 142.

Chrysopa quadripunctata Schneider, 1851: 102.

Chrysopa cognata McLachlan, 1868: 249.

Chrysopa centralis McLachlan, 1875: 19.

Nothochrysa robusta Gerstaecker, 1893: 165.

Chrysopa ricciana Navás, 1910: 193.

Chrysopa montandoni Navás, 1910: 38.

Chrysopa pazsiczkyi Pongracz, 1912: 194.

Chrysopa occipitalis Pongracz, 1912: 195.

Chrysopa longicollis Navás, 1913: 509.

Chrysopa septemunctata var. *puncticollis* Navás, 1915: 71.

Chrysopa polysticta Navás, 1915: 473.

Chrysopa punctulata Navás, 1916: 155.

Chrysopa hernandezi Navás, 1918: 353.

Cintameva media Navás, 1929: 34.

Cintameva rubriceps Navás, 1932: 68.

Cintameva frontalis Navás, 1934: 4.

Metachrysopa gibeauxi Leraut, 1989: 107.

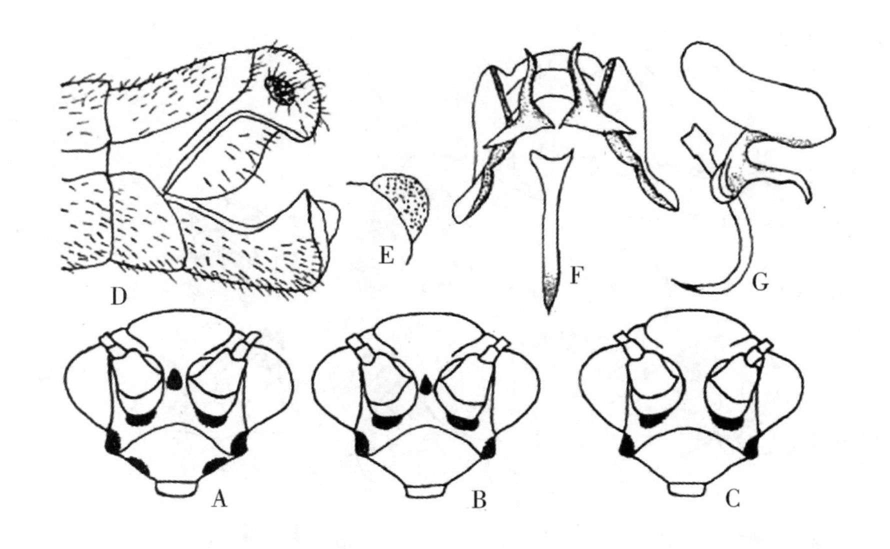

图 137　大草蛉 *Chrysopa pallens* (Rambur)

A-C. 头部斑纹变化；D. 雄虫腹端；E，F. 雄虫外生殖器背视；G. 雄虫外生殖器侧视

鉴别特征：体长 11.0～14.0mm。头部黄色，一般为 7 个斑，也多有 5 个斑等；颚唇须黄褐色，触角基部 2 节黄色，鞭节浅褐色。胸背中央黄色纵带，两侧绿色，前胸背板基部有 1 条不达及侧缘的横沟。足黄绿色，胫端及跗节黄褐色，爪褐色，基部弯曲。前翅前缘横脉列在痣前 30 条，黑色；翅痣淡黄色，内有绿色脉；径横脉 16 条，第 1～4 条部分黑色，其余为绿色；Rs 分支 18 条，近 Psm 端褐色；Psm-Psc 分支 9 条，翅基的 2 条暗黑色，其余为绿色；内中室三角形，r-m 位于其上；阶脉中间黑色，两端绿色，(内/外)左 = 10/12，右 = 10/11。后翅前缘横脉列 24 条，黑褐色；径横脉 7 条，第 1～4 条近 R_1 端黑色，第 5～7 条全为黑褐色；Rs 分支 15 条，部分脉近 Rs 端黑褐色；阶脉中间黑色，两端绿色，(内/外)左 = 9/12，右 = 10/11。腹部黄绿色，具灰色长毛，雄虫第 8 腹板很小，几乎为第 9 腹板的 1/2。

采集记录：1♂，西安，1974. Ⅹ. 23；110 头，周至楼观台，1873. Ⅸ. 27；1♂1♀，

武功，1951. Ⅶ. 08；1♀，武功，1962. Ⅸ；1 头，宁陕，1980. Ⅶ. 14；1 头，南郑，1993. Ⅷ. 18；1 头，商南，1984. Ⅴ。

分布：陕西（西安，周至、武功、宁陕、南郑、商南）、黑龙江、吉林、辽宁、内蒙古、北京、河北、山西、山东、河南、宁夏、甘肃、新疆、江苏、安徽、浙江、湖北、江西、湖南、福建、台湾、广东、海南、广西、四川、贵州、云南；俄罗斯，朝鲜，日本，欧洲。

（21）多斑草蛉 *Chrysopa intima* McLachlan, 1893（图 138）

Chrysopa intima McLachlan, 1893: 230.
Chrysopa perla var. *fracta* Navás, 1910: 38.
Chrysopa chrysops silens Steinmann, 1971: 257.

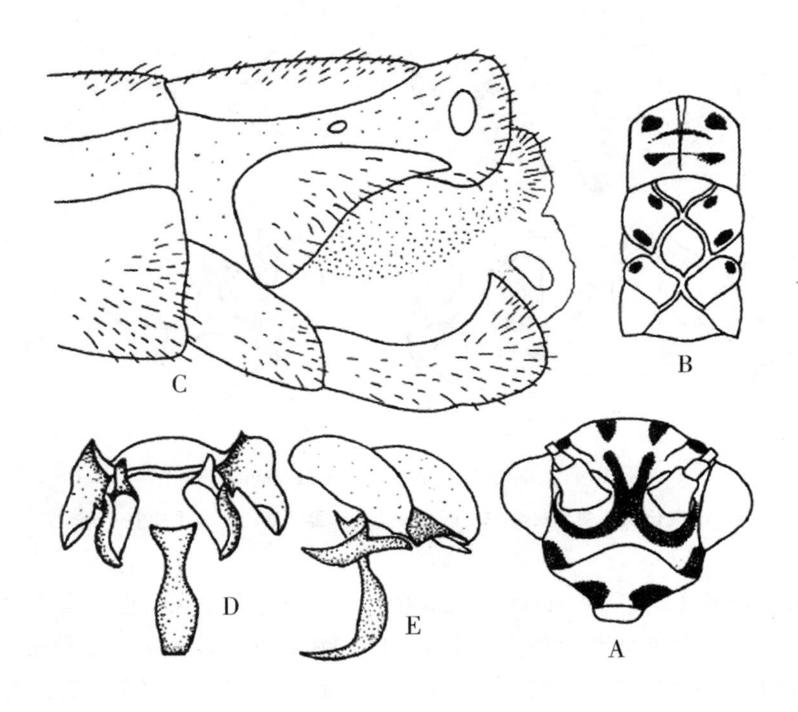

图 138 多斑草蛉 *Chrysopa intima* McLachlan

A. 头部；B. 胸部背斑；C. 雄虫腹端；D. 雄虫外生殖器背视；E. 雄虫外生殖器侧视

鉴别特征：体长 11.0mm。头部黄色，在头顶后缘一排有 4 个斑，角上斑及角下斑、角间斑形成“X”形黑褐斑，颊斑黑褐色，条状，唇基斑黑褐色，几乎成半圆形；颚唇须黑褐色；触角第 1 节黄色，第 2 节褐色，前胸背板中间黄绿色，两边绿色，两侧各 2 个似为三角形的较大褐色斑，褐斑周围长有黑色刚毛；中胸背板黄绿色，前盾片前端有 2 个黑褐色斑，盾片共 6 个斑，分布于盾片前缘及翅基以及盾片后缘；后胸背板黄绿色，盾片背面有不明显的褐斑，盾片两侧靠近翅基部各1个黑褐色斑；盾片及小盾片上长有灰色的毛；中后胸腹板有黑褐色的斑。足的基节、转节黄色，基节上长有灰色毛，转节上的毛为黑色，腿节及胫节黄绿色，长有黑色刚毛，跗节黄褐色，前跗节及爪褐色，爪基部膨大，弯曲。前翅前缘横脉列黑褐色，在翅痣前为24条，翅痣淡黄色，内无脉；Sc-R之间近翅基的脉深褐色，端部近翅痣下为淡褐色；径横脉13条黑褐色；Rs分支12条近Rs的绝大部分为黑褐色，在Rs-Psm之间的横脉全为褐色；Psm-Psc之间横脉8条，褐色；内中室三角形，r-m位于其上。后翅前缘横脉列20条，第1条绿色，其余皆为黑褐色；翅痣浅绿色，内无明显的脉；径横脉12条，黑褐色；Rs分支11条，近Rs一端为黑褐色；阶脉黑褐色，(内/外)左翅 =5/7=右翅。腹部第2~6节腹面及侧面以及第4~6节背板黑褐色。外生殖器的殖弧叶两端宽大、弯折，中部部分膨阔，内突发达，向上折包，伪阳茎基部及端部不远皆膨阔。

采集记录：1♀，秦岭，1961.Ⅷ.09。

分布：陕西(秦岭)、黑龙江、吉林、辽宁、内蒙古、山西、甘肃、湖北、四川、云南；俄罗斯，朝鲜，日本，欧洲。

(22) 叶色草蛉 *Chrysopa phyllochroma* Wesmael, 1841(图139)

Chrysopa phyllochroma Wesmael, 1841: 209.
Chrysopa tenella Brauer, 1851: 7.
Chrysopa pusilla Brauer, 1851: 5.
Chrysopa labbei Navás, 1910: 39.
Chrysopa magnicauda Tjeder, 1936: 24.
Chrysopa electra Hölzel, 1965: 469.

鉴别特征：体长8.0~10.0mm。头部绿色，具9个黑褐色斑，头顶2个斑，近似椭圆形，中斑近似长方形，两角下斑新月形。两颊斑近似圆形，唇基斑条状。触角第1节绿色，第2节黑褐色，鞭节黄褐色，端部颜色加深。触角长达及前翅翅痣前缘。下颚须端节深褐色，第3~4节中部为黑褐色，节间黄色，第1~2节黄褐色，下唇须第1节黄褐色，第2~3节黑褐色，节间黄色。前胸背板宽大于长，淡黄绿色，侧缘为绿色，有不同的褐色斑点，背板四周都长有黑色刚毛，以两侧为多。足从基节到腿节为绿色，基节、转节上长有灰色的毛，而腿节到跗节上皆为黑色刚毛。胫节基部绿色，端节绿褐色；跗节及爪黄褐色，爪简单，基部不弯曲。前翅端部钝圆，翅面及翅缘有黑褐色的毛。前翅前缘横脉列在翅痣前26条，基部为褐色，到端部逐渐变绿；翅痣淡黄绿色，内有绿色的脉；径横脉12条，近R_1端端部褐色，第10~12条几乎全为褐色；Rs分支13条，近Rs一端稍有褐色。内中室三角形，r-m位于其上。Psm-Psc之间共8条横脉，第1脉近Psm中部为褐色；脉皆为黑褐色，1A前叉处褐色；2A的1个分支为褐色；阶脉绿色，(内/外)左 = 8/8，右 = 6/7。后翅略小于前翅。前缘横脉列在翅痣前为20条。基部第1条为绿色，第2条为黑褐色，并逐渐变绿，至金绿；翅痣黄绿色，内有绿色脉。翅深及翅面上长有黑褐色的毛，阶脉绿色，内外阶脉分别为左 = 6/8，右 = 6/8。腹部绿色，密生黑色毛。

采集记录：1 头，秦岭，1961. Ⅷ. 09。

分布：陕西(凤县)、黑龙江、吉林、辽宁、内蒙古、北京、河北、山西、山东、河南、宁夏、甘肃、新疆、江苏、安徽、浙江、湖北、湖南、福建、四川、西藏；俄罗斯，朝鲜，日本，欧洲。

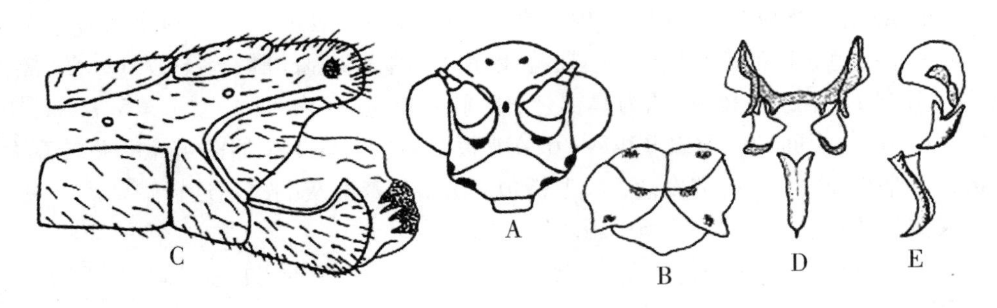

图 139 叶色草蛉 *Chrysopa phyllochroma* Wesmael

A. 头部；B. 胸部背斑；C. 雄虫腹端侧视；D. 雄虫外生殖器背视；E. 雄虫外生殖器侧视

14. 通草蛉属 *Chrysoperla* Steinmann, 1964

Chrysopa (*Chrysoperla*) Steinmann, 1964: 260. **Type species**: *Chrysopa carnea* Stephens, 1836.

Anisochrysa (*Chrysoperla*) Hölzel, 1970: 51.

Chrysoperla: *Semeria*, 1977: 328.

属征：头部一般具颊斑和唇基斑，有的种类无斑；上颚不对称，左上颚基部具齿；触角短于前翅，鞭节各节长是宽的 2 ~ 3 倍，每节具 4 个毛圈。胸背中央具黄色或白色纵带，有的种类两侧具红斑；前翅透明、无斑，内中室窄小，r-m 一般位于其端部或外侧；足细长无斑，爪附齿式。腹部背面中央多具黄色纵带。雄虫第 8、9 腹板合并，端部呈瘤突状缝缩。外生殖器具殖弧梁，无伪阳茎和殖下片，殖弧叶具 1 对内突和 1 个中突。雌虫亚生殖板端部双叶状，基部凹洼或伸长成柄状；贮精囊囊体较扁，腹痕明显，膜突不甚长。

分布：古北区，东洋区，新北区，新热带区。中国记录 15 种，秦岭地区发现 4 种。

分种检索表

1. 前后翅纵横脉均绿色 ………………………………… **普通草蛉 *Chrysoperla carnea***
   前后翅纵横脉非整体绿色 ………………………………………………………… 2
2. 前翅径横脉近 R 端褐色 …………………………………… **突通草蛉 *Ch. thelephora***

前翅径横脉中间绿色，两端褐色 ……………………………………………………………… 3

3. 后翅径分脉分支近 Rs 端褐色 …………………………………… **日本通草蛉 *Ch. nipponensis***

后翅径分脉分支中间绿色，两端褐色 ……………………………… **秦通草蛉 *Ch. qinlingensis***

(23) 日本通草蛉 *Chrysoperla nipponensis* (Okamoto, 1914) (图 140)

Chrysopa nipponensis Okamoto, 1914: 65.

Chrysopa kurisakiana Okamoto, 1914: 71.

Chrysopa ilota Banks, 1915: 629.

Chrysopa kolthoffi Navás, 1927: 3.

Chrysopa sinica Tjeder, 1936: 29.

Chrysoperla nipponensis: Tsukaguchi, 1985: 504.

鉴别特征：体长 9.5 ~ 10.0mm。头部黄色，具黑褐色颊斑和唇基斑；下颚须第 1 ~ 3节黑褐色，第 4 ~ 5 节及下唇须的第 2 ~ 3 节背面黑褐色；触角第 1 ~ 2 节黄色，鞭节黄褐色。前胸背板中央为黄色纵带，两侧绿色，前胸背板边缘褐色；足黄绿色，具褐色毛；胫节、跗节及爪呈褐色，爪基部弯曲。前翅前缘横脉列 22 条，近 Sc 端褐色，径横脉分支 11 条，第 1 ~ 8 条中间绿色，两端褐色，第 9 ~ 11 条褐色；Rs 分支 11 条，第 1 ~ 2 条褐色，第 3 ~ 5 条中间绿色，两端褐色，其余近 Rs 端褐色；Psm-Psc 分支 8 条,第 1、2、8 条褐色，其余中绿色；内中室三角形，r-m 位于其外；Cu 脉褐色；阶脉褐色，内/外左 = 5/7，右 = 6/7。后翅前缘横脉列 18 条，近 Sc 端褐色；径横脉 11 条，第 1 和第 9 ~ 11 条褐色，其余为中绿色；阶脉褐色，内/外左 = 4/6 = 右。腹部背面为黄色纵带，两侧绿色，腹面浅黄色，具灰色毛。

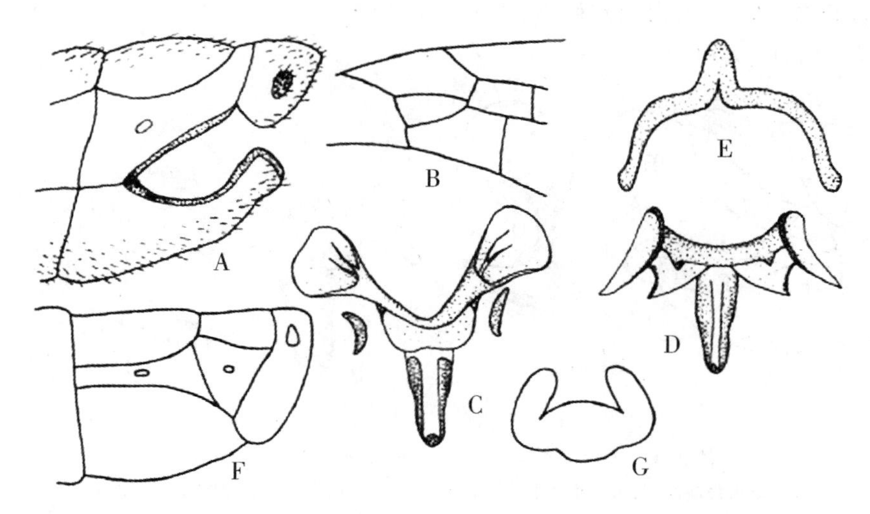

图 140　日本通草蛉 *Chrysoperla nipponensis* (Okamoto)

A. 雄虫腹端侧视；B. 前翅中室；C. 雄虫外生殖器背视；D. 雄虫外生殖器侧视；E. 雄虫殖弧梁；F. 雌虫腹端侧视；G. 亚生殖板

采集记录： 23 头，长安南五台，1979. Ⅵ. 17；3♂4♀，周至楼观台，1979. Ⅻ. 03；1♀，武功，1951. Ⅸ. 20；1♂3♀，秦岭南阳沟，1961. Ⅷ. 07。

分布： 陕西（长安、周至、凤县、武功）、黑龙江、吉林、辽宁、内蒙古、北京、河北、山西、甘肃、山东、江苏、浙江、福建、广东、海南、广西、四川、贵州、云南；蒙古，俄罗斯，朝鲜，日本，菲律宾。

（24）突通草蛉 *Chrysoperla thelephora* Yang *et* Yang, 1989（图 141）

Chrysoperla thelephora Yang *et* Yang, 1989: 15.

鉴别特征： 体长 8.4mm。雄虫头部黄色，头顶隆起，有颊斑及唇基斑；下颚须及下唇须皆为黑褐色；触角黄色，鞭节黄褐色，胸背中为黄色，前胸背板两侧黑褐色，有中横脊，脊下为中纵沟；中后胸背板两侧黄绿色。足黄褐色，有黑色毛，跗节及爪褐色，爪基部弯曲。前翅前缘横脉列 24 条，近 Sc 端揭色；翅痣淡黄色；Sc-R 间近翅基横脉黑色；径横脉 12 条，近 R_1 端黑色；Rs 分支 13 条，第 1～2 条黑色，第 3～13 条近 Rs 端褐色；Psm-Psc 分支 8 条，第 1、2、8 条黑色，其余近 Psc 端黑褐色；内中室三角形，r-m 位于其外。Cu 脉黑褐色；阶脉黑色，（内/外）左 = 6/7，右 = 6/8。后翅前缘横脉列 20 条，褐色，径横脉分支 1 条，两端黑褐色，中间绿色；阶脉黑色，（内/外）左 = 6/7 = 右。腹部背板黄色，腹板灰黄色，整个腹部密布黑色毛。腹端第 8 背板较小，但第 8 腹板及第 9 腹板皆较大，三者明显分开；臀板几乎与第 8 背板宽相等，较长。雄虫外生殖器的殖弧叶中部边缘有 1 个突起，中突较粗，内突细长弯曲；殖弧梁中突较长，两臂短粗。

采集记录： 1♂，太白山蒿坪寺，1986. Ⅶ. 29。

分布： 陕西（太白山）。

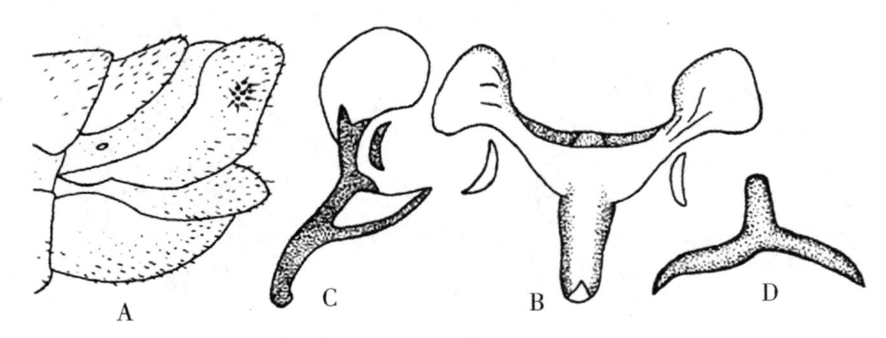

图 141 突通草蛉 *Chrysoperla thelephora* Yang *et* Yang

A. 雄虫腹端侧视；B. 雄虫外生殖器背视；C. 雄虫外生殖器侧视；D. 殖弧梁

(25) 普通草蛉 *Chrysoperla carnea* (Stephens, 1836)

Chrysopa carnea Stephens, 1836: 103.
Chrysopa affinis Stephens, 1836: 104.
Chrysopa microcephala Brauer, 1851: 6.
Chrysopa vulgaris Schneider, 1851: 68.
Chrysopa lamproptera Stein, 1863: 419.
Chrysopa radialis Navás, 1904: 119.
Chrysopa rubricata Navás, 1905: 14.
Chrysopa namurcensis Navás, 1910: 75.
Chrysopa lulliana Navás, 1910: 248.
Chrysopa viridella Navás, 1911: 207.
Chrysopa notata Pongracz, 1912: 209.
Chrysopa minor Pongracz, 1912: 209.
Chrysopa fulviceps Pongracz, 1912: 209.
Chrysopa cingulata Navás, 1912: 751.
Chrysopa lucasina Lacroix, 1912: 203.
Chrysopa nigropilosa Navás, 1913: 507.
Chrysopa lateralis Navás, 1913: 508.
Chrysopa memorosa Navás, 1913: 508.
Chrysopa stigmalis Navás, 1913: 508.
Chrysopa mista Navás, 1913: 279.
Chrysopa pillichi Pongracz, 1913: 185.
Chrysopa praetexta Lacroix, 1913: 101.
Chrysopa thoracica Navás, 1915: 471.
Chrysopa tristicta Navás, 1915: 472.
Chrysopa disticha Navás, 1915: 472.
Chrysopa doriana Navás, 1915: 277.
Chrysopa catalaunica Navás, 1915: 28.
Chrysopa ornata Navás, 1915: 31.
Chrysopa haematodes Navás, 1915: 194.
Chrysopa vulgaris var. vicina Lacroix, 1915: 229.
Chrysopa striolata Navás, 1916: 593.
Chrysopa entoneura Navás, 1917: 167.
Chrysopa gemella Navás, 1917: 87.
Chrysopa festiva Navás, 1918: 350.
Chrysopa inversa Navás, 1918: 350.
Chrysopa proxima Navás, 1918: 18.
Chrysopa seriata Navás, 1919: 195.
Chrysopa perezacostai Navás, 1919: 195.
Chrysopa moneri Navás, 1919: 196.

Chrysopa seroi Navás, 1919: 197.

Chrysopa prothoracica Navás, 1919: 52.

Chrysopa cephalica Navás, 1926: 199.

Chrysopa rubescens Navás, 1927: 4.

Chrysopa quettana Navás, 1930: 43.

Chrysopa vitellina Navás, 1930: 159.

Cintameva angelnina Navás, 1931: 84.

Chrysopa ferganica Navás, 1933: 108.

Chrysopa pictavica Lacroix, 1933: 147.

Chrysopa canariensis Tjeder, 1939: 31.

Chrysopa lundblahdi Tjeder, 1939: 8.

Chrysopa maderensis Tjeder, 1939: 9.

Chrysopa shansiensis Kuwayama, 1962: 9.

Chrysoperla nanceiensis Semeria, 1980: 29.

鉴别特征: 体长10.0~12.0mm。头部具颊斑和唇基斑；颚唇须背面褐色；触角黄绿色，短于前翅。胸背中央为黄色纵带，两侧绿色。前翅纵脉、横脉均绿色，前缘横脉列28条；翅痣黄绿色，透明，无脉；径横脉12条，Rs分支13条，Psm-Psc分支8条；内中室三角形，r-m位于其外，阶脉绿色，(内/外)左=6/8=右；Cu脉褐色。后翅前缘横脉列21条，绿色，阶脉绿色，(内/外)左=6=右。腹部背面具黄色纵带，两侧绿色，腹面黄绿色。

采集记录: 1头，长安南五台，1979.Ⅵ。

分布: 陕西(长安)、北京、河北、内蒙古、山西、河南、新疆、山东、上海、安徽、湖北、广东、广西、四川、云南；古北区。

(26) 秦通草蛉 *Chrysoperla qinlingensis* Yang *et* Yang, 1989(图142)

Chrysoperla qinlingensis Yang *et* Yang, 1989: 14.

鉴别特征: 体长10.6mm。雌虫头部黄褐色，具黑色颊斑及唇基斑；下颚须及下唇须背面皆黑褐色，腹面黄褐色；触角第1节黄褐色，第2节黄色，鞭节基部黄色，端部黄褐色，中部膨大。胸背中为黄色纵带，前胸背板两边褐色具灰色毛，有中纵脊；中后胸两边黄褐色。足黄绿色，具褐色毛，跗节黄褐色，爪褐色，基部弯曲。前翅前缘横脉列29条，近Sc端黑褐色；翅痣黄绿色，内无脉；Sc-R间近翅基的横脉褐色，翅端的透明；径横脉11条，第1~9条中段绿色，第10~11条黑褐色；Rs分支13条。第1~2条黑褐色，第3~5条中绿色，其余为绿色；Psm-Psc分支第8条，第1、2、8条黑褐色，其余近Psc端褐色；内中室三角形，r-m位于其外。Cu脉褐色；阶脉黑色，内/外=7/8；后翅前缘横脉列19条，黑色；径横脉11条，中绿色；阶脉黑色，内/外 = 6/7。腹部背板、腹板皆为黄褐色，具灰色毛。腹端向后上方倾斜，第7背板大于第8背板，第7腹板的上缘呈抛物线形，臀板细长；亚生殖板底缘由于向内凹陷分三部分，下边连1个很长的骨化较弱的骨板。

采集记录：1♀，秦岭，1965.Ⅷ.06。

分布：陕西(秦岭)。

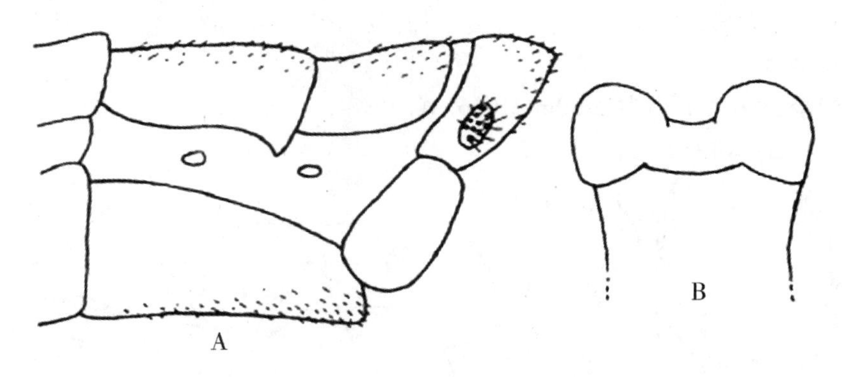

图142　秦通草蛉 *Chrysoperla qinlingensis* Yang *et* Yang

A. 雌虫腹端侧视；B. 亚生殖板

15. 线草蛉属 *Cunctochrysa* Hölzel, 1970

Anisochrysa（*Cunctochrysa*）Hölzel, 1970: 47. **Type species**: *Chrysopa albolineata* Killington, 1935.

Cunctochrysa: Aspöck *et al.*, 1980: 271.

属征：触角不长于前翅，脉相同于玛草蛉属 *Mallada*。雄虫腹部第8、9腹板完全合并；殖弧叶两端膨大，近中部缩细，内突宽大，多有卷褶；中突短粗，方形或圆形；有殖弧梁及殖下片，雌虫腹端与玛草蛉属相同。

分布：古北区，东洋区。中国记录4种，秦岭地区发现2种。

(27) 中华线草蛉 *Cunctochrysa sinica* Yang *et* Yang, 1989（图143）

Cunctochrysa sinica Yang *et* Yang, 1989: 17.

鉴别特征：体长8.8mm。雄虫头部黄色，有颊斑及唇基斑；下颚须第3~5节黑色，下唇须背面黑褐色；触角第1节黄色，第2节及鞭节浅黄褐色。胸背中央为黄色，前胸背板两边为褐色，有中横脊；中后胸两边为黄绿色。足绿褐色，跗节及爪为褐色。前翅前缘横脉列23条，第1~2条绿色，第3条近C端褐色，其余为褐色；翅痣绿色，内有脉；Sc-R近翅基部横脉黑色，端部绿色；径横脉13条，近 R_1 端褐色；

Rs 分支 14 条，绿色；Psm-Psc 分支 8 条，除第 1 条为褐色外，其余皆为绿色；Cu_1 绿色，Cu_2Cu_3 黑色；阶脉绿色，内/外 = 8/9；内中室三角形，r-m 位于其上。后翅前缘横脉列 20 条，黑色；径横脉 13 条，近 R_1 端褐色；阶脉绿色，内/外 = 7/8。腹部背板及腹板皆黄褐色。腹端第 8 +9 腹板基部很大，上缘弯曲，臀板骨化不太明显。雄虫外生殖器的殖弧叶中部细、平直，末端膨大；内突外缘弧形，边缘向上弯折，内缘为直线形；中突成方形，基部两侧有向外突出的齿；殖下片中部宽大，两叶如菱形，下生殖板顶端平直，两叶细长。

采集记录： 1♂，太白山 2200m，1956. Ⅶ. 26。

分布： 陕西（太白山）。

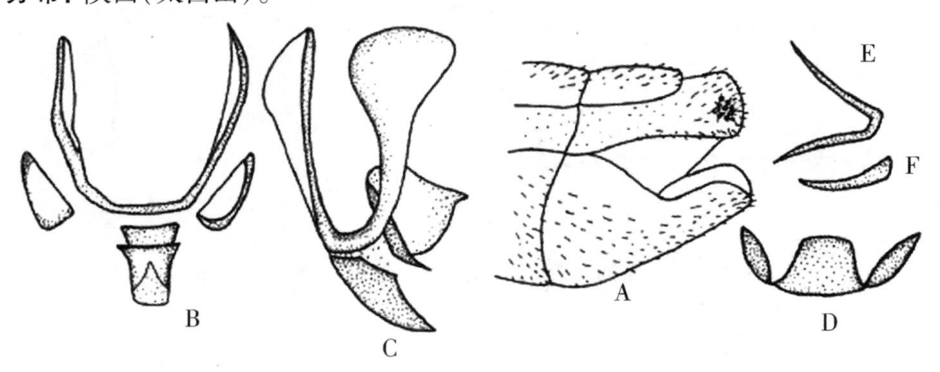

图 143　中华线草蛉 *Cunctochrysa sinica* Yang *et* Yang

A. 雄虫腹端侧视；B. 雄虫外生殖器背视；C. 雄虫外生殖器侧视；D. 殖下片；E，F. 下生殖板

（28）白线草蛉 *Cunctochrysa albolineata*（Killington，1935）

Chrysopa albolineata Killington，1935：87.

Chrysopa bineura Navás，1936：52.

Cunctochrysa albolineata：Aspöck *et al.*，1980：272.

鉴别特征： 体长 10.0mm。头部绿色，具黑色颊斑和唇基斑；触角较前翅短，第 1～2节淡绿色，其余为淡黄褐色。胸、腹背面为白色纵带，前胸上多为黑色毛，中后胸则多为白色毛。翅透明，翅痣明显；内中室卵圆形，r-m 脉位于其上。Psm-Psc 脉绿色；阶脉黑色。足淡绿色，跗节淡褐色。

采集记录： 2 头，武功，1951. Ⅶ。

分布： 陕西（武功）、北京、山西、湖北、江西、福建、四川、贵州、云南、西藏；俄罗斯，欧洲。

16. 玛草蛉属 *Mallada* Navás, 1924

Mallada Navás, 1924: 24. **Type species**: *Mallada stigmatus* Navás, 1924.

Anisochrysa Nakahara, 1955: 145. **Type species**: *Anisochrysa paradoxa* Nakahara, 1955.

Triadochrysa Adams, 1978: 294. **Type species**: *Mallada* (*Triadochrysa*) *triangularis* Adams, 1978.

属征: 上颚不对称, 左上颚具齿; 体背多具黄色纵带; 前翅内阶脉末端位于径分脉的分支上, 伪中脉不包括很多横脉。雄虫腹部第8与第9腹板愈合, 末端上方有向内弯的瘤突或棒突; 臀板狭长, 臀胝大, 位置偏中; 外生殖器具殖弧叶、中突、殖弧梁及殖下片, 殖弧叶中部呈方形或多边形, 内突很退化; 雌虫的亚生殖板及贮精囊与草蛉属差别不甚大。

分布: 东洋区, 澳洲区。中国记录11种, 秦岭地区发现1种。

(29) 亚非玛草蛉 *Mallada desjardinsi* (Navás, 1911) (图144)

Chrysopa desjardinsi Navás, 1911: 267.

Chrysopa boninensis Okamoto, 1914: 62.

Chrysopa serrandi Navás, 1921: 70.

Chrysopa flavostigma Esben-Petersen, 1927: 451.

Chrysopa rutila Esben-Petersen, 1927: 453.

Mallada scolius Navás, 1927: 86.

Chrysopa oblique Navás, 1929: 362.

Chrysopa inclinata Navás, 1934: 58.

Mallada desjardinsi: Brooks & Barnard, 1990: 273.

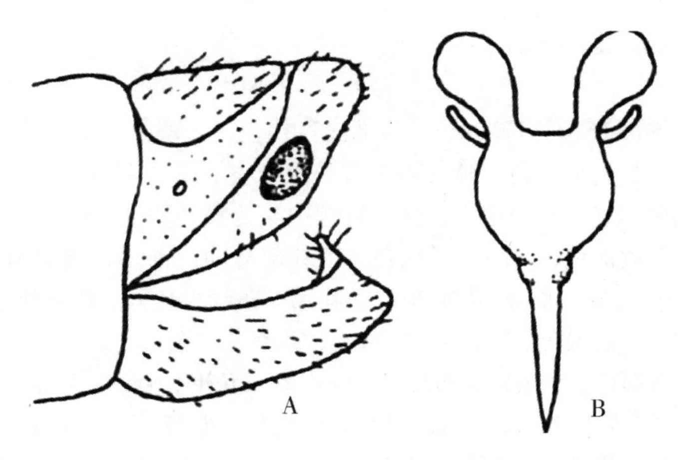

图144　亚非玛草蛉 *Mallada desjardinsi* (Navás)

A. 雄虫腹端; B. 雄虫外生殖器

鉴别特征: 体长 8.0 ~9.0mm。体绿色。头部黄绿色，具黑色颊斑和唇基斑；下颚须第 3 ~4 节黑褐色；触角长于前翅，黄褐色，基部两节颜色浅。身体背面为黄色纵带，两侧绿色。翅透明，脉全为绿色；翅痣狭长；前翅前缘横脉列 20 ~22 条；径横脉列 13 ~15 条；Rs 分支 14 ~16 条；Psm-Psc 分支 8 条；阶脉(内/外)左 = 右 = 6/8。r-m 脉位于内中室之外。足绿色，跗节黄色。腹部具白色短毛。雄虫腹端臀板狭长，臀胝大，位置偏中。

采集记录: 2♂1♀，周至，1962. Ⅷ. 16-18。

分布: 陕西(周至)、浙江、湖北、江西、湖南、福建、广东、台湾、海南、广西、四川、贵州、云南；东洋区、非洲区。

17. 尼草蛉属 *Nineta* Navás, 1912

Nineta Navás, 1912: 98. **Type species**: *Hemerobius flavus* Scopoli, 1763.

Parachrysa Nakahara, 1915: 121. **Type species**: *Nothochrysa olivarcea* Gerstaecker, 1894.

属征: 大型种类。头部一般无斑，上颚不对称；触角短于前翅，第 1 节长大于宽。前胸背板较宽，常具褐色或红色斑、带，中胸、后胸背板不具斑纹；足上的毛短，黑色，爪基部弯曲。前翅前缘区窄，Sc 及 R 脉明显分开；阶脉两组；im 室短，卵圆或三角形。腹部细长，雄虫臀板背面合并，端部弯钩状；臀胝发达；第 8、9 腹板不合并，第 9 腹板延长，端部向上弯曲，并具长毛。雄虫外生殖器缺殖弧梁和殖下片；雌虫外生殖器亚生殖板端部双叶状，贮精囊扁，膜突及导卵管长。

分布: 全北区。中国记录 5 种，秦岭地区发现 2 种。

(30) 陕西尼草蛉 *Nineta shaanxiensis* Yang *et* Yang, 1989(图 145)

Nineta shaanxiensis Yang *et* Yang, 1989: 25.

鉴别特征: 体长 16.0 ~17.0mm。头部浅黄褐色，无斑，下颚须第 5 节末端黑褐色，下唇须黄色，上颚黑褐色；触角第 1 节长大于宽，第 1 ~2 节黄色，鞭节浅黄褐色。前胸背板两侧绿色，有中横脊，整个胸背中央为黄色纵带；中后胸两侧黄绿色。足淡黄绿色，跗节黄褐色，末端及爪褐色，爪基部弯曲。前翅前缘横脉列 35 条，暗褐色；翅痣绿褐色，内有脉；径横脉 20 条，除第 1 条绿褐色外，其余皆为绿色；Rs 的分支 19 条，第 1 ~2 条褐色，第 3 ~5 近 Psm 端褐色，其余皆为黄绿色；Psm-Psc 分支 12 条，第 2、12 条褐色，其余皆为黄绿色；内中室三角形，r-m 位于其上；Cu 脉褐色；阶脉褐色，(内/外)左 = 13/12 = 右。后翅前缘横脉列 27 条，褐色；径横脉 19 条，第 1 条褐色，其余为黄绿色；阶脉黄褐色，(内/外)左 = 11/10，右 = 3/12 。腹部背、腹板皆为黄褐色，布灰色长毛。腹端第 8 背板宽短，第 8 腹板较长，近基部有褶，第

9 腹板末端有一排长毛，中部向内成三角形突起，臀板下缘成倒“V”形，外缘成波线状；雄虫外生殖器的殖弧叶较宽大，中部向内突出，成二叉；内突近伪阳茎处成钩状，外端较宽大；伪阳茎基部膨大，末端分叉，其后有 1 簇毛。雌虫外生殖器的亚生殖板顶端两叶的外侧有 1 个三角形骨片，中部凹刻基部突出，下部柄的中部缢缩；贮精囊的膜突顶端平切，基部弯曲。

采集记录：1♀，太白山，2100m，1983. Ⅷ. 16；1♂，太白山，1981. Ⅷ；2♂，宁陕，1982. Ⅷ. 28。

分布：陕西（太白山，宁陕）。

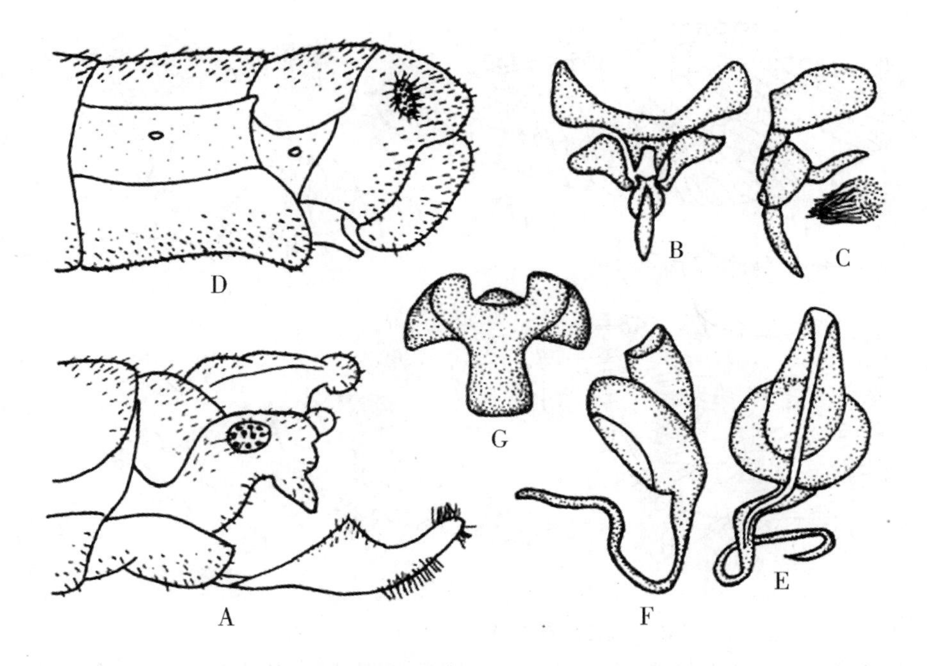

图 145　陕西尼草蛉 *Nineta shaanxiensis* Yang *et* Yang

A. 雄虫腹端；B. 雄虫外生殖器背视；C. 雄虫外生殖器侧视；D. 雌虫腹端；E，F. 储精囊；G. 亚生殖板

（31）玉带尼草蛉 *Nineta vittata*（Wesmael，1841）（图 146）

Chrysopa vittata Wesmael，1841：211.

Hemerobius proximus Rambur，1842：425.

Chrysopa integra Hagen，1852：40.

Nothochrysa olivacea Gerstaecker，1893：166.

Chrysopa inornata Matsumura，1911：14.

Chrysopa matsumurana Navás，1915：473.

Nineta vittata：Navás，1915：87.

鉴别特征：体长17.0～20.0mm。头部黄色，无斑；触角第1节黄色，长为宽的2倍，其余各节为黄褐色。胸背中央为黄色纵带，两侧绿色。前翅前缘横脉列41条，暗褐色至绿色；翅痣黄绿色，内有绿色脉；径横脉第1～2节中部及Rs第1分脉褐色；Psm-Psc 13条，第3条褐色；阶脉绿色。后翅前缘横脉列26条，由褐色至绿色，径横脉、阶脉等均为绿色。腹部浅褐色，有灰色毛；雄虫腹端臀板后伸成瘤状，腹板也发生了特化；殖弧叶中部叉状，内突相连，伪阳茎位于其下。

采集记录：1头，宁强，1979.Ⅵ。

分布：陕西(宁强)、黑龙江、内蒙古、宁夏、湖北、湖南、台湾、四川；俄罗斯，朝鲜，日本，欧洲。

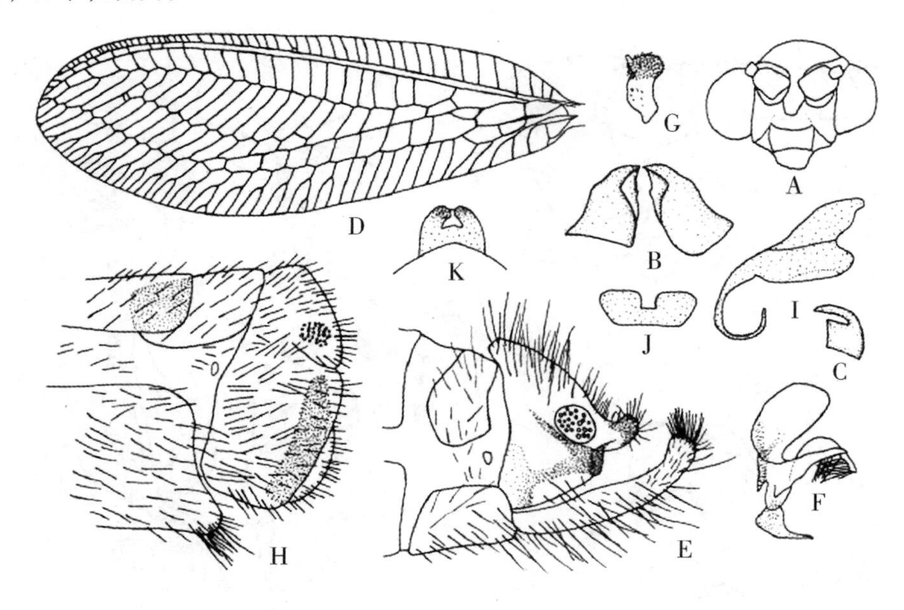

图146 玉带尼草蛉 *Nineta vittata* (Wesmael)

A. 头部；B. 上颚；C. 爪；D. 前翅；E. 雄虫腹端；F. 雄虫外生殖器侧视；G，H. 雌虫腹端；I. 储精囊；J. 亚生殖板；K. 亚生殖板

18. 叉草蛉属 *Pseudomallada* Tsukaguchi，1995

Navasius Yang *et* Yang，1990：327(nec. Esben-Ptersen，1936). **Type species**：*Navasius eumorphus* Yang *et* Yang，1990：332.

Dichochrysa Yang，1991：150(unavailable new name for *Navasius* Yang *et* Yang，1990).

Pseudomallada Tsukaguchi，1995：67. **Type species**：*Chrysopa cognatella* Okamoto，1914.

属征：头部多为2对斑，颊斑及唇基斑；触角一般长于前翅或与之等长。也有短于前翅的；翅脉同玛草龄属（*Mallada*）。雄虫第8、9腹板合并。末端上方无任何突起；臀板圆形，呈蝌蚪状，臀胝位置偏上；雄虫外生殖器除殖弧叶、伪阳茎外，还有殖弧梁、殖下片、生殖板；殖弧叶中部细窄，多呈角状或平直；殖下片形状多样，但并无似玛草蛉属那样的殖下片；伪阳茎多为叉状，或短针状，皆以膜质与殖弧叶相连。雌虫腹端臀板成一整块，稍倾斜，下端不超过第7腹板的底缘，贮精囊膜突多较长，亚生殖板形状多样。

分布：世界广布。中国记录61种，秦岭地区发现12种。

分种检索表

1. 头部无斑 …… 2
   头部具斑 …… 4
2. 前翅前缘横脉列全部黑色 …… **跃叉草蛉 *Pseudomallada ignea***
   前翅前缘横脉列全部绿色 …… 3
3. 颚、唇须黄褐色 …… **震旦叉草蛉 *P. heudei***
   颚、唇须黄色或黄绿色 …… **红面叉草蛉 *P. flammefrontata***
4. 胸背中央具黄色纵带 …… 5
   胸背中央无黄色纵带 …… 7
5. 前翅前缘横脉列中部绿色，两端褐色 …… **春叉草蛉 *P. verna***
   非上特征 …… 6
6. 前翅径横脉整体绿色 …… **鄂叉草蛉 *P. hubeiana***
   前翅径横脉近 R_1 端褐色 …… **间绿叉草蛉 *P. mediata***
7. 胸部有斑，前翅前缘横脉列黑色 …… **秦岭叉草蛉 *P. qinlingensis***
   胸部无斑 …… 8
8. 前翅前缘横脉列部分黑色 …… **脊背叉草蛉 *P. carinata***
   前翅前缘横脉列全部黑色 …… 9
9. 前翅径横脉绿色或部分黑色 …… 10
   前翅径横脉全部黑色 …… 11
10. 下唇须全部黑色 …… **香叉草蛉 *P. aromatica***
    下唇须仅端节黑褐色 …… **周氏叉草蛉 *P. choui***
11. 下颚须各节黑色，节间黄褐色，下唇须第1～2节褐色，端节黑色；颊斑大，无颊上斑 …… **重斑叉草蛉 *P. illota***
    颚唇须全部黑色；颊斑小，无颊下斑 …… **华山叉草蛉 *P. huashanensis***

（32）香叉草蛉 *Pseudomallada aromatica*（Yang *et* Yang，1989）

Mallada aromaticus Yang *et* Yang, 1989：18.

Dichochrysa aromatica：Yang *et al.*，2005：152.

鉴别特征：体长10.4mm。雌虫头部褐色，颜面上有2道褐色纵条斑，有中斑；下颚须第5节黑色，下唇须黑褐色。触角第1、2节淡黄褐色，第1节背面有褐斑，鞭节黄褐色。前胸背板黄褐色，两边深褐色，有中横脊，脊下中纵线凹陷；中后胸背板中部为黄色，两边黄褐色。足褐色，跗节及爪黑褐色，爪基部弯曲。前翅前缘横脉列22条，黑褐色；翅痣黄绿色；Sc-R 近翅基的横脉黑色，翅端的绿色；径横脉 12 条，第 1 ~5 条中绿色，第 6 ~9 条近 R_1 端褐色；第 10 ~ 11 条褐色，第 12 条绿色；Rs 分支 1 条，第 1 ~2 条褐色，其余皆为绿色；Psm-Psc 分支 8 条，第 1 ~2 条黑褐色，第 3 ~6条中绿色，第7 ~8 条绿色；Cu 脉黑褐色；Psc 各分横脉基部皆为褐色；阶脉灰黑色，(内/外)左 = 5/7，右 = 4/7；内中室三角形，r-m 位于其上。后翅前缘横脉列 18 条，黑褐色；径横脉 11 条，褐色；阶脉褐色，内/外 = 4/6。腹部背面黄褐色，腹面黑褐色。腹端第 7 背板长于第 8 背板，第 7 腹板上缘平直，臀板上半部成椭圆形，下半部近方形，侧生殖突突出。贮精囊的膜突较囊本身长得多，顶端为膜质尖突，亚生殖板近似桃形，顶端两侧向内倾。

采集记录： 1♀，周至观楼台，1962. Ⅷ. 18。

分布： 陕西(周至)。

(33) 脊背叉草蛉 *Pseudomallada carinata* (Dong, Cui *et* Yang, 2004) (图 147)

Dichochrysa carinata Dong, Cui *et* Yang, 2004: 136.

Pseudomallada carinata: ICZN, 2010: 261.

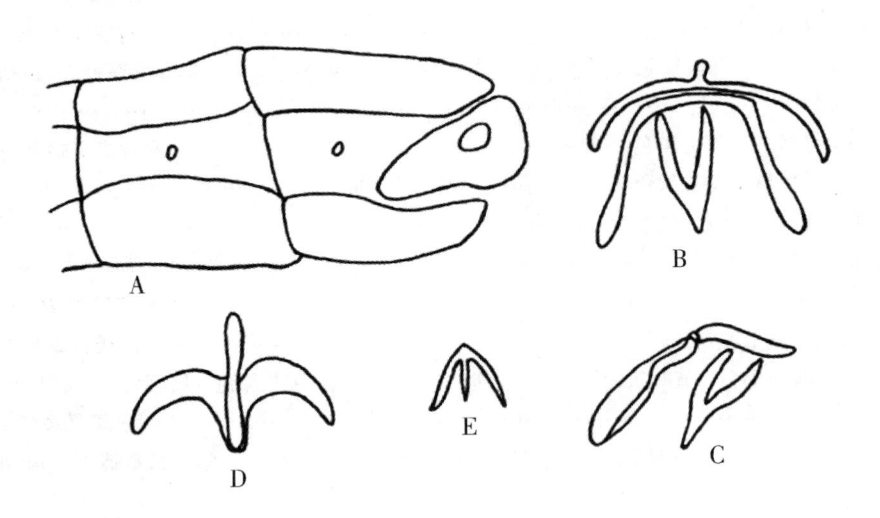

图 147 脊背叉草蛉 *Pseudomallada carinata* (Dong, Cui *et* Yang)

A. 雄虫腹端侧视；B. 雄虫外生殖器背视；C. 雄虫外生殖器侧视；D. 殖下片；E. 下生殖板

鉴别特征： 体长 10.0mm。雄虫头黄色。颜面具 1 对黑色的颊斑和唇基斑，颊斑方块状，较大，伸至复眼处，与条状的唇基斑相连；颚唇须皆为黑色，但各节相接处为黄色。前缘横脉列 23 条，第 1 条黄绿色，第 2 条两端褐色，中间绿色，第 3 ~20 条浅褐色，第 21 ~23 条黄色；径横脉 12 条，近 R 端褐色；Rs 分支 10 条，黄绿色；

Psm-Psc分支5条，第1～2条近Psm端褐色，其余为黄绿色；内中室三角形，黄绿色，r-m脉位于其上，褐色；Cu脉褐色；阶脉黄绿色，(内/外)左＝6/8，右＝6/7。后翅前缘横脉列18条，浅褐色；径横脉10条，近R半端浅揭色；Rs分支8条，黄绿色；阶脉黄绿色，(内/外)左 ＝4/6＝ 右。

采集记录：1♂5♀，宁陕火地塘1580m，1998.Ⅶ.14。

分布：陕西(宁陕)、甘肃。

(34) 周氏叉草蛉 *Pseudomallada choui* (Yang *et* Yang, 1989)(图148)

Mallada choui Yang *et* Yang, 1989: 19.

Dichochrysa choui: Yang, 1995: 29.

Pseudomallada choui: ICZN, 2010: 261.

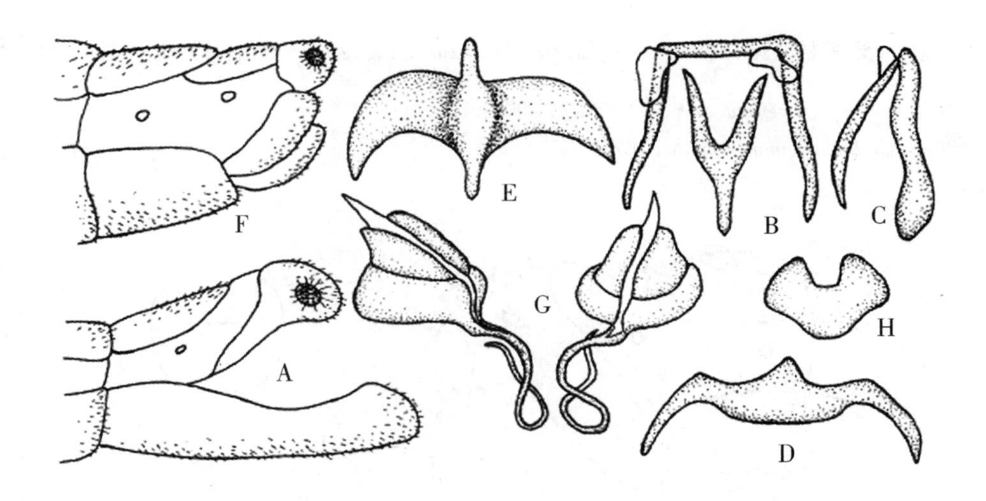

图148　周氏叉草蛉 *Pseudomallada choui* (Yang *et* Yang)

A. 雄虫腹端侧视；B. 雄虫外生殖器背视；C. 雄虫外生殖器侧视；D. 殖弧梁；E. 殖下片；F. 雌虫腹端侧视；G. 储精囊；H. 亚生殖板

鉴别特征：体长9.8～10.8mm。雌虫头黄色，有黑褐色的颊斑、唇基斑及中斑；下颚须第3～5节、下唇须第3节黑褐色；触角第1、2节黄褐色，鞭节黑褐色。前胸背板淡黄色，基部有1条横沟；中后胸淡黄褐色。足褐色，跗节及爪深褐色，爪基部弯曲。雌虫前翅前横脉列24条，黑色；翅痣黄绿色，内有脉；Sc-R近翅基的横脉黑色，端部绿色；径横脉13条，中段绿色，两端黑色；Rs分支14条，第1～2条褐色，第3～4条近Psm端褐色，其余皆为绿色；Psm-Psc分支9条，第1、2、9条黑色，第3～5条两端黑色，中部绿色，第6～8条近Psm端褐色；Cu脉黑色；阶脉黑色，(内/外)左＝7/8，右＝5/8；内中室三角形，r-m位于其上。后翅前缘横脉列21条，黑色；径横脉 12 条，近 R_1 端黑褐色；阶脉绿色，（内/外）左 = 4/7，右 = 5/7。腹部背、腹板皆为黄色，整个腹部布灰色毛。腹端第 7 腹板宽大，生殖侧突明显；贮精囊导卵管较长，膜突较短；亚生殖板顶端两侧突稍尖，底边两侧稍有弯曲。雄虫前翅前缘横脉列 22 条，径横脉 12 条，阶脉（内/外）左 =6/7 = 右。后翅前缘横脉列 19 条，阶脉（内/外）左 = 4/7，右 = 6/7。雄虫腹端第 8 +9 腹板长超过背部末端，臀板蝌蚪状。雄虫外生殖器的殖弧叶中部平直，两端稍膨大，中突的基部两岔的长度与端半部约相等；殖弧梁中部膨大，中突及两端稍尖；殖下片中部膨大成球状，两侧叶上弯，侧叶基部宽阔。

采集记录： 1♀，秦岭车站，1965. Ⅷ. 18；1♂，太白山 1740m，1956. Ⅶ. 23；1♀，太白山 1261m，1956. Ⅶ. 26；1♀，留坝庙闸口石 1800 ~ 1900m，1998. Ⅶ. 20；1♀，宁陕火地塘 1580m，1998. Ⅶ. 27。

分布： 陕西（太白山，凤县、留坝、宁陕）、黑龙江、甘肃、湖北、云南。

（35）红面叉草蛉 *Pseudomallada flammefrontata*（Yang *et* Yang，1990）（图 149）

Dichochrysa flammefrontata Yang *et* Yang，1999：120.

Pseudomallada flammefrontata：ICZN，2010：261.

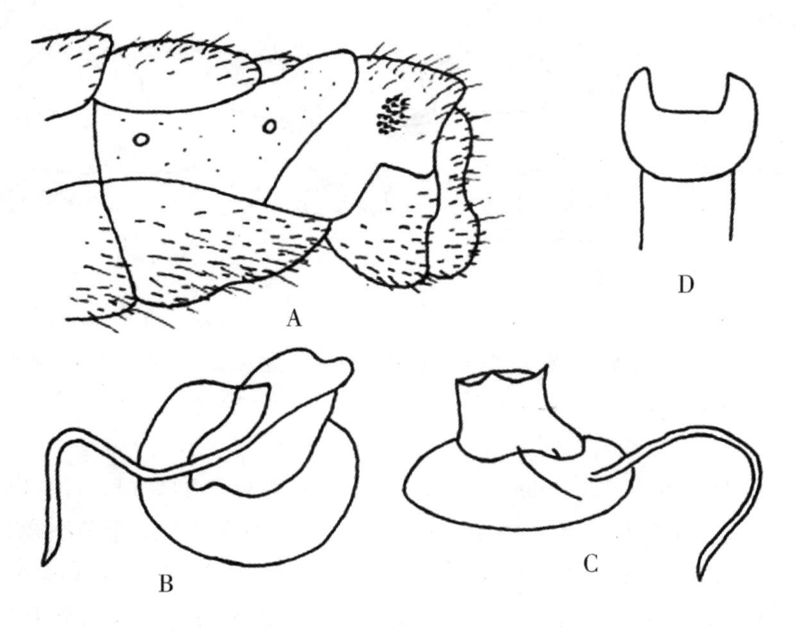

图 149 红面叉草蛉 *Pseudomallada flammefrontata*（Yang *et* Yang）

A. 雌虫腹端侧视；B，C. 储精囊；D. 亚生殖板

鉴别特征： 体长 8.0mm。雌虫头部黄色，无斑；颜面红色。颚唇须黄色。触角第

1～2节黄色，鞭节黄褐色，第1节外侧有红斑；触角窝顶端边缘有红色条纹。前胸背板中部为宽的黄色纵带，两侧绿色，具褐色毛，后端有灰色长毛；中后胸中部为窄的黄色纵带，两侧绿色。足黄绿色，跗节黄褐色，爪褐色，基部弯曲。前翅前缘横脉列15条，绿色；翅痣淡黄色，透明；Sc-R间横脉近翅基者浅褐色，翅端的绿色；径横脉12条，Rs分支12条，皆绿色；Psm-Psc间脉8条，第1～2条浅褐色，第3～8条绿色；内中室三角形，r-m位于其上；Cu_1-Cu_2褐色，Cu_3为绿色；阶脉绿色，内/外＝6/7。后翅前缘横脉列13条，径横脉10条，皆为绿色；阶脉绿色，内/外＝5/6。腹部背板上具黄色纵带，腹板淡黄褐色，布灰色毛。雌虫腹端臀板外缘上部外突，生殖侧突在臀板侧下方外突，第8背板很小。雌虫外生殖器亚生殖板顶端两突细尖，底部半圆形，下端有柄；贮精囊膜突顶端边缘齿状。

采集记录：1♀，宁陕火地塘，1580m，1998.Ⅷ.14。

分布：陕西（宁陕）、甘肃、福建、云南。

（36）震旦叉草蛉 *Pseudomallada heudei*（Navás，1934）

Chrysopa heudei Navás，1934b：3.

Dichochrysa heudei：Yang，1995：30.

Pseudomallada heudei：Yang *et al.*，2005：178.

鉴别特征：体长10.0mm。雌虫头黄色，无斑；颚唇须黄褐色；触角黄绿色。腹部中央具1条黄色纵带，侧缘黄褐色；翅透明，前后翅纵脉和横脉皆黄色；前缘横脉列24条；径横脉12条；Rs分支12条；内中室三角形，r-m位于其上；阶脉左（内/外）＝6/8，右＝6/7；后翅前缘横脉列16条，阶脉左（内/外）＝4/6，右＝4/7。腹部浅黄褐色，背面具黄色纵带。第7腹板端部有1个乳突。

采集记录：1♀，佛坪，950m，1998.Ⅶ.25。

分布：陕西（佛坪）、江苏、海南、云南。

（37）华山叉草蛉 *Pseudomallada huashanensis*（Yang *et* Yang，1989）

Mallada huashanensis Yang *et* Yang，1989：21.

Dichochrysa huashanensis：Yang，1995：31.

Pseudomallada huashanensis：Yang *et al.*，2005：178.

鉴别特征：体长8.1mm。雌虫头部褐色，有颊斑及唇基斑，另外还有颊上斑；颚唇须黑褐色；触角第1、2节黄褐色，鞭节深褐色。前胸背板中部黄色，两边缘深褐色，基部有横沟；中胸背板黄褐色，后胸为淡黄褐色。足黄褐色，爪基部弯曲。前翅前缘横脉列22条，黑色；翅痣黄色；Sc-R近翅基的横脉黑色，翅端的绿色；径横脉13条，黑色；Rs分支12条，第1～5条黑色，其余近Rs端黑褐色，Psm-Psc分支9

条，黑色；Cu 脉黑色；阶脉黑色，内/外 = 7/7；内中室三角形，r-m 位于其上。后翅前缘横脉列 17 条，黑色；径横脉 12 条，近 R_1 端黑色；阶脉揭色，内/外 = 5/7。腹部背板黄褐色，腹板绿褐色。腹端第 7 背板大于第 8 背板，第 7 腹板近方形，臀板上端似为三角形，下端内缘弧形，外缘近似直线，生殖侧突明显。雌虫外生殖器的贮精囊的腹痕明显，囊较厚，膜突粗长，末端弯曲；亚生殖板底端近似半圆形，顶端两侧向外延伸。

采集记录： 1♀，华阴华山，1962. Ⅶ. 27。

分布： 陕西（华阴）、甘肃。

(38) 鄂叉草蛉 *Pseudomallada hubeiana* (Yang *et* Wang, 1990)（图 150）

Navasius huheianus Yang *et* Wang, 1990: 157.

Dichochrysa hubeiana: Yang, 1995: 31.

Pseudomallada hubeiana: Yang *et al.*, 2005: 179.

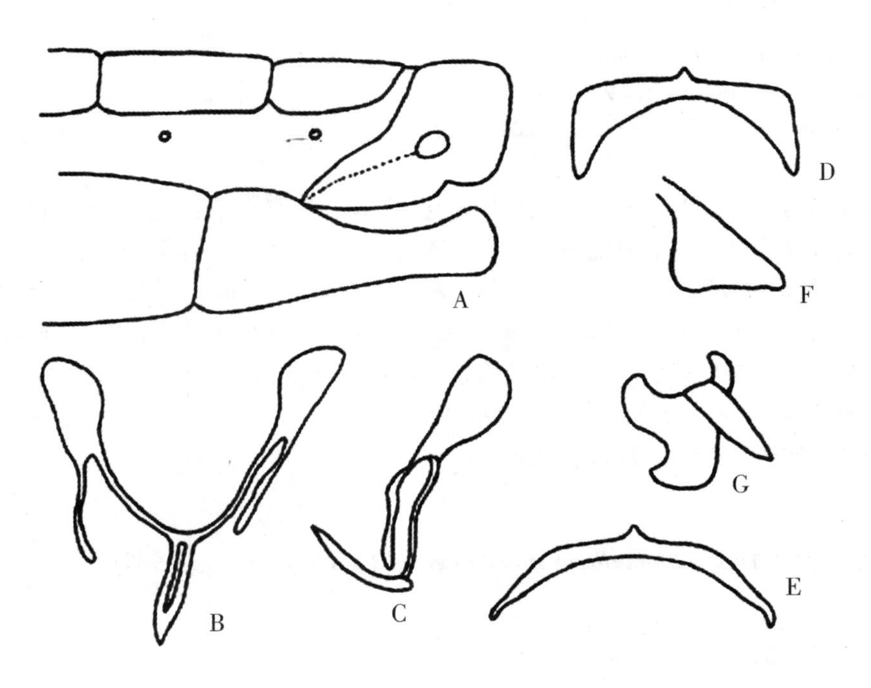

图 150 鄂叉草蛉 *Pseudomallada hubeiana* (Yang *et* Wang)

A. 雄虫腹端侧视；B. 雄虫外生殖器背视；C. 雄虫外生殖器侧视；D-F. 殖弧梁；G. 殖下片

鉴别特征： 体长 8.0mm。雄虫头部黄色，具 1 对黑色颊斑，下颚须、下唇须基部黄褐色，末节黑褐色。胸部黄绿色，中纵带黄色，前胸背板两侧褐色，中间有深凹横沟，至前缘间有 1 对褐斑，后缘前凹呈弧形。足黄色，黄褐色绒毛，跗节端部及爪褐色；前足基节细长；爪基部长方形，利齿基部弯曲。翅卵形，翅痣不明显，除 M-Psc

横脉浅褐色外，其余脉为绿色；前翅前缘横脉列24条，亚前缘区基横脉1条，端横脉6条；R-Rs间横脉13条，Rs分支13条，Psm平直，内中室三角形，Psm-Psc间横脉7条；阶脉2组，2组间近内阶脉处有2～3条不规则排列的横脉，内阶脉不与Psm直接相连，与Rs分支及Psm间形成2个小翅室，(内/外)左 = 8/8，右 = 9/8；后翅阶脉2组，(内/外)左 = 8/7，右 = 8/6。腹部背板黄色，腹板黄褐色。腹端侧视第8背板长约为第7背板的1/2，臀板大，蝌蚪形，内侧下方向前弯曲，外侧平直，下侧长约为上侧的2倍，近外侧处有缢缩，表皮内突明显，从与腹板相接处直达臀胝前下方，并分岔成“C”形围在臀胝前下方；第8+9腹板完全合并，基部粗大，离基部1/3处开始内凹变窄，端部背面稍突起，凹陷部分有表皮内突，始于与臀板相接处，止于端部突起处。殖弧叶弧形，两臂端叶状体外侧具细长的小突，中突基部2/3分岔，端部1/3合并；殖弧梁正面观弧形，梁突较小，背面观两臂外侧弯曲成直角，内侧弧形，侧视臂两端较小，中央突然膨大，弓状；殖下片基部两臂不对称，中央突起端部变细呈锥状。

采集记录：1♂，勉县武侯墓，1200m，1985.Ⅶ.26。

分布：陕西(勉县)、湖北、云南。

(39) 跃叉草蛉 *Pseudomallada ignea* (Yang *et* Yang, 1990)(图151)

Navasius igneus Yang *et* Yang, 1990: 471.

Dichochrysa ignea: Yang, 1995: 31.

Pseudomallada ignea: Yang *et al.*, 2005: 181.

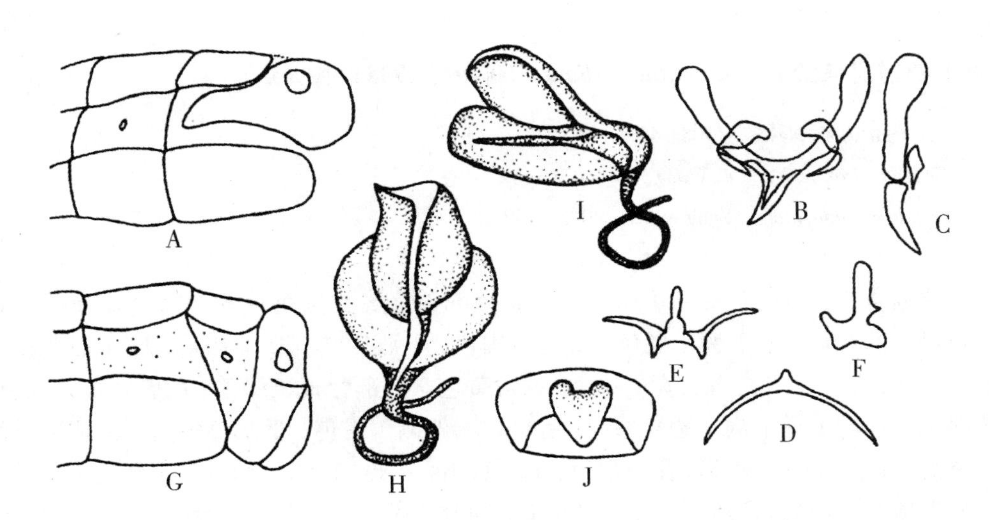

图151　跃叉草蛉 *Pseudomallada ignea* (Yang *et* Yang)

A. 雄虫腹端侧视；B. 雄虫外生殖器背视；C. 雄虫外生殖器侧视；D. 直弧梁；E，F. 殖下片；G. 雌虫腹端侧视；H，I. 储精囊；J. 亚生殖板

鉴别特征：体长6.7～7.0mm。雄虫头黄色，头顶隆突，颜面无斑，颚唇须黄色。触角第1节膨大，长大于宽，黄色，鞭节黄色，到端部颜色逐渐加深；前胸背板黄色，前窄后宽，呈梯形，两侧缘黄色；中胸、后胸背板黄色，两侧缘黄绿色。足黄色，爪浅褐色，基部弯曲。前翅狭长，纵脉黄色，横脉除了Rs分支的端半部黄色外，其余皆为褐色。前缘横脉列17条，径横脉10条，Rs分支7条，内中室三角形，r-m位于其上；Psm-Psc分支6条，阶脉(内/外)左=3/6= 右。后翅前缘横脉列12条，褐色，径横脉9条，近R半端浅褐色；Rs分支6条，黄色；Psm-Psc分支4条，黄色，阶脉(内/外)左= 2/5= 右，浅褐色。雄虫第7背板稍长于第8背板。臀板大，倾斜，下半部开始组缩。第8+9腹板短而阔。殖弧叶弧形，两侧叶的端部膨大，内突形状特殊；中突分岔，端部尖细。殖弧梁两臂细长。雌虫头部褐色，触角第1、2节黄色，鞭节黄褐色。胸背中央为黄色纵带；前胸背板两侧为黄褐色，中胸、后胸两侧绿色。足黄绿色，爪褐色，基部弯曲。前翅前缘横脉列17条，黑色；翅痣黄绿色；Sc-R近翅基的横脉黑色，翅端的绿色；径横脉10条，黑色；Rs分支10条，第1～3条黑色，其余皆近Rs端黑色；Psm-Psc分支8条，黑色；内中室三角形，r-m位于其上；Cu脉黑色；阶脉黑色，(内/外)左= 5/6=右。后翅前缘横脉列13条，黑色；径横脉10条，褐色；阶脉褐色，(内/外)左=3/5=右。腹部背板及腹板皆为黄褐色，具灰色毛。第7背板大于第8背板，臀板较长，大约等于第7～8背板长之和。雌虫亚生殖板嵌在1个回折的骨片上，下端稍尖，上端凹刻底部中间突起；贮精囊的膜突台体状，倾斜，在近导卵管附近两侧有黑褐色斑纹。

采集记录：1♀，宁陕火地塘，1580m，1998. Ⅶ.14。

分布：陕西(宁陕)、海南、云南。

(40) 重斑叉草蛉 *Pseudomallada illota* (Navás, 1908) (图152)

Chrysopa illota Navás, 1908: 402.

Tjederina exiana Yang *et* Wang, 1990: 161.

Pseudomallada illota: Yang *et al.*, 2005: 182.

鉴别特征：体长9.0～10.0mm。头部浅黄绿色，具黑褐色的条状颊斑及唇基斑以及褐色的颚颊斑；下颚须黑色，节间黄褐色；下唇须基部2节褐色，端节黑色。头顶略前凸，复眼大，约占头宽的1/2；触角黄色。胸部背板黄绿色；前胸背板黄褐色，基部不远处有1道横沟，足黄绿色，后足胫端外侧黄褐色；爪基部弯曲。前翅横脉均为黑褐色；前缘横脉列21条，径横脉12条；Rs分支12条，第1～4条分支全部及其余分支基部黑褐色，其余为绿色；Psm-Psc间脉7条，内中室三角形；阶脉内/外 = 6/6。后翅纵脉全为绿色；前缘横脉列、亚前缘基横脉及阶脉黑褐色；阶脉内/外 =6/7。腹部黄绿色，雄虫第8+9腹板长于背面，端部弯曲；雄虫外生殖器的殖弧叶两臂弯曲，端部膨大，内突发达，基部宽，然后缢缩，端部呈半圆形，中突基部分岔，端部合并，殖弧梁细长，中突不发达。雌虫贮精囊囊体扁，膜突发达，基部弯折；亚生殖板骨化强烈，基部中央突出，两侧叶较发达，缺刻近方形。

采集记录：1♀，周至厚珍子1350m，1999.Ⅵ.22；1♀，留坝县城1020m，1998.Ⅶ.18；1♀，佛坪，900m，1999.Ⅵ.27。

分布：陕西(周至、留坝、佛坪)，北京、河南、甘肃、湖北、四川。

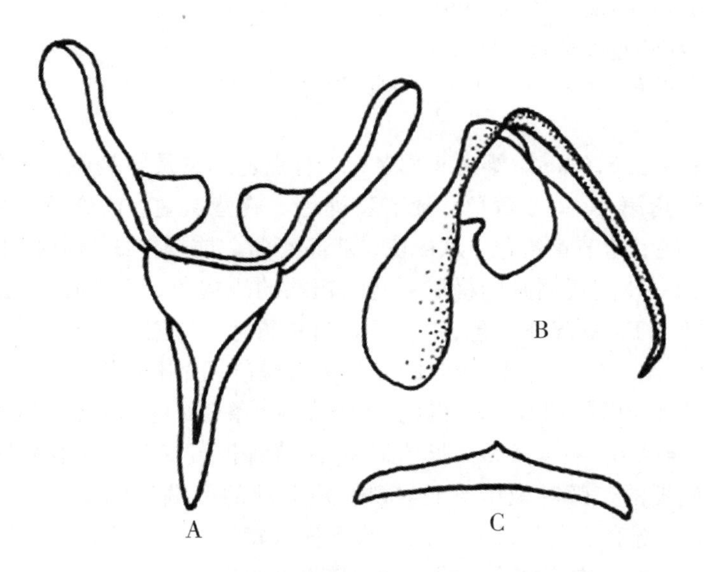

图152　重斑叉草蛉 *Pseudomallada illota*（Navás）

A. 雄虫外生殖器背视；B. 雄虫外生殖器侧视；C. 直弧梁

（41）间绿叉草蛉 *Pseudomallada mediata*（Yang *et* Yang，1993）

Dichochrysa mediata Yang *et* Yang，1993：269.

Pseudomallada mediata：Yang *et al.*，2005：190.

鉴别特征：体长6.0mm。雄虫头部黄色，头顶隆突；具黑色颊斑及唇基斑；下颚须及下唇须的端节黑褐色；触角褐色，稍短于前翅。胸背中央具较宽的黄色纵带，两侧黄绿色；足黄色，跗节黑褐色，爪基部弯曲。前翅前缘横脉列28条，两端褐色，中部绿色；翅痣透明，内无脉；Sc-R间近翅基的横脉黑褐色，翅端的透明；径横脉10条，近R_1端褐色；Rs分支11条，基部及第1、2分支黑褐色，第3～5条端部褐色，其余为绿色；Psm-Psc分支8条，第8条黑褐色；内中室三角形，r-m位于其上；Cu_1、Cu_2为黑褐色，Cu_3基部黑褐色；阶脉两端绿色，中部为黑褐色，(内/外)左＝4/6＝右。后翅前缘横脉列14条，黑褐色；径横脉8条，近R_1端黑褐色；阶脉绿色，(内/外)左＝3/4，右＝3/5。腹部背面具黄色纵带，两侧及腹面黄褐色。腹部末端臀板椭圆形，臀胝较大。雄虫外生殖器的殖弧叶中部较平，端叶椭圆形膨阔，中突叉状，内突钩形；殖弧梁两臂弯曲较大，中突细长。

采集记录：1♀，洋县，1985. Ⅶ. 18。

分布：陕西（洋县）、贵州、西藏。

（42）秦岭叉草蛉 *Pseudomallada qinlingensis*（Yang *et* Yang，1989）

Mallada qinlingensis Yang *et* Yang，1989：22.

Dichochrysa qinlingensis：Yang，1995：32.

Pseudomallada qinlingensis：Yang *et al.*，2005：196.

鉴别特征：体长 8.0mm。雄虫头部黄色，有黑色颊斑及唇基斑，且连成一线；颚唇须黑褐色；触角第 1、2 节黄色，鞭节黄褐色。胸背黄色，前胸背板两侧红褐色。足黄色，布褐色毛，跗节黄褐色，爪褐色，基部弯曲。前翅前缘横脉列 18 条，黑色；翅痣淡黄绿色；Sc-R 间近翅基的横脉褐色，翅端的浅褐色；径横脉 11 条，褐色；Rs 分支 11 条，褐色，Rs 基部亦褐色；Psm-Psc 间 9 条脉，褐色；内中室三角形，r-m 位于其上；Cu 脉及 A_1、A_2 的分支、Psc 的分脉皆为褐色；阶脉褐色，（内/外）左 = 6/6，右 = 7/6。后翅前缘横脉列 16 条，褐色；径横脉 12 条，褐色；阶脉外组褐色，内组绿色，（内/外）左 = 4/6，右 = 5/6。腹部第 1 ~ 4 节背板黄褐色，其他节褐色，腹板褐色。雄虫外生殖器的殖弧叶及中突较特殊，殖弧叶的两端特别膨大，中部平直，较宽；中突分岔，端部有黑色的高骨化区；殖下片很特别，左侧的 1 支如树枝状，右侧的端部细长；下生殖板中突较大，两叶分开较远。

采集记录：1♂，宁陕火地塘，1580m，1998. Ⅶ. 14；3♀，宁陕火地塘，1998. Ⅶ. 26-27；1♂，秦岭，1961. Ⅷ. 06。

分布：陕西（凤县、宁陕）、甘肃、安徽、湖北、四川。

（43）春叉草蛉 *Pseudomallada verna*（Yang *et* Yang，1989）

Mallada vernus Yang *et* Yang，1989：23.

Dichochrysa verna：Yang，1995：32.

Pseudomallada verna：Yang *et al.*，2005：203.

鉴别特征：体长 8.6mm。雄虫头部黄褐色，有中斑、颊斑及唇基斑；颚唇须皆黑色；触角第 1、2 节黄色，鞭节淡黄褐色。胸背中央为黄色纵带，前胸背板两边缘淡黄褐色，近前缘有 1 条横脊；中后胸两边缘黄绿色。足黄绿色，跗节及爪黄褐色，爪基部弯曲。前翅前缘横脉列 24 条，黑褐色；翅痣黄色；Sc-R 近翅基的横脉黑褐色，翅端的褐色；径横脉 11 条，两端褐色，中部绿色，第 9 ~ 11 条黑褐色；Rs 分支 12 条，第 1 ~ 2 条褐色，第 3 ~ 4 条近 Psm 端褐色，其余为绿色；Psm-Psc 分支 8 条，第 1、2、8 条黑褐色，其余中部为绿色；Cu 脉黑褐色；阶脉黑褐色，内/外 = 4/7；内中室三角形，r-m 位于其上。后翅前缘横脉 18 条，黑褐色；径横脉 10 条，黑褐色；阶脉黑褐色，内/外 = 6/6。腹部背板黄色，腹板黄褐色。腹端第 8 +9 腹板长于背末端，臀板外侧圆形，内缘直，底部尖。雄虫外生殖器的殖弧叶中部平直，两侧叶膨大，内突钩状，中突基部的分岔长于端半部，分岔及端半部皆较宽；殖弧梁中突短小，两侧尖细，中部较宽；殖下片中部背面呈柱状突起，两叶端部弯曲。

采集记录：1♀，长安南五台，1979. Ⅵ. 11。

分布：陕西（长安）、云南、甘肃。

19. 俗草蛉属 *Suarius* Navás, 1914

Suarius Navás, 1914: 73. **Type species**: *Suarius walsinghami* Navás, 1914.

Vasquenzius Navás, 1914: 75. **Type species**: *Vasquenzius alisteri* Navás, 1914.

Prochrysopa Tjeder, 1936: 18. **Type species**: *Prochrysopa mongolica* Tjeder, 1936.

属征：触角第 1 节长大于宽；雄虫腹部第 8、9 腹板完全合并；无殖弧梁及殖下片；殖弧叶“门”形，上端有 2 个齿；中突端部有 2 ~ 3 个齿，尖锐或钝，但很短；内突发达，形状多样；前翅径脉 R 粗大，是其主要特征之一。雌虫臀板为 1 个整块；亚生殖板宽阔，下端具柄，或具向下端延伸的各种形态；后翅 R 脉上具 1 厚层如鳞片状的毛，这是其主要特征。这个属成虫翅脉有两种类型，一是脉稍带弯曲，横脉减少，达翅缘的各分脉几乎不分岔；另一类型是伪中脉 Psm 直线型，横脉不明显减少，达翅缘的各分脉有分岔。

分布：东洋区，全北区，非洲区。中国记录 12 种，秦岭地区发现 2 种。

（44）黄褐俗草蛉 *Suarius yasumatsui*（Kuwayama, 1962）（图 153）

Chrysopa yasumatsui Kuwayama, 1962: 14.

Navasius yasumatsui: Yang & Yang, 1990: 477.

Suarius yasumatsui: Brooks & Barnard, 1990: 276.

鉴别特征：体长 8.0 ~ 8.4mm。头部黄褐色，头顶有 1 对褐色斑纹，后头有 1 个褐色弧状斑；另外还有颊斑、唇基斑、角下斑，沿额唇基沟还有褐色斑纹。触角第 1 节黄褐色，背面为褐色斑，第 2 节黑褐色，鞭节褐色。前胸背板两边褐色，中部有 4 个褐色斑成 2 排，中间有 1 条纵脊，基部有 1 条横沟，沟内褐色，沟下的中线凹陷，背板两侧有黑色刚毛，两侧后角各有 1 个大的褐斑；中后胸黄褐色，中胸前盾片 1 对黑褐色斑，盾片两侧后缘各有 1 个褐斑；后胸盾片及盾片侧后缘各有 1 个褐斑。足黄褐色，跗节及爪褐色。雄虫前翅 C、Sc、R 脉皆为黄褐色；翅痣淡黄褐色；前缘横脉列黑褐色，19 条；Sc-R 近翅基横脉黑褐色，翅端绿色；径横脉 10 条，黑褐色；Rs 分支 10 条，第 1 ~ 4 条黑褐色，第 5 ~ 10 条近 Rs 端黑褐色；Psm-Psc 分支 8 条，黑褐色；

Cu 脉黑褐色脉黑褐色，内/外 =4/6；翅边缘各分脉的分岔及达翅缘处皆为黑褐色；内中室三角形，r-m 位于其上。后翅前缘横脉列 16 条，第 1 ~8 条黑褐色，第 9 ~16 条两端黑褐色，中部绿色；Rs 分支 8 条，近 Rs 端黑褐色；Psm-Psc 分支 7 条，两端黑褐色，中部绿色；阶脉黑褐色，内/外 =3/5。雌虫前翅前缘横脉列 19 条；径横脉 10 条；Rs 分支 10 条；Psm-Psc 分支 8 条；阶脉内/外左 =3/5，右 =4/5。后翅前缘横脉列 15 条，径横脉 8 条，阶脉内/外 = 3/5。

采集记录： 2 头，周至楼观台，1973. Ⅸ. 27；1♀，武功，1951；3 头，武功，1973. Ⅳ。

分布： 陕西(周至、武功)、甘肃、新疆、安徽、福建、广西。

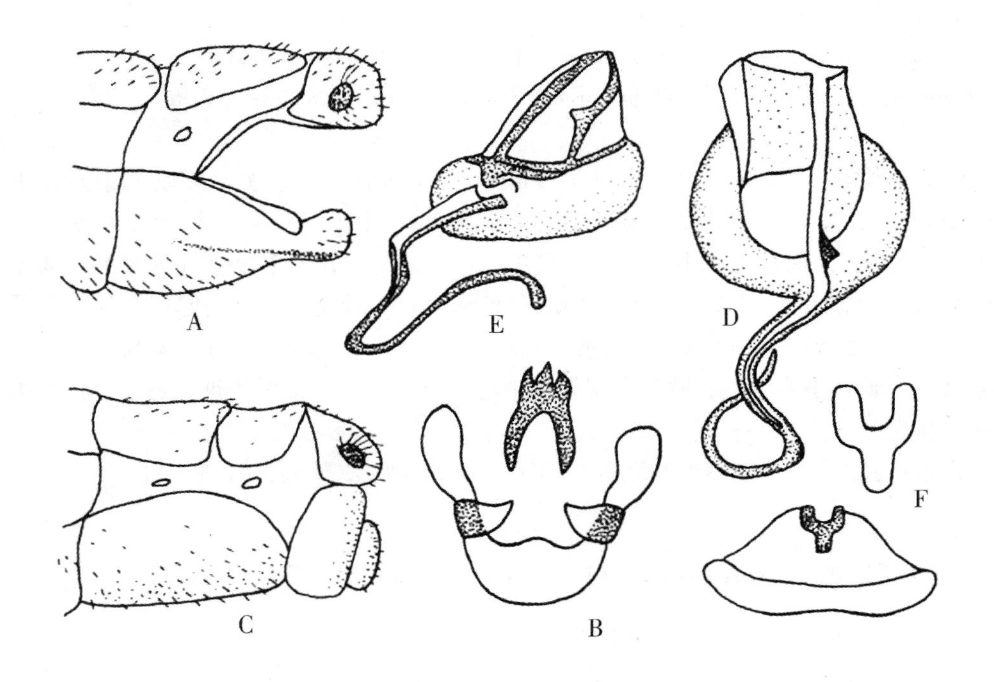

图 153 黄褐俗草蛉 *Suarius yasumatsui* (Kuwayama)

A. 雄虫腹端侧视；B. 雄虫外生殖器背视；C. 雌虫腹端侧视；D, E. 储精囊；F. 亚生殖板

(45) 华山俗草蛉 *Suarius huashanensis* Yang *et* Yang, 1989

Suarius huashanensis Yang *et* Yang, 1989: 28.

鉴别特征： 体长 9.0mm。雌虫头部黄色，有褐色三角形颊斑及条状唇基斑；下颚须第 3 节，中部褐色，第 4、5 节背面褐色，下唇须黄褐色；触角第 1、2 节黄色，鞭节黄褐色。前翅前缘横脉列 26 条，褐色，近 C 端黄色；翅痣淡黄色，内无脉；$Sc\text{-}R_1$ 近翅基的横脉褐色，翅端的黄色；径横脉 12 条，近 R_1 端褐色；Rs 分支 12 条，除第 1 ~

2 条褐色外，其余皆为黄色；Psm-Psc 间脉左 =8 条，右 =9 条，除第 1 ~2 条为褐色外，其余皆为黄色；内中室三角形，r-m 脉位于其上；Cu 脉第 1 ~2 条褐色；A 的分支基半部褐色；阶脉黄色，(内/外)左 = 5/9，右 = 7/9 后翅前缘横脉列 19 条，褐色，径横脉 11 条，近 R_1 端褐色；阶脉黄色，(内/外)左 =6/8，右 =6/9。腹部背面乳黄色，腹面浅黄褐色。腹端第 7 背板大于第 8 背板，臀板顶端宽，下面较细。雌虫亚生殖板下部分两岔，中部有 1 个“U”形凹刻，顶端两叶各在其上缘有 1 条黑褐色骨化带；贮精囊膜突顶端斜切状。

采集记录：1♀，华山，1962. Ⅷ. 21。

分布：陕西(华阴)。

(八)蚁蛉科 Myrmeleontidae

刘星月　杨帆
(中国农业大学昆虫学系 北京 100093)

鉴别特征：体中至特大型，狭长，黄色至黑色。头部无单眼；触角短且渐向端部膨大，短于前翅长之 1/2；足胫节具端距；翅狭长，无翅疤和缘饰；Sc 与 R 在端部愈合，前缘横脉多不分叉，无肩迴脉，CuA 分叉形成 1 个显著的大三角区，横脉密集、不规则排列。幼虫陆生，体扁，与蝶角蛉幼虫最为相似，但胸腹两侧多无突起。

分类：全世界已知 1600 余种，中国已记录 35 属 127 种，陕西秦岭地区发现 8 属 11 种。研究标本保存在中国农业大学昆虫博物馆(CAU)。

分属检索表

1. 前翅 2A 很平缓地弯向 3A …… 2
   前翅 2A 与 1A 在基部靠近，然后急转向 3A …… 5
2. 爪强弯，其端部靠近第 5 跗节的毛垫 …… 帛蚁蛉属 ***Bullanga***
   爪不强弯，其端部远离第 5 跗节的毛垫 …… 3
3. 触角间距小于柄节的直径，雄虫腹部常有 1 节膨大，具毛刷或腹腺，翅狭长 …… 溪蚁蛉属 ***Epacanthaclisis***
   触角间距大于柄节的直径，雄虫腹部无膨大节、毛刷或腹腺，翅较宽 …… 4
4. 雌虫 8-内生殖突短于 8-外生殖突 …… 树蚁蛉属 ***Dendroleon***
   雌虫 8-内生殖突长于或等于 8-外生殖突 …… 锦蚁蛉属 ***Gatzara***
5. 后翅径分横脉在 Rs 分叉前多于或等于 4 条 …… 6
   后翅径分横脉在 Rs 分叉前 1 ~3 条 …… 7
6. 前翅 CuP +1A 与 CuA_2 长距离平行，相交点近翅中部 …… 东蚁蛉属 ***Euroleon***
   前翅 CuP +1A 与 CuA_2 不平行，相交于翅基部约 1/4 处 …… 蚁蛉属 ***Myrmeleon***

7. 前翅基径中横脉不多于6条 ………………………………………… 双蚁蛉属 *Mesonemurus*
前翅基径中横脉不少于7条……………………………………………… 距蚁蛉属 *Distoleon*

20. 帛蚁蛉属 *Bullanga* Navás, 1917

Bullanga Navás, 1917: 15. **Type species**: *Bullanga binaria* Navás, 1917.

属征：距发达，爪向后强弯；前翅 Rs 起点先于 CuA 分叉点。

分布：中国。目前仅知3种，秦岭地区发现1种。

(46) 长裳帛蚁蛉 *Bullanga florida* (Navás, 1913)(图版1)

Glenurus florida Navás, 1913: 10.
Bullanga florida: Stange, 2004: 78.

鉴别特征：头黄褐色，具黑色短毛；复眼灰色，部分个体上有黑斑；额黄色，有稀疏的黄色长毛；触角窝间有大块黑斑；唇基黄色；下颚须基部黑褐色，端部黄色；下唇须黄白色，端部膨大有黑毛；触角棒状，细长，赭色至黑色，有较浓密的黑色短毛，鞭节约38小节，每小节基部黄色、端部赭色，棒状部分黑色。前胸背板黄褐色，具稀疏黑色、白色长毛，背板中央有1条黑色中带，两侧各有1条黑色侧带；中后胸主要呈黑褐色，有黄褐色斑带；中胸有稀疏黑毛，后缘有2根白色刚毛簇，后胸有极少的白色刚毛。足细长，有稀疏的黑色长毛和较密的黑色短毛；前足基节细而内弯，有较密的黑、白色刚毛；腿节、胫节大部分黑褐色；腿节基部、胫节端部和第1跗节黄褐色；第2~5跗节黑色；第1跗节的长度约等于第5跗节；距黄褐色有小黑斑，较平直，伸达第2跗节的1/2处；爪褐色，细长，向后方强弯，与第5跗节的夹角小于80度。中足胫节基部黄褐色，第1跗节长于第5跗节，其他特征似前足；后足胫节黄色，有窄的褐色长斑，第1、2跗节黄白色；距伸达第1跗节，其他特征似中足。前翅狭长，肘脉合斑处有1条黑色向后弯的弧形纹；其后方有1条黑褐色纵纹，伸向亚端区，翅后缘基部有一些小黑斑，近外缘和后缘的区域散布着细小的褐斑；前缘横脉有不规则的分叉，无明显小室；Rs 分叉点缘先于 CuA 分叉点，前缘域宽约为 R 和 Rs 间距的2倍；前后斑克氏线都比较清晰；Rs 脉8~12分支，基胫中横脉3~4条，Rs 分叉前偶有1~2个不规则小室；翅痣灰白色，不明显；痣下室狭长，有1~2条横脉。后翅比前翅略长、略窄，无明显斑纹；Rs 分叉点远先于 CuA 分叉点，前缘域宽约等于 R 和 Rs 间距；基径中横脉1条；中脉亚端斑黑色，短线状，无肘脉合斑。翅外缘下方有些小褐斑点；痣下室较前翅狭长。雄虫有轭坠。腹部短于后翅，黄褐色至黑褐色，背板中央和腹板有褐色或黑色中纵斑，形成背中央的黑色纵带；背板的其他部分和侧片黄白色。雄虫生殖弧骨化弱，阳基侧突宽片状，端部骨化强，相互接触，生殖中片强骨化，较大。雌虫肛上片卵圆形，有浓密的长毛；9-内生殖突近似长三角形，具粗而稀疏的挖掘毛；9-外生殖突短小，8-外生殖突指状，向内弯曲，长而粗壮，8-内生殖突短小。

采集记录：1♂，镇巴，1981. Ⅳ. 07。

分布：陕西（镇巴）、河南、浙江、湖北、湖南、福建、四川、贵州、云南；印度尼西亚。

21. 树蚁蛉属 *Dendroleon* Brauer, 1866

Dendroleon Brauer, 1866: 42. **Type species**: *Myrmeleon pantherinus* Fabricius, 1787.

Neglurs Navás 1912: 171. **Type species**: *Neglurs vitripennis* Navás, 1912: 171.

Borbon Navás 1914: 111. **Type species**: *Borbon regius* Navás, 1914: 112.

Pantherleon Yang 1986: 431. **Type species**: *Pantherleon longicruris* Yang, 1986.

属征：体小到中型，翅狭长，前翅前缘横脉简单，仅在翅痣处有不规则的分叉；Rs 分叉点先于 CuA 分叉点，并且两分叉点之间相距较远；前斑克氏线比较明显；雄虫有轭坠。触角细长，足细长，距较纤细而平直，伸达第 2 跗节，偶有稍短的现象。雄虫肛上片和 9-内生殖突上有较密而明显的挖掘毛，8-外生殖突大而弯曲，无浓密刚毛；8-内生殖突短小，一般不超过 8-外生殖突的 1/2。

分布：世界性分布。全世界已知 20 余种，中国记录 9 种，秦岭地区有 1 种。

(47) 褐纹树蚁蛉 *Dendroleon pantherinus* (Fabricius, 1787)（图版 2）

Myrmeleon pantherinus Fabricius, 1787: 249.

Myrmeleon ocellatum Borkhausen, 1791: 161.

Dendroleon pantherinus: Brauer, 1866: 42.

鉴别特征：头顶褐色，中央有 1 对黑褐色横斑，后方有 1 对近圆形的黑褐纵斑；复眼灰黑色，有小黑斑；额在触角附近黑色，下方褐色，有稀疏长毛；唇基褐色；下颚须、下唇须黄色；下唇须端节稍膨大有短褐毛；触角棒状，黄褐色，柄节、梗节呈黑褐色，棒状部分黑色，鞭节约 35 小节。前胸背板梯形，长大于宽，黄褐色，密被黑色短毛，无明显中带，有些个体有隐约的黑色中线。中后胸黄褐色至黑褐色，有稀疏的黑色刚毛；中胸的小盾片端部颜色更深；后胸中央颜色深，小盾片几乎全黑色。足细长，大部分黑褐色。前足基节和腿节外侧黑色，内侧黄色；胫节黄色，端部黑色，胫节中央有小块黑斑；跗节黄色至褐色；距和爪红棕色，距平直，仅端部稍弯曲，伸达第 2 跗节，爪小；中足、后足与前足相似，但后足颜色更淡，胫节中央无黑斑。前翅狭长，翅中部 CuA_1 后有明显的眼状斑，弧形眼缘线中间有部分间断，眼状斑与翅基部之间有 1 个小褐斑，亚端区有 1 个不规则形状的褐斑，常延伸至外缘，翅痣外侧有 1 个向外弯的浅弧形斑，翅痣内侧有 1 个不规则形状的褐斑，中脉亚端斑褐色，短斜线状，翅上还有一些沿翅脉形成的褐色短纹；Rs 分叉点远先于 CuA 分叉点；前缘域略宽于 R 和 Rs 间距；前斑克氏线清晰，后斑克氏线不明显；Rs 脉 11～13 分支；基径中横脉 3～4 条，Rs 分叉前无不规则小室；翅痣白色，痣下室狭长；后翅比前翅略窄、略短；翅基部 3/5 透明无斑，痣下室内侧有 1 个大褐斑，常伸达翅前缘，翅端区有 1 个“C”形大斑块，伸达翅顶角和外缘，“C”形大斑块后还有小褐斑紧靠翅外缘，中脉亚端斑点状。前缘域略窄于 R 和 Rs 的间距；基径中横脉 1 条；痣下室明显比前翅的长。雄虫有轭坠。腹部短于后翅，黑褐色，有较密的褐色毛；第 1、3、4 节背板中央黄白色。雄虫生殖弧弱骨化，阳基侧突宽片状，端部骨化强，相互靠近，生殖中片强骨化。雌虫肛上片较短宽，有浓密的长毛；9-内生殖突倒锥形，有较密的挖掘毛；9-外生殖突很小；8-外生殖突的指状内弯，端部较圆；8-内生殖突瘤突状，短于 8-外生殖突的 1/2。

采集记录：1♂，周至殿广屯村，980m，2006. Ⅶ. 15；1♀，洋县，1985. Ⅶ. 18，李法圣采；1♀，佛坪窑沟，870～1000m，1998. Ⅶ. 25，陈军采。

分布：陕西(周至、洋县、佛坪)、内蒙古、北京、河北、山西、山东、宁夏、甘肃、浙江、湖北、福建；欧洲。

22. 溪蚁蛉属 *Epacanthaclisis* Okamoto, 1910

Epacanthaclisis Okamoto, 1910: 285. **Type species**: *Epacanthaclisis moiwanus* Okamoto, 1905.
Botuleon Yang, 1986: 423. **Type species**: *Botuleon maculosus* Yang, 1986.

属征：前翅 Rs 分叉点先于 CuA 分叉点，CuP 发出点与基横脉相连；前翅前缘域有 2～3 排小室，基径中横脉 4～6 条。前斑克氏线较明显，后斑克氏线不清晰；后翅前缘域单排小室，基径中横脉 1～2 条；雄虫有轭坠；距发达；触角间距小于柄节直径；一些种的雄虫腹部第 4～5 节膨大，具毛刷或毛腺。

分布：中亚，东亚。全世界已知 13 种，中国记录 9 种，秦岭地区发现 3 种。

分种检索表

1. 中脉亚端斑与肘脉合斑点状或不明显 …………………… **闽溪蚁蛉 *Epacanthaclisis minanus***
   中脉亚端斑与肘脉合斑斜线状 …………………………………………………… 2
2. 头顶与后头深褐色无斑，前胸背板 1 对深褐色中纵纹几乎完全合并，侧纵纹宽；雌虫 8-内生殖突为 8-外生殖突的 1/2 ………………………………… **宁陕溪蚁蛉 *E. ningshanus***
   头顶与后头深褐色具黄斑，前胸背板 1 对深褐色中纵纹后面合并，前面分开，侧纵纹细；雌虫 8-内生殖突为 8-外生殖突的 1/4 ……………………………… **陆溪蚁蛉 *E. continentalis***

(48) 陆溪蚁蛉 *Epacanthaclisis continentalis* Esben-Petersen, 1935(图版3)

Epacanthaclisis continentalis Esben-Petersen, 1935: 233.

鉴别特征: 头顶隆起,中部有1对横向黄斑,后侧有1对黄色小纵斑;复眼青灰色,有许多小黑斑;额黄褐色,有稀疏长毛,靠近触角有黑色斑带;下颚须、下唇须呈黄色;下唇须端部稍微膨大,黑褐色,有黑毛;触角黑褐色,柄节、梗节黄褐色,有白短毛;鞭节约35小节,每小节基部黑褐色,端部黄白色。前胸背板黄褐色,长约等于宽,前缘宽于后缘,密被黑色长毛,间有稀疏的白色长毛;具1条黑色中纵带,中纵带较宽,且中部有1条黄白色细纹;中纵带两侧有1对黑色侧条斑,细如线,多弯折。中后胸主要呈黑褐色,有稀疏的黑色长毛和不明显的褐斑。足黄褐色,间有褐色线,有黑色、白色刚毛。前足基节粗壮向内弯曲,有浓密的白色长毛;腿节黄褐色,端部黑色,基部有1~3根长的感觉毛;胫节黄色,有2块长的黑色环带;跗节黑色,第1、5跗节的基部黄白色;距和爪红色,基部有小黑斑;距端部稍弯伸,伸达第3跗节。中足、后足似前足,后足腿节基部有1根短的感觉毛,距伸达第2跗节。前翅狭长,脉深浅不同,翅外缘附近多细碎的麻斑;前缘域具2排小室,Rs分叉点远先于CuA分叉点;前后斑克氏线均比较清晰;Rs约10分支,基径中横脉4~6条,Rs分叉前有3~8个不规则小室;中脉亚端斑与肘脉合斑斜线状,短于痣下室;翅痣污白色,基部有1个小黄褐色斑。后翅比前翅狭窄;基径中横脉2条,Rs分叉前有2~3个不规则小室,无中脉亚端斑和肘脉合斑;翅痣色淡,不明显。腹部黑褐色,背腹板上有浓密的黑色长毛,侧片上有浓密的白色长毛;雄虫第4腹节膨大有1对毛侧。雄虫生殖弓中央膜质,两端强骨化,阳基侧突片状,边缘骨化较强,无生殖中片。雌虫肛上片卵圆形,有浓密长毛;9-内生殖突长,有较长的挖掘毛;无9-外生殖突;8-外生殖突粗壮,呈指状;8-内生殖突约为8-外生殖突的1/4。

采集记录: 1♀,宁陕,1984. Ⅷ. 14。

分布: 陕西(宁陕)、北京、河南、海南、四川、云南、西藏;印度,阿富汗,塔吉克斯坦。

(49) 闽溪蚁蛉 *Epacanthaclisis minanus* (Yang, 1999)(图版4)

Botuleon minanus Yang, 1999: 145.

Epacanthaclisis minanus: Stange, 2004: 88.

鉴别特征: 头顶隆起,暗褐色,具黑色短毛,中央有1对小黄斑;复眼灰色,有小黑斑;额黄色有稀疏短毛;触角下有黑褐色带;下颚须和下唇须呈黄色,端节暗褐色;触角棒状,基节黄色,梗节黑褐色,鞭节褐色,约37小节,每节基部黑褐色,端部黄色。前胸背板黄色,长稍大于宽,具稀疏的黑色和白色长毛;有2对黑色纵条斑，隐约可见黄色十字线分割中条斑，侧条斑明显比中条斑细，弯曲；中后胸呈暗褐色，有不明显的黄色斑带及黑色、白色长毛。足大部分黑色，粗壮，具浓密的黑色、白色长刚毛。前足基节内弯，密被长白毛；基节、转节和腿节大部分黄色，腿节端部、跗节、胫节黑色；腿节基部有1~2根长感觉毛；距、爪呈棕红色，距末端略弯，伸达第4跗节；中足、后足似前足，后足腿节基部无感觉毛，距伸达第3跗节。前翅狭长，翅脉深浅相间。Rs分叉点略先于CuA分叉点或与之相对；前后斑克氏线均明显；Rs脉约13分支，基径中横脉5~7条，Rs分叉前有3~6个不规则小室；中脉亚端斑与肘脉合斑黑褐色，点状；翅痣白色，基部有1个褐色小斑。后翅比前翅略窄，色淡；基径中横脉2条，Rs分叉前偶有2个不规则小室。腹部黄色，具黑色和白色长毛；雄虫第4腹节端部膨大，有1个内凹的大黑斑，上履浓密黑色长毛丛；第5腹节膨大，前缘处有1排放射状黑色刚毛；第7~9节黑褐色；雌虫各腹节暗褐色，均匀无膨大，节间具黄褐色边。雄虫生殖弓中央膜质，两端强骨化，阳基侧突片状，后侧有片状突起，边缘骨化较强，无生殖中片。雌虫肛上片卵圆形，有浓密长毛；9-内生殖突长，有较长的挖掘毛；无9-外生殖突；8-外生殖突粗壮；8-内生殖突约为8-外生殖突的1/3。

采集记录：1♀，周至板房子乡，1050m，2006.Ⅶ.20，李艳磊采。

分布：陕西（周至）、浙江、湖北、福建、广西、贵州。

（50）宁陕溪蚁蛉 *Epacanthaclisis ningshanus* Wan *et* Wang, 2010（图版5）

Epacanthaclisis ningshanus Wan *et* Wang in Ao *et al.*, 2010: 52.

鉴别特征：头顶隆起，黑色，具白色短毛，中央近眼处有1对黄色新月状纵斑；复眼黑褐色，有小黑斑；额褐色，有稀疏长毛，靠近触角的下方有1个近三角形黑斑；唇基与上唇呈黄色；下颚须、下唇须呈黄褐色，下唇须端部黑褐色，膨大呈纺锤状，有黑毛；触角棒状，黑褐色，柄节、梗节具白色短毛，鞭节约34小节，每节的基部黑褐色，端部黄褐色，棒状部分黑褐色。前胸背板黄褐色，宽大于长，密被白色长毛，间有稀疏黑色长毛；中央具1对黑色中纵带，几乎完全合并，两侧各有1条黑色纵带，较宽，在前端与中纵带通过1条横向黑色条带连接在一起；侧缘前部黄褐色，后部黑色；中后胸主呈黑色，具隐约的褐色斑和稀疏的黑色、白色长毛。足黑褐色，具浓密的黑色、白色长刚毛。前足基节内弯，褐色有浓密长白毛；腿节黑褐色，端部颜色更深，基部有2~3根长感觉毛；胫节黄色，有2块黑褐色环带；第1跗节黄白色，其余各节黑褐色；距、爪深红色，基部有2个小黑斑；距端部稍弯曲，伸达第3跗节。中足、后足似前足，后足腿节基部有1根短感觉毛，距伸达第2跗节。前翅狭长，脉深浅不同，外缘和后缘附件散布较多的小麻斑；Rs分叉点稍先于CuA分叉点；前斑克氏线较清晰，后斑克氏线不清晰；Rs脉约10分支，基径中横脉5条，Rs分叉前有4~5个不规则小室；中脉亚端斑与肘脉合斑黑褐色，斜线状，短于痣下室；翅痣白色，基部有1个黑褐色小斑；痣下室狭长。后翅比前翅略短、略窄，色更淡；基径中横脉2条，Rs分叉前常有不规则小室；无中脉亚端斑及肘脉合斑；痣下室更狭长。腹部短于后翅，黑色，密被黑色长毛；雄虫第4腹节膨大，有1对黑色毛刷。雄虫生殖弓中央膜质，两端强骨化，阳基侧突片状，边缘骨化较强，无生殖中片。雌虫肛上片卵圆形，短宽，有浓密的黑色长毛；9-内生殖突短而粗壮，有稀疏的挖掘毛；无9-外生殖突；8-外生殖突粗壮，指状；8-内生殖突约为8-外生殖突的1/2。

采集记录：1♂，佛坪凉风垭，1750~2150m，1999.Ⅵ.28，姚健采；1♂，宁陕火地塘，1620m，1979.Ⅷ.05，韩寅生采；1♀，宁陕火地塘，1984.Ⅷ.16，王安民采；1♀，宁陕火地塘，1984.Ⅷ.16，左广胜采；1♀，宁陕，1984.Ⅷ.18，侯江龙采；1♀，宁陕，1984.Ⅷ.14；1♀，宁陕火地塘1580m，1998.Ⅷ.14，袁德成采。

分布：陕西(佛坪、宁陕)。

23. 锦蚁蛉属 *Gatzara* Navás, 1915

Gatzara Navás, 1915: 385. **Type species**: *Gatzara jubilaea* Navás, 1915.

属征：CuP发出点与基横脉相连；前翅Rs分叉点略先于CuA分叉点；翅狭长，端部略尖，外缘常略内凹；前翅前缘域单排小室；雌虫8-内生殖突与8-外生殖突等长或更长。雄虫阳基侧突片状。

分布：东洋区。全世界已知6种，在中国均有记录，秦岭地区有1种。

(51) 小华锦蚁蛉 *Gatzara decorilla* (Yang, 1997)(图版6)

Dendroleon decorilla Yang, 1997: 615.

Gatzara decorilla: Wang, 2012: 34.

鉴别特征：头顶隆起，浅黄色，具黑色短毛，头顶具1对褐色横斑和1对褐色纵斑，还有1对小圆斑靠近复眼；复眼灰褐色，有小黑斑；额黄色，有稀疏的黄褐色毛，触角间和靠近触角的区域呈黑色；唇基和上唇呈黄色，下颚须黑褐色，下唇须黄色，端部黑色；触角棒状，柄节、梗节呈黑褐色，鞭节约28小节，每小节基半部褐色至黑色，端半部白色至褐色，棒状部分黑色。前胸背板长大于宽，后缘宽于前缘，有稀疏的黑色、白色长毛，黄色，中央具1条黑色纵纹，中部以后有1对黑色侧条纹。中后胸黄色，有稀疏的黑色、白长刚毛；中胸前盾片有1对黑斑，其后有1条黑色纵带一直伸达后胸末端，中胸两侧具各有1个褐色纵条斑；后胸小盾片基部全为黑色。足细长。前足基节稍弯，基节黄色；腿节内侧黄色，外侧黑色；胫节黄色，中部有1个不连续黑斑，端部黑色；第1、2跗节黄白色，其余各跗节黑色；距、爪黄色，距长而直，偶有1~2个小黑斑，伸达第2跗节。中后足似前足，但后足色稍淡。前翅狭长，中部较宽，翅端较尖。翅脉颜色深浅不同，有成片的浅色区和深色区。中脉亚端斑褐色，圆形，其外侧有一片浅褐色；CuA_1 后方有1块大褐色斑，似眼状斑缺失了1/2；臀区有1个色斑。前缘域横脉简单，仅在翅痣前后稍有分叉；R和Rs间距宽于前缘域；Rs分叉点远先于CuA分叉点；前斑克氏线清晰，后斑克氏线不明显；Rs 9～12分支；基径中横脉3～4条，Rs分叉前无不规则小室；翅痣白色，不明显，基部有一片褐色；痣下室狭长。后翅比前翅略短、略窄；中脉亚端斑褐色，圆形，约比前翅中脉亚端斑大2倍，无肘脉合斑，翅端区及外缘内有云状褐斑，翅顶角下方有1个狭长的白色斑块。R和Rs间距宽于前缘域；Rs分叉点远先于CuA分叉点；前斑克氏线清晰，后斑克氏线不明显；Rs约8分支；基径中横脉1条；翅痣白色，不明显，基部有一片褐色，痣下室狭长。雄虫后翅有轭坠。腹部短于后翅，黄褐色，各节后缘及侧片褐色，有细小的黑毛。雄虫生殖弧弱骨化，阳基侧突片状，基部远离，顶端强骨化靠近，生殖中片强骨化，较小。雌虫肛上片被长刚毛，无挖掘毛；9-内生殖突长片形，有较粗而密的挖掘毛；9-外生殖突圆片形；8-外生殖突指状，8-内生殖突粗指状，长于8-外生殖突指状。

采集记录： 1♂，宁陕火地塘，1580m，1998. Ⅶ. 11，袁德成采。

分布： 陕西（宁陕）、河南、甘肃、浙江、湖北。

24. 东蚁蛉属 *Euroleon* Esben-Petersen, 1918

Euroleon Esben-Petersen, 1918: 125. **Type species**: *Myrmeleon europaeus* McLachlan. 1873.

Teula Navás, 1930: 5. **Type species**: *Teula sinica* Navás, 1930.

属征： 前翅Rs分叉点后于CuA分叉点，CuP发出点与基横脉相连，2A与1A在基部靠近，然后急转向3A；前翅前缘域仅1排翅室，靠近翅痣的横脉有些小的分叉；CuA_2 与CuP+1A平行较长一段，在近翅中部相交；无前斑克氏线，后斑克氏线明显；后翅基径中横脉在Rs分叉前多于或等于4条；雄虫有轭坠；后足第5跗节长于第1跗节；头顶隆起，中央具2对前后排列的黑色纵斑，其后面的1对常合并成1个大圆斑，2对纵斑的外侧各有2块黑色横斑，这些斑有时出现相互融合。

分布： 古北区。全世界已知6种，中国记录5种，秦岭地区有1种。

（52）朝鲜东蚁蛉 *Euroleon coreanus* (Okamoto, 1926)（图版7）

Formicaleo coreanus Okamoto, 1926: 19.

Teula sinica Navás, 1930: 42.

Euroleon alienus Navás, 1932: 111.

Euroleon sinuosus Navás, 1935: 42.

Euroleon sanxianus Yang, 1997: 618.

Euroleon coreanus Krvokhatsky *et* Zakharenko, 1994: 694.

鉴别特征：头顶隆起，浅褐色，中央具2对黑色纵条斑，其外侧各有2块黑色横斑，斑块间有时出现融合；复眼黄色，具金属光泽，其上有小黑斑；额黑色，下方1/3黄色；唇基黄色，中央有1个宽阔的矩形黑斑，黑斑的宽度超过上唇宽；上唇黄色；下颚须第1～3节浅褐色，第4～5节深褐色；下唇须细长，内侧浅褐色，外侧深褐色，末端膨大；触角棒状，内侧黄色，外侧褐色；触角间距大于柄节的直径。前胸背板宽大于长，黑褐色，具黑色和白色短毛；中央具1条黄色中纵带，靠近前缘处中纵带两侧各有1个黄色圆形斑，两侧缘黄色（常有不同程度的向内扩展）。中后胸黑色，边缘有黄色窄边。足细长，浅黄褐色，具稀疏的黑色刚毛。前足腿节、胫节深褐色，第1～4跗节的端部和第5跗节呈深褐色；腿节基部有1根感觉毛，长度约为腿节直径的2倍；距和爪红棕色，距伸达第1跗节末端，第5跗节的长度约等于第1～4跗节的长度之和。中后足特征同前足。翅狭长，外缘下方略内凹，主纵脉黑白相间。前翅前缘域有1排翅室；Rs分叉点后于CuA分叉点；R和Rs间距与前缘域约等宽；Rs约8分支，基径中横脉8条；前斑克氏线不明显，有后斑克氏线清晰；沿横脉形成一些散碎小褐斑，主要分布在R和Rs之间，M和CuA_1之间；肘脉合斑褐色，点状；翅痣基部深褐色，端部乳白色，痣下室短宽。后翅较前翅略窄，几乎无斑，或具更少的零散小褐斑；Rs分叉点后于CuA分叉点；R和Rs间距与前缘域约等宽；Rs约8分支，基径中横脉5条；前斑克氏线不明显，有后斑克氏线清晰；翅痣色淡，不明显，痣下室较前翅长；雄虫有轭坠。腹部黑色，密被白色短毛，背板各节后缘有黄色窄边。雄虫生殖弧弓形，强骨化；阳基侧突强骨化，耳状；生殖中片桥形。雌虫肛上片长卵圆形，具稀疏的黑色短粗刚毛；9-内生殖突大，具较粗的挖掘毛；无9-外生殖突；8-外生殖突指状，具长刚毛；8-内生殖突短宽，具黑色刚毛；前生殖板锥状，显著。

采集记录：1♂，秦岭，1951.Ⅷ.08，杨集昆采；1♂，洋县华阳，1980.Ⅶ.20；1♂，洋县华阳卫峪林场，1981.Ⅷ，关小康采；1♂，镇安苗圃，1981.Ⅸ.17，周敞珍、王俐采。

分布：陕西（凤县、洋县、镇安）、辽宁、内蒙古、北京、河北、山西、河南、山东、宁夏、甘肃、新疆、湖北、湖南、四川、贵州；蒙古，朝鲜。

25. 蚁蛉属 *Myrmeleon* Linnaeus, 1767

Myrmeleon Linnaeus, 1767: 913. **Type species**: *Myrmeleon formicarium* Linnaues, 1767.

Macroleon Banks, 1909: 4. **Type species**: *Myrmeleon validaus* McLachlan, 1894.

Enza Navás, 1912: 113. **Type species**: *Enza otiosus* Navás, 1912: 114.

Moreyus Navás, 1914: 55. **Type species**: *Moreyus brasiliensis* Navás, 1914: 55.

Morter Navás, 1915: 466. **Type species**: *Myrmeleon hyalinum* Olivier, 1811.

Neleon Navás, 1915: 53. **Type species**: *Myrmeleon immaculatum* de Geer, 1773.

Neseurus Navás, 1916: 53. **Type species**: *Myrmeleon alternans* Brulle, 1839: 83.

Cocius Navás, 1919: 296. **Type species**: *Cocius angustatus* Navás, 1919: 297.

Myrmeleonellus Esben-Petersen, 1918: 17. **Type species**: *Myrmeleonellus pallidus* Esben-Petersen, 1918.

Leptoleon Esben-Petersen, 1918: 18. **Type species**: *Leptoleon regularius* Esben-Petersen, 1918.
Dicholeon Navás, 1920: 193. **Type species**: *Dicholeon nigritarsis* Navás, 1920.
Tafanerus Navás, 1921: 62. **Type species**: *Tafanerus indicus* Navás, 1921.
Talasus Navás, 1923: 35. **Type species**: *Talasux oberthurl* Navás, 1923.
Banya Navás, 1923: 145. **Type species**: *Banya trifasciata* Navás, 1923.
Grocus Navás, 1925: 187. **Type species**: *Grocus gerstaeckerl* Navás, 1925.
Colinus Navás, 1925: 87. **Type species**: *Colinus philippinus* Navás, 1925.
Afroleon Navás, 1927: 13. **Type species**: *Afroleon basutus* Navás, 1927.
Neurocolinus Navás, 1930: 42(new name for *Colinus* Navás, 1925).
Nemeyus Navás, 1934: 502. **Type species**: *Nemeyus sanaanus* Navás, 1934.
Nezuela Navás, 1934: 155. **Type species**: *Nezuela geayana* Navás, 1934.
Bordus Navás, 1936: 165. **Type species**: *Bordus temeratue* Navás, 1936.
Congoleon Navás, 1936: 337. **Type species**: *Congoleon sociatus* Navás, 1936.
Hypsoleon Navás, 1936: 103. **Type species**: *Hypsoleon chappuisinus* Navás, 1936.
Nelneja Navás, 1936: 104. **Type species**: *Nelneja guttata* Navás, 1936: 105.

属征：前翅 CuP 发出点与基横脉相连，2A 与 1A 在基部靠近，然后急转向 3A；Rs 分叉点后于 CuA 分叉点；CuP + 1A 与 CuA_2 不平行，在近翅基 1/4 处相交；前缘域单排翅室。后翅基径中横脉多于或等于 4 条。后足第 5 跗节长于第 1 跗节。

分布：世界性分布。全世界已知 177 种，中国记录 19 种，秦岭地区有 2 种。

分种检索表

Rs 分叉点与痣下室之间的横脉多于 25 条，前翅后斑克氏线极显著，臀区有 7～8 个小室成双排，翅较窄 ························· **狭翅蚁蛉 *Myrmeleon trivialis***
Rs 分叉点与痣下室之间的横脉少于 20 条，前翅后斑克氏线不十分清晰 ······ **钩臀蚁蛉 *M. bore***

(53) 钩臀蚁蛉 *Mymeleon bore* (Tjeder, 1941)(图版 8)

Grocus bore Tjeder, 1941: 74.
Enza otiosus Navás, 1912: 114.
Myrmeleon exigus Yang, 1999: 148.
Mymeleon bore: Matsura, 1987: 543.

鉴别特征：头顶黑色，隆起，表面粗糙；复眼黄色，具金属光泽，有小黑斑；额亮黑色，唇基上半部黑褐色，下半部黄色，上唇棕黄色；下唇须、下颚须呈深红棕色；触角黑色，触角窝黄色，基节上边缘黄色，鞭节约 36 小节，触角间距大。前胸背板黑色，宽大于长，有稀疏的白色、黑色的长毛和短毛，仅上缘两侧角黄色；中胸、后胸黑色。足黑色。前足转节及腿节端部、腿节和胫节外侧大部分黄褐色；腿节基部生有感觉毛长度约为腿节直径的1.5倍；距、爪亮红棕色；距伸达第2跗节端部，第5跗节长约为第1~3跗节之和；中足、后足同前足。翅无色透明。前翅纵脉上黄色、黑色段相间排列，横脉黑色；Rs分叉点后于CuA分叉点；前缘域宽于R和Rs间距；Rs约9分支，基径中横脉8条，Rs分叉前无不规则小室；Rs分叉点与痣下室之间的横脉约12条，臀区前3后5个小室成双排；前斑克氏线不明显，后斑克氏线清晰；CuA_1与后斑克氏线之间的翅室2~3排；翅痣卵圆形，白色，痣下室狭长。后翅较前翅略窄，Rs分叉点后于CuA分叉点；前缘域稍窄于R和Rs间距；Rs约10分支，基径中横脉5条；前后斑克氏线均不清晰；翅痣白色；雄虫有较发达的轭坠。腹部黑色，密生白色短毛，腹面各腹节上边缘、下边缘呈黄色。雄虫生殖弧弧状，骨化强烈，弧的两臂较长，距离较窄；生殖弧中片桥梁状，强骨化；阳茎侧突耳状，端部较宽。雌虫肛上片卵圆形，有黑色挖掘毛；9-内生殖突近三角形，有短粗的挖掘毛；无9-外生殖突；8-外生殖突粗指状，顶端生有长的黑色刚毛；8-内生殖突小、圆形；前生殖片小三角形。

采集记录：1♀，太白桃川，1980.Ⅵ.12。

分布：陕西（太白）、北京、河北、山西、河南、山东、湖北、福建、台湾、四川；俄罗斯，韩国，日本，欧洲，澳大利亚。

（54）狭翅蚁蛉 *Myrmeleon trivialis* Gerstaecker，1885（图版9）

Myrmeleon trivialis Gerstaecker，1885：23.

鉴别特征：头顶黑色，隆起，表面粗糙；复眼铜绿色，有小黑斑；额黑色，唇基大部分黄色，只有上缘亮黑色，上唇黄色；下唇须、下颚须呈黄色；触角黑色，触角窝黄色，梗节、梗节的上边缘、下边缘黄色，鞭节约42小节，触角间距大。前胸背板宽大于长，黑色，有较密的黑色长刚毛，背板前缘及两侧黄色，有时黄色仅达前侧缘的1/2到2/3处，背板中央常有1条黄色中纵纹；中胸、后胸背板黑色，有稀疏的白色长毛。足黄色。前足腿节端部、腿节外侧及跗节黑色，腿节基部有长的感觉毛约为腿节直径的2倍；距、爪呈红棕色，距伸达第1跗节端部，第5跗节长约为第1~3跗节之和；中足、后足无长感觉毛，其余特征同前足。前翅无色透明，纵脉多为黄色与黑色相间，横脉浅褐色至深褐色；Rs分叉点略后于CuA分叉点；前缘域略宽于R和Rs间距；Rs约12分支，基径中横脉8条；Rs分叉点与痣下室之间的横脉约28条，臀区前7个后8个小室成双排；无前斑克氏线，后斑克氏线清晰；CuA_1和后斑克氏线之间的翅室2排；翅痣白色，大而明显，卵圆形，痣下室狭长。后翅略短于前翅，较前翅略窄，Rs分叉点后于CuA分叉点；前缘域略窄于R和Rs间距；Rs约12分支，基径中横脉5条；无前斑克氏线，后斑克氏线清晰；CuA_1和后斑克氏线之间的翅室1排；翅痣白色，大而明显，卵圆形，痣下室狭长；雄虫有轭坠。腹部黑色，密生黑色短毛。雄虫生殖弧宽，两臂的间距约与臂长相等；阳基侧突宽大，强骨化，基部有1

条裂缝；生殖中片分叉。雌虫肛上片长卵圆形，密生挖掘毛；9-内生殖突近似三角形，密生挖掘毛；无9-外生殖突；8-外生殖突长指状，顶端多黑色刚毛；8-内生殖突圆瓣状，有较密的黑色刚毛；前生殖板椭圆形。

采集记录：1♀，佛坪，950m，1998.Ⅶ.23，张学忠采；1♀，佛坪，950m，1998.Ⅶ.23，姚健采；2♀，佛坪，870～1000m，1998.Ⅶ.25，张学忠采。

分布：陕西(佛坪)、河南、广西、贵州、云南、西藏；泰国，印度，尼泊尔，巴基斯坦。

26. 距蚁蛉属 *Distoleon* Banks, 1910

Distoleon Banks, 1910: 42. **Type species**: *Distoleon verticalis* Banks, 1910.

Formicaleo Brauer, 1855: 719. **Type species**: *Myrmeleon tetrammicus* Fabricius, 1798.

Eidoleon Esben-petersen, 1918: 15. **Type species**: *Myrmeleon bistrigatus* Rambur, 1842.

Salvaza Navás, 1917: 12. **Type species**: *Salvaza cornutus* Navás, 1917.

Feinerus Navás, 1919: 190. **Type species**: *Feinerus umbratus* Navás, 1919.

Nefeirus Navás, 1926: 103. **Type species**: *Nefeirus maesi* Navás, 1926.

Dolicholeon Navás, 1929: 190. **Type species**: *Formicaleo substigmalis* Navás, 1917.

Hyloleon Navás, 1929: 188. **Type species**: *Hyloleon rhodocerus* Navás, 1929.

Nasma Navás, 1930: 409. **Type species**: *Nasma coreana* Navás, 1930.

Feina Navás, 1931: 263. **Type species**: *Feina languida* Navás, 1931.

Vessa Navás, 1931: 265. **Type species**: *Vessa guttata* Navás, 1931.

Formileo Navás, 1933: 312. **Type species**: *Formileo collartinus* Navás, 1933.

Nima Navás, 1935: 53. **Type species**: *Nima somalica* Navás, 1935.

属征：触角窝间距小于触角窝直径；前翅2A脉呈直角折向3A，前翅Rs分叉点后于CuA分叉点，具前斑克氏线；后翅Rs分叉点先于CuA分叉点，基径中横脉1条，无前斑克氏线；雄虫无轭坠。第5跗节长于第1～4跗节之和；距发达，呈弧形弯曲，常伸达或超过第4跗节末端；腹部短于后翅长。雄虫生殖器阳基侧突基部合并端部分叉，呈弯钩状。雌虫无8-内生殖突。

分布：古北区，东洋区。全世界已知约120种，中国记录14种，秦岭地区有1种。

(55) 黑斑距蚁蛉 *Distoleon nigricans* (Matsumura, 1905)(图版10)

Myrmeleon nigricans Matsumura, 1905: 116.

Myrmeleon obsletus Nawa, 1905: 446.

Distoleon nigricans: Okamoto, 1926: 19.

鉴别特征：头顶黑色，两条横向黄色条纹，在中部交叉分别延伸至后头；颜面黄色，下颚须、下唇须呈黄色；触角各节黑黄相间，以黄色为主，触角窝周边黑色，触角窝间距离小于触角窝直径。前胸背板梯形，黑色，中线为 1 条黄色纵纹，其两边各有 1 条清晰的黄色条纹，从前缘延伸至后缘，此 3 条纵纹有时在靠近前缘处明显加宽；中后胸背板黑色无斑；腹板黑色。足腿节膨大，尤以前足明显；跗节黑黄相间，端部黑色，第 5 跗节长于第 1～4 节之和；胫端距浅红棕色，发达，弧形弯曲，伸达第 4 跗节；爪浅红棕色，发达，与跗节约成 90°。前足基节浅黄色，被白色柔毛，腿节、胫节呈棕褐色，腿节基部内侧具 1 根长感觉毛，约等于腿节长度，腿节外侧具较长刚毛；中足浅黄色，多黑斑和黑色刚毛，腿节基部内侧具 1 根长感觉毛，长度远长于腿节，后足腿节内侧浅黄色，外侧深棕色，无感觉毛，胫节内侧深棕色，外侧黄色，在靠近基部处有 1 个黑色环斑，具稀疏黑色斑点。翅透明而狭长，散落稀疏棕色斑点，常集中于 Rs 区域；前翅纵脉黑色与浅黄色相间，横脉多数浅黄色，前缘域约等于 R 与 Rs 间距离，前缘横脉简单，几乎无分支，Rs 分叉点后于 CuA 分叉点，基径中横脉 8～10 条，靠近 Rs 分支处第 1～3 根时常发生分叉，偶尔形成部分双排翅室，Rs 分支为 10～12 条，翅痣白色，基部具黑色圆斑，中脉亚端斑深棕色，小型点状，肘脉合斑大型，深棕色，前后斑克氏线清晰。后翅略短于前翅，时常透明少斑，纵脉黑色与浅黄色相间，大部分横脉浅黄色，前缘域略窄于 R 和 Rs 间最宽处距离，Rs 分叉点先于 CuA 分叉点，基径中横脉 1 条，Rs 分支 10～11 条，翅痣白色，基部具黑色圆斑，中脉亚端斑大型，常延伸至翅后缘，无肘脉合斑，无前后斑克氏线。腹部背板黑色，雌虫第 3～8 节具黄色斑点，雄虫第 4 节不具黄色斑点；腹板淡黄至深棕色无斑。雄虫肛上片具较长刚毛，生殖弧成 180°强烈弯曲，阳基侧突合并且分叉，呈弯钩状。雌虫无 8-内生殖突，8-外生殖突纤细短小，锥状，9-内生殖突与肛上片具浓密粗大刚毛。

采集记录：1♀，周至板房子乡 1050m，2006. Ⅶ. 20，李艳磊采。

分布：陕西（周至）、北京、河北、河南、山东、安徽、浙江、湖北、湖南、福建、贵州；韩国，日本。

27. 双蚁蛉属 *Mesonemurus* Navás, 1920

Mesonemurus Navás, 1920: 283. **Type species**: *Mesonemurus harterti* Navás, 1920.

Lacroixia Navás, 1924: 212. **Type species**: *Lacroixia sibirica* Navás, 1924: 213.

Myrmenemurus Navás, 1926: 45. **Type species**: *Myrmenemurus clavatus* Navás, 1926.

Nefta Navás, 1930: 125. **Type species**: *Nefta tunetama* Navás, 1930: 126.

属征：前翅 CuP 发出点正对着或靠近基横脉，2A 脉呈直角折向 3A，Rs 分叉点后于 CuA 分叉点；后翅基径中横脉 2 条；后足第 5 跗节短于第 1 跗节，胫端距发达。雄虫腹部长于后翅，雌虫腹部短于后翅，雄虫肛上片形成长的指状突，阳基侧突基部合并端部分叉，侧面观呈弯钩状。雄虫无轭坠。

分布：古北区。全世界已知9种，中国记录2种，秦岭地区有1种。

(56) 蒙双蚁蛉 *Mesonemurus mongolicus* Hölzel, 1970(图版11)

Mesonemurus mongolicus Hölzel, 1970: 262.

鉴别特征：头顶隆起，黄色，中央具1条黑色纵带，纵带两边各有1个黑色斑点；额与唇基黄色，下颚须、下唇须呈黄色；复眼黑灰色，有黑斑；触角窝及周围褐色，触角棒状，末端膨大，各节黑黄相间。前胸背板长大于宽，黄色，具2条黑色纵带，其两侧各有1个黑色圆形斑点；中后胸黑色具稀疏黄色斑纹，腹面两侧具稀疏白色柔毛。足黄色至棕色，较粗壮；前足第5跗节约等于第1~4跗节之和，胫端距伸达第3跗节末端；中足、后足第5跗节略短，胫端距浅红棕色，伸达第2跗节末端；爪浅红棕色，长度约为第5跗节的1/2。前足与中足腿节基部内侧具1根长感觉毛，长度不超过腿节。翅透明狭长，中部略宽；前翅翅脉黑黄相间，翅痣黄褐色，前缘域略窄于R与Rs最宽处，前缘横脉简单，几乎无分支，Rs分叉点后于CuA分叉点，基径中横脉5~6条，简单无分支，CuA_2外侧有2个大翅室，中脉亚端斑短线状，肘脉合斑附近有线状黑斑，前斑克氏线不明显。后翅略短于前翅，稍窄，翅脉黑黄相间，翅面透明，几乎无黑斑，翅痣淡黄色，内侧有1个小黑色斑点，前缘域约与R和Rs间最宽处距离的1/2，Rs分叉点先于CuA分叉点，基径中横脉2条，Rs分支6~7条，无中脉亚端斑与肘脉合斑，靠近后缘与外缘处脉分叉处颜色略深，无前后斑克氏线。雄虫无轭坠。雄虫腹部明显长于后翅，雌虫腹部短于后翅，黑色具稀疏白色刚毛。雄虫肛上片下端延伸成长的尾突，长度略短于第8腹节的1/2，弯曲强烈，具稀疏刚毛；生殖弧腹面观强烈弯曲，两臂近似平行，呈"U"形，骨化较弱；阳基侧突基部合并，端部叉状，侧面观呈弯钩状，末端弯曲程度明显。雌虫无8-内生殖突，8-外生殖突纤细，指状，具较稀疏的长刚毛，无9-外生殖突，9-内生殖突与肛上片与具浓密粗大的挖掘毛。

采集记录：1♀，佛坪，1985.Ⅶ.17，孙文杰采。

分布：陕西(佛坪)、内蒙古、宁夏、青海；蒙古。

(九)蝶角蛉科 Ascalaphidae

刘星月 杨帆

(中国农业大学昆虫系 北京 100093)

鉴别特征：体中至大型，较粗壮，黄色至黑色。头部短宽，复眼发达，其中部有时具1条横沟将复眼分为上下两半，无单眼；触角球杆状，一般长于前翅长之1/2；

足短，胫节具端距；翅长椭圆形、细长形或近三角形，无翅疤和缘饰，翅痣发达；Sc与R在端部愈合，前缘横脉不分叉，无肩迴脉，CuA分叉形成1个显著的大三角区，横脉密集、不规则排列。幼虫陆生，体扁，胸腹两侧具突起。

分类：全世界已知426种，中国记录10属29种，陕西秦岭地区分布4属4种。

Ⅰ. 完眼蝶角蛉亚科 Haplogleniinae

28. 原完眼蝶角蛉属 *Protidricerus* van der Weele, 1908

Protidricerus van der Weele, 1908: 61. **Type species**: *Idricerus exilis* McLachlan, 1894.

属征：翅较宽或极狭窄，翅端区较宽，3排小室。前翅无腋角，或腋角不显著。触角超过前翅长的1/2。足短粗，后足端距与第1～2跗节之和等长。腹部短于后翅。

分布：中国；日本，菲律宾，印度尼西亚。全世界已知7种，中国已知5种，秦岭地区有1种。

(57) 原完眼蝶角蛉 *Protidricerus exilis* (McLachlan, 1894) (图版12)

Idricerus exilis McLachlan, 1894: 424.

鉴别特征：头顶黑色，具白色和褐色长毛。触角与复眼之间具灰白色毛簇。额黑色，颊、唇基及上唇黄色；额具白色灰色长毛。上唇端部具1排黄褐色毛。上颚褐色，端部深褐色。下唇须、下颚须呈褐色，具黑色短毛。复眼黑色，具褐色斑纹。触角黑色，端部密被黑色短毛。胸部黑色。前胸背板前后缘及中胸具白色和褐色长毛，后胸被白色长毛，雄虫腹面被白色长毛。前翅狭长，外缘与后缘呈浅弧线，几乎与前缘平行；腋角略突出；翅透明，翅脉深褐色。翅痣深褐色，具4～5条横脉；前缘区横脉32条，端区小室3排，Cu区小室4～5排。后翅短于前翅；翅痣深褐色，长于前翅翅痣；端区小室3排，Cu区小室3～4排，CuA_2短，约为CuA_1的1/9。足黑色，腿节被白色及黑色长毛，胫节被黑色刚毛，跗节具黑色短刺。距和爪的端部红褐色。距达第2跗节末端。腹部短于后翅，背面灰褐色，具黑色长毛；基部两侧具褐色长毛。腹面基部第1～2节被白色长毛，其余各节被黑色长毛。雌虫腹瓣三角形，有内齿；舌片显著，端瓣近椭圆形，约为腹瓣的1/2。

采集记录：1♀，太白山嵩平寺，1200m，1983.Ⅶ.13。

分布：陕西(太白山)、甘肃、湖北、四川、云南。

Ⅱ. 裂眼蝶角蛉亚科 Ascalaphinae

分属检索表

1. 翅上有亮黄色与深褐色形成的亮丽斑纹，翅近三角形，腹部短粗 …… **丽蝶角蛉属 *Libelloides***
   翅上无亮黄色的斑纹，翅形多样 …… 2
2. 翅端区小室 4 排，至少前翅如此，雄虫触角柄节呈圆柱形，突出于复眼之上，胸侧有 1 条黄色斜条斑 …… **锯角蝶角蛉属 *Acheron***
   翅端区小室 3 排以下，雄虫触角柄节不呈圆柱形，低于复眼 …… **玛蝶角蛉属 *Maezous***

29. 锯角蝶角蛉属 *Acheron* Lefèbvre, 1842

Acheron Lefèbvre, 1842: 6. **Type species**: *Ascalaphus trus* Walker, 1853.

属征：触角长，几乎伸达翅痣，雄虫触角基部内侧具短齿，锤状部梨形，端部平截。复眼有横沟，上半部稍大于下半部。翅较宽阔，后缘与外缘形成深弧线，外缘约为后缘的 2 倍。前翅腋角略突出，翅痣长，端区小室 3～4 排。翅完全透明，或前缘区为茶褐色，或后翅大部分为茶褐色，前翅基部与前缘域茶褐色。雄虫腹部长于后翅，雌虫腹部短于后翅。雄虫肛副器短突状。

分布：中国；缅甸，印度，不丹，孟加拉国，马来群岛。中国仅知 1 种，秦岭地区有分布 。

(58) 锯角蝶角蛉 *Acheron trux* (Walker, 1853)（图版 13）

Ascalaphus trus Walker, 1853: 432.
Ascalaphus loquax Walker, 1853: 434.
Ascalaphus anticus Walker, 1853: 434.
Ascalaphus longus Walker, 1853: 435.
Helicomitus ctenocerus Gerstaecker, 1893: 101.
Ascalohybris kolthoffi Navás, 1927: 2.

鉴别特征：头顶褐色，近复眼处黄色，额、颊、唇基和上唇呈棕红色，上颚端部颜色较深，下颚须、下唇须呈棕红色。头顶与颜面密被黄色和黑色长毛。复眼棕红色，密布深褐色斑点。触角柄节柱状，相互靠近，其末端显著高于复眼；触角棕黄色至褐色，雄虫触角鞭节的基部有 8～9 个内齿，第 1 齿最大。雌虫触角基部无齿。前胸背板狭窄，黄色，有2条黑色横纹。中胸黄色，有1条深褐色中纵带，和1对褐色侧纵带，后胸中部黄色，两侧黄色。胸侧面和腹面黑色，有1条黄色宽条斑从后胸斜伸至前足之后。前翅宽阔，外缘与后缘转向明显，外缘长度约为后缘的2.5倍；腋角微凸；翅完全透明，或前缘区为茶褐色，或后翅大部分、前翅基部与前缘区茶褐色；翅痣长，深褐色；前缘横脉雌虫40～41条，雄虫34～38条，端区小室4排，Cu区5～6排。后翅短于前翅，比前翅略宽；翅痣深褐色，约与前翅翅痣等长；端区小室3～4排，Cu区5～6排；CuA_2与CuA_1的夹角近90°，CuA_2短于或约等于CuA_1的1/5。雄虫腹部长于后翅，较细；雌虫腹部短于后翅，较粗。腹部深棕色至黑色，基部两节背板颜色常比较浅。雄虫肛上片下方有向后伸的短突；生殖弧宽，腹面观屋脊状；阳基侧突新月形相对，垫突显著；有盾状片。雌虫腹瓣卵圆形，有1个内齿，1对舌片；端瓣长卵形，约为腹瓣的2/3。

采集记录：1♀，镇巴汉地。

分布：陕西（镇巴）、河南、浙江、湖北、江西、湖南、福建、台湾、海南、广西、四川、贵州、云南、西藏；日本，泰国，缅甸，印度，锡金，不丹，孟加拉国，马来西亚。

30. 丽蝶角蛉属 *Libelloides* Schäffer, 1763

Libelloides Schaeffer, 1763: 1. **Type species**: *Papilio coccajus* Denis & Schiffermüer, 1775.

Ascalaphus Fabricius, 1775: 313. **Type species**: *Papilio coccajus* Denis *et* Schiffermüer, 1775.

属征：翅色彩鲜艳美丽，多有黑色斑、黄色斑和白色斑，翅三角形，短宽；前翅CuA_2几乎与CuP平行延伸至翅缘，不相交。腹部短粗，雄虫肛上片延长成尾突。

分布：古北区。全世界已知20种，中国记录2种，秦岭地区发现1种。

（59）黄花丽蝶角蛉 *Libelloides sibiricus* （Eversmann, 1850）（图版14）

Ascalaphus sibiricus Eversmann, 1850: 279.

鉴别特征：头部黑色，唇基茶褐色，头顶及颜面密被黑色和黄色长毛。复眼黑色。触角略短于前翅长，黑褐色，具褐色细环，端部短梨状，密被黑色短毛。前胸背板狭窄，黑色，有黄色横纹，两侧短突膨大，黄白色。中后胸黑色，中胸背板上有4～8对小黄斑。胸侧深褐色，前翅下方有2个大黄斑。前翅三角形，前缘区基部加宽，翅大部分透明，略带茶色，翅脉褐色，翅基部1/4黄色；翅痣褐色，具3～4根横脉；前缘区横脉21～23条，端区小室2排，Cu区小室5～6排，CuA_2一直伸达翅缘，不与CuP交汇。后翅三角形，比前翅略短；翅基部约1/4深褐色，中间大部分黄色，2条褐色斑纹沿M与CuP脉形成，翅端部约1/4茶褐色，Rs分支形成褐色网格状，翅痣深褐色，具4~5条横脉；端区小室2排，Cu区小室5~6排，CuA_2与CuA_1的夹角约40°，CuA_2伸达翅缘，长度约为CuA_1的3/4。足基节到腿节基半部黑色，从腿节端半部至胫节末端黄色，跗节、爪和距黑色。腿节密被白色长毛，胫节具稀疏的黑色刚毛，跗节具密的黑色短刺，后足端距约与基跗节等长。雄虫肛上片下方突出，呈长尾状，尾突的端部上翘；生殖弧门洞形，阳基侧突新月形；垫突不显著；无盾片状；第9节腹板后缘中部内凹。雌虫腹瓣卵圆形，无内齿，舌片不显著，端瓣近椭圆形，约为腹瓣的1/2。

采集记录： 1♂，周至楼观台，1952. Ⅴ.25。

分布： 陕西(周至)、吉林、辽宁、内蒙古、北京、河北、山西、山东、河南、甘肃；俄罗斯，朝鲜。

31. 玛蝶角蛉属 *Maezous* Ábrahám, 2008

Maezous Ábrahám, 2008: 69. **Type species**: *Suphalasca princeps* Gerstaecker, 1893.

属征： 瘦长，中等大小。头与胸部等宽。头顶有柔软的长毛，触角超过前翅翅基至翅痣距离的1/2。胸部有中等密集的毛，前后翅狭长，端区钝圆，前翅腋角钝，不显著；前翅端区小室3排。足瘦长，第5跗节约为第1~4跗节之和。雌虫腹部短粗，雄虫腹部细长，肛上片有或长或短的延伸。

分布： 亚洲。全世界已知17种，中国记录5种，秦岭地区有1种。

(60) 狭翅玛蝶角蛉 *Maezous umbrosus* (Esben-Petersen, 1913) (图版15)

Suphalasca umbrosa Esben-Petersen, 1913: 226.

Suhpalacsa longialata Yang, 1992: 649.

Maezous umbrosus: Yang *et al*, 2015: 4.

鉴别特征： 头顶褐色，具白色和黑褐色长毛；额深褐色，颊黄色，唇基和上唇黄色，具浅色长毛；上颚红褐色，端部黑色；下颚须、下唇须呈黄褐色，具黑色短毛。复眼黑色。触角约为前翅长的2/3，褐色，每节端部具深褐色窄环，膨大部深褐色，较宽，腹面内凹，颜色略浅。胸和头部几乎等宽，前胸狭窄，黑色，前缘具黄褐色长毛，后缘具白色长毛。中后胸背板黑色，中胸前盾片有1个黄斑，有时不明显，中胸小盾片有1对黄斑，后胸盾片有1对黄斑。前胸侧片褐色，中后胸侧片大部分黄色。前翅狭长，透明或略带烟褐色，外缘与后缘几乎平行，腋角不显著。翅痣褐色，4~5条横脉，其长边为高的2倍；前缘横脉24~27条，端区小室2~3排，Cu区小室3~4排。后翅短于前翅，翅形与前翅相比，翅痣褐色；4~5条横脉，端区小室2排，Cu区小室2~3排，CuA_2与CuA_1的夹角近90°，CuA_2的长度约为CuA_1的1/9。足细长，腿节黄褐色，被白色和灰色长毛；胫节深褐色，具黑色刚毛；跗节黑色，具短刺；爪、距红褐色。后足距伸达第1跗节末端。雄虫腹部细长，长于后翅；雌虫腹部短粗，短于后翅；深褐色，一些节的后缘两侧有小黄斑，腹面兼有黑色和黄色。雄虫肛上片侧面观呈椭圆形，下方有指形短突；生殖弧宽片状，阳基侧突新月形相对，垫突不显著；有盾状片。雌虫腹瓣宽片形，无内齿，舌片不显著，端瓣近椭圆形，约为腹瓣的1/2。

采集记录：1♂，太白山嵩平寺，1200m，1983.Ⅷ.18；1♀，佛坪，867m，2007.Ⅷ.15，孙明霞采。

分布：陕西(太白山，佛坪)、河南、浙江、湖北、江西、湖南、广西、四川、贵州、云南。

参考文献

1. Coniopterygidae

Enderlein, G. 1906. Monographie der Coniopterygiden. *Zoologische Jahrbücher* (Abteilung für Systematik, Geographie und Biologie), 23: 173-242.

Enderlein, G. 1907. Die Coniopterygidenfauna Japans. Stettiner Entomologische Zeitung, 68: 3-9.

Enderlein, G. 1908. Family Coniopterygidae. Neuroptera. *Genera Insectorum*, 67: 1-18.

Meinander, M. 1972. A revision of the family Coniopterygidae (Planipennia). *Acta Zoologica Fennica*, 136: 1-357.

Withycombe, C. L. 1925. A contribution towards a monograph of the Indian Coniopterygidae (Neuroptera). *Memoirs of the Department of Agriculture of India, Entomological Series*, 9: 1-20.

Yang, C-K. 1974. Notes on Coniopterygidae (Neuroptera). II. Genus Conwentzia Enderlein. *Acta Entomologica Sinica*, 17: 83-91. [杨集昆. 粉蛉记(二). 啮粉蛉属 Conwentzia Enderlein (脉翅目:粉蛉科). 昆虫学报, 17: 83-91.]

2. Nevrorthidae

Nakahara, W. 1958. The Nevrorthinae, a new subfamily of the Sisyridae (Neuroptera). *Mushi*, 32: 19-32.

Yang, C-K. 1992. Neuroptera. Pp. 438-454. In: Chen, S-X. (ed.). *Insects of the Hengduan Mountains Region*. Vol. 1. Science Press, Beijing. 865pp. [杨集昆. 1992. 脉翅目. 438-454. 见:陈世骧主编，横断山脉昆虫. 北京:科学出版社. 865页.]

3. Osmylidae

Yang, C-K. 1997. Neuroptera: Osmylidae. Pp. 580-581. In: Yang, X-K. (ed.). *Insects of the Three Gorge Reservoir Area of Yangtze River*. Vol. 1. Chongqing Publishing House, Chongqing. 974pp. [杨集昆. 1997. 脉翅目:溪蛉科. 580-581. 见:杨星科主编，长江三峡库区昆虫. 重庆:重庆科技出版社. 974页.]

Yang, C-K., Liu, Z-Q. and Yang, X-K. 2001. Neuroptera: Osmylidae. pp. 301-304. In: Wu, H. and Pan, C-W. (ed.). *Insects of Tianmushan National Nature Reserve*. Science Press, Beijing. 764pp. [杨集昆，刘志琦，杨星科. 2001. 脉翅目:溪蛉科. 301-304. 见:吴鸿，潘承文主编，天目山昆虫. 北京:科学出版社. 764页]

4. Dilaridae

Zhang, W., Liu, X-Y., Aspöck, H. and Aspöck, U. 2014. Revision of Chinese Dilaridae (Insecta: Neuroptera) (Part I): Species of the genus Dilar Rambur from northern China. Zootaxa, 3753: 1-24.

5. Mantispidae

Miyake, T. 1910. The Mantispidae of Japan. *Journal of the College of Agriculture*, Tohoku Imperial University, Sapporo, 2: 213-221.

Navás, L. 1909. Mantíspidos nuevos [I]. *Memorias de la Real Academia de Ciencias y Artes de Barcelona*, 7(3): 473-485.

Okamoto, H. 1910. Homposan kamakirimodokika. *Zoological Magazine*, 22: 533-544.

6. Hemerobiidae

Fabricius, J. C. 1793. *Entomologia systematica emendata et aucta secundum classes, ordines, genera, species adjectis synonimis, locis observationibus, descriptionibus*. Tome 2. C. G. Proft, Hafniae. 519pp.

Ghosh, S. K. 1977. A new genus and a new species of Neuroptera (Fam. Hamerobiidae [sic]) from India. *Proceedings of the Indian Academy of Sciences*, 86: 235-237.

Hagen, H. A. 1858. Synopsis der Neuroptera Ceylons [Pars I]. *Verhandlungen der Kaiserlich-Königlichen Zoologisch-Botanischen Gesellschaft in Wien*, 8: 471-488.

Krüger, L. 1922. Hemerobiidae. Beiträge zu einer Monographie der Neuropteren-Familie der Hemerobiiden. *Stettiner Entomologische Zeitung*, 83: 138-172.

Leach, W. E. 1815. Entomology. Brewster, D. (ed.). *Edinburgh Encyclopaedia*. Edinburgh, 9: 57-172.

Linnaeus, C. 1758. Systema natura per regna tria naturae secundum classes, ordines, genera, species, cum characteribus, differentiis, synonymis, locis. Systema Naturae (Ed. 10). Stockholm, 824 pp.

Matsumura, S. 1907. *Systematic Entomology*. Keiseisha Co., Tokyo. 1: 336 + 8 [index] pp.

McLachlan, R. 1869. New species, &c., of Hemerobiina; with synonymic notes (first series). *Entomologist's Monthly Magazine*, 6: 21-27.

Nakahara, W. 1915. On the Hemerobiinae of Japan. *Annotationes Zoologicae Japonenses*, 9: 11-48.

Nakahara, W. 1960. Systematic studies on the Hemerobiidae (Neuroptera). *Mushi*, 34: 1-69.

Navás, L. 1912. Quelques Nevroptères de la Sibérie méridionale-orientale. *Russkoe Entomologicheskoe Obozrenie*, 12: 414-422.

Navás, L. 1913. Taxonomic and nomenclatural notes. *Boletín de la Sociedad Aragonesa de Ciencias Naturales*, 12: 122-123.

Navás, L. 1913. Mis excursiones por el extranjero en el verano de 1912. *Memorias de la Real Academia de Ciencias y Artes de Barcelona*, 10: 479-514.

Navás, L. 1922. Insectos exóticos. *Brotéria* (Zoológica), 20: 49-63.

Navás, L. 1924. Sinopsis de los Neurópteros (Ins.) de la península ibérica. *Memorias de la Sociedad Iberica de Ciencias Naturales*, 4: 1-150.

Navás, L. 1929. Insectos exóticos Neurópteros y afines del Museo Civico de Génova. *Annali del Museo Civico di Storia Naturale Giacomo Doria*, 53: 354-389.

Navás, L. 1932. Neurópteros de Haiti. *Boletín de la Sociedad Entomologica de España*, 15: 33-37.

Navás, L. 1936. Névroptères et insectes voisins. Chine et pays environnants. Neuvième [IX] série. *Notes d'Entomologie Chinoise*, 3: 37-62, 117-132.

Oswald, J. D. 1993. Revision and cladistic analysis of the world genera of the family Hemerobiidae (Insecta: Neuroptera). *Journal of the New York Entomological Society*, 101: 143-299.

Perkins, R. C. L. 1899. *Fauna Hawaiiensis being the land-fauna of the Hawaiian Islands*. Neuroptera. Pp. 31-89. Cambridge University Press, London.

Rambur, J. P. 1842. *Histoire Naturelle des Insectes, Névroptères*. Librairie encyclopédique de Roret. Fain et Thunot, Paris. [xviii] + 534 pp.

Stephens, J. F. 1835. *Illustrations of British entomology; or, a synopsis of indigenous insects: containing their generic and specific distinctions; with an account of their metamorphoses, times of appearance, localities, food, economy, as far as practicable. Mandibulata.* Baldwin and Cradock, London. 6, 240 pp.

Tjeder, B. 1936. Schwedisch-chinesische wissenschaftliche expedition nach den nordwestlichen provinzen Chinas, unter leitung von Dr. Sven Hedin und Prof. Sü Ping-chang. Insekten gesammelt vom schwedischen arzt der expedition Dr. David Hummel 1927-1930. 62. Neuroptera. *Arkiv för Zoologi*, 29: 1-36.

Walker, F. 1860. Characters of undescribed Neuroptera in the collection of W. W. Saunders. *Transactions of the Entomological Society of London*, 10: 176-199.

Yang, C-K. 1964. Notes on the genus Neuronema of China (Neuroptera; Hemerobiidae). *Acta Zootaxonomica Sinica*, 1: 261-282. [杨集昆, 1964. 中国脉线蛉属记述. 动物分类学报, 1: 261-282.]

7. Chrysopidae

International Commission on Zoological Nomenclature.. 2010. Opinion 2254. (Case 3399). *Dichochrysa*.

Yang, C-K. 1986. The subfamily Nothochrysinae new to China and a new species of the genus Nothochrysa (Neuroptera: Chrysopidae). *Entomotaxonomia*, 8: 277-280. [杨集昆. 1986. 幻草蛉新种及属和亚科的中国新纪录（脉翅目：草蛉科）. 昆虫分类学报, 8: 277-280.]

Yang, C-K. and Yang, X-K. 1989. Fourteen new species of green lacewings from Shaanxi Province (Neuroptera: Chrysopidae). *Entomotaxonomia*, 11: 13-30. [杨集昆, 杨星科. 1989. 陕西省的十四种新草蛉（脉翅目：草蛉科）. 昆虫分类学报, 11: 13-30.]

Yang, C-K. and Wang, X-X. 1990. Eight new species of green lacewings from Hubei Province (Neuroptera: Chrysopidae). *Journal Hubei University (N. S.)*, 12(2): 154-163. [杨集昆, 王象贤. 1990. 湖北省的八种新草蛉（脉翅目：草蛉科）. 湖北大学学报(自然科学版), 12(2): 154-163.]

Yang, X-K. 1991. *Dichochrysa* nom. nov. for Navasius Yang & Yang 1990 (Neuroptera: Chrysopidae) nec Esben-Petersen 1936 (Neuroptera: Myrmeleontidae). 150-150. In: Zhang G X. (eds). *Scientific Treatise on the Systematic and Evolutionary Zoology*, 1-239 [杨星科. 1991. 草蛉科一新属名. 150. 见:张广学主编, 系统进化动物学论文集. 1-239.]

Yang, X-K. 1995. The revision on species of genus Dichochrysa (Neuroptera: Chrysopidae) from China. *Entomotaxonomia*, 17: 26-34. [叉草蛉属 Dichochrysa 中国种类订正(脉翅目:草蛉科). 昆虫分类学报, 17: 26-34.]

Yang, X-K. and Yang, C-K. 1990a. Navasius, a new genus of Chrysopinae (1) (Neuroptera: Chrysopidae). *Acta Zootaxonomica Sinica*, 15: 327-338. [杨集昆, 杨星科. 1990. 草蛉科一新属——纳草蛉属研究(I)（脉翅目：草蛉科）. 动物分类学报, 15: 327-338.]

Yang, X-K. and Yang, C-K. 1990b. Study on the genus Navasius (2) Descriptions of six new species

(Neuroptera: Chrysopidae). *Acta Zootaxonomica Sinica*, 15: 471-479. [杨集昆, 杨星科. 1990. 纳草蛉属研究(II)六新种描述 (脉翅目: 草蛉科). 动物分类学报, 15: 471-479.]

Yang, X-K. and Yang, C-K. 1993. The lacewings (Neuroptera: Chrysopidae) of Guizhou Province. *Acta Zootaxonomica Sinica*, 15: 265-274. [贵州省脉翅目区系研究 (脉翅目:草蛉科). 动物分类学报, 15: 265-274.]

Yang, X-K., Yang, C-K. and Li, W-Z. 2005. *Fauna Sinica*, *Insecta* 39. *Neuroptera*, *Chrysopidae*. Science Press, Beijing. 1-398. [杨星科, 杨集昆, 李文柱. 2005. 中国动物志昆虫纲 第39卷 脉翅目, 草蛉科. 科学出版社. 北京. 1-398.]

8. Myrmeleontidae

Ao, W-G., Wan, X. and Wang, X-L. 2010. Review of the genus Epacanthaclisis Okamoto, 1910 in China (Neuroptera: Myrmeleontidae). *Zootaxa*, 2545: 47-57.

Bao, R., Wang, X-L. and Liu, J-Z. 2009. A review of the species of Myrmeleon Linnaeus, 1767 (Neuroptera: Myrmeleontidae) from Mainland China, with the description of a new species. *Entomological News*, 120: 18-24.

Wan, X., Wang, X-L. and Yang, X-K. 2006. Study on the genus Layahima Navás (Neuroptera: Myrmeleontidae) from China. *Proceedings of the Entomological Society of Washington*, 108(1): 35-44.

Wan, X., Yang, X-K. and Wang, X-L. 2004. Study on the genus Dendroleon from China (Neuroptera: Myrmeleontidae). *Acta Zootaxonomica Sinica*, 29(3): 497-508.

Wang, X-L., Ao, W-G. and Wang, Z-L. 2012. Review of the genus Gatzara Navás, 1915 from China (Neuroptera: Myrmeleontoidea). *Zootaxa*, 3408: 34-46.

Yang, C-K. 1999. Myrmeleontidae. pp. 143-154, 165-167. In: Huang, B-K. (ed.). *Fauna of Insects Fujian Province of China*, Volume 3. Fujian Science and Technology Press, Fuzhou, 354pp. [杨集昆, 1999. 蚁蛉科. 143-154, 165-167. 见: 黄邦侃主编, 福建昆虫志, 3. 福州: 福建科学技术出版社, 354 页]

9. Ascalaphidae

Ábrahám, L. 2008. Ascalaphid Studies VI. New genus and species from Asia with comments on genus Suhpalacsa (Neuroptera: Ascalaphidae). *Somogyi Múzeumok Közleményei*, 18: 69-76.

McLachlan, R. 1894. On two small collections of Neuroptera from Tachien-lu, in the province of Szechwan, western China, on the frontier of Tibet. *Annals and magazine of natural history*, 13 (6): 424-425.

Yang, C. K. 1992. Neuroptera. pp. 644-651. In: Peng, J. W. & Liu, Y. Q. (Eds.), *Field Guide to forest insects in Hunan*. Hunan Science and Technology Press, Changsha, 1417pp. [杨集昆, 1992, 脉翅目, 644-651. 见:彭建文、刘友樵 主编. 湖南森林昆虫图鉴. 湖南科学技术出版社, 长沙, 1417 页.]

Zhang, J., Sun, M-X. and Wang, X-L. 2015. Synopsis of subfamily Haplogleniinae Newman, 1853 in China (Neuroptera: Ascalaphidae). *Zootaxa*, 3911(3): 375-390.

长翅目 Mecoptera

花保祯 谭江丽 蔡立君 钟问 姜碌 张俊霞
（西北农林科技大学，陕西杨凌 712100）

一、概 论

（一）分类地位和识别特征

1. 分类地位

长翅目 Mecoptera 是全变态类昆虫中最古老的类群之一，生活环境需要较高的湿度和郁蔽度，是一类重要的生态指示昆虫。长翅目是全变态类昆虫中的 1 个小目，目前已知约 650 种（Bicha 2010），包括 9 个现生科：小蝎蛉科 Nannochoristidae、异蝎蛉科 Choristidae、雪蝎蛉科 Boreidae、原蝎蛉科 Eomeropidae、美蝎蛉科 Meropeidae、无翅蝎蛉科 Apteropanorpidae、蚊蝎蛉科 Bittacidae、拟蝎蛉科 Panorpodidae 和蝎蛉科 Panorpidae（Penny & Byers，1979）。

长翅目由于与双翅目、蚤目的亲缘关系非常接近，在昆虫纲系统发育的研究中占据重要地位。从化石记录看，长翅目是有翅亚纲新翅类内翅部（全变态类）中最古老的成员。随着世界各地不断有新的分类单元被发现，长翅目昆虫受到越来越多昆虫学家的关注。

2. 主要识别特征

唇基向下延长成喙状；咀嚼式口器位于喙的末端，上颚狭长，下颚须 5 节，下唇须 2 节。复眼大，单眼 3 个或无；触角长丝状；前胸短，中后胸发达。足细长，跗节 5

节。通常有2对窄长的膜质翅，前翅、后翅大小、形状和翅脉相似；Sc脉与翅前缘的交点在翅痣前或翅痣内，M脉分4枝，Cu脉在翅基部分枝，臀区小，A脉分数枝。腹部纤细，近圆柱形；第1腹板退化；雄虫外生殖器铗状；尾须存在。

（二）分类系统

1. 长翅目世界研究简史

长翅目 Mecoptera 由 Packard（1886）建立，当时命名为 Mecaptera。Comstock（1895）改名为 Mecoptera，一直沿用至今。

在区系研究方面，Miyaké（1913）和 Issiki（1933）对日本及其邻国的蝎蛉科 Panorpidae 昆虫进行较详细的研究；Esben-Petersen（1921）对世界范围内的长翅目进行了厘订；Lestage（1929）和 Londt（2008）对非洲的长翅目昆虫区系研究进行了综述；Carpenter（1931，1935）记载新北区100多种；Riek（1954，1973）进行了澳大利亚长翅目区系研究；Penny 和 Byers（1979）发表了世界长翅目名录，共记载502种；俄罗斯的区系研究则由 Martynova（1954，1957，1959）完成；Byers（1958，1962，1973，1996）对北美的长翅目昆虫种类及分布进行了整理，1965年完成中南半岛地区长翅目的区系研究，1971年对非洲的长翅目种类进行绘图和描述，提出了9个异名；Londt（1972）对南非的长翅目名录进行整理并发表蚊蝎蛉10种，Londt（2000）发表了南非的蚊蝎蛉名录；非洲、印度、印度尼西亚的区系研究则分别由 Byers 和 Londt（1972）、Rust 和 Byers（1976）和 Chau 和 Byers（1978）完成；Schlee（1977）出版了长翅目昆虫文献集；Kaltenbach（1978）对长翅目的外部形态、内部解剖、生物学、行为学及生态学进行了总结。

2. 中国长翅目研究简史

记述的中国第1种蝎蛉，是大卫蝎蛉 *Panorpa davidi* Navás，1908。Esben-Petersen（1921）在“Mecoptera Monographic Revision”中记录了中国长翅目8种。Issiki（1927）报道了台湾的蝎蛉属 *Panorpa* 3种，新蝎蛉属 *Neopanorpa* 2种，蚊蝎蛉属 *Bittacus* 3种，1929年发表了台湾的14种蝎蛉 *Panorpa*；1931年报道了采自四川峨嵋山蚊蝎蛉1种。Wu（1937）在中国昆虫名录中记录了中国长翅目19种，其中蝎蛉科15种。Carpenter（1938）报道了中国蝎蛉科28种。Issiki 和 Cheng（1947）发表台湾蝎蛉科6种，并对另外37种的外生殖器特征进行重描。Yie（1947）对台湾长翅目昆虫的种类进行较为详细的研究。Cheng（1952）报道了台湾蝎蛉属 *Panorpa* 1种，新蝎蛉属

Neopanorpa 2 种；他(1957)在"中国长翅目订正(Revision of the Chinese Mecoptera)"中，记述了中国长翅目 82 种，其中蝎蛉科 71 种；同年，他对美国加州博物馆收藏的一批长翅目标本鉴定后，发表了中国长翅目 7 种。Byers（1970)发表了采自台湾的蝎蛉属 *Panorpa* 1 种，广东的蝎蛉属 *Panorpa* 1 种，四川的蚊蝎蛉属 *Bittacus* 1 种，并厘订了一些种类。Byers（1994）发表了采自台湾的新蝎蛉属 *Neopanorpa* 1 种，并编制了台湾新蝎蛉属 *Neopanorpa* 检索表，2002 年他还对台湾的长翅目昆虫种类进行统计并发表了一些新种。周尧等(1981，1987，1988)陆续记述了陕西、湖南两省的蝎蛉科 36 种。花保祯和周尧(1997 ~2001)记载了吉林、辽宁、河南、海南岛、西藏等省（区）的蝎蛉科 17 种。近年来，周文豹也报道了蝎蛉科 10 种。聂小妮（2004）对陕西秦岭火地塘林场蝎蛉科区系进行研究。目前，中国蝎蛉科共 6 属 228 种(王吉申和花保祯，2017)。

Walker（1853）最先报道了中华蚊蝎蛉 *Bittacus sinensis*；Issiki（1927，1929，1931）报道了台湾的蚊蝎蛉 4 种，1947 年又和郑凤瀛一起发表了台湾蚊蝎蛉 1 种；Esben-Petersen（1927）发表了云南蚊蝎蛉 1 种；Navás（1935）记载了江西的蚊蝎蛉 1 种；Tjeder（1956）发表蚊蝎蛉 2 种，Cheng（1949）发表了采自陕西的蚊蝎蛉 1 种，1957 年共记述了蚊蝎蛉 11 种，首次比较全面讨论中国（除台湾外）蚊蝎蛉科的分类(Cheng，1957)。Byers（1970）发表了采自四川的蚊蝎蛉属 1 种并订正了一个同物异名。花保祯和周尧（1997）报道陕西蚊蝎蛉属 1 种。周文豹（2003）记载贵州梵净山蚊蝎蛉属 1 种，黄蓬英和花保祯（2005）发表蚊蝎蛉属 4 种，蔡立君等（2006）发表米仓山蚊蝎蛉 2 种，花保祯和谭江丽（2007）发表大巴山蚊蝎蛉一种并首次报道了该虫的所有虫态，在此之前中国所有蚊蝎蛉研究均未涉及其他虫态，Hua *et al*.（2008）发表蚊蝎蛉 2 新种，花保祯和谭江丽（2009）发表蚊蝎蛉 2 新属 4 新种。迄今为止，全世界已发表蚊蝎蛉科 18 属 200 种。中国大陆报道 3 属 49 种。

花保祯（2004）报道了中国的拟蝎蛉科 Panorpodidae。Tan 和 Hua(2008）报道重庆拟蝎蛉科拟蝎蛉属 1 新种。随后，Zhong *et al*.（2011)又报道了中国辽宁的宽甸拟蝎蛉 *Panorpodes kuandianensis*。至此，中国蝎蛉科 Panorpodidae 拟蝎蛉属 *Panorpodes* 总数增加至 3 种。

目前，中国已知长翅目 3 科（蝎蛉科 Panorpidae、蚊蝎蛉科 Bittacidae 和拟蝎蛉科 Panorpodidae）280 种，其中秦岭长翅目昆虫有 2 科 8 属 35 种。

3. 长翅目分类系统

长翅目 Mecoptera 共 9 科，分别为蝎蛉科 Panorpidae，蚊蝎蛉科 Bittacidae，雪蝎蛉科 Boreidae，美蝎蛉科 Meropidae，原蝎蛉科 Eomeropidae，无翅蝎蛉科 Apteropanorpidae，异翅蝎蛉科 Choristidae，小蝎蛉科 Nannochoristidae 和拟蝎蛉科 Panorpodidae。各科亲缘关系见图 154。

Kaltenbach（1978）按翅的有无、翅的长度和生殖器特征将长翅目划分为 3 个亚目，即原长翅亚目 Protomecoptera，包括美蝎蛉科，原蝎蛉科；真长翅亚目 Eumecoptera，包括异翅蝎蛉科，小蝎蛉科，拟蝎蛉科，蝎蛉科，无翅蝎蛉科及蚊蝎蛉科；和新长翅亚目 Neomecoptera，包括雪蝎蛉科。

Willmann（1989）对长翅目各科的亲缘关系进行研究时，把长翅目划分 2 个亚目:小长翅亚目 Nannomecoptera，仅有小蝎蛉科 Nannochoristidae；和具塞亚目 Pistillifera，包括其他 8 个科。

蝎蛉科 Panorpidae 已知 400 多种，是长翅目中物种最丰富的科（Kaltenbach，1978；Pennya & Byers，1979；Byers & Thornhill，1983）。该科昆虫腹部第 9 节雄虫外生殖器膨大成球状并向背面弯曲，状似蝎尾，因而得名蝎蛉 scorpionflies。目前蝎蛉科分为 7 属，即蝎蛉属 *Panorpa* Linnaeus，1758，长腹蝎蛉属 *Leptopanorpa* MacLachlan，1875，新蝎蛉属 *Neopanorpa* Weele，1909，华蝎蛉属 *Sinopanorpa* Cai *et* Hua，2008，叉蝎蛉属 *Furcatopanorpa* Ma *et* Hua，2011，双角蝎蛉属 *Dicerapanorpa* Zhong *et* Hua，2013，和单角蝎蛉属 *Cerapanorpa* Gao，Ma *et* Hua，2016。

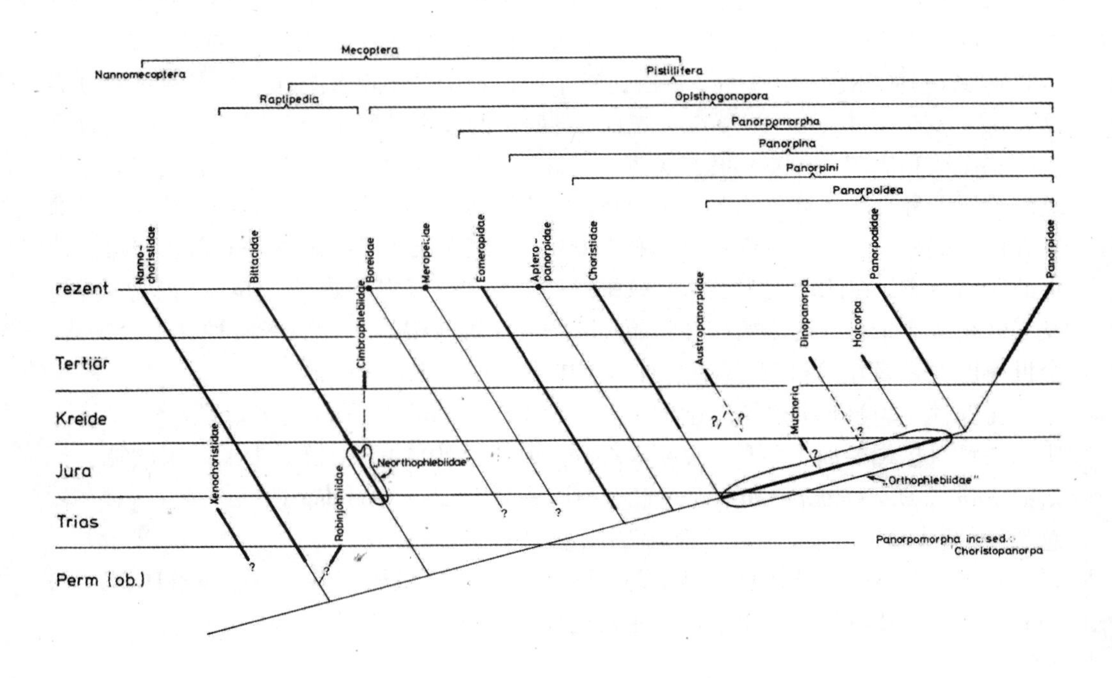

图 154　长翅目各科系统发育图（Willmann，1989）

在蝎蛉科现有的 7 个属中，蝎蛉属主要分布在北美、亚洲和欧洲（Zhong & Hua，2013a）。长腹蝎蛉属仅限于印度尼西亚爪哇岛，鉴别特征为雄虫腹部超过翅长，腹部第 7、8 节极度延长（Lieftinck，1936；Chau & Byers，1978）。新蝎蛉属在印度、东南亚、中南半岛和中国均有分布，其 1A 脉与翅缘的交点不超过 Rs 脉的起源点，背中突通常发达，雌虫中轴短且简单（Chau & Byers，1978；Byers，1994；Cai & Hua，

2009b)。华蝎蛉属只有3种，翅多为黄色，R_2 脉通常三分枝，腹部第7节基部1/3明显缢缩，端部2/3变粗（Cai *et al.*, 2008）。叉蝎蛉属为单种属，休息时翅折叠呈屋脊状，雄虫下瓣极度延长，接近生殖刺突的端部，雌虫生殖板中轴端部二分叉（Ma & Hua, 2011）。双角蝎蛉属雄虫腹部第7节背板有2个臀角，生殖器腹阳基侧突三分叉（Zhong & Hua, 2013a），目前已描述8种。单角蝎蛉属雄虫第6节背板有1个向后突出的指形臀角，目前已知22种(Gao *et al.*, 2016)。

蝎蛉属和新蝎蛉属是蝎蛉科物种最丰富的2个属，占整个科种类的90%。新蝎蛉属区别于蝎蛉属的主要特征是:1A脉与翅后缘的交点在Rs起源点之前，1A和2A脉之间通常有1条横脉，雄虫腹部第3节背板背中突发达，雄虫主板短，中轴不发达，一般不超过主板（Cheng, 1957; Cai *et* al., 2008; Ma & Hua, 2011; Ma *et al.*, 2012; Zhong & Hua, 2013a）。

蚊蝎蛉科 Bittacidae 是长翅目 Mecoptera 第2大科，广布于世界各地温带和热带地区，如北美、南美、欧洲、亚洲、非洲和澳大利亚（Byers, 1988）。据化石研究表明，蚊蝎蛉起源于上三叠纪，属的分化主要发生在侏罗纪（Krzeminski, 2007）。

蚊蝎蛉科现有18个属，中国有3个属。蚊蝎蛉科昆虫的分类体系迄今比较混乱。蚊蝎蛉属 *Bittacus* Latreille, 1805 作为蚊蝎蛉科内种类最多的属，陆续不断有新属从该属移出，使该属成为1个包括世界范围的具有非明显特征的种类的集群（Penny, 1975）。Whiting (2002)认为 *Bittacus* 为并系群，需进一步划分。此外，蚊蝎蛉科属级分类单元中，先后有 *Haplodictyus* Navás, 1908; *Thyridates* Navás, 1908 和 *Neobittacus* Esben-Petersen, 1914 等3属均因属征不明确或不稳定而先后被移回蚊蝎蛉属 *Bittacus*（Esben-Petersen, 1921; Carpenter, 1932; Penny, 1997; Machado *et al.*, 2009）。相似属之间，如一色蚊蝎蛉属 *Issikiella* Byers, 1972，聚蚊蝎蛉属 *Kalobittacus* Esben-Petersen, 1914 和小蚊蝎蛉属 *Nannobittacus* Esben-Petersen, 1927 之间的主要属征（1A脉短和翅基部变窄）模糊，缺乏明确的界限，易造成混淆。而澳蚊蝎蛉属 *Austrobittacus* Riek, 1954 虽然属征明确，但仅根据后翅1A脉短，与CuP愈合至OM后分开；从2A脉发出的横脉与CuP+1A脉相交以及后足基跗节长于第4跗节这3个特征建立，其属征与埃德瑞蚊蝎蛉属 *Edriobittacus* Byers, 1974 交叉重复，鉴定十分困难，易造成主观异名。蚊蝎蛉属 *Bittacus* 与森蚊蝎蛉属 *Hylobittacus* Byers, 1979 也存在交叉属征(Krzeminski, 2007)。因此，蚊蝎蛉科的分类亟须进行全面系统的订正。

蚊蝎蛉属 *Bittacus* 是蚊蝎蛉科种类数量最多的属，囊括了该科2/3以上的种类，也是蚊蝎蛉科唯一全球性分布的属。Whiting (2002)通过4基因序列联合分析后，认为 *Bittacus* 是并系群，需进一步划分。在蚊蝎蛉科现存属中，某些相似属之间的属征不明确，很容易混淆。一色蚊蝎蛉属 *Issikiella* Byers, 1972，聚蚊蝎蛉属 *Kalobittacus* Esben-Petersen, 1914 和小蚊蝎蛉属 *Nannobittacus* Esben-Petersen, 1927 等3个属非常相似，尤其是翅。Byers (1972)曾想将这3个属合并成1个属，但考虑到蚊蝎蛉科属级单元划分主要集中在翅脉上，而3个属之间的翅脉又具有一定的差异性，使此想法搁浅。一些属的属征虽然明确但过于简单，与另一些属的属征有交叉现象。澳蚊蝎

蛉属 *Austrobittacus* 是根据后翅 1A 脉短，与 CuP 愈合至 OM 后分开；从 2A 脉发出的横脉与 CuP + 1A 脉相交以及后足基跗节长于第 4 跗节这 3 个特征而建立的，这些属征与 *Edriobittacus* 的重复，对鉴定造成了极大的不便。Krzeminski（2007）认为 *Bittacus* 与森蚊蝎蛉属 *Hylobittacus* 属征也有交叉。基于这些问题，亟须对蚊蝎蛉科的分类进行修订和划分。

（三）形态特征

1. 成虫

1.1 蝎蛉科

蝎蛉科昆虫统称为蝎蛉 scorpionflies，因雄虫膨大的生殖球向前上方弯曲似蝎尾而得名。蝎蛉体中型，下口式，头向腹面延伸成较长的喙状，咀嚼式口器位于喙的顶端（图版 16）。前翅、后翅狭长，大小、形状和脉序相近，翅脉接近原始脉相。

蝎蛉科成虫具有 1 对复眼，位于头部两侧。复眼呈半球状，表面光滑，其上分布有少许感觉毛。每个复眼有上千个小眼组成。小眼排列紧密，每个小眼面都为六边形。但在复眼边缘，一些小眼面呈不规则状。蝎蛉科成虫复眼属于并列像眼。每个小眼均由 1 个角膜透镜和 1 个四分的真晶体形成屈光系统。在晶体下方，8 个延长的视网膜细胞形成 1 个中央融合的视杆，但它们并不在同一水平上（Chen *et al.*, 2012）。

前翅斑纹根据其相对位置命名，端带指位于翅端的斑纹，端带内缘常不规则，后角处常有透明斑；位于翅痣下方的斑纹为痣带，痣带分枝，靠翅基的 1 枝称为基枝，靠翅端的 1 枝称为端枝，痣带、基枝和端枝常连接在一起，呈"Y"形，基枝、端枝有时与痣带断开或缺失；缘斑指翅前缘到 M 脉分叉点之间的斑纹，一般较小，形状不规则，有时无；亚中带指位于 Rs 脉起源点处从翅前缘伸到后缘的横带，亚中带有时无，有时断开成 2 个斑；基斑指翅基部的 1 个小斑点，通常圆形，有时缺，有时延伸成基带（图版 17）。

双角蝎蛉属 *Dicerapanorpa* 和单角蝎蛉属 *Cerapanorpa* 腹部第 6 节有臀角构造，该结构是第 6 腹节背板后缘向后延伸形成的指形突。雄虫可以使用臀角在交配过程中控制雌虫腹部末端，以完成交配过程（Zhong *et al.*, 2014）。在新蝎蛉属 *Neopanorpa* 中，背中突一般高度发达（图 155），可以帮助雄虫在其交配过程中牢固夹持雌虫一侧的双翅（Zhong & Hua, 2013b）。背中突由位于雄虫腹部第 3 节背板后缘的背突（notal process）和第 4 腹节背板的后背突（postnotal organ）两部分组成。

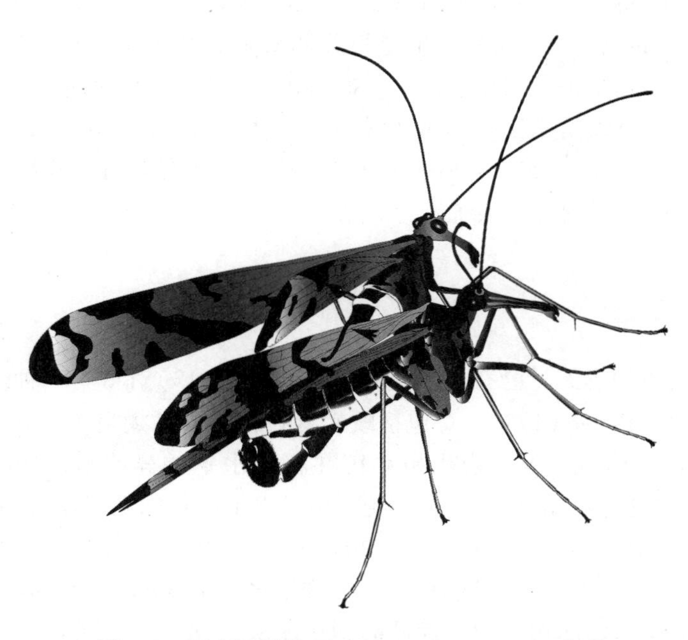

图 155 河南新蝎蛉 *Neopanorpa longiprocessa* 交配

大多数昆虫的唾液腺为下唇腺，在不同种间、科间表现出明显的差别（Chapman，1998）。Potter（1938）描述了长翅目 6 科 8 种蝎蛉的唾液腺，发现不同科的唾液腺结构变异很大。蝎蛉科昆虫的唾液腺结构有明显的性二型现象，雄虫唾液腺一般很发达，而雌虫的较小，不发达（Mercier，1915；Potter，1938；Liu & Hua，2010；Ma *et al.*，2011）。然而，在刘氏蝎蛉 *Panorpa liui* 中，雌虫和雄虫的唾液腺结构相似，无性二型现象（Ma & Hua，2009）。根据 Ma *et al.*（2011），蝎蛉科雄虫唾液腺管状，开口于下唇与舌之间的唾窦底部；唾管沿消化道腹面延伸，每侧唾管通常可分为 3 部分：前端缢缩区，中间唾液贮存区，后端为纤细的分泌区。在蝎蛉科不同种间和属间，唾液腺的相对大小、位置及分泌小管的数目差别较大。

蝎蛉科雄虫腹部第 9 节为生殖节，特化膨大成生殖球结构，包括上板（背板）、下板（腹板）以及二者之间的外生殖器。外生殖器包括两侧的生殖肢与中央的阳茎体。生殖肢由基部的生殖肢基节和端部的生殖刺突所组成。阳茎复合体由成对的腹瓣和背瓣组成，两者之间为阳茎口。蝎蛉科雄虫外生殖器（图版 18）是目前分类学中的重要鉴定特征，但研究仍然很有限，很多细微结构都被忽视。另外，很多分类学家都集中于生殖器的外部形态，很少解剖和观察内部结构，具有重要分类价值的阳茎和腹阳基侧突等结构缺乏描述，进而造成了结构术语用法不一致的现象（Carpenter，1938；Cheng，1949；Byers，1973）。Ma *et al.*（2010）关于吉林蝎蛉 *Panorpa jilinensis* 交配机制的研究，针对雄虫外生殖器，提供了一些结构术语，为本书所采用。

蝎蛉科雌虫外生殖器位于腹部第 9 节，包括生殖板和下生殖板 subgenital plate。Byers（1954）最先提出生殖板 genital plate 这一名称，Miyaké（1913）称之为内骨 internal skeleton。Byers（1954）和 Mickoleit（1975）认为下生殖板是由第 8 腹板延伸而来。然而，Ma *et al*.（2010）推测下生殖板并非来自第 8 腹板，而是起源于基腹片。蝎蛉科雌虫外生殖器一般位于生殖腔内，难以观察，其结构相对简单，不同种的形态特征差异较小，物种鉴定困难，在蝎蛉科的分类中常常被忽略（Carpenter，1931b；Byers，1954）。Ma *et al*.（2012）描述了蝎蛉科雌虫生殖板特征，并结合其他特征进行编码，分析了蝎蛉科内部的系统发育关系。

1.2 蚊蝎蛉科

蚊蝎蛉科昆虫的形态学已有不少研究。Miyaké（1913）对日本一种蚊蝎蛉的外部形态进行了绘图。Potter（1938）对包括蚊蝎蛉科在内的长翅目 5 个科的神经、消化和生殖系统进行了研究，表明内生殖系统在科级水平差异明显。Mickoleit（1975，1976）研究了长翅目各科的雌虫生殖系统，并提出了各科间的系统发育关系。Rober（1944）分析了蚊蝎蛉足的结构和功能。Mickoleit（1968，1971）描述了蚊蝎蛉科昆虫的胸部肌肉系统，Storch 和 Chadwick（1968）详细说明了 *Bittacus strigosus* Hagen，1861 的胸部结构和足基节的肌肉组织。谭江丽和花保祯（2008）采用光学显微镜和扫描电镜，描述了扁蚊蝎蛉 *B. planus* Cheng 和缠绕蚊蝎蛉 *Terrobittacus implicatus*（Huang et Hua，2006）成虫捕捉足的外部形态、肌肉组织和超微结构，分析了成虫捕食行为与足构造之间的关系。Crossley 和 Waterhouse（1969）切片研究了 *Harpobittacus australis*（Klug，1838）雄虫腹部性信息素腺的超微结构。Suzuki（1990）采用电镜观察了 *B. laevipes* Navás 的卵和 1 龄幼虫，并完整描述了其胚胎发育过程。Simiczyjew（2003）采用组织和超微结构方法研究了 *B. hageni* Brauer，1860，*B. nipponicus* Navás，1909 和 *B. strigosus* 3 种蚊蝎蛉多滋式卵巢管的生殖细胞团的形成和分化，并简要讨论了蚊蝎蛉科和蝎蛉科之间的系统发育关系。Suzuki（1989）描述了 *B. laevipes* Navás，1909 幼虫眼的超微结构，Wei *et al*.（2010）和 Wei 和 Hua（2011）分别对 *B. planus* 的复眼和单眼进行了超微结构研究，并与 *Sinopanorpa tincta*（Navás，1931）的单眼进行了比较。

头部（图版 19）常用的分类特征集中在头部的颜色、过单眼三角区的斑、单眼大小、复眼间的距离以及触角类型和长度等。

头部颜色在不同种的差别主要表现在颅顶和喙的颜色，一般有黄褐色至深褐色和红褐色。大多数种类为黄褐色至深褐色，基明斯蚊蝎蛉 *B. kimminsi* Tjeder，1956 和黄痣蚊蝎蛉 *B. chlorostigma*（McLachlan，1881）的头部为红褐色。

单眼上的分类特征主要有过单眼三角区的斑；单眼的大小以及单眼鬃的有无。过单眼三角区的斑可以总结为 3 种情况：不向四围延伸，如扁蚊蝎蛉 *Bittacus planus*；向两侧复眼上方延伸，如四边蚊蝎蛉 *B. trapezoideus*；向两侧复眼上方和触角基部下方延伸，如曲蚊蝎蛉属 *Harpobittacus* 的类群。单眼的大小可明显分为 2 类：中间单眼与两侧单眼基本等大，如具肢双尾蚊蝎蛉 *Bicaubittacus appendiculatus*（Esben-Petersen，1927）和暗金蚊蝎蛉 *Orobittacus obscurus* Villegas *et* Byers，1981；中单眼明显小于两侧单眼，约为两侧单眼的1/2，如双叉蚊蝎蛉 *B. bifurcatus* Hua *et* Tan，2008。多数种类的中单眼上并无单眼鬃，但在某些种如 *B. bifurcatus* Hua *et* Tan，2008 中，中单眼上方具有 2 根黑色的单眼鬃。

触角：蚊蝎蛉的触角鞭节分为线状和羽状。扁蚊蝎蛉 *Bittacus planus* 等大多数蚊蝎蛉均为线状鞭节，而四边蚊蝎蛉 *B. trapezoideus* 和李氏蚊蝎蛉 *B. lii* Zhou，2003 等少数种类的鞭节羽状。触角长度可大致分为 3 种情况：明显短于体长的 1/2，如开普蚊蝎蛉 *B. capensis*（Thunberg，1784）；超过或大致为体长的 1/2，如 *B. discors* Navás，1914；几乎与体等长，如闪翅蚊蝎蛉 *Anabittacus iridipennis* Kimmins，1929。触角末端分节有 2 种情况：末端分节明显，如曲蚊蝎蛉属 *Harpobittacus*；末端分节十分不明显，在蚊蝎蛉科其他属内几乎均如此。

我们采用扫描电镜技术，观察了四边蚊蝎蛉 *Bittacus trapezoideus* 和缠绕蚊蝎蛉 *Terrobittacus implicatus* 的触角感器类型，发现触角感器类型、大小以及数目等也可用于种的区分。例如，四边蚊蝎蛉 *B. trapezoideus* 中，各鞭分节上的腔锥感器大，但数量少，为 9 ~11 个；鞭节末端具有无毛窝的畸刺形感器；锥形感器分布于各鞭分节的一侧，长 20 ~40μm。而缠绕蚊蝎蛉 *T. implicatus* 中，腔锥感器小，但数量多，约为 20 个；鞭节具有另一种类型的刺形感器，但鞭节末端不具有无毛窝的刺形感器；锥形感器分布于各鞭分节的末端，长 10 ~20μm。再如，*B. trapezoideus* 和 *T. implicatus* 的梗节上均观察到 1 种新的感器类型，但中华蚊蝎蛉 *B. sinensis* 中并未观察到该感器。

胸部常用的分类特征有前胸背板前缘刚毛的数量，胸部背板、侧板的颜色等。通常，多数种类的前胸背板前缘具有 2 根黑色的刚毛，如周氏蚊蝎蛉 *Bittacus choui* Hua *et* Tan，2007；但某些种类中刚毛不存在，如皮尔蚊蝎蛉 *B. pieli* Navás，1935。胸部背板颜色多变，常用于分类。侧板的颜色通常较均一，但少数种类的侧板颜色呈深浅交替，如四边蚊蝎蛉 *B. planus* 的侧板呈深褐色与黄褐色交替。

足常用的分类特征有颜色，基跗节长度，第 4 跗分节基部刺的数量以及后足股节膨大程度等。跗节用于分类的主要有基跗节长度和第 4 跗分节基部刺的数量。基跗节长短对于属种的鉴定十分重要，可用于区分不同属。蚊蝎蛉科多数属的基跗节长于 2、3 跗分节之和。第 4 跗分节基部两侧黑刺的数量可用于种类鉴定。蚊蝎蛉多数种类具有 2 根黑刺；地蚊蝎蛉属 *Terrobittacus* 仅具 1 根黑刺。

蚊蝎蛉科属级单元的划分大部分集中在翅面特征上，属间翅脉变化较大。分属常用的特征有翅形，Sc 脉末端位置，Pcv 脉的数目，Rs 脉在端部是否愈合，1A 脉的长度或末端所在位置，后翅 1A 脉与 CuP 脉愈合情况等。

翅脉特征常用的术语包括（图版 20）：A，臀脉 anal vein；Av，臀横脉 anal crossvein between CuP and 1A；CuA，前肘脉 anterior cubitus；CuP，后肘脉 posterior cubtius；Cuv，肘横脉 crossvein between CuA and CuP；FM，中脉第一分叉点 the first fork of media；FM_{3+4}，M_3 和 M_4 脉分叉点 fork of M_3 and M_4；FRs，径分脉第一分叉点 the first fork of radial sector；h，肩横脉 humeral crossvein；M，中脉 media；nygmata，角斑；OM，

中脉起源点 origion of media；ORs，径分脉起源点 origin of radial sector；Pcv，痣下横脉 pterostigmal crossvein；pterostigma，翅痣；Rs，径分脉 radial sector；Sc，亚前缘脉 subcosta；Scv，亚前缘横脉 subcostal crossvien；thyridium，明斑。

种级分类特征包括斑纹的多少，翅痣的形状，Cuv 脉的位置，FRs 与 FM 的相对位置以及 Av 脉的有无等。四边蚊蝎蛉 *B. trapezoideus* 的翅面布满了大面积的斑纹，九连山蚊蝎蛉 *B. jiulianshanus* 仅在某些主要翅脉的分叉点处有几个斑纹；而净翅蚊蝎蛉 *B. puripennatus*，其翅面除翅痣外几乎没有其他斑纹。

翅痣的形状可大致分为窄长和阔短 2 类，如毛角蚊蝎蛉 *B. pilicornis* 的翅痣均窄长，而缠绕蚊蝎蛉 *T. implicatus* 的则阔短。Cuv 脉的位置主要有 3 种：明显位于 FM 之前，如海南蚊蝎蛉 *B. hainanicus* Tan & Hua，2008；大致位于 FM 处，如中华蚊蝎蛉 *B. sinensis* Walker，1853。

蚊蝎蛉许多种类不具有 Av 脉，但一些种如 *B. stigmaterus* 具有 1 条。一些种类不同个体间 Av 脉数量也有变化，如 *B. sinensis* 通常具有 1 条，但某些个体中会出现 2 条。

外生殖器特征是属、种划分，尤其是种级单元分类鉴定最重要的依据。

雄虫外生殖器的分类特征最多也最重要，涉及上生殖瓣形状，第 10 节背板发达程度，尾须形状和长度，载肛突上瓣、下瓣长度和形状，生殖肢基节末端是否愈合以及是否具突起，生殖刺突的形状和大小，阳茎基部的阳茎叶和末端的阳茎丝等（图版 21）。

上生殖瓣是鉴定种类的决定性特征。不同种类的上生殖瓣复杂程度、形状和长度也不尽相同。通常，多数种类的上生殖瓣呈铗状。海南蚊蝎蛉 *B. hainanicus* Tan *et* Hua，2008 和具肢双尾蚊蝎蛉 *Bicaubittacus appendiculatus* 的上生殖瓣十分复杂，而大多数种类结构较简单，像四边蚊蝎蛉 *B. trapezoideus* 等。上生殖瓣形状因种各异，某些种类呈较规则的几何形，如环带蚊蝎蛉 *B. cirratus* Tjeder，1956 的呈三角形，四边蚊蝎蛉 *B. trapezoideus* 的呈四边形等，但多数种类的并不规则，一些种类中末端分叉，如中华蚊蝎蛉 *B. sinensis*；一些种类末端向后延伸出一突起，如 *B. jiulianshanus* 等；还有一些种类分成内外 2 瓣，如朝鲜蚊蝎蛉 *B. coreanus* Issiki，1929。上生殖瓣长度也变化较大，某些种明显短于生殖基节之半，如地蚊蝎蛉属 *Terrobittacus*。有些种类上生殖瓣内表面具有突起；有些种类不具突起，仅有一些黑刺，如四边蚊蝎蛉 *B. trapezoideus* 等。

载肛突在不同属种中形状有较大变化。多数种类末端圆，如周氏蚊蝎蛉 *B. choui* 和扁蚊蝎蛉 *B. planus* 等；某些种类末端呈钩状或喙状，如缠绕地蚊蝎蛉 *T. implicatus* 和长毛地蚊蝎蛉 *T. longisetus*；某些种类顶端凹陷，如具肢双尾蚊蝎蛉 *Bi. appendiculatus* 和杨氏双尾蚊蝎蛉 *Bi. yangi* Tan *et* Hua，2009。

生殖肢基节在不同属种间的区别主要表现在肢基节末端后缘的突起。一般大多数蚊蝎蛉的肢基节末端均无突起，但双尾蚊蝎蛉属 *Bicaubittacus* 中，其生殖肢基节末端向后伸出 2 个长的突起；某些种，如天目山蚊蝎蛉 *B. tiemmushana* Cheng，1957 和

乌苏里蚊蝎蛉 *B. ussuriensis* Plutenko, 1985 的肢基节末端同样向后伸出 2 个突起，但突起十分短小。另外，肢基节腹末端是否被 1 个膜质区分开也是种类鉴别的特征，如吊罗山蚊蝎蛉 *B. diaoluoshanus* Chen *et* Hua, 2011 的基节腹末端被 1 个膜质区分开，而扁蚊蝎蛉 *B. planus* 的生殖肢基节腹末端并未被膜质区分开。

生殖刺突在大多数蚊蝎蛉中比较简单，短，粗，向中间弯曲。然而，某些种类如双叉蚊蝎蛉 *B. bifurcatus* Hua *et* Tan, 2008，生殖刺突细长。

阳茎变化表现在基部阳茎叶的有无和末端是否特化为细长缠绕的阳茎丝等。分布于东洋区和古北区的多数蚊蝎蛉种类具有明显的阳茎叶，且末端特化为细长且缠绕的阳茎丝。

雌虫外生殖器的分类特征包括下生殖板形状，中间是否被膜质区分开，第 10 节背板两侧是否向腹面延伸，肛板长度和末端形状等，其中下生殖板形状是雌虫分类的最重要特征。

下生殖板在大多数蚊蝎蛉中被 1 个明显的膜质区分成两半，但地蚊蝎蛉属 *Terrobittacus* 下生殖板几乎在中线处愈合，仅被 1 个极窄的膜质区分开。

第 10 节背板两侧是否向腹面延伸也是种类鉴别的重要特征。多数种类的背板两侧并不向腹面延伸，仅在尾须下方，如扁蚊蝎蛉 *B. planus*；少数种的背板两侧向腹面延伸，如淡黄蚊蝎蛉 *B. flavidus* Huang *et* Hua, 2005；还有极少数种的背板两侧向腹面极度延伸至几乎愈合，如双叉蚊蝎蛉 *B. bifurcatus* 和净翅蚊蝎蛉 *B. puripennatus*。

2. 卵形态特征

2.1 蝎蛉科

在长翅目中，已报道了拟蝎蛉科、雪蝎蛉科、蚊蝎蛉科和蝎蛉科共 4 科的卵的结构（Withycombe, 1922; Ando, 1960; Penny & Arias, 1981; Suzuki, 1990; Simiczyjew, 2003; Ma *et al.*, 2009; Ma & Hua, 2009）。其中，对蝎蛉科卵的结构的研究最为深入和全面。

卵为卵圆形，通常白色或浅黄色，卵壳外覆盖有 1 层六角或多角形的网纹，也有的种类卵壳光滑，无网纹。卵期的长短因种类和环境的不同而异，一般为 5 ~10 天，有些种类卵期为 14 ~16 天。

根据 Ma *et al.* (2009)，蝎蛉的卵纹呈网状，两极呈放射性花纹状，卵孔位于前极放射状花纹的中央。卵壳由起源于体细胞的滤泡细胞分泌合成，并由内卵壳、外卵壳和网状脊构成。在蝎蛉科不同的属、种间，卵的形态存在较大差异，属间差异更为明显。新蝎蛉属卵较小，网状脊结构较低，表面有泡状结构，网状结构中央有个别突起。华蝎蛉属卵较大，网状脊致密，厚度均一，顶端扁平，腔内有密集的突起。叉蝎蛉属的卵较长，网状脊较厚，内有不规则突起，突起周围还可见不规则分散的颗粒物质。双角蝎蛉属卵壳构造很独特，网状脊近似四边形，交点处的脊高耸，其内的突起与四周脊相连，在中央形成1个明显的突起。而在蝎蛉属中，网状脊及腔内的突起表现出较大的形态多样性。

美国的献礼蝎蛉 *Panorpa nuptialis*，其卵壳表面光滑，无网状脊结构，与中国的蝎蛉有明显的不同（Byers，1963），表明卵壳形态的多样性在蝎蛉科系统学研究中有重要意义。

2.2 蚊蝎蛉科

蚊蝎蛉的卵通常随机地产于土表（Setty，1940；Byers & Thornhill，1983）。刚产下的卵颜色浅，数小时后颜色加深。伴随着发育，卵逐渐吸水膨大为刚产出时的2倍（Tan & Hua，2008b）。

卵通常呈球形或立方形。中国的蚊蝎蛉，包括周氏蚊蝎蛉 *Bittacus choui* Hua & Tan，2008；扁蚊蝎蛉 *B. planus* 等（Tan & Hua，2008b，2009b），卵均为球形。北美，澳大利亚，日本，以及南非的蚊蝎蛉，卵均为立方形。

缠绕蚊蝎蛉 *T. implicatus* 卵椭球形，卵壳外密被由附腺分泌形成的大小不一的球形颗粒物，黏结物将这些颗粒物粘成酷似地球仪的形状，有明显的5道纬度圈和两极，赤道直径约0.7mm，两极直径约0.8mm。

3. 幼虫形态特征

3.1 蝎蛉科

蝎蛉科幼虫蠋式，腐食性，共4龄。幼虫头部两侧有1对复眼，口器为咀嚼式，由上唇、内唇、上颚、下颚和下唇组成，下颚由轴节、茎节、外颚叶、内颚叶及下颚须组成，下唇由颏、前颏和1对下唇须组成。幼虫共3对胸足，4节，即基节、股节、胫节和跗节；腹足8对，不分节，表面具微毛。幼虫腹节背板各着生1对环毛 annulated setae，环毛由基柄和端毛组成，环毛在适应环境方面有重要意义。幼虫尾节末端着生可伸缩的吸盘，吸盘分4瓣。蝎蛉科幼虫的研究较多，包括台湾的11种蝎蛉和新蝎蛉幼虫（Yie，1951）。我们最近使用扫描电镜对中国大陆的蝎蛉科昆虫进行观察和描述，Cai 和 Hua（2009a）详细记录了秦岭蝎蛉 *P. qinlingensis* 的1龄幼虫及其生活史；Chen 和 Hua（2011）首次描述了染翅华蝎蛉 *Sinopanorpa tincta* 的1龄幼虫及毛序；Jiang 和 Hua（2013）记载了刘氏蝎蛉 *P. liui* 幼期形态特征及生活习性；Ma *et al.*（2014）描述了大双角蝎蛉 *Dicerapanorpa magna* 的幼虫形态特征及其在适应环境中的重要意义；Jiang 和 Hua（2015）比较了太白蝎蛉 *P. obtusa*（图版22）与路氏新蝎蛉 *Neopanorpa lui* 的幼期形态特征，以期为适应性进化提供依据。

在蝎蛉科中，幼虫无侧单眼，但具有真正的复眼（Bierbrodt，1942）。蝎蛉科幼虫头部两侧有1个椭圆形的复眼，每个复眼由30多个小眼构成，不同种类的蝎蛉小眼个数也尽不同（Byers & Thornhill，1983；Chen *et al.*，2012b）。在长翅目其他科中，小眼的数目最多有 7 个。蝎蛉科小眼呈卵圆形，排列疏松，包含 1 个角膜透镜、1 个真晶体，1 对初级色素细胞和数目不定的次级色素细胞，8 个视网膜细胞分成两层（4 个远端视网膜细胞和 4 个近端视网膜细胞）；视网膜细胞内侧细胞膜特化形成微绒毛，排列形成视网膜细胞的视小杆；8 个视小杆聚集在一起形成 1 个中央融合的分层的视杆；幼虫小眼 4 个远端视网膜细胞的视小杆向上延伸围绕着晶体基部，使整个视杆呈漏斗状（Chen *et al.*，2012a，2012b）。

3.2 蚊蝎蛉科

幼虫蠋式，除 3 对胸足外，第 1 ~8 腹节还有 8 对腹足，每节 1 对。头部有 1 对复眼和 1 个中单眼，为全变态类昆虫的幼虫所独有（Byers & Thornhill，1983；Novokshonov，2004；Tan & Hua，2008b）。体节表面有成列的肉状背枝突，突起末端长有不同形状的刚毛，刚毛形状可用作幼虫的分类（Setty，1940；Byers & Thornhill，1983）。中国的周氏蚊蝎蛉 *B. choui* 和扁蚊蝎蛉 *B. planus* 幼虫的背枝突上的刚毛为棒状；而北美的 *B. strigosus*，*B. stigmaterus*，*B. punctiger* 和 *Hy. apicalis* 幼虫背枝突上的刚毛为线状。

扁蚊蝎蛉是秦岭山区蚊蝎蛉的优势种，成虫发生时期开始于 7 月上旬，成虫羽化 1 ~2 d 后即可交配产卵，交配时雄虫有献礼行为，献礼前腹部第 6、7、8 节间膜部位的两个双叶“M”形性信息素腺翻出，释放性信息素招引雌虫。雌虫和雄虫均有多次交配的习性，产卵可持续 10 d。

7 月中下旬到 8 月上旬为产卵盛期，8 月下旬进入发生末期，以卵滞育越冬，卵期 240 d 左右。个别卵有延长滞育 2 年才孵化的现象，这时卵期可长达 560 d 以上。

幼虫 4 龄。食物充足时幼虫期 30 d 左右。食物不足时，幼虫发育缓慢，有 1 个龄期推迟 6 ~8 d 蜕皮的现象；蛹期 10 ~15 d；成虫可存活 10 d 以上。

颅顶、颊及后颊愈合，蜕裂线呈倒“Y”形；额近三角形，邻近额的上角有 1 只大而突出的中单眼，中部圆形小黑斑中央为极小的三角形突起（破卵器）；复眼深棕色，7 只小眼环状排列；触角 3 节，基部阔，端部尖，柄节窄，梗节延长，端部有 1 个椭圆形凹陷区，鞭节小。颈片近似靴形，接近上缘着生 2 根小刚毛。

口器咀嚼式，上唇近四边形，端部膜质，腹缘微凹，中间形成 1 个小突起。上颚骨化坚硬，3 根毛 2 长 1 短着生在侧面，切齿区基部形成 2 个明显的尖齿，端部近磨区 4 个较小的齿；磨区很小，周围 1 丛长毛。下颚茎节与轴节愈合，具 3 根刚毛，内颚叶缺如，外颚叶末端沿内缘具明显两根刚毛及许多坚硬刺毛。下颚须发达，4 节，末节近端部有 2 个小圆形亮斑；舌小，基部阔端部变尖，在下唇内侧悬挂，下唇须 3 节，唾道开口于下唇基部。

膜部突起末端的棒状毛较细，尤其是前胸背板前缘的 6 根长毛，棒状末端仅为基部宽度的 1.5 倍。第 8、9 腹节的背突末端指状环纹毛约与其着生的突起等长，基部粗，末端渐细，环纹上着生的毛短，表面显得光裸。

与1龄幼虫相比，从2龄开始，破卵器消失，中单眼更突出，触角梗节相对变细长，气门有更多的气门缝隙，从2龄到4龄，体表枝突起的分枝由不明显到非常明显，末端的长毛尤其是第8 ~10节的具环纹指状毛有相对缩短的趋势，从2龄起，A10末端的指状环纹毛就缩短到几乎没有。A1 ~7的背突DP末端长毛向头部弯曲，偶有次生毛着生。除以上区别外，各龄期主要毛序和特征完全一致。

4. 蛹形态特征

4.1 蝎蛉科

蝎蛉科蛹体色早期为乳白色，孵化前变为橙黄色。蛹头部有明显的复眼和背单眼。触角丝状，从身体侧面延伸至腹部。中胸、后胸各包含1对翅鞘，且向腹面弯曲。胸足3对，紧贴体壁，在翅鞘间隐藏。蛹在腹部末端表现出雌虫和雄虫差异，雄虫末端膨大呈生殖球结构，雌虫末端仅有1对尾须。蛹体圆柱形，在不同位置着生刚毛，体节毛序在雌虫和雄虫间有明显差异（Cai & Hua，2009a）。

蛹的头部与成虫头部相似，具有1对明显的复眼和3个背单眼。触角丝状，沿身体侧面向腹部延伸。触角柄节和梗节略粗，梗节前表面着生3 ~4根刚毛，鞭节由38个小节组成。喙轻微延长，约为成虫喙长度的2/3。口器比成虫口器粗壮。

蛹体呈圆柱形，仅前胸和腹部末端几节略细。蛹腹部末端体节具有性别差异，雄虫具有膨大的生殖器结构，而雌虫仅具1对尾须。中胸和后胸各具有1对翅鞘，翅鞘沿体壁向腹面弯折。3对胸足贴在体壁附近，隐藏于2对翅鞘之间。胸足胫节末端着生1对端距。跗节分5节。蛹气门9对，前胸1对；腹部第1 ~8节各具1对。腹部第1 ~3节背板各着生1排横向排列的短刺。

4.2 蚊蝎蛉科

蛹为强颚离蛹（图156），类似成虫形态，但翅仍紧贴于身体，喙短于成虫，上颚相对于成虫更为发达（Byers & Thornhill，1983）。

头部3只单眼在颅顶前部三角形排列。复眼大，触角长，丝状，鞭节19节，柄节与梗节比鞭节粗，每梗节被4根刚毛；鞭节附于体躯，向翅鞘基部伸展，沿股节弯曲，约达到基节反曲基部并附于颈背部。口器与成虫相似；下颚须5节，在第4节有两根末梢刚毛。头部另被13对刚毛，大多数极长。1对位于额中；2对位于上唇顶部；唇基上有2对；2对在复眼近下缘处；3根长刚毛在眼后缘处；1对在中单眼下；1对位于侧单眼下；2对位于颅顶，在单眼后方。

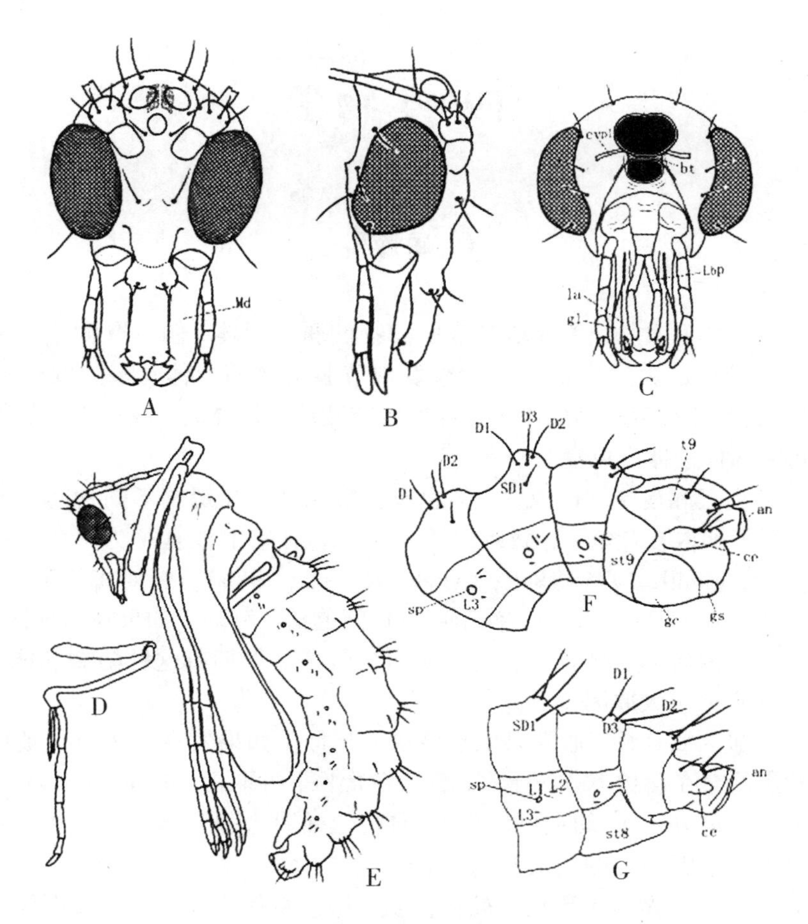

图 156 周氏蚊蝎蛉 *Bittacus choui* 蛹

A 头部前面观；B 头部侧面观；C 头部后面观；D 蛹足侧面观；E 蛹整体侧面观（雌虫）；F 尾节放大（雄虫）；G 尾节放大（雌虫）

雌虫 A8 与 A2 ~7 相似，但 SD1 阙如。A9 只具 1 对背突，各具 3 根长刚毛；无气门、SD1 毛和 LD 毛；第 8 腹板为下生殖板。A10 具 1 对短尾须，末端为肛门，开口竖条状。

雄虫生殖器(图 156:F):多数雄虫生殖器构造，如生殖肢基节、生殖刺突、阳茎等，可以在蛹上分辨出来；生殖刺突较大，尖端无突起。第 9 节背板转化为 1 对生殖荚，外侧靠近顶点处有 3 根长刚毛；第 9 节腹板向侧上方深入延伸；无气门。1 对尾须长，在末梢具 2 根长刚毛。载肛突明显，具肛门，末端纵裂；但是载肛突上瓣与下瓣难以辨识。

(四)生物学

1. 蝎蛉科

蝎蛉科成虫为腐食性，主要取食节肢动物的腐烂尸体，偶尔取食草本植物的花粉和花蜜。蝎蛉科成虫通常依靠嗅觉来发现节肢动物的尸体（多为双翅目昆虫尸体)，很少取食骨化程度较高的昆虫。在取食节肢动物尸体时，成虫先依靠上颚刺破外骨骼，再将喙伸进体内取食。

多数蝎蛉白天和夜晚均可取食，但也有少数例外。在蝎蛉不同种间和不同个体间，存在着激烈的取食竞争，导致蝎蛉进化出一种独特的取食行为一取食蜘蛛网中的昆虫尸体(Thornhill，1975，1979；Nyffeler & Benz，1980)。针对蜘蛛网，蝎蛉有1套独特的防御机制（Thornhill，1975)，可以在网上随意移动。如果被网缠住，蝎蛉可以吐出一种具有溶解功能的褐色液体，从而自救。尽管拥有这种防御功能，蜘蛛网仍然是蝎蛉死亡的重大原因。

蝎蛉科幼虫为腐食性，通常只取食昆虫的尸体。如果发现地表有能被取食的昆虫尸体，幼虫便会在食物下方筑土室，隐藏在食物下方取食。Jiang 和 Hua（2013)发现，刘氏蝎蛉 *Panorpa liui* 幼虫可以伏击捕食，当有小型活体昆虫如蚂蚁经过时，躲避在地表的小土室开口处的幼虫便进行攻击。

蝎蛉科成虫主要食物为死亡的软体昆虫，绿色虫体最受欢迎，以喙伸入到食物前胸与头连接处或腹部节间膜处开始取食，也以花蜜、花粉、花瓣、果实和苔藓作为补充食物；食物不充足时有几头成虫同时取食同一食物的现象，当食物紧缺时，个体大或者生活力强的会攻击并取食个体小或者弱个体、残个体。

成虫于每年5月上旬开始出现，1年发生1或2代。在晴天的上午、黄昏、雨过天晴或阴天，一般在向阳处活动；而在晴好天气的午后，常活动于荫凉的地方；当湿度较大时，无论是在林间道旁还是人迹罕至的地方，活动都比较频繁而且不隐蔽。成虫取食一段时间后开始交尾。交尾时雄虫趴在植物叶片上，口器不停地吐出球状唾液分泌物，并不停地振动翅膀吸引雌虫前来交尾。雌虫靠近后，雄虫从侧面接近雌虫，当雌虫接受“礼物”后，雄虫用翅膀试探着碰触雌虫的翅膀，此时如雌虫伸展出腹部末端，雄虫就会不失时机地掉转身躯，用抱握器夹住雌虫腹末，同时用腹部第3节的背中突挟持雌虫的翅，进行交尾。交尾通常发生在午后，可能持续1小时之久，有的种类则在晚上交尾。

在交配后2 ~3天开始产卵，卵多产于土缝中。卵一般聚产，产卵量2 ~43粒。刘氏蝎蛉 *Panorpa liui* 雌虫产卵时间可以持续9min，每次可产30 ~50粒（Jiang & Hua，2013)。

2. 蚊蝎蛉科

蚊蝎蛉一般 1 年发生 1 代，以卵或幼虫滞育越冬（Byers & Thornhill，1983；Setty，1940）。通常，成虫的发生期集中在 6 月中下旬到 8 月下旬。大部分成虫一般在夜间或白天活动。卵期因种而异，以卵越冬的蚊蝎蛉其卵期长达 200 多天，而不以卵越冬的蚊蝎蛉其卵期最短 20 多天。幼虫一般包括 4 个龄期，但周氏蚊蝎蛉 *B. choui* 只存在 3 个龄期（Tan & Hua，2008b）。幼虫期长短也因种而异，以滞育卵越冬种类的幼虫期短，约 20 天；相反，以非滞育卵越冬种类的幼虫期则长达 200 多天。蛹期一般持续10 ~27天。

蚊蝎蛉的卵通常被随机地产于土表。刚产下的卵颜色浅，数小时后颜色加深。伴随着发育，卵逐渐吸水膨大为刚产出时的 2 倍（Tan & Hua，2008b）。

幼虫生活在地表，为腐食性，通常取食昆虫的尸体，也取食苔藓或其他植物（Setty，1931；Byers & Thornhill，1983；Tan & Hua，2008b）。一般地，幼虫每蜕 1 次皮，新 1 龄幼虫就会在身上裹满泥土并取食蜕皮（Setty，1940）。幼虫老熟后会在土表下方建造 1 个蛹室以备化蛹，化蛹前会进入一个不食不动的前蛹期（Tan & Hua，2008b）。

二、系统分类

（一）蚊蝎蛉科 Bittacidae

鉴别特征：成虫身体细长，具 2 对窄长的膜质翅，头部向下延伸成喙状，咀嚼式口器位于喙的末端，3 对足细长，均特化为具单爪的捕捉足，体形似具有 2 对翅的大蚊，故中文名称为“蚊蝎蛉”或“蚊蛉”；成虫不能行走，通常以前足悬挂于植物叶片边缘或枝条上，以张开的中足、后足捕捉飞过的猎物。雄虫第 9 节背板特化为形状多样的、铗状上生殖瓣。

分类：全球性分布，是长翅目唯一一个世界性分布的科。全世界已知 18 属 189 种，中国已知 3 属 49 种。陕西秦岭地区记录 2 属 8 种。

分属检索表（♂）

Pcv 脉 1 条，雄虫性信息素腺圆形，单叶；第 10 节背板背上部分退化成 1 条细线；上生殖瓣短于生殖肢基节之半；足第 4 跗分节两侧具刺 1 根 …………………………… **地蚊蝎蛉属 *Terrobittacus***

Pcv 脉 1 ~ 2 条；雄虫性信息素腺 M 形，双叶；第 10 节背板背上部分发达，呈马鞍状；上生殖瓣长于生殖肢基节的 1/2；足第 4 跗分节两侧具刺 2 ~ 3 根…………………………… **蚊蝎蛉属 *Bittacus***

1. 蚊蝎蛉属 *Bittacus* Latreille, 1805

Bittacus Latreille, 1805: 20. **Type species**: *Panorpa italica* Müller, 1766.

鉴别特征：触角线状或羽状，鞭节细长被毛，末端若干节分节不明显。复眼大，单眼 3 个。足细长，捕捉式，股节粗，在基部明显膨大；胫节细长，末端具 2 个端距；基跗节通常长于 2、3 跗分节之和，第 4 跗分节基部两侧各有 1 排黑刺，第 5 跗分节可向第 4 节折回。翅膜质窄长，透明或泛黄褐色或褐色，Sc 脉末端伸至 FRs 以后；R_1 脉在翅痣处分为 2 枝，将翅痣包住；痣下横脉 Pcv 脉 1 条或 2 条；Rs 脉 4 分枝；M 脉与 R 脉和 CuA 脉在基部 1 段愈合；FM 处具 1 个较明显的明斑；Cu 脉分为 CuA 和 CuP 两枝；臀横脉 Av 不存在或 1 ~ 2 条，后翅 CuP 与 1A 脉在基部短距离愈合。雄虫腹部第 9 节背板向后延伸特化为上生殖瓣，呈铗状；腹板与生殖肢基节相连；生殖肢基节膨大成球形，生殖刺突短粗；载肛突板状或特化为其他形状，通常上瓣长于下瓣，形状多样；阳茎基部较阔，端部逐渐变细，逐渐特化形成缠绕的阳茎丝。雌虫腹部第 7 节和第 8 节腹板愈合成下生殖板。下生殖板形状因种而异，中间被 1 个膜质区分开，末端具有许多黑色刚毛。第 9 节背板较宽，两侧向腹面延伸，第 10 节背板窄，两侧仅延伸至尾须处，或延伸至腹面。

分布：古北区，东洋区，旧热带区。中国记录 38 种，秦岭地区分布 7 种。

分种检索表（♂）

1. 翅面大面积茶褐色云状斑，或明显的褐色大点状斑和条带 …………………………………… 2
   除翅痣外，翅面干净或仅在 ORs、FRs、和 OM 处有褐色小斑点 ………………………………… 5
2. 触角鞭节羽状，阳茎叶钝圆，阳茎基部明显缢缩 …………… **四边蚊蝎蛉 *Bittacus trapezoideus***
   触角鞭节线状 ………………………………………………………………………………… 3
3. Pcv 脉 1 条，前翅长 19.0mm 以下，阳茎叶末端长，2 分枝，翅面沿 R_5 无褐色加深，上生殖瓣下缘无突起，载肛突指状，从上生殖瓣基部中间伸出，生殖刺突弯曲细长，具内突，端部无长毛，阳茎叶长分枝直，基部阔，末端渐细，向前延伸 ………………… **双叉蚊蝎蛉 *B. bifurcatus***
   Pcv 脉 2 条，前翅长 22.0mm 以上，阳茎叶末端无长分枝 ……………………………………… 4
4. 翅面明显 4 条褐色纵带，基部 2 条纵带“V”形交叉；3 对足股节颜色不一致，前足股节黑褐色，而中后足则黄褐色；阳茎叶末端平齐，看似 1 片，未明显分成 2 叶 ………………………………
   ……………………………………………………………………………… **纹翅蚊蝎蛉 *B. strigatus***

翅面褐色斑带不如上所述，3 对足颜色一致；阳茎叶明显为 2 片，载肛突指状，较短，末端渐细，无明显膨大 ………………………………………………………… 淡黄蚊蝎蛉 ***B. flavidus***

5\. 上生殖瓣侧面观三角形，载肛突上瓣端半部 1 对半月形侧叶边缘具一系列黄色刺毛；生殖肢端节短小，内突在近末端 ……………………………………………… 环带蚊蝎蛉 ***B. cirratus***

上生殖瓣侧面观非三角形 ……………………………………………………………………… 6

6\. 上生殖瓣侧面观斧头状，末端背缘向后延伸成角状突起，腹缘向前延伸成角，且向内侧延伸成突起，着生短黑刺 ………………………………………………………… 暗蚊蝎蛉 ***B. obscurus***

上生殖瓣侧面观不呈斧头状，上生殖瓣末端具一系列短黑刺 ……………………………………………………………………………………………… 扁蚊蝎蛉 ***B. planus***

(1) 双叉蚊蝎蛉 *Bittacus bifurcatus* Hua *et* Tan, 2008（图 157；图版 23）

Bittacus bifurcatus Hua *et* Tan, 2008: 62.

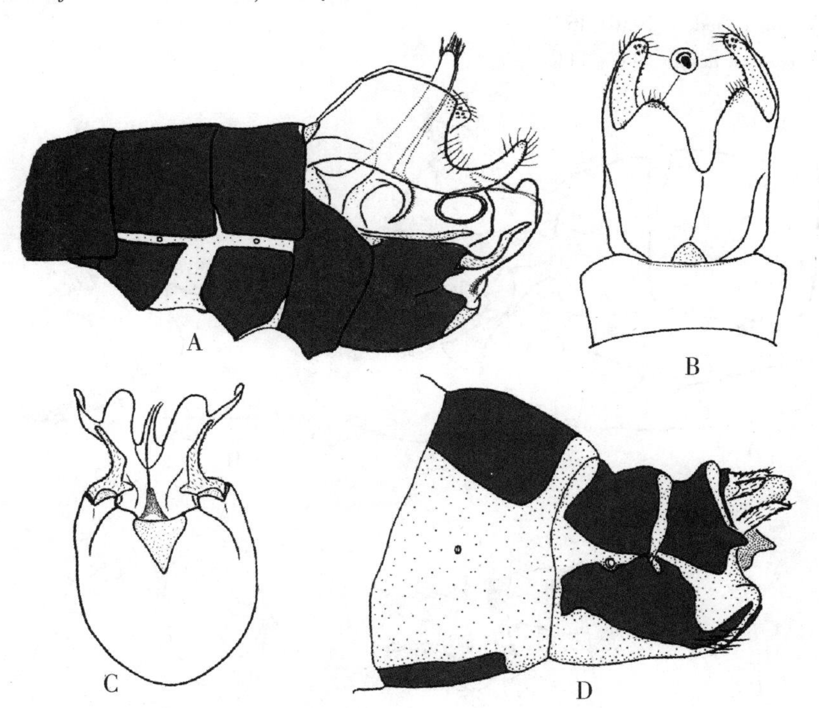

图 157　双叉蚊蝎蛉 *Bittacus bifurcatus* Hua *et* Tan 外生殖器

A. 雄虫腹末侧面观；B. 上生殖瓣背面观；C. 雄虫外生殖器后面观；D. 雌虫腹末侧面观

鉴别特征：体长 11.0mm，翅展 31.0mm。单眼三角区黑色，中单眼上方具有 2 根单眼鬃。翅膜透明，轻微泛黄。翅痣明显，黑褐色。翅端横脉褐色加深。无 Av 脉，Pcv 脉 1 条或 2 条。雄虫上生殖瓣末端向后延伸出 1 个向上弯曲的突起。载肛突上瓣近指状，远长于下瓣。阳茎基部的阳茎叶在末端分两叉，1 枝阔圆，1 枝细长。生殖刺突细长，似“L”形，基部内侧具 1 个突起。生殖基节末端被 1 个“V”形膜质区分开。雌虫下生殖板侧面观基部宽，端部窄；背缘具 2 个小的凹陷，气门位于其中 1 个凹陷内；腹面观，中间被 1 个宽的三角形膜质区分开，近末端具有 1 簇刚毛。第 10 节背板两侧向腹面极度延伸。

不同个体之间翅脉有变化。Sc 脉终点接近或刚过 FRs，前翅 Pcv 脉 1 条，但有的个体为 2 条，R_2 与 R_3 脉之间偶有横脉存在。生殖刺突、阳茎叶分枝的长短也有差异，1 只雄虫的一侧阳茎叶分叉在端部愈合到一起。

采集记录： 1♂（正模），太白山下白云，1400m，2006. Ⅶ. 11，花保祯采；2♂3♀，户县朱雀国家森林公园，1350m，2007. Ⅶ. 25，花保祯、谭江丽、陈小华和李涛采。

分布： 陕西（户县、眉县）。

（2）环带蚊蝎蛉 *Bittacus cirratus* Tjeder, 1956（图 158）

Bittaus cirratus Tjeder, 1956: 46.

Bittacus zoensis Cheng, 1957: 111.

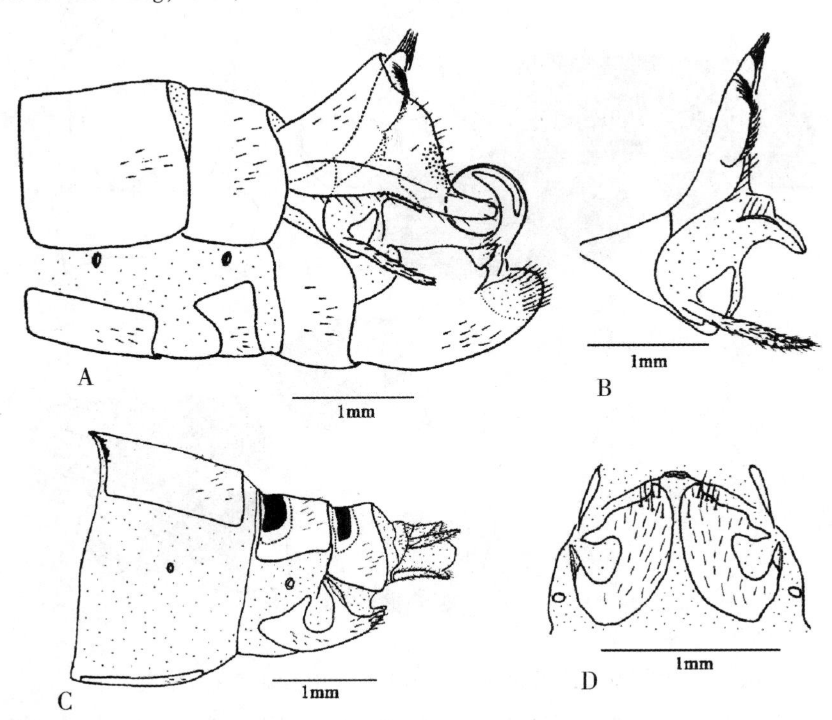

图 158 环带蚊蝎蛉 *Bittaus cirratus* Tjeder 外生殖器

A. 雄虫腹部末端侧面观；B. 腹部第 10 节及载肛突侧面观；C. 雌虫腹部末端侧面观；D. 下生殖板腹面观

鉴别特征： 体长 17.0mm，翅展 49.0～52.0mm。体大型，触角丝状；翅膜质，有 4 处黑色小点分别位于 OM，ORs，FRs 和 CuP 近末端，沿所有横脉褐色雾状加深；Pcv 脉 2 条；1A 脉止于 FM 之后。雄虫上生殖瓣侧面三角形，末端延伸成突起，内侧各有 1 块区域密生黑色刺毛；载肛突上瓣端半部有 1 对明显的侧叶，侧叶边缘有 1 列或一系列黄色刺毛。阳茎叶端部稍尖。

雌虫腹部第 3 ~7 节背板具窄前脊沟黑纹，第 7 节腹板窄。下生殖板侧面观近三角形，背缘中部深凹，末端具黑色刚毛。第 10 节背板浅褐色，腹部延伸少。肛上板和肛下板呈浅黄褐色，末端圆，下板稍长与上板。

采集记录： 1♂1♀，周至楼观台，1954. Ⅶ. 03，周尧采；1♂，周至楼观台，1951. Ⅵ. 03，周尧采；1♂，太白山，1990. Ⅶ；1♀，太白山，1996. Ⅶ. 21，杨红茹采；1♀，太白县南小坡，1981. Ⅶ. 08，魏建华采；2♂，秦岭南阳沟，1961. Ⅷ. 08-09，杨集昆采；1♀3♂，佛坪，1996. Ⅶ. 19-20。

分布： 陕西（太白、周至、凤县、眉县、佛坪），黑龙江、吉林、江苏、浙江、江西、湖北。

（3）淡黄蚊蝎蛉 *Bittacus flavidus* Huang *et* Hua，2005（图 159）

Bittacus flavidus Huang *et* Hua，2005：394.

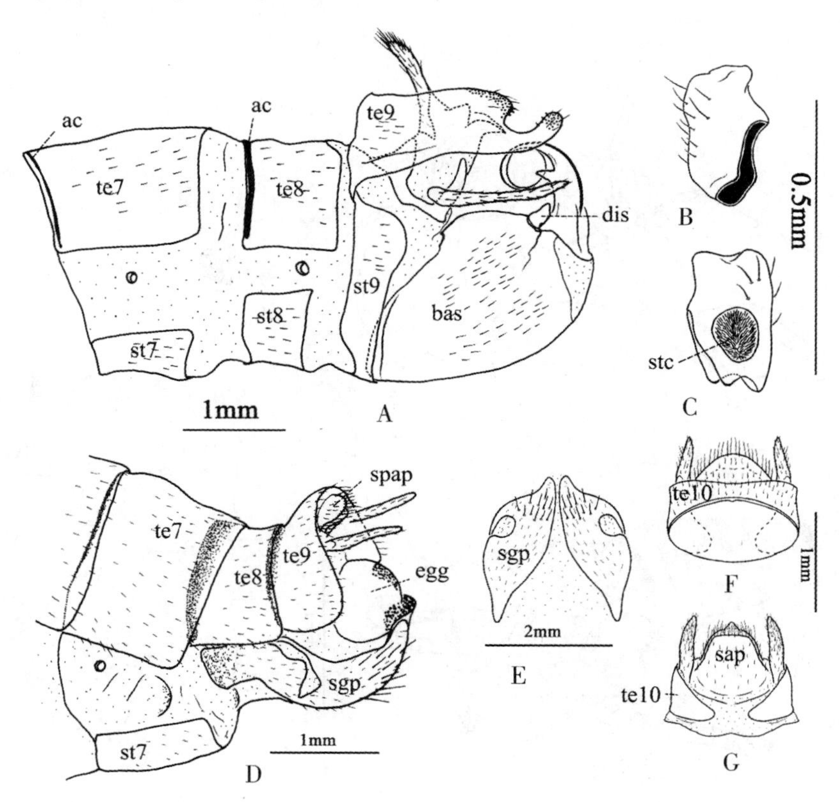

图 159　淡黄蚊蝎蛉 *Bittacus flavidus* Huang *et* Hua 外生殖器

A-C. 雄虫：A. 腹部末端侧面观；B. 右生殖刺突前面观；C. 右生殖刺突后面观. D-G. 雌虫：D. 腹部末端侧面观；E. 下生殖板腹面观；F. 第 10 腹节背面观；G. 第 10 腹节腹面观

鉴别特征：体长21.0mm，翅展约52.0mm。体大型，胸部明显的黄褐色背中带，腹部背板明、暗相间。翅面纵脉 R_5 末端形成1个明显的矩形暗褐色斑；Pcv脉2条，Av脉不存在。雄虫上生殖瓣端部约1/3处突然变窄，宽度约为基部的1/3。生殖刺突短小，基部阔，近端部内侧有1个光滑无毛的突起。阳茎叶突末端成尖锐的突起。雌虫下生殖板侧面观长而阔，第8节气门与下生殖板完全分离。第10节背板黑褐色，向腹部延伸很多。

采集记录：1♂（正模），太白山点兵场，2003.Ⅶ.24，聂小妮、侯小燕、郎嵩云采；1♂2♀（副模），同正模。4♂6♀，太白山下白云，2006.Ⅶ.17，花保祯、沈莲采；1♂，太白县南8km，2006.Ⅶ.25，李雪采；1♀，宁陕火地塘，1984.Ⅶ.14，柯志华采；1♂，宁陕火地塘，2004.Ⅶ.18，谭江丽、石宏采。

分布：陕西（太白、眉县、宁陕）、湖北。

（4）暗蚊蝎蛉 *Bittacus obscurus* Huang et Hua, 2005（图160）

Bittacus obscurus Huang *et* Hua, 2005: 393.

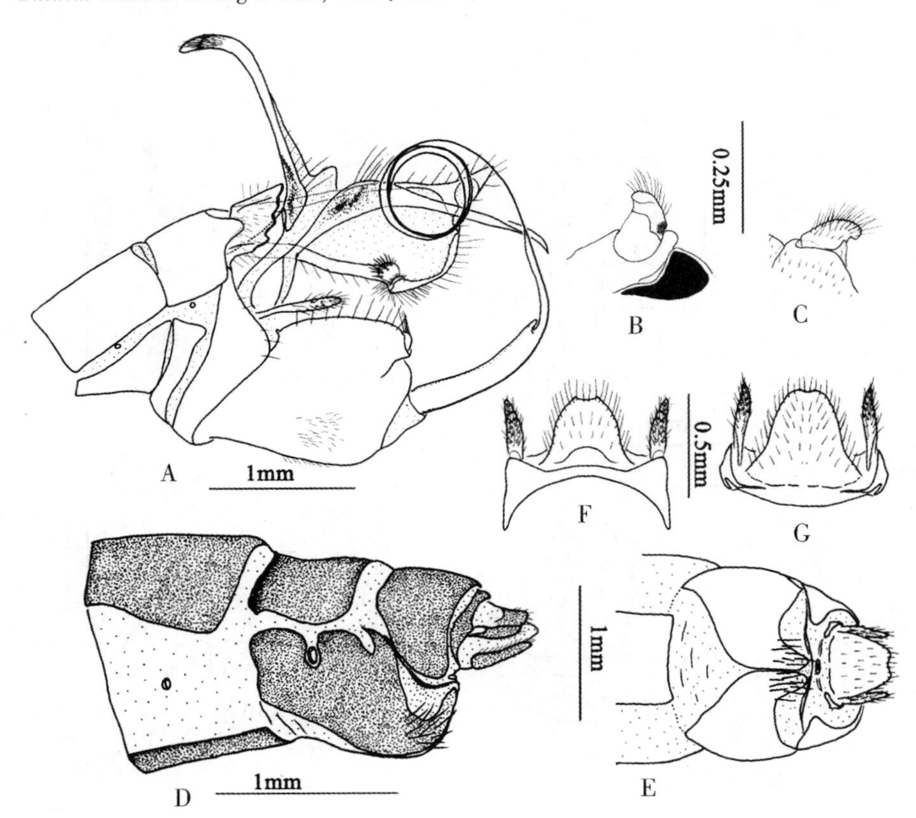

图160 暗蚊蝎蛉 *Bittacus obscurus* Huang *et* Hua 外生殖器

A-C. 雄虫：A. 腹末侧面观（左上生殖瓣取去）；B. 生殖刺突里侧观；C. 生殖刺突侧面观；D-G. 雌虫：D. 腹部末端侧面观；E. 腹部末端腹面观；F. 雌虫第10腹节背面观；G. 雌虫第10腹节腹面观

鉴别特征：翅展 17.0～19.0mm。翅膜质浅茶褐色，透明，端部暗褐色，在 OM、ORs、FRs 处各有 1 个深褐色小斑点。Pcv 脉 2 条，Av 不存在。雄虫上生殖瓣黑褐色，侧面观近斧头状，端部下缘向头部向腹面弯曲，形成的突起顶端圆形，密被黑刺；载肛突上瓣极度延长，上面部分略向头部向腹面弯曲；阳茎叶两侧相当长，末端处形成很小的突起向内弯曲。腹部第 8 节气门完全陷入雌虫下生殖板上缘的凹陷区内。雌虫背板第 3～6 节深褐色，各具窄前脊沟黑纹，第 7 节背板黑褐色，前脊沟处没有明显的黑纹，第 8～9 节背板短于第 7 节，具窄黑纹。下生殖板侧面观长且阔，端部腹面明显加宽。

采集记录：1♂（正模），宁陕火地塘，1600～1800m，2003. Ⅶ. 07-10，聂小妮采；4♂2♀（副模），采集信息同正模。4♂2♀，宁陕火地塘，2005. Ⅶ. 10-15，杜小亮、李雪采；1♀，嘉陵江源头，2013. Ⅶ. 15，姜碌采。

分布：陕西（凤县、宁陕）、河南、湖北、四川、云南。

（5）扁蚊蝎蛉 *Bittacus planus* Cheng，1949（图 161；图版 24）

Bittacus planus Cheng，1949：158.

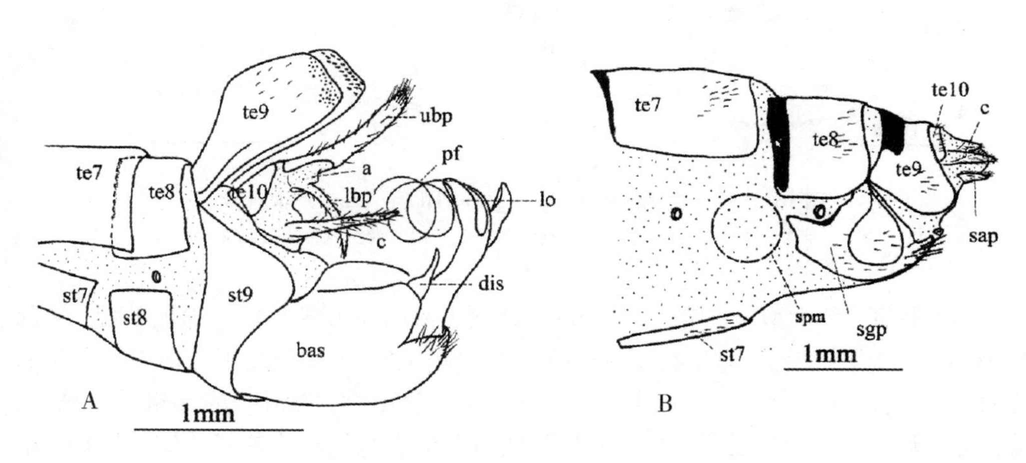

图 161　扁蚊蝎蛉 *Bittacus planus* Cheng 外生殖器

A. 雄虫腹部末端侧面观；B. 雌虫腹部末端侧面观

鉴别特征：翅展约 40.0mm。翅面较光洁，翅痣不明显，Pcv 脉 1～2 条，Av 脉不存在；雄虫上生殖瓣侧面观近似四边形，末端内面密生数列黑刺。生殖刺突较长，基部阔，端部细长且尖，被稀疏的浅黄色短毛，近中部内侧有 1 个光滑无毛的突起；阳茎叶突阔，末端圆。雌虫下生殖板侧面观近似三角形，第 8 节气门与下生殖板完全分离；第 10 节背板黄褐色，未向腹面延伸。

采集记录：3♂5♀，2005. Ⅷ，长安南五台，杜小亮、李雪采；22♂20♀，2007. Ⅶ. 24，户县朱雀森林公园，花保祯、谭江丽采；11♂9♀，同前，李涛、陈小华采；

1♂，1990. Ⅶ，太白山；1♀，2006. Ⅷ. 18，太白县城南 10km 处，大贯子，1810m，杜小亮采；1♀1♂，2006. Ⅶ. 02，太白县城南 17km 处，红沟，2068m，李涛、李雪采；15♂9♀，2007. Ⅷ. 01-07，太白县，李涛、岳超采；8♂13♀，2006. Ⅵ. 19，华山青柯坪，花保祯采；2♀，2006. Ⅵ. 30，华山青柯坪，谭江丽、李雪采；2♂1♀，1996. Ⅶ. 20，佛坪自然保护区；12♂31♀，2004. Ⅶ. 15-18，宁陕火地塘，石宏、谭江丽、蔡立君采；22♂23♀，2005. Ⅶ. 10-15，宁陕火地塘，杜小亮、李雪采。

分布：陕西（太白、长安、户县、华阴、佛坪、宁陕）、河南。

（6）纹翅蚊蝎蛉 *Bittacus strigatus* Hua *et* Chou，1998（图 162；图版 25）

Bittacus strigatus Hua *et* Chou，1998：64.

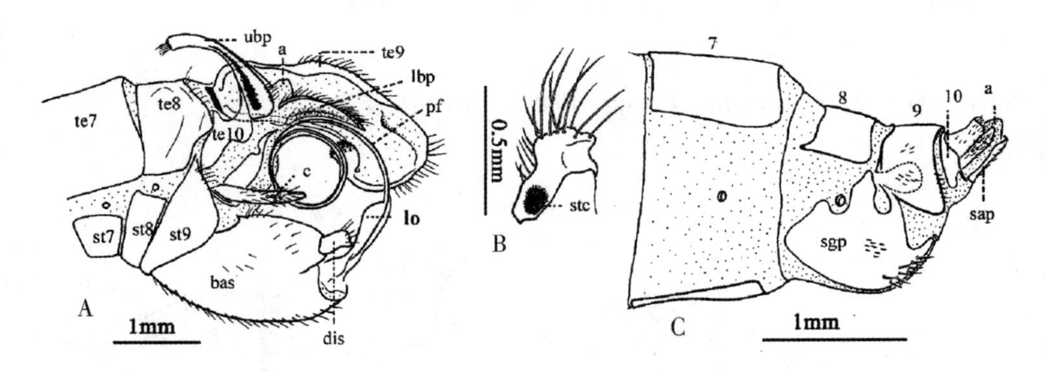

图 162 纹翅蚊蝎蛉 *Bittacus strigatus* Hua *et* Chou 外生殖器

A. 雄虫腹部末端侧面观；B. 生殖刺突后面观；C. 雌虫腹部末端侧面观

鉴别特征：体大型，翅展约 52.0mm。翅面斑纹明显形成 4 条黑褐色横带，基部 2 条横带呈"V"形交汇；前足股节端部约 2/3 呈暗褐色，上生殖瓣下缘向头部向腹面弯曲，末端向内形成突起，突起上密生黑色小刺；生殖刺突短小，端部略呈鸟喙状，被长毛。雌虫下生殖板近三角形，第 8 节气门在下生殖板形成的膜质凹陷区内，第 10 节背板深褐色，两侧向腹部延伸很少。

采集记录：1♂，2002. Ⅶ. 18，太白山南天门，聂小妮采；1♂，宁陕火地塘，2003. Ⅵ，聂小妮采；1♂1♀，2004. Ⅶ. 18，宁陕火地塘，谭江丽、蔡立君、石宏采；1♀，2005. Ⅶ. 10，宁陕火地塘，杜小亮、李雪采。

分布：陕西（太白、宁陕、周至、眉县）、河南。

（7）四边蚊蝎蛉 *Bittacus trapezoideus* Huang *et* Hua，2005（图 163；图版 26）

Bittacus trapezoideus Huang *et* Hua，2005：396.

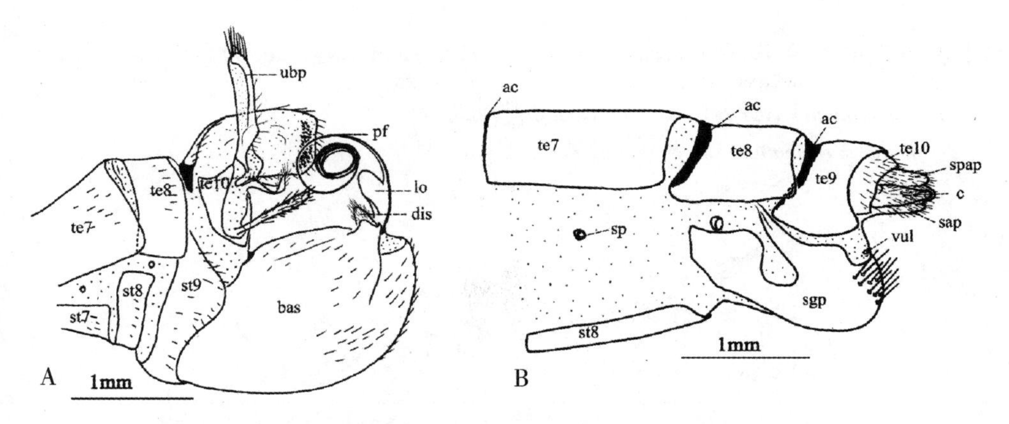

图 163　四边蚊蝎蛉 *Bittacus trapezoideus* 外生殖器

A. 雄虫腹部末端侧面观；B. 雌虫腹部末端侧面观

鉴别特征：前翅长 17.0mm，宽 4.0mm。触角羽状。翅透明，微褐色，茶褐色雾状斑几乎弥漫整个翅面，翅痣明显，OM 处有 1 个褐色斑点，ORs、FRs 处具 1 个大方形褐色斑，FM 处有 1 个无色透明斑；2 条 Pcv 脉；胫节 2 端距长度差异明显。雄虫上生殖瓣侧面观近四边形，末端平截且有密集的黑色刺毛，背面观两瓣分裂成"V"形；载肛突上瓣较短、上举，基部向内凹陷，末端成乳头状突起，上着生密集的长细毛，下瓣向下伸，末端宽扁；尾须短，仅及生殖肢基节的 1/2；生殖肢基节末端缺刻，生殖刺突短小，末端凹陷；阳茎叶突较短，末端钝圆，阳茎逐渐变细成丝状，较长，缠绕成环状。

采集记录：1♂1♀，2004. Ⅹ.07，宝鸡嘉陵江源头，谭江丽、黄蓬英采；1♀，秦岭南阳沟，1961. Ⅷ.07，杨集昆采；1♀，秦岭天台山，1999. Ⅸ.02-03，刘宪伟、张伟年、殷海生采；2♂3♀，2005. Ⅸ.25，宁陕火地塘林场，侯小燕采。

分布：陕西(凤县、宝鸡、宁陕)、甘肃、湖北。

2. 地蚊蝎蛉属 *Terrobittacus* Tan *et* Hua, 2009

Terrobittacus Tan *et* Hua, 2009: 2938. **Type species**: *Bittacus implicatus* Huang *et* Hua, 2006.

属征：该属与蚊蝎蛉属 *Bittacus* 的主要区别为 Pcv 脉 1 条；足第 4 跗节两侧分别有 1 根黑刺；雄虫上生殖瓣短于生殖肢基节之半；阳茎叶小，末端尖；性信息素腺单叶；雄虫第 10 节背板消失或退化成 1 条极窄的骨片。雌虫下生殖板左右两部分在腹面几乎全部愈合。卵呈球形，表面饰纹类似地球仪的纬线。幼虫身上的长刚毛从背突上伸出。

分布：中国。目前已知 6 种，均分布于中国，秦岭地区有 1 种。

(8) 具刺地蚊蝎蛉 *Terrobittacus echinatus* (Hua *et* Huang, 2008)(图 164;图版 27)

Bittacus echinatus Hua *et* Huang in Hua *et al.*, 2008: 65.
Terrobittacus echinatus: Tan & Hua, 2009: 2953.

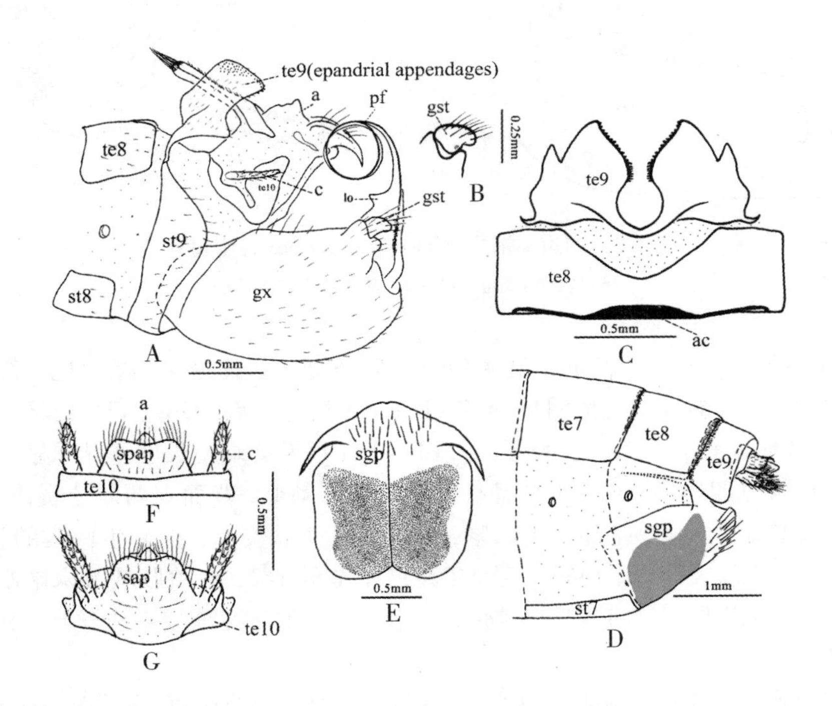

图 164 具刺地蚊蝎蛉 *Terrobittacus echinatus* 外生殖器

A-C. 雄虫：A. 腹部末端侧面观；B. 生殖刺突；C. 腹部第 8～9 节背板背面观. D-G. 雌虫：D. 腹部末端侧面观；E. 下生殖板腹面观；F. 第 10 腹节背面观；G. 第 10 腹节腹面观

鉴别特征：体型较小，黄褐色。体长约 12.0mm，翅展 36.0mm。翅端斑纹明显深褐色，翅在 ORs，FRs，OM 和 CuP 末端具褐色斑纹；翅端横脉排列整齐，沿端横脉形成 2 条明显的深褐色条带。Pcv 脉 1 条，前翅 1A 脉较短，末端达 ORs 处。足黄褐色，第 4 跗节基部两侧具 1 对黑刺。雄虫上生殖瓣短小，短于生殖肢基节长度的1/2，端部内表面密生黑刺，下缘基部具 1 个三角形齿形突起；载肛突指状，末端密生刚毛，中央凹槽内密生相互交叉的刚毛；生殖肢端节短小，向中央弯曲，端部钝圆。阳茎叶基部阔，端部尖锐。

采集记录：1♀，长安县南五台，2005. Ⅶ. 29，杜小亮采；2♀，佛坪，1996. Ⅶ. 20。

分布：陕西(长安、佛坪)、河南、福建。

（二）蝎蛉科 Panorpidae

鉴别特征： 成虫体中型，唇基向下延长成宽喙状，口器咀嚼式位于喙的末端。复眼1对，单眼3个，下唇须长，2节，下颚须5节。触角细长，丝状。足跗节末端具2个爪，爪的内缘具齿。翅发达，细长，脉序原始，Rs脉起源点约在翅基部1/3处，M脉的分叉点处具透明斑；前翅CuA与CuP短距离共柄，M_4在基部明显弯曲；臀脉简单，具很少的横脉；后翅臀区明显窄于前翅。雄虫腹部第6～9节特化，第6节骨化，无侧膜，第7、8节无侧膜；第9节很特化，腹板分2部分，基部为"基柄"，分叉部分称为"下瓣"，两者的形状是分种重要依据；背板延长，近四边形，背板末端形状变化较大；生殖肢基节基部愈合，生殖刺突可活动，向端部逐渐变尖、弯曲。雌虫第9节腹板为下生殖板，在基部通过侧膜与背板相连，末端游离，生殖腔内的生殖板是雌虫分类重要依据。因其雄虫外生殖器球状，并向上弯曲呈蝎尾状而称为蝎蛉。

分类： 全世界已知7属420余种，中国记录7属228种，陕西秦岭地区分布6属26种。

分属检索表

1. 前翅1A脉与翅后缘的交点在Rs起源点之前，1A和2A之间通常只有1条横脉；分布在东洋区 ………………………… **新蝎蛉属 *Neopanorpa***
   前翅1A脉与翅后缘的交点与Rs起源点在同一经度，或超过Rs起源点；1A和2A之间通常有2条横脉 ………………………… 2
2. 成虫休息时翅呈屋脊状折叠在腹部上方；雄虫下瓣伸达生殖刺突中齿处；雌虫生殖板的中轴末端二分叉；分布在东洋区 ………………………… **叉蝎蛉属 *Furcatopanorpa***
   成虫休息时翅平铺于腹部上方呈"V"形；下瓣不超出生殖肢基节；雌虫生殖板的中轴末端不分叉 ………………………… 3
3. 雄虫第6腹节端部有1～2个指状臀角 ………………………… 4
   雄虫第6腹节端部不具指状臀角，或后缘向背面扩展呈扁平或锥状凸起 ………………………… 5
4. 雄虫第6腹节端部具有2个小的指状臀角；雄虫外生殖器的阳基侧突分三叉；分布于东洋区 ………………………… **双角蝎蛉属 *Dicerapanorpa***
   雄虫第6腹节端部具单个指状臀角；阳基侧突通常不分叉，极少数二分叉；分布于东洋区北部和古北区东部 ………………………… **单角蝎蛉属 *Cerapanorpa***
5. 第7腹节基部1/3处细，其余部分加粗为圆筒形；生殖刺突长于生殖肢基节，基部突起发达，杯状；翅膜质部分为黄色；R_2脉通常分三叉；分布于东洋区 ………………………… **华蝎蛉属 *Sinopanorpa***
   第7腹节基部不缢缩或稍缢缩，端部大致呈圆锥形；生殖刺突短，基部突起的形态多样；翅膜质部分透明，有时为黄色；R_2 脉通常分二枝；分布于全北区和东洋区 ······ **蝎蛉属 *Panorpa***

3. 单角蝎蛉属 *Cerapanorpa* Gao, Ma *et* Hua, 2016

Cerapanorpa Gao, Ma *et* Hua, 2016: 94. **Type species**: *Panorpa obtusa* Cheng, 1949.

鉴别特征：雄虫第6腹节背板具有单一的指状臀角；阳茎背瓣向尾部延长、骨化程度高，腹瓣极短、膜质近透明；阳基侧突结构简单，极少有分叉，端半部着生棘状刚毛；下板（第9节背板）由短的基柄和1对延长的下瓣组成；雌虫生殖板发达，在腹面和背面均具有基侧片。

分布：古北区，东洋区。全世界已知22种，中国记录15种，秦岭地区有10种。

分种检索表（♂）

1. 雄虫第5腹节背板后缘具1个臀角 ························ **二角单角蝎蛉 *Cerapanorpa bicornifera***

   雄虫第5腹节背板无臀角 ·· 2
2. 雄虫第6腹节背板的臀角约为第6节长度的1/5或更短 ········· **短角单角蝎蛉 *C. brevicornis***

   雄虫第6腹节背板的臀角长于或约等于第6节长度的1/3 ·· 3
3. 前翅有明显的颜色，翅膜质部分稍显黄色，翅斑深褐色，边缘清晰；前足淡黄色，中足、后足的基节和转节黑褐色；阳基侧突在接近基柄处呈直角向内侧弯曲 ······ **任氏单角蝎蛉 *C. reni***

   前翅无色或略带灰色 ·· 4
4. 阳基侧突短，伸至生殖基节端部1/5处，基柄细，中部急剧膨大近方形，内侧边缘着生长而粗壮的棘状刚毛，外侧具“L”形分枝 ······································ **拜尔斯单角蝎蛉 *C. byersi***

   阳基侧突基柄以上仅略变粗或加宽，其着生的刚毛为鬃毛状或略粗壮，无钩状突起 ········· 5
5. 阳基侧突通常为线形，基柄以上部分不加宽，仅比基柄略粗，其上着生1列极短的细刚毛；翅膜质部分无色透明，无翅斑，或仅有模糊的端带；3对足均为淡黄色；阳基侧突直，仅在端部稍向内侧弯曲，阳基侧突黄褐色，末端接近生殖刺突中部，端部无尖刺；刚毛着生在阳基侧突内侧边缘 ··· **拟华山单角蝎蛉 *C. dubia***

   阳基侧突基部以上变宽变扁，明显比基柄宽 ·· 6
6. 阳基侧突基柄以上膝状弯曲或波状弯曲 ·· 7

   阳基侧突披针形，不弯曲或稍向内侧弯曲 ·· 9
7. 阳基侧突显著的波状弯曲，尤其在端半部弯曲成弓形；阳茎背瓣短，末端平截，未达到生殖肢基节后缘 ·· **弯曲单角蝎蛉 *C. sinuate***

   阳基侧突端部呈不明显的膝状弯曲；阳茎背瓣长，末端指状，与生殖肢基节后缘平齐或伸达生殖刺突基部 ··· 8
8. 喙黄褐色至红褐色；雄虫第6腹节基半部黑褐色，其余部分颜色浅，中间无明显界限；阳基侧突内侧具1列致密的梳齿状长毛 ·· **太白单角蝎蛉 *C. obtusa***

   喙黑褐色至深黑色；雄虫第6腹节全为黑色；阳基侧突端部整个腹面覆盖短的棘状刚毛 ······
   ·· **南五台单角蝎蛉 *C. nanwutaina***

9. 阳基侧突伸达生殖刺突中齿处，或超过中齿，翅斑不明显，仅在翅尖留有模糊的端带；下瓣内侧鬃毛排列整齐；阳基侧突基柄以上从中间开始着生刚毛 … **伏牛山单角蝎蛉 *C. funiushana***
阳基侧突长，达到或超出生殖刺突端部，前翅、后翅均具痣带和端带；阳基侧突接近生殖刺突顶端，内侧刚毛长度约等于着生处阳基侧突宽度 …………… **华山单角蝎蛉 *C. emarginata***

(9) 太白单角蝎蛉 *Cerapanorpa obtusa* (Cheng, 1949)(图版28)

Panorpa obtusa Cheng, 1949: 142.
Panorpa leei Cheng, 1949: 147.
Panorpa alticola Zhou, 2000: 249.
Cerapanorpa obtusa: Gao *et al.*, 2016: 97.

鉴别特征：前翅长12.0~13.1mm，宽3.0~3.5mm。体黑褐色。喙多为黄色、红褐色，少数个体黑色。翅无色透明，翅面斑纹变化同华山蝎蛉。腹部第6节多数个体基部黑褐色，端部红褐色，颜色无明显分界。有些个体腹部第6节黑褐色。雄虫外生殖器长圆球形，上板端部具深浅不一的凹陷，下瓣接近生殖肢基节后缘，内侧边缘具致密而杂乱的长鬃；生殖肢基节长，端部内侧的凹陷较浅，凹陷表面着生长刚毛，下方具明显的三角形齿突；生殖刺突长度约为生殖基节的1/2，内侧基突大，中齿小。阳基侧突波状弯曲或弯曲成膝状，中部最宽，基柄以上部分膝状弯曲，内侧具1列致密的梳齿状长毛。

采集记录：3♂2♀，凤县嘉陵江源头，2011. Ⅷ. 10，花保祯、马娜、申健采；2♂4♀，太白山，1956. Ⅶ. 19-28，周尧采；10♂3♀，秦岭，1962. Ⅷ. 05，杨集昆采；35♂31♀，太白县红沟林场，2006. Ⅵ. 26，花保祯、谭江丽、李雪、侯小燕、杜小亮采；58♂52♀，太白县红沟林场，2006. Ⅶ. 02，花保祯、李雪、陈小华、李涛采；12♂28♀，太白县红沟林场，2006. Ⅶ. 14，李雪、杜小亮采；98♂85♀，2008. Ⅵ. 26-Ⅶ. 01，花保祯、李彦凯、岳超采。

分布：陕西(眉县、太白、凤县)、甘肃、宁夏。

(10) 二角单角蝎蛉 *Cerapanorpa bicornifera* (Chou *et* Wang, 1981)(图165)

Panorpa bicornifera Chou et Wang in Chou *et al.*, 1981: 16.
Cerapanorpa bicornifera: Gao *et al.*, 2016: 97.

鉴别特征：体黑色。头顶和额黑色，喙黄褐色。胸部背板黑色，侧板和腹板淡黄色。前翅长约11.0mm，宽约3.5mm，无色透明，具翅痣，端带、痣带和亚中带均缺。腹部第1~6节背板和腹板黑色，第3节背中突明显，第5、6节背板末端各有1个红褐色臀角，第5节臀角短，第6节臀角较长。第7~9节黄褐色，第7、8节基部缢缩呈柄状并延长。雄虫外生殖器生殖肢基节长，约为生殖刺突的2倍；生殖刺突短，基部凹陷明显，内缘三角形中齿小；第 9 节腹板基柄短；下瓣达生殖肢基节的 2/3 处；第 9 节背板近梯形，末端具较浅的“U”形凹陷。阳基侧突近基部膨大，明显比中部和端部宽，基末呈柄状，端部具短的黑色刚毛，末端具 1 个刺状突起。

采集记录： 1♂（正模），秦岭，1951. Ⅶ. 13，周尧采。

分布： 陕西（秦岭）。

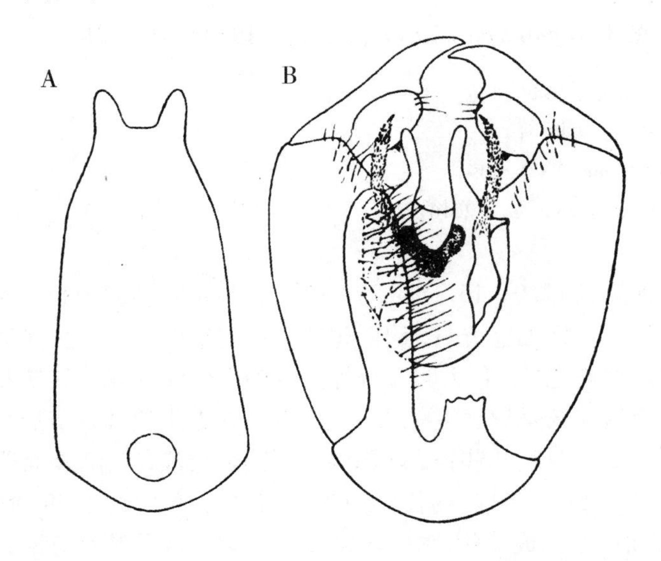

图 165 二角单角蝎蛉 *Cerapanorpa bicornifera* 雄虫外生殖器

A. 上板；B. 外生殖器腹面观

（11）短角单角蝎蛉 *Cerapanorpa brevicornis*（Hua *et* Li，2007）（图版 29）

Panorpa brevicornis Hua *et* Li in Li *et al.*, 2007：61.

Cerapanorpa brevicornis：Gao *et al.*, 2016：97.

鉴别特征： 前翅长约 14.2mm，宽约 3.5mm；仅有翅痣和不明显的端带。后翅长约 13.3mm，宽约 4.2mm；翅面斑纹同前翅。腹部第 1 ~ 5 节背板和腹板黑色，侧板乳黄色；第 3 节背中突半圆形，第 4 节后背中突锥形。第 6 节全为黑色，基部阔，端部窄，倒圆锥形，端部的臀角黄色，短粗。雄虫上板略呈长方形，向端部稍变窄，末端“U”形凹陷较深；下瓣短，伸达生殖基节的 1/2 ~ 2/3 处，下瓣基部细，近端部稍膨大，内侧边缘着生 1 列整齐、粗壮的短鬃，每侧约 12 根，其长度略短于下瓣的宽度；阳基侧突内缘有 1 列很浓密的短毛。雌虫生殖板背面无基侧片。

采集记录： 7♂5♀，凤县嘉陵江源头，2013. Ⅵ. 27，姜碌采；5♂4♀，太白县，2012. Ⅵ. 23，花保祯、张贝贝、徐博、张俊霞采；1♂，太白县黄柏塬，1300 ~ 1500m，2013. Ⅵ. 30，刘梅采；1♂，宁陕平河梁，2010. Ⅶ. 07-10，钟问采。

分布： 陕西（凤县、太白、宁陕、南郑）、四川、湖北。

(12)拜尔斯单角蝎蛉 *Cerapanorpa byersi* (Hua *et* Huang, 2007)(图版30)

Panorpa byersi Hua *et* Huang in Li *et al.*, 2007: 60.

Cerapanorpa byersi: Gao *et al.*, 2016: 97.

鉴别特征：本种在整体外形和腹阳基侧突弯曲上与南五台蝎蛉 *C. nanwutaina* 相似，主要区别是：个体明显较小，体长10.0～12.5mm(后者体长11.6～14.0mm)；雄虫阳基侧突很短，中部逐渐膨大成方形，外侧缘具钩状突起，内缘端部逐渐变窄，其内缘及末端具浓密的毛(后者阳基侧突细长，膝状弯曲，端部周围有短毛，末端尖爪状)；雌虫生殖板两端较窄，从基部逐渐膨大，中部达最宽，末端凹陷成"V"形，较深(后者生殖板较长，无明显的膨大区，生殖板后臂凹陷呈方形)；基侧片在生殖板背面呈1个半圆形整体，中间凹入一点(后者基侧片在生殖板背面分开呈两半)。

采集记录：1♂(正模)，太白县红沟林场，2068m，2006.Ⅶ.02，花保祯采；7♂11♀(副模)，太白县红沟林场，李雪、陈小华、李涛采；4♂8♀，太白县红沟林场，2006.Ⅶ.14，花保祯、杜小亮采；6♂8♀，太白县红沟林场，2006.Ⅶ.02，花保祯、李涛、陈小华、李雪采；2♂7♀，太白县红沟林场，2006.Ⅶ.14，花保祯、杜小亮、李雪采。

分布：陕西(太白)、甘肃。

(13)拟华山单角蝎蛉 *Cerapanorpa dubia* (Chou *et* Wang, 1981)(图版31)

Panorpa dubia Chou *et* Wang in Chou *et al.*, 1981: 13.

Cerapanorpa dubia: Gao *et al.*, 2016: 97.

鉴别特征：雄虫喙多为浅黄色，少数个体的喙黑色。翅膜质透明，翅痣黄色，端带仅余1个极不明显的灰黄色斑，无其他翅斑，少数个体无翅斑。腹部第1～6节背面黑色，第7节及以后各节黄色。第6节背板后缘具黄色臀角。下瓣伸达生殖肢基节内侧突起处，内侧边缘着生致密的长鬃毛，排列不整齐。阳基侧突细长，直或稍弯曲，内侧具极短的刚毛，伸达生殖刺突中部。生殖刺突内侧基突大，中齿较小。阳茎背板细长，伸达生殖刺突基部，近端部外侧明显缢缩，背面具膜质结构。

采集记录：6♂，太白县红沟林场，2006.Ⅵ.26，花保祯、杜小亮、侯小燕、谭江丽、李雪采；2♂，太白县红沟林场，2006.Ⅶ.02，花保祯、李涛、陈小华、李雪采；1♂(正模)，华山，1957.Ⅵ.16，周尧采；15♂18♀(副模)，同正模；1♂1♀，秦岭，1951.Ⅶ.13，周尧采；16♂15♀，华山，1979.Ⅶ.10，田畴、陈彤采；2♀1♂，华山金锁关，2006.Ⅵ.29，花保祯、侯小燕、杜小亮、李雪采；20♀15♂，华山中峰，2006.Ⅵ.29，谭江丽、田径、李雪采；3♂，宁陕火地塘，1640～1780m，聂小妮采；7♂4♀，宁陕火地塘，2004.Ⅶ.15-18，蔡立君、石宏、谭江丽采；36♀5♂，宁陕火地塘，

2005. Ⅶ. 15-18，杜小亮、李雪采。

分布：陕西（凤县、太白、华阴、宁陕）、河南、宁夏、甘肃。

(14) 华山单角蝎蛉 *Cerapanorpa emarginata* (Cheng, 1949)（图版 32，33）

Panorpa emarginata Cheng, 1949: 140.

Cerapanorpa emarginata: Gao *et al.*, 2016: 97.

鉴别特征：雄虫头黑色，喙正面红褐色至黑褐色，喙两侧颜色浅。前翅长13.5mm，宽3.5mm；翅面端带明显，多数个体痣带基枝明显，端枝缺，亚中带缺，仅在翅近后缘处有1个黑斑。雌虫前翅长13.7mm，宽3.5mm，大部分个体翅面端带与痣带与雄虫翅面斑纹相似，亚中带在翅近前缘处有1个黑斑；后翅端带和痣带仅余部分。雌虫和雄虫翅斑均具有变异。腹部第3背板后缘具半圆形背中突，第4背板近前缘中央具1个锥形后背中突。第6节具1个黄褐色臀角。下瓣长，超出齿突，伸达端部凹陷的中央部分，内侧具长鬃，排列整齐。阳基侧突伸达生殖刺突末端，向端部逐渐变尖，内侧缘着生1列梳齿状长刚毛。阳茎背瓣细长，腹瓣短，膜质透明，阳茎侧突起指状。

采集记录：1♂，长安南五台，1951. Ⅶ. 11，周尧采；18♂27♀，华山，1957. Ⅵ. 16，周尧采；1♂，秦岭，1965. Ⅷ. 18，周尧、路进生采；2♂8♀，华山，1979. Ⅶ. 10，陈彤、田畴采；45♂95♀，华山金锁关，2006. Ⅵ. 19，花保祯、杜小亮、李雪、侯小燕采；15♂20♀，华山中峰，2006. Ⅵ. 29，李雪、谭江丽、田径采；10♂4♀，宁陕火地塘，2004. Ⅶ. 15-18，蔡立君、谭江丽、石宏采；9♂11♀，宁陕火地塘，1640～1780m，聂小妮采；23♀5♂，宁陕火地塘，2005. Ⅶ. 15-18，李雪、杜小亮采。

分布：陕西（长安、凤县、华阴、宁陕）、河南、甘肃、湖北。

(15) 伏牛山单角蝎蛉 *Cerapanorpa funiushana* (Hua *et* Chou, 1997)（图版 34）

Panorpa funiushana Hua *et* Chou, 1997: 274.

Cerapanorpa funiushana: Gao *et al.*, 2016: 97.

鉴别特征：雄虫体黑色，喙黄褐色。翅无色透明，翅痣褐色，无翅斑，或在顶角具极浅的端带。腹部第6节背面端部具黄色臀角。雄虫外生殖器下瓣超过生殖肢基节内侧突起，伸至凹陷基部，内侧边缘的鬃毛长而粗壮，排列整齐；生殖刺突内侧基突大，杯状，中齿小，三角形；阳基侧突较长，伸达生殖刺突中部，中部宽扁，向端部逐渐变窄，端部尖，钩状；阳基侧突内侧具致密的棘状毛，毛的长度由基部向端部逐渐变短；阳茎背瓣长，末端指状，腹瓣短，膜质；阳茎侧突起基部宽三角形，端部细，指状。

采集记录：1♂（正模），河南嵩县白云山，1500m，1996. Ⅶ. 17-18，花保祯、田润刚、张文珠采；43♂26♀（副模），同正模；3♀，河南栾川龙峪湾，2000m，1996. Ⅶ.

14，花保祯、田润刚采。

分布：河南(嵩县、栾川)。

(16)南五台单角蝎蛉 *Cerapanorpa nanwutaina* (Chou, 1981)(图版35)

Panorpa nanwutaina Chou *in* Chou *et al.*, 1981: 15.

Cerapanorpa nanwutaina: Gao *et al.*, 2016: 97.

鉴别特征：该种外形与太白单角蝎蛉 *C. obtusa* 相似，可通过以下特征区分：体型和生殖节较大，翅宽（后者体型中等，翅狭长）；头部在眼后周为黑色，喙黑褐色，第6腹节全黑色（后者喙通常黄褐色至红褐色，眼后周黄色，第6腹节基部黑色，端部黄褐色）；阳基侧突端部覆盖极短的棘毛（后者端部的刚毛长，梳状排列于内侧）；下瓣内侧的鬃毛较粗壮，排列整齐（后者正常，排列不整齐）；阳茎背瓣粗壮，侧面加宽（后者阳茎背瓣仅端部1/3变宽，端部缢缩，指状）。

采集记录：1♂(正模)，长安南五台，1979. Ⅶ. 08，田畴、陈彤采；9♂12♀(副模)，同正模；75♂13♀，周至厚畛子，2004. Ⅴ. 18-19，彭韬、郎嵩云采；15♂10♀，周至厚畛子，2005. Ⅴ. 08，侯小燕、谭江丽采；30♂52♀，周至厚畛子，2006. Ⅴ. 08，花保祯、李雪、田径、侯小燕采；11♂，宁陕火地塘，2004. Ⅶ. 15-18，蔡立君、石宏、谭江丽采；8♂19♀，宁陕火地塘，1640～1780m，聂小妮采。

分布：陕西(太白、长安、周至、宁陕)、甘肃、湖北。

(17)任氏单角蝎蛉 *Cerapanorpa reni* (Chou, 1981)(图版36)

Panorpa reni Chou in Chou *et al.*, 1981: 4.

Cerapanorpa reni: Gao *et al.*, 2016: 97.

鉴别特征：雄虫体黑色，头顶与喙呈黑褐色。前翅长16.0mm，宽约4.0mm，无色透明。前翅具完整的基斑、亚中带、缘斑、痣带和端带，基斑仅为极小的一点，端带宽，后角具凹陷但不断裂，痣带完整且阔，端枝稍窄，亚中带宽直，缘斑明显，基斑仅余1个黑点；后翅缘斑与痣带相连，基斑无，其余与前翅同。腹部第6节近后缘具1个指状的黄色臀角。雄虫外生殖器近圆形，较小；下瓣细，内侧具数根短鬃毛；阳基侧突在基柄以上弯曲呈直角，内侧具短刚毛；阳茎背瓣末端指状；腹瓣膜质半透明；侧突起小，阳茎侧突起通过1条长带与阳基侧突相连。

采集记录：1♀(正模)，宁陕火地塘，任作佛采；3♀，周至厚畛子铁甲树，彭韬、郎嵩云采；7♂13♀，宁陕火地塘，1680～1780m，2003. Ⅵ-Ⅶ，聂小妮采。

分布：陕西(太白、周至、宁陕)。

(18)弯曲单角蝎蛉 *Cerapanorpa sinuata* Gao, Ma *et* Hua, 2016(图版37)

Cerapanorpa sinuata Gao, Ma *et* Hua, 2016: 103.

鉴别特征: 喙正面黄褐色，两侧淡黄色；头顶黑褐色。雄虫前翅长12.0～13.0mm，宽3.0mm；雌虫前翅长12.5～13.0mm，宽3.3～3.5mm。翅膜质透明，无翅斑。第1～5腹节背板黑褐色；第3节背中突半圆形；第6腹节的臀角基部黑褐色其余部分为黄褐色；第7～9节黄褐色，第7节基半部细，背面两侧隆起形成纵向凹槽，端部圆锥形。雄虫外生殖器结构与太白单角蝎蛉相似，可通过以下特征区分：生殖肢基节端部内侧凹陷大（后者端部内侧稍凹陷）；阳基侧突剧烈弯曲，端部近弓形（后者端部膝状弯曲）；阳茎背板短，未超出生殖基节，末端平截（后者背板长，伸达生殖刺突基部，末端钝圆）。

采集记录: 1♂（正模），5♂6♀（副模），宁陕火地塘平河梁，2300m，2010.Ⅶ.06，花保祯采。

分布: 陕西（宁陕）。

4. 双角蝎蛉属 *Dicerapanorpa* Zhong *et* Hua, 2013

Dicerapanorpa Zhong *et* Hua, 2012: 1021. **Type species:** *Panorpa magna* Chou *in* Chou *et al.*, 1981.

属征: 雄虫腹部第6节具2个臀角；喙两侧通常具纵带，几乎与喙等长；胸部及第1～5腹节背板两侧具黑色纵带；雄虫第7腹节基部1/2显著缢缩；雄虫腹阳基侧突基部三分叉；雌虫生殖板发达，中轴不伸出生殖板前缘。

双角蝎蛉属与华蝎蛉属 *Sinopanorpa* Cai *et* Hua 在体型与雄虫腹部第7～8节形态上相似，但双角蝎蛉属可通过以下形态特征与之区别：雄虫腹部第6节背板具2个臀角（后者无臀角）；腹阳基侧突三分叉（后者不分叉）；雌虫生殖板中轴短，不伸出生殖板（后者中轴长，明显伸达生殖板外）；R_2脉通常二分叉（后者三分叉）。

分布: 东洋区。全世界已知8种，中国记录7种，秦岭地区分布2种。

分种检索表

阳基侧突基枝短；中枝平滑弯曲，可达抱器端节基突………… **大双角蝎蛉 *Dicerapanorpa magna***

阳基侧突基枝较长，可达阳茎腹瓣，中枝较直，伸达抱器端节中突 ……………………………
…………………………………………………………………………… **白云山双角蝎蛉 *D. baiyunshana***

(19)大双角蝎蛉 *Dicerapanorpa magna* (Chou, 1981)(图版38)

Panorpa magna Chou *in* Chou *et al.*, 1981: 3.

Dicerapanorpa magna: Zhong & Hua, 2012: 1024.

鉴别特征: 雄虫前翅长15.5~17.0mm，宽4.3~4.6mm；雌虫前翅长16.5~18.0mm，宽5.0~5.5mm。翅膜浅黄色。翅斑棕色；端带阔，通常内含1个大透明斑；痣带完整，二分叉，基枝阔，端枝较窄；缘斑由前缘脉延伸至R_{2+3}脉；基带完整，横贯翅面；基斑小。后翅形状与前翅相近，缘斑与基带多有缩小，基斑通常消失。体黄色。颅顶棕黄色，单眼三角区黑色。喙黄色，两侧多具黄褐色纵带。胸部背板黄色，两侧具黑色纵条纹。腹部第1~5节背板浅黄色，两侧具黑色纵带；第3腹节背板背中突不发达，钝圆，仅能盖住第4节背板上的突起，其后缘着生有黑色刚毛。第6腹节亮黄色至棕黄色，背板后缘具2个指形短臀角。第7腹节延长，基部1/2缢缩，端部1/2明显扩张。雄虫外生殖器椭圆形；上板末端具深"U"形缺刻；下板基柄很短，下瓣长，到达生殖肢基节端部，内缘具鬃。生殖刺突略短于基节，内缘具尖锐中突；阳基侧突三分叉，基枝很短；侧枝较长，伸出生殖肢基节端部边缘；中枝最长且内弯，可伸抵生殖刺突基突处，其基部1/3内缘着生微刚毛。

该种与同属其他种相比，其前翅缘斑可伸达R_{2+3}脉；雄虫阳基侧突基支不发达；雌虫下生殖板卵圆形，中部最宽；生殖板阔，后臂短且略向内弯曲。

采集记录: 8♂6♀，周至厚畛子铁甲树，2004. Ⅴ. 19，郎嵩云、彭韬采；1♀(正模)，宁陕火地塘，1600~2000m，1963. Ⅶ. 20，任作佛采；1♂2♀，宁陕火地塘，2004. Ⅶ. 15-18，蔡立君、石宏、谭江丽采；13♂7♀，宁陕火地塘，1610m，2003. Ⅵ，聂小妮采；28♂43♀，宁陕平河梁，1830m，2010. Ⅵ，钟问、陈红敏采；19♂32♀，宁陕火地塘，1580m，2011. Ⅵ，钟问、陈庆霄采。

分布: 陕西(太白、周至、宁陕)、甘肃。

(20)白云山双角蝎蛉 *Dicerapanorpa baiyunshana* Zhong *et* Hua, 2013(图版39)

Dicerapanorpa baiyunshana Zhong *et* Hua, 2013: 1028.

鉴别特征: 雄虫前翅长16.5~17.0mm，宽4.2~4.6mm；雌虫前翅长16.5~17.5mm，宽5.0~5.2mm。体黄色，颅顶棕黄色，单眼三角区黑色；喙黄褐色，两侧具棕色纵带。中胸、后胸背板黄色，两侧具黑色纵条纹。翅膜浅黄色，端带阔，通常内含1个大透明斑；痣带完整，基枝阔，端枝较窄；缘斑明显，由前缘脉延伸至R_{4+5}脉外；中带完整，横贯翅面；基斑小。第3腹节背中突不明显，钝圆；第6腹节背板后缘具2个指形短臀角。雄虫外生殖器椭圆形，上板末端具深"U"形缺刻；下瓣未伸达生殖肢基节端部，内缘具鬃；生殖刺突内缘具尖锐中突；基突发达，基部近梯形；

阳基侧突三分叉；基枝较长且直，可伸达阳茎下瓣末端；侧枝较长且向内弯折，伸达生殖肢基节端部边缘；中枝最长，伸抵端节中突处。

白云山双角蝎蛉与大双角蝎蛉在体型、翅斑与雄虫腹部第7~8节形态上相似，但可通过以下形态特征与之区别：雄虫阳基侧突基枝较长，接近阳茎腹瓣末端（后者基枝很短）；翅斑缘斑大，可达 R_{4+5}脉（后者缘斑小，达 R_{2+3}脉）；(3)雌虫下生殖板近三角形（后者近卵圆形）；雌虫生殖板后臂末端尖锐（后者末端钝圆）。

采集记录：1♂(正模)，3♂5♀(副模)，河南嵩县白云山，2001. Ⅵ. 01，申效诚采。

分布：河南(嵩县)。

5. 华蝎蛉属 *Sinopanorpa* Cai *et* Hua, 2009

Sinopanorpa Cai *et* Hua in Cai *et al*. 2008: 44. **Type species**: *Panorpa tincta* Navás, 1931.

属征：华蝎蛉属与蝎蛉属 *Panorpa* 可从以下特征相区分：膜翅深黄色，具灰棕色翅斑；R_2 脉通常为3分枝；雄虫腹部第6背板无臀角；雄虫第7腹节柱状，基部1/3处强烈缢缩，随后突然向背面隆起成四边形，且变粗，端部直径约为基部直径的3倍；雄虫生殖器生殖刺突极长且纤细，具非常发达的下瓣，且强烈骨化，在端部具2个钩；阳基侧突简单，不分叉。

分布：中国。中国已知3种，秦岭地区分布1种。

(21) 染翅华蝎蛉 *Sinopanorpa tincta* (Navás, 1931)(图版40)

Panorpa tincta Navás, 1931: 75.

Panorpa statura Cheng, 1949: 148.

Sinopanorpa tincta: Cai *et al*. 2008: 45.

鉴别特征：胸部和腹部第1~4节背板黑褐色，腹部第5节以后呈黄褐色，第7、8节基部收缩呈柄状。前翅长15.0~16.0mm，宽4.0~4.3mm；前翅蜡黄色，有淡灰褐色斑纹；端带阔；痣带连有基枝和端枝，宽度略相等；亚中带存在；缘斑很不明显；无基斑。雄虫外生殖器椭圆形；生殖刺突尖细，爪状，内缘有中齿和基齿，基齿片状，两端尖；腹阳基侧突尖细，伸达抱器端节的基齿，其内缘有1列梳齿毛；第9腹板基柄阔长，下瓣阔长，伸达抱器基节端部；第9背板梯形，末端有小缺刻。

染翅华蝎蛉与本属其他2个种的差别，主要在于雄虫第6腹节光滑；生殖刺突环抱且在端部交叉，基叶发达，端部二分叉；腹阳基侧突端半部后缘具梳状长刺。雌虫内生殖板窄，生殖板基部2/3处近四边形，中轴近1/3凸出生殖板。

生物学：成虫在陕西一般发生于6月下旬至9月中旬，通常1年1代。成虫偏好阔叶林生境，比其他大多数蝎蛉属种类更喜好较干燥的环境。成虫一般羽化5~7天后开始交配。雌虫通常交配6～9天后开始产卵。成虫休息时翅分开，呈“V”形（Cai *et al*. 2006）。卵聚产，卵期8～10天。幼虫4龄，历期40天左右。老熟幼虫做土室越冬。

采集记录：6♂7♀，太白山，1956.Ⅶ.19-25，周尧采；5♂4♀，秦岭，1962.Ⅷ.05，杨集昆采；4♂1♀，留坝庙台子林场，1200～1600m，2004.Ⅷ.04，黄蓬英采；3♀，宁陕火地塘，2004.Ⅶ.15-18，蔡立君、石宏、谭江丽采；36♂27♀，宁陕火地塘，1720～1930m，2003.Ⅵ-Ⅷ，聂小妮、郎嵩云、侯小燕采。

分布：陕西（太白、眉县、留坝、宁陕、南郑）、甘肃。

6. 叉蝎蛉属 *Furcatopanorpa* Ma *et* Hua, 2011

Furcatopanorpa Ma *et* Hua, 2011: 2253. **Type species**: *Panorpa longihypovalva* Hua *et* Cai, 2009.

鉴别特征：翅明显长于腹部，休息时折叠于腹部上方呈屋脊状；雄虫第3腹节背板上无背中突；第6背板无臀角；第7、8腹节短，基部不缢缩；雄虫第9节腹板基柄很短，1对下瓣骨化较弱但极度延长，明显超出生殖肢基节顶端；雄虫外生殖器的阳基侧突常发达，有1个向中部弯曲的腹叶，1个宽厚的端叶，和1个细长的背枝；雌虫下生殖板顶端有很深的凹刻，生殖板的中轴端部叉状，主板向背面两侧扭转，形成1对背叶；受精囊管的开口离分枝点较远。

蝎蛉属成虫在休息时，通常将翅在腹部展平并呈“V”形。但叉蝎蛉属在休息时却保持其翅在腹部上方呈屋脊状，使左右翅沿着中线靠近。此外，每个卵巢由10根卵巢管组成，特殊的卵壳模式，以及特化的雄虫和雌虫生殖器构造，这些都与其他蝎蛉属种类区别很大。

分布：中国。目前仅记载1种，分布于秦岭和大巴山，本文记录1种。

(22) 长瓣叉蝎蛉 *Furcatopanorpa longihypovalva* (Hua *et* Cai, 2009)（图版41）

Panorpa longihypovalva Hua *et* Cai, 2009: 546.

Furcatopanorpa longihypovalva: Ma & Hua, 2011: 2255.

鉴别特征：前翅长15.1～17.0mm，宽4.0～4.2mm。翅膜质透明，略带浅褐色。前翅有明显的棕色翅斑。端带不明显，无明显界限；痣带明显，基枝宽阔、完整，无端枝；无缘斑；亚中带退化，在1A脉末端形成1个大斑，由后缘向前延伸稍超出CuA脉。从斑状的亚中带到翅基部，沿着后缘基部有1个模糊的翅斑。无基斑。R_2分2支。雄虫外生殖器长椭圆形，除下瓣颜色为苍白色外，其他均为黑色。下板由1个短柄和1对苍白色的下瓣组成。下瓣3/5部分明显宽大，向顶端逐减变细；端部2/5沿内侧有7或8根粗刚毛。下瓣极度延长，超出生殖基节顶端，伸达生殖端节中部；阳基侧突有1个长基柄，分枝形成1个细长的“S”形腹阳基侧突及1个不规则、极发达的背阳基侧突。雌虫外生殖器的生殖板复杂，主板宽大且两侧向背面弯曲形成宽大的背叶；中轴很发达，前端明显超出主板长度的1/2；中轴向后分两叉。

采集记录：7♂10♀，周至太白山自然保护区铁甲树，1560～1800m，2004. V. 18-19，彭韬、郎嵩云采；3♂，铁甲树，2007. V. 13，花保祯、蔡立君采；1♂，太白山，2100m，2002. Ⅶ. 16，戴武、聂小妮采；1♂1♀，太白县城南17km红沟，2068m，2006. Ⅵ. 26，侯小燕、谭江丽、杜小亮采；1♂1♀，留坝庙台子，1400m，1998. Ⅵ. 08，花保祯采。

分布：陕西（太白、周至、凤县、留坝、南郑、镇坪）、甘肃、湖北。

7. 新蝎蛉属 *Neopanorpa* Weele, 1909

Neopanorpa Weele, 1909: 4. **Type species**: *Panorpa angustipennis* Westwood, 1842.

鉴别特征：前翅窄长，翅基部较窄；1A脉与翅后缘的交点在Rs起源点以内，2A和3A短，1A与2A脉之间具1条横脉，R_2分2枝。雄虫腹部第3节背中突延长，比较发达。雄虫外生殖器长椭圆形，第9节腹板的基柄阔长，下瓣发达，外缘常常背向折叠产生褶皱，基部内缘着生有1对向背部延伸的小突起；生殖刺突纤细，内缘基齿大；许多种类的腹阳基侧突与阳茎愈合；第9节背板端部平截或具有不同程度的“U”形缺刻，在背板端部外缘两侧着生有1对向腹部延伸的膨突；雌虫外生殖器的生殖板小而简单，中轴不超出或超出主板，生殖板后臂发达。

分布：东洋区。中国已知94种，秦岭地区分布3种。

分种检索表

1. 翅无色透明，无斑纹；第3腹节背板后缘的背中突极短，与第4节的后背中突接触 ………………………………………………………… **路氏新蝎蛉 *Neopanorpa lui***
   翅无色透明，斑纹明显 ……………………………………………………… 2
2. 头顶黑色。腹部第3节背板后缘中央的背中突极短，不超过第4腹节中部；前翅端带极宽，但仅从前缘伸到翅的中央；痣带极宽，但端枝很细且与基枝分离；在端带与痣带端枝之间有1个小黑点；缘斑很小，为1个小圆点 ……………………… **申氏新蝎蛉 *N. sheni***
   头顶深褐色；第3腹节背板的背中突极长，向后明显伸过第5腹节后缘；端带极宽，近前缘处有2个透明窗状斑，痣带端枝与端带之间另有1条短条纹；缘斑极大 ………………………………………………… **河南新蝎蛉 *N. longiprocessa***

(23) 路氏新蝎蛉 *Neopanorpa lui* Chou *et* Ran, 1981（图166；图版42）

Neopanorpa lui Chou *et* Ran *in* Chou *et al.*, 1981: 17.

鉴别特征：头顶和单眼三角区黑色；喙黄褐色；触角黄褐色。胸部背面中央具1条黑色宽纵带延伸至后胸小盾片上，其余部分为黄白色。前翅无色透明，长14.0mm，宽4.0mm，无任何斑纹，翅痣较明显。腹部第2～5节背板黑色，腹板黄白色，第7～9节红棕色。腹部第3节背中突很短，钝三角形，搁在第4节背板的突起上。雄虫外生殖器下板基柄较阔长，下瓣基部窄，向端部逐渐变阔，外侧缘折向背中向，伸至生殖肢基节端部，两瓣相互重叠；生殖刺突内缘中部具三角形突起，基齿坚硬，末端平截；上板梯形，末端平截。雌虫外生殖器的下生殖板卵圆形，末端具"V"形缺刻；生殖板小，简单；中轴粗短，卵圆形，不伸出主板；后臂发达，刀片状。

采集记录：1♂（正模），陕西秦岭，1965.Ⅷ，周尧、路进生采；1♂（副模），太白山，1951.Ⅷ.02，周尧采；5♂6♀，留坝庙台子林场，1200～1600m，2004.Ⅷ.03，黄蓬英采。

分布：陕西（太白、凤县、留坝、南郑）、甘肃。

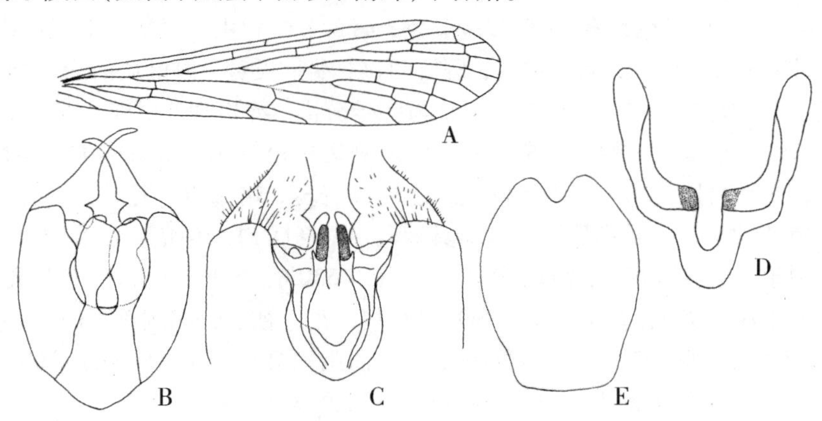

图166　路氏新蝎蛉 *Neopanorpa lui* Chou *et* Ran

A. 前翅；B. 雄虫外生殖器腹面观；C. 阳茎；D. 雌虫生殖板；E. 雌虫下生殖板

（24）河南新蝎蛉 *Neopanorpa longiprocessa* Hua *et* Chou, 1997（图版43）

Neopanorpa longiprocessa Hua *et* Chou, 1997: 275.

鉴别特征：头顶和单眼三角区被1条纵向的褐黑色斑纹覆盖，斑纹向后延伸至后头区，斑纹覆盖区以外的地方黄褐色；喙黄褐色；胸部和腹部前6节漆黑色，第7～9节黄褐色。腹部第3节的背中突极长，向后明显伸过第5节后缘。前翅长14.6mm，无色透明，斑纹极其明显；前翅端带极阔，从 R_1 处延伸至 M_2，靠前缘处有2个透明窗斑；痣带极宽，基枝阔，端枝窄；痣带与端带之间有1条额外的短横带；缘斑极大；亚中带细长，中部缢缩，断成2个斑；无基斑。雄虫外生殖器长椭圆形；生殖刺突端节内缘基齿极大，呈杯状；下板基柄阔长，下瓣较短，两瓣在基部窄，在近端部2/3处变宽，略有重叠；上板窄，端部平截，在近端部的两侧有1对膨大的球状突起指向腹部。雌虫外生殖器的下生殖板卵圆形，末端具较深的"V"形缺刻；生殖板大，后臂细长，在端部1/3处略有缢缩；中轴阔，端部尖，基部不伸出主板；主板后缘分叉强烈。

采集记录：1♂3♀，宁陕火地塘，2004. Ⅶ. 15-18，蔡立君、石宏、谭江丽采；33♂20♀，宁陕火地塘，1640m，2003. Ⅵ. 07，聂小妮采；1♀，宁陕火地塘，1990. Ⅴ. 26；1♀，宁陕火地塘，1994. Ⅵ. 15，谢英采。

分布：陕西（宁陕）、河南。

（25）申氏新蝎蛉 *Neopanorpa sheni* Hua *et* Chou，1997（图版44）

Neopanorpa sheni Hua *et* Chou，1997：276.

鉴别特征：头顶黑色，喙橘黄色；前胸背板褐黑色；中胸背板前缘1/2褐黑色，向后延伸成1条宽的褐黑色中央条带至后胸小盾片上，胸部靠近翅基部处呈黄褐色；腹部第1～6节背板黑色，第7～9节橘黄色；第3节的背中突极短，不超过第4节背板中部。前翅长11.5mm，无色透明，斑纹明显；端带极宽，但仅从前缘伸到翅中央；痣带极宽，基枝略窄于痣带，端枝很细且与痣带分离；缘斑很小；亚中带断开成2个小点；无基斑。雄虫外生殖器长椭圆形，生殖刺突中齿钝圆，基齿极大，杯状；下板基柄阔长，下瓣细长，2瓣在基部较细，近端部变宽，略重叠，延伸至端节基齿处。雌虫外生殖器的下生殖板卵圆形，末端具深的"V"形凹刻；生殖板小，无中轴。

采集记录：1♂（正模），河南嵩县白云山，1550m，1996. Ⅶ. 17，高明媛采；1♀（副模），河南栾川龙峪湾，2000m，1996. Ⅶ. 14，花保祯、田润刚采；1♀，河南嵩县白云山，1550m，1996. Ⅶ. 17，高明媛采；1♂，河南嵩县白云山，1300m，2004. Ⅶ. 26，谭江丽采；1♂，宁陕火地塘，2004. Ⅶ. 18，谭江丽、石宏采。

分布：陕西（宁陕）、河南。

8. 蝎蛉属 *Panorpa* Linnaeus，1758

Panorpa Linnaeus，1758：551. **Type species**：*Panorpa communis* Linnaeus，1758.

属征：喙细长。前翅1A脉与翅缘的交点超过或正好到达Rs脉的起源点；臀脉分3枝；R_2脉分2枝。雄虫腹部第3节背中突不发达或较短；大部分种类第6～8节有不同程度的延长。雄虫外生殖器形状变异较大，第9节腹板的基柄阔长或不明显，下瓣阔或细；生殖肢基节长，生殖刺突纤细，内缘不规则；腹阳基侧突游离，不与阳茎愈合；第9节背板近四边形。雌虫外生殖器的下生殖板基部阔，末端窄，中轴较长，后臂发达。

分布：中国；俄罗斯，朝鲜，日本，欧洲，美国，加拿大，墨西哥。中国已知104种，秦岭地区记载有9种，其中微蝎蛉 *Panorpa pusilla* Cheng，1957 根据太白山的雌虫记载，但据我们在太白山多年的调查，很可能是异名或变异，因此本文未作记载。

分种检索表

1. 翅面无斑纹或几乎无斑纹 ………………………………………………………… 2
   翅面有明显斑纹 ………………………………………………………………… 3
2. 前翅无色透明，雄虫第6腹节颜色明显比前后要暗；阳基侧突线状，细而弯曲 ……………… ……………………………………………………………… **郑氏蝎蛉 *Panorpg chengi***
   前翅淡黄色；生殖肢基节端部内缘具有几根刺毛 ……………… **淡黄蝎蛉 *P. fulvastra***
3. 痣带和基枝完整，端枝消失，无缘斑；腹部第7、8节不延长 ………………………… 4
   翅面斑纹完整，亚中带横贯全翅；腹部第7、8节明显延长 ………………………… 5
4. 生殖刺突内缘具明显的基齿；前翅端带明显，痣带无端枝，亚中带缩小为1个小斑点 ……… ……………………………………………………………… **双带蝎蛉 *P. bifasciata***
   斑纹色浅，尤其是前翅端带很不明显；痣带端枝完整，基枝断开，缩小为翅后缘的1个三角形斑点；无缘斑和基斑，亚中带缩小为后缘的1个较大的明显斑点 …… **淡色蝎蛉 *P. decolorata***
5. 翅面无缘斑和基斑 ………………………………………………………………… 6
   翅面有缘斑和基斑 ………………………………………………………………… 7
6. 体黑色，胸部背面有1条灰褐色纵中带；喙黄褐色；前翅端带完整，后角有1个透明斑；痣带完整，基枝很宽，端枝与痣带相连；有亚中带；无基斑……………… **六刺蝎蛉 *P. sexspinosa***
   体黄褐色，中胸、后胸两侧各有1个黑色斑点；翅端带内侧分出1个小黑斑 ……………… ……………………………………………………………… **山阳蝎蛉 *P. shanyangensis***
7. 前翅端带不完全到达外缘，顶角及后角处具有透明斑；痣带完整，但端枝狭小，与痣带分离；缘斑较小；亚中带中间断开成2个斑；无基斑……………………… **秦岭蝎蛉 *P. qinlingensis***
   体黑色，中胸、后胸背板具1条灰褐色纵带；前翅端带完整，但后角有1个透明斑；痣带完整，基枝和端枝完整；缘斑、亚中带和基斑完整 ……………………… **新刺蝎蛉 *P. neospinosa***

(26) 淡色蝎蛉 ***Panorpa decolorata* Chou *et* Wang, 1981**(图167;图版45)

Panorpa decolorata Chou *et* Wang in Chou *et al.*, 1981: 10.

鉴别特征：头和喙呈黄褐色，胸部、腹部呈黄褐色。前翅长13.0mm，宽3.0mm，无色透明；端带不明显，分成2条，外侧1条只在顶角可见，内侧1条为1条窄带；痣带前宽后窄，端枝窄，基枝中断，只在后缘留下1个三角形斑；亚中带前面部分消失，只在后缘留有1个圆形大斑；无缘斑和基斑。雄虫外生殖器长椭圆形；下板的基柄窄长，下瓣较短；阳基侧突长，末端尖，其上着生浓密短刺；上板梯形，末端有“U”形缺刻。雌虫外生殖器的下生殖板阔，末端缺刻浅；生殖板大，末端凹陷深，无基侧片；中轴细长，其长度的1/2伸出生殖板。

采集记录：1♀(正模)，太白山中山寺，1430m，1956. Ⅶ. 23，周尧采；2♀(副模)，秦岭，1951. Ⅷ. 18，周尧采；1♀，太白山蒿坪寺，1997. Ⅷ. 17，花保祯、马伏宁采；2♂1♀，太白山蒿坪寺，1981. Ⅷ. 16，姚成林采；1♂，太白大殿，1981. Ⅷ. 04，太白山昆虫考察组；3♂4♀，宁陕火地塘，1820～2100m，2003. Ⅷ. 20-24，聂小妮、侯小燕、郎嵩云采；1♂，宁陕，1984. Ⅷ. 16，西北农学院；1♂，宁陕火地塘，1970m，2003. Ⅷ，聂小妮采。

分布：陕西（太白、眉县、宁陕）、河南、湖北。

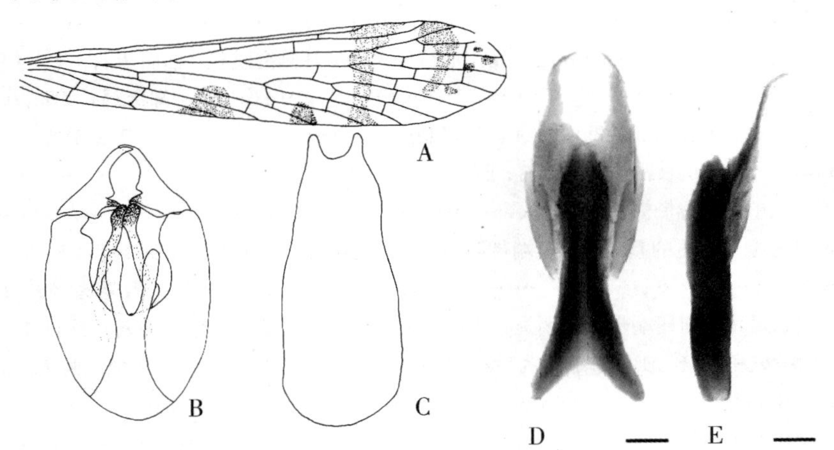

图 167 淡色蝎蛉 *Panorpa decolorata* Chou *et* Wang

A. 前翅；B. 雄虫外生殖器腹面观；C. 雄虫第 9 腹节背板；D，E. 雌虫生殖板腹面观、侧面观

（27）双带蝎蛉 *Panorpa bifasciata* Chou *et* Wang，1981（图版 46）

Panorpa bifasciata Chou *et* Wang in Chou *et al.*，1981：10.

鉴别特征：体黑褐色，头顶及喙黄褐色，通过单眼有 1 条宽的黑色横带；胸部黄褐色，两侧及腹面淡灰褐色；腹部第 1～5 节背面黑褐色，腹面黄褐色；第 7～9 节黄褐色。前翅透明，长 12.0mm，宽 3.5mm；端带完整；痣带和基枝完整，端枝消失；亚中带只留 1 个小点；无缘斑和基斑。雄虫外生殖器长椭圆形，生殖肢基节长，内缘中部有成束的长刚毛；生殖刺突内缘除有三角形突起外，在基部 1/3 处还有 1 个大的三角形基齿；腹阳基侧突细长而尖锐；下板基柄不明显，下瓣细长；上板狭长，末端有凹刻。雌虫下生殖板阔，末端有浅的凹刻；生殖板复杂，后端凹陷呈长圆形，两侧极细长，端部极尖，有 1 对基侧片，基侧片端部阔而褶叠，基部呈柄状；无中轴。

采集记录：1♂（正模），1♂4♀（副模），长安南五台，1957. Ⅷ. 08，周尧采；2♀，太白山，1956. Ⅶ. 23，周尧采；1♂7♀，秦岭，1962. Ⅷ. 05，杨集昆采；13♂7♀，太白山蒿坪寺，1997. Ⅷ. 17，花保祯、马伏宁采；3♂1♀，留坝庙台子林场，1200～1600m，2004. Ⅷ. 03，黄蓬英采；1♀，宁陕火地塘，2003. Ⅷ. 21，侯小燕采。

分布：陕西（长安、户县、眉县、凤县、留坝、宁陕、南郑）、河南、湖北。

(28)郑氏蝎蛉 *Panorpa chengi* Chou，1981(图版47)

Panorpa chengi Chou *in* Chou *et al.*，1981：16.

鉴别特征：喙红棕色，头顶黄色，单眼区有1条黄褐色横带；胸部背板灰褐色，中后胸背板中央有1条阔的灰褐色纵带，侧板和腹板灰黄色；腹部第1~5节灰黄色，第6节黄褐色，第7~9节黄色。前翅长12.0mm，宽3.0mm，翅略带淡黄色，无任何斑纹。雄虫外生殖器圆球形，生殖肢基节短阔，端部内缘有1列短刚毛；生殖刺突较长，内缘具三角形中齿，基部有1个突起的构造，末端凹陷区下缘有1撮较粗的毛；腹阳基侧突线状，细而弯曲；下板的基柄阔短，下瓣细长，内缘具1列细毛；上板末端凹陷很深，略呈方形。雌虫下生殖板阔圆，生殖板大，后方凹陷成长方形；中轴细长，伸出生殖板1/2。

采集记录：1♂(正模)，秦岭，1951.Ⅶ.13，周尧采；1♂，太白山铁甲树，1770m，2002.Ⅶ.17，聂小妮、戴武采；6♂3♀，太白山上白云，1981.Ⅷ.14，陕西太白山昆虫考察组；1♀，华山，1983.Ⅸ.30，陆晓琳采；5♂8♀，宁陕火地塘，2004.Ⅶ.15-18，蔡立君、石宏、谭江丽采；2♂4♀，宁陕火地塘，蔡立君、谭江丽、石宏采；4♀，宁陕火地塘，1680~1850m，聂小妮、侯小燕、郎嵩云采；5♂18♀，宁陕火地塘，1680~1910m，2003.Ⅵ-Ⅶ，聂小妮采；2♂1♀，宁陕火地塘，1984.Ⅵ.06，西北农学院；1♂1♀，宁陕关口，1984.Ⅷ.14，西北农学院。

分布：陕西(太白、周至、凤县、眉县、华阴、宁陕)、甘肃。

(29)淡黄蝎蛉 *Panorpa fulvastra* Chou，1981(图版48)

Panorpa fulvastra Chou in Chou *et al.*，1981：4.

鉴别特征：体黄棕色。喙红棕色；中后胸背板两侧各有1个黑斑；腹部第1~5节背板及第6节黑色，第7~9节黄棕色。前翅长11.0mm，宽3.0mm，翅略带黄色，翅痣深黄色，斑纹烟褐色，不太明显；端带只存在于顶角处；痣带中断，基枝呈1个小点，无端枝；无缘斑和基斑；亚中带只在近后缘处留有1个小点。雄虫外生殖器较小，生殖肢基节长于生殖刺突，生殖刺突内缘有几根刚毛，中齿不很突出，基部具凹陷区；腹阳基侧突短且弯曲，互相交叉，端部有毛；下板的基柄较短，下瓣弯曲，内缘有毛；上板狭长，末端具有深的方形凹刻。雌虫下生殖板狭长，卵形，末端较尖，无缺刻；生殖板后方凹陷呈圆形；中轴直，超出生殖板1/3。

采集记录：1♂(正模)，4♂6♀(副模)，太白，1956.Ⅶ.22，周尧采；2♀，秦岭，1600~2000m，1967.Ⅷ.07，杨集昆采；5♂4♀，留坝庙台子林场，1200~1600m，2004.Ⅷ.03，黄蓬英采；1♂，佛坪国家自然保护区，1996.Ⅶ.23，李二虎采；1♂，宁

陕火地塘，2003. Ⅵ，聂小妮采。

分布：陕西（太白、凤县、眉县、留坝、佛坪、南郑）、甘肃。

（30）新刺蝎蛉 *Panorpa neospinosa* Chou *et* Wang, 1981（图 168）

Panorpa neospinosa Chou *et* Wang in Chou *et al.*, 1981：7.

鉴别特征：体黑色。头顶和喙黄褐色；胸部背板黑色，中后胸背板有 1 条灰褐色纵中带，侧板和腹面黄褐色；腹部第 1～6 节黑色，第 7～9 节黄褐色。雄虫腹部第 3 节背中突后缘略向后伸出；第 6 节后缘无臀角。前翅长 10.0mm，宽 3.0mm，翅斑纹黑褐色；端带完整，后角处有 1 个透明斑；痣带完整，基枝阔，端枝较窄；缘斑极大；亚中带较宽，中间变细；有 1 个小的基斑。雄虫外生殖器球形，较小；生殖肢基节长，端部内缘有 6 根刚毛；生殖刺突长，内缘有三角形突起，其基部有大的凹陷区；腹阳基侧突细长弯曲，基部呈柄状，端部内缘有细毛；下板基柄明显，下瓣长而弯曲，几乎达抱器基节的端部；上板末端凹刻呈正方形。雌虫外生殖器的下生殖板长，末端有微小凹刻；生殖板大，基部有 2 对基侧片；中轴伸出生殖板 1/3。

采集记录：1♂（正模），8♂11♀（副模），秦岭车站，1600～2000m，1965. Ⅷ. 18，周尧、路进生采；1♀，周至田峪，1951. Ⅷ. 18-19，周尧采。

分布：陕西（周至、凤县）、甘肃。

图 168 新刺蝎蛉 *Panorpa neospinosa* Chou *et* Wang

A. 雄虫背面观；B. 雄虫外生殖器腹面观

（31）秦岭蝎蛉 *Panorpa qinlingensis* Chou *et* Ran, 1981（图版 49）

Panorpa qinlingensis Chou *et* Ran *in* Chou *et al.*, 1981：9.

鉴别特征：体黄褐色，头顶及喙黄褐色；胸部背板褐色，侧板和腹板黄褐色；腹部黄褐色，第6节背板后缘中央向上翘，无明显的臀角。前翅长11.0mm，宽3.0mm，斑纹褐色；端带不完全到达外缘，除顶角有1个透明斑外，近后角有几个小的和1个较大的透明斑；痣带和基枝完整，端枝狭小，与痣带分离；缘斑较小；亚中带中间断开成2个斑；无基斑。雄虫外生殖器球形；生殖肢基节长，近端部内缘仅有1根长刚毛；生殖刺突短，内缘有1个三角形突起，基部有1个大的凹陷区；腹阳基侧突细长弯曲，端部外缘有细毛；上板末端具有宽的凹刻；下板基柄明显，下瓣长，弯曲。雌虫外生殖器的下生殖板末端无凹刻；生殖板大，后方凹陷近圆形；基部有1对基侧片；中轴直，伸出生殖板1/3。

采集记录： 1♂（正模），9♂12♀（副模），秦岭，1965. Ⅷ. 18，周尧、路进生采；9♂12♀，秦岭，1962. Ⅷ. 05，杨集昆采；4♀，留坝庙台子林场，1200～1600m，2004. Ⅷ. 03，黄蓬英采。

分布： 陕西（凤县、留坝、南郑）。

（32）六刺蝎蛉 *Panorpa sexspinosa* Cheng，1949（图版50）

Panorpa sexspinosa Cheng，1949：145.

鉴别特征： 头顶污红棕色，单眼三角区及其周围黑色，额暗红棕色，喙呈不均匀红棕色。前胸背板污黑褐色，后缘污红棕色；中后胸背板黑色，中央具有1条浅黄色纵带。侧板和腹面浅黄褐色。腹部第1～5节背板黑色，腹板黑色与红棕色相间；第6节黑色，无明显臀角；第7节以后黄褐色。腹部第3节背中突较发达，稍向后方突出。前翅翅面略透明，斑纹褐黑色；端带阔，后角处从 R_5 脉斜向 M_1 脉，下方有1个透明斑；痣带和基枝完整，阔，端枝细，仅为基枝之半，在后缘消失；缘斑阙如；亚中带从 Sc_1 脉伸至后缘，直；无基斑。雄虫外生殖器球形，下板基柄较短，下瓣细长，末端钝圆；生殖肢基节长；生殖刺突仅为基节长度的1/3，内缘有4～6根刚毛，通常5根；生殖刺突内缘有三角形突起，基部有凹陷区；腹阳基侧突细长，弯曲，内缘有短毛，末端尖；上板梯形，末端凹刻呈正方形。雌虫外生殖器的下生殖板长，末端凹刻很小；生殖板大，后方凹陷近圆形，基部有1对基侧片；中轴直，伸出生殖板1/3。

采集记录： 1♀，周至田峪，1951. Ⅸ. 24，周尧采；2♂16♀，首阳山，1980. Ⅷ. 28，王素梅、周静若、路进生、袁锋、马宁、冯纪年采；2♂2♀，首阳山，1979. Ⅶ. 08，田畴、陈彤采；3♂1♀，秦岭小安沟，1956. Ⅶ. 10-13，周尧采；1♂，秦岭车站，1965. Ⅷ. 18，周尧、路进生采；8♂6♀，太白山，1915. Ⅶ. 19-Ⅷ. 08，周尧采；2♂3♀，秦岭，1962. Ⅷ. 05，杨集昆采；3♂1♀，宁陕火地塘，2004. Ⅶ. 15-18，蔡立君、石宏、谭江丽采；11♂，宁陕火地塘，1630～1910m，2003. Ⅶ. 17，聂小妮采。

分布： 陕西（太白、长安、周至、凤县、宁陕）、河南、甘肃、湖北。

(33)山阳蝎蛉 *Panorpa shanyangensis* Chou *et* Wang, 1981(图版51)

Panorpa shanyangensis Chou *et* Wang in Chou *et al.*, 1981: 8.

鉴别特征:头顶褐色,有3个黑斑,中后胸背板黄褐色,两侧缘各有黑色斑点,侧板和腹板黄色;腹部第1~5节背板黑褐色,腹板黄色,第6节黑褐色,第7~9节黄褐色。前翅长11.0mm,宽2.7mm,端带内侧分出3个斑点,痣带、基枝和端枝完整;亚中带窄;无缘斑和基斑。雌虫外生殖器下生殖板末端呈圆形;生殖板后方凹陷很深,呈长方形;基侧片3对;中轴长,其长度的1/4伸出生殖板。

采集记录:1♀(正模),山阳翠屏山,1973.Ⅷ.14,田畴、曾天印、阮满胜采。

分布:陕西(山阳)。

参考文献

Alcock, J. 1979. Selective mate choice by females of *Harpobittacus australis* (Mecoptera: Bittacidae). *Psyche*, 86: 213-217

Bicha, W. J. 2006. New scorpionflies (Mecoptera: Panorpidae) from Jalisco, Michoacan, and Oaxaca, Mexico. *Proceedings of the Entomological Society of Washington*, 108: 24-34.

Bicha, W. J. 2010. A review of the scorpionflies (Mecoptera) of Indochina with the description of a new species of *Neopanorpa* from Northern Thailand. *Zootaxa*, 2480: 61-67.

Byers, G. W. 1963. The life history of *Panorpa nuptialis* (Mecoptera: Panorpidae). *Annals of the Entomological Society* of *America*, 56: 142-149.

Byers, G. W. 1965. The Mecoptera of Indo-China. *Pacific Insects*, 7: 705-748.

Byers, G. W. 1967. Synonymy in the Panorpidae (Mecoptera). *Journal of the Kansas Entomological Society*, 40: 571-576.

Byers, G. W. 1970. New and Little Known Chinese Mecoptera. *Journal of the Kansas Entomological Society*, 43: 383-394.

Byers, G. W. 1971. An illustrated, annotated catalogue of African Mecoptera. *Kansas University Science Bulletin*, 49: 389-436.

Byers, G. W. 1988. Origins of North American Insect Fauna. *Memoirs of the Entomological Society of Canada*, 144.

Byers, G. W. 1993. Autumnal Mecoptera of the southeastern United States. *University of Kansas Science Bulletin*, 55: 57-96.

Byers, G. W. 1994. Taiwanese species of *Neopanorpa* (Insecta: Mecoptera: Panorpidae). *Annals of Carnegie Museum*, 63: 185-192.

Byers, G. W. 1999. Thirteen new Panorpidae (Mecoptera) from northern Burma. *Entomologica Scandinavica*, 30: 197-218.

Byers, G. W. and Thornhill, R. 1983. Biology of the Mecoptera. *Annual Review of Entomology*, 28: 203-228.

Cai, L-J, Huang, P-Y. and Hua, B-Z. 2008. *Sinopanorpa*, a new genus of Panorpidae (Mecoptera) from the Oriental China with descriptions of two new species. *Zootaxa*, 1941: 43-54.

Cai, L-J. and Hua, B-Z. 2009. A new *Neopanorpa* (Mecoptera, Panorpidae) from China with notes on its biology. *Deutsche Entomologische Zeitschrift*, 56: 93-99.

Cai, L-J. and Hua, B-Z. 2009. Morphology of the immature stages of *Panorpa qinlingensis* (Mecoptera: Panorpidae) with notes on its biology. *Entomologica Fennica*, 20, 215-224.

Carpenter, F. M. 1931a. The Biology of the Mecoptera. *Psyche*, 38: 41-55.

Carpenter, F. M. 1931b. Revision of the Nearctic Mecoptera. *Bulletin of the Museum of Comparative Zoology*, 72: 205-277.

Carpenter, F. M. 1938. Mecoptera from China, with descriptions of new species. *Proceedings of the Biological Society of Washington*, 40: 267-281.

Chau, H-C. and Byers, G. W. 1978. The Mecoptera of Indonesia: genus *Neopanorpa. Universtiy of Kansas Science Bulletin*, 51: 341-405.

Chen, H-M. and Hua, B-Z. 2011. Morphology and chaetotaxy of the first instar larva of the scorpionfly *Sinopanorpa tincta* (Mecoptera: Panorpidae). *Zootaxa*, 2897: 18-26.

Chen, J. and Hua, B-Z. 2011. A second species of *Bittacus* Latreille, 1805 (Mecoptera: Bittacidae) from Hainan Island, China. *Zootaxa*, 3093: 64-68.

Chen, J., Tan, J-L. and Hua, B-Z. 2013. Review of the Chinese *Bittacus* (Mecoptera: Bittacidae) with descriptions of three new species. *Journal of Natural History*, 47: 1463-1480.

Cheng, F-Y. 1949. New species of Mecoptera from Northwest China. *Psyche*, 56: 139-173.

Cheng, F-Y. 1957. Revision of the Chinese Mecoptera. *Bulletin of the Museum of Comparative Zoology at Harvard College*, 116: 1-117.

Chou, I., Ran, R-B. and Wang, S-M. 1981. Studies on the classification of Chinese Mecoptera (I, II). *Entomotaxonomia*, 3: 1-18. [周尧，冉瑞碧，王素梅. 1981. 长翅目昆虫的分类研究（I、II）. 昆虫分类学报，3：1-22.]

Engqvist, L. and Sauer, K. P. 2003. Determinants of sperm transfer in the scorpionfly *Panorpa cognata*: male variation, female condition and copulation duration. *Journal of Evolutionary Biology*, 16, 1196-1204.

Gao, C., Ma, N. and Hua, B-Z. 2016. *Cerapanorpa*, a new genus of Panorpidae (Insecta: Mecoptera) with descriptions of three new species. *Zootaxa*, 4158: 93-104.

Grimaldi, D. and Engel, M. S. 2005. *Evolution of the Insects*. Cambridge University Press, New York, 755 pp.

Hu, G-L., Yan, G., Xu, H. and Hua, B-Z. 2015. Molecular phylogeny of Panorpidae (Insecta: Mecoptera) based on mitochondrial and nuclear genes. *Molecular Phylogenetics and Evolution*, 85: 22-31.

Hua B-Z., Sun G-H. and Li M-L. 2001. Sichuan Panorpidae (Mecoptera) kept in the Tianjin Natural History Museum. *Entomotaxonomia*, 23: 120-123.

Hua, B-Z. and Cai, L-J. 2009. A new species of the genus *Panorpa* (Mecoptera: Panorpidae) from China with notes on its biology. *Journal of Natural History*, 43: 545-552.

Hua, B-Z. and Chou, I. 1997. The Panorpidae (Mecoptera) of Funiu Mountain in Henan Province. *Entomotaxonomia*, 19: 273-278.

Hua, B-Z. and Chou, I. 1998. Panorpidae (Mecoptera) in Hainan Island. *Entomotaxonomia*, 20:

133-139.

Hua, B-Z. , Tan, J-L. and Huang, P-Y. 2008. Two new species of the genus *Bittacus* (Mecoptera: Bittacidae) from China. *Zootaxa*, 1749: 62-68.

Huang, P-Y. and Hua B-Z. 2005. Four new species of the Chinese *Bittacus* Latreille (Mecoptera, Bittacidae) *Acta Zootaxonomia Sinica*, 30: 393-396.

Huang, J. and Hua, B-Z. 2011. Functional morphology of the mouthparts in the scorpionfly *Sinopanorpa tincta* (Mecoptera: Panorpidae). *Micron*, 42: 498-505.

Issiki, S. 1927. New and rare species of Mecoptera from Corea, Formosa and Japan. *Insecta Matsumurana*, 2: 1-12.

Issiki, S. 1929. Descriptions of new species of the genus *Panorpa* from Japan and Formosa. Taihoku Imperial University.

Issiki, S. 1931. Two new species of scorpion-flies (Insect, Order Mecoptera). *Annals and Magazine of Natural History*, 10: 219-222.

Issiki, S. 1933. Morphological studies on the Panorpidae of Japan and adjoining contries and comparison with American and European forms. *Japanese Journal of Zoology*, 4: 315-416.

Jiang, L. and Hua, B-Z. 2013. Morphology and chaetotaxy of the immature stages of the scorpionfly *Panorpa liui* Hua (Mecoptera: Panorpidae) with notes on its biology. *Journal of Natural History*, 47: 2691-2705.

Jiang, L. and Hua, B-Z. 2015. Morphological comparison of the larvae of *Panorpa obtusa* Cheng and *Neopanorpa lui* Chou and Ran (Mecoptera: Panorpidae). *Zoologischer Anzeiger*, 255: 62-70.

Jiang, L. , Gao, Q-H. and Hua, B-Z. 2015. Larval morphology of the hanging-fly *Bittacus trapezoideus* Huang and Hua (Insecta: Mecoptera: Bittacidae). *Zootaxa*, 3957: 324-333.

Ju, J-S. and Zhou, W-B. 2003. Two new species of Mecoptera from Jiulongshan, China. *Journal of Zhejiang Forestry College*, 20: 37-40. 琚金水, 周文豹. 2003. 浙江九龙山长翅目2新种. 浙江林学院学报, 20: 37-40.

Kaltenbach, A. 1978. Mecoptera (Schnabelhafte, Schnabelfliegen). *Handuch der Zoologie*, 4: 1-111

Krzeminski, K. A. 2007. Revision of Eocene Bittacidae (Mecoptera) from Baltic amber, with the description of a new species. *African Invertebrates*, 48: 153-162.

Kullmann, H. and Sauer, K. P. 2005. Life histories and mating system aspects of two Caucasian scorpionfly species: *Panorpa similis* Esben-Petersen and *Panorpa connexa* MacLachlan. *Zoologischer Anzeiger*, 244: 1-9.

Li, X. , Hua, B-Z. , Cai, L-J. and Huang, P-Y. 2007. Two new species of the genus *Panorpa* (Mecoptera: Panorpidae) from Shaanxi, China with notes on their biology. *Zootaxa*, 1542: 59-67.

Lieftinck, M. A. 1936. Studies in oriental Mecoptera I. The genus *Leptopanorpa* in Malaysia. *Treubia*, 15: 271-320.

Ma, N. and Hua, B-Z. 2009. Fine structure and formation of the eggshell in scorpionfly *Panorpa liui* Hua (Mecoptera: Panorpidae). *Microscopy Research and Technique*, 72: 495-500.

Ma, N. and Hua, B-Z. 2011. *Furcatopanorpa*, a new genus of Panorpidae (Mecoptera) from China. *Journal of Natural History*, 45: 2251-2261.

Ma, N. , Cai, L-J. and Hua, B-Z. 2009. Comparative morphology of the eggs in some Panorpidae (Mecoptera) and their systematic implication. *Systematics and Biodiversity*, 7: 403-417.

Ma, N., Chen, H-M. and Hua, B-Z. 2014. Larval morphology of the scorpionfly *Dicerapanorpa magna* (Chou) (Mecoptera: Panorpidae) and its adaptive significance. *Zoologischer Anzeiger*, 253: 216-224.

Ma, N., Hu, G-L., Zhang, J-X. and Hua, B-Z. 2014. Morphological Variation of the Scorpionfly *Panorpa obtusa* Cheng (Mecoptera: Panorpidae) with a New Synonym. *PLoS One*, 9: e108545.

Ma, N., Liu, S-Y. and Hua, B-Z. 2011. Morphological diversity of male salivary glands in Panorpidae (Mecoptera). *European Journal of Entomology*, 108: 493-499.

Ma, N., Zhong, W., Gao Q-H. and Hua, B-Z. 2012. Morphological diversity and the phylogenetic significance of the female genital plates of the East Asian Panorpidae (Mecoptera) *Systematics and Biodiversity*, 10: 159-178.

Mampe, C. D. and Neunzig, H. H. 1965. Larval descriptions of two species of *Panorpa* (Mecoptera: Panorpidae), with notes on their biology. *Annals of the Entomological Society of America*, 58: 843-849.

Navás, L. 1908. Neuropteros nuevos. *Memorias de la real Academia de Ciencias y Artes de Barcelona*, 3: 401-423.

Navás, L. 1912. Une Panorpide nouvelle da la faune russe (Neuroptera). *Revue Russe d'Entomologie*, 12: 356-357.

Navás, L. 1931. Decadas de insectos nuevos. Dacada 2a. *Revista de la real Academia de Ciencias exactas, fisicas y naturales de Madrid*, 26: 69-79.

Packard, A. S. 1886. A new arrangement of the Orders of Insects. *American Naturalist*, 20: 808.

Qian, Z-X. and Zhou, W-B. 2001. The new species of Mecoptera from Yunnan. *Journal of Zhejiang Forestry College*, 18: 297-300. [钱周兴, 周文豹. 2001. 云南长翅目3新种. 浙江林学院学报, 18: 297-300.]

Setty, L. R. 1931. The biology of *Bittacus stigmaterus* Say (Mecoptera, Bittacidae). *Annals of the Entomological Society of America*, 24: 467-484.

Setty, L. R. 1940. Biology and morphology of some North American Bittacidae (Order Mecoptera). *American Midland Naturalist*, 23: 257-353.

Tan, J-L and Hua, B-Z. 2008a. First Discovery of Bittacidae (Mecoptera) in Hainan Island, China, with description of a new species. *Entomological News*, 119: 497-500.

Tan, J-L. and Hua, B-Z. 2008b. Morphology of immature stages of *Bittacus choui* (Mecoptera: Bittacidae) with notes on its biology. *Journal of Natural History*, 42: 2127-2142.

Tan, J-L. and Hua, B-Z, 2008c. The second species of the Chinese Panorpodidae (Mecoptera), *Panorpodes brachypodus* sp. nov. *Zootaxa*, 1751:59-64.

Tan, J-L. and Hua, B-Z. 2008d. A new species of the genus *Bittacus* (Mecoptera, Bittacidae) from Zhejiang, China. *Acta Zootaxonomica Sinica*, 33: 487-490.

Tan, J-L. and Hua, B-Z. 2009a. *Bicaubittacus*, a new genus of the Oriental Bittacidae (Mecoptera) with descriptions of two new species. *Zootaxa*, 2221: 27-40

Tan, J-L. and Hua, B-Z. 2009b. Description of the immature stages of *Bittacus planus* Cheng (Mecoptera: Bittacidae) with notes on its biology. *Proceedings of the Entomological Society of Washington*, 111: 111-121.

Tan, J-L. and Hua, B-Z. 2009c. *Terrobittacus*, a new genus of the Chinese Bittacidae (Mecoptera) with descriptions of two new species. *Journal of Natural History*, 43: 2937-2954.

Thornhill, R. 1975. Scorpionflies as kleptoparasites of web-building spiders. *Nature*, 258: 709-710.

Thornhill, R. 1976. Sexual selection and nuptial feeding behavior in *Bittacus apicalis* (Insecta: Mecoptera). *The American Naturalist*, 110: 529-548.

Thornhill, R. 1978. Sexual selection predatory and mating behavior of the hangingfly, *Bittacus stigmaterus* (Mecoptera: Bittacidae) and paternal investment in insects. *Annals of the Entomological Society of America*, 71: 597-601.

Thornhill, R. 1980. Competition and coexistence among *Panorpa* scorpionflies (Mecoptera: Panorpidae). *Ecological Monographs*, 50: 179-197.

Thornhill, R. 1981. *Panorpa* (Mecoptera: Panorpidae) scorpionflies: systems for understanding resource-defense polygyny and alternative male reproductive efforts. *Annual Review of Ecology and Systematics*, 12: 355-386.

Thornhill, R. 1984. Sperm competition and the evolution of animal mating systems. Orlando: Academic Press.

Walker F. 1853. *List [Catalogue] of the specimens of neuropterous insects in the collection of the British Museum, Part II. (Sialides-Nemopterides)*. British Museum, London. pp. 193-476

Wang, J-S. and Hua, B-Z. 2016. Two new species of the genus *Panorpa* Linnaeus (Mecoptera, Panorpidae) from Yunnan, China. *ZooKeys*, 587:151-162.

Wu, C-P. 1937. *Catalogus Insectorum Sinensium*. Peiping, 3: 1263-1269.

Yie, S-T. 1951. The biology of Formosan Panorpidae and morphology of eleven species of their immature stages. *Memoirs of the College of Agriculture, National Taiwan University*, 2:1-111.

Zhong, W. and Hua, B-Z. 2013a. *Dicerapanorpa*, a new genus of East Asian Panorpidae (Insecta: Mecoptera: panorpidae) with descriptions of two new species. *Journal of Natural History*, 47: 1019-1046.

Zhong, W. and Hua, B-Z. 2013b. Mating behaviour and copulatory mechanism in the scorpionfly *Neopanorpa longiprocessa* (Mecoptera: Panorpidae). *PLoS One*, 8: e74781.

Zhong, W., Ding G. and Hua, B-Z. 2015a. The role of male's anal horns in copulation of a scorpionfly. *Journal of Zoology*, 295: 170-177.

Zhong, W., Qi, Z-Y. and Hua, B-Z. 2015b. Atypical mating in a scorpionfly without a notal organ. *Contributions to Zoology*, 84: 305-315.

Zhou, W-B. 2000. Six new species of Mecoptera from China. *Journal of Zhejiang Forestry College*, 17: 248-254. [周文豹. 中国长翅目6新种. 浙江林学院学报, 17: 248-254.]

Zhou, W-B. 2003. Four new species of Mecoptera from China. *Wuyi Science Journal*, 19: 88-94. [周文豹. 2003, 中国长翅目四新种记述. 武夷科学, 19: 88-94.]

Zhou, W-B., Hu, Y-X., Wu, X-P. and Wu, H. 1993a. Six new species and two new records of Mecoptera from China. *Journal of Zhejiang Forestry College*, 10: 189-196. [周文豹, 胡永旭, 吴小平, 吴鸿. 1993. 中国长翅目新种新纪录种. 浙江林学院学报, 10: 189-196.]

Zhou, W-B., Hu, Y-X., Wu, X-P. and Zheng, Q-Z. 1993b. Two new species of *Neopanorpa* from Zhejiang (Mecoptera: Panorpidae). *Journal of Zhejiang Forestry College*, 10: 314-317. [周文豹, 胡永旭, 吴小平, 郑庆洲. 浙江新蝎蛉属二新种. 浙江林学院学报, 10: 314-317.]

毛翅目 Trichoptera

孙长海　杨莲芳
（南京农业大学植物保护学院，南京 210095）

鉴别特征：毛翅目成虫俗称石蛾，体与翅面多毛。体小型至中型，体长 2.0 ~ 40.0mm，形似鳞翅目蛾类，柔弱。一般呈褐色、黄褐色、灰色、烟黑色，亦有较鲜艳的种类。头小，能自由活动。复眼大而左右远离，单眼 3 个或无。触角丝状，多节，基部 2 节较粗大。咀嚼式口器，但较为退化。翅 2 对，翅脉接近假想脉序。足细长，跗节为 5 节，爪 1 对。腹部为 10 节。雌虫第 8 节具下生殖板，一般无特殊的产卵器。雄虫第 9 节外生殖器裸露。

幼虫蛃形或亚蠋形，体长 2.0 ~ 40.0mm，生活于各类清洁的淡水水体中，如清泉、溪流、泥塘、沼泽以及较大的湖泊、河流等。常筑巢于石块缝隙中，故又名“石蚕”。咀嚼式口器，有吐丝器。头顶具“Y”形蜕裂线。胸足 3 对，发达。腹部仅具 1 对臀足，各足具爪 1 个，腹部侧面有气管鳃。裸蛹，上颚发达，腹部腹面通常有气管鳃，末端通常有 1 对臀突。

生物学：是水生昆虫中最大的类群之一，在淡水生态系统的能量流动中起重要的作用，许多种类对水质污染极敏感，近 30 年来已被用作为水质生物监测的重要指示生物。

分类：广泛分布于世界各生物地理区域。全世界已知 13000 余种，中国记录 1300 余种，陕西秦岭地区发现 85 种。

一、环须亚目 Annulipalpia

分科检索表

1. 中胸盾片有毛瘤 ······ 2
   中胸盾片无瘤 ······ 3
2. 胫距式 2-4-4 ······ **蝶石蛾科 Psychomyiidae**
   胫距式 3-4-4 ······ **多距石蛾科 Polycentropodidae**

3. 有单眼 ………………………………………………………………………………………… 4
无单眼 ………………………………………………………………… 纹石蛾科 **Hydropsychidae**
4. 前足胫节有 3 个距；体大型 ……………………………………… **角石蛾科 Stenopsychidae**
前足胫节有 0 ~2 距 ………………………………………………… **等翅石蛾科 Philopotamidae**

(一)纹石蛾科 Hydropsychidae

鉴别特征：成虫缺单眼，下颚须末节长，环状纹明显。中胸小盾片缺毛瘤，胫距式 2 ~2- 4 ~2- 4。前翅有 5 个叉脉，后翅第 1 叉脉有或无。幼虫各胸节均骨化，腹部腹面具成簇的丝状鳃。

分类：全世界已知 37 属 1500 余种，中国已知 15 属约 190 种，陕西秦岭地区发现 4 属 11 种。

分属检索表

1. 触角粗，下颚须第 2 节较第 3 节短 ……………………………………………………………… 2
触角细长，下颚须第 2 节较第 3 节长，下颚须退化时触角长于前翅 …………………………… 3
2. 复眼裸，雄虫外生殖器突出，不套缩于其前 1 节中，雌虫中足扁平 …… **弓石蛾属 *Arctopsyche***
复眼具毛，雄虫外生殖器多少套缩于其前 1 节中，雌虫中足不扁平 … **绒弓石蛾属 *Parapsyche***
3. 前翅 m-cu 横脉与 cu 横脉相距较远，两者的距离通常大于或等于 cu 横脉长度的 2 倍，后翅 M 与 Cu 脉主干相互靠近 ………………………………………………………… **纹石蛾属 *Hydropsyche***
前翅 m-cu 横脉与 cu 横脉相距近，两者的距离通常小于 cu 横脉长度的 2 倍，后翅 M 与 Cu 脉主干不相互靠近 …………………………………………………… **短脉纹石蛾属 *Cheumatopsyche***

1. 弓石蛾属 *Arctopsyche* McLachlan, 1868

Arctopsyche McLachlan, 1868: 300. **Type species**: *Aphelocheira ladogensis* Kolenati, 1859.
Arctopsychodes Ulmer, 1915: 51. **Type species**: *Arctopsychodes reticulata* Ulmer, 1915.

属征：复眼光裸。下颚须第 3 节长为宽的 2 倍，仅略长于第 4 节。雌虫中足宽扁，具纤毛。前后翅盘室及前翅中室小。

分布：东洋区，古北区，新北区。全世界已知 32 种，中国记录 13 种，秦岭地区发现 1 种。

(1)带刺弓石蛾 *Arctopsyche spinescens* Gui *et* Yang, 2000(图 169)

Arctopsyche spinescens Gui *et* Yang, 2000: 421.

鉴别特征： 雄虫前翅长 16.0～17.0mm。头胸部棕黄色；触角黄色，鞭节各小节间具黑色环形线；前翅淡褐色，散生银灰色小斑点。雄虫外生殖器：第 9 节侧面观近中部最宽。上附肢粗大，长约为宽的 4 倍。第 10 节背片膜质。中附肢完整，不分裂为背、腹肢，背面观长接近上附肢的 2 倍，基部 1/2 粗大，其余下部分逐渐收窄，侧面观不下曲。下附肢侧面观基节高约为长的 3 倍，基部具亚椭圆形内凹，腹端内侧角呈细长角状，伸出部分约为基节长的 2 倍；端节之高仅为基节的 3/5；腹面观基节内侧角直而细长，末端伸至端节外方；后面观端节高不足最长处的 2 倍。阳茎粗短，背缘近端部 1/3 处有 1 个宽大三角形片突；阳茎基腹端向后延伸成长槽状，其背缘有数枚刺突，刺突数量在种内不同个体间可存在差异。

采集记录： 4♂，凤县天台山，1900m，1998. Ⅵ. 10，孙长海、杜予州采；4♂，宁陕火地塘，2200m，1998. Ⅵ. 05，Morse，杜予州采。

分布： 陕西（凤县、宝鸡、宁陕）。

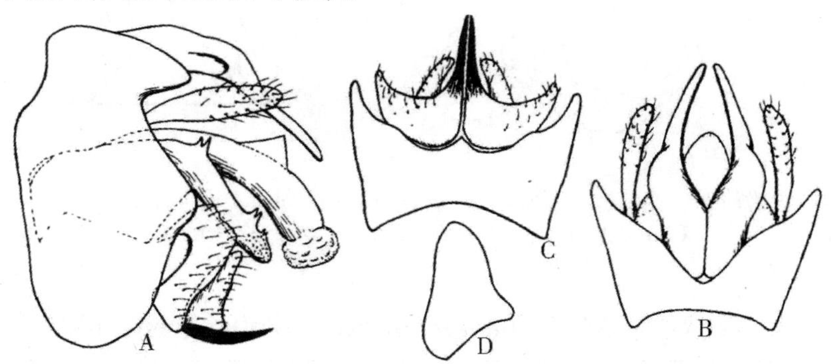

图 169　带刺弓石蛾 *Arctopsyche spinescens* Gui *et* Yang 雄虫外生殖器

A. 侧面观；B. 第 9～10 节背面观；C. 腹面观；D. 下附肢端节后面观

2. 绒弓石蛾属 *Parapsyche* Betten, 1934

Parapsyche Betten, 1934: 181. **Type species**: *Arctopsyche apicalis* Banks, 1908.

属征： 复眼小，眼面间具毛。下颚须第 3 节长至少为宽的 3 倍。雌虫中足不扁，亦无纤毛。雌虫和雄虫后足股节长，跗节短。翅盘室及中室均较大。

分布： 东洋区，古北区，新北区。全世界已知 27 种，中国记录 9 种，秦岭地区发现 1 种。

（2）亚洲绒弓石蛾 *Parapsyche asiatica* Schmid, 1959（图 170）

Parapsyche asiatica Schmid, 1959: 317.

鉴别特征： 前翅长 13.0mm。头部背面黄褐色。触角黄色，基部具黑色环纹。中后胸深褐色，侧板红褐色，下颚须及足褐色。前翅灰褐色，不规则地散布褐色斑点，沿前缘区、明斑室、横脉列及端部的翅室具较大的斑点。后翅灰白色。雄虫外生殖器:第9节侧面观粗壮，背面观多少呈三角形，肛上附肢退化为第10节两侧的简单毛瘤。第10节侧面观细长，端部三叉状，腹肢细长，背面的2支基部愈合，端部不齐，均呈圆锥形，发出于基部的粗大结构。第10节腹面呈兜状，覆盖阳具。下附肢短小，基节与端节通常愈合而不易区分；基节粗，圆锥形，端节更短，端部钝圆。阳具粗壮，端部具数个膜质突。阳具背突直，长，仅沿中线骨化。

采集记录： 1♂，太白山，1935. Ⅶ. 02，Hoene 采。

分布： 陕西（太白山）。

图 170 亚洲绒弓石蛾 *Parapsyche asiataca* Schmid 雄虫外生殖器

A. 侧面观；B. 第 9～10 节背面观；C. 下附肢端节腹面观

3. 短脉纹石蛾属 *Cheumatopsyche* Wallengren, 1891

Cheumatopsyche Wallengren, 1891: 142. **Type species**: *Hydropsyche lepida* Pictet, 1834.

Hydropsychodes Ulmer, 1905: 34. **Type species**: *Hydropsychodes albomaculata* Ulmer, 1905.

Ecnopsyche Banks, 1913: 179. **Type species**: *Ecnopsyche reticulata* Banks, 1913.

Ulmeria Navás, 1918: 15. **Type species**: *Hydropsyche lepida* Pictet, 1834.

属征： 下颚须第2节比第3节略长，约为第1节的3倍，第4节略短，细长，呈短棒状。中胸盾片光滑，小盾片具1个大型圆毛瘤。后胸光滑无毛。胫距式 2-4-4。前翅 m-cu 横脉与 cu 横脉的间隔短，不及 cu 横脉长的2倍；Cu_{1b}与 Cu_2 端部远离。后翅 M 与 Cu 主干远离，m-cu 横脉明显，第1叉存在或消失。

分布： 广布于除澳洲区以外的各大动物地理区。全世界已知 312 种，中国记录 37 种，秦岭地区发现 2 种。

(3) 条尾短脉纹石蛾 *Cheumatopsyche albofasciata* (McLachlan, 1872)（图 171）

Hydropsyche albofasciata McLachlan, 1872: 68.

Cheumatopsyche albofasciata: Martynov, 1934: 283.

鉴别特征： 体连翅长7.5mm。头褐色，触角黄白色，具黑褐色环。胸部褐色，足各节端部具黄白色毛；前翅褐色，具多数浅色小斑点。腹部暗绿色，有时呈褐色或黄白色。雄虫外生殖器：第9节侧后突较长。第10节背板平坦；尾突近条状上举，略内倾；尾须毛瘤状，椭圆形。下附肢第1节细长，约为第2节长的3.5倍，向端部略加粗；第2节短，向端部渐尖。阳茎端部略粗，内茎鞘突较之略窄。

采集记录： 4♂3♀，留坝，1020m，1998.Ⅶ.18，姚建采。

分布： 陕西（留坝、佛坪）、黑龙江、吉林、河北、甘肃、江苏、安徽、浙江、湖北；俄罗斯。

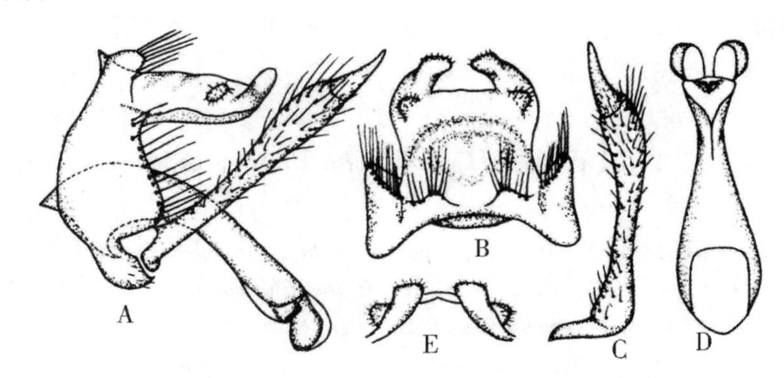

图171　条尾短脉纹石蛾 *Cheumatopsyche albofasciata*（McLachlan）雄虫外生殖器
A. 侧面观；B. 第9、10节背板背面观；C. 下附肢腹面观；D. 阳茎腹面观；E. 第10节背板后面观

（4）挂墩短脉纹石蛾 *Cheumatopsyche guadunica* Li, 1988（图172）

Cheumatopsyche guadunica Li, 1988: 43.

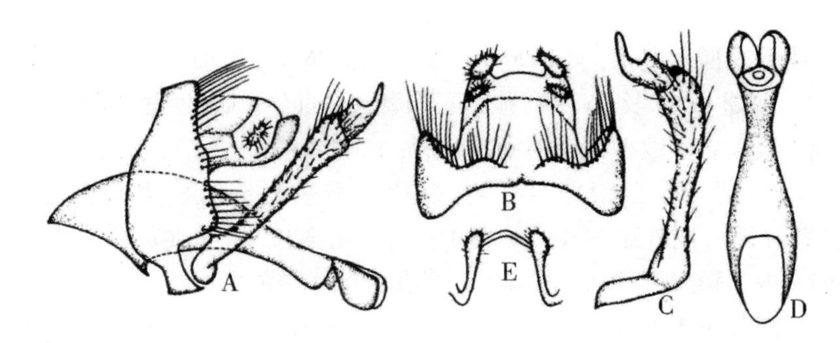

图172　挂墩短脉纹石蛾 *Cheumatopsyche guadunica* Li 雄虫外生殖器
A. 侧面观；B. 第9、10节背板背面观；C. 下附肢腹面观；D. 阳茎腹面观；E. 第10节背板后面观

鉴别特征： 体连翅长7.0～8.2mm。体黄褐色，头部背面深褐色，其余部分呈黄色。触角柄节黄褐色，其余各节淡褐色。胸部背面黄色，侧腹面黄白色。前后翅黄

褐色，密被短毛。足黄褐色。腹部背面黄色，腹面黄白色。雄性外生殖器：第 9 节侧面观前缘向前方呈弧形凸出，后缘中部较平直，侧后突呈直角，背板略短于腹板。第 10 节侧面观基部近矩形，端部钳形，侧叶短条状，端部不如背缘高，侧毛瘤着生于侧叶基部；背面观近矩形，中叶不明显，侧叶卵圆形。下附肢侧面观基节长，端半部加粗，顶端截形，侧面观基部与端部稍粗，中部细窄，略向外侧呈弧形弯曲；端部侧面观基半部近矩形，端半部指状，向上弯曲，腹面观连指手套状。阳基鞘基部粗大，向端部呈弧形弯曲，并渐细，但顶端稍膨大；内茎鞘突四边形，内茎鞘突腹叶略呈齿状。

采集记录： 1♂1♀，宁陕火地塘，1580m，1998. Ⅶ. 27，姚建采。

分布： 陕西（宁陕）、甘肃、福建、四川。

4. 纹石蛾属 *Hydropsyche* Pictet, 1834

Hydropsyche Pictet, 1834: 23, 199. **Type species**: *Hydropsyche cinerea* Pictet, 1834.
Symphitopsyche Ulmer, 1907: 32. **Type species**: *Hydropsyche mauritiana* McLachlan, 1871.
Caldra Navás, 1924: 142. **Type species**: *Caldra nigra* Navás, 1924.
Plesiopsyche Navás, 1931: 127. **Type species**: *Plesiopsyche alluaudina* Navás, 1931.
Hydatomanicus Ulmer, 1951: 226, 228, 299. **Type species**: *Hydromanicus verrucosus* Ulmer, 1911.
Caledopsyche Kimmins, 1953: 251. **Type species**: *Caledopsyche cheesmanae* Kimmins, 1953.
Herbertorossia Ulmer, 1957: 399. **Type species**: *Hydromanicus ungulatus* Ulmer, 1906.
Aoteapsyche McFarlane, 1976: 30-31. **Type species**: *Hydropsyche raruraru* McFarlane, 1976.
Orthopsyche McFarlane, 1976: 30. **Type species**: *Hydropsyche fimbriata* McLachlan, 1862.
Ceratopsyche Ross *et* Unzicker, 1977: 305. **Type species**: *Hydropsyche bronta* Ross, 1938.
Mexipsyche Ross *et* Unzicker, 1977: 305. **Type species**: *Mexipsyche dampfi* Ross *et* Unzicker, 1977.

属征： 体型小型至中型，体长 5.0～15.0mm，部分种类前翅具一些斑点。前胸前侧片具毛瘤。前翅 m-cu 及 cu 两横脉相互分离，是 cu 横脉长度的 2 倍以上。后翅中室通常关闭，但也有少数种类后翅中室开放；后翅具第 1、2、3、5 叉；m-cu 消失，M 的主干与 Cu 相互靠近。胫距式 2-4-4。第 10 节背板无上附肢，如有则极短；下附肢 2 节；阳茎孔片裸露或隐藏在膜质结构中；内茎鞘突长，短，在部分个体中消失，但绝不呈瓣状；内茎鞘腹叶管状，或扁平，在有些个体中消失。

分布： 广泛分布于世界各大动物地理区。全世界已知 406 种，中国记录 44 种，秦岭地区发现 7 种。

分种检索表

1. 阳具侧面观弯曲成弓形 ………………………………………………………… 2

阳具侧面观弯曲成 90° …………………………………………………………… 4
2. 阳茎端部呈头状 ………………………………………… **瓦尔纹石蛾 *Hydropsyche valvata***
阳茎端部凹切或平截 ……………………………………………………………… 3
3. 阳茎端部平截，内茎鞘突短 ………………………………… **截茎纹石蛾 *H. penicillata***
阳茎端部凹切，内茎鞘突较长 ……………………………… **柯隆纹石蛾 *H. columnata***
4. 第 10 节背板无尾突 ………………………………………… **鳍茎纹石蛾 *H. pellucidula***
第 10 节背板具尾突 ……………………………………………………………… 5
5. 第 9 节侧面观侧后突短而钝，不发达 ………………………… **福地纹石蛾 *H. futiel***
第 9 节侧后突发达，三角形 ……………………………………………………… 6
6. 第 10 节尾突细长，阳具具内茎鞘突 ………………………… **三孔纹石蛾 *H. trifora***
第 10 节尾突粗短，阳具缺内茎鞘突 ………………………… **度龙纹石蛾 *H. dolon***

（5）柯隆纹石蛾 *Hydropsyche columnata* Martynov，1931（图 173）

Hydropsyche columnata Martynov，1931：9.

鉴别特征：前翅长 9.0mm。体深褐色，触角黄褐色，鞭节各节具黑色环纹。胸、腹部黄褐色，但足及翅颜色较浅。雄虫外生殖器：第 9 节侧后突舌状，第 10 节侧面观短，向上隆起处着生粗壮刚毛，尾突较细长，指状。下附肢第 1 节细长，侧面观上下缘接近平行，腹面观于基部上方略缢缩；第 2 节侧面观基部宽，向端部渐窄，腹面观长指状。阳具侧面观基部强烈向上弯曲成锐角，阳茎孔片四边形，内茎鞘突膜质，较长，端部具刺突；腹面观阳具端部叉状，每叉端部膜质，其内嵌有刺突。

采集记录：5♂3♀，佛坪，1984. Ⅸ. 25，李佑文采。

分布：陕西（太白、佛坪）、北京、河南、江西、四川、贵州、云南。

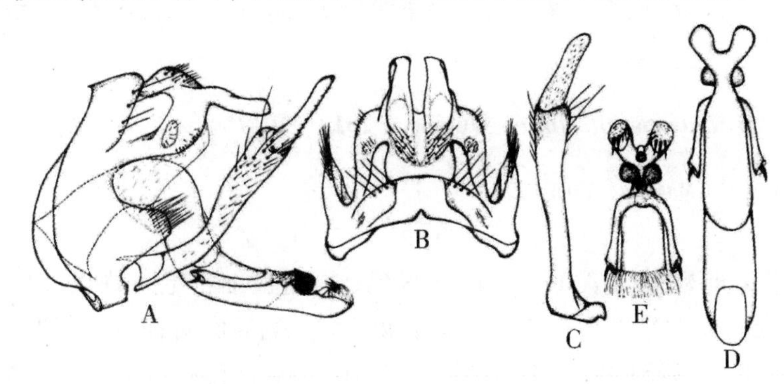

图 173　柯隆纹石蛾 *Hydropsyche columnata* Martynov 雄虫外生殖器

A. 侧面观；B. 第 9、10 节背板背面观；C. 下附肢腹面观；D. 阳茎腹面观；E. 阳具端部背面观

(6)度龙纹石蛾 *Hydropsyche dolon* Malicky *et* Mey, 2000(图 174)

Hydropsyche dolon Malicky *et* Mey, 2000: 800.

鉴别特征:前翅长 10.0mm。体褐色。雄虫外生殖器:第 9 节侧面观前缘中央强烈向前方凸出,侧后突三角形。第 10 节侧面观近三角形,尾突短,向下弯曲。下附肢侧面观基半部上缘略向下呈弧形凹入,端半部较宽大,端节舌状;腹面观基节直,基半部略缢缩,端节弯镰状,端部尖。阳具侧面观基部的 1/3 粗大,其余部分上下缘近平行,阳茎孔片角状,腹面观时阳具亚端部缢缩。

采集记录:5♂,太白山,1900m,1999. Ⅷ. 01-12,Malicky 采;1♂,佛坪,950m,1998. Ⅶ. 24,袁德成采;1♂2♀,宁陕旬阳坝,1350m,1998. Ⅶ. 29,姚建采;3♂10♀,宁陕火地塘,1580m,1998. Ⅷ. 15,袁德成采。

分布:陕西(太白、佛坪、宁陕)、甘肃。

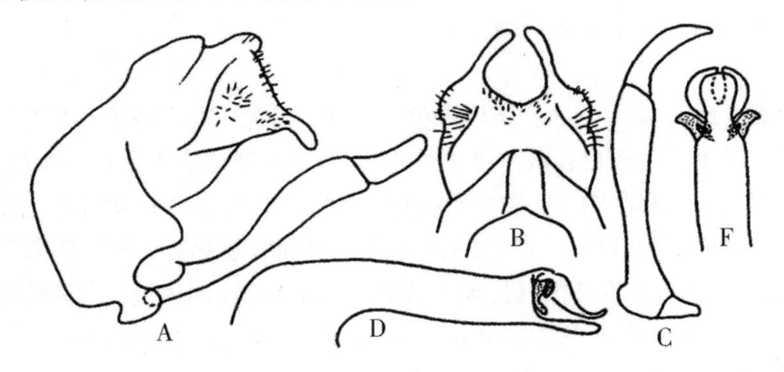

图 174 度龙纹石蛾 *Hydropsyche dolon* Malicky *et* Mey 雄虫外生殖器

A. 侧面观;B. 第 9、10 节背板背面观;C. 下附肢后面观;D. 阳具侧面观;E. 阳具端部背面观

(7)福地纹石蛾 *Hydropsyche futiel* Malicky, 2012(图 175)

Hydropsyche futiel Malicky, 2012: 1278.

鉴别特征:前翅长约 7.0mm。体淡褐色,前翅被细密毛。雄虫外生殖器:第 9 节侧面观前缘向前方呈弧形凸出,后缘呈波浪状,侧后突短而钝,不发达;背面观前缘向后方深凹,后缘向后凸出呈弧形。第 10 节侧面观呈三角形,背面观两侧近平行;尾突侧面观指状,背面观相向弯曲。下附肢第 1 节侧面观长,基半部稍窄;腹面观中部收窄。第 2 节短,侧面观约为第 1 节长度的 1/4,拇指状;腹面观细长,明显窄于第 1 节端部。阳具基部粗大,端部与基部呈 90°弯曲,阳茎孔片三角形,内茎鞘突角状。

采集记录： 2♂，周至，580m，2011. Ⅴ. 12，Balke，Hàjek 采。

分布： 陕西（周至）。

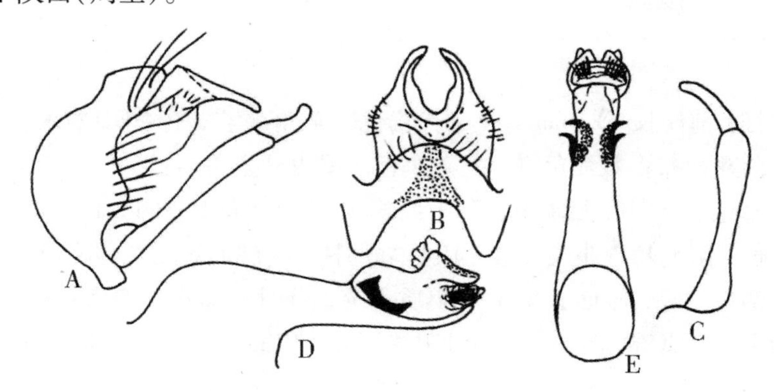

图 175　福地纹石蛾 *Hydropsyche futiel* Malicky 雄虫外生殖器

A. 侧面观；B. 第 9、10 节背板背面观；C. 下附肢腹面观；D. 阳具侧面观；E. 阳具端部背面观

（8）鳝茎纹石蛾 *Hydropsyche pellucidula*（Curtis，1834）（图 176）

Philopotamus pellucidula Curtis，1834：213.

Hydropsyche pellucidula：MacLachlan，1865：126.

鉴别特征： 体连翅长 13.0mm。头胸部黑褐色或褐色，足、前翅、腹部黄褐色。雄虫外生殖器：第 9 节侧后突近三角形，上边长，下边短；第 10 节背板无尾突；后缘中央凹陷成槽；槽两侧隆起成纵脊；侧面隆起成毛瘤。下附肢第 1 节长为第 2 节的 2.5 倍。第 2 节香肠形，向内弯曲。阳茎基部 1/3 较粗；中部 1/3 略细；端部之前两侧突出，向后端阳茎渐扁平；后端中裂深。侧面观阳茎后端如鳝头状。

采集记录： 1♀，宁陕火地塘，1500m，1998. Ⅶ. 26。

分布： 陕西（宁陕）、甘肃、上海；中东地区，欧洲，美国。

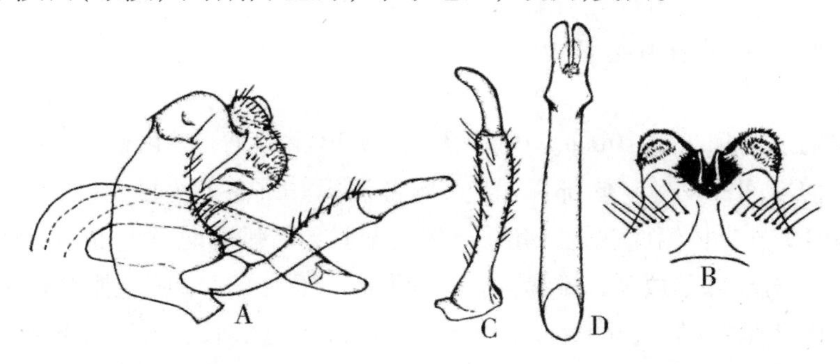

图 176　鳝茎纹石蛾 *Hydropsyche pellucidula*（Curtis）雄虫外生殖器

A. 侧面观；B. 第 9、10 节背板背面观；C. 下附肢腹面观；D. 阳具腹面观

(9)截茎纹石蛾 *Hydropsyche penicillata* Martynov, 1931(图 177)

Hydropsyche penicillata Martynov, 1931: 8.

鉴别特征: 前翅长 10.0mm。头顶黑褐色。触角鞭节黄色，间以深色环。胸、腹部黑褐色。前翅散布多数浅色点。足黄褐色。雄虫外生殖器:第 9 节侧后突不尖，三角形。尾突窄条状，向腹面倾斜。下附肢第 1 节长为第 2 节的 2 倍；第 2 节略向外扁，端部钝截。阳具基弯曲成弓形。阳具端部柱形，端面钝切，可翻出 1 根膜质突，膜质内着生两束刚毛，侧面着生 1 对膜质小突，有时右面小突分叉，小突冠以小骨刺。内茎鞘突短，膜质，后伸，不超过阳茎孔片，顶冠 1 个小刺。阳茎孔片后方具 1 个极小膜质突。

采集记录: 1♂，秦岭车站，1980. X. 01，周尧、王素梅、周静若采；3♂，太白山蒿坪寺，1200m，1983. V. 12-13，陕西太白山昆虫考察组采。

分布: 陕西(凤县、眉县)、山西、福建、四川、云南。

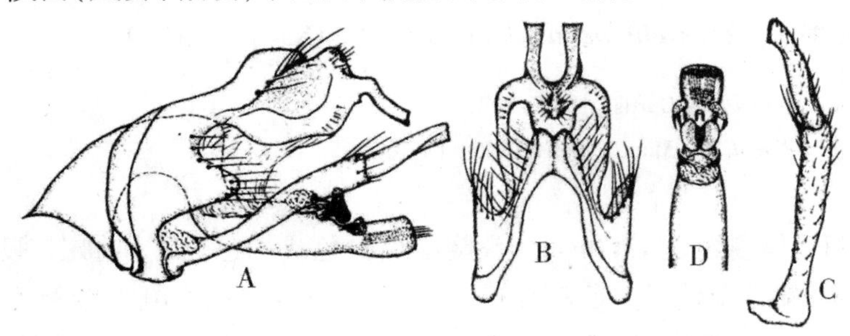

图 177 截茎纹石蛾 *Hydropsyche penicillata* Martynov 雄虫外生殖器

A. 侧面观；B. 第 9、10 节背板背面观；C. 下附肢腹面观；D. 阳具端半部背面观

(10)三孔纹石蛾 *Hydropsyche trifora* Li *et* Tian, 1990(图 178)

Hydropsyche trifora Li *et* Tian, 1990: 133.

鉴别特征: 前翅长 10.0mm。体黑褐色。头顶深褐色，触角柄节、梗节褐色，鞭节淡褐色，但节间深褐色。胸部深褐色，腹部深褐。雄虫外生殖器:第 9 节侧后突近三角形。第 10 节背板侧面观近三角形，尾突窄长，呈弧形向下弯曲。下附肢侧面观第 1 节由基部向端部稍放宽，棒状；第 2 节指形，微内弯，端圆。阳具侧面观基部弯曲成钝角，内茎鞘突膜质，具大型端刺，与膜质部分近等长，阳具端部膜质，包埋数根刺突。

采集记录: 5♂，太白山蒿坪寺，1983. V. 13，陕西省太白山昆虫考察组采。

分布: 陕西(眉县)、河南、安徽、江西、贵州。

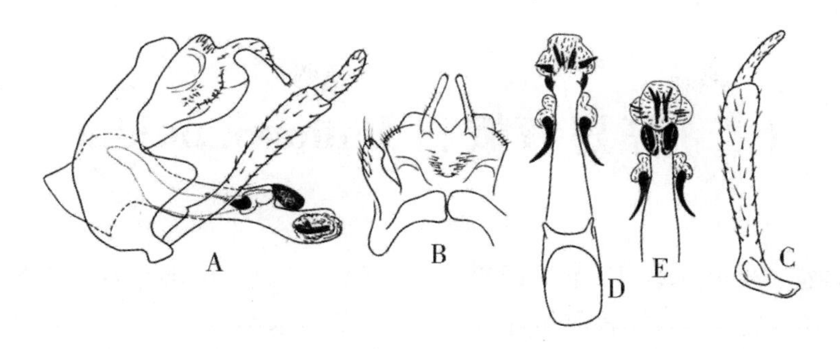

图 178 三孔纹石蛾 *Hydropsyche trifora* Li *et* Tian 雄虫外生殖器
A. 侧面观；B. 第 9 ~ 10 节，背面观；C. 下附肢腹面观；D. 阳具腹面观；E. 阳具端半部背面观

(11) 瓦尔纹石蛾 *Hydropsyche valvata* Martynov, 1927（图 179）

Hydropsyche valvata Martynov, 1927: 192.

鉴别特征：体连翅长 8.0mm。体黄褐色，腹面色略浅。前翅黄褐色。雄虫外生殖器：第 9 节侧后突近三角形，顶角钝。第 10 节尾突向后平伸，较短宽，中央有纵凹槽。下附肢第 1 节长约为第 2 节的 3 倍，第 2 节顶端钝。阳茎基部弯曲呈弓形，阳茎端部呈头状，背面具有 1 对向外翻出的膜质突。内茎鞘突细长，骨化，向前方延伸，顶端膜质中冠以短骨刺。

采集记录：1♂，太白山骆驼寺，2100m，1983. Ⅵ. 07，陕西太白山昆虫考察组采；1♂，太白山蒿坪寺，1200m，1983. Ⅴ. 13，陕西太白山昆虫考察组采。

分布：陕西（太白、眉县）、黑龙江、安徽、浙江、湖北、云南；蒙古，俄罗斯，朝鲜半岛，哈萨克斯坦。

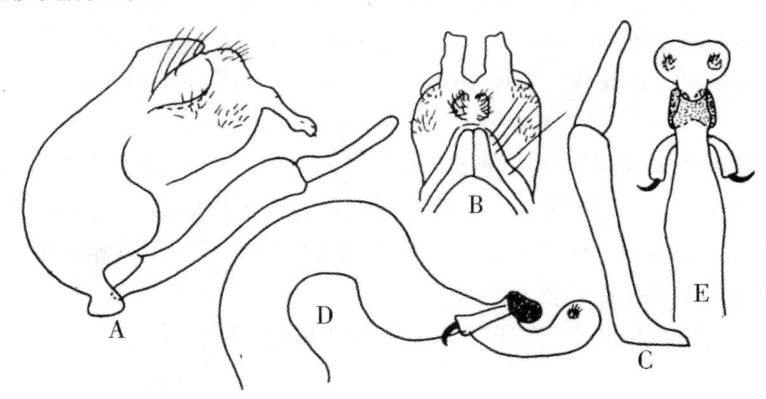

图 179 瓦尔纹石蛾 *Hydropsyche valvata* Martynov 雄虫外生殖器
A. 侧面观；B. 第 9 ~ 10 节背面观；C. 下附肢腹面观；D. 阳具侧面观；E. 阳具背面观

(二)等翅石蛾科 Philopotamidae

鉴别特征：成虫具单眼，下颚须第5节具明显环纹。中胸盾片无毛瘤，胫距式0~2-4-4。翅脉完全，后翅较前翅宽。一般生活于流水中，幼虫居住于丝质长袋状网中，取食聚集于网上的有机颗粒。

分类：分布于各动物地理区。全世界已知950余种，中国记录5属82种，陕西秦岭地区发现3属6种。

分属检索表

1. 后翅2A脉在横脉A2之后退化 ························ **蠕形等翅石蛾属 *Wormaldia***
   后翅2A脉正常，伸出到横脉A2之后 ························ 2
2. 第10节两侧具1对长指状硬化突起，下附肢端节内侧通常具1列栉毛 ························ **栉等翅石蛾属 *Kisaura***
   第10节两侧不具长而骨化的指状突，下附肢端节内侧通常缺栉毛 ························ **短室等翅石蛾属 *Dolophilodes***

5. 短室等翅石蛾属 *Dolophilodes* Ulmer, 1909

Dolophilodes Ulmer, 1909: 125. **Type species**: *Dolophilodes ornata* Ulmer, 1909.

Trentonius Betten *et* Mosely, 1940: 11. **Type species**: *Philopotamus distinctus* Walker, 1852.

Hisaura Kobayashi, 1980: 95. **Type species**: *Sortosa* (*Hisaura*) *commata* Kobayashi, 1980.

属征：胫距式2-4-4。前后翅第1叉柄长短变化较大。后翅3根A脉独立伸达翅缘。雄虫外生殖器：上附肢大小在种间变化较大，通常呈耳状或短叶状。第10节分裂成双叶状。下附肢第2节长度通常短于或等于第1节。阳基鞘膜质，有时很大。内茎鞘包埋于阳基鞘中，具较大的阳茎孔片。

分布：新北区，古北区，东洋区。全世界已知约50种，中国记录18种，秦岭地区发现1种。

(12)弯背短室等翅石蛾 *Dolophilodes retrocurvata* Sun *et* Malicky, 2002(图180)

Dolophilodes retrocurvata Sun *et* Malicky, 2002: 525.

鉴别特征：前翅长 7.5mm。体褐色。头深褐色，触角及下颚须褐色，下唇须黄色。胸部背面深褐色，其余部分为褐色；翅及足褐色。腹部黄色。雄虫外生殖器：第 9 节背板短，侧面观上部 2/3 宽于下部 1/3。第 10 节侧面观呈三角形，后端着生 2 个侧背向的尖突；背面观基部宽，向端部逐渐变窄，但端缘平载。肛上附肢侧面观宽大，两侧缘相互平行，端圆；背面观多少呈棒状。下附肢第 1 节侧面观矩形，长为宽的 2 倍，第 2 节与第 1 节近等长，端圆，略下弯。阳具大，膜质，具 1 根长刺及 4 根小刺。

采集记录：4♂，宁陕火地塘，1600m，1998. Ⅵ. 05，杨莲芳、孙长海采。

分布：陕西（宁陕）、河南。

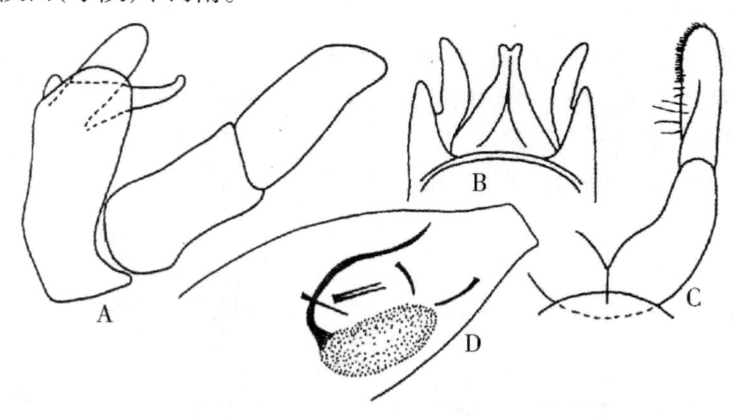

图 180　弯背短室等翅石蛾 *Dolophilodes retrocurvata* Sun *et* Malicky 雄虫外生殖器
A. 侧面观；B. 第 9、10 节背面观；C. 下附肢腹面观；D. 阳具腹面观

6. 栉等翅石蛾属 *Kisaura* Ross, 1956

Kisaura Ross, 1956: 27, 32, 54, 57. **Type species**: *Sortosa obrussa* Ross, 1956.

属征：胫距式 2-4-4。翅脉原始，但第 1 叉可能靠近或远离分横脉 s，R_2 可能退化，前翅 2A 不完整。雄虫外生殖器：第 10 节与上附肢之间具 1 对侧突。下附肢简单，端节内缘具 1 列栉状刺。

分布：东洋区。全世界已知 60 余种，中国记录 30 余种，秦岭地区发现 3 种。

分种检索表

1. 前翅浅褐色，具白色斑点 ………………………… **阿萌栉等翅石蛾 *Kisaura almoel***
　前翅黄色，无白色斑点 ……………………………………………………… 2
2. 头及触角深褐色……………………………… **亚氏栉等翅石蛾 *K. adamickai***
　头黑褐色，触角黄色 ………………………… **陕西栉等翅石蛾 *K. shaanxiensis***

(13)亚氏栉等翅石蛾 *Kisaura adamickai* Sun et Malicky, 2002(图 181)

Kisaura adamickai Sun *et* Malicky, 2002: 530.

鉴别特征: 前翅长 7.0~9.0mm。体褐色。头褐色,触角深褐色,下颚须及下唇须黄色。胸部褐色;足及翅黄色;腹部黄色。雄虫外生殖器:第 9 节背面膜质;侧面观前缘向前呈弧形凸出,后缘在下附肢着生处凹入。第 10 节膜质,两侧突细长,端部骨化。肛上附肢侧面观宽,略弯,端圆;背面观基部宽,向端部渐窄。下附肢第 1 节基部窄,并向端部加宽;第 2 节细长,侧面观长约为高的 4 倍,内侧的栉齿带从基部一直延伸到端部。阳茎膜质。

采集记录: 2♂,宝鸡天台山,1700m,1998. Ⅵ.05,孙长海采;1♂,眉县,800m,1998. Ⅵ.01,杨莲芳采;1♂,留坝庙台子,1300m,1998. Ⅵ.07,孙长海采;2♂,佛坪,1100m,1998. Ⅵ.03,马云采。

分布: 陕西(宝鸡、眉县、留坝、佛坪)、甘肃、河南、浙江。

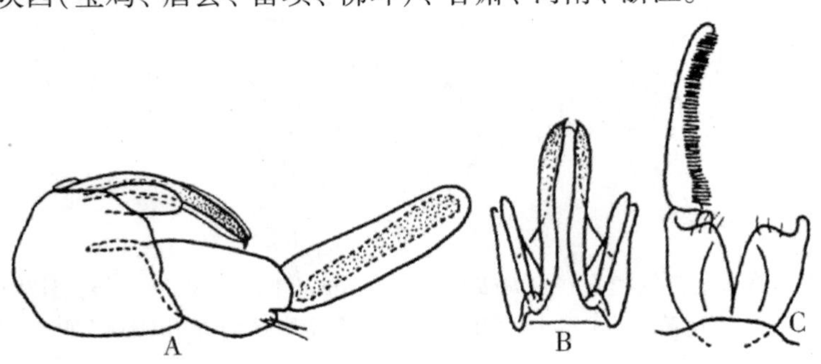

图 181 亚氏栉等翅石蛾 *Kisaura adamickai* Sun *et* Malicky 雄虫外生殖器

A. 侧面观;B. 第 9、10 节背面观;C. 下附肢腹面观

(14)阿萌栉等翅石蛾 *Kisaura almoel* Malicky, 2012(图 182)

Kisaura almoel Malicky, 2012: 1270.

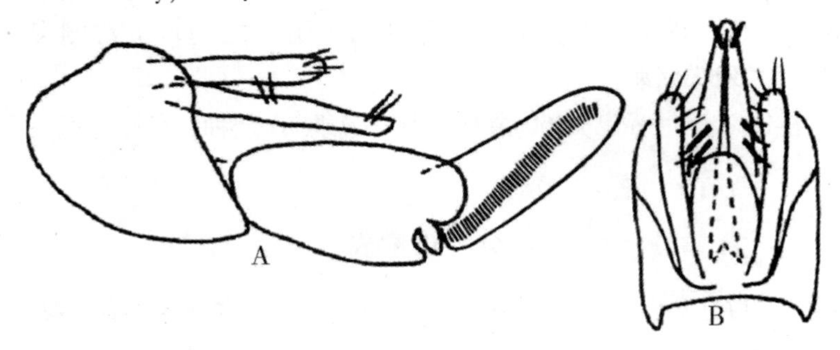

图 182 阿萌栉等翅石蛾 *Kisaura almoel* Malicky 雄虫外生殖器

A. 侧面观;B. 背面观

鉴别特征：前翅长8.0mm。体褐色，前翅浅褐色，具白色斑点。雄虫外生殖器：第8节背板正常。第9节侧面观多少呈三角形，背面观膜质。第10节膜质，两侧突细长，伸达下附肢近端部1/3处，侧面观两侧缘近平行；肛上附肢侧面观约为侧突长的2/3，稍呈棒状。下附肢第1节侧面观略呈椭圆形，第2节约与第1节等长，基部宽，向端部渐窄，端圆，内侧栉带从基部延伸至端部。

采集记录：1♂，太白山，1300～1500m，1998.Ⅷ.20，Murzin，Siniaiev采。

分布：陕西（太白山）。

（15）陕西栉等翅石蛾 *Kisaura shaanxiensis* Sun *et* Malicky, 2002（图183）

Kisaura shaanxiensis Sun *et* Malicky, 2002: 529.

鉴别特征：前翅长6.0mm。体深褐色。头黑褐色；触角、下颚须及下唇须黄色。胸部背面深褐色，中胸小盾片及其余部分呈黄色；足及翅黄色。腹部黄色。雄虫外生殖器：第8节背面观端缘具1条深裂，其长达背板长度的1/2。第9节背板膜质，侧面观呈五边形。第10节侧面观端缘具刺；背面观中部膜质，两侧骨化成1对端部凹入的骨片。肛上附肢大，端半部侧面观膨大，背面观棒状。下附肢第1节五边形，第2节细长。阳具膜质。

采集记录：2♂，宁陕火地塘，1600m，1998.Ⅵ.07，杨莲芳、孙长海采；1♂，宁陕旬阳坝，1000～1300m，1990.Ⅴ.23，Kyselak采。

分布：陕西（宁陕）。

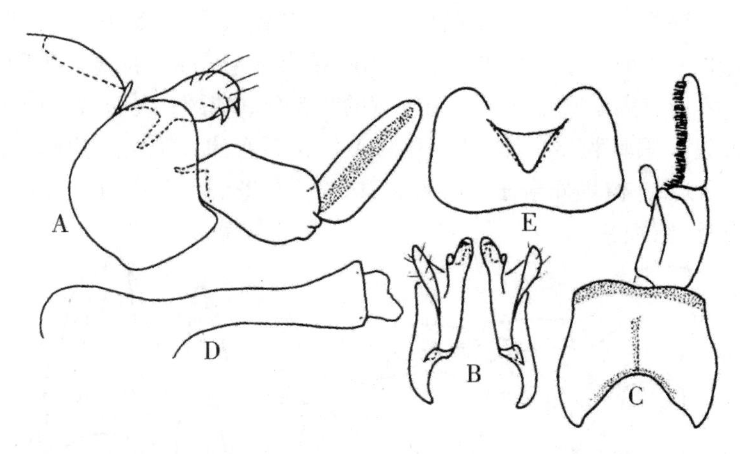

图183　陕西栉等翅石蛾 *Kisaura shaanxiensis* Sun *et* Malicky 雄虫外生殖器

A. 侧面观；B. 第9、10节背面观；C. 第9节及下附肢腹面观；D. 阳具腹面观；E. 第8节背板背面观

7. 蠕形等翅石蛾属 *Wormaldia* McLachlan, 1865

Wormaldia McLachlan, 1865: 140. **Type species**: *Hydropsyche occipitalis* Pictet, 1834.

Dolophilus McLachlan, 1868: 301. **Type species**: *Dolophilus copiosus* McLachlan, 1868.

Paragapetus Banks, 1914: 254. **Type species**: *Paragapetus moestus* Banks, 1914.

Cabreraia Enderlein, 1929: 225, 228. **Type species**: *Cabreraia tagananana* Enderlein, 1929.

Dolophiliella Banks, 1930: 230. **Type species**: *Dolophiliella gabriella* Banks, 1930.

Doloclanes Banks, 1937: 168. **Type species**: *Doloclanes montana* Banks, 1937.

Nanagapetus Tsuda, 1942: 249. **Type species**: *Nanagapetus kisoensis* Tsuda, 1942.

Gatlinia Ross, 1948: 22. **Type species**: *Gatlinia mohri* Ross, 1948.

属征：体中型。胫距式2-4-4。后足股节具细长的毛。前后翅第1叉存在或缺失，如存在则无柄。后翅具3条臀脉，1A与2A在翅基部愈合，但不伸达翅缘。雄虫外生殖器：上附肢指状，第10节屋脊状，顶端不分裂。下附肢第2节等于或长于第1节。阳具小，阳基鞘基部宽，其余呈管状，内藏可翻缩的内茎鞘，内茎鞘具刺。

分布：广布于各大动物地理区。全世界已知130种，中国记录21种，秦岭地区发现2种。

(16) 裂背蠕形等翅石蛾 *Wormaldia dissecta* Sun *et* Malicky, 2002（图184）

Wormaldia dissecta Sun *et* Malicky, 2002: 526.

鉴别特征：前翅长6.0mm。体深褐色。头黑褐色；触角及下颚须褐色，下唇须黄色。胸部褐色，足及翅黄色。腹部黄色。雄虫外生殖器：第8节背板侧面观呈五边形，背面观后缘深裂。第9节侧面观呈五边形，背板膜质。第10节特别长，侧面观端部略向上弯曲；背面观呈三角形。肛上附肢基半部窄，端半部宽。下附肢第1节基部宽于端部；第2节侧面观细长，长约为宽的2.5倍，端圆；腹面观内内里距基部1/3处形成1个大齿。阳具膜质，具2根小刺，1根长而弯的大刺及一片刺毛区。

采集记录：1♂，留坝庙台子，1400m，1998.Ⅵ.08，杜予州、孙长海采。

分布：陕西（留坝）。

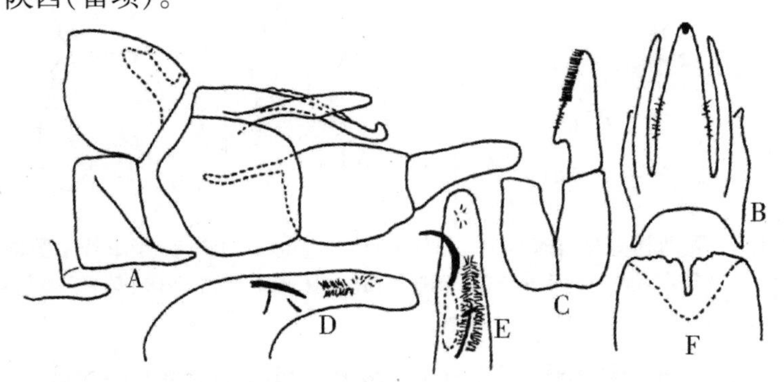

图184 裂背蠕形等翅石蛾 *Wormaldia dissecta* Sun *et* Malicky 雄虫外生殖器

A. 侧面观；B. 第10节背面观；C. 下附肢腹面观；D. 阳具侧面观；E. 阳具端半部背面观；F. 第8节背板背面观

(17)方肢蠕形等翅石蛾 *Wormaldia quadrata* Sun *et* Malicky, 2002(图 185)

Wormaldia quadrata Sun *et* Malicky, 2002: 527.

鉴别特征: 前翅长 5.0mm。体深褐色。头黑褐色; 触角及下颚须褐色, 下唇须黄色。胸部背面深褐色, 其余部分为褐色; 足及翅黄色。腹部黄色。雄虫外生殖器:第 8 节背面观端缘圆, 具浅凹。第 9 节背面膜质, 侧面观上半部向前方扩大。第 10 节延长, 侧面观端部具 1 个指向背方的小突起; 背面观第 10 节呈三角形。肛上附肢棒状。下附肢第 1 节侧面观呈四方形; 第 2 节略窄, 且略长于第 1 节, 端圆, 内侧基部 1/3 处具 1 个强齿。阳具膜质, 具 1 根大刺及 1 根小而弯曲的刺。

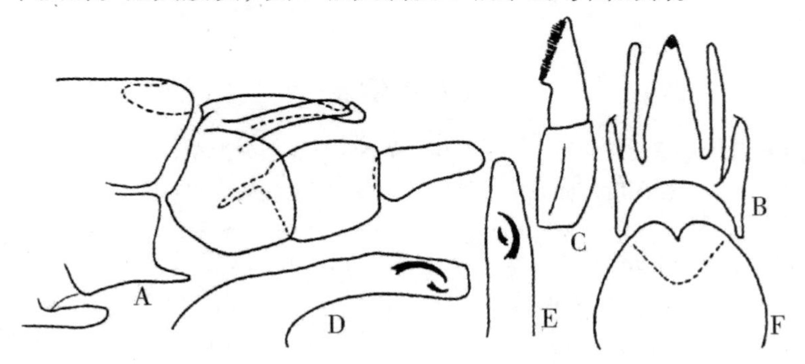

图 185　方肢蠕形等翅石蛾 *Wormaldia quadrata* Sun *et* Malicky 雄虫外生殖器
A. 侧面观; B. 第 10 节背面观; C. 下附肢腹面观; D. 阳具侧面观; E. 阳具端半部背面观; F. 第 8 节背板背面观

采集记录: 1♂, 宁陕火地塘, 1600m, 1998. Ⅵ. 05, 杨莲芳、孙长海采。

分布: 陕西(宁陕)、河南。

(三)角石蛾科 Stenopsychidae

鉴别特征: 体大型。成虫有单眼, 下颚须第 5 节有不清晰环纹, 触角长于前翅, 中胸盾片无毛瘤, 胫距式 3-4-4 或 0-4-4, 雌虫 2-4-4; 前后翅分径式闭锁, 前翅 5 个叉脉齐全, 后翅缺第 4 叉脉。幼虫状狭长型, 上唇卵圆形, 骨化, 前胸背板骨化, 其后缘粗厚; 生活于湍流中。

分类: 全世界已知 3 属 100 余种, 中国 1 属 50 余种, 陕西秦岭地区发现 1 属 13 种。

8. 角石蛾属 *Stenopsyche* McLachlan, 1866

Stenopsyche McLachlan, 1866: 264. **Type species**: *Stenopsyche griseipennis* McLachlan, 1866.

Philopotamopsis Iwata, 1927: 208. **Type species**: *Philopotamopsis japonica* Iwata, 1927.
Parastenopsyche Kuwayama, 1930: 111. **Type species**: *Stenopsyche sauteri* Ulmer, 1907.

属征：单眼大，卵圆形；触角长于前翅；下颚须第1、2两节短，第3节极长，第4节长于第2节，第5节的长度与其他各节的总长度相等。前翅狭长，5个叉脉齐全，翅面常具有不规则的黄褐色斑点或黑褐色斑点；后翅Sc脉与R_1脉在端部愈合，R_1脉的一段与R_{2+3}脉愈合，缺第1叉脉和第4叉脉。腹部第9节背板侧面观通常延伸为不同形态的突起，上附肢长，约等于第8~10节的长度，第10节形态差异较大，是鉴别种的主要依据；下附肢一般由亚端背叶与基肢节构成，阳茎内茎鞘常多刺，种间差别明显。

分布：东洋区，非洲区，大洋洲及古北区东部。全世界已知92种，中国记录58种，秦岭地区发现12种。

分种检索表

1. 腹部第10节背板不呈狭长形构造，一般不为中央的纵裂划分为左右两半 …………… 2
   腹部体现出10节背板向后延伸为1个狭长形构造，中央纵裂成左右两半……………… …………… **短毛角石蛾 *Stenopsyche pubescens***
2. 中附肢扩展呈叶状 …………… 3
   中附肢不扩展呈叶状，多少呈指状…………… 6
3. 侧面观亚端背叶端部二叉状…………… **纳氏角石蛾 *S. navasi***
   侧面观亚端背叶端部不呈二叉状 …………… 4
4. 第10节背板背面观端部舌形，亚端背叶背面观鹿角状…………… **格氏角石蛾 *S. grahami***
   第10节背板背面观端部平直 …………… 5
5. 第9节侧突起细长，上弯；中附肢各具2个突起 …………… **细弯角石蛾 *S. sinuolata***
   第9节侧突起细长不弯曲，中附肢各具1个突起 …………… **短脊角石蛾 *S. triangularis***
6. 中附肢长于第10节 …………… 7
   中附肢短于第10节 …………… 8
7. 侧面观中附肢二叉状…………… **天目山角石蛾 *S. tienmushanensis***
   侧面观中附肢不分叉 …………… **阿那角石蛾 *S. anaximander***
8. 第10节背面观端缘具凹切 …………… 9
   第10节背面观多少呈舌状，不凹切…………… 10
9. 中附肢小，乳头状 …………… **狭窄角石蛾 *S. angustata***
   中附肢多少呈指状，较大，约为第10节长度的1/2 …………… **圆突角石蛾 *S. rotundata***
10. 中附肢简单，内侧与外侧均不具齿突 …………… **单枝角石蛾 *S. simplex***
    中附肢内侧或外侧具齿突 …………… 11
11. 中附肢内侧基部具钝齿 …………… **宁陕角石蛾 *S. ningshanensis***
    中附肢外侧基部具小齿 …………… **西顿角石蛾 *S. sidon***

(18) 狭窄角石蛾 *Stenopsyche angustata* Martynov, 1930 (图186)

Stenopsyche angustata Martynov, 1930: 74.

鉴别特征：前翅长 20.5～21.0mm。体褐色；下颚须灰黑色，下唇须灰黑色。胸部背板黄褐色，翅具褐色斑纹。足上黄色环纹与褐色环纹相间分布，胫距式3-4-4。腹节黄色。雄虫外生殖器：第9节侧突细长，端部钝圆，长度约为上附肢的1/3；上附肢细长；第10节中央背板似矩形，仅为上附肢长度的1/3，端部中央深凹呈双叶状，每侧顶部具1个浅凹，背板基部具1对指状突起；亚端背叶长于第10节背板，末端向外弯曲，呈弯钩状，端部尖锐；下附肢弧状弯曲。

采集记录：1♂，周至厚畛子，1350m，1999. Ⅵ. 24。

分布：陕西(周至)、甘肃、浙江、江西、湖南、福建、广东、广西、四川。

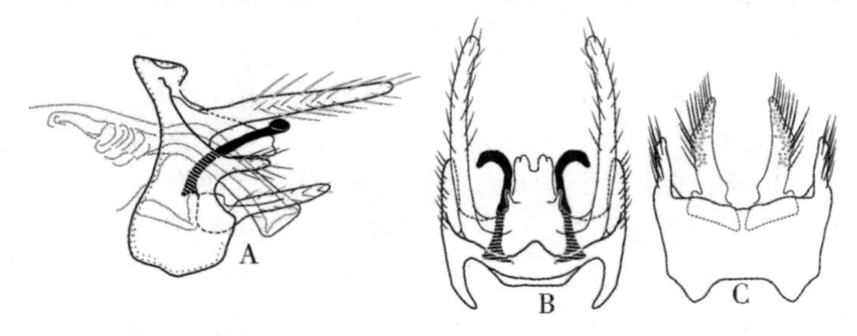

图 186　狭窄角石蛾 *Stenopsyche angustata* Martynov 雄虫外生殖器

A. 侧面观；B. 背面观；C. 腹面观

(19) 阿那角石蛾 *Stenopsyche anaximander* Malicky, 2011(图 187)

Stenopsyche anaximander Malicky, 2011: 26

鉴别特征：前翅长约 21.0mm。体灰褐色。雄虫外生殖器：第9节侧面观侧突近三角形，短而钝。上附肢细长；第10节背面观呈指状，基部具1对长指状突起，端尖。亚端背叶长于第10节背板，末端向外弯曲，呈弯钩状，端部尖锐；下附肢侧面观呈三角形，腹面观内缘基部附近形成1个小齿突。阳具膜质，具多数骨刺。

采集记录：1♂，秦岭，1600m，2009. Ⅴ. 31，Kyselak 采。

分布：陕西(秦岭)。

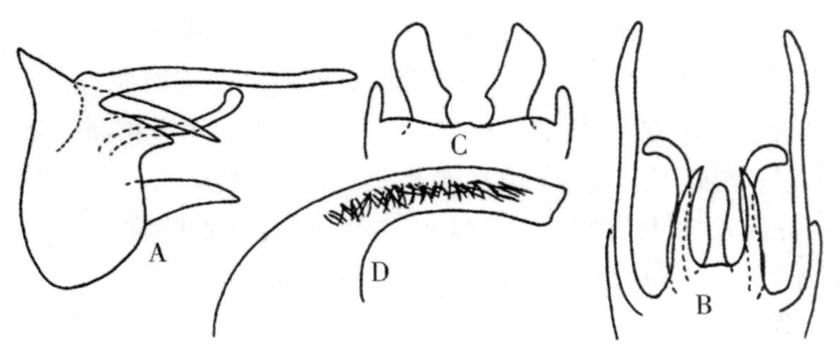

图 187　阿那角石蛾 *stenopsyche anaximander* Malicky 雄虫外生殖器

A. 侧面观；B. 背面观 C. 腹面观；D. 阳具侧面观

(20) 纳氏角石蛾 ***Stenopsyche navasi* Ulmer, 1925**(图 188)

Stenopsyche navasi Ulmer, 1925: 37.

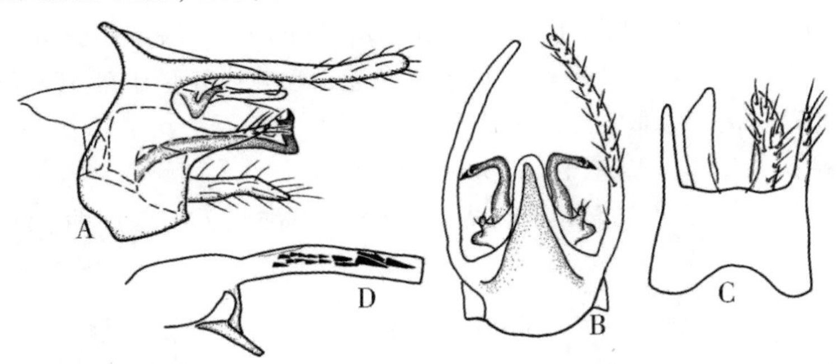

图 188 纳氏角石蛾 *Stenopsyche navasi* Ulmer 雄虫外生殖器

A. 侧面观; B. 背面观 C. 腹面观; D. 阳具侧面观

鉴别特征: 前翅长 22.0~26.0mm。雄虫外生殖器:第 9 节侧突细长。第 10 节背板中部向后方延伸, 形成 1 对细长的突起, 左右两侧叶端缘平直或倾斜, 基半部具长短各一的指形突起; 亚端背叶基部 2/3 处突然弯曲, 顶端短叉状。

采集记录: 据田立新(1988)。

分布: 陕西(太白山)、天津、甘肃、山东、浙江、湖北、广西、四川、云南、西藏; 老挝。

(21) 宁陕角石蛾 ***Stenopsyche ningshanensis* Xu, Wang *et* Sun, 2014**(图 189)

Stenopsyche ningshanensis Xu, Wang *et* Sun, 2014: 221.

鉴别特征: 前翅长 19.0~20.0mm。前翅棕褐色, 臀前区散布小块不规则的浅色斑, 臀区密布大块状不规则的浅色斑。雄虫外生殖器:第 9 节侧面观侧突细长, 末端尖锐, 背面基部中央具 1 个瘤状突。上附肢细长, 背面观略呈"S"形弯曲。第 10 节长约为上度附肢长度的 1/2, 似三角形, 基部向端部逐渐变窄, 末端膜质, 半圆形。中附肢骨化, 约为上附肢长的 1/2, 背面观基半部明显扩展, 端半部中部稍膨大, 末端尖锐; 侧面观基部宽, 向端部渐窄, 亚端部稍膨大, 末端尖。亚端背叶细长, 可见部分长度为上附肢长的 1/2, 末端尖锐。下附肢背腹扁, 腹面观基部 2/3两侧缘近平行, 端部 1/3 外缘略呈弧形弯曲。内茎鞘近端部具 4 根显著大刺, 中后部密布小刺。

采集记录: 1♂, 宁陕旬阳坝, 1520m, 1998. Ⅵ.06, 马云、王淼采。

分布: 陕西(宁陕)。

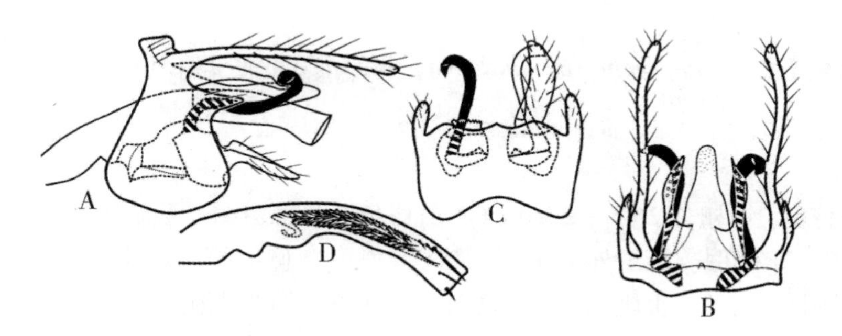

图 189　宁陕角石蛾 *Stenopsyche ningshanensis* Xu, Wang *et* Sun 雄虫外生殖器
A. 侧面观；B. 背面观 C. 腹面观；D. 阳具侧面观

(22)西顿角石蛾 *Stenopsyche sidon* Malicky, 2012(图 190)

Stenopsyche sidon Malicky, 2012: 1272.

鉴别特征: 前翅长 20.0 ~ 25.0mm。体淡黄色至褐色。雄虫外生殖器:第 9 节侧面观较宽，前缘略凹入，后缘于下附肢着生处亦略凹入，侧突短而钝。第 10 节侧面观较长，约为上附肢的 2/3；背面观基部两侧稍膨大，端缘平截。上附肢基部较粗，渐向端部变窄，端圆。中附肢侧面观基部稍弯曲，端缘斜截；侧面观略呈“S”形弯曲，端部尖锐，每侧基部具 1 个指状突。亚端背叶细长，侧面观端部向上弯曲呈钩状，背面观向外侧弯曲。下附肢侧面观基部背面具 1 个小缺刻，加粗后再渐变细；腹面观呈矩形，端缘斜截。阳具膜质，内具骨刺。

采集记录: 1♂，西安，2006. Ⅸ. 05, Kyselak 采；15♂，太白山，1300 ~ 1500m, 1998. Ⅷ. 20-Ⅸ. 04, Murzin, Siniaive 采。

分布: 陕西(太白山,西安)。

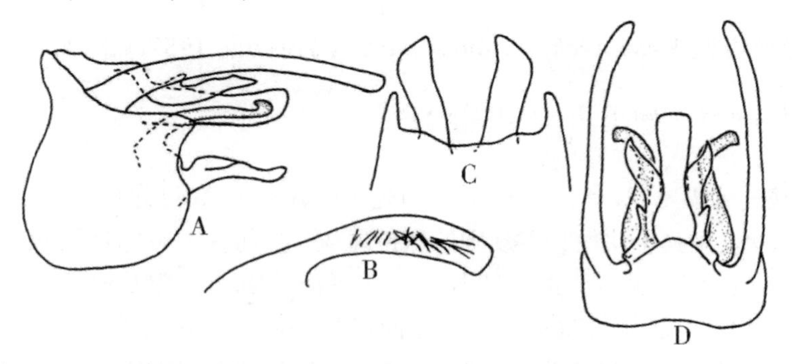

图 190　西顿角石蛾 *Stenopsyche sidon* Malicky 雄虫外生殖器
A. 侧面观；B. 背面观 C. 腹面观；D. 阳具侧面观

(23) 细弯角石蛾 *Stenopsyche sinuolata* Xu, Sun *et* Wang, 2013(图 191)

Stenopsyche sinuolata Xu, Sun *et* Wang, 2013: 570.

鉴别特征: 前翅长 26.5～27.0mm。前翅色淡几乎透明，无显著斑纹。后翅相对宽短，膜质，半透明。雄虫外生殖器:第 9 节侧面观侧突弧形向上弯曲，末端尖锐，长约为上附肢的 1/2。上附肢细长。第 10 节背板长约为上附肢长的 1/3，背面观端部平直，中央具不对称浅凹。中附肢各具 2 个突起，内突指状，显著相向弯曲，外突不显著，其上附着数根细长刚毛。亚端背叶细长，呈拐杖形，长度短于上附肢的 1/2，端部 1/3 向外弯曲，钩状，末端尖锐。下附肢棒状，内缘基部弧状向内弯曲，端部钝圆。阳茎内鞘中后部具粗壮刺，长为基部宽的 8 倍。

采集记录: 4♂7♀，宁陕旬阳坝，1520m，1998. Ⅵ. 06，杨莲芳，Morse 采；1♂2♀，留坝庙台子，1400m，1998. Ⅵ. 07，杨莲芳，Morse 采。

分布: 陕西(宁陕、留坝)。

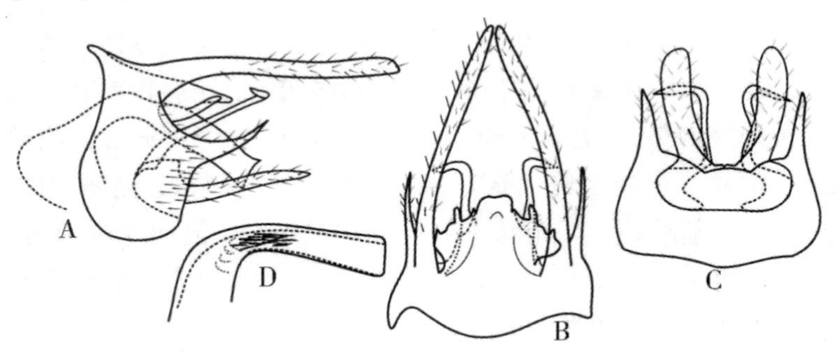

图 191 细弯角石蛾 *Stenopsyche sinuolata* Xu, Sun *et* Wang 雄虫外生殖器

A. 侧面观；B. 背面观 C. 腹面观；D. 阳具侧面观

(24) 天目山角石蛾 *Stenopsyche tienmushanensis* Hwang, 1957(图 192)

Stenopsyche tienmushanensis Hwang, 1957: 382.

鉴别特征: 前翅长 21.5～22.0mm。前翅 Sc、R 以及 M 脉之间具纵向排列的短条纹，M 与 Cu 脉之间具 1 块块状不规则的深色斑纹，臀前区中后部具网状斑纹，臀区网状斑纹明显色淡，但可见。雄虫生殖器:第 9 节侧突起细长，末端钝圆，长度约为上附肢的 1/3；上附肢细长，近 1/2 处呈弧状相向弯曲；第 10 节中央背板细长，似矩形，端部中央浅凹呈双叶状，长度约为上附肢的 1/2，背板基部两侧棒状骨化突起几乎平行排列，略长于中央背板，呈二叉状，上叉长而轻微扭曲，端部尖锐，下叉短而略呈刺状；亚端背叶与第 10 节背板约等长，近末端忽然向外弯曲，末端钝圆；下附肢呈大刀状。

采集记录: 1♂3♀，佛坪，950m，1998. Ⅶ. 23。

分布: 陕西(太白、佛坪)、甘肃、安徽、浙江、湖南、广西、贵州。

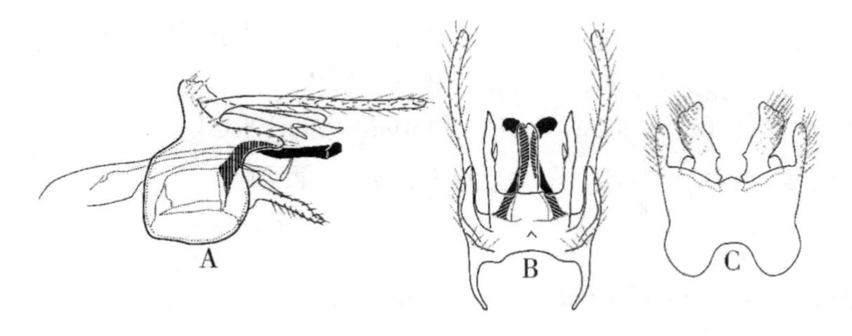

图 192　天目山角石蛾 *Stenopsyche tienmushanensis* Hwang, 1957 雄虫外生殖器

A. 侧面观; B. 第 9~10 节背面观; C. 第 9 节与下附肢腹面观

(25)格氏角石蛾 ***Stenopsyche grahami*** **Martynov, 1931**(图 193:A)

Stenopsyche grahami Martynov, 1931: 4.

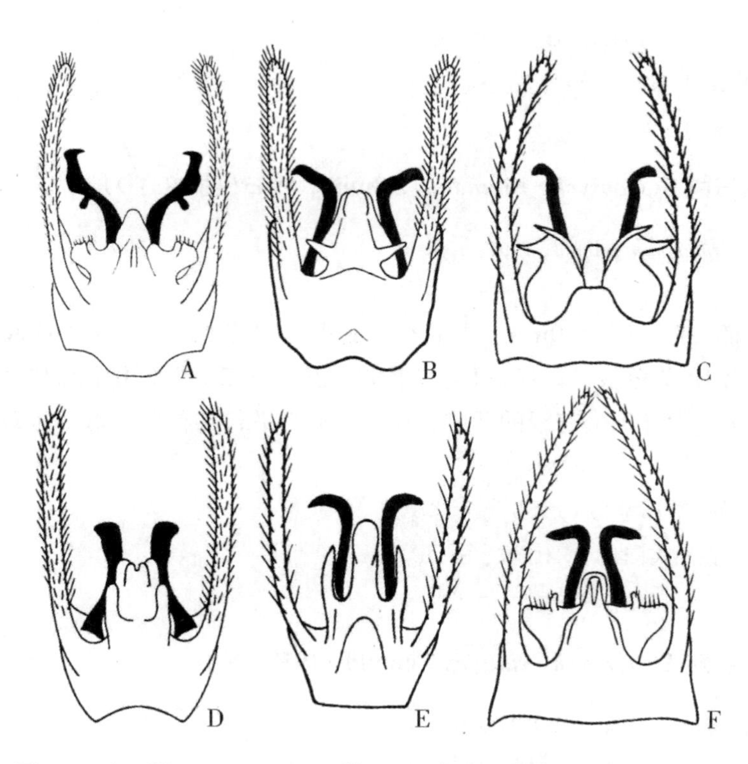

图 193　角石蛾 *Stenopsyche* spp. 第 9、10 节及上附肢、亚端背叶背面观

A. 格氏角石蛾 *Stenopsyche grahami* Martynov; B. 条纹角石蛾 *Stenopsyche marmorata* Navás; C. 短毛角石蛾 *Stenopsyche pubescens* Schmid; D. 圆突角石蛾 *Stenopsyche rotundata* Schmid; E. 单枝角石蛾 *Stenopsyche simplex* Schmid; F. 短脊角石蛾 *Stenopsyche triangularis* Schmid

鉴别特征: 前翅长 27.5~30.5mm。雄虫外生殖器:第 10 节背板端缘中央具 1 个

大型舌状突起，长度不达上附肢的1/2，两侧叶各具1对小型突起；亚端背叶形似鹿角，近端部处突然向外侧弯曲，左右顶尖相向。

采集记录： 13♂15♀，周至厚畛子，1350m，1999. Ⅵ. 24。

分布： 陕西（周至）、甘肃、湖北、四川、云南、西藏。

(26)短毛角石蛾 *Stenopsyche pubescens* Schmid, 1959（图193：C）

Stenopsyche pubescens Schmid, 1959: 319.

鉴别特征： 前翅长24.0～25.0mm。雄虫外生殖器：第9节侧突短，仅为上附肢长度的1/4。第10节背板与第9节侧突近等长，中部具1个卵圆形膜质骨片将第10节背板分隔成左右两叶，各叶端部叉状，顶尖，锐刺状。下附肢亚端背叶明显长于上附肢的1/2，端部呈短钩状。

采集记录： 1♂，太白山，1935. Ⅵ. 30。

分布： 陕西（太白山）。

(27)圆突角石蛾 *Stenopsyche rotundata* Schmid, 1965（图193：D）

Stenopsyche rotundata Schmid, 1965: 135.

鉴别特征： 前翅长21.0mm。雄虫外生殖器：第9节侧突宽短；上附肢细长，略向内方弯曲，第10节背板长方形，不达上附肢长度的1/2，前部由中叶和侧叶构成，侧叶略长于中叶，中叶顶端有浅的凹陷，基部有1对平行的棒状突起。亚端背叶略粗，弧形弯曲，顶部较尖。

采集记录： 据田立新（1988）。

分布： 陕西（太白山）、山东、浙江。

(28)单枝角石蛾 *Stenopsyche simplex* Schmid, 1959（图193：E）

Stenopsyche simplex Schmid, 1959: 320.

鉴别特征： 雄虫前翅长21.0mm。雄虫外生殖器：第9节侧突短，末端尖锐；上附肢细长；第10节背板基部有1个三角形突起，端部中叶狭长，顶尖圆弧形，侧叶短于中叶，顶部尖锐；亚端背叶细长，趋向端部逐渐弯曲，顶尖呈鸟喙状。

采集记录： 2♂，太白山，1935. Ⅲ. 23，Hoene 采。

分布： 陕西（太白山）。

(29)**短脊角石蛾 *Stenopsyche triangularis* Schmid, 1959**(图 193:F)

Stenopsyche triangularis Schmid, 1959: 319.

鉴别特征: 雄虫前翅长 26.0 ~27.0mm。雄虫外生殖器:第 9 节侧突起细长;第 10 节背板中部向后方延伸呈短突起,顶端钝圆,两侧叶三角形,端缘平直,近基半部处各有 1 个短突起;亚端背叶明显高于第 10 节背板,近端部处突然弯曲,呈钩状,顶尖。

采集记录: 1♂,太白山,1700m,1936.Ⅵ.11,Hoene 采。

分布: 陕西(太白山,宁陕)。

(四)多距石蛾科 Polycentropodidae

鉴别特征: 成虫缺单眼;下颚须第 5 节环状纹不明显。中胸盾片具 1 对圆形毛瘤,胫距式 2 ~3- 4- 4;雌虫中足胫节常宽扁;前翅分径室和中室闭锁。幼虫在静水或流水中均能生活,筑多种类型的固定居室,捕食性或取食有机颗粒。部分种类具有较强的耐污能力。

分类: 广布于各动物地理区。全世界已知约 700 种,中国已知 6 属 80 余种,陕西秦岭地区发现 2 属 3 种。

9. 缘脉多距石蛾属 *Plectrocnemia* Stephen, 1836

Plectrocnemia Stephen, 1836: 167. **Type species**: *Hydropsyche senex* Stephens, 1836.

属征: 前翅具第 1、2、3、4、5 叉,第 1、3 叉具柄,分径室及中室闭锁。后翅具第 2、3、5 叉,分径室及中室开放。

分布: 分布于除非洲界和新热带界外的各动物地理区。全世界已知 97 种,另有 24 个化石种,中国记录 21 种,秦岭地区发现 2 种。

(30)**铅山缘脉多距石蛾 *Plectrocnemia qianshanensis* Morse, Zhong *et* Yang, 2012**(图 194)

Plectrocnemia qianshanensis Morse, Zhong *et* Yang, 2012: 46.

鉴别特征: 前翅长约 5.0mm。触角黄色,头褐色,前翅灰褐色,中胸、后胸及翅褐色。雄虫外生殖器:第9背板与第10背板愈合，膜质。中附肢细长，尖锐。第9腹板侧面观后缘波浪状，前缘卵圆形。上附肢侧面观呈均匀棍状，基部稍宽，端部钝圆，腹中突于中部，分为上、下2枝，均细长尖锐，弯向背方；上附肢内壁向阳茎下方扩展，连接成阳茎下桥，长达下附肢末端，端部重新分裂为1对指状突起。下附肢侧面观宽而阔，端缘浅波浪状，腹面观中突宽而短，内壁片指状突明显高于外壁片中突。阳茎基部宽，端部较细，侧缘近平行，具1对阳基侧突。

采集记录: 1♂，佛坪，1100m，1998. Ⅵ.03，孙长海采。

分布: 陕西(佛坪)、安徽、江西。

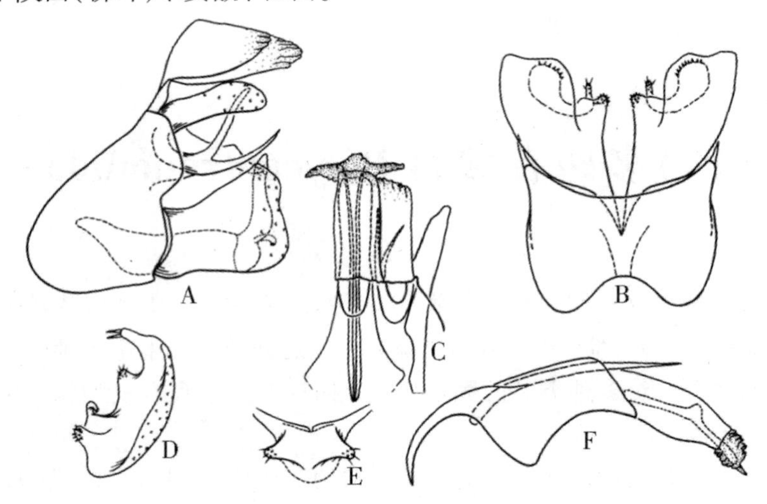

图194 铅山缘脉多距石蛾 *Plectrocnemia qianshanensis* Morse, Zhong *et* Yang 雄虫外生殖器

A. 侧面观；B. 腹面观；C. 背面观；D. 下附肢后面观；E. 亚阳具片后面观；F. 阳具侧面观

(31)锄形缘脉多距石蛾 *Plectrocnemia hoenei* Schmid, 1965(图195)

Plectrocnemia hoenei Schmid, 1965: 146.

鉴别特征: 前翅长5.2~7.4mm。触角黄色，头黄褐色，前胸淡褐色，中胸、后胸黄褐色，翅淡褐色。雄虫外生殖器:第9背板与第10背板愈合，膜质，末端钝圆。中附肢长针状，端部向内侧弯曲。第9腹板侧面观近方形。上附肢侧面观呈长叶状，腹中突细长针状，长达上附肢末端并向内侧弯曲；上附肢内壁向阳茎下方扩展，其基部左右愈合，形成1个短的阳茎下桥，不达阳茎末端，其腹方中部具1对短的中突。下附肢侧面观端部中央具1个凹缺，背端角短于腹端角，腹面观内壁片具1个向背方弯曲的指状突起。阳茎基部较宽，侧缘直，具1对阳基侧突。

采集记录: 1♂，眉县，800m，1998. Ⅵ.01，杨莲芳采。

分布: 陕西(眉县)、山西、安徽、浙江、江西、广东、广西。

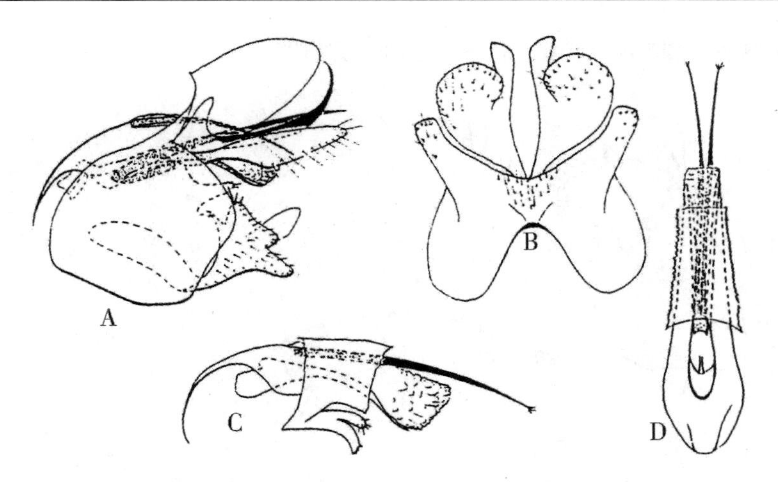

图 195　锄形缘脉多距石蛾 *Plectrocnemia hoenei* Schmid 雄虫外生殖器

A. 侧面观 B. 腹面观 C. 阳具侧面观 D. 阳具背面观

10. 闭径多距石蛾属 *Nyctiophylax* Brauer, 1865

Nyctiophylax Brauer, 1865: 49. **Type species**: *Nyctiophylax sinensis* Brauer, 1865.

属征：前翅具第 2、3、4、5 叉，分径室及中室闭锁，缺第 1 臀脉和第 2 臀脉之间的横脉。后翅仅具第 2、5 叉，分径室闭锁，中室开放。

分布：分布于各动物地理区。全世界已知 107 种，另有 23 个化石种。中国记录 6 种，秦岭地区发现 1 种。

(32) 等叶闭径多距石蛾 *Nyctiophylax adaequatus* Wang *et* Yang, 1997（图 196）

Nyctiophylax adaequatus Wang *et* Yang, 1997: 284.

鉴别特征：前翅长 4.5 ~5.1mm。触角黄色，头黄色或淡褐色，前胸黄色或淡褐色，中胸、后胸褐色，部分个体毛瘤为黄色，翅白色或褐色。雄虫外生殖器：第 9 +10 背板宽，半膜质化，末端分裂为 2 个突起。中附肢位于第 9 +10 背板侧下方，向阳茎下方扩展，与上附肢腹中突愈合。第 9 腹板侧面观背前缘约与后缘等长，腹面观后缘具浅弧形凹缺，前缘具较深的广弧形凹缺。上附肢侧面观呈半圆形，腹中突向腹后方弯曲，末端指状，其基部向阳茎下方扩展，左右相接，形成阳茎下桥。下附肢侧面观基部 1/3 宽，端部 2/3 细长，腹枝宽，至少为背枝的 2 倍，腹面观腹枝三角形。阳茎基宽，阳茎端膜质，部分个体阳茎端密生黑色细毛，阳基侧突 1 对，细棒状，约与阳茎等长。

采集记录：1♂，秦岭天台山，1700m，1998. Ⅵ. 09，杜予州、王淼采。

分布：陕西(宝鸡)、河南、广东、广西、贵州。

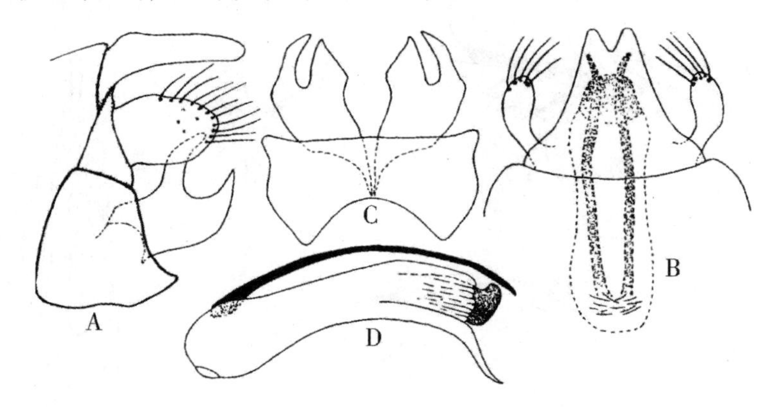

图 196 等叶闭径多距石蛾 *Nyctiophylax adaequatus* Wang *et* Yang 雄虫外生殖器
A. 侧面观；B. 背面观；C. 腹面观；D. 阳具侧面观

(五)蝶石蛾科 Psychomyiidae

鉴别特征：成虫缺单眼；下颚须多数为 5 节，第 5 节长，常有环状纹，少数下颚须 6 节则第 5 节不具环纹。下唇须 4 节。胫距式 1~3-4-4。中胸盾片具 1 对卵圆形小毛瘤；前后翅 R_2 与 R_3 愈合。雌虫具可套叠的管状产卵器。

分类：分布于除新热带区以外的各动物地理区，尤以东洋区种类多。全世界已知 2 亚科 11 属(其中 2 个化石属)420 余种，中国已知 3 属 20 余种，陕西秦岭地区发现 2 属 3 种。

11. 蝶石蛾属 *Psychomyia* Latreille, 1829

Psychomyia Latreille, 1829: 263. **Type species**: *Psychomyia annulicornis* Pictet, 1834.

Anticyra Curtis, 1834: 216. **Type species**: *Anticyra gracilipes* Curtis, 1834.

Psychomyiella Ulmer, 1908: 353. **Type species**: *Psychomyiella acutipennis* Ulmer, 1908.

Psychomyiellina Lestage, 1926: 376, 379. **Type species**: *Psychomyiella composita* Martynov, 1910.

Khandalina Navás, 1934: 277. **Type species**: *Khandalina acuta* Navás, 1934.

Quissa Milne, 1936: 89. **Type species**: *Psychomyia flavida* Hagen, 1861.

属征：体小型，前翅长 2.75~6.00mm。体通常淡褐色至深褐色。下颚须第 3 节短于第 2 节。翅长而窄，个体越小的种类，翅窄，后翅顶角尖锐。前翅中室较短，2A

脉终止于1A脉，而非终止于3A。后翅Sc脉缺失，R_1长，R_{2+3}短，终止于R_1，第3叉在有些种中缺失，臀脉1根，M_{3+4}与Cu_1之间无横脉。雌虫中足扁平。

分布：古北区，新北区，东洋区。全世界已知140余种，中国记录6种，秦岭地区发现2种。

(33) 安德列蝶石蛾 *Psychomyia adriel* Malicky, 2012（图 197）

Psychomyia adriel Malicky, 2012: 1276.

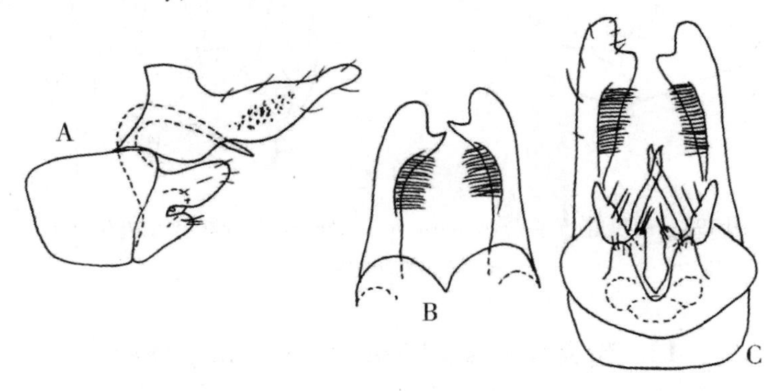

图 197　安德列蝶石蛾 *Psychomyia adriel* Malicky 雄虫外生殖器

A. 侧面观；B. 背面观；C. 腹面观

鉴别特征：前翅长4.0mm。体淡褐色。雄虫外生殖器：第9节背板与肛上附肢愈合，侧面观基部宽大，然后突然缢缩，亚端部亦略缢缩；背面观由基部向端部稍膨大，端部分裂成1大1小2个叶突。第9节腹板多少呈梯形。第10节退化。下附肢侧面观第1节与第2节愈合成双叶状，第1节（下叶）小，拇指状，第2节（上叶）粗大，多少呈椭圆形；腹面观第2节基部内侧具1个齿突。阳具侧面观弯曲呈弓形。

采集记录：1♂，宁陕旬阳坝，1000～1300m，2000.Ⅴ.23，Kyselak 采。

分布：陕西（宁陕）。

(34) 亚里蝶石蛾 *Psychomyia aristophanes* Malicky, 2011（图 198）

Psychomyia aristophanes Malicky, 2011: 29.

鉴别特征：前翅长5.5mm。体淡褐色。雄虫外生殖器：第9节侧面观背板兜状，腹板多少呈矩形。肛上附肢基部与第9节背板愈合，侧面观棒状，端缘斜截。下附肢侧面观第1节椭圆形，第2节细长，端部分裂成二叉状；腹面观第2节基部略窄，端部较宽，宽裂成2个枝，外枝长，内枝短。阳具侧面观弯曲呈"S"形。

采集记录： 1♂，秦岭(34°14'N，107°18'E)，1000m，2009. V.30，Kyselak 采。

分布： 陕西(秦岭)。

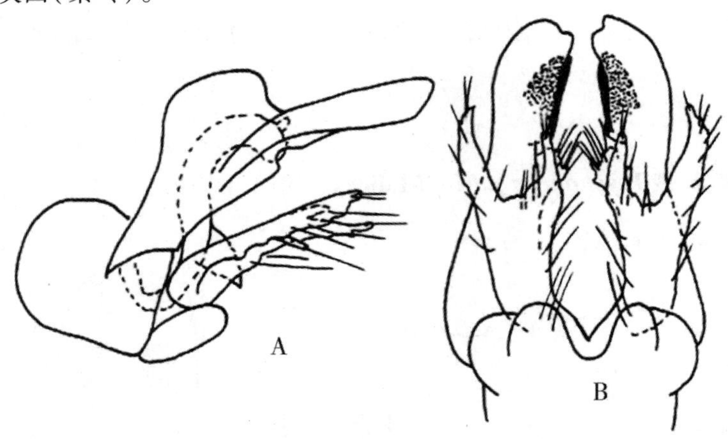

图 198 亚里蝶石蛾 *Psychomyia aristophanes* Malicky 雄虫外生殖器

A. 侧面观；B. 背面观

12. 齿叉蝶石蛾属 *Tinodes* Curtis，1834

Tinodes Curtis，1834：216. **Type species**：*Tinodes lurida* Curtis，1834.

Homoeocerus Kolenati，1859：166，225(nec Burmeister，1835). **Type species**：none selected.

属征： 下颚须第 3 节长于第 2 节。雌虫中足不扁平。翅不特别窄。前翅分径室较大，第 3 与第 4 叉具柄；后翅 Sc 长，R_1 终止于 Sc 端部之前，与 R_{2+3} 之间具 1 条横脉，缺第 3 叉。M_3 与 Cu_1 之间具 1 条横脉，具 2 根游离的臂脉。

分布： 古北区，东洋区，非洲区，新北区。全世界已知 200 种，中国记录 5 种，秦岭地区发现 1 种。

(35) 三突齿叉蝶石蛾 *Tinodes gamsiel* Malicky，2012(图 199)

Tinodes gamsiel Malicky，2012：1275.

鉴别特征： 前翅长 6.0mm。体黄褐色。雄虫外生殖器：第 9 节侧面观背板上半部披针形，下半部细长；腹板三角形，前缘略凹入。肛上附肢侧面观基部粗壮，向端部渐细，端圆。中附肢侧面观细长，两侧缘近平行，顶端斜截。阳基鞘侧面观基部窄，向端部渐加宽，顶端截形，腹面观时近长矩形；阳茎骨化，基半部宽，尾向变窄；端半部三叉形。下附肢侧面观第 1 节基半部多少呈矩形，背侧角向后延伸成刺状，端半部拇指状；第 2 节小，中部弯曲成 90°；腹面观第 1 节基半部短形，端半部长三角形；第 2 节鸟喙状弯曲。

采集记录： 1♂，周至，580m，2011. V.12，Balke，Hájek 采。

分布： 陕西(周至)。

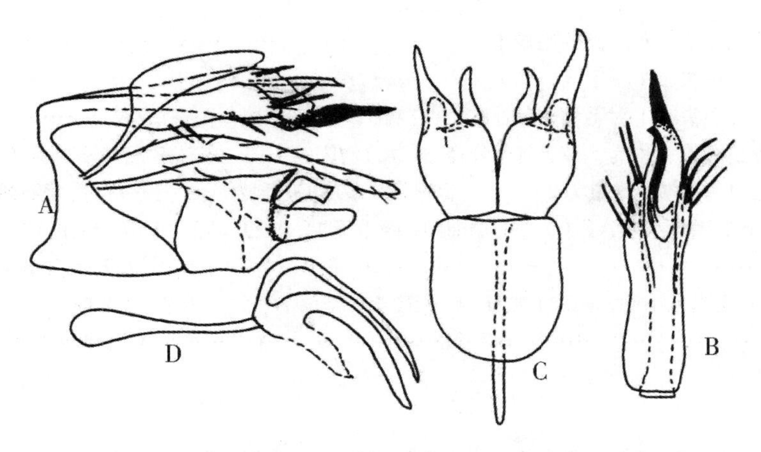

图 199　三突齿叉蝶石蛾 *Tinodes gamsiel* Malicky 雄虫外生殖器
A. 侧面观；B. 上附肢背面观；C. 第 9 节下附肢腹面观；D. 阳具侧面观

二、完须亚目 Integripalpia

分科检索表

1. 头顶具 2～3 个单眼 …………………………………………………………………… 2
   头顶缺单眼 …………………………………………………………………………… 7
2. 中足胫节有 2 个端前距 ……………………………………………………………… 5
   中足胫节有 1 个或无端前距 …………………………………………………………… 3
3. 前翅基部 Sc 与 R_1 脉之间具 1 个加厚且向下凹陷的区域，触角柄节短于头；中胸小盾片末端圆；前翅较宽，翅长不及其宽的 3 倍；后翅臀区发达，常远比前翅；雄虫后足距呈长丝状，或呈盾状
   …………………………………………………………………… **宽翅石蛾科 Thremmatidae**
   前翅基部 Sc 与 R_1 脉之间不加厚；少数种类具加厚区域但绝不向下凹陷 ……………… 4
4. 后翅分径室端部开放，或前翅 R_1 与 C 脉之间具 1 条横脉，Sc 终止于横脉上 …………
   ………………………………………………………………………… **幻石蛾科 Apataniidae**
   后翅分径室闭锁，前翅缺 R_1-C 横脉 ………………………………… **沼石蛾科 Limnephilidae**
5. 前翅缺第 1 叉脉 …………………………………………………… **锚石蛾科 Limnocentropodidae**
   前翅有第 1 叉脉 ………………………………………………………………………… 6
6. 中胸小盾片有 2 个清晰的毛瘤，前翅臀脉愈合部分不及第 1 臀室数分室长之和的 1/3 ………
   ………………………………………………………………………… **石蛾科 Phryganeidae**
   中胸小盾片布满小毛，前翅臀脉愈合部分长达第 1 臀室数分室长之和的 2 倍 ……………
   ………………………………………………………………… **拟石蛾科 Phryganopsychidae**
7. 中胸盾片毛域几乎散布于整个盾片之长度；触角远长于身体，触角柄节约为梗节长的 3 倍；胫距式 0～2－2－2 ……………………………………………………… **长角石蛾科 Leptoceridae**

中胸盾片毛限于1对分离的毛瘤上 ………………………………………………………………… 8
8. 中胸小盾片中央具1个毛瘤 ……………………………………………………………………… 9
中胸小盾片中央有1对毛瘤，有时有一点接触 …………………………………………………… 10
9. 下颚须雌虫和雄虫均为5节，前后分径室(DC)均闭锁 …………… **齿角石蛾科 Odontoceridae**
下颚须雌虫为5节，雄虫为2~3节；后翅分径室(DC)开放 ……………… **瘤石蛾科 Goeridae**
10. 中足胫节具黑色小刺，具0~2个端前距，距上无毛；雄虫下颚须3节，雌虫5节 ……………
…………………………………………………………………………… **短石蛾科 Brachycentridae**
中足胫节无黑色小刺，有2个端前距，距覆毛；雄虫下颚须为1节、2节或3节，雌虫5节
………………………………………………………………………… **鳞石蛾科 Lepidostomatidae**

(六)长角石蛾科 Leptoceridae

鉴别特征：体形细弱，雄虫个体大于雌虫，是毛翅目中较美丽的类群之一。成虫缺单眼，触角长，常为前翅长的2~3倍；下颚须细长，5节，末节柔软易曲，但不分成细环节。中胸盾片长，其上着生的两列纵行毛带，几乎与盾片等长。距式0~2-2-2~4。翅脉有相当程度的愈合，通常R_5与M_1、M_2愈合为1支，或称R_5+M_A；M_3与M_4愈合为1支，称M_{3+4}或MP；故第3、4叉常缺。前翅缺中室。翅通常狭长，浅黄色、黄褐色、淡褐色或灰褐色，有些种类翅面具银色斑纹；多数类群后翅较宽。幼虫触角长，长至少为其宽的6倍以上。筑可携式巢，常由细石粒或植物碎片组成。巢的形状与结构因不同属、种而异。

生物学：幼虫喜低海拔(通常500m以下)。在冷水或暖水、急流或缓流、池塘、沼泽、湖泊中等均有发现。植食性幼虫取食的维管束植物组织、海绵或腐殖质颗粒，也有些种类以捕食其他小动物为生。取食方式以撕食型、集食型和捕食型为主。

分类：分布于各动物地理区。全世界已知50属约1600种，中国目前已知13属160种，陕西秦岭地区发现1属1种。

13. 叉长角石蛾属 *Triaenodes* McLachlan, 1865

Triaenodes McLachlan, 1865: 110. **Type species**: *Leptocerus bicolor* Curtis, 1834.
Triaena McLachlan, 1865: 34(nec Hübner, 1818). **Type species**: *Leptocerus bicolor* Curtis, 1834.
Allosetodes Banks, 1931: 421. **Type species**: *Allosetodes plutonis* Banks, 1931.
Ylodes Milne, 1934: 11, 19. **Type species**: *Triaenodes griseus* Banks, 1899.
Austrotriaena Yang *et* Morse, 1993: 164. **Type species**: *Triaenodes trifida* Kimmins, 1957.

属征：体中小型，多呈黄褐色。雄虫触角柄节具香器官，外观具1个可活动的盖片，内藏毛束；雄虫外生殖器下附肢基部具完全暴露的细杆状突起，阳茎端不明显，阳基侧突缺如。

分布：广布于世界各动物地理区系。全世界已知约130种，中国记录9种。秦岭地区发现1种。

(36)秦岭叉长角石蛾 *Triaenodes qinglingensis* Yang *et* Morse，2000(图200)

Triaenodes qinglingensis Yang *et* Morse，2000：103.

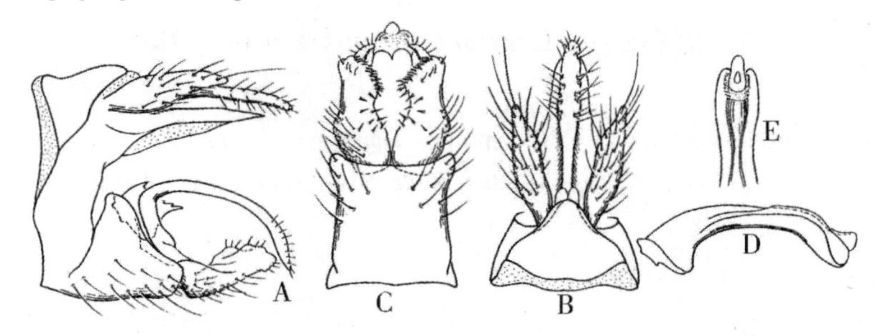

图200　秦岭叉长角石蛾 *Triaenodes qinglingensis* Yang *et* Morse 雄虫外生殖器
A. 侧面观；B. 背面观；C. 腹面观；D. 阳具侧面观；E. 阳具端部背面观

鉴别特征：雄虫前翅长6.8~7.5mm，雌虫6.0~6.2mm。头、胸部红褐色，覆同色毛。雄虫触角柄节长，香器官发达。前翅深黄褐色，覆褐色细毛。雄虫外生殖器：第9腹节侧面观腹缘长于背缘，背板呈三角形兜状，腹区分裂为2个部分，端部近三角形。肛前附肢肥大，长矛头形。第10腹节背板上枝为1个长棒突，长于下枝，端半部棒头形；下枝侧面观呈狭片状，端尖，背面观基部宽，端部1/2渐收窄，末端圆钝。下附肢主体侧面观呈亚矩形，内侧缘有2个不明显的隆起；腹面观各附肢基部与端部略等宽，中央缢缩，外侧缘长于内侧缘，顶端斜，密生短刺毛；下附肢基背方杆状突长，基部1/3垂直于主体，末端尖，伸达主体顶端下方。阳茎浅槽状，微弯。

采集记录：1♂，秦岭，1400m，1973.Ⅶ.09。

分布：陕西(秦岭)、安徽、江西、福建、四川；日本，泰国，老挝。

(七)锚石蛾科 Limnocentropodidae

鉴别特征：成虫体形中等，较粗壮。具单眼；雌虫和雄虫下颚须均为5节，第1节短，其余各节约为等长。触角较前翅短，柄节短于头长。中胸背板具2对边缘明显的圆形小毛瘤，中胸小盾片具1对毛瘤。距式2-4-4。翅较宽广，似蛾类，翅色单一，灰褐色或深褐色，无光泽，通常覆均匀、同色的细短毛；雌虫和雄虫脉序相似，R_2与R_3合并(缺1叉)，具封闭的分径室；后翅大，约与前翅等宽，仅略短于前翅。雄虫外生殖器结构简单，其形状在种间差异较小。第9、10腹节背板愈合，肛前附肢缺如，下附肢1节，阳茎简单，管状，内阳茎基鞘具1对圆叶状小骨片(可能为阳茎孔片)。幼虫吐丝将植物组织编成“缆绳”状结构，一端连于巢口，其另一端牢固地系在大石块上，巢口面向水流方向，多生活于较开阔的急流水体。

分类：仅发生于亚洲。全世界已知1属16种，中国目前已知1属2种，陕西秦岭地区发现1属1种。

14. 锚石蛾属 *Limnocentropus* Ulmer, 1907

Limnocentropus Ulmer, 1907: 13. **Type species**: *Limnocentropus insolitus* Ulmer, 1907.

Kitagamia Iwata, 1927: 215. **Type species**: *Kitagamia montana* Iwata, 1927.

属征：同锚石蛾科鉴别特征。

分布：分布于东洋区及古北区。全世界已知16种，中国记录2种，秦岭地区发现1种。

(37) 弓臂锚石蛾 *Limnocentropus arcuatus* Yang *et* Morse, 2005(图201)

Limnocentropus arcuatus Yang *et* Morse, 2005: 141.

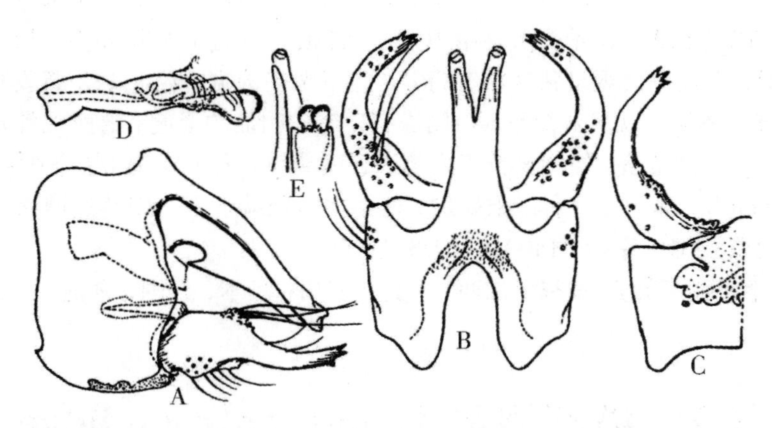

图201 弓臂锚石蛾 *Limnocentropus arcuatus* Yang *et* Morse 雄虫外生殖器

A. 侧面观；B. 背面观；C. 腹面观；D. 阳具腹面观；E. 阳具端半部及第9+10背板左突腹面观

鉴别特征：雄虫前翅长13.0~15.0mm，雌虫14.5~16.0mm。头、胸部深褐色，毛瘤黄白色。前翅、后翅约等宽，翅色单一，暗灰褐色无光泽，少数个体色深褐色。腹部各节背片褐色后缘色浅，腹片基半部褐色端半部污黄色。雄虫外生殖器：第9腹节侧面观呈亚矩形，背区基端向尾方深凹，故前侧缘背方形成1个宽圆形叶突；背面观基缘凹缺呈倒“U”形，背板狭带状，但端缘与第10节背板紧密愈合；腹面观腹节端缘中央具三角形突出。肛前附肢缺如。第10节背板背面观狭长，两侧缘近平行，端部2/5～1/3分裂为1对长指状突起，组成“V”形，其末端平；侧面观背板略呈狭长的直角三角形，下缘平直，长为基宽的3.5～4.0倍；端半部分裂为背、腹两个彼此贴近但形状不同的突起，背突长指状，末端钝，背方具1个小凹缺，腹突尖叶状，尖端伸达背突之亚端部。下附肢不分节，侧面观基部近1/3～2/5呈亚矩形，长略大于基宽，其余部分细长而均匀；腹面观附肢弯成弓状或典型的半圆弧，由基部至端部均匀渐细，基半部略粗壮，基部最宽处约为端半部的1.5倍。阳茎细管状，内阳茎基鞘匙状，长约为阳茎长的1/2，顶端具1对近圆形，半透明骨片，其背缘浅灰褐色。

采集记录：4♂2♀，蓝田汤峪温泉黑水河，700～800m，1998.Ⅵ.01，杨莲芳采。

分布：陕西(蓝田)、甘肃。

(八)齿角石蛾科 Odontoceridae

鉴别特征：成虫缺单眼，触角明显长于前翅，基节较长，下颚须5节，较粗壮，雄虫复眼大，有时在头背方几乎相接。中胸小盾片具1个大毛瘤，足具细小的黑色短刺，胫距式0～2-0～4-2～4。前翅具封闭的分径室，R_1和R_2之间常具1条横脉。雄虫前翅M脉缺如，故无明斑室；具第1，2，5叉，或第1，5叉；雌虫前翅具明斑室，具第1，2，3，5叉。雄虫外生殖器结构简单，第9腹节为1个发达的骨化环，侧面观通常背面窄，侧面、腹面较宽，侧缘近背区凹洼以着生肛前附肢，背板后缘具向后延伸成的三角形突起，顶端分裂。第10节背板多背篼状，部分与第9节愈合，两侧长具骨化钩形突。肛前附肢长叶形、棍棒形或短卵圆形。下附肢2节，基节多为细长圆柱状，直形或弧形，端节细短柱形。阳茎简单，管状，阳基侧突缺如或为1对短针状结构。幼虫筑稍弯的圆柱形可携带巢，由碎石块构成，质坚硬。生活于流水中，杂食性。分布于除非洲区以外的世界各动物地理区。

分类：全世界已知10属，约110种，中国目前已知3属11种，陕西秦岭地区发现3属3种。

分属检索表

1. 前翅中脉3支 ………………………………… **奇齿角石蛾属 *Lannapsyche***
   前翅中脉1支或2支 ………………………………… 2
2. 后翅R_1与R_2端部不愈合，Cu_1端部与M_{3+4}不愈合 ………… **裸齿角石蛾属 *Psilotreta***
   后翅R_1与R_2端部具较长一段愈合，Cu_1端部与M_{3+4}愈合 ………… **滨齿角石蛾属 *Marilia***

15. 奇齿角石蛾属 *Lannapsyche* Malicky, 1989

Lannapsyche Malicky, 1989: 11. **Type species**: *Lannapsyche chantaramongklae* Malick, 1989.

属征：体型偏小，翅宽，黄褐色，与鳞石蛾较相似。触角粗壮，稍长于前翅，柄节简单圆柱形，约与头等长。缺单眼。头部背面具1对很大和2对较小的毛瘤。下颚须细长，5节，约为触角长的1/2，但末节短。下唇须3节，很短，全长约与下颚须第2节等长。下颚须与下唇须均被有细密的毛。中胸背板窄，中部具深皱褶。小盾片缺毛瘤。距式2-4-4。足和距均具细密的毛。前翅短而宽，端部截形，后翅略窄；前后翅分径室均闭锁，R_1 与 R_2 在翅端缘愈合，R_{4+5}合并；前翅第1、2、3叉明显，中脉主干似乎出自端部1/4处的Cu主干，端部分成 M_1、M_2、和 M_{3+4}，3支。Cu_1 延伸成第5叉。臀脉之后有1条端部缺失的脉，其上具1排长而硬的刚毛。后翅具4根臀脉。雄虫外生殖器缺肛前附肢。

分布：东洋区。全世界已知7种，中国记录1种，秦岭地区发现1种。

(38)四川奇齿角石蛾 *Lannapsyche setschuana* Malicky *et* Chantaramongkol, 1995(图202)

Lannapsyche setschuana Malicky *et* Chantaramongkol, 1995: 25.

鉴别特征：雄虫前翅长11.0~12.0mm。体深褐色，下颚须、下唇须呈浅褐色，着深色毛。触角深褐色。翅深褐色，前翅具1个浅色横斑，R_1 与 R_2 不合并，各自直达翅的边缘，后翅在中叉基部具1个小亮斑。雄虫外生殖器：第9腹节侧面观基部1/3向前方凸出，腹缘长约为背缘的2倍。肛前附肢宽短，末端圆，与第9节愈合，背面观为1个尾向的平面叶突。第10节背板由1对垂直，近方形骨片组成，背缘向两侧延伸呈具翅状突，背面观翅状突略呈箭头状，但顶端圆钝，具短距离中裂。下附肢细而长，基节端部分裂成2个长短不等的叶状突，其间着生第2节。第2节腹面具1层丝绒般的深色毛。阳茎粗短管状，内部具1个不清晰的骨片，阳基侧突缺如。

采集记录：1♂1♀，周至厚畛子，1995.Ⅴ.25，杜予州采。

分布：陕西(凤县、周至、宁陕)、四川。

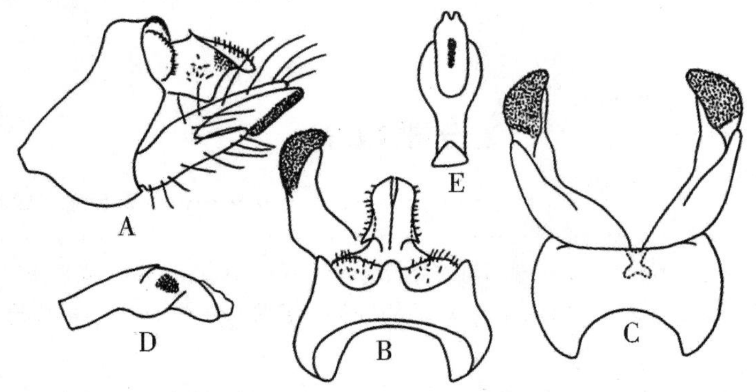

图202 四川奇齿角石蛾 *Lannapsyche setschuana* Malicky *et* Chantaramongkol 雄虫外生殖器
A. 侧面观；B. 背面观；C. 腹面观；D. 阳具侧面观；E. 阳具腹面观

16. 滨齿角石蛾属 *Marilia* Muller, 1880

Marilia Muller, 1880: 127. **Type species**: *Marilia major* Muller, 1880.

属征：头、胸部、颚须和足具较稀疏的细毛。雄虫头顶微凹，无毛瘤，复眼极大，红褐色，彼此几相接触并占据头顶的大部分；雌虫复眼正常，头顶具3对毛瘤。触角极细，长于前翅，柄节略呈球茎状突出。前足、后足较细而短，中足极长，其胫节和腿节约等长，距式2-4-4。前翅狭长，翅端近平截，后翅宽三角形，臀叶缘毛长而密。

分布：东洋区，澳洲区，新热带区，少数种类分布于新北区。全世界已知55种，中国记录6种，秦岭地区发现1种。

(39)端突滨齿角石蛾 *Marilia albofusca* Schmid, 1959(图203)

Marilia albofusca Schmid, 1959: 326.

鉴别特征：前翅长10.0mm。体褐色。雄虫外生殖器：第9节侧面观前缘平直，后缘背面1/3呈半圆形凹入，其下方呈一个拐角，背侧缝倾斜。第10节背板背面观宽大，端缘呈“V”形凹入，后缘近中央向后方延伸，腹缘近端部具1个角状突起。上附肢狭长，棒状，中部略膨大，两端略收窄。下附肢2节，第1节管状，侧面观较平直，腹面观内缘近基部隆起，长约为中宽的4倍；第2节粗短，长不到中宽的2倍，约为第1节长的1/4。阳茎管状，较平直，基半部窄，端半部增宽，阳茎孔片清晰可见，宽短。

采集记录：1♂，秦岭北坡(宝鸡南20km)，1000m，1998.Ⅵ.18，孙长海采。

分布：陕西(秦岭)、广东、广西、云南；尼泊尔。

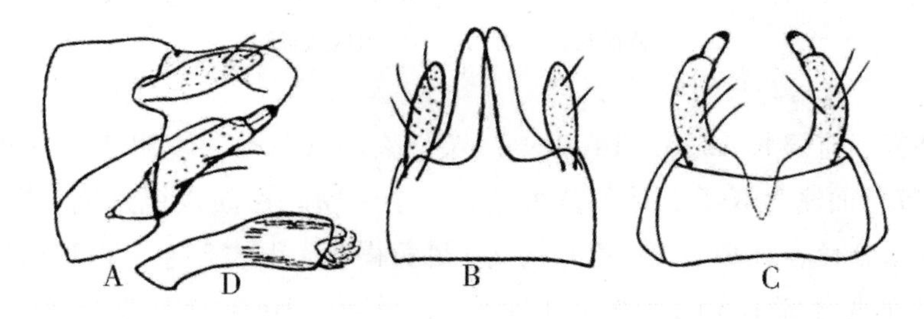

图203　端突滨齿角石蛾 *Marilia albofusca* Schmid 雄虫外生殖器

A. 侧面观；B. 背面观；C. 腹面观；D. 阳具侧面观

17. 裸齿角石蛾属 *Psilotreta* Banks, 1899

Psilotreta Banks, 1899: 213. **Type species**: *Psilotreta frontalis* Banks, 1899.

属征: 头部宽而短; 雄虫复眼明显大于雌虫, 但彼此不接触, 雌虫和雄虫头顶均具3对毛瘤; 触角粗壮, 略长于前翅; 下颚须覆直立而浓密的毛。距式2-4-4。翅覆密毛, 前翅、后翅约等宽, 分径室狭长, 与1叉有较长距离的相接。

分布: 东洋区, 新北区。全世界已知59种, 中国记录32种, 秦岭地区发现1种。

(40) 秦岭裸齿角石蛾 *Psilotreta quinglingshanensis* Mey *et* Yang, 2001 (图204)

Psilotreta quinglingshanensis Mey *et* Yang, 2001: 89.

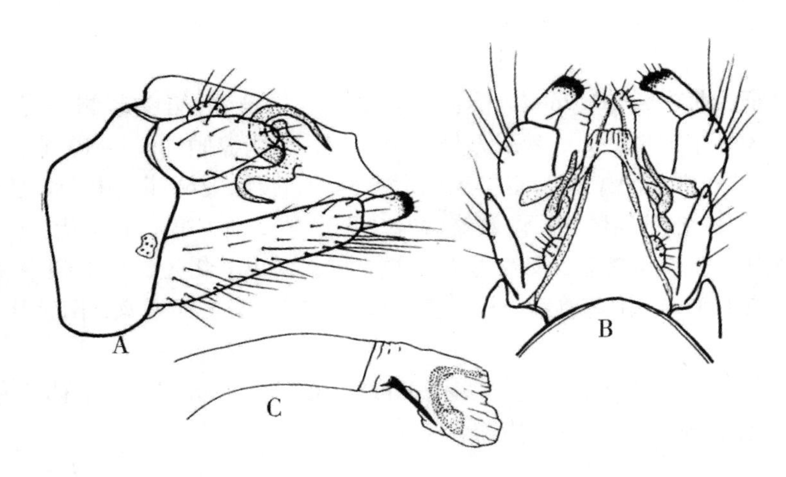

图204 秦岭裸齿角石蛾 *Psilotreta quinglingshanensis* Mey *et* Yang 雄虫外生殖器

A. 侧面观; B. 背面观; C. 阳具侧面观

鉴别特征: 前翅长12.0~14.0mm。头、胸部灰褐色, 复眼大, 下颚须灰色, 基部2~3节背面密生长毛, 触角黄褐色, 长于前翅。翅淡灰色透明, 翅毛金黄褐色, 雄虫前翅分径室开放, 2叉基部具柄, 足黄褐色, 距式2-4-4。雄虫外生殖器: 第9腹节侧面观背部1/3的后缘具1个深凹。第9、10节背板愈合形成骨化的长背篼, 侧面观长约为基宽的2.5倍, 腹缘明显长于背缘, 每侧近基部各具2个弯钩形骨化突起, 背钩突细长, 弯成大半圆弧, 尖端向下, 腹钩短, 尖端指向后方; 背面观背板分为上、下2层, 上层(第9节背板)三角形, 长约为基宽的1.5倍, 下层(第10节背板)亚三角形, 近端部两侧具长条形翅突, 背板端缘由1对彼此靠拢的细指形突起组成，长至少为其宽的 3 ~4 倍。肛前附肢长卵圆形，长约为最宽处的 1.5 倍，末端收窄。下附肢 2 节，基节长圆柱形，长约为基宽的 3 倍，基部具浅褐色带；端节粗短柱形，略细于基节末端，长至少为基节的 1/3。阳茎短管状，阳基侧突为 1 对短针突，长约为阳茎的 1/2。

采集记录： 6♂4♀，太白山，1900m，1999. Ⅷ. 01-12。

分布： 陕西（太白山）、四川。

（九）幻石蛾科 Apataniidae

鉴别特征： 体小型。头较窄，两侧向外方膨大。复眼小。下颚须略发达。胫距式 1-2-2 或 1-2-4。翅中等大，两性翅相似。翅脉完全，5 叉俱全。前翅 Sc 终止于 C 与 R_1 之间的横脉，横脉列不规则的线状，分径室短而略上曲；第 1 叉及第 3 叉窄或尖。后翅分径室开放，第 1 叉短。第 5 腹节腹板有时两侧向背方延伸成 1 对突起，称为第 5 腹节腹板突（processes of sternum V），如腹突幻石蛾属 *Apatidelia*。雄虫外生殖器常具 4 ~5 对肢状突起，肛前附肢小，卵形，有时与上附肢愈合或消失；上附肢发达，其原始形状为二分裂，但在一些高等种类中不分裂，或呈各种独特形状；中附肢常缩小，有时愈合成单一粗大的附肢；下分支常缺；下附肢发达，分 2 节，基部与第 9 腹节相关联，第 1 节的原始形状为圆柱形，第 2 节形状多变。

分类： 分布于东洋区、古北区、新北区和新热带区。全世界已知 10 属约 180 种，中国已知 4 属 29 种，陕西秦岭地区发现 2 属 4 种。

18. 幻石蛾属 *Apatania* Kolenati, 1848

Apatania Kolenati, 1847: 33, 75. **Type species**: *Apatania wallengreni* McLachlan, 1871.

Apatidea McLachlan, 1875: 33. **Type species**: *Apatidea copiosa* McLachlan, 1875.

Apatelia Wallengren, 1886: 78 (as a subgenus of *Apatania*). **Type species**: *Phryganea fimbriata* Pictet, 1834.

Archapatania Martynov, 1935: 324. **Type species**: *Archapatania complexa* Martynov, 1935.

Parapatania Forsslund, 1934: 381. **Type species**: *Apatania stigmatella* Zetterstedt, 1840.

Gynapatania Forsslund, 1942, in Forsslund & Tjeder, 1942: 95. **Type species**: *Apatania muliebris* McLachlan, 1866.

属征： 头窄而侧隆，复眼小。胫距式 1-2-2，或 1-2- 4。翅脉完整，叉脉齐全，前翅 Sc 脉终止于 R_1 与 C 脉间的横脉。后翅分径室开放，第 1 叉短。

分布：东洋区，古北区（东、西部）和新北区。全世界已知 89 种，中国记录 16 种，秦岭地区发现 3 种。

（41）梳毛幻石蛾 *Apatania pectinella* Mey *et* Yang，1998（图 205）

Apatania pectinella Mey *et* Yang，1998：87.

鉴别特征：前翅长 8.0～10.0mm。头、胸部黑色，毛瘤毛褐色，下颚须与触角褐色。前翅密生褐色细毛，翅背 R_1 处着生 1 排黑色小刺，后翅基部具 3 根翅缰鬃，Cu_{1a} 和 M_{3+4} 具接触点。距式 1-2-4。雄虫外生殖器：第 9 腹节侧面观腹缘倾斜，略宽于背缘。肛前附肢短小，背面观呈水滴状，长约为最宽处的 3 倍。上附肢粗长棒状，约为肛前附肢长的 3 倍，侧面观端部下弯。中附肢 1 对，侧面观粗短，背面观长约为上附肢的 1/2；下分支极短，侧面观较难察见。下附肢 2 节，侧面观基节基半部粗大，端半部延长呈指状突，腹缘具 1 排梳状刺毛；端节背、腹扁，腹面观呈狭长三角形，基部与基节端部约等宽，长约为基宽的 3 倍。阳茎基短杯状。阳茎腹面观深裂为细长的 2 支，近基部具 1 对细长的刺状突起，长约为阳茎分支的 1/2。阳基侧突 1 对，侧面观细长，背面观稍宽，折刀形，基部外侧分别具 1 个肥大的椭圆形叶状分支，长约为阳基侧突的 2/3。

采集记录：1♂，天台山国家森林公园，1700m，1998. Ⅵ. 01，Morse，杨莲芳采。

分布：陕西（宝鸡、周至）。

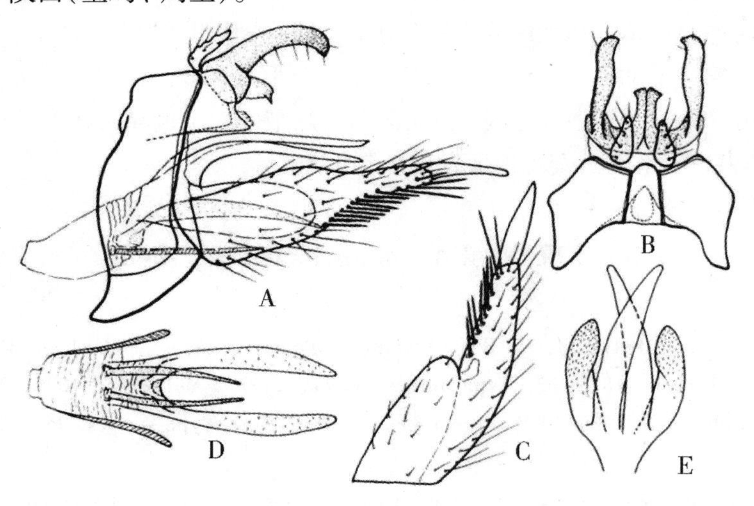

图 205 梳毛幻石蛾 *Apatania pectinella* Mey *et* Yang 雄虫外生殖器

A. 侧面观；B. 背面观；C. 下附肢腹面观；D. 阳具腹面观；E. 阳基侧突背面观

（42）辛氏幻石蛾 *Apatania siniaevi* Mey *et* Yang，2001（图 206）

Apatania siniaevi Mey *et* Yang，2001：87.

鉴别特征：前翅长 9.0mm。体黑褐色。雄虫外生殖器：第 9 腹节侧面观最宽处位于近中部，最狭处位于近腹方 1/6 处，为最宽处的 1/5～1/6。肛前附肢短小，为竖立的三角形叶突。上附肢细长，长约为肛前附肢的 3 倍，基部直立，其余大部折向尾方。中附肢细长，骨化较强，侧面观于近基部处急剧弯向腹方。下附肢粗大，侧面观基节长柱形，长约为均宽的 3.5 倍；端节细长指状，密布短毛，长度约为基节的 1/2，端半部约呈 45°弯向背方。阳茎基杯状。阳茎细长，末端具短“V”形分叉。具 2 对阳基侧突，1 对背突直而细长，略背、腹扁，末端近平截；1 对侧突为可伸缩膜质叶突，端部骨化的圆柱形部分密生细卷毛。

采集记录：1♂，秦岭太白山厚畛子，1400m，1999. Ⅹ. 17-25，Siniaev 采。

分布：陕西（周至）。

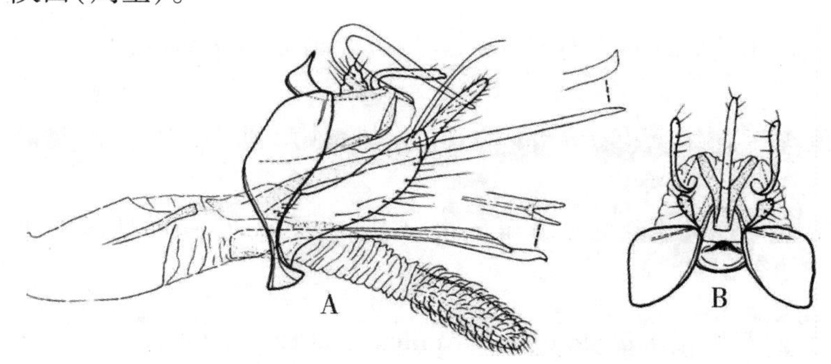

图 206　辛氏幻石蛾 *Apatania siniaevi* Mey *et* Yang 雄虫外生殖器
A. 侧面观；B. 背面观

(43) 北京幻石蛾 *Apatania yenchingensis* Ulmer, 1932（图 207）

Apatania yenchingensis Ulmer, 1932: 67.

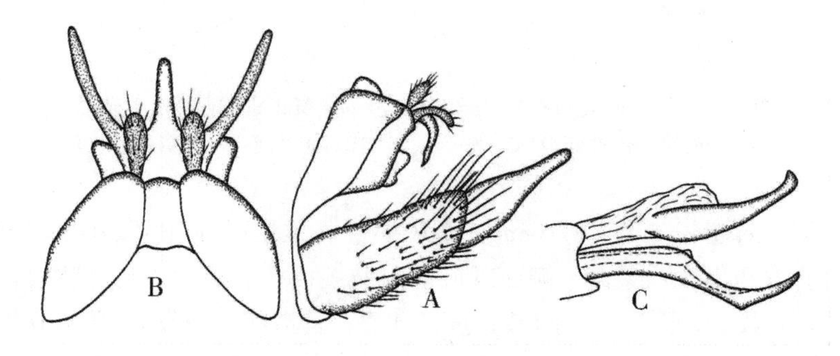

图 207　北京幻石蛾 *Apatania yenchingensis* Ulmer 雄虫外生殖器
A. 侧面观；B. 背面观；C. 阳具侧面观

鉴别特征：前翅长 8.6mm。体黑褐色。雄虫外生殖器：第 9 腹节侧面观背方较宽，腹方渐变狭。肛前附肢短小。上附肢棒状，约为肛前附肢2倍长。中附肢较上附肢稍短，侧面观自中部以后约呈90°弯向腹方，背面观末端略呈叉状。下附肢粗大，基节长圆柱形，侧面观长为宽的4倍左右；端节约与基节等长，末端稍弯向腹方。阳茎基杯状；阳茎腹面观基部较宽，端部渐变狭，顶端分裂成两短叶，稍弯向背方。阳基侧突铗状，背面观基部1/3粗大，相愈合，其余部分细长。

采集记录： 1♂，秦岭车站，1980. X.01，周尧等采。

分布： 陕西(凤县)、北京。

19. 腹突幻石蛾属 *Apatidelia* Mosely, 1942

Apatidelia Mosely, 1942: 343. **Type species**: *Apatidelia martynovi* Mosely, 1942.

属征： 该属与幻石蛾属 *Apatania* 相似，仅雄虫第5腹节腹板两侧向背方延伸1对突起。

分布： 中国特有属。全世界已知5种，中国记录5种，秦岭地区发现1种。

(44) 耶吉腹突幻石蛾 *Apatidelia egibiel* Malicky, 2012(图208)

Apatidelia egibiel Malicky, 2012: 1283.

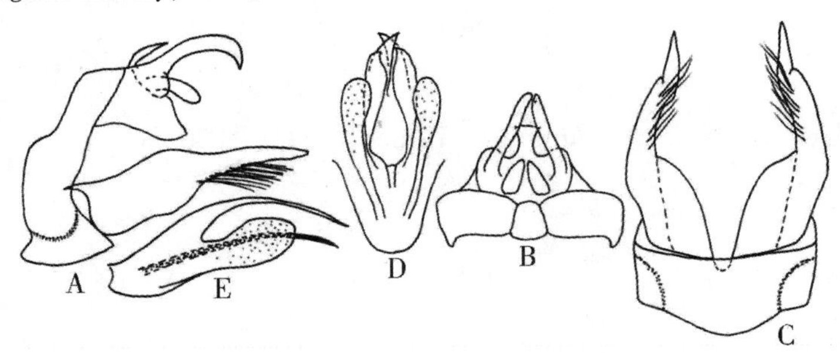

图208 耶吉腹突幻石蛾 *Apatidelia egibiel* Malicky 雄虫外生殖器
A. 侧面观；B. 背面观；C. 腹面观；D. 阳具腹面观；E. 阳具侧面观

鉴别特征： 前翅长6.0～8.0mm。体灰褐色。雄虫外生殖器：第9节侧面观窄，下半部稍向前方凸出，后缘直。侧面观肛前附肢短而弯，端尖，上附肢较长，端部稍向下弯曲，中附肢短，长约为上附肢长度的1/2，呈指状。下附肢第1节粗大，略呈矩形，第2节细长。阳具基较骨化，阳基侧突分裂为上方的细枝和下方的宽片状结构。阳茎细长。

采集记录： 1♂3♀，秦岭厚畛子，2600m，2000. V.10-12，Siniaiev，Plutenko 采。

分布： 陕西(周至、大巴山)。

(十)瘤石蛾科 Goeridae

鉴别特征: 体中型, 粗壮。黄褐色或深褐色, 成虫常缺单眼; 雄虫下颚须2~3节, 常具密生毛丛, 形似直立的叶状结构, 雌虫5节, 简单; 触角柄节长于头; 中胸盾片具1对毛瘤, 小盾片具1个毛瘤; 胫距式1~2-4-4。幼虫筑管状可携带巢, 坚硬石砾质, 直或微弯, 巢两侧常各具1~3块较大的石粒; 生活于清洁流水中, 取食藻类及细小有机质颗粒。

分类: 分布于除澳洲和新热带区以外的其他各动物地理区。全世界已知约12属160种, 中国已知1属约25种, 陕西秦岭地区发现1属3种。

20. 瘤石蛾属 *Goera* Stephens, 1829

Goera Stephens, 1829: 28. **Type species**: *Phryganea pilosa* Fabricius, 1775.
Lasiostoma Rambur, 1842: 492. **Type species**: *Lasiostoma fulvum* Rambur, 1842.
Spathidopteryx Kolenati, 1848: 34, 95. **Type species**: *Trichostoma capillatum* Pictet, 1834.
Sinion Barnard, 1934: 306. **Type species**: *Sinion hageni* Barnard, 1934.

属征: 头短, 复眼凸出; 后毛瘤大且圆。雄虫下颚须小, 2节。胫距式2-4-4。前翅分径室短, 与第1叉和第2叉有较长距离的愈合, 第3叉具柄; 明斑后室长。后翅分径室开放。

分布: 分布于除新热带区以外的各动物地理区。全世界已知154种, 中国记录29种, 秦岭地区发现3种。

(45) 阿美瘤石蛾 *Goera almesiel* Malicky, 2012(图209)

Goera almesiel Malicky, 2012: 1280.

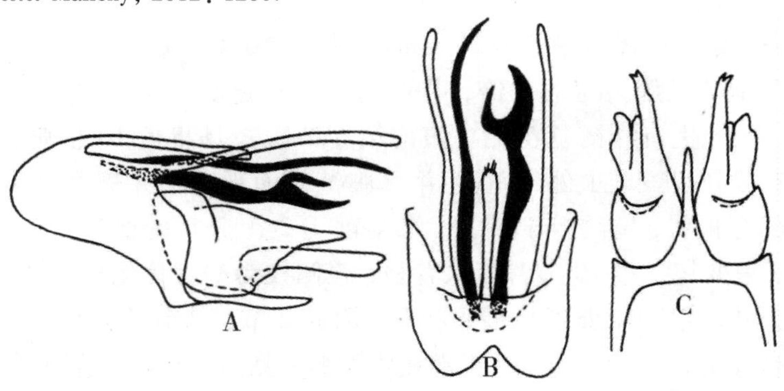

图209　阿美瘤石蛾 *Goera almesiel* Malicky 雄虫外生殖器

A. 侧面观; B. 背面观; C. 侧面观

鉴别特征：前翅长10.0mm。体灰褐色。雄虫外生殖器：第9腹节侧面观前缘向前方凸出呈圆弧形，背面观前缘中央呈"V"形切入，腹面观后缘向后方延伸呈长刺状。第10节背板背枝棒状，腹侧枝为1对骨化长刺，深褐色，背面观左枝长刺状，右枝端部分裂为二叉状。肛前附肢细长棍棒状。下附肢2节，侧面观第1节基部宽，向端部急剧变窄，第2节侧面观细长，上下缘近平行；腹面观第1节多少呈矩形，第2节内侧分支长，外侧全部坐落于基节浅弧形凹陷内，端半部细指状。

采集记录：2♂，周至厚畛子，1500m，2000. Ⅴ. 05-10，Siniaiev，Plutenko采。

分布：陕西（周至）。

（46）广岐瘤石蛾 *Goera diversa* Yang，1997（图210）

Goera diversa Yang，1997：280.

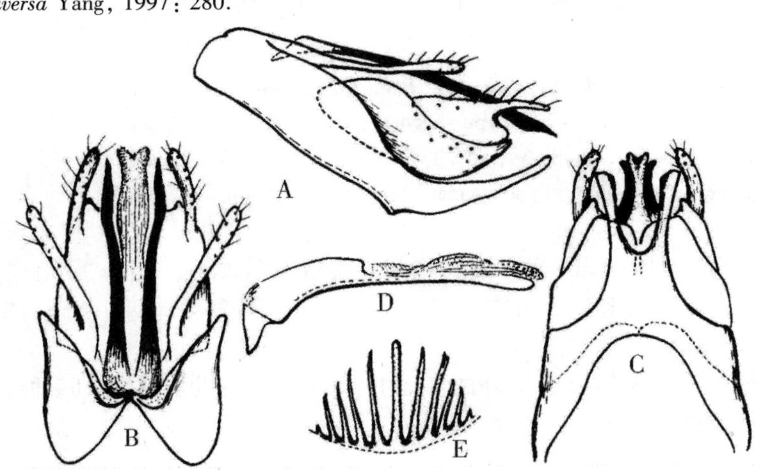

图210 广歧瘤石蛾 *Goera diversa* Yang 雄虫外生殖器

A. 侧面观 B. 背面观 C. 腹面观 D. 阳具侧面观 E. 腹部第6节腹面突起

鉴别特征：雄虫前翅长9.0～10.0mm，雌虫10.0～12.0mm。体粗壮，黄褐色。雄虫触角柄节长约为宽的3倍，雌虫柄节长为宽的2倍。翅面均匀着生黄褐色短毛，前缘区混生有深褐色粗毛。腹部第6节腹板具将近10根刺突，细长，深褐色，少数末端分裂。雄虫外生殖器：第9腹节侧面观狭窄并极度倾斜；腹面观腹板端突基半部宽板状，宽约等于其长，端半部为2个分歧的侧枝，基部相距甚远，末端深褐色，稍变宽。第10节背板缺背枝，腹侧枝为1对骨化长刺，深褐色，端部略膨大呈矛头状。肛前附肢细长棍棒状；下附肢2节，基节长而倾斜，外露部分其长度至少为高度的1.4倍，端节基半部粗大块状；侧面观全部坐落于基节浅弧形凹陷内，端半部细指状。

采集记录：4♂，陕西周至厚畛子，1320m，1999. Ⅵ. 23，章有为采。

分布：陕西(周至)、山西、河南。

(47)赫末瘤石蛾 *Goera hermodorus* Malicky，2011(图211)

Goera hermodorus Malicky，2011：32.

鉴别特征：前翅长11.5mm。体淡褐色。雄虫外生殖器：第9节侧面观极度倾斜，侧下角向后方极度延伸，达下附肢第2节端部，腹面观时，其端部平截；背面观前缘略呈弧形凹入。第10节背枝棒状，略短于肛前附肢，两腹侧枝为1对骨化长刺，端尖。肛前附肢侧面观基半部较端半部稍宽，端圆。下附肢第1节侧面观近半圆形，腹面观呈三角形。第2节双叶状，侧面观均呈指状，上叶稍长于下叶；腹面观内叶稍长，刺状，外叶稍短，三角形。阳具弯管状。

采集记录：1♂，秦岭(34°13'N，106°58'E)，1600m，2009.Ⅴ.31，Kyselak 采。

分布：陕西(秦岭)。

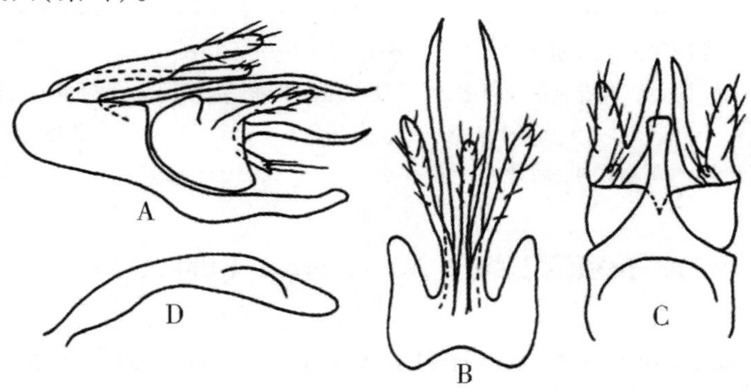

图211　赫末瘤石蛾 *Goera hermodorus* Malicky 雄虫外生殖器

A. 侧面观；B. 背面观；C. 腹面观；D. 阳具侧面观

(十一)沼石蛾科 Limnephilidae

鉴别特征：成虫具单眼。雄虫下颚须3节，雌虫5节。中胸背板的毛分散在2个长形毛域或1对毛瘤上；中胸小盾片中央具1个长卵圆形毛瘤，或具1对小毛瘤。胫距式0~1-1~3-1~4。翅具闭锁的分径室，缺中室；前翅臀脉合并部分等于或长于第1臀室数分室之总长，后翅通常较前翅宽。幼虫触角位于头壳前缘与眼的中央；前胸背板通常不侧向加厚，具前腹角。中胸背板完整，后胸背板由2~3个小骨片组成。腹部气管鳃分枝或不分枝或缺。

生物学：幼虫取食细小食物屑粒，有些种类刮食石块上藻类及其他有机物颗粒。

分类：多数种类发生在全北区的寒冷地带，少数分布在东洋区北部，极少数分布于大洋洲与非洲区。全世界已记录900余种，中国已知107种，陕西秦岭地区发现6属13种。

分属检索表

1. 雄虫阳基侧突粗大，由环状皱纹的膜质基部与骨化的端部组成；雌虫第8节腹板具2个着生刚毛的凹陷 ………………………………………… **伪突沼石蛾属 *Pseudostenophylax***
   雄虫阳基侧突不如上述 ………………………………………………………… 2
2. 下颚须极大，雄虫下颚须第2节几乎与前足胫节等长；翅宽 ……… **长须沼石蛾属 *Nothopsyche***
   下颚须正常 ………………………………………………………………… 3
3. 中胸盾片和小盾片的毛瘤极不发达，仅为稀疏的几个小毛点 ………… **溪沼石蛾属 *Rivulophilus***
   中胸盾片和小盾片的毛瘤发达 ……………………………………………… 4
4. 雄虫第9腹节背板发达，明显可见；中至大型种类，前翅斑点明显 ………………………………
   ……………………………………………………………… **多斑沼石蛾属 *Lenarchus***
   雄虫第9腹节背板狭长，内缩在第8节内 …………………………………… 5
5. 前翅红棕色或深棕色，具规则的细小深色或浅色斑点，翅端圆弧形；后翅4个端室基部宽 …
   ……………………………………………………………… **弧缘沼石蛾属 *Anabolia***
   前翅非上述颜色，翅端倾斜，后翅4个端室基部窄 ………………… **沼石蛾属 *Limnephilus***

21. 长须沼石蛾属 *Nothopsyche* Banks, 1906

Nothopsyche Banks, 1906: 107. **Type species**: *Nothopsyche pallipes* Banks, 1906.

属征：体中型。雄虫下颚须3节，第2、3节特别长；雌虫下颚须5节。雄虫触角长于雌虫，各节腹面多皱纹。前胸具1对大毛瘤，中胸盾片1对毛瘤的形状在种间有变异，但小盾片毛瘤常为几个小圆毛孔或小毛瘤。胫距式0-2-2或1-2-2。

分布：东洋区，古北区东部。全世界已知20种，中国记录8种，秦岭地区发现2种。

(48) 双色长须沼石蛾 *Nothopsyche bicolorata* Mey *et* Yang, 2001（图212）

Nothopsyche bicolorata Mey *et* Yang, 2001: 85.

鉴别特征：前翅长19.0~21.0mm。头顶及触角黑色，额区和毛瘤黄褐色。雄虫下颚须极长，第1节和第2节基部黄褐色，第3节端部黑色。前翅褐色，膜质区具颗粒状突起，翅面分布有稀疏的金褐色细毛。胸部背、腹区以及足的基节、腿节黄褐色。胫节、跗节黑褐色，端跗节无刺。距式1-2-2。雄虫外生殖器：第9腹节侧面观背区极窄，腹区宽大但骨化程度弱。上附肢侧面观近直角形。中附肢2对，背枝极短，缩于第9节内，腹枝细长而端尖，着稀疏短齿突。下附肢侧面观长约为基宽的3倍，端部略膨大呈圆头形，着长毛。阳茎与阳基侧突均细长，后者侧面观于中部折向背方。

采集记录：6♂3♀，秦岭太白山，1400m，1999. Ⅺ，Rom 采。

分布：陕西(太白山)。

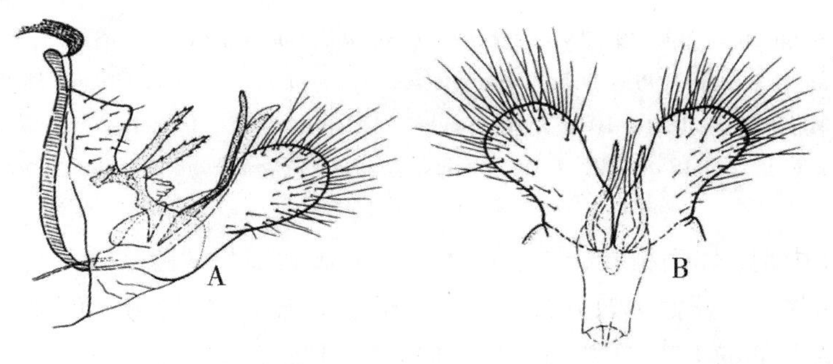

图 212　双色长须沼石蛾 *Nothopsyche bicolorata* Mey *et* Yang 雄虫外生殖器
A. 侧面观；B. 腹面观

(49) 细齿长须沼石蛾 *Nothopsyche dentinosa* Mey *et* Yang, 2001(图 213)

Nothopsyche dentinosa Mey *et* Yang, 2001: 85.

鉴别特征：前翅长 15.0 ~ 19.0mm。头顶、触角及下颚须黑色，下唇须黄褐色，末端黑色。胸部背区暗褐色，侧、腹区黄褐色。前翅灰褐色，前缘及翅尖暗褐色。翅膜上具颗粒状突起，足的腿节与跗节黑色，端跗节无刺。距式 1-2-2。雄虫外生殖器：第 9 腹节侧面观背区极窄，腹区宽大但骨化程度弱。上附肢侧面观亚椭圆形，侧面观长约为基宽的 1.3 倍。中附肢 2 对，均细长而端尖，着稀疏短齿突，背面观背枝仅略短于位于侧腹方的枝突。下附肢侧面观长至多为基宽的 2.5 倍，端部不膨大成圆头形，着短至中等长度的毛。阳茎与阳基侧突均细长，后者呈浅弧形，末端微上翘。

采集记录：3♂1♀，秦岭太白山，1400m，1999. Ⅺ，Rom 采。

分布：陕西(太白山)。

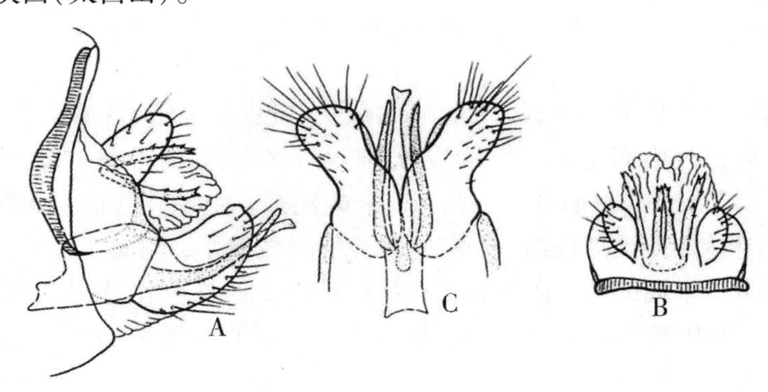

图 213　细齿长须沼石蛾 *Nothopsyche dentinosa* Mey *et* Yang 雄虫外生殖器
A. 侧面观；B. 腹面观；C. 腹面观

22. 弧缘石蛾属 *Anabolia* Stephens, 1837

Anabolia Stephens, 1837: 49. **Type species**: *Limnephilus nervosus* Curtis,1834.

Anabolioides Martynov, 1909: 262. **Type species**: *Limnephilus appendix* Ulmer, 1905.

Arctoecia McLachlan, 1875: 107. **Type species**: *Arctoecia dualis* McLachlan, 1875.

Phacoperyx Kolenati, 1848: 32. **Type species**: *Phacoperyx granulate* Kolenati, 1848.

属征: 体中型,体型粗壮,常呈铁锈色。下颚须细长。距式 1-3-4。前翅宽,翅端略平截或近圆形,翅面弥散分布暗褐色或褐色小斑点,并均匀分布有浅色小斑;前翅分径室长为其柄的 1.3 ~3.0 倍。雌虫偶有短翅型。

分布: 东洋区,古北区,新北区,新热带区。全世界已知 20 种,中国记录 6 种,秦岭地区发现 2 种。

(50) 亚方弧缘沼石蛾 *Anabolia subquadrata* Martynov, 1930(图 214)

Anabolia subquadrata Martynov, 1930: 101.

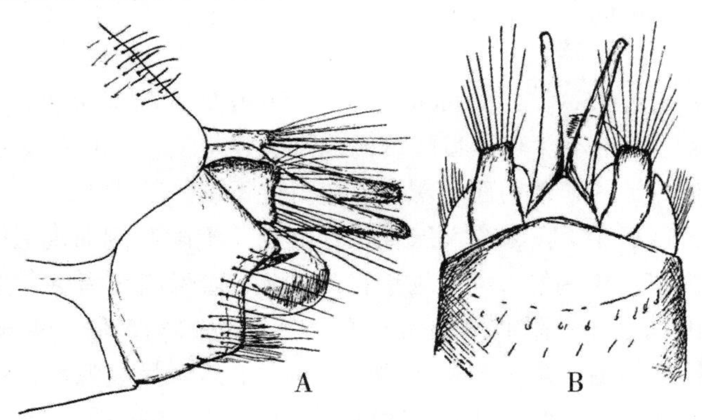

图 214 亚方弧缘沼石蛾 *Anabolia subquadrata* Martynov 雄虫外生殖器

A. 侧面观; B. 背面观

鉴别特征: 前翅长 19.0 ~21.0mm。黄褐色。雄虫外生殖器:第 9 腹节呈"U"形,背方部分缺;侧面观中部宽大,背、腹方分别剧烈变尖、变狭,腹方宽约为中部最宽处的 1/6。上附肢短小,侧面观近三角形,末端钝圆。中附肢约达上附肢长的 3 倍,侧面观基半部粗大,端半部较细,末端钝圆。下附肢细小,侧面观呈长三角形突起,约与上附肢等长,末端钝圆。阳茎基长杯状;阳茎长管状,端部具内茎膜,约占整个阳茎长的 1/5;阳基侧突稍短于阳茎,侧面观呈"Y"形,端部 1/4 二分叉,具大量粗毛。

采集记录: 3♂,太白山蒿坪寺,1200m,1982. X. 12,采集者不详。

分布: 陕西(眉县)。

(51)太白弧缘沼石蛾 *Anabolia taibaishanica* Mey *et* Yang, 2001(图 215)

Anabolia taibaishanica Mey *et* Yang, 2001: 84.

鉴别特征：前翅长 17.0～20.0mm，头部背面黑色，额区、颚须淡褐色，毛瘤褐色，触角近基部黑色，向端部渐淡呈黄褐色。胸、腹部浅褐色，翅均匀黄褐色，足黄褐色。雄虫外生殖器：第 9 腹节背区大部分缺失，侧面观侧区背缘平直，约与腹缘等宽。上附肢宽叶形，侧面观背缘明显长于为腹缘，并约为中宽的 2 倍，末端圆，腹缘近基部内侧具 1 个小刺突。中附肢为 1 对高度骨化的狭长突起，背面观各附肢内缘直，左右靠拢，端半部较细，末端钝；侧面观附肢呈波状扭曲，端半部斜向上翘。下附肢侧面观呈细长指状，自上附肢下方伸出而远离第 9 节腹端。阳茎长管状；阳基侧突略短于阳茎，侧面观端部 1/3 二叉状，背枝略短于腹枝，相向弯曲，构成椭圆形。

采集记录：31♂7♀，秦岭太白山厚畛子，1400m，1999. Ⅹ. 17-25，英国自然历史博物馆采。

分布：陕西(周至)。

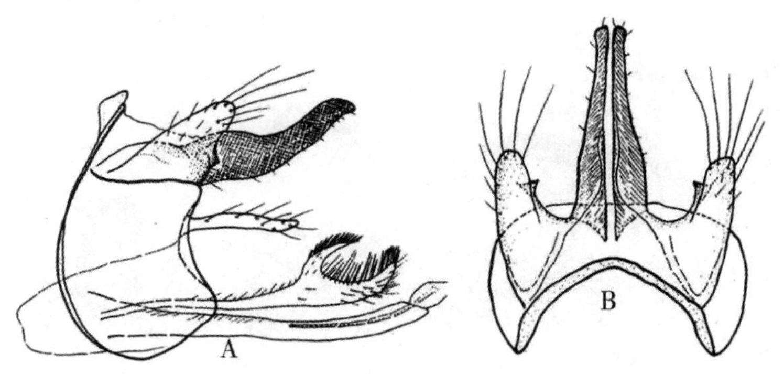

图 215 太白弧缘沼石蛾 *Anabolia taibaishanica* Mey *et* Yang 雄虫外生殖器

A. 侧面观；B. 腹面观

23. 多斑沼石蛾属 *Lenarchus* Martynov, 1914

Lenarchus Martynov, 1914: 223. **Type species**: *Asynarchus productus* Morton, 1896.

属征：中型至大型，头宽短，复眼较突出，下颚须长而粗壮。足长具黑色斑带，并具黑色粗刺。距式 1-3-4。翅面常具弥散型淡色小斑，翅端平截或圆，前翅分径室长度有较大变化，可以是其基柄的 1.0～2.5 倍。雄虫第 9 腹节背板十分突出，伸至其他附肢外方，有时大部分愈合，或仅末端分叉。

分布：古北区，新北区。全世界已知 15 种，中国记录 2 种，秦岭地区发现 1 种。

(52)矩形多斑沼石蛾 *Lenarchus recotangulatus* Mey *et* Yang, 2001(图 216)

Lenarchus recotangulatus Mey *et* Yang, 2001: 84.

鉴别特征: 雄虫前翅长 18.0mm。头顶暗褐色,具浅色毛瘤;额区、颚须黄褐色。前翅褐色,翅脉暗褐色,翅痣区域具淡色小斑点。足基节黄褐色,其余部分暗褐色,端跗节具黑色刺。雄外生殖器:第 9 腹节侧面观前侧缘向前方呈弧形突出,高至少为其基缘宽的 3 倍;背面观背板成狭带状端缘与上附肢愈合。两上附肢背面观愈合成 1 个高度骨化的长矩形骨片,长约为均宽的 2.5 倍;侧面观平直,远长于生殖节的其他附肢。中附肢发达,侧面观外突较宽短,末端形成 2 个突起,背突短,呈三角形,腹突圆形,色深;内突粗长,高度骨化,末端尖,后面观为狭长的横三角形,末端圆钝。下附肢极短,基半部沿第 9 腹节后缘形成 1 个带状,端半部呈小指状突起,折向尾方,与基半部形成 90°。阳茎细长管状,端部内茎长约为其自身宽的 2 倍;阳基侧突稍长于阳茎,侧面观端部膨大,并且分叉,内支细短,外支较粗,长约为内枝的 3 倍,内枝、外枝均具毛。

采集记录: 1♂,秦岭太白山厚畛子,1400m,1999. Ⅹ. 15-17。

分布: 陕西(周至)。

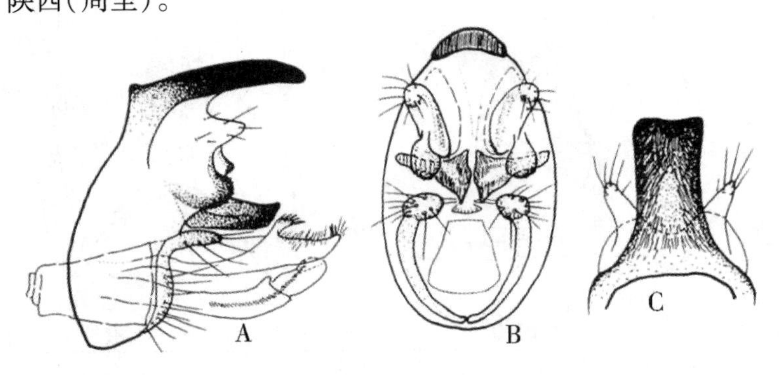

16 矩形多斑沼石蛾 *Lenarchus recotangulatus* Mey *et* Yang 雄虫外生殖器

A. 侧面观; B. 腹面观; C. 后面观

24. 沼石蛾属 *Limnephilus* Leach, 1815

Limnephilus Leach, 1815: 52. **Type species**: *Phryganea rhombica* Linnaeus, 1758.

Chaetotaulius Kolenati, 1848: 30, 41. **Type species**: *Phryganea rhombica* Linnaeus, 1758.

Desmotaulius Kolenati, 1848: 31, 56. **Type species**: *Phryganea hirsutua* Pictet, 1834.

Goniotaulius Kolenati, 1848: 31, 48. **Type species**: *Phryganea vittata* Fabricius, 1798.

Astratus McLachlan, 1874: 32, 36. **Type species**: *Astratus asiaticus* McLachlan, 1874.

Caenotaulius Thomson, 1891: 1570. **Type species**: *Phryganea vittata* Fabricius, 1798.

Psiadosporus Wallengren, 1891: 70. **Type species**: *Limnephilus coenosus* Curtis, 1834.

Spilotaulius Thomson, 1891: 1571, 1588. **Type species**: *Limnephilus elegans* Curtis, 1834.

Anabolina Banks, 1903: 244. **Type species**: *Anabolina diversa* Banks, 1903.

Algonquina Banks, 1916: 121, 122. **Type species**: *Stenophylax ? parvula* Banks, 1905.

Apolopsyche Banks, 1916: 121. **Type species**: *Stenophylax minusculus* Banks, 1907.

Zaporota Banks, 1920: 342. **Type species**: *Zaporota pallens* Banks, 1920.

Rheophylax Sibley, 1926: 107. **Type species**: *Limnephilus submonilifer* Walker, 1852.

Astratodes Martynov, 1928: 486. **Type species**: *Astratodes iranus* Martynov, 1928.

Miopsyche Carpenter, 1931: 320. **Type species**: *Miopsyche alexanderi* Carpenter, 1931.

属征：头相对较长，眼仅稍凸出，触角粗，略短于前翅长。下颚须细长。前足第1跗节长于第2跗节(少数种类少于第2节)，股节基部与胫节端部具黑色刷状毛。前翅于并脉处明显宽于基部，翅端倾斜；后翅宽于前翅。前翅分径室窄，长约为宽的1.5倍，并脉呈“之”字形。后翅分径室长度种类间有变异，并脉亦呈“之”字形。

分布：除澳洲界以外的各动物地理区。全世界已知195种，中国记录13种，秦岭地区发现1种。

(53)颚肢沼石蛾 *Limnephilus mandibulus* Yang *et* Yang, 2005(图217)

Limnephilus mandibulus Yang *et* Yang, 2005: 493.

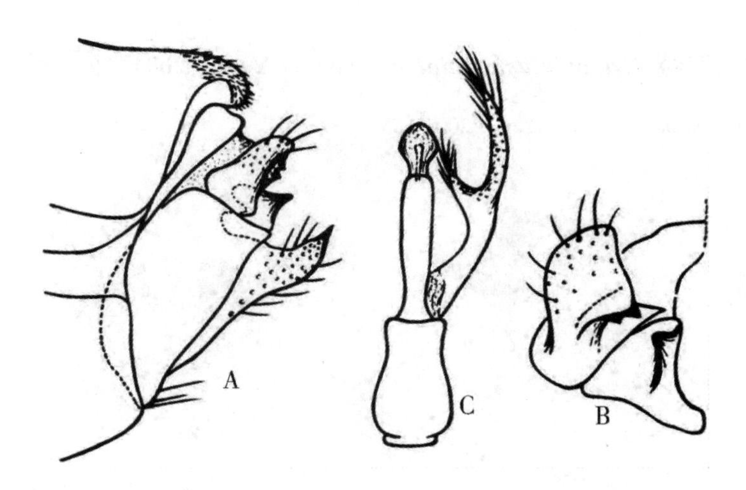

图217　颚肢沼石蛾 *Limnephilus mandibulus* Yang *et* Yang 雄虫外生殖器

A. 侧面观; B. 后面观; C. 阳具腹面观

鉴别特征：前翅长15.0mm。体深黄褐色。雄虫外生殖器:第8腹节背板中部向后延伸成1个钝圆形突起，具毛。第9腹节侧面观近腹端处突然收窄，腹区约为侧区最宽处的1/6。上附肢粗短，颚状；侧面观基部宽，向端部渐窄，末端钝圆，内侧突出，具2个齿突；后面观附肢端半部方圆形，齿突位于其下角。中附肢单突状，侧面观呈三角形乳突，末端指向斜上方，后面观尖端指向侧外方。下附肢基部极宽，后急收窄，末端尖突状，指向斜上方，其长约为上附肢的2/3。阳茎基高坛状；阳茎长管状，长约为整个阳茎长的1/4；阳茎侧突侧面观约为阳茎长的1.5倍，二分叉，内叉为外叉长的1/3，叉端尖，被大量粗长刚毛。

采集记录： 1♂，周至厚畛子，2500～3000m，1999.Ⅵ.22，贺同利采；1♀，周至厚畛子，3120m，1999.Ⅵ.21，姚建采。

分布： 陕西(周至)、甘肃。

25. 溪沼石蛾属 *Rivulophilus* Nishmoto, Nozaki *et* Ruiter, 2000

Rivulophilus Nishmoto, Nozaki *et* Ruiter, 2000: 377. **Type species**: *Rivulophilus sakaii* Nishimoto, Nozaki, Ruiter,2000.

属征： 成虫中胸盾片和小盾片的毛瘤极不发达，仅为稀疏的几个小毛点，前足跗节跗面具黑色刺，雄虫外生殖器:阳基侧突细长，端部略呈狭长棒槌形，不分叉，侧缘各着生1排刺毛。幼虫腹部的鳃丛生，每丛有2～3个分枝，氯壁组织(chloride epithelia)分布于第3～7腹节的背区、背侧区和腹区以及第2腹节的背侧和腹区。

分布： 古北区东部。全世界已知2种，中国记录1种，秦岭地区发现1种。

(54) 大陆溪沼石蛾 *Rivulophilus continentis* Mey *et* Yang, 2001(图218)

Rivulophilus continentis Mey *et* Yang, 2001: 85.

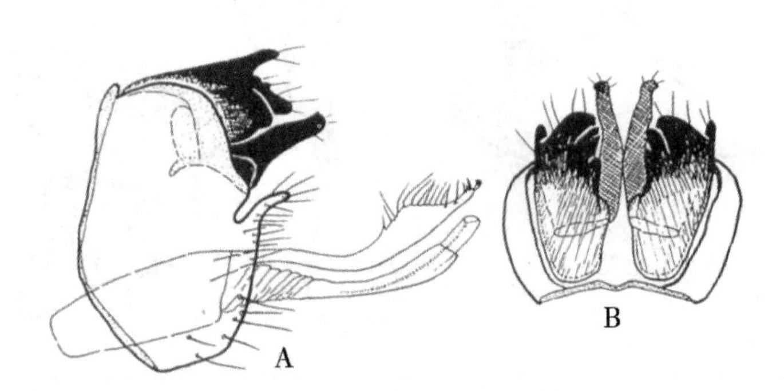

图218 大陆溪沼石蛾 *Rivulophilus continentis* Mey *et* Yang 雄虫外生殖器

A. 侧面观；B. 背面观

鉴别特征： 雄虫前翅长17.0mm。头顶、颚须和触角黑。前胸以及胸足的基节、腿节橘黄色，前足的胫节、跗节黑色；中足、后足黑色，端跗节具黑色刺。距式1-3-4。前翅均匀暗褐色，翅脉深色。雄虫外生殖器:第9腹节侧面观中部宽大，高为其中部最宽处的1.5倍；背面观背板狭带状。上附肢高度骨化，背面观似为1对块状大颚，末端具粗壮的齿突。中附肢骨化强，主要为1对显著的指状突起，末端圆钝，背面观长为宽的5倍。下附肢侧面观其游离部分细指状，发自第9腹节中部，仅为中附肢长的1/2。阳茎细长管状，端部内茎长约为其自身宽的2.5倍；阳基侧突侧面观端部膨大，末端不分叉但突然收窄，侧缘着生1排刺毛。

采集记录：1♂，太白山厚畛子，1400m，1999.XI，英国自然历史博物馆采。

分布：陕西(宝鸡、周至)。

26. 伪突石蛾属 *Pseudostenophylax* Martynov, 1909

Pseudostenophylax Martynov, 1909: 281. **Type species**: *Pseudostenophylax fumosus* Martynov, 1909.

属征：头部宽，复眼及单眼均大而凸出。触角粗状，内缘具齿饰。雄虫下颚须粗而长。胫距式1-3-3或1-3-4。翅脉完全，前后翅均具第1、2、3及第5叉，且各叉脉无柄。前翅分径室及明斑后室均长。雄虫阳基侧突发达，由膜质基部及骨化的端部组成。

分布：东洋区，古北区，新北区。全世界已知118种，中国记录66种，秦岭地区发现6种。

分种检索表

1. 中附肢侧面观粗壮牛角状，末端尖，垂直指向背方；背面观为单个中突 …………………… **独角伪突沼石蛾 *Pseudostenophylax unicornis***
   中附肢背面观为1对中突 …………………… 2
2. 下附肢腹面观呈半圆形 …………………… **柯里顿伪突沼石蛾 *P. kriton***
   下附肢腹面观不呈半圆形 …………………… 3
3. 下附肢腹面观端部平直 …………………… 4
   下附肢腹面观端部凹入 …………………… 5
4. 侧面观上附肢棒状，中附肢二叉状 …………………… **背角伪突沼石蛾 *P. dorsoproceris***
   侧面观上附肢弯曲呈新月形，中附肢端圆 …………………… **新月伪突沼石蛾 *P. sophar***
5. 侧面观上附肢靴形，趾向下 …………………… **毛头伪突沼石蛾 *P. capitatus***
   侧面观上附肢馒头形 …………………… **苏氏伪突沼石蛾 *P. sokrates***

(55) 背角伪突沼石蛾 *Pseudostenophylax dorsoproceris* Leng *et* Yang, 1997(图219)

Pseudostenophylax dorsoproceris Leng *et* Yang, 1997: 281.

鉴别特征：前翅长19.0～23.0mm。体黑褐色。雄虫外生殖器：第8腹节背板毛区发达，背面观约呈心脏形，端缘中央内凹。第9腹节侧面观近背方1/3处最宽，腹区狭，约为最宽处的1/2。上附肢棍棒状。中附肢侧面观末端呈双突状，外突短，内突较长，垂直向上翘起；背面观各中附肢端缘广弧形，其上着生小毛，外突明显呈角状突起。下附肢腹面观呈亚正方形，端部背方近外角处具1个小形角状突。阳茎基短柱状。阳茎的基茎约为端茎2倍长；端茎背面观短矩形，长约为宽的1.5倍。阳基侧突端部骨化部分的基部呈螺旋形折向体中轴，余下部分细长，微弯；其外缘具小刺，末端圆钝，具粗毛。

采集记录： 1♂，周至厚畛子，1350m，1999. Ⅵ.25。

分布： 陕西(周至、宝鸡)、河南。

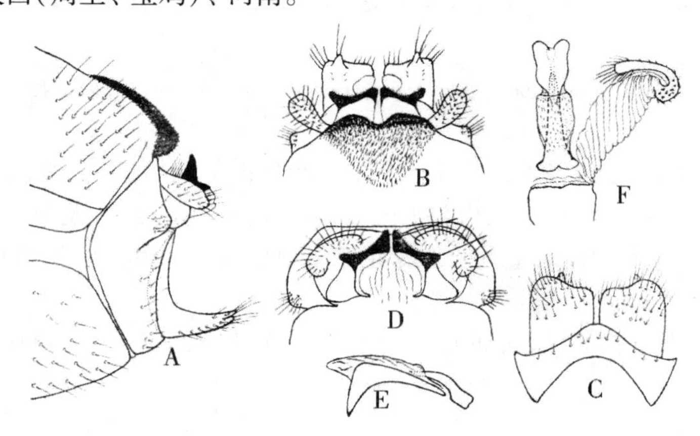

图219 背角伪突沼石蛾 *Pseudostenophylax dorsoproceris* Leng *et* Yang 雄虫外生殖器
A. 侧面观；B. 背面观；C. 腹面观；D. 后面观；E. 阳茎侧面观；F. 阳茎背面观

(56)毛头伪突沼石蛾 *Pseudostenophylax capitatus* Yang *et* Yang, 2005(图220)

Pseudostenophylax capitatus Yang *et* Yang, 2005: 494.

鉴别特征： 前翅长19.0mm。体黑褐色。雄虫外生殖器:第8腹节背毛区呈椭圆心脏形，其长约为宽的3/5。第9腹节侧面观近背方1/3处具1个亚三角形侧后突，上具毛。上附肢侧面观近基处缢缩，基半部宽大，余下部分指状，折向腹方。中附肢宽大呈屋脊状，其上具1个粗厚的黑色耳状骨化区，由大量小齿突组成，附肢下端角呈双突状；后面观两下侧突指向外侧方。下附肢侧面观呈亚矩形，末端具浅凹缺，上端角具1个细小亚端突；腹面观附肢宽约等于长，内侧角呈弧形深切，每肢各具1个亚端尖突和1个内侧基突。阳茎侧面观其基茎粗桶状，腹端缘中央向下方延伸，形成角状唇突；端茎脚状，指向腹前方；腹面观，端部呈六边形，长约为宽的1.5倍。阳茎侧突骨化部分头状，背面密被小刺突，端部延伸成尖角突，上具粗长毛。

采集记录： 1♂，宁陕火地塘，1580m，1998. Ⅶ.27，袁德成采。

分布： 陕西(宁陕)。

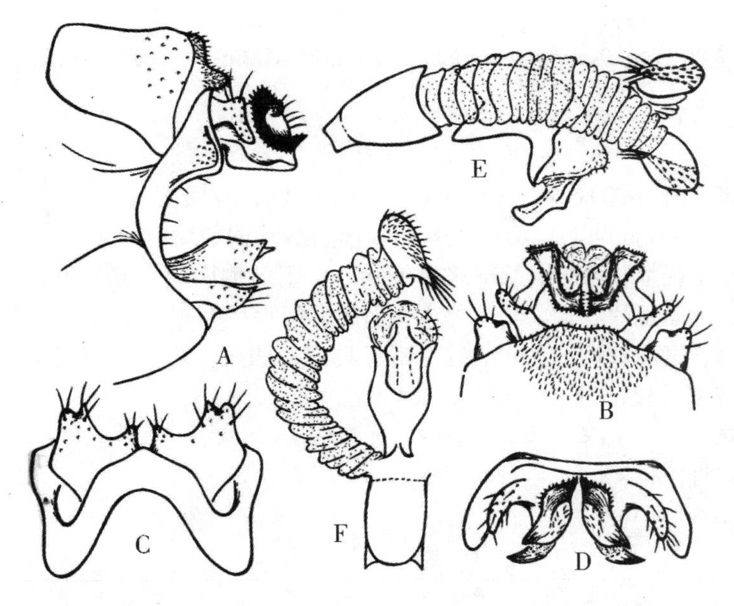

图 220　毛头伪突沼石蛾 *Pseudostenophylax capitatus* Yang *et* Yang 雄虫外生殖器
A. 侧面观；B. 背面观；C. 腹面观；D. 后面观；E. 阳茎侧面观；F. 阳茎背面观

(57) 柯里顿伪突沼石蛾 *Pseudostenophylax kriton* Malicky, 2011 (图 221)

Pseudostenophylax kriton Malicky, 2011: 37.

鉴别特征: 前翅长约 20.0mm。体褐色，带浅色斑点。第 8 节背毛区近圆形。第 9 节侧面观前缘近弧形，后缘近中部具 1 个三角形侧后突。上附肢侧面观近四边形，背面观、后面观均呈肾形。中附肢侧面观近梯形；背面观弯片状，端缘分裂成二叶状；后面观呈不规则形。下附肢侧面观近肾形，腹面观呈半圆形。阳具侧面观弯管状，背面观基部粗大，端部二裂。阳基侧突基部膜质，端部骨片弯曲呈钩形。

采集记录: 5♂3♀，西安南秦岭，2006. Ⅸ. 05，Kyselak 采。

分布: 陕西(秦岭)。

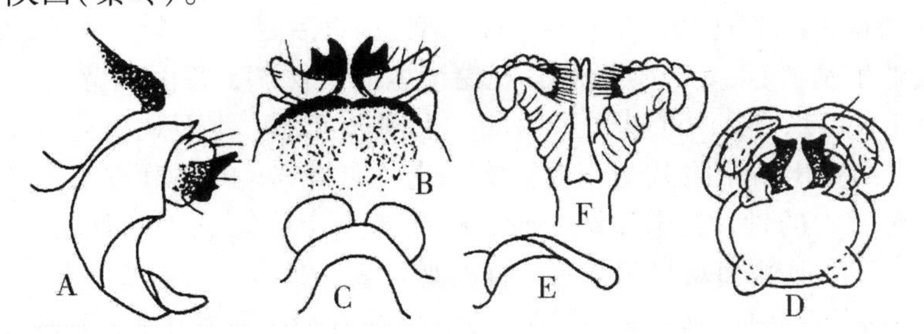

图 221　柯里顿伪突沼石蛾 *Pseudostenophylax kriton* Malicky 雄虫外生殖器
A. 侧面观；B. 背面观；C. 腹面观；D. 后面观；E. 阳具侧面观；F. 阳具背面观

(58)苏氏伪突沼石蛾 *Pseudostenophylax sokrates* Malicky, 2011(图222)

Pseudostenophylax sokrates Malicky, 2011: 37.

鉴别特征: 前翅长16.0~19.0mm。体深褐色，前翅被浅色斑点。雄虫外生殖器:第8节毛区呈双椭圆形。第9节侧面观前后缘均向前弯曲呈弧形。上附肢侧面观近椭圆形，背面观呈长条形，端部略呈钩状。中附肢侧面观基部粗大，端缘形成2个骨化的叶突，背面观片状，端部向外方相背，后面观呈1对二叉形的刺突构造。下附肢侧面观细窄，腹面观近四边形，端部附近具浅的凹入。阳具背面观呈宽片状，阳基侧突背面观端部骨化部分近三角形，被刺突。

采集记录: 2♂，西安南秦岭，2006.Ⅸ.05，Kyselak采。

分布: 陕西(秦岭)。

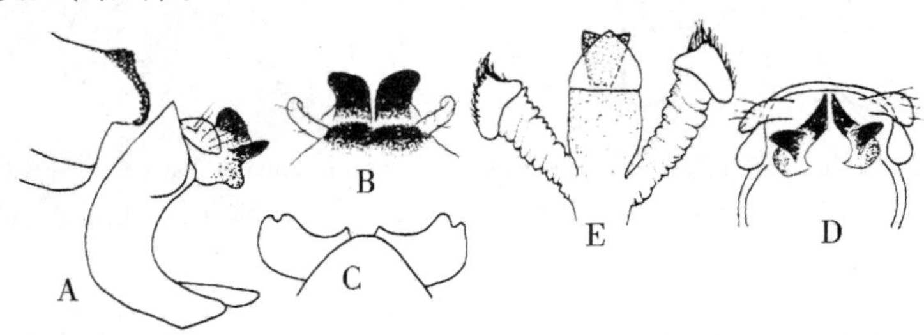

图222 苏氏伪突沼石蛾 *Pseudostenophylax sokrates* Malicky 雄虫外生殖器

A. 侧面观; B. 背面观; C. 腹面观; D. 后面观; E. 阳具背面观

(59)新月伪突沼石蛾 *Pseudostenophylax sophar* Schmid, 1991(图223)

Pseudostenophylax sophar Schmid, 1991: 28.

鉴别特征: 前翅长12.5~14.0mm。前翅深褐色，具很密的浅色斑点。翅不特别宽(5.0mm)，翅长约为翅宽的2.8倍。前翅分径室长，是其柄长的3倍。后翅分径室始于中叉的稍前方。雄虫前翅缘室不特别大，但后翅缘室大，无已分化的毛。后翅臀褶不特别宽，具略加粗的无色毛。性二型,雄虫后足腿节具长绒毛，胫节具竖立的毛。雄虫外生殖器:第8节背板侧面观端半区向下倾斜，背面观背毛区具前、后两条横向密毛带，端缘直，两缘具弧形内凹。上附肢叶形，侧面观长约为中宽的2倍，略倾斜，内表面突出。中附肢侧面观腹缘平直，端缘宽，内侧背方具1个圆形突起;背面观为1对宽大的骨片，末端圆弧形，中央具1个小刺突;后面观外端角呈三角形，黑褐色。下附肢侧面观呈三角形，背面观宽短，宽约为长的2.5倍，端缘中央具1个小突起，内角、外角均较圆。阳茎细长，顶端具“V”形短分叉，亚端部具小侧片。阳基侧突骨化部分的顶端膨大呈圆头状，并具相当宽的刺毛区。

采集记录: 1♂1♀，太白山，1700m，1936.Ⅴ.22。

分布: 陕西(太白山)。

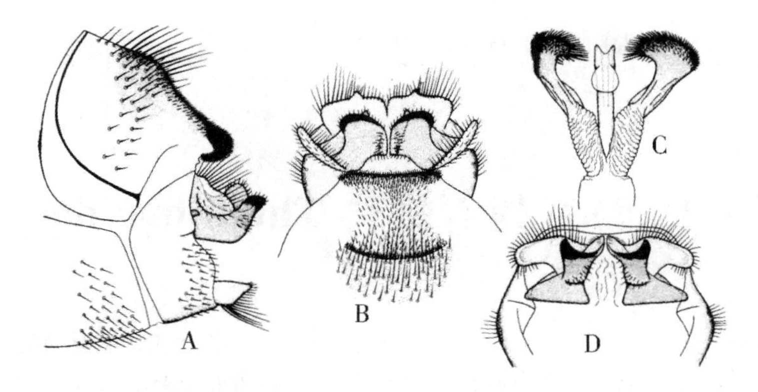

图 55　新月伪突沼石蛾 *Pseudostenophylax sophar* Schmid 雄虫外生殖器

A. 侧面观；B. 背面观；C. 后面观；D. 阳茎背面观

(60) 独角伪突沼石蛾 *Pseudostenophylax unicornis* Mey *et* Yang, 2001 (图 224)

Pseudostenophylax unicornis Mey *et* Yang, 2001: 86.

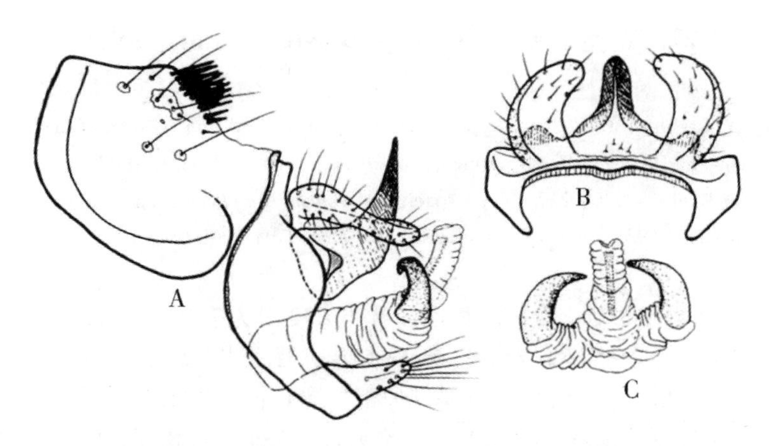

图 224　独角伪突沼石蛾 *Pseudostenophylax unicornis* Mey *et* Yang 雄虫外生殖器

A. 侧面观；B. 背面观；C. 阳具背面观

鉴别特征： 雄虫前翅长 11.5mm。头、胸部褐色，单眼区暗褐色，触角柄节暗褐色，其余部分褐色，具淡色环，下颚须浅褐色。前翅淡褐色，膜质区分布有大量浅色小斑。R_1 末端强烈弯曲，并与 Sc 汇合。足浅褐色，跗节背面暗褐色，端跗节无刺，距式 1-2-2。雄虫外生殖器：第 8 节背板侧面观端半区明显下凹，其亚端区表面密生短小刺毛。第 9 腹节侧面观中部最宽，前侧缘向前方强烈突出，腹缘长为背缘的 2 倍。上附肢背、腹扁，背面观呈橘瓣形，末端收窄并弯向内方；侧面观似呈棍棒形，基部稍宽，约与中附肢等长。中附肢侧面观粗壮牛角状，末端尖，垂直指向背方；背面观为单个中突。下附肢 1 节，侧面观呈小三角形，长约为基宽的 1.5 倍。阳基侧突的骨化部分粗短牛角状，端部强烈弯向阳茎背方。

采集记录: 1♂, 太白山, 1400m, 1999. Ⅷ. 05。

分布: 陕西(周至、宝鸡)。

(十二)宽翅石蛾科 Thremmatidae

鉴别特征: 成虫具单眼。雄虫下颚须3节, 雌虫5节。中胸背板的毛分散在2个长形毛域或1对毛瘤上; 中胸小盾片中央具1个长卵圆形毛瘤, 或具1对小毛瘤。胫距式1-2~3-2~4, 雄虫后足距特化成长丝状或盾状。前翅基部Sc与R_1脉之间具1个加厚且向下凹陷的区域, 具闭锁的分径室; 后翅通常较前翅宽。幼虫与沼石蛾幼虫相似, 但中胸背板前缘具1个缺刻。

分类: 分布于新热带区及古北区。全世界已知3属50余种, 中国记录1属6种, 陕西秦岭地区发现1属1种。

27. 新宽石蛾属 *Neophylax* McLachlan, 1871

Neophylax McLachlan, 1871: 11. **Type species**: *Neophylax concinnus* McLachlan, 1871.

Halesinus Ulmer, 1907: 3. **Type species**: *Halesinus tenuicornis* Ulmer, 1907.

Acronopsyche Banks, 1930: 227. **Type species**: *Acronopsyche pilosa* Banks, 1930.

Amukia Martynov, 1935: 305. **Type species**: *Amukia relicta* Martynov, 1935.

属征: 雄虫下颚须3节, 第1节短, 第2节与第3节为第1节长的3~4倍; 雌虫下颚须5节, 第1节短, 第2~5节约为第1节的2倍长。胫距式1-2-2, 1-2-3或1-3-4。雄虫后足胫节内端距多特化, 呈长丝状, 或在基部加粗并具1个骨化的片状结构。前翅宽, 三角形, 具第1、2、3、5叉。后翅R_{2+3}与R_{4+5}基部愈合, 或分别从R_1发出。雄虫中脉不分支($M_{1+2+3+4}$), 雌虫中脉分为2支(M_{1+2}与M_{3+4})。阳具呈管状, 而非三叉形。

分布: 东洋区, 古北区, 新北区, 全世界已知38种, 中国记录6种, 秦岭地区发现1种。

(61)黄褐新宽石蛾 *Neophylax flavus* Mey *et* Yang, 2001(图225)

Neophylax flavus Mey *et* Yang, 2001: 87.

鉴别特征: 前翅长12.0~13.0mm。头、胸部暗褐色, 触角与下颚须和胸足黄色。前翅具沿前缘及翅痣处具浅色小斑点, 臀区黄色; 分径室长。后足胫节内距特化, 具1个由密毛组成的叶状结构, 距式1-3-4。雄虫外生殖器:第9腹节侧面观侧、腹区宽大, 近中部内侧具1对宽大的三角形骨板, 向尾方突出, 约与第10背板等长, 尖端伸达其下方；背板的大部分缺失，仅存狭带状后缘区；腹板端缘呈宽短的亚矩形突出。肛前附肢缺如。第 10 背板由 1 对宽大的骨片组成，侧面观略呈兜状，弧形下弯，顶端圆钝，伸达下附肢腹缘的下方，各骨片背缘中部具 1 个粗短的指形突。下附肢宽叶形，侧面观长约为其宽的 2.5 倍，顶端略加宽；腹面观附肢基部远离。阳茎极短，简单管状，无阳基侧突。

采集记录： 3♂2♀，太白山厚畛子，1999. Ⅷ. 15，柏林洪保德大学自然博物馆采。

分布： 陕西（太白、周至）、四川。

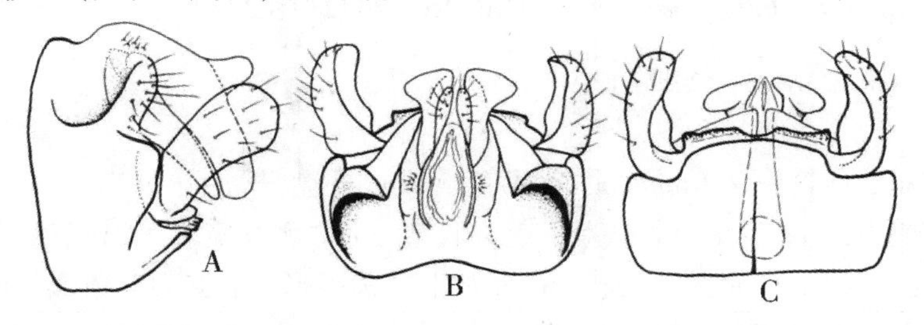

图 225　黄褐新乌石蛾 *Neophylax flavus* Mey & Yang 雄虫外生殖器

A. 侧面观；B. 背面观；C. 腹面观

（十三）短石蛾科 Brachycentridae

鉴别特征： 成虫头部特别宽短，常缺单眼，复眼小，常具细密毛；雄虫下颚须 3 节，较短，雌虫 5 节；触角基节约等于头长；位于头后缘的 1 对毛瘤狭长横带状。中胸盾片和小盾片各具 1 对毛瘤，但小盾片的 1 对毛瘤常愈合为 1 个中毛瘤；胫距式 2-2 ~ 3-2 ~ 3。翅椭圆形，前翅分径室短而封闭，后翅缺分径室。腹部第 5 节腹面常具 1 对圆形的腺体开口。幼虫通常利用植物组织筑结构细密的短管形或四边形可携带巢，也有种类的巢是纯丝质的或沙质的。喜急流栖境，有些属的种类喜水温较低的小溪流，也有种类偏好较大的河流。取食藻类及细小有机质颗粒。

分类： 仅分布于新北区，古北区和东洋区，以全北区分布为主。目前全世界已知 7 属 110 种，中国原记载 2 属 4 种，陕西秦岭地区发现 1 属 1 种。

28. 小短石蛾属 *Micrasema* McLachlan, 1876

Micrasema McLachlan, 1876: 253. **Type species**: *Oligoplectrum morosum* McLachlan, 1868.

Micrasemodes Lestage, 1936: 213. **Type species**: *Micrasema minimum* McLachlan, 1876.

属征： 触角无齿饰，雌虫和雄虫触角相似。雄虫下颚须长，可伸达触角第 1 节，雄虫下唇须与下颚须等长。雌虫下颚须细长。胫距式2-2-2。翅被厚毛，雌虫后翅中部毛更厚密。后翅多少呈三角形，臀区退化。前翅 R_1 在翅痣处不扭曲，第2叉有柄。2A脉部分消失。

分布：东洋区，古北区，新北区。全世界已知79种，中国记录1种，秦岭地区发现1种。

(62)法努小短石蛾 *Micrasema fanuel* Malicky, 2012(图226)

Micrasema fanuel Malicky, 2012: 1279.

鉴别特征：前翅长7.0mm。体灰褐色。雄虫外生殖器:第9节侧面观前缘下方1/3处稍向前方凸出，后缘呈折线状，上方收窄，下方稍加宽。第10节侧面观多少呈三角形，但后缘稍凹入而呈二叉状；背面观上支圆弧形，下支尖三角形。肛上附肢侧面观略呈梯形，上缘约是下缘的2倍；背面观呈三角形。阳基鞘管状，侧面观腹缘向后方延伸呈指状；阳茎膜质。

采集记录：1♂,周至厚畛子，1500m，2000. Ⅴ.05-10，Siniaiev，Plutenko采。

分布：陕西(周至)。

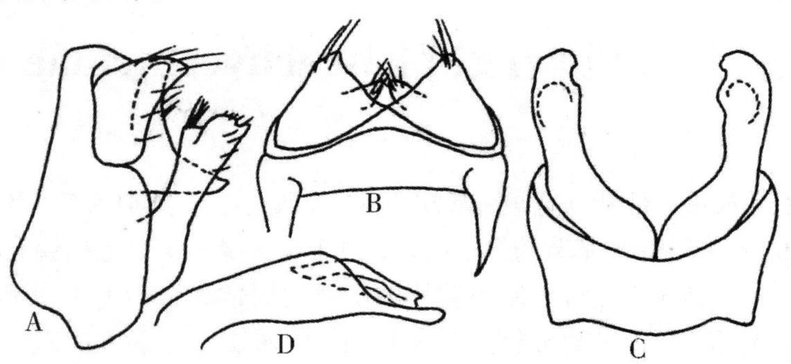

图226 法努小短石蛾 *Micrasema fanuel* Malicky 雄虫外生殖器

A. 侧面观；B. 背面观；C. 腹面观；D. 阳具侧面观

(十四)鳞石蛾科 Lepidostomatidae

鉴别特征：成虫小型至中型。缺单眼；触角柄节，有时连同梗节，长于头之中长；雄虫下颚须1~3节，形态高度特化，雌虫正常为5节；中胸盾片和小盾片各具1对毛瘤；胫距式1~2-4-3~4。幼虫触角紧位于眼前缘，前胸背板具发达的角状突；幼虫筑可携带巢，多由植物碎片及矿物质颗粒组成，短方柱形或圆筒形；喜欢生活于清洁的低温缓流中，多取食活的植物组织或枯枝碎片。

分类：分布于除大洋洲以外的所有动物地理区。全世界已知 7 属（东亚地区仅常见 3 属），420 余种，中国已知 2 属 60 余种，陕西秦岭地区发现 1 属 4 种。

29. 鳞石蛾属 *Lepidostoma* Rambur，1842

Lepidostoma Rambur，1842：493. **Type species**：*Lepidostoma squamulosum* Rambur，1842.

属征：雄虫前后翅第 1 叉无柄，后翅脉相对较为典型，无特化；腹部第 7 节腹板无突起。雄虫有显著的第 2 性征：触角柄节、下颚须的形状高度特化，种间差异很大；翅脉及头、胸部毛瘤也常有一定的特化。

分布：全北区，东洋区。全世界已知 300 余种，中国记录 65 种，秦岭地区发现 4 种。

分种检索表

1. 下颚须 3 节 ………………………………… **西尼加鳞石蛾 *Lepidostoma seneca***
   下颚须 2 节 ………………………………… 2
2. 触角柄节短，圆柱形 ………………………………… **发达鳞石蛾 *L. fadahel***
   触角柄节长，特化，有突出构造 ………………………………… 3
3. 下颚须具长毛；触角柄节基部具 1 个内向的呈 90°的叉状短突 ………………………………… **长毛鳞石蛾 *L. longipilosu***
   下颚须不具毛；触角柄节近基部 2/5 处具 1 个假分节，假基节之内侧背方具 2 个短枝状突起 ………………………………… **黄氏鳞石蛾 *L. huangi***

（63）发达鳞石蛾 *Lepidostoma fadahel* Malicky，2012（图 227）

Lepidostoma fadahel Malicky，2012：1282.

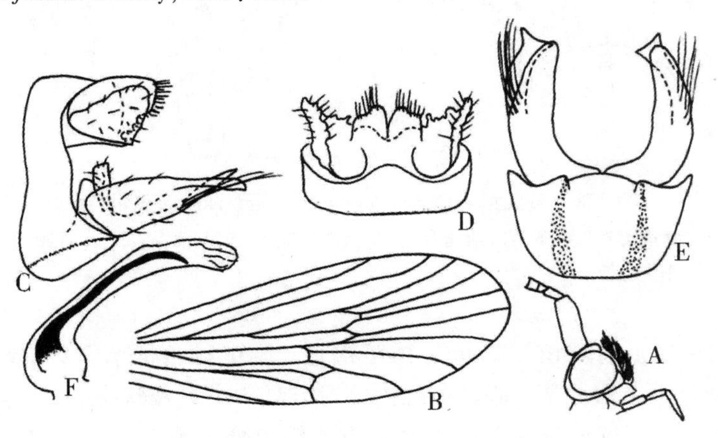

图 227　发达鳞石蛾 *Lepidostoma fadahel* Malicky

A. 头部侧面观；B. 前翅；C-F. 雄虫外生殖器：C. 侧面观；D. 背面观；E. 下附肢腹面观；F. 阳具侧面观

鉴别特征：体灰褐色。前翅较宽，端圆；触角柄节短，圆柱形；下颚须短，简单，密被毛。雄虫外生殖器：第9腹节侧面观略呈矩形，背缘稍短于腹缘，且背缘与腹缘均向后方延伸。第10节背面观背中突由1对近四边形的叶突组成，两侧向外延伸成1对翅状侧突；侧面观背中突近矩形，翅侧突近三角形。下附肢侧面观基半部上下缘几乎平行，端半部（第2节）上翘，基背突明显，指状；腹面观端节窄，指状，末端稍膨大。阳茎细长，下弯成略呈“C”形，阳茎侧突1对。

采集记录：1♂，周至厚畛子，2600m，2000. Ⅴ. 10-12，Siniaiev，Plutenko 采。

分布：陕西（周至）。

（64）黄氏鳞石蛾 *Lepidostoma huangi* Yang *et* Weaver, 2002（图228）

Lepidostoma huangi Yang *et* Weaver, 2002: 281.

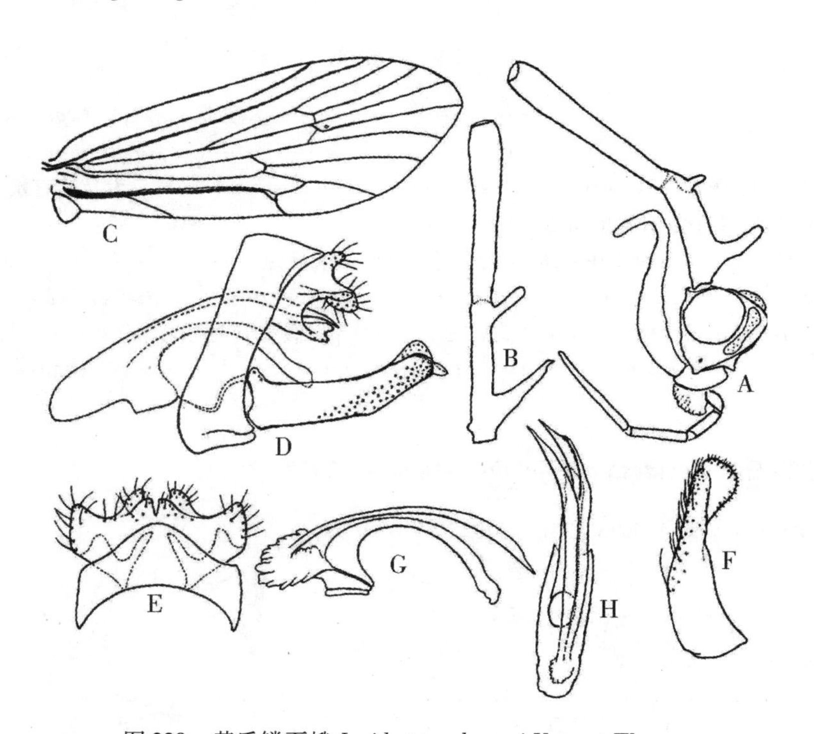

图228 黄氏鳞石蛾 *Lepidostoma huangi* Yang *et* Weaver

A. 头部侧面观；B. 触角柄节背面观；C. 前翅 D-H. 雄虫外生殖器：D. 侧面观；E. 背面观；F. 下附肢腹面观；G. 阳具侧面观；H. 阳具背面观

鉴别特征：雄虫前翅长8.2mm。体暗褐色；雄虫触角柄节2.2mm长，圆柱形，近基部2/5处具1个假分节，假基节之内侧背方具2个短枝状突起；下颚须2节；前翅臀褶窄而短，末端仅伸至盘室中央之下方。雄虫外生殖器：第9腹节侧面观矩形，背缘约与腹缘等长。第10节背面观背中突由上、下2对近于三角形的叶突组成，两侧向外延伸成1对方圆形翅状侧突；侧面观翅侧突极扁，其下方为1对下侧突，短于背中突，故背面不可见。抱握器臂状，侧面观上、下缘几乎平行，端半部(端节)上翘，基背突不明显；腹面观端节窄，指状，末端内侧生1个三角形片突，顶端还有1个叶突。阳茎细长，下弯成"C"形，阳茎侧突1对，略不对称，末端扭向右方。

采集记录：2♂3♀，秦岭天台山国家公园，1700m，1998. Ⅵ. 08，Morse，杨莲芳采。

分布：陕西(宝鸡)、贵州。

(65) 长毛鳞石蛾 *Lepidostoma longipilosum* (Schmid, 1965) (图 229)

Anacrunoecia longipilosum Schmid, 1965: 154.

Lepidostoma longipilosum: Weaver, 2002: 276.

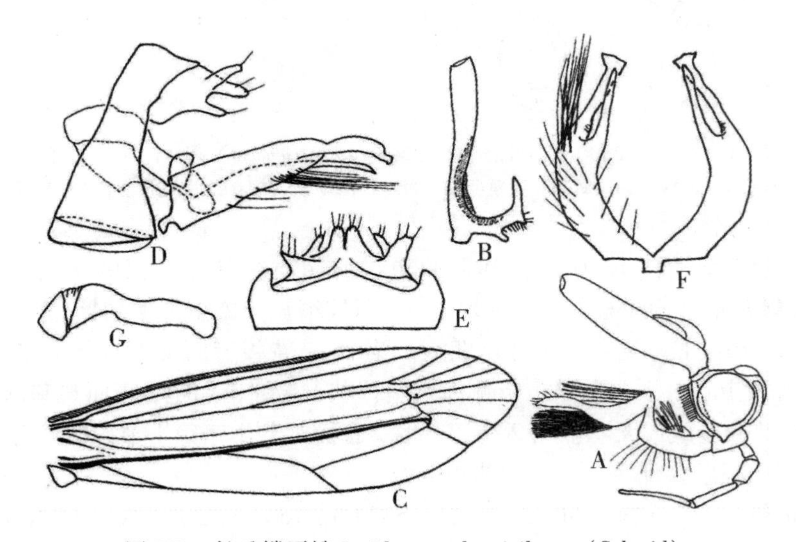

图 229　长毛鳞石蛾 *Lepidostoma longipilosum* (Schmid)

A. 头部侧面观；B. 触角柄节背面观；C. 前翅 D-G. 雄虫外生殖器：D. 侧面观；E. 背面观；F. 下附肢腹面观；G. 阳具侧面观

鉴别特征：雄虫前翅长7.8～9.2mm。体黑褐色；雄虫触角柄节长1.3mm，基部具1个内向的呈90°的叉状短突；下颚须2节，基节香蕉形，端节透明膜质，可伸缩，长约为基节的2倍；前翅臀褶伸至明斑之稍外方，约与Sc脉等长。雄虫外生殖器：第9腹节侧面观腹缘长为背缘后的1.5倍，后缘凹入。第10节背板背面观1对背中突和1对下侧突均为短指状，位于背中突的侧背方的上侧突，半透明，略扁，侧面观亦为短指状。下附肢2节，分节不甚明显；第1节基部2/3呈粗筒形，端部1/3收窄呈狭长枝突，末端扩大，平截；第2节细刺状，位于枝突的内侧。阳茎粗短。常具1根阳茎侧突，位于阳茎正背方，骨化程度极弱。

采集记录：4♂2♀，宁陕火地塘，1400m，1998. Ⅵ. 04，Morse采。

分布：陕西(宁陕)、河南、青海、安徽、湖北、四川、云南。

(66)西尼加鳞石蛾 *Lepidostoma seneca* Malicky, 2011(图230)

Lepidostoma seneca Malicky, 2011: 41.

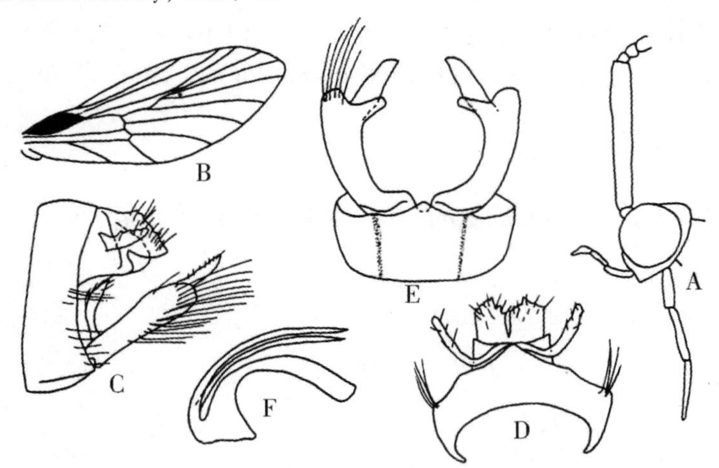

图230 西尼加鳞石蛾 *Lepidostoma seneca* Malicky

A. 头部侧面观; B. 前翅; C-F. 雄虫外生殖器:C. 侧面观; D. 背面观; E. 下附肢腹面观; F. 阳具侧面观

鉴别特征: 前翅长10.0mm。体灰褐色。前翅前缘基部具深的褶纹,覆黑色鳞片;眼大,触角柄节简单柱状;下颚须3节,但较细长。雄虫外生殖器:第9腹节侧面观呈矩形,腹缘稍长于背缘,后缘略凹入。第10节背板背面观1对背中突呈片状,1对下侧突为短指状。下附肢第1节侧面观呈棒状,端部稍加粗;腹面观基部窄,向端部加粗,端部分裂成二叉状。第2节刀片状,腹面观着生于第1节内侧的分支上。阳茎粗短。具2根阳茎侧突,位于阳茎正背方。

采集记录: 1♂,秦岭(34°13'N, 106°58'E), 1600m, 2009. Ⅴ.31, Kyselak采。

分布: 陕西(秦岭)。

(十五)石蛾科 Phryganeidae

鉴别特征: 石蛾科昆虫在毛翅目中个体最大,成虫前翅长8.0~43.0mm。成虫、幼虫大多颜色艳丽,引人注目,是毛翅目昆虫中最早被人类研究的类群之一。具单眼3枚。下颚须发达,端节无环纹,雄虫一般为4节,雌虫为5节,第1节最短。翅多为浅黄褐色至黑褐色,翅面常具圆形、条形或不规则形的浅色斑或深色斑,可作为属、种间分类的依据。雄虫前翅缺第4叉,雌虫前翅具5叉,有时缺第4叉,臀脉愈合部分长达第1臀室数基室之和的2倍。足距式2-4-4,仅丽苏石蛾属 *Agrypnia* 距式变异大。

生物学: 石蛾科幼虫主要利用植物碎片吐丝缀连筑巢。巢圆锥形或长管形,圆锥形巢的材料呈螺旋状排列，长管形巢的材料呈环形或不规则形排列。

分类：分布古北区和新北区（全北区）以及东洋区。全世界已知2亚科15属78种和约40个化石种，中国目前已知7属25种，陕西秦岭地区发现1属4种。

30. 褐纹石蛾属 *Eubasilissa* Martynov, 1930

Regina Martynov, 1924: 79 (HN). **Type species**: *Holostomis regina* McLachlan, 1871.
Eubasilissa Martynov, 1930: 87 (new name for *Regina* Martynov, 1924).

属征：大型，前翅长18.0～43.0mm。头、胸部、背、腹板及触角均为黑褐色；胸部侧区浅褐色，足基节、腿节浅褐色，胫节、跗节黑褐色，刺和距呈黑褐色至黑色。前翅宽，前翅翅脉基部被长毛，底色为黄色，具各种黑褐色斑纹；后翅黑褐色，亚端部具1条黄色宽横带（或长斑块）。雄虫前翅缺第4叉，雌虫前翅具完整5叉；分径室较长；大多数种类的雌虫、雄虫前翅Sc与R_1间的横脉不清楚或缺如，但麦氏褐纹石蛾 *E. McLachlani* (White) 在Sc与R_1间除肩横脉（h）外，还有1条横脉。雄虫外生殖器：第9腹节具明显的腹板突，其形状在种间有变异。肛前附肢发达或缺如。第10节背板末端通常具1对内侧突和1对外侧突，部分种类缺如。下附肢端部收缩，基肢节与端肢节分离或愈合。阳茎基鞘短而粗，具明显的后端腹叶，其形状常作为种间鉴别特征；内阳茎基鞘膜质，内具1对粗壮，凹槽形骨片，末端尖锐。

分布：东洋区，古北区东部。全世界已知17种，中国记录11种，秦岭地区发现4种。

分种检索表

1. 后翅亚端部具1个宽三角形黄斑 ………… **橙褐纹石蛾 *Eubasilissa mandarina***
   后翅亚端部具1条黄色宽横带 ………… 2
2. 前翅各纵脉末端具褐色斑 ………… 3
   前翅黑褐色与黄色网纹状相间，各纵脉末端不具褐色斑 ………… **老子褐纹石蛾 *E. laotzi***
3. 额唇基和上唇黄褐色；前翅黄色，不具不规则网纹斑 ………… **莫氏褐纹石蛾 *E. morsei***
   额唇基和上唇浅褐色；前翅具褐色不规则网纹斑 ………… **深色褐纹石蛾 *E. regina***

(67) 老子褐纹石蛾 *Eubasilissa laotzi* Mey *et* Yang, 2001（图231）

Eubasilissa laotzi Mey *et* Yang, 2001: 83.

鉴别特征：前翅长25.0～27.0mm。头、前胸背板暗褐色，头顶单眼区近黑色，额唇基区橘黄色；下颚须近基部橘黄色，端节褐色；触角暗褐色，近端部色渐浅；头胸部毛瘤褐色，具黑色毛；中胸背板及腹部黑色；胸、腹部侧区以及足基节、腿节橘黄色，胫节、跗节黑色，距和刺黑色，距式2-4-4；前翅黑褐色与黄色网纹状相间，沿翅前缘具数排黑褐色短横带，近翅端1/4区黑褐色网纹变细，部分趋于愈合；Sc和R_1间无横脉；后翅具1条黄色横带从前缘至Cu_{1a}脉，翅前缘黑色。雄虫外生殖器：第9腹节侧面观狭窄环状，腹板突极短，末端向背方突出，端缘具2个小齿突；后面观腹板突近方形。下附肢侧面观基肢节粗圆柱形，端肢节收窄，指形，末端圆。第10节背板背面观端缘中央具1条浅中裂，内侧突不明显，外侧突细长而直，几乎与第10节背板等长。肛前附肢极短，指状。阳茎基鞘短，近方形，其后端腹叶侧面观基部溢缩，末端尖，端尖；后面观端腹叶三角形，长为基宽之1.5倍；内阳茎基鞘具1对略长于阳茎基鞘的叶状骨片，末端尖。

采集记录：2♂，太白山厚畛子，1400m，1999.Ⅹ.25，德国柏林洪保德大学自然博物馆采。

分布：陕西(周至)。

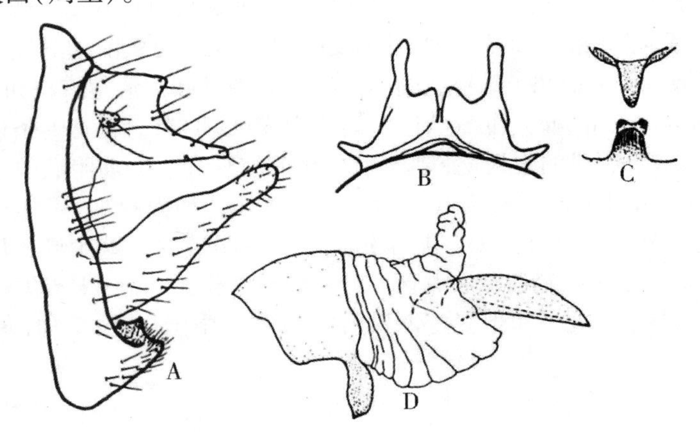

图231 老子褐纹石蛾 *Eubasilissa laotzi* Mey *et* Yang 雄虫外生殖器

A. 侧面观；B. 背面观；C. 阳茎基鞘的叶状骨片后面观

(68)橙褐纹石蛾 *Eubasilissa mandarina* Schmid，1959(图232)

Eubasilissa mandarina Schmid，1959：331.

鉴别特征：前翅长31.0～36.0mm。额唇基和上唇黑褐色；前翅与深色褐纹石蛾 *Eubasilissa regina* 相似，底色为橘黄色，黑褐色斑散布于近翅前缘，组成6～7条短横带；翅后缘区布满浅褐色细网状纹，并不规则地散布少数深褐色大斑块；纵脉末端具1排黑褐色小斑，A_1、A_2间具1列小褐斑，翅基半部近后缘密被黑褐色网纹状，部分融合；后翅亚端部具1个宽三角形黄色斑，下端伸达Cu_1；前缘室和亚前缘室均为黄色；R_1室末端具1个小三角形黄色斑。雄虫外生殖器：第9腹节侧面观侧区中部最宽，后侧缘中央呈钝三角形突出，腹板突略长于腹缘，内侧面具1对高耸的纵脊，其内、外侧坡具短密毛；腹面观腹板突呈梯形，沿腹中线具宽"V"形凹槽，端缘中央具1个小圆突；

后面观腹板突末端内侧具1个横椭圆形锯齿区，中央的小圆突也密布锯齿。第10节背板由1对近方形侧叶组成，其间由狭窄的膜区相连，彼此不能分开，端缘呈广弧形或“V”形内凹，故侧面观背缘明显短于腹缘；内侧、外侧突均缺如。肛前附肢细指状，背面观长为宽的3～4倍。下附肢侧面观长矩形，基肢节较粗短，端肢节略窄，长约为宽的2倍，末端平截；腹面观基肢节具1条弱内脊，被短毛，端肢节腹缘向内侧包卷。阳茎基鞘后端腹叶侧面观长约为均宽的3倍，末端尖，后面观后端腹叶基部较宽，端半部极狭窄，末端圆；内阳茎基鞘具1对宽叶形骨片，内侧具凹槽。

采集记录：1♀，太白山大殿，2200m，1956. Ⅶ. 26-28，周尧采；1♂1♀，宁陕火地塘，1580m，1998. Ⅵ. 05，孙长海、王备新采；1♀，宁陕火地塘，1580m，灯诱，1998. Ⅷ. 15，袁德成采。

分布：陕西（太白、宁陕）、辽宁、河南、甘肃、四川。

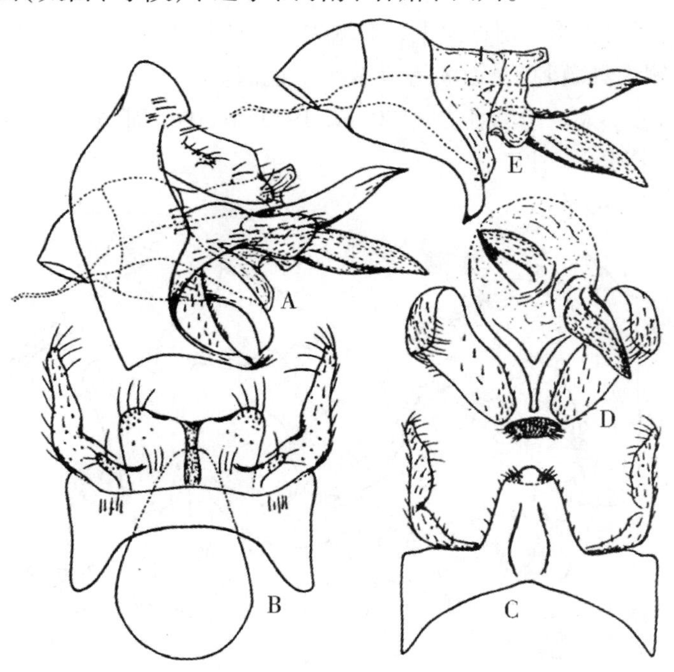

图232　橙褐纹石蛾 *Eubasilissa mandarina* Schmid 雄虫外生殖器

A. 侧面观；B. 背面观；C. 腹面观；D. 后观观；E. 阳具侧面观

（69）莫氏褐纹石蛾 *Eubasilissa morsei* Yang *et* Yang, 2006（图233）

Eubasilissa morsei Yang *et* Yang, 2006: 188.

鉴别特征：雄成虫前翅长35.0mm。头、胸部黑褐色，额唇基和上唇黄褐色；前翅黄色，翅前缘区具6～7个黑褐色横条斑，其最长者末端达 R_{2+3} 与 R_{4+5} 分叉处；翅后缘区褐斑小而密，网纹状；翅端部1/3黑褐斑多融合，纵脉末端各具1个褐斑，在翅外缘形成1条褐斑带；后翅黑褐色，亚端部具1条黄色宽横带，分离出翅端的黑褐色区域，其宽约为黄色横带的2/3。雄虫外生殖器：第9腹节狭环状，背区略窄；腹板突侧面观末端平截，其内方的脊状突起不明显，腹面观短矩形，端缘中央微凹；后面观腹板突内方具1条横向骨化脊，端缘具3个明显的小齿突。第10节背板不分裂，背面观端缘深凹，其中长仅为侧缘长的1/2；内侧突缺如，外侧突细指状，侧面观长约为第10节背板的1/2。肛前附肢侧面观细短枝状，背面观呈三角形，长约为基宽的1.5倍。下附肢侧面观第1节粗壮，长约等于基宽，端部1/3略收窄；第2节尖三角形，长约为基宽的1.5倍；腹面观第1节近圆柱形，长约为宽的2倍，第2节细指状，明显窄于第1节。阳茎基鞘后端腹叶侧面观呈尖三角形，长约为基宽的2.5倍；后面观呈短喙管形，长约为宽的2.5倍。内阳茎基鞘具1对巨大而分枝的凹槽形骨片，侧面观背枝呈枪弹形，垂直向上，末端尖；腹枝长条状，略长于背枝，其宽仅为背枝的1/3，两侧缘具微刺，末端略呈尖钩状，色深。

采集记录：1♂，太白山蒿坪寺，1200m，1973.Ⅶ.09，周尧、卢筝和田畴采。

分布：陕西（眉县）、甘肃。

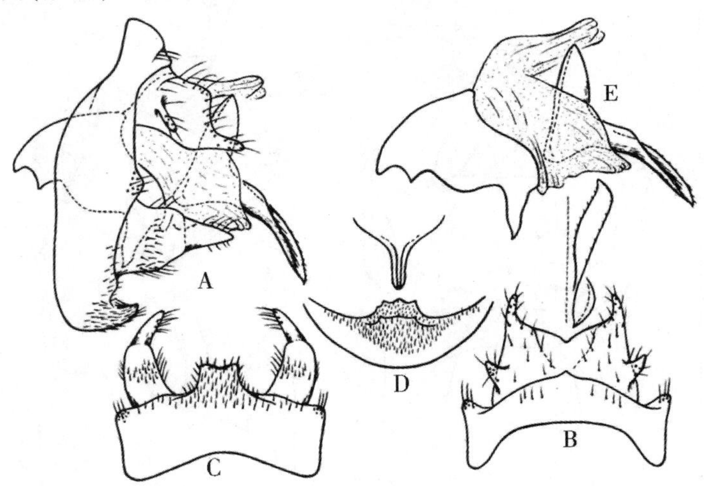

图233 莫氏褐纹石蛾 *Eubasilissa morsei* Yang *et* Yang 雄虫外生殖器

A. 侧面观；B. 背面观；C. 腹面观；D. 后观观；E. 阳具侧面观

（70）深色褐纹石蛾 *Eubasilissa regina*（McLachlan，1871）（图234）

Holostomis regina McLachlan，1871：103.

Eubasilissa regina：Martynov，1930：87.

鉴别特征：前翅长30.0～43.0mm。额唇基和上唇浅褐色；前翅具褐色不规则网纹斑，近翅前缘网纹较粗糙，向翅后缘渐变细而模糊，翅端1/3网纹合并呈不规则大褐斑；各纵脉末端具褐色斑；后翅亚端部具1条黄色宽横带；前缘室与亚前缘室基部至黄横带间为褐色。雄虫生殖器：第9腹节侧面观狭窄环状，腹缘长约为背缘的1.5倍；腹板突后面观呈宽钝角三角形。下附肢侧面观基肢节粗圆柱形，由基向端部略收窄，端肢节尖三角形，其长仅为基肢节的1/3；背面观附肢弯成圆弧形，端肢节尖端指向中轴。第10节背板短，背面观最长处约为基宽的1/3，端缘中央具1个“V”形短缺刻，端部的外侧突和内中突均为短小叶突。肛前附肢短指状，侧面观伸达第10背板侧缘。阳茎基鞘粗短，长约等于宽，后端腹叶不明显；内阳茎基鞘膜质，具1对巨大的狭长叶状骨片，末端尖，侧面观端部3/5垂直下曲，斜指向前腹方；背面观端部垂直扭卷，转向外侧方。

采集记录：2♀，周至厚畛子，2000. Ⅶ. 23，灯诱，周长发采。

分布：陕西（周至）、山东、河南、台湾、四川、云南、西藏；俄罗斯，日本，印度。

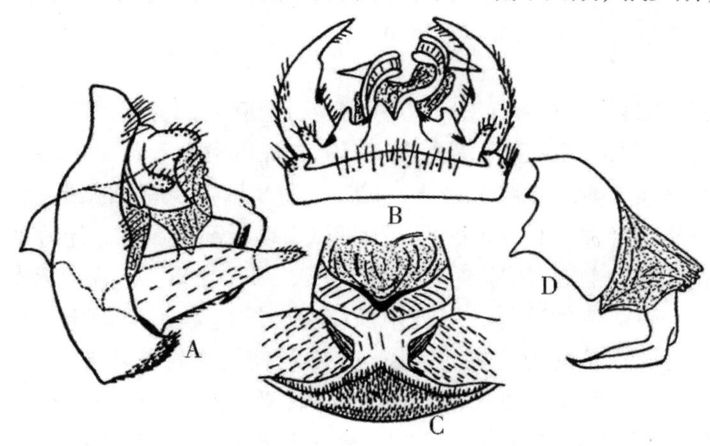

图234　深色褐纹石蛾 *Eubasilissa regina*（McLachlan）雄虫外生殖器

A. 侧面观；B. 背面观；C. 后观观；D. 阳具侧面观

（十六）拟石蛾科 Phryganopsychidae

鉴别特征：雄虫下颚须4节，雌虫下颚须5节。中胸背板毛瘤狭长，中胸小盾片具2个边缘清晰的毛瘤。雄虫前翅缺第4叉，雌虫前翅具5叉；前翅m-cu横脉粗长，与翅前后缘近平行，且远离Cu_{1a}和Cu_{1b}的分离处；前翅臀脉愈合部分至少为第1臀室数基室长之和的2倍。第10节背板基部具1对细长附肢，先折向基腹方，后弯向尾方，近端部略膨大，顶端渐尖。阳茎基鞘管状，基部背方具阳茎肋。幼虫巢均由植物碎片组成，不规则地排列组成疏松的粗长管状。

分类：全世界仅知1属3种，中国记录有1种，陕西秦岭地区有分布。

31. 拟石蛾属 *Phryganopsyche* Wiggins, 1959

Phryganopsis Martynov, 1924: 211(HN). **Type species**: *Phryganea latipennis* Banks, 1906.
Phryganopsyche Wiggins, 1959: 753(new name for *Phryganopsis* Martynov, 1924).

属征：同拟石蛾科鉴别特征。

分布：东洋区，古北区东部。全世界已知3种，中国记录1种，秦岭地区发现1种。

(71)宽羽拟石蛾 *Phryganopsyche latipennis* (**Banks, 1906**)(图235)

Phryganea latipennis Banks, 1906: 107.
Phryganopsyche latipennis: Wiggins, 1959: 753.

鉴别特征：前翅长12.0~15.0mm。翅褐色，翅面大部分区域有不规则白色或黄色斑纹。雄虫外生殖器:第9腹节背板与第10节背板愈合，背面观端缘中央向后强烈延伸呈狭长尖角突，侧面观腹节腹半区较宽，背半区后缘呈凹弧形收窄。下附肢2节，腹面观基肢节基半部宽，内侧缘呈弧形凹缺，端半部螯肢状，分为2支，外支(=侧端突)宽扁而端圆，内支(腹端突)略短于外支，细长柱形，末端具弯钩；端肢节细长棍棒状，着生于腹端突侧下方。肛前附肢短小，长约为宽的2倍，端圆。第10节背板狭长矩形，背面观长约为基宽的3倍，末端远伸至下附肢外方，并具短"V"形缺刻；侧面观背板近基部约1/2处突然向前方内凹，形成1个亚三角形突起，后向端部收窄，端圆；背面观端部具1个长"U"形缺刻；基部具1对细长附肢，先折向基腹方，后弯向尾方，端部1/4~1/5略膨大，末端渐尖。阳茎简单，阳茎基鞘管状，基部背方具1根阳茎肋(phallic rib)，内阳茎基鞘膜质。

采集记录：1♀，周至厚畛子，1999.Ⅴ.25，杜予州采。

分布：陕西(周至)、浙江、安徽、江西、福建；俄罗斯(远东南部)，日本，越南，泰国，缅甸，印度。

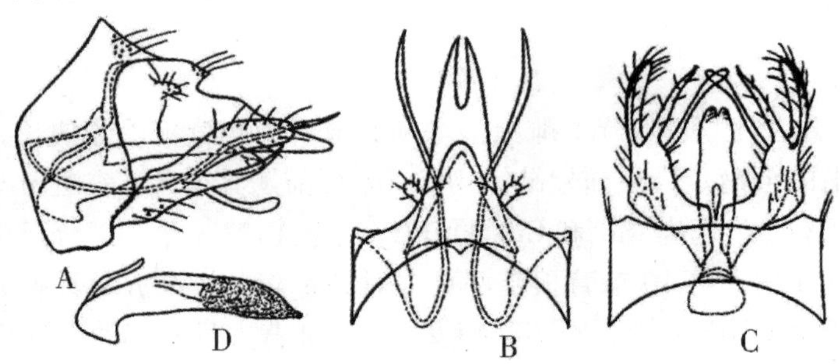

图235 宽羽拟石蛾 *Phryganopsyche latipennis* (Banks)雄虫外生殖器

A. 侧面观；B. 背面观；C. 腹面观；D. 阳具侧面观

三、尖须亚目 Spicipalpia

(十七)舌石蛾科 Glossosomatidae

鉴别特征: 成虫具单眼;下颚须第1~2节粗短,第2节呈圆球形,第5节末端具针刺突。头顶及前胸背板毛瘤彼此远离;雄虫中胸背板毛瘤狭长,位于盾片前缘中央,呈倒"八"字形。胫距式0~2-4~3-4。雌虫中足的胫节和跗节宽扁;腹部末端具可伸缩的套叠式产卵管。幼虫下口式,取食藻类和有机质颗粒,生活于石块底质的河流或山涧溪流中,筑石粒质马鞍形或龟壳状可携带巢,常停歇在暴露于水面的大石块表面。

分类: 广布各动物地理区。全世界已知约20属500种,中国已知5属44种,陕西秦岭地区发现1属6种。

32. 舌石蛾属 *Glossosoma* Curtis, 1834

Glossosoma Curtis, 1834: 216. **Type species:** *Glossosoma boltoni* Curtis, 1834.

属征: 体形中等。雄虫前足内端距具爪垫,前翅臀脉延长或缩短,并有程度不同的增厚或弥散区,形成各种类型的厚皮斑。雌虫中足扁平。胫节距式2-4-4。腹部第5、6节腹板中央具叶状或圆柱形突起,该结构在雄虫中尤其发达。

分布: 全北区,东洋区。全世界已知120余种,中国记录32种,秦岭地区发现6种。

分种检索表

1. 下附肢腹面观亚端部具1个粗刺突 ………………………………………… 2
   下附肢腹面观亚端部无粗刺突 ………………………………………… 3
2. 第10背板侧叶背面观末端各具2个尖齿突 ……………… **卷带长肢舌石蛾** ***Glossosoma tortum***
   第10背板侧叶背面观末端不规则锯齿状 ……………… **异卷带长肢舌石蛾** ***G. disparile***
3. 第10背板侧叶侧面观亚矩形 ……………………………… **陕西舌石蛾** ***G. shaanxiense***
   第10背板侧叶侧面观端缘多少凹入 ………………………………………… 4

4. 第 9 节具腹端突 …………………………………………………………………………………………………… 5
   第 9 节不具腹端突，第 10 背板侧叶侧面观亚三角形，背缘中部具 1 个矛头状突起 ………………………………………………………………………………………… **宽叶长肢舌石蛾 *G. phyllon***
5. 第 10 背板侧叶分裂为背、腹 2 个形状相同的尖角突 …………… **拟等叶舌石蛾 *G. subaequale***
   第 10 背板侧叶端缘凹入较浅 ………………………………………… **大码舌石蛾 *G. damabiah***

(72) 拟等叶舌石蛾 *Glossosoma subaequale* Schmid, 1971（图 236）

Glossosoma subaequale Schmid, 1971: 629.

鉴别特征：前翅长雄虫 7.3 ~ 7.4mm，雌虫 6.9 ~ 8.2mm。头胸部背区褐色；触角鞭部各小节污黄色，端部具褐色环；胸侧区、足及腹部浅黄褐色。前翅浅褐色透明，雄虫前翅臀区厚皮斑暗褐色，宽椭圆形，表面具 1 条横毛带，厚皮斑长接近其宽的 4 倍，几乎达臀脉全长的 1/2。腹部第 6 节腹板突发达，匙状，长略大于宽，具纵皱折。雄虫外生殖器：第 9 腹节侧面观亚矩形，前侧缘下端具 1 尖角突；腹端突腹面观为狭长三角形，微扭曲，由基至端渐收窄，端尖，全长约为基宽的 2.2 倍。第 10 背板侧叶基部极宽，侧面观基宽几乎达第 9 腹节高的 2/3，端半部收窄，并分裂为背、腹 2 个形状相同的尖角突，背面观背角突细长而直。下附肢侧面观弯弓形，大部分缩入第 9 腹节，仅顶端具毛的头状部外露；腹面观，附肢长片状，端部扩大，三角形，左右不对称。阳茎粗大，阳茎基杯状，长约为宽的 1.5 倍；阳基侧突为 1 个可伸缩膜质管，顶端特化为圆锥形骨化刺突，密生成簇的褐色长刺毛。

采集记录：1♂，周至厚畛子，1350m，1999. Ⅵ. 24；1♀，宁陕火地塘，1580 ~ 1650m，1999. Ⅵ. 29。

分布：陕西（周至、宁陕）、河南、福建。

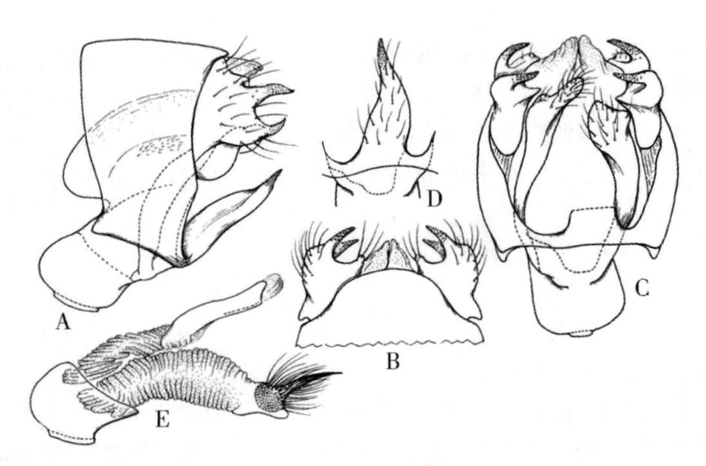

图 236 拟等叶舌石蛾 *Glossosoma subaequale* Schmid 雄虫外生殖器

A. 侧面观；B. 背面观；C. 腹面观；D. 第 10 节腹突腹面观；E. 阳具侧面观

(73)大码舌石蛾 *Glossosoma damabiah* Malicky, 2012(图 237)

Glossosoma damabiah Malicky, 2012: 1266.

鉴别特征: 前翅长 7.5mm。体灰褐色。雄虫外生殖器:第 9 节宽，侧面观近梯形，但后腹角向后方延伸呈指状；背面观呈亚矩形，前缘向后方凹入，后缘向后方凸出。第 10 节侧面观基部较窄，端部稍加宽，后缘波状，后缘上方具 1 个较深的凹入；背面观呈双叶状，每叶亚矩形，内缘略凹。下附肢侧面观棒状，近基部稍缢缩，端缘平截；腹面观基部粗，渐向端部变窄，端圆。阳具基稍骨化，阳茎膜质，端部具 1 根骨化的刺。

采集记录: 1♂2♀，厚畛子，1500m，2000. Ⅴ.05-10，Siniaiev，Plutenko 采。

分布: 陕西(周至)。

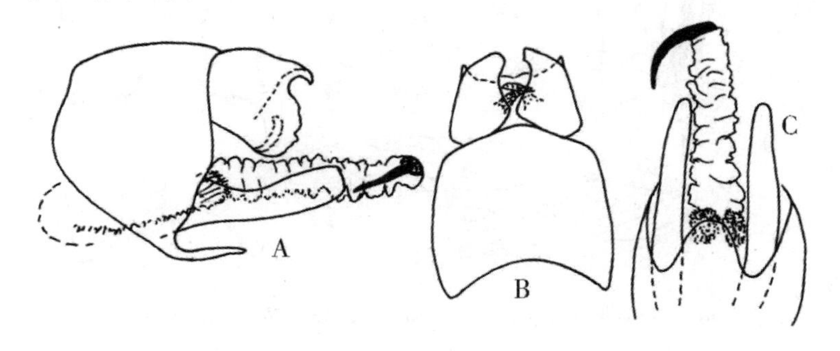

图 237　大码舌石蛾 *Glossosoma damabiah* Malicky 雄虫外生殖器

A. 侧面观；B. 背面观；C. 腹面观

(74)异卷带长肢舌石蛾 *Glossosoma disparile* Yang *et* Morse, 2002(图 238)

Glossosoma disparile Yang *et* Morse, 2002: 265.

鉴别特征: 前翅长雄虫 6.0～6.6mm。头、胸部褐色。触角鞭部基部 1/3 色浅。前翅 2A 略延长并加粗，2A 长约为臀脉全长的 1/3。雄虫第 6 腹节腹板突短小，圆柱形，长约为宽的 2 倍；第 7 腹节腹板突小圆锥形。雄虫外生殖器:第 9 腹节侧面观背半部宽阔，近腹缘 1/3 区前侧缘、后侧缘急剧收窄，腹区狭带状。第 10 背板侧叶背面观呈亚矩形，端缘呈处不规则锯齿状；侧面观侧叶亚圆形，端缘具不规则锯齿；后面观两侧叶组成椭圆形，各侧叶除沿端缘的齿突外，其发达内脊的边缘也具 3～4 个黑色齿突，侧叶端腹角弯钩状刺突粗壮，左右不对称。下附肢侧面观略侧扁，折刀形，端部收窄呈三角形，长为第 9 腹节长的 1.5 倍，为自身基宽的 8 倍；腹面观附肢狭长，亚端部具 1 个尖刺突。阳茎基膨大呈心脏形，与骨化的阳茎基陷环组成杯状结构，容纳阳茎端的基部；阳茎端管形，腹面观基半部细长，近中部具1个齿桩；阳基侧突为2根微弯的粗长刺突，略短于下附肢，左阳基侧突端部具3～4个微刺；可伸缩膜质阳茎叶顶端具1根细刺。

采集记录： 3♂，宁陕火地塘，1900m，1998. Ⅵ.05，Morse 采。

分布： 陕西(宁陕)。

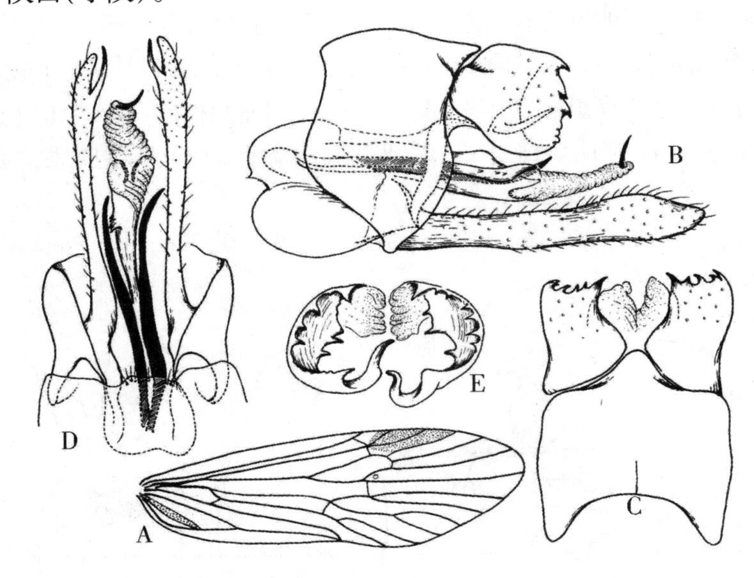

图238 异卷带长肢舌石蛾 *Glossosoma disparile* Yang *et* Morse

A. 前翅；B-E. 雄虫外生殖器：B. 侧面观；C. 背面观；D. 腹面观；第10节侧叶后面观

(75) 宽叶长肢舌石蛾 *Glossosoma phyllon* Yang *et* Morse, 2002(图239)

Glossosoma phyllon Yang *et* Morse, 2002: 257.

鉴别特征： 前翅长雄虫6.4～6.7mm，雌虫6.4mm。头、胸部及翅褐色，胸部侧区及胸足色稍浅。雄虫后足胫节端距不对称，内端距短而粗壮，并具1根亚端刺；前翅2A和3A长，顶端交汇处接近弓脉，脉间形成长条形厚皮斑。雄虫第6腹节腹板突子弹形，长约为宽的2.5倍；第7腹节腹板突短小，圆锥形。雄外生殖器：第9腹节侧面观背缘长为腹缘的3倍，前侧缘呈波形回切。第10背板侧叶侧面观呈亚三角形，背缘中部具1个矛头状突起；后面观各侧叶亚端部具1根小刺突，近腹端具1个细长棒突。下附肢宽而扁，腹面观呈长椭圆叶形，长约为宽的3倍，基部略收窄，阳茎基粗而短，与骨化的阳茎基陷组成1个深杯结构，包围阳茎的大部分；阳茎管状，具1个可伸缩膜质阳茎叶，顶端着细刺突；阳基侧突为1根，粗长，端部稍膨大。

采集记录： 2♂1♀，宁陕旬阳坝，1600m，1998. Ⅵ.06，杜予州采。

分布：陕西（宁陕）。

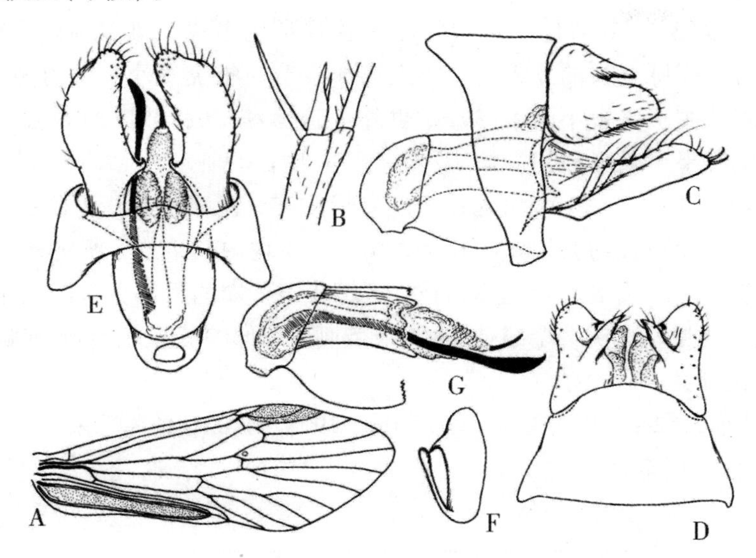

图 239　宽叶长肢舌石蛾 *Glossosoma phyllon* Yang *et* Morse

A. 前翅；B. 后足内端距；C-G. 雄虫外生殖器：C. 侧面观；D. 背面观；E. 腹面观；F. 第 10 节侧叶后面观；G. 阳具侧面观

(76) 陕西舌石蛾 *Glossosoma shaanxiense* Yang *et* Morse, 2002（图 240）

Glossosoma shaanxiense Yang *et* Morse, 2002：260.

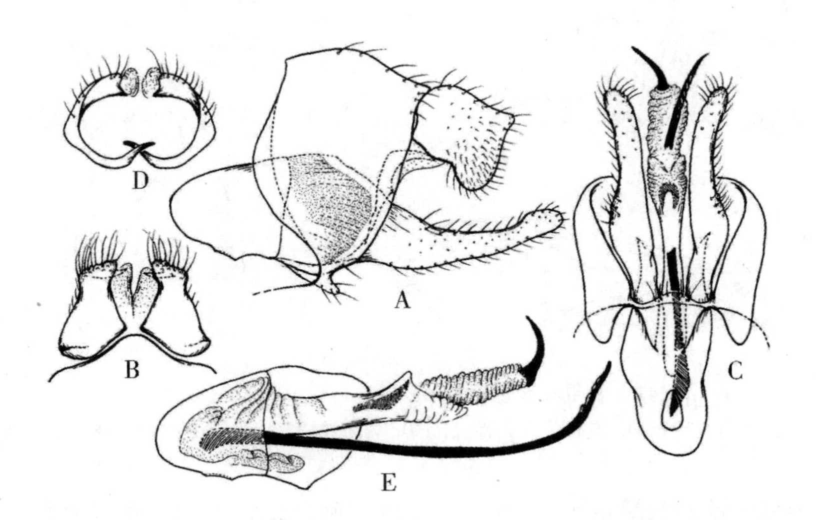

图 240　陕西舌石蛾 *Glossosoma shaanxiense* Yang *et* Morse 雄虫外生殖器

A. 侧面观；B. 背面观；C. 腹面观；D. 第 10 节侧叶后面观；E. 阳具侧面观

鉴别特征：前翅长雄虫6.0～6.2mm，雌虫6.0～6.6mm。头、胸部暗褐色，触角鞭部第1节至第5～7节色浅。胸部侧区及胸足色稍浅。雄虫前翅2A和3A肿胀，两脉汇合在臀脉全长的2/3处。雄虫第6腹节腹板突细小，长约为宽的2倍，端圆；第7腹节腹板突短小圆锥形。雄虫外生殖器：第9腹节侧面观背缘长，腹缘狭带状，前侧缘呈弓弧形回切。第10背板侧叶侧面观亚矩形，端腹角圆叶状；后面观两侧叶组成椭圆形，端腹角延长为反弓形刺突，顶端相交。下附肢简单长枝，基部略粗壮；腹面观长约为均宽的6倍，端部2/3均匀长条形，顶端圆。阳茎基粗管状，与阳茎基陷的浅褐色骨化瓣相连，将管状阳茎端的大部分包围其中；阳基侧突为1根微弯的粗长刺突，端部具4～5个微刺，可伸缩膜质阳茎叶顶端着生1个粗壮的弯钩状刺突。

采集记录：2♂2♀，周至厚畛子，1250m，1998. Ⅵ. 02，杨莲芳采。

分布：陕西(周至)。

(77)卷带长肢舌石蛾 *Glossosoma tortum* Yang *et* Morse, 2002(图241)

Glossosoma tortum Yang *et* Morse, 2002: 269.

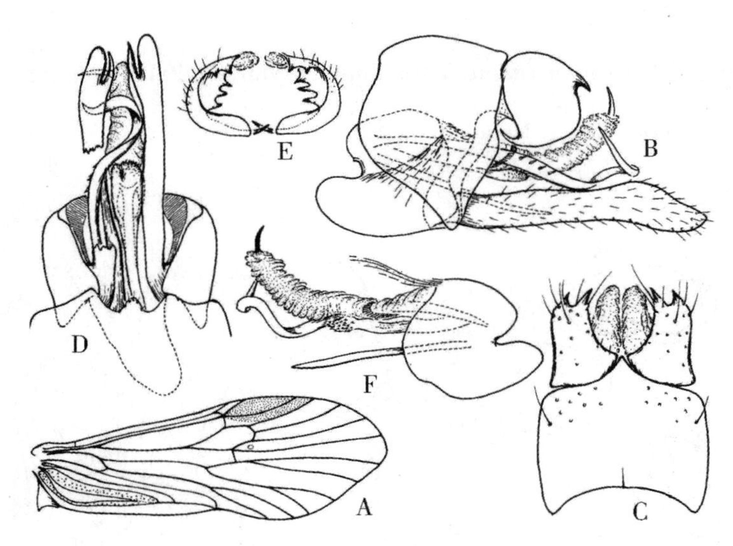

图241 卷带长肢舌石蛾 *Glossosoma tortum* Yang *et* Morse

A. 前翅；B-F. 雄虫外生殖器：B. 侧面观；C. 背面观；D. 腹面观；E. 第10节侧叶后面观；F. 阳具侧面观

鉴别特征：前翅长雄虫5.3～6.8mm。头、胸部褐色。触角鞭部基部1/3色浅。前翅2A延长，约为臀脉全长的2/3；2A与3A在愈合前全长明显加粗。雄虫第6腹节腹板突短小，长约为宽的1.5倍；第7腹节腹板突小圆锥形。雄虫外生殖器：第9腹节侧面观背半部宽阔，腹半部前侧缘、后侧缘急剧收窄，腹区狭带状。第10背板侧叶背面观末端各具2个尖齿突；侧面观呈亚椭圆形，背缘端部和腹缘基部各具1个钩形突；后面观两侧叶组成椭圆形，内脊发达，各具3个黑色齿突，侧叶端腹角刺突短而细。下附肢侧面观略侧扁，折刀形，端部收窄呈三角形，长为第9腹节长的1.5倍，为自身基宽的6倍；腹面观附肢狭长，亚端部具1个粗刺突，但与附肢顶端不十分贴紧。阳茎基膨大呈心脏形，与骨化的阳茎基陷组成杯状结构，容纳阳茎端的基部；阳茎端管形，腹面近中部具的齿桩布满微齿；阳基侧突1根，长飘带形，端半部略扁，强烈卷曲，中部具4根微刺；可伸缩膜质阳茎叶顶端具1根细刺。

采集记录：2♂，宁陕响潭沟，1600～2230m，1998. Ⅵ. 06，Morse 采。

分布：陕西(留坝、宁陕)、甘肃。

(十八)原石蛾科 Rhyacophilidae

鉴别特征：成虫头部具复眼1对；单眼3枚。头顶具大小不等的数对毛瘤；在单眼区还另具3个毛瘤，中间的较大，呈倒三角形。触角丝状，柄节较粗大。口器咀嚼式；下颚须发达，5节，第2节圆球形，几乎与第1节等长。前胸多少呈领状，具1对较大的毛瘤；中胸背板宽大，具有1对呈倒“八”字形的长毛瘤；小盾片三角形，具1个圆形毛瘤。前翅大多棕黄色，许多种类的前翅翅面具有不规则深色斑纹，有时相互愈合成很大的1块，后翅棕黄色。前翅、后翅脉序接近假想脉序，在原石蛾属中，R_5脉终止于翅顶角或翅顶角之前，而在喜马石蛾属中R_5脉终止于翅顶角之后。足黄白色至黄棕色，胫距式3-4-4。幼虫营自由生活，多数为捕食性，生活在急流的冷水中。

分类：以东洋区分布为主。全世界已知种约750种，中国记录195种，陕西秦岭地区发现2属8种。

33. 喜原石蛾属 *Himalopsyche* Banks, 1940

Himalopsyche Banks, 1940: 173. **Type species**: *Rhyacophila tibetana* Martynov, 1930.

属征：体小型至中型，体通常黄褐色，密被毛，前翅通常具有许多淡色斑点。后胸小盾片具1对毛瘤，前翅翅脉向后弯曲，R_5脉终止于翅顶角之后。雄虫外生殖器在个体间变异较大，其原始形式是第9节背板骨化成环形，第10节倾斜。通常具1对肛前附肢。阳具三叉状。下附肢1节或2节。

分布：东洋区，古北区。全世界已知46种，中国记录27种，秦岭地区发现1种。

(78) 丹喜原石蛾 *Himalopsyche danael* Malicky, 2012(图 242)

Himalopsyche danael Malicky, 2012: 1264.

鉴别特征: 前翅长 20.0mm。体及附肢淡褐色。前翅褐色，具浅色斑点；后翅淡褐色。雄虫外生殖器:第 9 节侧面观前缘平直，后缘于下附肢着生处切入深。第 10 节侧面观上叶细长，下叶钝圆；背面观上叶呈双刺状，下叶近方形。肛上附翅侧面观呈三叉状，中叶最长。下附肢侧面观第 1 节细长，稍弯曲，端部平截；腹面观基部窄，中部稍放宽，端部又变窄。第 2 节侧面观隐藏在第 1 节内侧，腹面观多少呈三角形。阳茎管状，阳基侧突管状。

采集记录: 2♂，太白山，1300～1500m，1998. Ⅷ. 20-Ⅸ. 04，Murzin，Siniaiev 采。

分布: 陕西(太白山)。

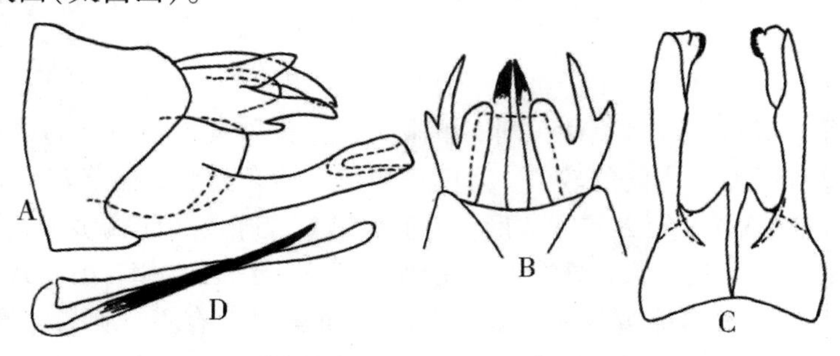

图 242 丹喜原石蛾 *Himalopsyche danael* Malicky 雄虫外生殖器

A. 侧面观；B. 背面观；C. 腹面观；D. 阳具侧面观

34. 原石蛾属 *Rhyacophila* Pictet, 1834

Rhyacophila Pictet, 1834: 181. **Type species**: *Rhyacophila vulgaris* Pictet, 1834.

属征: 体中小型，大多数种类较喜马原石蛾属小，通常暗褐色。后胸小盾片缺毛瘤，前翅翅脉正常，R_5 脉终止于翅顶角或顶角之前。雄虫外生殖器结构变化很大，也是区别该属成员的重要依据。

分布: 东洋区，全北区。全世界已知 710 余种，中国记录 136 种，秦岭地区发现 7 种。

分种检索表

1. 下附肢 1 节 …………………………………… **单节原石蛾 *Rhyacophila unisegmentalis***
   下附肢 2 节 …………………………………………………………………… 2
2. 阳具简单管状 ……………………………………………………………… 3
   阳具三叉状或具其他突起 …………………………………………………… 4

3. 端背片背面观端缘凹切的深度达其长度的1/2 ……………………… 钳形原石蛾 ***Rh. forcipata***
   端背片背面观端缘仅具浅的凹切…………………………………………… 花瓶原石蛾 ***Rh. vascula***
4. 缺阳茎腹叶，阳基侧突长于阳茎 …………………………………………… 喇叭原石蛾 ***Rh. bucina***
   具阳茎腹叶 ……………………………………………………………………………………… 5
5. 阳具有阳具背突，阳茎腹叶侧面观呈匙状…………………………………… 暗色原石蛾 ***Rh. furva***
   阳具无阳具背突，阳茎腹叶侧面观不呈匙状…………………………………………………… 6
6. 下附肢第2节侧面观矩形 ……………………………………………… 陕西原石蛾 ***Rh. shaanxiensis***
   下附肢第2节侧面观端缘深凹 …………………………………………… 莫氏原石蛾 ***Rh. morsei***

(79) 喇叭原石蛾 *Rhyacophila bucina* Malicky *et* Sun, 2002（图243）

Rhyacophila bucina Malicky *et* Sun, 2002: 551.

鉴别特征：前翅长6.5mm。体褐色。头深褐色，触角及下颚须褐色，下唇须黄色。胸部背面深褐色，其余部分为褐色；足及翅褐色。腹部黄色。雄虫外生殖器：第9节下部稍窄。背面观端背叶基部宽，端部1/3窄，端圆。肛前附肢侧面观呈长椭圆形。臀片基部窄，向端部渐加粗，端缘截形；背面观两片愈合。下附肢第1节侧面观呈矩形，第2节小，上缘斜。阳具基基部窄，阳茎细长，管状。阳基侧突长，略上弯。

采集记录：7♂，周至厚畛子，1250m，1998. Ⅵ. 02，孙长海采；11♂，宁陕火地塘，1650m，1998. Ⅵ. 05，杜予州、孙长海、杨莲芳采。

分布：陕西（周至、宁陕）。

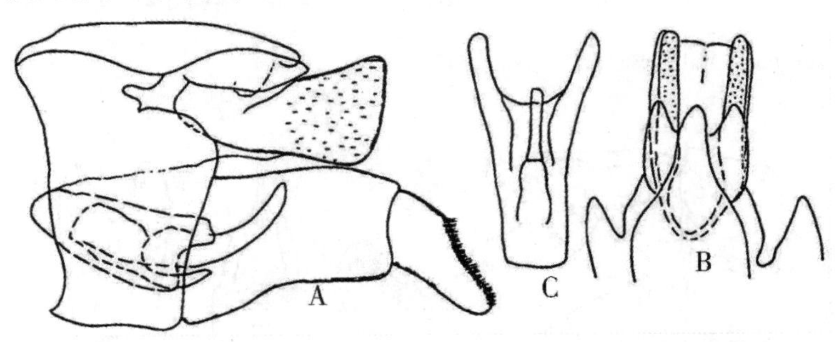

图243 喇叭原石蛾 *Rhyacophila bucina* Malicky *et* Sun 雄虫外生殖器
A. 侧面观；B. 端背叶、肛前附肢及臀片背面观；C. 阳具腹面观

(80) 钳形原石蛾 *Rhyacophila forcipata* Malicky *et* Sun, 2002（图244）

Rhyacophila forcipata Malicky *et* Sun, 2002: 548.

鉴别特征：前翅长8.0mm。体黑褐色。头黑色，触角及下颚须、下唇须黑褐色。胸部背面黑色，其余部分为黑褐色；翅褐色。腹部褐色。雄虫外生殖器：第9节侧面观上部1/3稍窄于下方的2/3，端背片侧面观基半部宽，端半部细长，背面观两侧缘近平行，端缘深凹，凹切的深度达端背片长度的1/2。臀片侧面观细长，端部亦具较深的凹切。背带两侧缘近平行，端部圆。下附肢第1节细，腹面观内侧形成1个钩状突；第2节短，侧面观端缘凹，腹面观呈三角形。阳茎基半部宽于端半部。

采集记录： 7♂，周至厚畛子，1250m，1998. Ⅵ. 02，孙长海、杜予州采；2♂，宝鸡天台山，1700m，1998. Ⅵ. 09，孙长海采；8♂，留坝庙台子，1400m，1998. Ⅵ. 08，杜予州、孙长海采；1♂，宁陕火地塘，1600m，1998. Ⅵ. 05，杨莲芳、孙长海采。

分布： 陕西（周至、宝鸡、留坝、宁陕）。

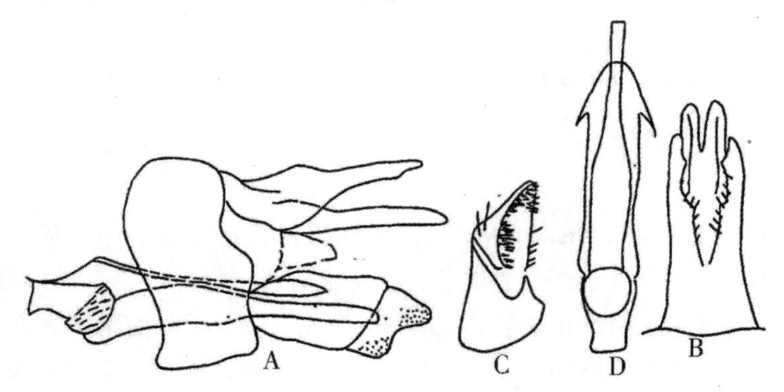

图244 钳形原石蛾 *Rhyacophila forcipata* Malicky *et* Sun 雄虫外生殖器

A. 侧面观；B. 端背叶背面观；C. 下附肢腹面观；D. 阳具腹面观

（81）暗色原石蛾 *Rhyacophila furva* Malicky *et* Sun, 2002（图245）

Rhyacophila furva Malicky *et* Sun, 2002: 547.

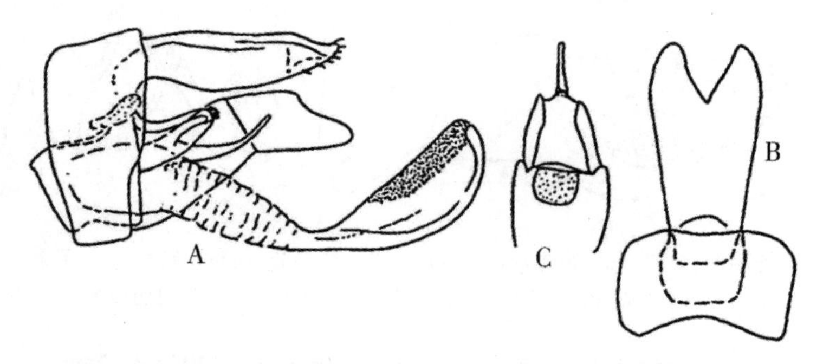

图245 暗色原石蛾 *Rhyacophila furva* Malicky *et* Sun 雄虫外生殖器

A. 侧面观；B. 第9、10节背面观；C. 阳具背面观

鉴别特征： 前翅长7.0mm。体黑褐色。头黑色，触角柄节黑褐色，其余各节褐色；下颚须、下唇须黄色。胸部背面黑褐色，其余部分褐色；翅及足褐色。腹部黄色。雄虫外生殖器：第9节侧面观上半部宽于下半部，第10节与下附肢近等长，背面

观基部窄，向端部渐加宽，端缘具凹切。端带肾形。下附肢第1节矩形，第2节梯形。阳具背突基部宽，端部细而圆，具小瘤突；阳茎管状，侧面观略向上弯曲；阳茎腹叶侧面观基半部膜质，端半部匙状。

采集记录：1♂，宁陕火地塘，1650m，1998.Ⅵ.14，杜予洲采。

分布：陕西（宁陕）。

（82）莫氏原石蛾 *Rhyacophila morsei* Malicky *et* Sun，2002（图246）

Rhyacophila morsei Malicky *et* Sun，2002：543.

鉴别特征：前翅长7.0mm。体褐色。头褐色，触角及下颚须、下唇须黄色。胸部黄色；翅褐色。腹部褐色。雄虫外生殖器：第9节侧面观上部宽于下部。第10节背面观呈梯形，后缘略凹；侧面观上部大而圆，后腹缘具小齿，而下部侧细长。臀片小，纽扣形。端带侧面观呈椭圆形。背带侧面观端部膨大。下附肢第1节短，侧面观多少呈梯形，第2节侧面观二叶状，上叶较尖，下叶圆。阳具复杂，背突管状，阳茎基部较宽，向端部渐窄，阳茎腹叶三叉形，中突宽，端部截形，两侧突短而尖；阳基侧突大，基部膜质，端半部膨大。

采集记录：1♂，宁陕，1400m，1998.Ⅵ.14，孙长海采。

分布：陕西（宁陕）、甘肃。

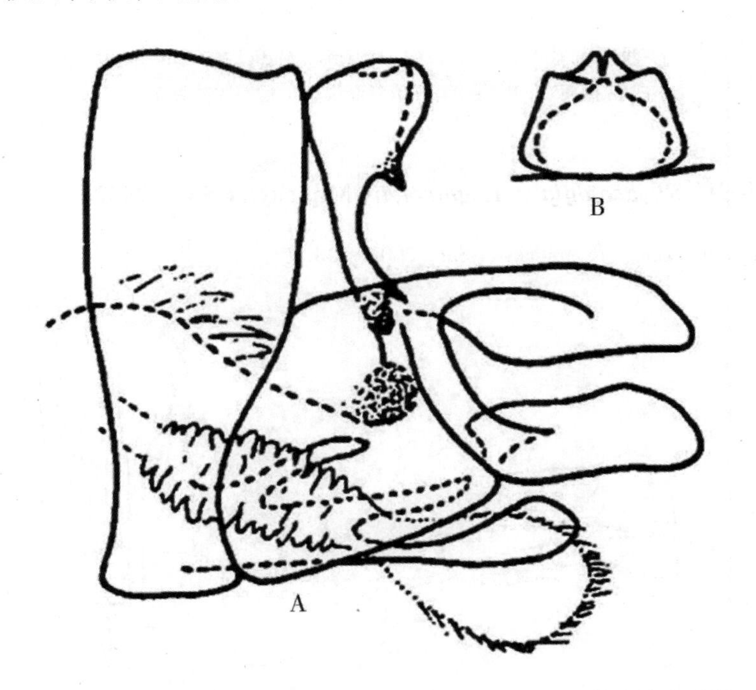

图246　莫氏原石蛾 *Rhyacophila morsei* Malicky *et* Sun 雄虫外生殖器
A. 侧面观；B. 第9、10节背面观

(83)陕西原石蛾 *Rhyacophila shaanxiensis* Malicky *et* Sun, 2002(图 247)

Rhyacophila shaanxiensis Malicky *et* Sun, 2002: 545.

鉴别特征: 前翅长 11.0mm。体黑褐色，头黑褐色，触角及下颚须黑褐色，下唇须褐色。胸部背面黑褐色，其余部分为褐色；足及翅褐色。腹部褐色。雄虫外生殖器:第 9 节上部 1/3 窄于下部 2/3。第 10 节水平部分具深凹切，垂直部分简单。下附肢第 1 节基部宽，向端部渐窄；第 2 节矩形，且与第 1 节近等长。阳具复杂，阳茎长，由基部向端部变细，侧面观中部稍弯曲；阳茎腹叶由 1 个膜质片及 1 对长突所组成。阳基侧突长，向端部渐细，背面观端部弯曲。

采集记录: 2♂，宁陕火地塘，1600m，1998. Ⅵ. 05，杨莲芳、孙长海采。

分布: 陕西(宝鸡、宁陕)。

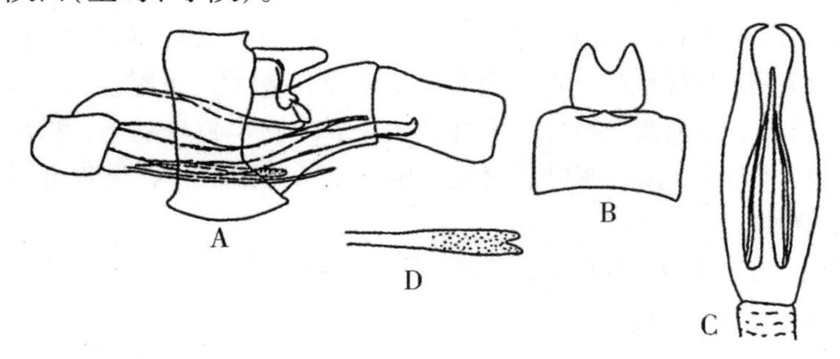

图 247 陕西原石蛾 *Rhyacophila shaanxiensis* Malicky *et* Sun 雄虫外生殖器
A. 侧面观; B. 第 9、10 节背面观; C. 阳茎腹叶腹面观

(84)单节原石蛾 *Rhyacophila unisegmentalis* Malicky *et* Sun, 2002)(图 248)

Rhyacophila unisegmentalis Malicky *et* Sun, 2002: 548.

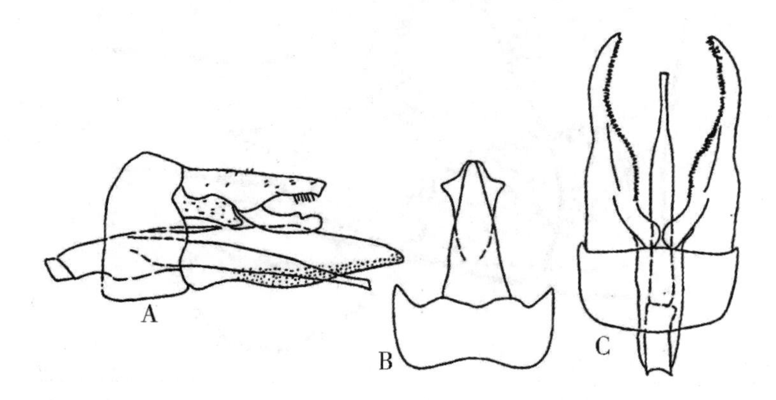

图 248 单节原石蛾 *Rhyacophila unisegmentalis* Malicky *et* Sun 雄虫外生殖器
A. 侧面观; B. 端背叶背面观; C. 下附肢及阳具腹面观

鉴别特征：前翅长 8.5mm。体黑褐色，头黑褐色，触角褐色，下颚须及下唇须黄色。胸部背面黑褐色，其余部分为褐色，足及翅褐色。腹部黄色。雄虫外生殖器：第 9 节侧面观上部窄于下部，后缘波状。侧面观端背叶上缘直，下缘波状，端缘截形，且略斜；背面观基部宽，向端部渐窄。臀片侧面观稍弯曲，背面观基部窄，端部延伸成齿。下附肢仅 1 节，特别长，基部宽，向端部渐窄。阳茎基部 2/3 宽于端部 1/3。

采集记录：1♂，宁陕火地塘，1600m，1998. Ⅵ. 05，杨莲芳采。

分布：陕西（宁陕）。

(85) 花瓶原石蛾 *Rhyacophila vascula* Malicky *et* Sun, 2002（图 249）

Rhyacophila vascula Malicky *et* Sun, 2002: 547.

鉴别特征：前翅长 6.5mm。体黑褐色，头部深褐色，触角，下颚须及下唇须褐色。胸部背面黑色，其余部分为褐色；足及翅褐色。腹部黄色。雄虫外生殖器：第 9 节侧面观前缘向前方呈弧形拱起，后缘直。端背叶侧面观宽，背面观花瓶形，端缘凹切。臀片细长，背面观基部宽，端部截形。下附肢第 1 节短，基部窄，腹面宽内侧形成 1 个钩状突；第 2 节宽，向端部渐细。阳茎两侧缘平等，端部突然变窄。

采集记录：2♂，留坝，1400m，1998. Ⅵ. 08，杜予州、杨莲芳采。

分布：陕西（留坝、宁陕）。

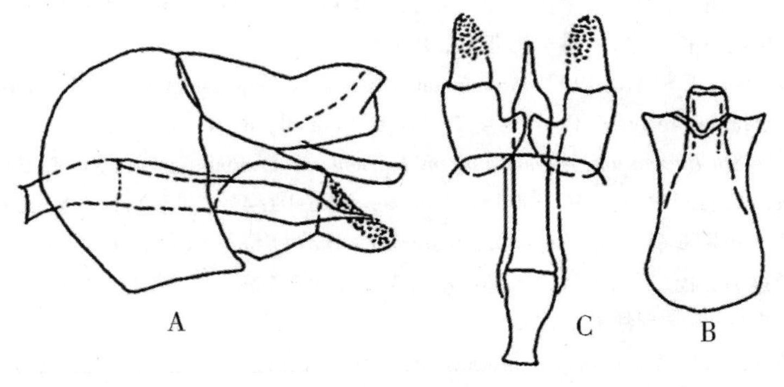

图 249　花瓶原石蛾 *Rhyacophila vascula* Malicky *et* Sun 雄虫外生殖器

A. 侧面观；B. 端背叶背面观；C. 下附肢及阳具腹面观

参考文献

Gui, F. and Yang, L. 2000. Four new species and two new records of Arctopsychidae from China (Insecta: Trichoptera). *Acta Zootaxonomica Sinica*, 25: 419-425.

Malicky, H. 2011. Neue Trichopteren aus Europa und Asien. *Braueria*, 38: 23-43.

Malicky, H. 2012. Neue asiatische Köcherfliegen aus neuen Ausbeuten (Insecta, Trichoptera). *Linzer Biologische Beiträge*, 44(2): 1263-1310.

Malicky, H. and Sun, C. 2002. 25 new species of Rhyacophilidae (Trichoptera) from China. *Linzer Biologische Beiträge*, 34: 541-561.

Martynov, A. V. 1930. On the Trichopterous fauna of China and Eastern Tibet. *Proceedings of the Zoological Society of London*, 5: 65-112.

Mey, W. and Yang, L. 2001. New and little known caddisflies from the Taibaishan in China (Trichoptera: Integripalpia). *Entomologische Zeitschrift*, 111: 83-89.

Morse, J. C., Zhong, H. and Yang, L. 2012. New species of *Plectrocnemia* and *Nyctiophylax* (Trichoptera, Polycentropodidae) from China. *ZooKeys*, 169: 39-59.

Schmid, F. 1959. Quelques Trichoptères de Chine. *Mitteilungen aus dem Zoologischen Museum in Berlin*, 35: 317-345.

Schmid, F. 1965. Quelques trichoptères de Chine II. *Bonner Zoologische Beiträge*, 16: 127-154.

Sun, C. and Malicky, H. 2002. 22 new species of Philopotamidae (Trichoptera) from China. *Linzer Biologische Beiträge*, 34: 521-540.

Tian, L., Yang, L. and Li, Y. 1996. Trichoptera (1): Hydroptilidae, Stenopsychidae, Hydropsychidae, Leptoceridae, Economic Insect Fauna of China, Fascicle 49. Beijing, Science Press. 195pp. [田立新，杨莲芳，李佑文，1996. 中国经济昆虫志，第49卷. 毛翅目(1)：小石蛾科，角石蛾科，纹石蛾科，长角石蛾科. 北京:科学出版社，195页.]

Yang, L. and Weaver, J. S. III. 1997. An annotated list of the Lepidostomatidae (Trichoptera) of China, with new distribution records. Pp 481-487. In: Holzenthal, R. W., Flint, O. S., Jr. (eds.) *Proceedings of the 8th International Symposium on Trichoptera*. Columbus, Ohio, Ohio Biological Survey.

Yang, L., Yang, W. and Wang, B. 2005. Trichoptera. Pp 486-499. *In*: Yang, Xingke. (ed.) *Insect Fauna of Middle-West Qinling Range and South Mountains of Gansu Province.* Beijing, Science Press. 1055pp. [杨莲芳，杨维芳，王备新. 2005. 毛翅目，486-499. 见:杨星科主编，秦岭西段及甘南地区昆虫. 北京:科学出版社，1055页].

Yang, L. and Morse, J. C. 2000. Leptoceridae (Trichoptera) of the People's Republic of China. *Memoirs of the American Entomological Institute*, 64: i-vii, 1-309.

Yang, L. and Morse, J. C. 2002. *Glossosoma subgenus Lipoglossa* (Trichoptera: Glossosomatidae) of China. *Nova Supplementa Entomologica* (*Proceedings of the 10th International Symposium of Trichoptera*), 15: 253-276.

Yang, L. and Morse, J. C. 2005. Description of a new Limnocentropus species from China (Trichoptera: Limnocentropodidae). *Oriental Insects*, 39: 141-146.

Yang, L., Wang, B. and Leng, K. 1997. Seven new species of Trichoptera (Insecta: Mecopteroidea) from Funiu Mountain. *Entomotaxonomia*, 19: 279-288.

Yang, L. and Weaver, J. S., III. 2002. The Chinese Lepidostomatidae (Trichoptera). *Tijdschrift voor Entomologie*, 145: 267-352.

中名索引

（按首字音序排列，右边的号码为该条目在正文的页码）

D

J

K

L

M

N

X

Y

学名索引

（按首字母顺序排列，右边的号码为该条目在正文的页码）

A

B

D

E

F

Q

R

W

X

Y

Z

图版 1

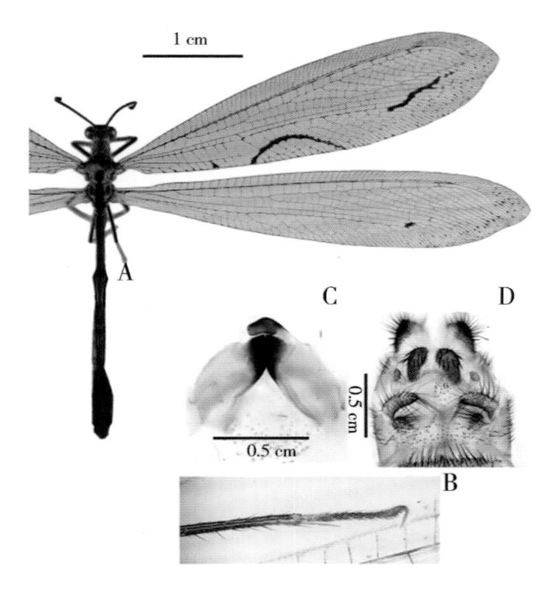

长裳帛蚁蛉 *Bullanga florida*（Navás）（仿 詹庆斌，2014）

A. 翅；B. 足；C. 雄虫生殖器腹面观；D. 雌虫生殖器腹面观

图版 2

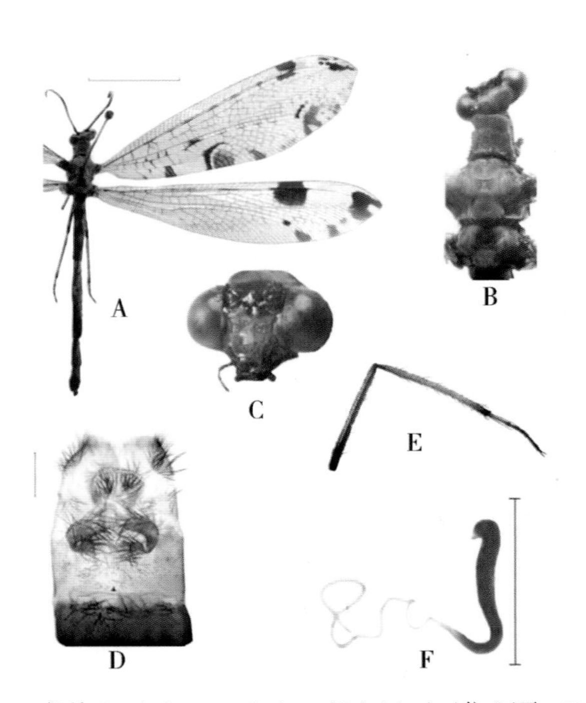

蚁蛉 *Dendroleon pantherinus*（Fabricius）（仿 万霞，2003）

A. 雌虫；B. 头胸背面观；C. 头部正面观；D. 雌虫外生殖器腹面观；E. 后足；F. 受精囊。标尺：A：10mm；D，F：0.5mm

图版 3

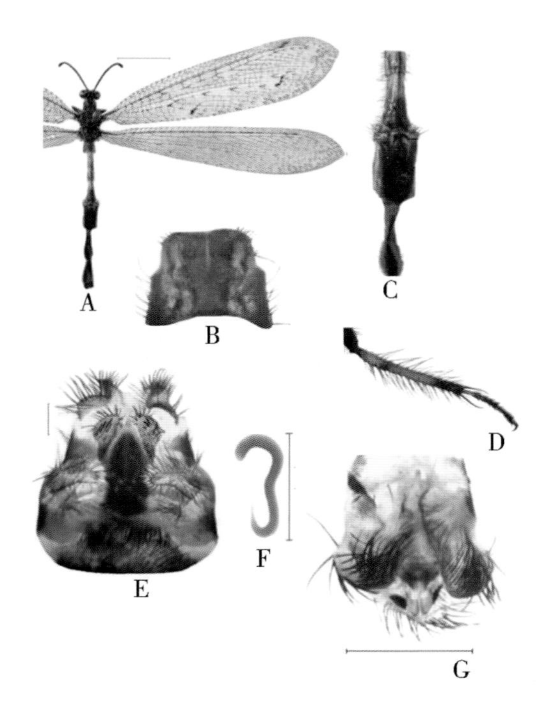

陆溪蚁蛉 *Epacanthaclisis continentalis* Esben-Petersen（仿 万霞，2003）

A. 雄虫；B. 前胸背板；C. 雄虫腹部毛刷；D. 后足；E. 雌虫外生殖器腹面观；F. 受精囊；G. 雄虫外生殖器正面观（含肛上片和第 9 腹板）。标尺：A：10mm；E，F，G：0.5mm

图版 4

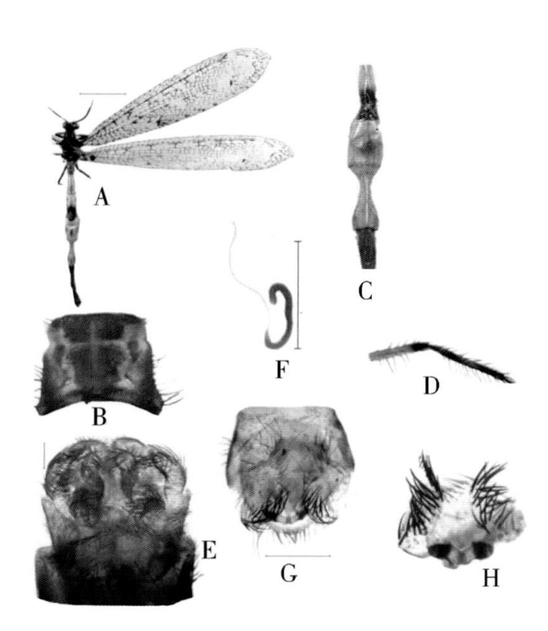

闽溪蚁蛉 *Epacanthaclisis minanus*（Yang）（仿 万霞，2003）

A. 雄虫；B. 前胸背板；C. 雄虫腹部毛刷；D. 后足；E. 雌虫外生殖器腹面观；F. 受精囊；G，H. 雄虫外生殖器正面观（含肛上片和第 9 腹板）。标尺：A：10mm；E，F，G：0.5mm

图版 5

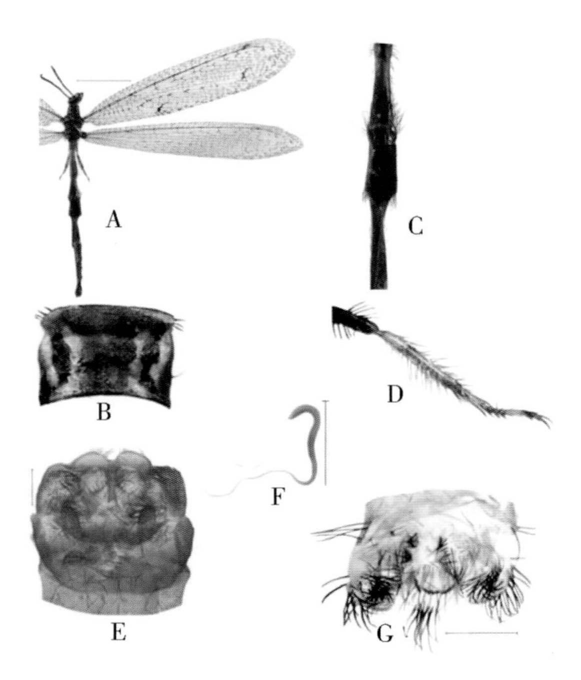

宁陕溪蚁蛉 *Epacanthaclisis ningshanus* Wan *et* Wang（仿 万霞，2003）

A. 雄虫；B. 前胸背板；C. 雄虫腹部毛刷；D. 后足；E. 雌虫外生殖器腹面观；F. 受精囊；G. 雄虫外生殖器正面观标尺：A：10mm；E，F，G：0.5mm

图版 6

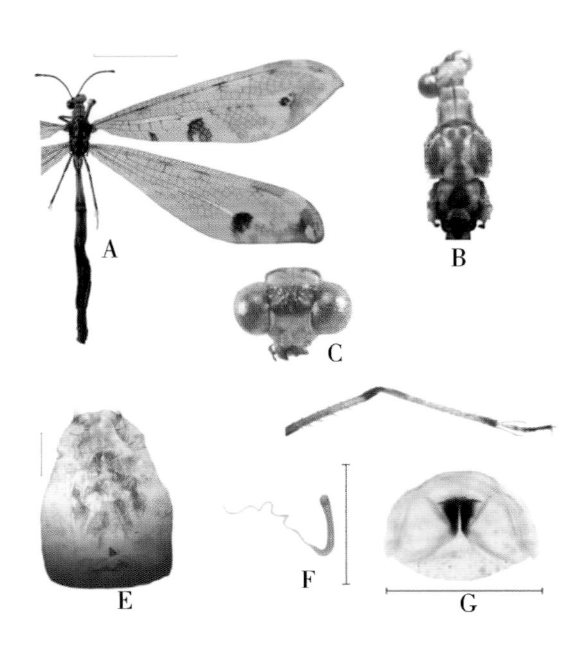

小华锦蚁蛉 *Gatzara decorilla*（Yang）（仿 万霞，2003）

A. 雄虫；B. 头胸背面观；C. 头部正面观；D. 后足；E. 雌虫外生殖器腹面观；F. 受精囊；G. 雄虫外生殖器腹面观 标尺：A：10mm；E，F，G：0.5mm

图版 7

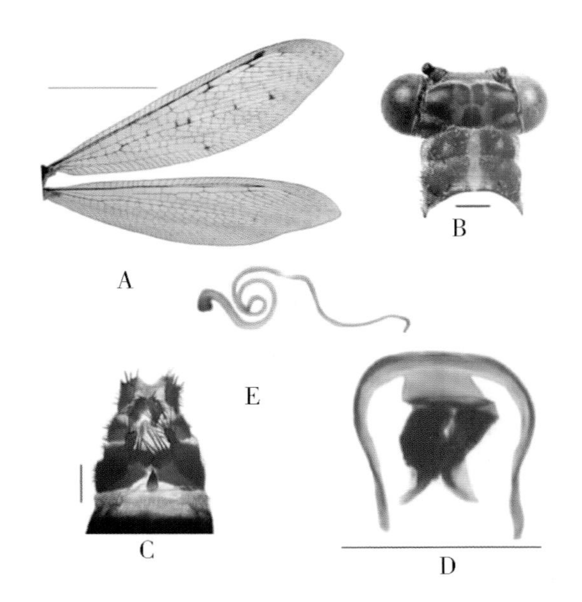

朝鲜东蚁蛉 *Euroleon coreaus* Okamoto（仿 鲍荣，2004）

A. 翅；B. 头及前胸背板；C. 雌虫外生殖器腹面观；D. 雄虫外生殖器腹面观；E. 受精囊。标尺：A：10mm；B，C：1mm；D，E：0.5mm

图版 8

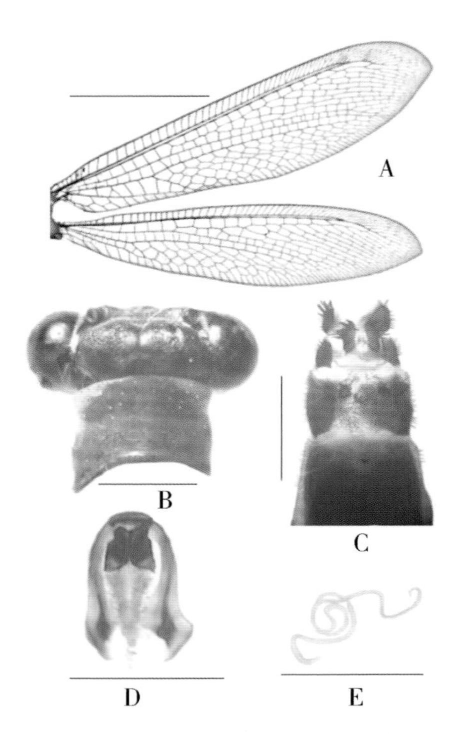

钩臀蚁蛉 *Myrmeleon bore*（Tjeder）（仿 鲍荣，2004）

A. 翅；B. 头及前胸背板；C. 雌虫外生殖器腹面观；D. 雄虫外生殖器腹面观；E. 受精囊。标尺：A：10mm；B，C：1mm；D，E：0.5mm

图版 9

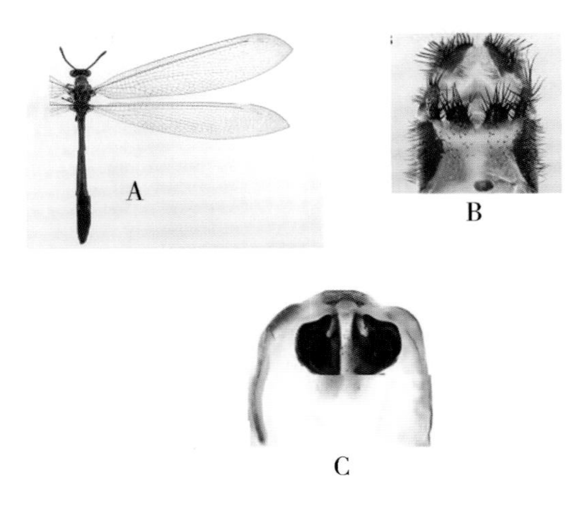

狭翅蚁蛉 *Myrmeleon trivialis* Gerstaecker（仿 敖伟光，2011）

A. 雌虫；B. 雌虫外生殖器腹面观；C. 雄虫外生殖器腹面观

图版 10

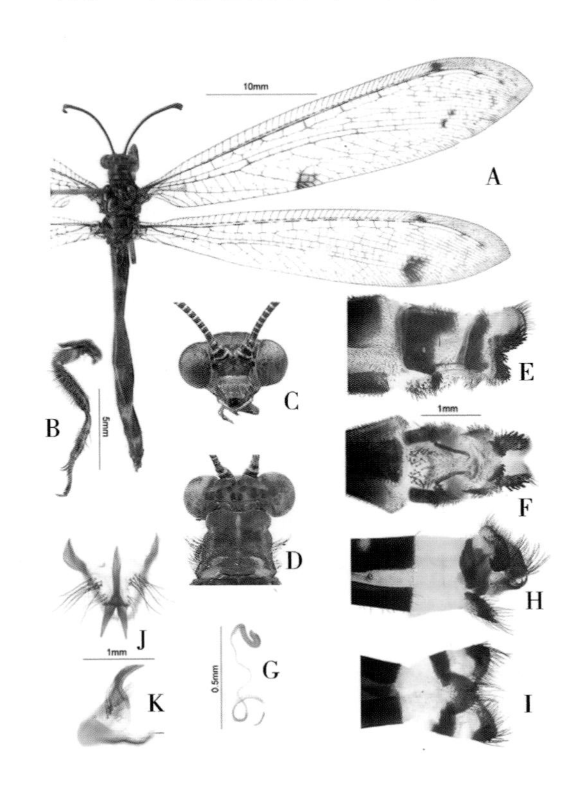

黑斑距蚁蛉 *Distoleon nigricans*（Matsumura）（仿 王爱芹，2014）

A. 雌虫；B. 前足；C. 头部正面观；D. 头顶与前胸背板；E. 雌虫腹部末端侧面观；F. 雌虫腹部末端腹面观；G. 受精囊；H. 雄虫腹部末端侧面观；I. 雄虫腹部末端腹面观；J. 生殖弧腹面观；K. 生殖弧侧面观

图版 11

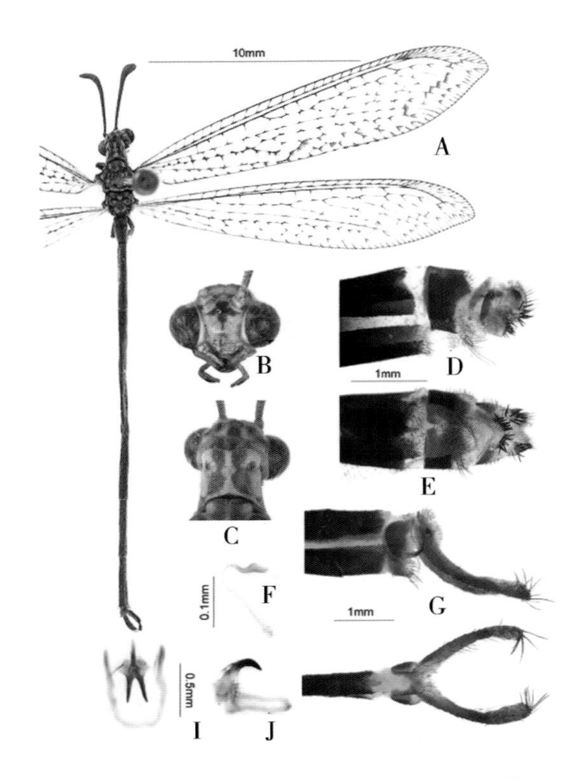

蒙双蚁蛉 *Mesonemurus mongolicus* Hölzel（仿 王爱芹，2014）

A. 雄虫；B. 头部正面观；C. 头顶与前胸背板；D. 雌虫腹部末端侧面观；E. 雌虫腹部末端腹面观；F. 受精囊；G. 雄虫腹部末端侧面观；H. 雄虫腹部末端腹面观；I. 生殖弧腹面观；K. 生殖弧侧面观

图版 12

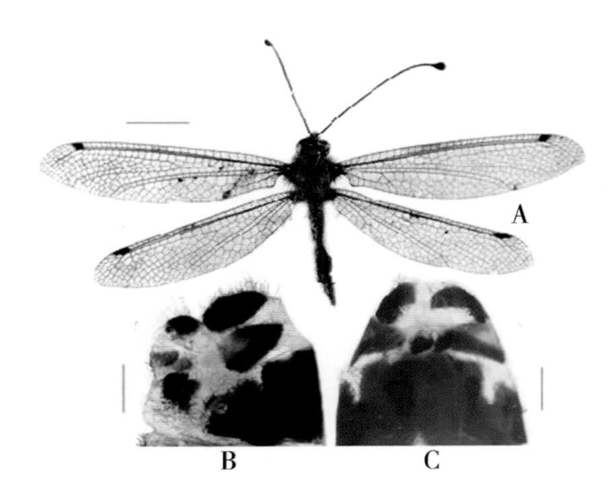

原完眼蝶角蛉 *Protidricerus exilis*（McLachlan）（仿 孙明霞，2006）

A. 雌虫；B. 雌虫生殖器侧面；C. 雌虫生殖器腹面观。标尺：A：10mm；B，C：1mm

图版 13

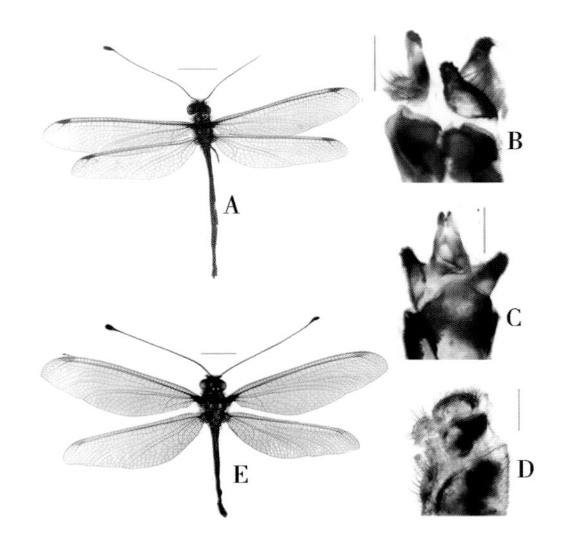

锯角蝶角蛉 *Acheron trux*（Walker）（仿 孙明霞，2006）

A. 雄虫；B. 雄虫生殖器侧面观；C. 雄虫生殖器腹面观；D. 雌虫外生殖器侧面观；E. 雌虫。标尺：A，D：10mm；B，C，E：1mm

图版 14

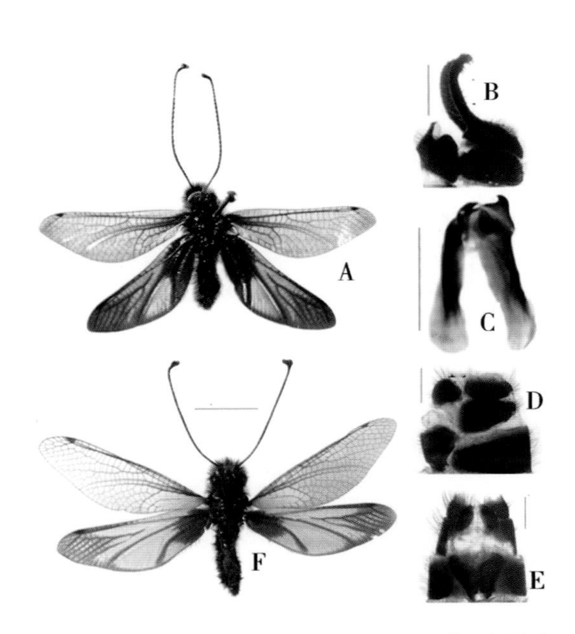

黄花丽蝶角蛉 *Libelloides sibiricus*（Eversmann）（仿 孙明霞，2006）

A. 雄虫；B. 雄虫生殖器侧面观；C. 雄虫生殖器腹面观；D. 雌虫外生殖器侧面观；E. 雌虫生殖器腹面观；F. 雌虫。标尺：A，D：10mm；B，C，E，F：1mm

图版 15

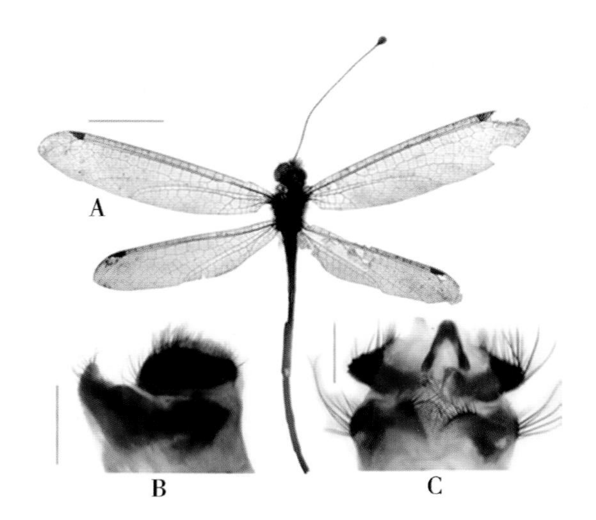

狭翅玛蝶角蛉 *Suhpalacsa umbrosa* Esben-Petersen（仿 孙明霞，2006）

A. 雄虫；B. 雄虫生殖器侧面观；C. 雄虫生殖器腹面观。标尺：A：10mm；B，C：1mm

图版 16

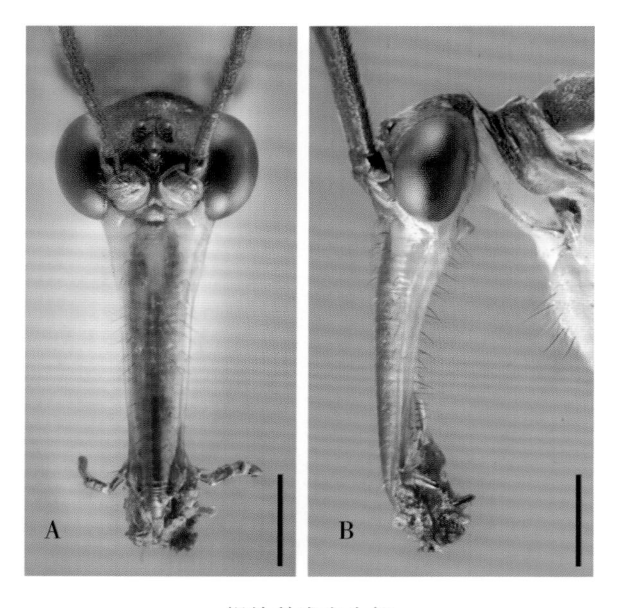

蝎蛉科成虫头部

A. 正面观；B. 侧面观

图版 17

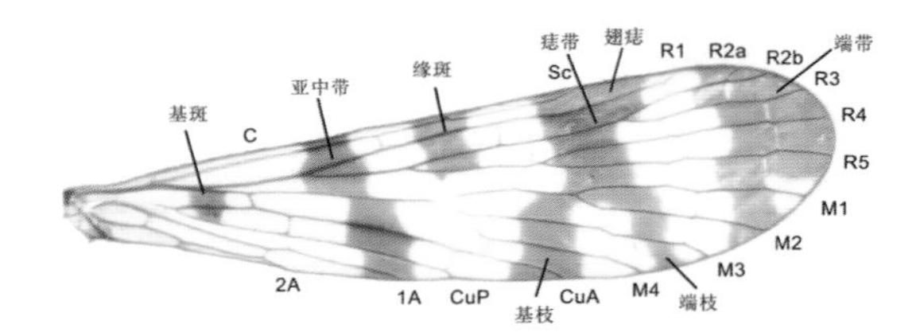

蝎蛉科翅面斑纹和脉序

图版 18

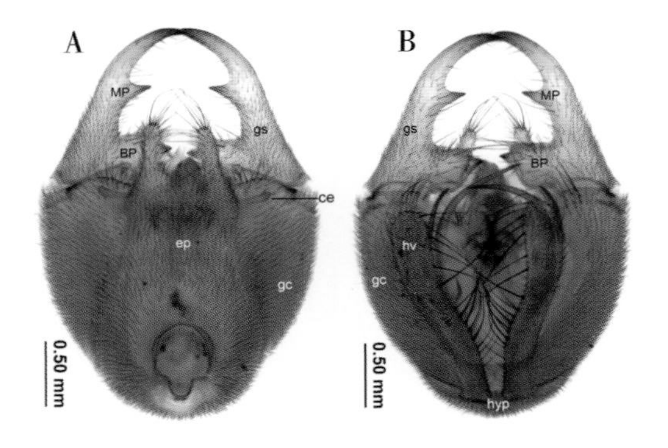

蝎蛉科雄虫外生殖器

A. 背面观；B. 腹面观；BP，基突；ce，尾须；ep，上板；gc，生殖肢基节；gs，生殖刺突；hv，下瓣；hyp，下板；MP，中突

图版 19

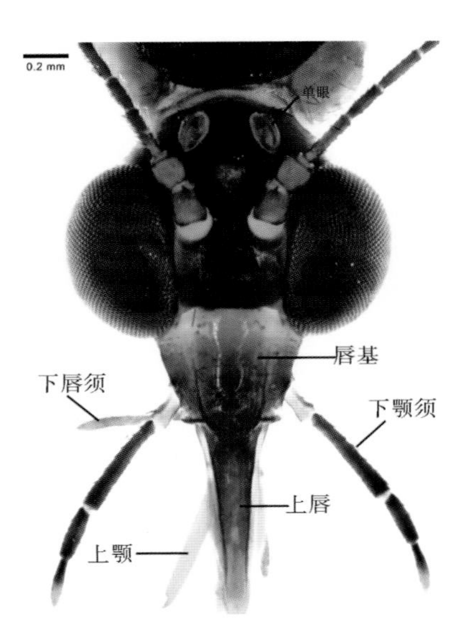

蚊蝎蛉头部正面观

图版 20

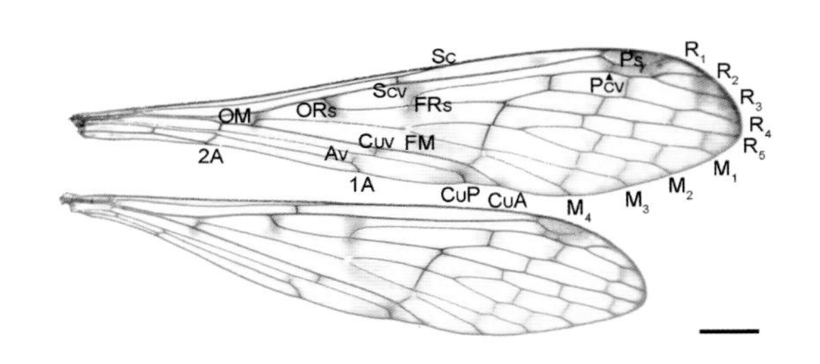

中国蚊蝎蛉 *Bittacus sinicus* Issiki，1931 右翅

A，臀脉；Av，臀横脉；CuA，前肘脉；CuP，后肘脉；Cuv，肘横脉；FM，中脉第一分叉点；FRs，径分脉第一分叉点；M，中脉，中脉起源点；ORs，径分脉起源点；Pcv，痣下横脉；Ps，翅痣；R，径脉；Sc，亚前缘脉；Scv，亚前缘横脉。标尺：2mm

图版 21

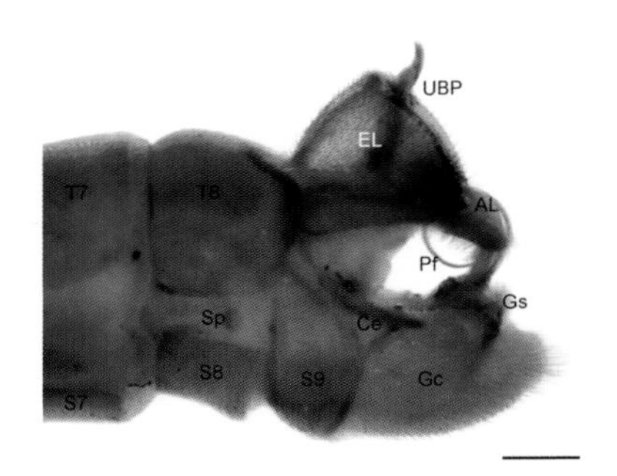

环带蚊蝎蛉 *B. cirratus* Tjeder，1956 雄虫腹部末端侧面观

AL，阳茎叶；Ce，尾须；EL：上生殖瓣；Gc，生殖肢基节；Gs，生殖刺突；Pf，阳茎丝；S，腹板；Sp，气门；T，背板；UBP，载肛突上瓣。标尺：0.5mm

图版 22

太白单角蝎蛉 *Cerapanorpa obtusa*（Cheng）幼虫

A. 1 龄幼虫；B. 4 龄幼虫.

图版 23

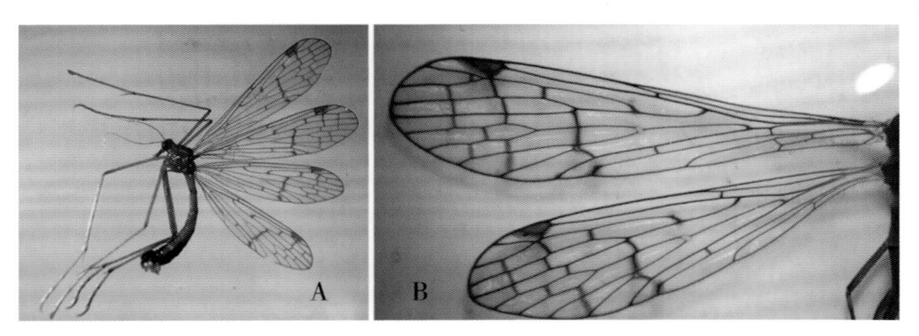

双叉蚊蝎蛉 *Bittacus bifurcatus* Hua *et* Tan 雄成虫(A)和左翅(B)

图版 24

扁蚊蝎蛉 *Bittacus planus* Cheng 雄成虫背面观

图版 25

纹翅蚊蝎蛉 *Bittacus strigatus* Hua *et* Chou 雄成虫背面观

图版 26

四边蚊蝎蛉 *Bittacus trapezoideus* 雄虫(左)、雌虫(右)成虫生态照

图版 27

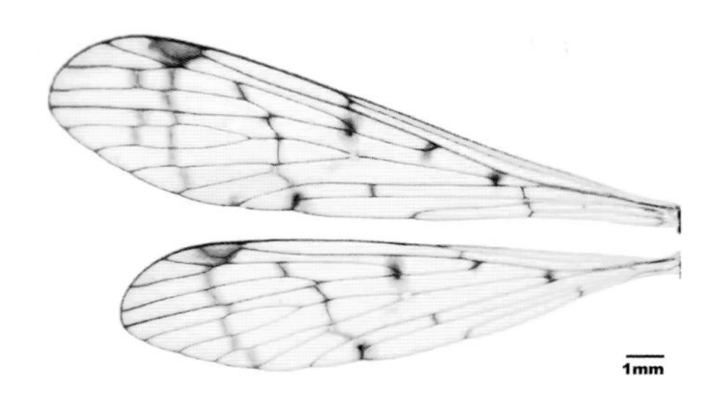

具刺地蚊蝎蛉 *Terrobittacus echinatus* 左翅

图版 28

太白单角蝎蛉 *Cerapanorpa obtusa*（Cheng，1949）

A. 雄虫；B. 雌虫；C. 雄虫背中突、后背中突侧面观；D. 雄虫腹部 5 ~ 9 节侧面观；E. 雄虫腹部第 6 节及臀角背面观；F，G. 外生殖器腹面、背面观；H. 阳茎腹面观；I. 左侧阳基侧突腹面观。Ae，阳茎；AH，臀角；BP，基突；DV，背瓣；Ep，上板；Gcx，生殖基节；Gs，生殖刺突；Hv，下瓣；LP，侧突起；MT，中齿；NO，背中突；Pm，阳基侧突；PnO，后背中突；VV，腹瓣。标尺：C，F，G：0.20mm，D：1.00mm，E：0.50mm，H，I：0.10mm

图版 29

短角单角蝎蛉 *Cerapanorpa brevicornis* (Hua *et* Li)

A. 雄虫；B. 雌虫；C，D. 外生殖器腹面、背面观；E. 右侧阳基侧突腹面观；F. 生殖板腹面观。标尺：C，D：0.25mm；E，F：0.2mm

图版 30

拜尔斯单角蝎蛉 *Cerapanorpa byersi* (Hua *et* Huang)

A. 雄虫；B. 雌虫；C. 外生殖器腹面观；D. 左侧阳基侧突腹面观；E. 生殖板腹面观。标尺：C：0.2mm，D，E：0.1mm

图版 31

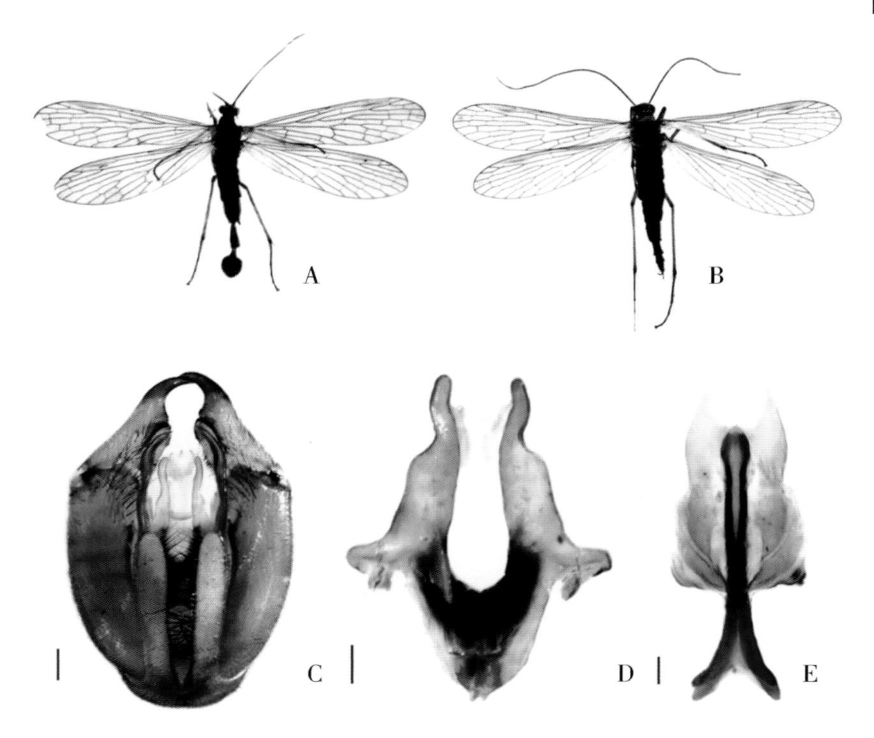

拟华山单角蝎蛉 *Cerapanorpa dubia*（Chou *et* Wang）

A. 雄虫；B. 雌虫；C. 外生殖器腹面观；D. 阳茎腹面观；E. 生殖板腹面观。标尺：C：0.2mm，D，E：0.1mm

图版 32

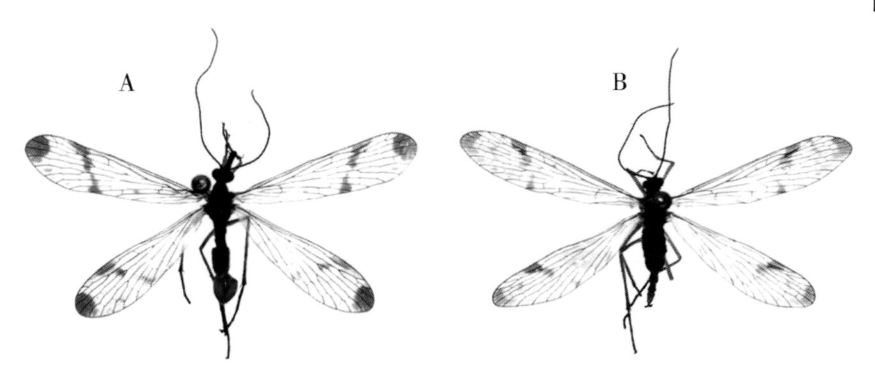

华山单角蝎蛉 *Cerapanorpa emarginata*（Cheng，1949）

A. 雄虫；B. 雌虫

图版 33

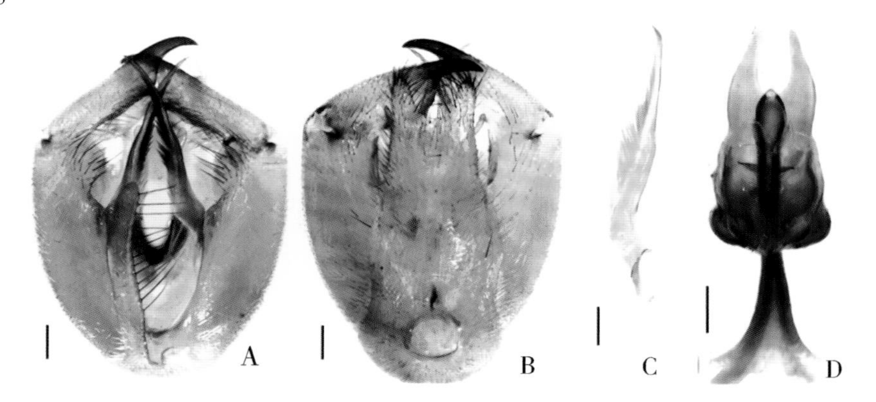

华山单角蝎蛉 *Cerapanorpa emarginata*（Cheng，1949）

A，B. 雄虫外生殖器腹面、背面观；C. 右阳基侧突腹面观；D. 生殖板腹面观。标尺：0.2mm

图版 34

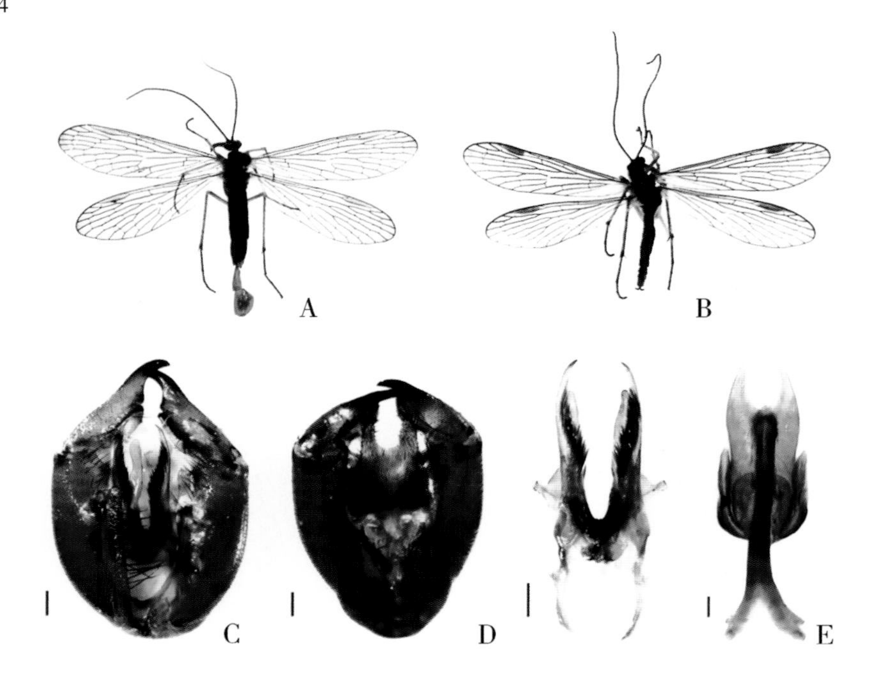

伏牛山单角蝎蛉 *Cerapanorpa funiushana*（Hua *et* Chou）

A. 雄虫；B. 雌虫；C，D. 外生殖器腹面、背面观；E. 阳基侧突和阳茎腹面观；F. 生殖板背面观。标尺：C-E：0.2mm，F：0.1mm

图版 35

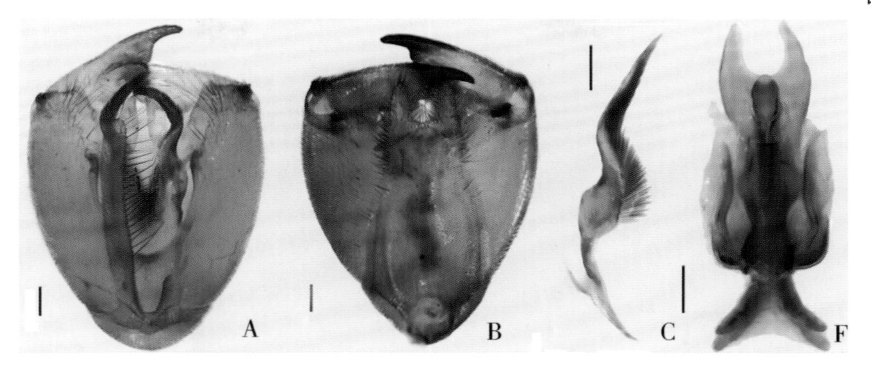

南五台单角蝎蛉 *Cerapanorpa nanwutaina* (Chou)外生殖器

A, B. 外生殖器腹面、背面观; C. 左阳基侧突腹面观; D, E. 阳茎腹面、背面观; F. 生殖板腹面观。标尺: A-F: 0.2mm.

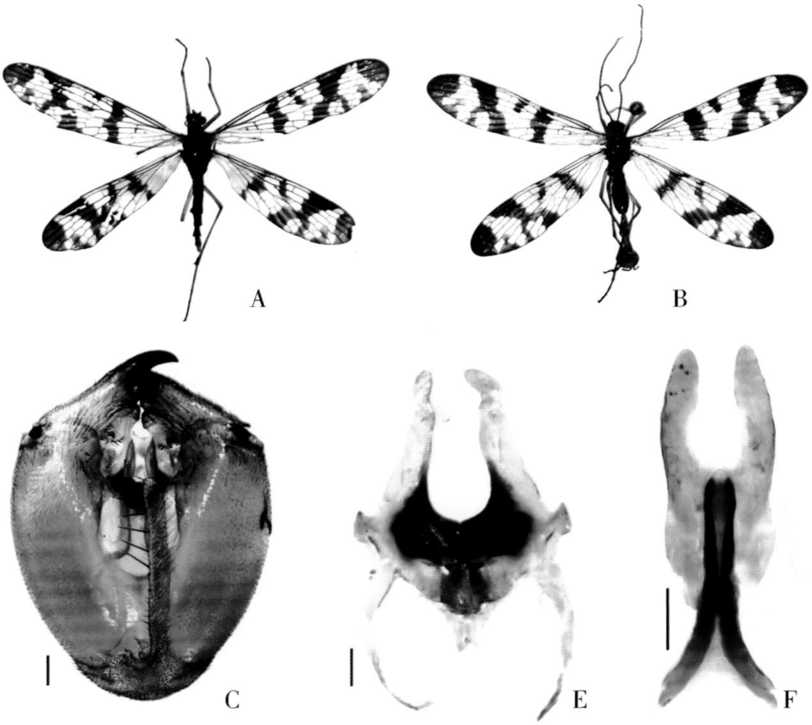

图版 36

任氏单角蝎蛉 *Cerapanorpa reni* (Chou)

A. 雌虫; B. 雄虫; C. 外生殖器腹面观; D. 阳茎腹面观; E. 生殖板腹面观。标尺: C: 0.2mm, D, E: 0.1mm

图版 37

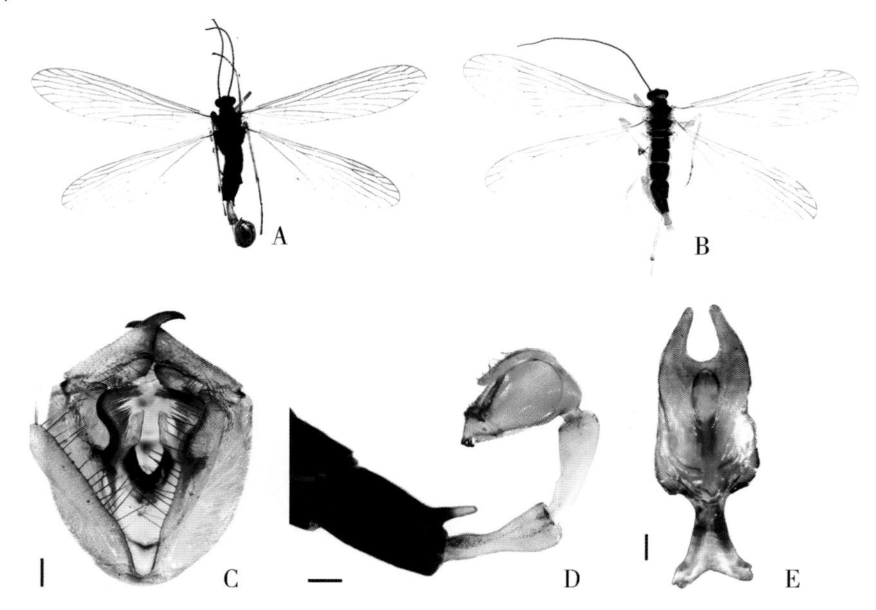

弯曲单角蝎蛉 *Cerapanorpa sinuata* Gao, Ma *et* Hua

A. 雄虫; B. 雌虫; C. 雄虫外生殖器腹面观; D. 雄虫腹末侧面观; E. 生殖板腹面观。标尺: C: 0.2mm, D: 0.5mm, E: 0.1mm

图版 38

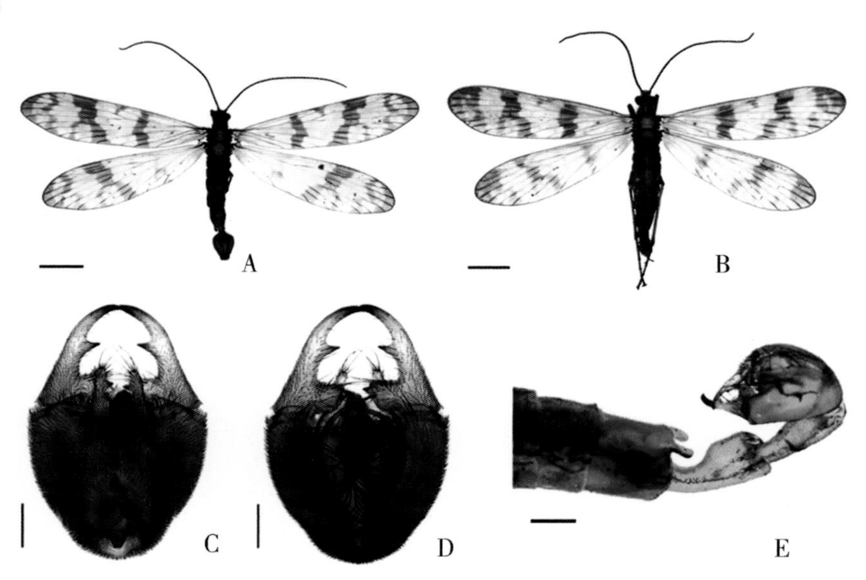

大双角蝎蛉 *Dicerapanorpa magna* (Chou)

A. 雄虫背面观; B. 雌虫背面观; C. 雄虫外生殖器背面观; D. 雄虫外生殖器腹面观; E. 雄虫腹部侧面观。标尺: A, B: 3.0mm; C-E: 0.5mm

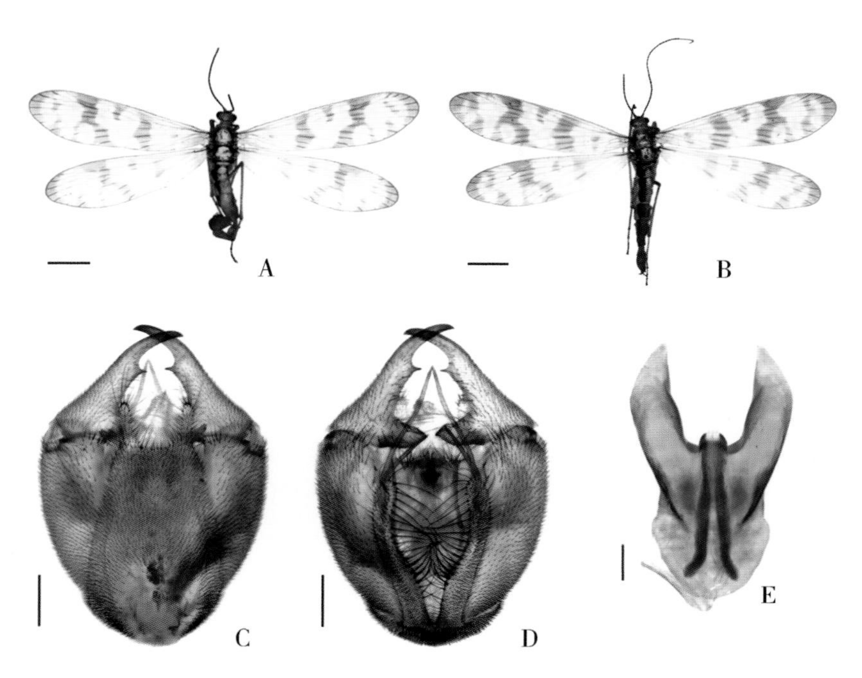

白云山双角蝎蛉 *Dicerapanorpa baiyunshana* Zhong *et* Hua

A. 雄虫背面观；B. 雌虫背面观；C，D. 雄虫外生殖器背面、腹面观；E. 雌虫生殖板腹面观。标尺：A，B：3.0mm；C，D：0.5mm，E：0.2mm

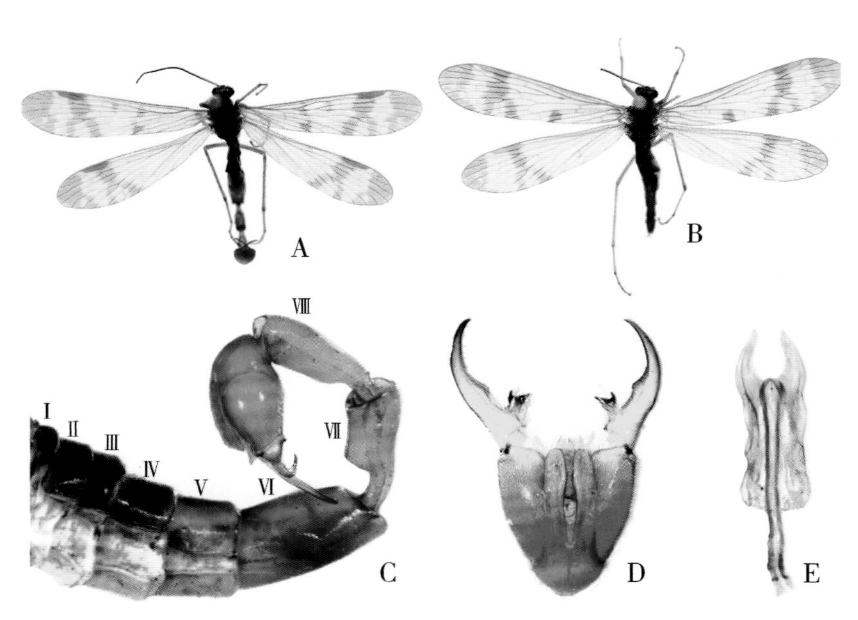

染翅华蝎蛉 *Sinopanorpa tincta*（Navás）

A. 雄虫背面观；B. 雌虫背面观；C. 雄虫腹部；D. 雄虫外生殖器腹面观；E. 雌虫生殖板腹面观

图版 41

长辨叉蝎蛉 *Furcatopanorpa longihypovalva*（Hua *et* Cai）

A. 雄虫侧面观；B. 雌虫侧面观；C. 前翅、后翅；D. 雄虫腹部腹面观；E. 雌虫生殖板腹面观

图版 42

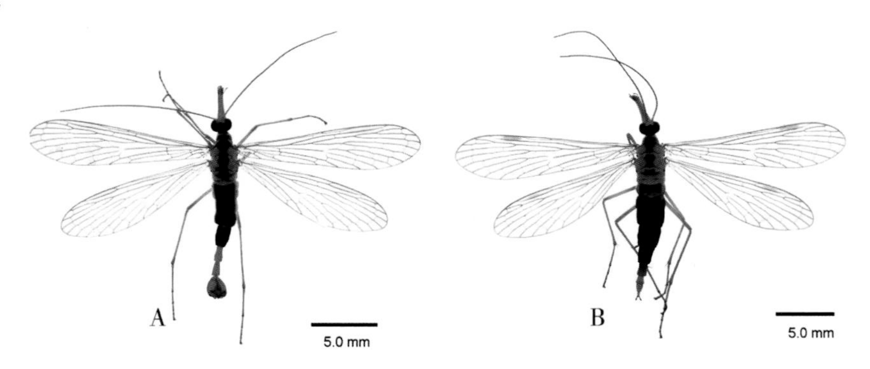

路氏新蝎蛉 *Neopanorpa lui* Chou *et* Ran 背面观

A. 雄虫；B. 雌虫

图版 43

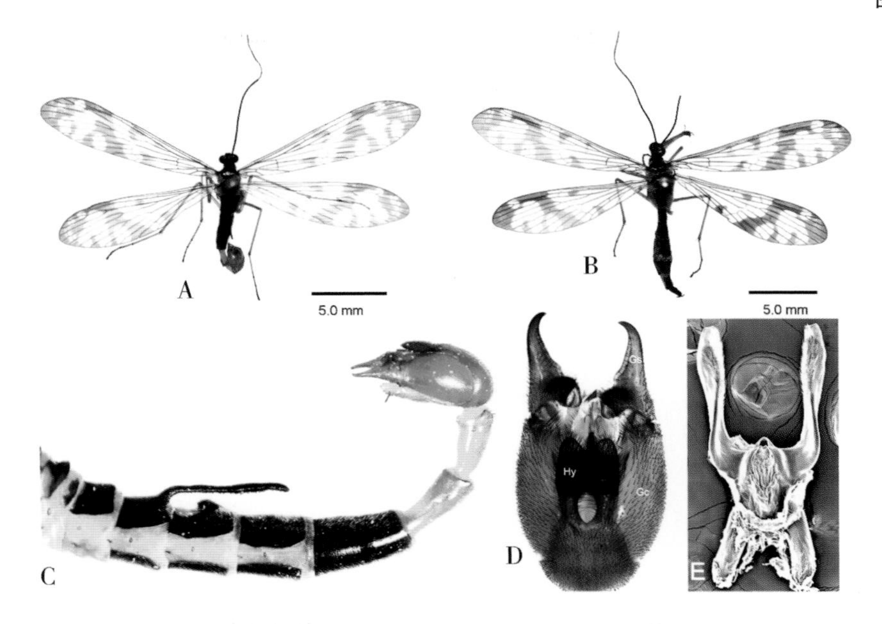

河南新蝎蛉 *Neopanorpa longiprocessa* Hua *et* Chou

A. 雄虫背面观；B. 雌虫背面观；C. 雄虫腹部侧面观；D. 雄虫外生殖器腹面观；E. 雌虫生殖板腹面观

图版 44

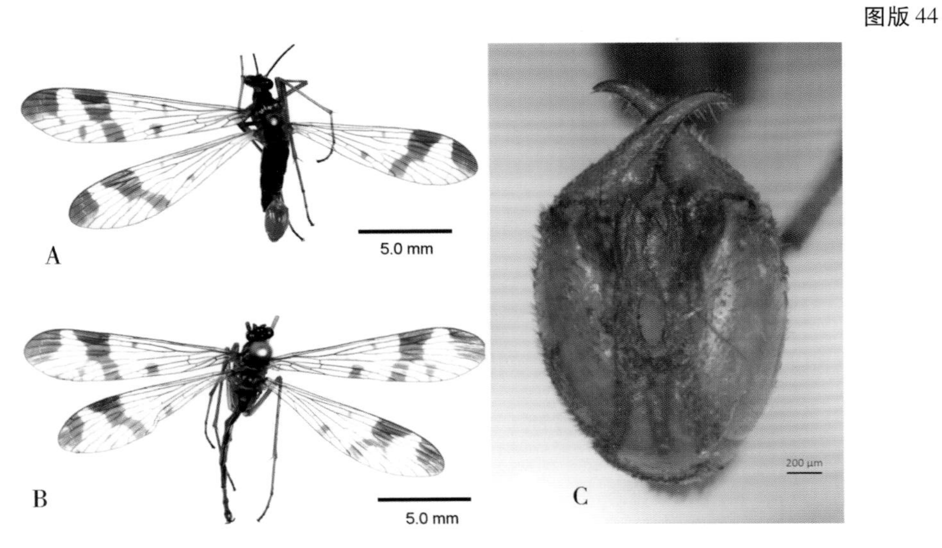

申氏新蝎蛉 *Neopanorpa sheni* Hua *et* Chou

A. 雄虫背面观；B. 雌虫背面观；C. 雄虫外生殖器腹面观

图版 45

淡色蝎蛉 *Panorpa decolorata* Chou *et* Wang

左. 雄虫；右. 雌虫

图版 46

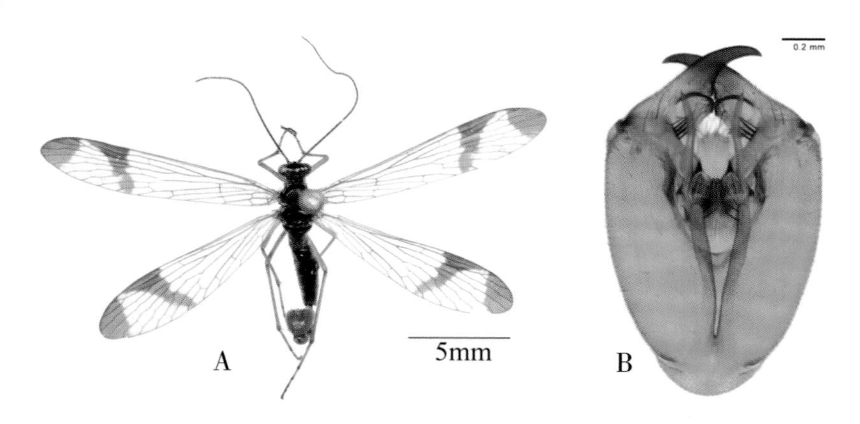

双带蝎蛉 *Panorpa bifasciata* Chou *et* Wang

A. 雄虫背面观；B. 雄虫外生殖器腹面观

图版 47

郑氏蝎蛉 *Panorpa chengi* Chou

A. 雄成虫背面观；B. 雄虫外生殖器腹面观

图版 48

淡黄蝎蛉 *Panorpa qinlingensis* Chou
A. 雄虫背面观；B. 雄虫外生殖器腹面观

图版 49

秦岭蝎蛉 *Panorpa fulvastra* Chou *et* Pan
A. 雄虫背面观；B. 雄虫外生殖器腹面观

图版 50

六刺蝎蛉 *Panorpa sexspinosa* Cheng 成虫

A. 雄虫侧背面观；B. 雄虫外生殖器腹面观

图版 51

山阳蝎蛉 *Panorpa shanyangensis* Chou *et* Wang 雌虫背面观